삼국지

나관중 지음
황석영 옮김

三國志 삼국지 1

창비

원문의 맛 그대로 느끼는 고전의 재미

'삼국지 이야기꾼'의 전성시대

내가 '삼국지'를 처음 알게 된 것은 초등학교 때인 한국전쟁 시기의 피난지 대구에서였다. 당시에 『학원』이란 청소년 잡지가 나오고 있었는데 거기에 김용환(金龍煥)의 「코주부 삼국지」가 연재되고 있었다. 나중에 알았지만 이것은 일제시대 '삼국지'의 대종을 이루었던 요시까와 에이지(吉川英治)의 번역본을 기본 줄거리로 하고 있었다. 즉 유비가 어머니를 위해 돗자리를 짜가지고 저자에 내다 팔아서 차를 구해 오다가 황건적을 만나는 일화가 첫 장면이었다.

서울수복 후 휴전이 되던 무렵인 초등학교 5학년 여름방학에 두툼한 10권짜리 『삼국지』를 대본소에서 빌렸다. 그무렵의 대본소는 전후 각 가정에서 쏟아져나온 책들을 야시장 노천의 책장에 진열해놓고, 일정한 책값을 맡겨두면 아무 책이든 빌려볼 수 있는 식이었다. 내가 그때까지 닥치는 대로 읽은 책들이란 어린이책에서 어른책에 이르기까지 대개는 이른바 '세계명작'이라고 하여, 시대와 배경이 서양이고 작가도 모두 서양인들이었다. 『삼국지』이후에 비로소 『임꺽정』이라든가 『수호지』 『서유기』 등등을 읽었다. 그렇게 동양고전을 읽는 맛을 알게 되면서 중학교에 들어가서 『열국지』 『금병매』 『홍루몽』 등을 읽었던 기억이 난다.

나는 『삼국지』를 초등학교·중학교·고등학교 그리고 군대에서 제대하고 나서도 읽었다. 그러니 유년기를 지나 소년, 청년이 되기까지 몇번이고 읽은 셈이다. 전후의 초등학교 시절에는 학교가 거의 파괴되거나 군부대시설로 사용되고 있어서 교실도 변변히 없었다. 선생님들은 결근이 잦았고 아예 부임이 늦어지는 경우도 있었으며, 몇개 학년을 겹치기로 가르치기도 해서 자습시간이 많았다. 이런 때에는 내가 단골로 앞에 나가서 책에서 본 줄거리들을 그럴듯하게 아이들에게 얘기해주는 날이 많았다. 내가 '삼국지 이야기'를 해주던 때가 이를테면 이야기꾼으로서의 전성기였던 셈이다. 나의 '삼국지 이야기'는 대번에 유명해져서 자습중인 다른 반 아이들이 우리 교실로 몰려오기도 했다. 이야기의 묘미는 아슬아슬한 대목이나 슬픈 장면에서 딱 자르고 다음 시간을 기약하는 데 있었다. 아이들이 그 다음 내용을 물으면 절대로 말해주지 않고 시치미를 떼어야 하는 데도 무지무지한 참을성이 필요했다.

번역을 마음먹기까지: 기존 번역본들에 대한 실망

방북과 망명 뒤에 옥살이를 하던 1997년이었는데, 당국에서 집필을 허용하지 않아 괴롭던 때였다. 시인 이시영, 평론가 최원식 등의 후배들이 면회를 왔다가, 7년형을 받고 옥살이를 하면서 글도 쓰지 못하는 사정이 딱했던지 『삼국지』 번역이나 해보는 게 어떻겠냐고 넌지시 권하는 것이었다. 그래 생각이 나서 옛날에 읽은 정음사판 『삼국지』를 구해보라고 했더니 1955년 무렵에 나온 판이 들어왔다. 우리가 어렸을 때 읽던 『삼국지』는 소설가 박태원(朴泰遠)의 것으로, 그가 월북해버린 뒤에 사장의 이름을 붙여서 나온 정음사판이다. 나중에 나온 것을 살펴보니 간략하게 하느라고 그랬는지 일화를 많이 줄이고 시도 빼버려서 역시 옛날의 것 같은 '읽을 맛'이 안 나서 섭섭했다.

나는 이 사람 저 사람이 면회로 오갈 때마다 넣어준 여러가지 번역본을 비교·검토해가면서 읽다가 어딘가 미흡하다는 느낌 때문에 차츰 실망하기 시작했다. 어떤 역본은 너무 원문대로를 고집한 나머지 직역에 그쳐서 은유와 인용이 엉뚱하게 해석된 곳도 보였다. 또는 여러 사람이 나누어 일을 하다보니 앞뒤 인물이나 장소의 이름이 서로 다르기도 하고 문체가 바뀐 경우도 있었다. 아니면 너무 의역을 하여 상황에 맞지 않는 대화나 상하관계가 뒤바뀌는 말투가 되기 십상이었다. 시의 경우는 더욱 심해서, 아예 빼버린 역본도 있고, 실었다 하더라도 번역이 틀린 곳이 많거나 오자·탈자가 많고, 시나 문장에 인용된 고사를 자연스럽게 반영하지 못한 것이 대부분이었다.

유럽 체류시절에 그곳 부모들이 아이들에게 고전을 많이 읽히려고 노력하는 것을 보았고, 중학교·고등학교만 가도 라틴어를 가르치고 '그리스·로마사'라든가 플루타르코스의 『영웅전〔對比列傳〕』같은 책들을 원문 교재로 쓰는 것도 보았다. 나도 어릴적에 그리고 청년기에도 『플루타크 영웅전』을 읽었다. 이 고전은 이미 15세기에 자끄 아미요(Jacques Amyot)의 불역과 토머스 노스(Thomas North)의 영역이 이루어져서 셰익스피어와 괴테의 작품에도 큰 영향을 주었다. 고전의 번역은 충실하게 원문 그대로 읽는 것이 무엇보다 중요하고, 작가가 자기 나름대로의 해석을 붙이려면 셰익스피어처럼 「씨저와 클레오파트라」를 따로 쓰면 되는 것이다. 그러므로 자신의 어떤 이념대로 평을 한다든가 새로운 해석을 붙이려면 '조조와 제갈량' 식의 새로운 창작을 하면 된다.

기존의 번역본에 불만을 느낀 내가 스스로 원문을 다시 음미하면서 번역을 해보리라 작정한 것은 나름대로 다행스런 일이었다. 한문과 우리말 공부도 다시 할 수 있었고, 글쓰기를 못하게 하던 옥살이의 고독과 답답함을 넘어서서 작가의 필력이며 상상력을 녹슬지 않게 해주었기 때문이다. 나는 세르반떼스가 전쟁에 참전했다가 포로가 되어 터키의 감옥에서 『돈 끼호떼』를 집필했다거나, 단떼가 감옥에서 『신곡』을 썼다든가 하는 일화를 되새기며 번역에 몰두했다.

당대 민중들의 꿈과 소망이 녹아들어 있는 고전 『삼국지』

『삼국지』의 어느 해설에나 나오는 이야기지만 이 책의 원래의 줄거리는 위·촉·오 삼국의 역사를 기록한 진수(陳壽)의 사서에서 출발했다. 이와같은 역사가의 기록에다 여러 시대에 걸친 민중들의 구전설화와 재담, 연희·연극 등의 공연예술, 작가·문인들의 창작이 덧붙여져서 오늘날의 『삼국지』가 이루어진 것이다. 열 중에 일곱이 사실이라면 나머지 셋이 지어낸 이야기라고 한다. 이 나머지 셋이야말로 각 시대를 통해 끈질기게 이어져내려온 민중들의 꿈과 소망이 반영되어 있는 부분이며, 어떤 의미에서는 사실보다 더욱 중요한 역사의식이다.

위(魏)나라를 이어받은 진(晉)나라를 섬긴 진수가 당연히 사서에서 위나라를 정통으로 삼았던 데 비하여, 역사소설 『삼국지〔三國志演義〕』는 촉한(蜀漢)을 정통으로 삼은 점도 의미심장하다. 당대의 관점에서 본다면 환관들과 패권적 제후들의 음모와 민중반란 속에서 기울어져가는 한나라의 정통을 세운다는 것은 역사적으로 분명히 반동이다. 그러나 이것은 당대를 떠나 여러 시대를 거치면서 형성되고 구축된 정통론이라는 것에 우리는 주목해야 한다.

내가 1974년에 대하역사소설 『장길산』을 시작하면서 '역사소설의 의의는 소설에 그려진 시대가 중요한 것이 아니라 작가가 어느 시대에 썼는가 하는 것이 더욱 중요하다. 『임꺽정』이 일제시대에 나왔다면 『장길산』은 분단시대에 나온 것이다'라고 했던 말이 떠오른다. 이는 작가의 글을 읽는 당대 사람들이 무엇을 원하며 어디로 향하고 있는가가 중요하다는 뜻이겠다.

오늘날의 원본이 있기까지 『삼국지』는 수없이 개작·첨삭되었겠지만, 크게 보면 대개 두번에 걸쳐서 집대성되었다고 할 수 있다. 처음에 원말·명초의 나관중(羅貫中)에 의해서 집필되어 전해오다가 청대에 와서 모종강(毛宗崗)이 120회로 정리해 김성탄(金聖嘆)의 서문을 붙여 간행했다. 일설에 의하면 나관중은 이민족 원나라에 항거하는 농민봉기에도 가담했으며, 그들 지도자 중의 한 사람인 장사성(張士誠)과도 관련이 있다고 한다. 그리고 명나라를 세운 주원장과 장사성은 정치적으로 알력관계였다고 하며 종종 주원장을 옛적의 조조에 비유했다고 하니 나관중의 촉한정통설의 근원을 짐작할수가 있겠다. 금(金)과 원(元)이 모두 유목민족으로 중원을 차지한 뒤에 한나라 정통성에 대한 의식은 동진·남북조·남송 대로 이어졌다. 특히 원작자인 나관중의 정치적 입장은 당대 민중의 인의론(仁義論)과 한족 정통성에 근거를 둔 것이기도 했다. 다시 모종강의 작업이 이루어졌을 때에도 중원은 만주족이 점령한 청의 통치기였다. 여기서 오히려 천하통일의 기초가 된 위를 세운 조조보다는 유비를 중심으로 줄거리가 서술되고 있는 것은 당연하다

하겠다. 조조는 귀족이었고 손권도 강남 명문제후의 후손이었지만, 촉한의 유비·관우·장비 등은 물론 제갈량까지도 당대 백성들과 거의 같은 몰락한 선비거나 지방 무뢰배에 지나지 않았다.

유비가 극도로 불리한 상황에서도 의리를 지키느라고 여포에게 여러 차례 시달린다든가, 한중 파촉을 대번에 차지할 수 있었는데도 대의명분 때문에 우여곡절을 겪으면서 가까스로 기반을 마련하는 과정을 보면 『삼국지』가 당대 민중들과 더불어 추구하려 했던 가치가 무엇인지를 짐작할 수 있다. 관운장이 온갖 영예를 뿌리치고 조조를 떠나 필마단기(匹馬單騎)로 다섯 관문 장수들의 목을 베면서 유비를 찾아가는 과정이나, 선주 유비와의 약속 때문에 어리석은 유선을 보필하다가 위나라 정벌을 떠나기에 앞서 제갈량이 「출사표(出師表)」를 올리는 대목 등에서 우리는 뜨거운 감동과 함께 눈물에 젖는다. 그러나 인덕과 의리를 추구한 유비 삼형제와 제갈량 등의 촉한은 실패한다.

의(義)를 추구했지만 현실에서 실패하고 좌절한 영웅을 기리는 백성들의 풍조는 동서고금이 다 같은데, 잔 다르끄나 엘 시드(El Cid)에 대한 서양의 많은 전설이나 우리나라 무속에서 최영(崔瑩)이나 남이(南怡) 장군을 지방마다 사당을 지어 받들고 있다든가 하는 데서 그 예를 흔히 찾아볼 수 있다.

일본에서는 오히려 조조를 높이 평가하는 경향이 있다. 때로는 그를 중심으로 『삼국지』의 기본 줄거리를 전개하는 작품도 있으며, 우리 번역본 중에도 은근히 그런 시도를 하는 경우가 없지 않은데, 이는 패권과 현실에서의 힘을 추구하는 가치관에서 비롯한 것이라고 본다. 나는 저러한 이른바 '현대적 해석'에 대해서 백성들의 보편적인 염원을 훨씬 중요하게 여기는 축이다. 따라서 나는 원본의 관점과 흐름에 적극 찬동했고, 이것이 유년시절부터 지금까지 나의 『삼국지』에 대한 일관된 애정의 원천이기도 하다.

그렇다고 해서 조조나 손권을 폄하할 필요는 없으리라. 모든 등장인물들이 그럴듯한 성격에 걸맞은 언행을 하고 있지만, 특히 조조의 성격은 그가 악역이라는 점을 염두에 두더라도 대단히 매력적이다. 우리는 적벽대전에서 패배한 조조가 죽을둥 살둥 도망치는 대목에서 신이 나지만, 그가 헛것에 시달리다 죽으면서 시녀들에게 향을 나눠주는 장면에서는 인생의 무상함과 함께 엄숙한 느낌을 갖게 된다.

이 책에서 어떤 이는 정의와 의리를 볼 것이며, 어떤 이는 권모와 술수를, 그리고 어떤 이는 경영과 처세를 읽을 것이다. 번역을 위해 『삼국지』를 찬찬히 다시 보면서 나는 읽을 때마다 자신이 처한 사정과 나이에 따라서 느낌이 달라진다는 것을 알았다. 전에는 유비 삼형제가 모두 죽어버리고 나면 신명도 없어지고 어쩐지 허전해져서 대충 읽어치우게 되었는데, 이제는 후반부로 갈수록 인생에 대한 깊은 성찰이 전해지던 것이다. 역시 『삼국지』를 읽는 맛은 가슴이 썰렁해지도록 밀려오는 사람의 일생이 덧없다는 회한과, 그에 비하면 역사는 자기의 흐름을 갖고 있으며 어떤 식으로든 옳고 그름을 판결하게 된다든가, 조금 주어진 생이지만 사람은 최선을 다해 살아야 한다는 반성 등일 것이다.

젊은이들에게 전해주고 싶은 고전의 정신과 역사의식

정음사판 외에 내가 감옥에서 접한 것 중에는 구한말에서 일제시대까지 조선의 광범위한 민중에게 읽혔던 영창서관(永昌書館) 발행의 『현토 삼국지(懸吐 三國志)』가 있는데, 원문 문장에다 읽기 쉽게 '하나니' '이거늘' 식의 토를 단 판본이었다. 이것들을 보면서 대하소설 『장길산』을 쓰던 시절 이래 오랫동안 한문서적을 보지 않아서 잊고 있던 문장독해의 감이 자연스럽게 되살아났다. 감옥에서 내가 손을 댄 것이 2권까지의 분량이다.

석방된 이후에 다른 소설 창작과 연재로 다시 손을 댈 엄두를 못 내다가 지난 99년 겨울부터는 아예 처음부터 꼼꼼히 원문을 살피면서 번역을 조금씩 진행하게 되었다. 이때에는 1999년에 강소고적(江蘇古籍)출판사에서 펴낸 번체자(繁體字) 『수상삼국연의(繡像三國演義)』를 원본으로 했다. 이 판본은 종래 우리나라에서 나온 모든 『삼국지』 번역본의 원본이 된 대만 삼민서국(三民書局)출판사의 『삼국연의』(三國演義)와는 달리, 모종강본의 오자·탈자와 오류를 바로잡은 간체자(簡體字) 텍스트인 중국 인민문학(人民文學)출판사의 『삼국연의』를 근간으로 새롭게 간행한 것이라 무엇보다 믿을 만하다고 생각했기 때문이다.

처음에 손을 대던 때에는 그냥 나 자신을 위하여 시작한 일이었지만 갈수록 고전 그대로의 정신과 역사의식을 후대에게 전해주어야 한다는 책임감이 생겨났다. 내가 수많은 번역본을 보면서 느꼈던 아쉬움을 다른 이들도 공감하고 있으리라 생각했는데, 세상에 나와서 들으니 『삼국지』가 '논술고사 시장'과 만나면서 청소년들이 많이 읽게 되었다는 소문이었다. 앞에서도 밝혔

듯이 고전은 무엇보다도 원문대로 전달이 되어야 한다. 그럼으로써 누구나 그것을 읽고 나름대로의 가치관에 따라 해석하고 비판하고 재창조할 수 있어야 한다. 특히 젊은이들에게는 고전의 정신이야말로 무한한 재생산의 보고이다.『삼국지』의 형성과정이 그렇듯이, 천년년 동안 여러 시대와 나라를 거치면서 투영된 당대 백성들의 소망이며 꿈은 역사적으로 존중되어야 마땅하다. 또 나는 한편으로 올바르게 고전의 정신을 전달하는 것뿐만 아니라 어느새 사라져버린 동아시아 사람들의 세계관이라든가 인간관을 되새기고 싶다는 생각도 했다. 일방적인 생활방법의 세계화로 자기 문명의 뿌리와 대안을 상실해가고 있는 동아시아에서 오랫동안 문화의 저변에 깔려 있던 가치들을 되돌아볼 필요가 있다고 생각한 것이다. 이러한 교양과 세계관이야말로 근대 이래 우리가 가장 소홀히했던 부분이며, 동양은 이슬람을 포함해서 아직도 도처에서 사회적 실험의 와중에 있지 않은가.

나는 이런 마음가짐으로 서두르지 않고 조금씩이라도 꾸준히 번역을 진행했다. 출판사 측에서도 속으로는 애를 태웠겠지만 '믿어준다'는 태도를 유지하면서 참을성 있게 기다려주었다. 그렇게 7년의 세월이 흘러서야 드디어 책이 나오게 된 것이다.

번역을 해나가면서 나는『삼국지』의 문체가 간결하고 객관적이며 냉정한 사실적 문체라는 느낌을 받았다. 특히 다큐멘터리를 보는 것 같고 때에 따라서는 광활한 대지의 허공에서 조감하는 것 같은 전투장면의 남성적 사실성은『삼국지』의 특성이기도 하다. 나는 주요한 전투장면에서는 건조한 원문에다 나름대로의 신명을 얹어서 좀더 박진감있게 표현하려고 덧붙여 묘사하기도 했고, 과거형이 아니라 지금 바로 눈앞에서 진행되고 있는 듯한 느낌을 주려고 현재형 문장으로 다듬기도 했다. 『삼국지』의 또다른 특징으로는 주요한 장면마다 서사시와 고전비극의 코러스나 해설자가 나와서 노래하듯이 주관적인 정서와 감정을 여성적인 시로써 표현하는 것을 들 수 있는데, 이를 내 식대로 말하자면 과연 '문무겸비의 솜씨'라 할 만하다.

무엇보다도 나는 한문실력은 접어두고라도 문장 속에 인용된 고사와 인물들에 대해 너무도 무지하다는 사실을 발견했다. 중국판과 한국판 대자전(大字典)을 붙잡고 씨름하는 사이에 시력이 옥살이할 때보다 더 나빠져서 안경을 두번이나 바꿔야 했다. 애매한 대목에서는 여러 사람들에게 문의하는 메일을 끊임없이 보내기도 했다. 등장인물이 당대보다 옛적의 일을 들어 설명할 때 연원을 몰라서는 문장도 되지 않고 대화가 엉뚱해지게 마련이었다. 그야말로 중국 고전공부를 다시 하게 된 기간이었다.

내가 초고를 넘긴 뒤에 우석대 전홍철(全弘哲) 교수는 인민문학출판사판 『삼국연의』(1953년 초판: 2002년 제3판 9쇄)까지 참조해가며 일일이 대조해 바로잡아주었다. 소설의 문장에 못지않게 중요한 원문의 시는 자신이 없어 외우 임형택(林熒澤) 교수에게서 교정을 받았고, 어떤 것은 그가 새롭게 번역을 하기도 했다. 여기에 현재 중국 화단의 원로인 왕홍시(王宏喜) 화백이 150여장의 본문 삽화와 인물도를 그렸는데, 그는 『홍루몽』을 비롯한 중국 고전문학작품들의 삽화를 그려서 화풍과 고증에서 당대 으뜸이라는 세평을 이미 받은 바 있다. 또한 창비사 편집진은 거듭 원문 대조를 하면서 세심하게 바로잡아주었다. 이렇듯 여러분들이 작업에 함께 참여했으니 이 책은 그야말로 『삼국지』 본연의 정신대로 집단창작의 방식으로 이루어진 것이라 해도 지나친 말이 아니다. 우리는 세월이 흘러도 오랫동안 읽힐 수 있는 당대의 고전으로 만들어내려고 고지식하고 성실하게 이 작업에 임했다. 여기 잘못이 있다면 그것은 모두 나의 책임이며 받아야 할 질책도 나의 것이다.

이제 이 장강 대하와도 같은 장엄한 인간 드라마에서 티끌처럼 일어났다가 스러져간 크고작은 인간들의 삶과 역사를 보면서, 우주의 섭리로 보아 저들과 거의 찰나처럼 가까이 있는 우리들의 현재를 생각해보게 되리라 믿는다.

2003년 6월 25일

황석영

● ● ● **제2권**

옮긴이의 말
일러두기

| **차례** |

| 일러두기 |

1. 이 책은 중국 인민문학출판사에서 발간한 간체자(簡體字) 『삼국연의 (三國演義)』(1953년 초판: 2002년 3판 9쇄)와 강소고적(江蘇古籍)출 판사의 번체자(繁體字) 『수상삼국연의(繡像三國演義)』(전10권, 1999년 초판)를 저본으로 했다.

2. 원문에 충실하게 번역하는 것을 원칙으로 하되, 원서의 불필요한 상투 어들(각 회 끝의 "다음 회의 이야기를 들으시길且看下回分解", 본문 중 의 "이야기는 두 머리로 나뉜다話分兩頭" 등)은 오늘의 독자들에게 맞 게 현대화했다. 또한 생동감을 살리고 독자들의 이해를 돕기 위해 건조 한 원문을 대화체로 한 부분이 있고, 주요 전투장면의 박진감을 살리기 위해 덧붙여 묘사하기도 했다.

3. 본문 중의 옮긴이주는 해당어를 우리말로 풀어옮기고 괄호 안에 그에 해당하는 한자를 병기한 뒤 이어붙이는 것을 원칙으로 했다.

4. 본문 중의 옮긴이주에서 다 밝히지 못한 전고(典故)는 별권의 고사성어 에서 자세히 풀었다.

5. 한시의 옮긴이주는 해당 시의 아래에 붙였다.

6. 본문 중의 삽화와 인물도는 원서의 것을 쓰지 않고 현대적 감각에 맞추 어 왕홍시(王宏喜) 화백에게 의뢰해 새로 그려넣었으며, 삽입 지도는 원서에 없는 것이지만 주요사건의 이해를 돕기 위해 그려넣었다.

※ 이 책은 나관중 지음, 황석영 옮김의 『삼국지』(전10권, 창비 2003)를 3권으 로 합본한 책입니다. 본문의 삽화와 지도, 내용은 기존의 책과 동일하나 권두 화보와 권말부록 등의 자료는 생략했음을 밝힙니다.

滾滾長江東逝水	장강은 넘실넘실 동쪽으로 흐르는데
浪花淘盡英雄	물거품처럼 사라진 영웅들이여
是非成敗轉頭空	시비승패 모두 눈깜짝할 사이에 공으로 돌아갔구나
靑山依舊在	청산은 옛날 그대로인데
幾度夕陽紅	붉은 석양은 몇번이나 지나갔나
白髮漁樵江渚上	강가에서 고기 잡고 나무하는 백발의 늙은이
慣看秋月春風	가을달 봄바람 익히도 보았으리
一壺濁酒喜相逢	한병 탁주로 반갑게 만나서
古今多少事	고금의 수많은 사건들을
都付笑談中	모두 다 웃으며 이야기하면서 불여나보세

* 명나라 때 문인 양신(楊愼, 1488~1559)의 작품

도원결의

세 호걸 도원에서 잔치하며 의형제 맺고
황건적을 무찔러 세 영웅은 처음 공을 세우다

  예로부터 이르기를 천하대세란 나누어진 지 오래면 반드시 합쳐지
고, 합쳐진 지 오래면 또 반드시 나누어지는 법이라 했으니, 주(周)나
라 말년에 일곱 나라로 나뉘어 다투다가 진(秦)나라로 통일이 되고,
진나라가 멸망한 뒤에 초(楚)나라와 한(漢)나라가 다투다가 다시 한
(漢)나라로 통일되었다.
  한고조 유방(漢高祖 劉邦)이 흰뱀(진나라)을 베어죽이고 의(義)를 일
으켜 천하를 통일한 뒤로 광무제(光武帝) 때에 크게 일어났다가 헌제
(獻帝)에 이르러 세 나라로 분열되었으니, 환제(桓帝)와 영제(靈帝)

때로부터 나라가 어지러워졌다.

환제는 선량한 사람들을 잡아가두고 환관(宦官)의 말만 믿었다. 환제가 죽고 영제가 즉위하자 대장군(大將軍) 두무(竇武)와 태부(太傅) 진번(陳蕃)이 좌우에서 그를 보좌했으나 환관 조절(曹節) 등이 멋대로 권세를 휘둘렀다. 두무와 진번이 은밀히 환관 조절의 무리를 처치하려 했지만 일을 치밀하게 꾸미지 못해 오히려 해를 당하고 말았다. 그뒤로 환관들의 횡포는 더욱 심해졌다.

건녕(建寧) 2년(169) 4월 보름날 일이다. 황제가 온덕전(溫德殿)에 들어 막 자리에 앉으려고 할 때였다. 전각 모퉁이에서 갑자기 일진광풍이 일어나며 난데없는 푸른 구렁이가 대들보 위에서 미끄러져 내려와 옥좌에 서리고 앉았다. 그대로 혼절하는 황제를 급히 내전으로 안아 모시고 문무백관들도 다 함께 몸을 피했다. 어느 틈엔가 구렁이는 간 곳이 없고 갑자기 우레소리와 함께 큰비가 쏟아지다가 우박까지 섞여 내리더니 밤이 깊어서야 겨우 그쳤는데, 이날 수많은 전각과 가옥이 무너지고 쓰러졌다.

다시 건녕 4년 2월에는 낙양(洛陽)에 지진이 일어나고 바닷물이 넘쳐서, 해변에 사는 백성들이 모두 해일에 휩쓸려 빠져죽었다. 광화(光和) 원년(178)에는 암탉이 변해 수탉이 되었고, 같은 해 6월 초하룻날에는 열 길이 넘는 검은 기운이 온덕전 안으로 날아들었다. 다시 같은 해 7월에는 궁궐에 무지개가 걸리고 오원산(五原山) 기슭이 모두 무너지니, 이외에도 상서롭지 못한 조짐이 끊임없이 일어났다.

"대체 이 모든 천재지변은 무엇 때문에 일어난 것이냐?"

황제가 조서를 내려 백관에게 물으니, 의랑(議郞) 채옹(蔡邕)이 상소를 올렸다.

"무지개가 나타나고 닭이 변하는 것은 모두 환관의 무리가 나라의 정사에 간여한 까닭이옵니다……"

나라를 생각하고 황제를 위하여 환관들의 죄상을 밝힌 채옹의 상소는 구구절절이 옳았다. 영제는 이 상소를 보고 한숨을 내쉬며 편전(便殿, 임금이 평소에 거처하는 궁전)으로 들어갔다. 이때 조절이 황제의 등뒤에서 몰래 엿보고는 다른 환관들에게 죄다 알리니, 환관들은 마침내 다른 일을 가지고 채옹을 죄인으로 몰아 시골로 쫓아버렸다.

그뒤로 장양(張讓)·조충(趙忠)·봉서(封諝)·단규(段珪)·조절(曹節)·후람(侯覽)·건석(蹇碩)·정광(程曠)·하운(夏惲)·곽승(郭勝) 등 열 사람이 한패거리가 되어 간교한 짓을 일삼으니 이른바 '십상시(十常侍)'가 그들이다. 황제도 일개 환관인 장양을 높여서 '아버지'라고 부르니, 나라의 정사는 날로 그릇되고 천하 인심이 반란을 생각하여 마침내 도적의 무리들이 사방에서 벌떼처럼 일어나기에 이르렀다.

이때 거록군(巨鹿郡)에 장각(張角)·장보(張寶)·장량(張梁)이라는 이름을 가진 삼형제가 있었다. 장각은 본래 과거에는 급제하지 못한 수재(秀才)로서, 일찍이 산에 들어가 약초를 캐다가 우연히 한 노인을 만났다. 노인은 푸른 눈에 동안(童顏)이었고 손에는 명아주 지팡이를 짚고 있었다. 노인이 장각을 데리고 어느 동굴 속으로 들어가더니 천서(天書) 세 권을 내어주며 일렀다.

"이 책은 '태평요술(太平要術)'이다. 너는 부지런히 배워서 마땅히 하늘을 대신해 교화를 베풀고 널리 세상사람들을 구하라. 그러나 만일에 다른 마음을 품는 날에는 반드시 벌을 받게 될 것이니, 부디 명심하여라."

장각이 절하고 그의 이름을 묻자 노인이 대답한다.

"내가 바로 남화노선(南華老仙)이니라."

노인은 말을 마치기가 무섭게 한줄기 맑은 바람으로 변하더니 사라져버렸다. 장각은 남화노선에게서 세 권의 천서를 얻은 뒤, 밤낮으로 공부해 마침내 바람을 부르고 비를 내리는 술법까지 익히고 나서 도호(道號)를 '태평도인(太平道人)'이라 했다.

중평(中平) 원년(184) 정월에 전염병이 크게 번지자, 장각은 백성들에게 널리 부적과 약물을 나누어주어 병을 고치게 하고, 스스로 일컫기를 '대현량사(大賢良師)'라 했다. 이리하여 장각은 그를 따르는 제자 5백여명에게 사방으로 뜬구름처럼 돌아다니며 백성들에게 부적을 써주고 주문을 외워주게 하니, 따르는 무리들이 날로 늘어갔다. 장각은 그들을 36방(方)으로 나누었다. 대방(大方)은 1만여명이요 소방(小方)도 6,7천명이라, 각 방마다 우두머리를 두어 장군이라 일컬었다. 그러고는 이상한 말을 지어내 세상에 널리 퍼뜨렸다.

푸른 하늘이 이미 죽었으니	蒼天已死
누런 하늘이 마땅히 서고	黃天當立
갑자년에는	歲在甲子
천하가 대길하리라	天下大吉

또한, 백성들로 하여금 '갑자(甲子)' 두 자를 각기 자기 집 대문 위에다 백토로 써놓게 하니, 청주(青州)·유주(幽州)·서주(徐州)·기주(冀州)·형주(荊州)·양주(揚州)·연주(兗州)·예주(豫州) 등의 여덟 고을 사람 치고 집집마다 '대현량사 장각'의 이름자를 받들어 모시지 않

는 사람이 없었다.

　장각은 심복 마원의(馬元義)라는 자를 시켜 은밀히 금과 비단을 가지고 '십상시'의 한 사람인 봉서를 찾아가 내통하도록 하고, 곧 장보와 장량 두 아우를 불러 일을 의논했다.

　"지극히 얻기 어려운 것이 민심인데, 이제 백성들이 모두 나를 따르는 터이다. 이때를 이용해 천하를 차지하지 않는다면 두고두고 애석하리라."

　두 아우도 물론 좋다고 서두른다. 장각은 한편으로는 황색 깃발을 만들면서 날을 정하여 거사하기로 하고, 다른 한편으로는 당주(唐周)라는 제자를 시켜 밀서를 가지고 경사(京師, 수도)로 올라가 미리 내통한 환관 봉서에게 전하게 했다. 그러나 당주는 곧바로 관아로 가서 변란을 고해바쳤다.

　영제는 곧 대장군 하진(何進)에게 군사를 주어 역모를 꾀한 마원의를 붙잡아 목을 베도록 했다. 이때에 환관 봉서 이하 관련된 자들 1천여 명을 모조리 옥에 가두었다. 일이 탄로난 것을 안 장각은 그 밤으로 군사를 일으켰다. 장각 자신은 천공장군(天公將軍), 장보는 지공장군(地公將軍), 장량은 인공장군(人公將軍)이라 각각 칭호를 정한 뒤에 무리들에게 호령했다.

　"장차 한나라의 운수가 다하려 하매 대성인(大聖人)이 나왔으니, 너희들은 마땅히 하늘의 뜻을 받들어 태평성대를 즐기라."

　각지의 백성들 가운데 누런 수건으로 머리를 싸매고 장각을 따라 일어난 자가 실로 4, 50만 명이나 되었다. 그 형세가 워낙 거대하여, 이르는 곳마다 관군의 무리는 변변히 싸워보지도 못하고 무너졌다.

　황제는 대장군 하진의 주청에 따라 황급히 조칙을 내리되, 각처의 방비를 더욱 엄중히 하고 도적을 막아 공을 세우게 하는 한편, 다시 중랑장(中郞將) 노식(盧植)·황보숭(皇甫嵩)·주준(朱儁) 세 장수로 하여금 각기 정예군사를 이끌고 세 길로 나뉘어 가서 도적을 치게 했다.

이때 장각의 무리는 이미 유주 경계까지 침범해 들어오고 있었다. 유주 태수(太守) 유언(劉焉)은 강하(江夏)의 경릉(竟陵) 사람으로 한나라 노공왕(魯恭王)의 후예다. 적병이 주 경계 밖에까지 이르렀음을 듣고 유언은 즉시 교위(校尉) 추정(鄒靖)을 불러 계교를 물었다. 추정이 대답한다.

"도적의 무리는 많고 우리 군사는 적으니, 공께서는 속히 의병을 모집하여 대적하십시오."

유언은 그 말을 옳게 여겨, 즉시 방문(榜文)을 붙이고 의병을 모집했다. 그런데 이 방문이 탁현(涿縣)에 들어가서 그곳의 영웅을 끌어내게 된다.

그는 글 읽기를 썩 좋아하지는 않았지만 천성이 너그럽고 온화하고 말이 적으며, 기쁘거나 화나거나 도무지 얼굴에 드러내지를 않고, 원래 마음에 큰뜻을 품어 오로지 천하 호걸들과 사귀기를 좋아하는 사람이었다. 키가 7척 5촌이요 두 귀가 어깨까지 늘어져 있고, 팔은 남달리 길어서 두 손이 무릎을 지나며, 눈은 자기 귀를 돌아볼 수 있을 만큼 크고 맑았으며, 얼굴은 옥처럼 깨끗하고, 입술은 연지를 칠한 듯 붉었다.

이 사람이 누군가. 그가 곧 중산정왕(中山靖王) 유승(劉勝)의 후예요 한나라 경제(景帝)의 현손(玄孫)으로, 성은 유(劉)요 이름은 비(備), 자는 현덕(玄德)이었다. 옛적에 유승의 아들 유정(劉貞)이 한나라 무제(武帝) 때에 탁록정후(涿鹿亭侯)에 봉해졌다가 황제의 제수용 상납금인 주금(酎金)을 바치지 못한 죄로 벼슬을 잃은 일이 있었는데, 그런 연유로 그 자손이 탁현에 살게 되었다.

현덕의 조부는 유웅(劉雄)이고, 아버지는 유홍(劉弘)이다. 유홍은 효성과 어진 성품을 가진 백성들 중에서 관리를 특채하는 효렴(孝廉)에 천거되어 관직에 올랐으나 일찍이 세상을 떠났다. 현덕은 어려서 아버지를 여의자 어머니를 지성으로 봉양했다. 집안이 몹시 가난하여 짚신을 팔고 돗자리를 짜는 것으로 생업을 삼았다.

그의 집은 누상촌(樓桑村)에 있었다. 집앞 동남쪽에는 다섯 길이 넘는 큰 뽕나무 한그루가 있어 멀리서 바라보면 무성한 잎이 마치 황제가 타는 수레의 덮개 같았다. 언젠가 한 점쟁이가 그 앞을 지나다가 유비의 집을 바라보고는 이렇게 말했다고 한다.

"이 집에서 반드시 귀인이 나리라."

현덕도 어렸을 때 동네아이들과 함께 이 나무 아래서 장난치고 놀다가 이렇게 말했다.

"나는 이담에 황제가 되어서 이런 덮개 있는 수레를 탈 테니, 너희들 두고 보아라."

그의 숙부 유원기(劉元起)는 이 말을 듣고 기특하게 생각했다.

"이 아이는 보통 아이가 아니구나!"

그래서 그는 현덕이네 가난한 살림에 양식거리라도 늘 도와주곤 하였다.

현덕의 나이 15살에 어머니는 그를 다른 지방으로 유학을 보냈다. 이를 계기로 그는 당대의 높은 선비 정현(鄭玄)과 노식(盧植)에게서 글을 배우고, 공손찬(公孫瓚) 등을 벗으로 사귀었다.

유주 태수 유언이 방문을 붙여 의병을 모집할 때, 현덕의 나이는 이미 28살이었다. 현덕이 거리에 붙은 방문을 보고 세상 돌아가는 꼴에 저도 모르게 길게 한숨을 쉬며 탄식하는데, 누군가 등뒤에서 소리를 버럭 지른다.

"사내대장부가 나라를 위해서 힘을 내려고는 하지 않고 어째서 긴 한숨만 쉬고 있단 말이오?"

현덕이 고개를 돌려 보니 젊은 사람이 분명한데, 키는 8척이요 머리는 표범 같고, 두 눈은 부리부리한 고리눈, 제비턱에 범의 수염으로 목소리는 우레 같고, 그 기상은 마치 달리는 말과 같았다. 현덕은 이 젊은이가 보통사람이 아니라는 것을 대번에 알아보고는 예를 갖추어 물었다.

"귀공은 뉘신지요?"

"나는 장비(張飛)라는 사람으로 자는 익덕(翼德)이오. 대대로 탁군에 장원과 토지를 가지고 살면서 술을 팔고 도야지 잡아 지내오거니와, 천하 호걸들과 사귀기를 좋아하는 터에 노형이 방문을 보고 한숨 짓기에 내가 한마디 물어본 게요."

"소생은 본래 한실 종친으로 성명은 유비, 자는 현덕이라는 사람이오. 황건적이 반란을 일으켰다는 소문을 듣고, 도적을 쳐서 백성들을 편안하게 할 생각은 간절하오마는, 다만 힘이 못 미쳐 탄식하던 중이외다."

장비가 말한다.

"내 약간의 재산을 가진 것이 있으니, 이 고을 장정들을 모아서 우리 함께 대사를 도모하는 것이 어떻겠소?"

두 사람은 너무나 기뻐서 그 길로 즉시 근처 주막을 찾아들어 마주

앉아서는 술을 들게 되었다. 그들이 앞일을 의논하며 몇잔 술을 나누고 있을 때, 수레 한 채가 주막 문앞에 와 멈추어섰다. 그러더니 덩치 큰 장부 하나가 수레에서 내려 안으로 성큼 걸어들어오며 주보(酒保, 술을 파는 사람)에게 말한다.

"나 술 한잔 빨리 주오. 방문을 보고 속히 성으로 들어가 의병에 지원하려는 길이오."

그 말에 현덕이 고개를 돌려 그 사나이를 보았다. 당당한 9척 장신에 수염의 길이가 두 자는 되어 보이고, 얼굴은 무르익은 대춧빛이요, 입술은 연지를 칠한 듯하며, 봉의 눈에 누에 눈썹의 그 모습이 늠름하고 위풍당당했다. 현덕이 합석하기를 청하고 그 이름을 물었다.

"내 성은 관(關), 이름은 우(羽)요, 자는 본래 장생(長生)이던 것을 고쳐서 지금은 운장(雲長)이라 하는데, 하동(河東) 해량(解良)이 고향이오. 내 고향에 토호 한놈이 권세를 믿고 하도 사람을 업신여겨서 때려죽여버리고 5, 6년 동안 강호로 피해다녔소. 이번에 이곳에서 의병을 모집한다는 말을 듣고 지원하려고 찾아가는 길이오."

현덕이 자기들의 뜻도 그러하다고 말하니 운장은 크게 기뻐했다. 세 사람은 장비의 장원으로 가서 함께 대사를 의논했다. 장비가 말한다.

"내 집 뒤에 복숭아 동산이 있어 지금 한창 꽃이 만발하오. 내일 뒷동산에서 하늘과 땅에 제를 지내고, 우리 세 사람이 의형제를 맺은 다음에 힘과 마음을 합해야만 대사를 도모할 수 있지 않을까 하는데, 두 분 의향은 어떠시오?"

현덕과 운장은 한목소리로 대답한다.

"그거 좋소!"

이튿날, 도원(桃園)에서 검정 소와 흰 말 한 마리에 갖은 제물을 차려놓고 세 사람은 분향재배하고 맹세했다.

"저희들 유비·관우·장비가 비록 성은 다르나 이미 의를 맺어 형제가 되었은즉, 마음을 같이하고 힘을 합해 어려운 자와 위태로운 자를 구하며, 위로는 나라에 보답하고 아래로는 백성들을 편안케 하되, 저희가 동년 동월 동일에 태어나지는 못하였으나 다만 동년 동월 동일에 함께 죽기를 원하오니, 황천후토(皇天后土)는 이 마음을 굽어살피시어 의리를 배반하고 은혜를 잊거든 하늘과 사람이 함께 죽여주소서."

하늘에 맹세하기를 마치자 관우는 현덕에게 절하여 둘째가 되고, 장비는 현덕과 운장에게 차례로 절하여 막내가 되었다. 세 사람은 하늘에 맹세하고 나서 소 잡고 술을 준비하여 잔치를 벌이고 장정들을 모집하니, 모여든 고을 장정들이 3백여명이다. 그들은 도원에서 한껏 술을 마셔 모두 취했다. 다음날 군기를 수습하는데, 칼·창·활과 화살 따위는 대강 고을 안에서 마련할 수 있었으나 다만 타고 나설 말이 없는 것이 한이었다. 한창 궁리들을 하고 있는 판에 한 사람이 들어와 아뢰기를, 낯선 길손 두명이 여러명의 부하들을 거느리고 한떼의 말을 몰아 이리로 오고 있다는 것이었다. 현덕이 말한다.

"이는 하늘이 우리를 도우심이로다!"

현덕은 관우·장비와 함께 나가서 그들을 영접해 들인다. 그 두 사람은 본래 중산(中山)의 대상(大商)으로 한 사람은 장세평(張世平)이라 하고, 또 한 사람은 소쌍(蘇雙)이라 했다. 그들은 해마다 북방으로 가서 말을 팔곤 했는데, 이번에는 황건적의 난이 나서 길이 막히는 바람에 중도에서 되돌아오는 길이라 했다.

현덕은 두 사람에게 은근히 술을 권하며 도적을 치고 백성들을 편

세 호걸은 도원에서 의형제를 맺다

안히하고자 하는 자신들의 뜻을 밝혔다. 두 사람 모두 그들의 뜻을 장히 여겨 좋은 말 50필과 함께 금은 5백냥, 강철 1천근을 군용에 써달라며 내놓았다.

깊이 사례하여 그들을 보낸 뒤에, 세 사람은 솜씨가 빼어난 장인에게 명하여 현덕은 자웅 두 자루가 한쌍을 이루는 쌍고검(雙股劍)을, 운장은 82근짜리 긴 자루가 붙은 반달 모양의 큰칼인 청룡언월도(靑龍偃月刀, 냉염거冷艶鋸)를, 익덕은 길이 1장 8척에 자루 끝에 뱀처럼 구불구불한 창날을 붙인 장팔사모(丈八蛇矛, 장팔점강모丈八點鋼矛)를 각기 만들어 가졌다. 그들은 투구와 갑옷을 만들어 입은 다음, 모집한 용사 5백여명을 거느리고서 유주의 교위 추정을 만나러 갔다. 추정은 현덕 일행을 태수 유언에게로 안내했다. 세 사람이 각기 인사를 하는데, 현덕이 같은 한나라 종실이라는 말을 꺼내자 유언은 자기 조카뻘이 된다면서 더욱 기뻐했다.

며칠이 안 가서 황건적의 대장 정원지(程遠志)가 군사 5만을 거느리고 탁군으로 쳐들어왔다. 유언은 교위 추정에게 유비·관우·장비 세 사람과 함께 군사 5백여명을 거느리고 나아가 도적을 물리치라 했다. 세 사람은 흔쾌히 군사를 이끌고 성을 나가서 바로 대흥산(大興山) 아래 이르러 적병과 만났다. 도적의 무리들은 황건적이란 이름 그대로 모두들 산발한 머리를 누런 수건으로 싸매고 있었다.

서로 진을 치고 대적하자 현덕은 말을 타고 앞으로 썩 나섰다. 운장과 익덕이 좌우에서 따른다. 적진에서 정원지가 나왔다. 현덕은 곧 채찍을 들어 가리키며 큰소리로 꾸짖는다.

"나라를 배반한 역적놈이 어찌하여 빨리 항복하지 않는가!"

정원지가 크게 노하여 부장(副將) 등무(鄧茂)를 내보냈다. 이를 보

고 장비는 즉각 장팔사모를 빼어들고 득달같이 내달아. 미처 등무가
손을 놀려볼 사이도 없이 한창에 그의 가슴 한복판을 꿰어버렸다. 등
무는 그대로 피투성이가 되어 말 아래 거꾸러진다.

더욱 노하여 칼을 휘두르며 몸소 말을 재우쳐 나선 정원지는 곧바
로 장비에게 달려들었다. 이때 운장이 청룡언월도를 춤추듯 휘두르며
내달았다. 정원지가 그 장한 기세에 놀라 겁부터 집어먹고 얼른 말머
리를 돌려 달아나려 한다. 운장이 그대로 쫓아들어가며 휘두른 청룡
도가 한번 번뜩하자 손쓸 겨를도 없이 그의 몸은 두 동강이로 베어져
땅위에 굴렀다.

후세 사람이 시를 지어 관우와 장비를 이렇게 찬양했다.

오늘 아침에 영웅의 숨겨진 재주 드러나니	英雄露穎在今朝
한 사람 창을 쓰고 한 사람 칼을 쓰네	一試矛兮一試刀
첫 싸움에 문득 위력을 펼쳤으매	初出便將威力展
삼분천하에 명성이 드날리네	三分好把姓名標

대장 정원지가 죽는 것을 보고 도적의 무리는 창자루를 거꾸로 쥐
고 앞을 다투어 달아났다. 현덕이 때를 놓치지 않고 군사를 휘몰아 그
뒤를 급히 몰아치니, 칼과 창을 내던지고 투항하는 자가 태반이었다.
한바탕 싸움에 크게 이기고 세 사람은 항복받은 도적의 무리들을 앞
세우고 돌아왔다. 태수 유언은 매우 기뻐하며 친히 성밖에 나와서 그
들을 영접하고 군사들에게 후히 상을 내렸다.

이튿날 청주(靑州) 태수 공경(龔景)에게서 편지가 왔다. 황건적에
게 성을 포위당하여 형세가 심히 위태로우니 급히 구원해달라는 내용

이었다. 유언이 현덕을 불러 상의했다. 현덕은 서슴지 않고 자청한다.

"제가 구하러 가겠습니다."

유언은 즉시 교위 추정에게 명하여 군사 5천을 거느리고 현덕·관우·장비와 더불어 청주로 가게 했다. 청주성 밖에 이르니 철통같이 성을 둘러싸고 있던 적병은 구원병이 도착한 것을 알고는, 즉시 군사를 나누어 달려들었다. 중과부적(衆寡不敵)임을 깨달은 현덕은 더 싸우려 하지 않고 군사를 거두어 30리 밖으로 물러나 영채를 세웠다. 현덕은 관우·장비에게 말한다.

"도적의 무리는 많고 우리 군사는 적으니 아무래도 기병(奇兵)을 써야만 이길 것 같네."

운장은 1천군을 거느리고 산 좌측에, 익덕은 1천군을 거느리고 산 우측에 매복하고 있다가 징소리를 신호로 일시에 달려나와 싸우도록 했다.

다음날, 현덕은 추정과 함께 군사를 거느리고 북치고 고함을 지르며 앞으로 나아가자 도적의 무리도 나와서 맞서싸운다. 한참을 싸우다가 갑자기 현덕이 군사를 돌이켜 달아나자 도적들이 아우성치며 뒤를 급히 쫓았다. 쫓고 쫓기며 바야흐로 산모퉁이를 지나려 할 때였다. 현덕의 진 속에서 갑자기 요란한 징소리가 울리더니 산 좌우에서 복병이 함성을 지르며 내달았다. 좌우 양군이 일시에 내달아 협공하자, 거짓으로 패해 달아나는 척하던 현덕도 군사를 돌이켜서 한꺼번에 몰아친다. 세 방면에서 휘몰아치는 기세에 도적의 무리는 견뎌내지 못하고 어지러이 흩어지며 달아난다. 현덕은 군사를 더욱 급히 몰아 바로 청주성 아래까지 쫓아간다. 성루에서 이 광경을 지켜보던 태수 공경이 급히 군사를 거느리고 나와 싸움을 도왔다. 결국 적병은 크게 패하여 헤아릴 수 없이 많은 자들이 목숨을 잃었으며, 청주성은 마침내 위기에서 벗어날 수 있었다.

후세 사람이 시를 지어 유현덕을 이렇게 찬양했다.

계책을 내어서 신공을 세웠으니   運籌決算有神功

두 호랑이 아무래도 한 용에 못 미치네   二虎還須遜一龍

첫 싸움에 나가 위엄을 드리우니   初出便能垂偉績

창업의 정한 운세 현덕에게 있었구나   自應分鼎在孤窮*

* 고궁은 황제가 되기 전의 현덕을 가리킴

청주 태수 공경은 크게 잔치를 베풀어 기쁨을 나누었다. 군사들에게 술과 음식을 배불리 먹이고 나자 추정이 그만 돌아가야겠다고 하며 몸을 일으켰다. 현덕이 추정에게 말한다.

"듣자니 요즘 중랑장 노식 선생께서 황건적의 두목 장각과 광종(廣宗)에서 싸우고 있다 합니다. 나는 아무래도 그곳으로 가서 옛스승이신 노식 선생을 도와드려야 할 것 같습니다."

이에 추정은 군사를 거느리고 돌아가고, 현덕은 두 아우와 더불어 본부병 5백명을 거느리고 청주성을 떠나 광종으로 갔다.

이때 노식은 5만군을 거느리고 15만 도적의 무리들과 광종에서 맞서다가 현덕이 찾아와 인사하며 도우러 왔다고 하자 몹시 반가워하면서 자기 곁에서 출정 지시를 받도록 했다. 노식이 현덕에게 말한다.

"나는 지금 적을 포위한 채 이러고 있네. 허나 장각의 아우 장보와 장량이 우리 장수 황보숭·주준과 영천(潁川)에서 한창 싸움중일세. 내 생각에 자네는 본부 군사와 내가 주는 1천군을 거느리고 곧 영천으로 가서 적의 상황을 탐지하여 날을 정해 도적을 무찌르는 것이 좋겠네."

현덕은 영을 받자 다시 군사를 이끌고 한밤중에 영천으로 향했다.

이때 영천에서는 적장 장보와 장량이 황보숭·주준의 관군과 싸우다가 전세가 불리해지자 무리들을 이끌고 장사(長社)로 물러나 풀을 엮어 영채를 세우고 있었다. 황보숭은 주준과 더불어 계책을 의논한다.

"도적들이 숲속에다 영채를 세웠으니 화공법(火攻法)을 써서 공격하는 것이 좋을 성싶소."

두 사람은 즉시 군사들에게 영을 내려, 군사 한명당 풀 한 묶음씩을 가지고 가만히 적진 가까이 가서 매복하게 했다. 그날따라 어둠이 짙고 바람 또한 거세게 불었다.

2경(밤 10시) 이후 매복한 군사들이 일제히 불을 질러 사방에서 불길이 치솟자, 황보숭과 주준은 각기 군사를 휘몰아 적진을 치기 시작했다. 아무 방비도 없이 기습을 당한 도적의 무리들은 너무나 놀라고 당황한 나머지, 갑옷을 챙겨입기는커녕 말에 안장을 얹을 겨를조차 없이 사방으로 달아나기 바빴다. 관군의 추격은 조금도 늦추어지지 않았고, 날이 훤히 밝아올 무렵까지 쫓고 쫓기는 싸움이 계속되었다. 지칠 대로 지친 장보와 장량이 남은 군사를 이끌고 간신히 길을 찾아 달아나는데, 저만치 앞에서 난데없는 한떼의 군마가 붉은 기를 나부끼며 달려오더니 길을 가로막는다.

아연실색하여 바라보니, 7척 신장에 눈이 가늘고 수염이 긴 장수가 군사를 거느리고 선두에 서 있다. 그는 다름아닌 패국(沛國) 초군(譙郡) 태생의 조조(曹操)로, 자는 맹덕(孟德)이며 관직은 기도위(騎都

尉)였다. 본래 그는 하후(夏侯)씨 집안이었으나 그의 아비 조숭(曹嵩)이 중상시(中常侍) 조등(曹騰)에게 양자로 들어간 까닭에 조씨 성을 가지게 된 것이다. 그의 어릴 적 이름은 아만(阿瞞)이며, 길리(吉利)라고도 불렀는데, 어려서부터 사냥을 좋아하고 가무를 즐겼으며 꾀가 많아 임기응변에 능했다.

한번은 이런 일이 있었다. 조조에게는 숙부가 있었는데, 조조가 마냥 놀기만 하는 것을 보고 조숭에게 고하여 꾸지람을 듣게 했다. 아버지에게 책망을 당한 조조는 궁리 끝에 숙부를 골탕먹일 방법을 생각해냈다. 어느날 그는 숙부가 들어오기를 기다렸다가 갑자기 땅에 쓰러지며 중풍에 걸린 사람처럼 버둥거렸다. 숙부는 깜짝 놀라 조숭에게 달려가 이 사실을 알렸다. 아비가 소스라쳐 놀라 급히 와보니, 조조는 언제 그런 일이 있었냐는 듯 멀쩡한 모습으로 방에 앉아 글을 읽고 있었다.

"네 숙부 말로는 중풍으로 쓰러졌다고 하던데, 어찌 된 노릇이냐?"

아비의 물음에 조조는 너무도 억울하다는 얼굴로 대답했다.

"중풍이라니요? 무슨 말씀이신지…… 아마도 숙부께서 저를 미워하시는 까닭에 가끔 없는 말을 지어내시나 봅니다."

조숭은 자식의 말을 믿고 다음부터는 아무리 아우가 와서 조조의 잘못을 말해도 다시는 곧이들으려 하지 않았다. 그런 일이 있은 후로 조조의 장난은 더욱 심해져 제멋대로였다. 당시에 교현(橋玄)이라는 사람이 일찍이 조조에게 이렇게 말한 일이 있다.

"장차 천하가 어지러울 때에 하늘이 낳은 재주가 아니면 구하지 못할 터인데, 앞으로 능히 천하를 편안히할 사람은 오직 자네뿐일세."

또한 남양(南陽) 사람 하옹(何顒)도 그를 보더니 이렇게 말했다.

"한실(漢室)이 장차 망할 때 천하를 편안히할 사람은 오직 이 사람뿐이로다."

사람을 잘 보기로 유명한 여남(汝南)의 허소(許劭)라는 이가 있었다. 조조는 이 사람을 찾아가 물었다.

"나는 장차 어떤 인물이 되겠습니까?"

허소는 잠시 얼굴을 바라볼 뿐 아무 말이 없다가, 조조가 거듭 묻자 마침내 대답했다.

"그대는 치세(治世)의 능신(能臣)이고, 난세(亂世)의 간웅(姦雄)이 될 것이다."

이 말을 듣고서야 조조는 비로소 기뻐하며 만족스러워했다고 한다.

조조는 나이 20세에 효렴(孝廉)에 천거되고 낭관에 이어 낙양(洛陽) 북부위(北部尉)가 된다. 그는 부임하자마자 오색봉(五色棒) 10여 개를 사대문에 세워놓고서, 누구든 법을 어길 경우 지위 고하를 막론하고 그 몽둥이로 죄를 다스렸다.

어느날 중상시 건석(蹇碩)의 삼촌이란 자가 조카의 권세를 믿고 금령(禁令)을 무시한 채 야밤에 칼을 차고 돌아다니다가 순찰중이던 조조에게 걸려 오색봉으로 죽지 않을 만큼 두들겨맞은 일이 있었다. 이 일이 있은 뒤로 감히 법을 어기는 자가 없어지고 조조의 이름은 널리 알려지게 되었다.

북부위를 지낸 후 그는 다시 돈구령(頓丘令)이 되었다가 황건적의 난리가 일어나자 기도위(騎都尉)로 임관되었다. 그리하여 그는 마보군 5천을 거느리고 영천으로 싸움을 도우러 오는 길에, 마침 패잔군을 이끌고 도망하는 장보·장량의 무리를 만나기에 이른 것이다.

조조는 한바탕 싸움에 적의 머리를 1만여 급(級)이나 베고, 깃발과 징과 북, 말 따위를 무수히 노획했다. 장보·장량이 죽기로써 싸워 간신히 혈로를 뚫고 달아나자, 조조는 잠깐 황보숭·주준 두 장수에게 인사만 건네고는 계속해서 적군의 뒤를 쫓았다.

한편 현덕은 관우·장비와 더불어 영천으로 오는데, 문득 산 너머에서 함성이 크게 들려오며 타오르는 불길이 하늘을 찌르는 듯했다. 현덕 일행은 바삐 말을 달려 산을 넘었다. 그러나 그들이 당도했을 때 도적의 무리들은 크게 패하여 도망하고 싸움은 이미 관군의 승리로 끝난 뒤였다.

현덕은 황보숭과 주준을 만나, 자신이 영천에 오게 된 경위를 설명했다. 노식의 뜻에 따라 싸움을 도우러 왔다는 현덕의 말에, 황보숭이 입을 열었다.

"장보·장량이 이번에 크게 패했으니, 놈들은 필시 광종에 있는 저의 형 장각에게 의지하러 갔을 것이오. 그대는 즉시 그리로 가서 노장군을 도와 도적을 치도록 하시오."

현덕은 군사를 이끌고, 온 길을 되돌아 다시 광종으로 향했다. 행군 도중 앞에서 수레 한 채를 호송해오는 한떼의 말탄 군사와 마주쳤다. 가만히 살펴보던 현덕은 깜짝 놀랐다. 수레 속에 있는 것은 뜻밖에도 지금 자기들이 찾아가는 중랑장 노식이 아닌가. 현덕이 황망히 말에서 뛰어내려 수레 곁으로 달려가 그 연유를 물었다. 노식은 허탈한 얼굴로 대답한다.

"내가 장각을 포위하여 다 이기려던 참에 그놈이 요술을 쓰는 바람에 성공하지 못하였네. 때마침 조정에서 내려보낸 황문시랑(黃門侍郎) 좌풍(左豊)이 싸움 감찰차 와서는 나더러 뇌물을 내라고 하지 않겠나. 그래 내가 '군량도 부족한 터에 무슨 남는 돈이 있어서 사신에 게 드리겠소?' 하였다네. 좌풍이 이 일로 앙심을 품고 돌아가, 내가 도적이 두려워서 성에 틀어박혀 고의로 싸우지를 않아 군심이 태만해 져 있다고 아뢴 모양일세. 그래 황제께서 진노하시어 중랑장 동탁(董 卓)에게 내 자리를 맡겨 지휘권을 빼앗고는 벌을 내리고자 이렇게 경 사로 잡아가지 않는가."

곁에서 듣고 있던 장비는 격분하여 호송하는 군사들을 베고 노식을 구하려 했다. 현덕이 놀라 황망히 장비의 팔을 잡는다.

"조정에도 공론이 있을 터인데 네가 어찌 함부로 이러느냐?"

수레는 어느덧 호송하는 군사들과 함께 저만치 멀어지고 있었다. 관우가 말한다.

"노중랑은 이미 저렇듯 잡혀가고, 이제는 다른 사람이 군사를 통솔 하고 있다는데 광종으로 가면 뭐합니까? 차라리 탁군으로 돌아가서 다시 앞일을 의논하는 것이 좋겠습니다."

현덕은 관우의 말을 좇아 다시 군사를 이끌고 북쪽을 향해 길을 떠 났다.

행군을 시작한 지 이틀째 되는 날 어느 산모퉁이를 지나가려는데 갑자기 고개 너머로 함성이 크게 울려왔다. 현덕은 관우·장비와 함 께 급히 말을 달려 높은 언덕 위로 올라갔다. 아래를 살펴보니 수만 군사가 쫓기며 쫓고 있는데, 어지러이 패하여 달아나는 것은 관군이 었다. 그 뒤를 급히 쫓고 있는 황건적의 무리가 산과 들을 뒤덮었는 데, 깃발에 '천공장군(天公將軍)'이라 씌어진 네 글자가 선명하게 눈 에 들어온다.

"저놈 장각이 아니냐? 우리 빨리 내려가서 싸우자."

현덕은 관우와 장비를 이끌고 군사를 휘몰아 나는 듯이 달려나갔다. 장각은 동탁의 군사를 무찌르고 승세를 몰아 짓쳐들어오다가 갑자기 세 사람이 뛰어들자 크게 패하여 50여리 밖으로 물러났다. 세 사람은 관군의 장수 동탁을 구해내어 함께 영채로 돌아왔다. 동탁은 곧 현덕을 불러들인다.

"세 사람은 지금 무슨 벼슬에 있는가?"

현덕이 대답한다.

"모두 아직 벼슬이 없습니다."

그러자 동탁은 이들을 매우 업신여겨 도무지 예의를 갖추려고 하지 않았다. 현덕이 아무 말 없이 밖으로 나오자 장비는 크게 노했다.

"우리가 몸소 천군만마 가운데 뛰어들어 죽기로 싸워서 제 목숨을 구해줬는데 이처럼 무례할 수가 있단 말이우? 내 당장 저놈의 목을 쳐죽이겠수."

그러고는 곧 칼을 빼들고 장막 안으로 뛰어들어가려 한다.

인정과 세태는 예나 이제나 한가지	人情勢利古猶今
초야에 묻힌 영웅 누가 알아보리	誰識英雄是白身
장익덕 같은 호쾌한 사람을 얻어	安得快人如翼德
이세상의 의리 없는 놈들 모두 벨 수 없을까	盡誅世上負心人

동탁의 목숨은 장차 어찌 될 것인가?

십상시의 난

분노한 장비는 독우를 매질하고

하진은 계책을 써서 환관들을 죽이려 하다

동탁은 농서(隴西)의 임조(臨洮) 사람으로 자는 중영(仲穎)이다. 그의 벼슬은 하동(河東) 태수인데, 원래 성품이 교만했다. 그날도 현덕을 업신여겼다가 장비의 노여움을 샀다. 화가 난 장비가 동탁을 죽이려 했으나, 현덕과 관우가 급히 손을 잡으며 가로막는다.

"저자는 뭐니뭐니해도 조정 명관(命官)이 아니냐. 그런 사람을 어떻게 함부로 죽인단 말이냐?"

"그럼 저자를 그대로 살려두고 우리가 도리어 그 수하에 있어야 옳단 말이우? 그럴 테면 두 분 형님이나 그렇게 하시우. 나는 혼자서 다른 데로 가버리겠수."

현덕이 달랜다.

"우리가 생사를 같이하자고 하늘과 땅에 맹세를 드린 터에 서로 헤어지자니 그게 될 말이냐? 다 함께 다른 데로 떠나자."

장비가 말한다.

"형님들이 그렇게 하신다면 조금 화가 풀리겠수."

세 사람은 곧 군사를 거느리고 그곳을 떠나 밤새도록 말을 달려 주준을 찾아갔다. 주준은 그들을 진정으로 반겨 맞이했다. 그는 세 사람을 극진히 대접한 뒤에 군사를 합쳐서 황건적 장보를 칠 계책을 의논했다. 이때 조조는 곡양(曲陽)에서 황보숭을 도와 장량을 상대로 큰 싸움을 벌이고 있었다.

주준은 장보를 공격하러 출진했는데, 도적의 무리 8, 9만명을 거느리고 산 너머에 주둔하고 있는 장보의 형세는 만만치가 않았다. 주준은 현덕에게 선봉이 되어 맞서보라고 했다. 적진 가운데에서 북소리가 한차례 높이 울리며 한 장수가 급히 말을 몰아나온다. 그는 바로 적의 부장 고승(高升)이다. 현덕이 돌아보자, 장비는 이내 장팔사모를 꼬나잡고 살같이 말을 몰아 적장을 맞아 싸우러 나간다. 그러나 부딪친 지 불과 수합 만에 고승이 겁을 집어먹고 몸을 빼어 달아나려 한다. 예끼놈, 하는 외마디 호통소리와 함께 장비는 거센 물결에 물고기 꿰듯이 고승의 등을 한창에 찔러 말 아래로 거꾸러뜨린다. 그와 함께 현덕이 한번 채찍을 들어 영을 내리자 군사들은 앞을 다투어 아우성치며 돌진했다.

이때, 장보가 말 위에서 머리를 풀어헤치더니 칼끝을 땅에 짚고는 요사스러운 술법을 쓰기 시작했다. 난데없는 바람이 사납게 일어나며 마른 하늘에 우레소리 크게 울리고, 한줄기 검은 기운이 허공으로부터 뻗쳐오른다. 그 검은 기운 속에는 무수한 인마가 있어 당장에 쳐죽일 듯이 달려드는 것만 같다. 현덕이 다급히 군사를 거두어들이려 했으나 군사들은 이미 크게 혼란에 빠져 그대로 패하여 돌아왔다. 현덕은 군사들을 수습하여 다시 진을 친 다음 주준과 함께 계책을 의논했다. 주준이 계교를 일러준다.

"놈이 요술을 쓰는 것 같은데, 내게 좋은 계책이 있소이다. 내일 돼지·양·개 등을 잡아 그 피를 준비해가지고 군사를 언덕 위에 매복시켜놓았다가 적당한 때에 냅다 끼얹는 거요. 그러면 그 술법을 막아낼 수 있을 게요."

현덕은 물러나와 그의 계책대로 관운장과 장비에게 각기 군사 1천 명씩을 주고 돼지·양·개의 피 따위의 오물(汚物)을 준비하도록 일렀다.

이튿날 장보가 깃발을 앞세우고 북을 치며 군사를 거느리고 와서 싸움을 청한다. 현덕이 몸소 쌍고검을 춤추듯 휘두르며 나아가 바야흐로 그를 맞아 싸우려 하자, 장보는 다시 말 위에서 요사스러운 술법을 쓴다. 이번에도 역시 무서운 바람이 일더니 우레소리가 진동하면서 모래가 날리고 돌이 구르며 검은 기운이 온하늘을 뒤덮더니, 그 속에서 한떼의 군마가 쏟아져나온다. 현덕은 곧 말머리를 돌려 달아나기 시작했다. 장보가 군사를 이끌고 급히 뒤를 쫓는다. 쫓고 쫓기며 막 산모퉁이를 지날 때, 포소리가 울린다. 관우와 장비의 매복한 군사가 기다렸다는 듯이 미리 마련해둔 오물을 일시에 끼얹었다. 그러자 순간 허공에서 종이로 만든 군사와 짚으로 만든 말이 분분히 떨어져내리고 바람과 천둥이 멈추었다. 날리던 모래와 돌도 홀연 사라졌다.

술법이 깨어진 것을 보고 크게 당황한 장보는 곧 군사를 돌려 달아나려 했다. 그러나 관우와 장비가 좌우에서 나오고 또 등뒤에서 현덕과 주준이 함께 쫓으니, 도적의 무리들 가운데 얼마가 죽고 상했는지 그 수를 헤아릴 수가 없었다. 크게 낭패한 장보는 말을 달려 죽자사자 달아났다.

현덕은 어지러이 도망하는 적군 가운데 '지공장군'이라 쓴 깃발을 표적 삼아 더욱 급히 말을 몰아 추격한다. 현덕이 달리는 말 위에서 어느 틈엔가 활에 살을 메겨 장보의 등 한복판을 겨누었다. 시윗소리 높이 울리며 유성처럼 화살이 날아간다. 장보는 미처 몸을 피할 사이도 없이 왼팔에 화살을 맞고 그대로 양성(陽城)으로 쫓겨들어가서 성문을 굳게 닫고 다시는 나오려 하지 않았다.

주준은 군사를 휘몰아 양성을 에워싸고 공격하는 한편, 각 방면으로 사람을 보내 황보숭의 소식을 알아오게 했다. 정탐군이 돌아와서 보고한 바에 의하면, 황보숭은 황건적과 싸워 여러 차례 이겼으나 동탁은 싸움마다 져서 조정이 황보숭에게 동탁의 군사까지 관장하게 했다고 전한다. 그리하여 황보숭이 부임했을 때에 장각은 이미 죽은 뒤였고, 그 아우 장량이 황건적을 거느리고 관군에 항거하니, 황보숭이 일곱 번 싸움에 일곱 번을 모두 이겨 마침내 곡양에서 장량의 목을 베었다 한다. 또한 무덤을 파헤쳐 장각의 시체를 꺼내어 그의 수급도 아울러 경사로 올려보내니 나머지 도적의 무리도 모두 항복했다는 것이다. 조정에서는 황보숭의 벼슬을 높여 거기장군(車騎將軍)을 삼고 기주(冀州) 목사(牧使)에 임명했다고 한다. 그후 황보숭은 조정에 표문을 올려, 노식이 공은 있으되 죄는 없다고 상소하니 조정에서는 다시 노식에게 원래의 벼슬을 내렸다. 조조 또한 공이 있다고 하여 제남상

(濟南相)을 제수하니 조조는 그날로 군사를 거느리고 부임했다는 것이다.

주준은 이런 소식을 듣고 더욱 군사를 재촉하고 온힘을 쏟아 양성을 공격했다. 형세가 심히 위급한 것을 깨달은 적장 엄정(嚴政)이란 자가 장보를 찔러죽인 다음 그 머리를 베어들고 나와서 항복을 청했다. 주준은 마침내 여러 고을의 도적들을 평정하고 조정에 승전소식을 알렸다.

이때 황건적의 잔당 조홍(趙弘)·한충(韓忠)·손중(孫仲) 등이 수만 명의 무리를 거느리고 각처로 다니며 여전히 살인과 방화, 노략질을 일삼고 있었다. 또한 그들은 반드시 장각의 원수를 갚겠노라고 떠들고 다녔으니, 이에 조정에서는 주준에게 남은 무리들을 완전히 소탕할 것을 명하였다.

주준은 조직을 받들어 곧 군사를 거느리고 길을 떠났다. 이때 황건적의 잔당들은 완성(宛城)을 점거하고 있었다. 주준이 공격하자 조홍은 한충을 보내 대적하게 했다. 주준은 현덕·관우·장비에게 성문 서남쪽을 치게 했다. 한충이 정예군사를 모조리 이끌고 나와서 이에 맞섰다.

그 틈을 타서 주준은 몸소 철기(鐵騎) 2천명을 거느리고 성의 동북쪽을 공격했다. 한충이 현덕의 군사를 맞아 싸우려 하다가 이 소식을 듣고 동북쪽을 향해 말머리를 돌리는데, 현덕이 관우·장비와 더불어 그 뒤를 몰아쳤다.

도적의 무리가 크게 패하여 성안으로 도망해들어가자, 주준은 즉시 군사를 나누어 성을 철통같이 에워쌌다.

성이 포위당한 지 얼마 안되어 양식이 떨어졌고, 한충은 사람을 보내어 항복할 뜻을 알려왔다. 그러나 주준은 이를 받아들이지 않았다. 이를 보고 현덕이 말한다.

"지난날 고조(한고조 유방)께서 천하를 얻으신 것은 항복을 권하고 항복하여 귀순하는 무리들을 잘 받아주셨기 때문인데, 장군은 어찌하여 한충의 투항을 받아주려 하지 않으십니까?"

주준이 말한다.

"지금은 그때와는 경우가 다르오. 당시(진나라 말기)로 말하자면 천하가 크게 어지러워 백성들에게 정한 주인이 없던 때였으니 귀순하는 자를 받아들이고 상도 주어 항복을 권했던 것이오. 그러나 지금은 천하가 통일되어 있는 터에 오직 황건적 무리들만 모반했으니, 만약에 항복한다고 그대로 모두 용납했다가는 무엇으로 선악을 따져 징계한단 말이오. 도적들이 저희가 이로울 때는 얼마든지 못된 짓을 하다가 형세가 불리해지면 곧 항복을 해버릴 것이니, 이는 도적의 마음을 길러주는 일이라 결코 좋은 대책이 아니오."

듣고 나서 현덕이 다시 말한다.

"도적의 항복을 용납하지 않는 것은 마땅한 일입니다. 그러나 지금 우리가 철통같이 성을 에워싼 채 저들의 항복을 받아들여주지 않는다면 도적의 무리는 죽을 힘을 다해 싸울 것입니다. 1만명의 적이 마음을 합해 싸운다 해도 당해내기가 어려운데 지금 성중에는 수만명이 죽을 지경에 놓여 있습니다. 제 생각으로는 군사를 거두어 동문과 남문을 퇴로로 터주고, 서문과 북문만 친다면 적들은 반드시 성을 버리고 달아날 것입니다. 그때 군사를 휘몰아서 치면 한충을 쉽게 사로잡을 수 있습니다."

주준은 현덕의 의견에 따라 곧 동쪽과 남쪽을 공격하도록 배치했던 군사를 거두고 서쪽과 북쪽만을 일제히 공격했다. 과연 한충은 군사들과 더불어 성을 버리고 달아나기 시작했다. 주준은 곧 현덕·관우·장비 세 장수와 함께 군사들을 휘몰아 뒤를 추격하면서 공격하니 한충이 마침내 화살에 맞아 죽고, 나머지 무리들은 각각 사방으로 흩어져 달아나기에 바빴다. 관군이 뒤를 쫓는데, 조홍과 손중이 도적의 무리 수천명을 이끌고 달려들었다.

주준이 군사를 지휘하여 이를 맞아서 싸웠으나 도적의 형세가 워낙 큰지라 쉽사리 대항할 수가 없었다. 주준이 일단 군사를 물리는데, 조홍이 그 틈을 타서 완성을 탈환했다.

주준이 성에서 10리 떨어진 곳에 영채를 세우고 군마를 정돈하여 성을 치려 할 때 동쪽에서 한떼의 인마가 달려왔다. 나가서 맞으니 군사를 거느리고 달려온 장수는 오군(吳郡) 부춘(富春) 사람 손견(孫堅)으로 자는 문대(文臺)이며, 바로 저 유명한 손무자(孫武子, 손자. 병법의 대가)의 후손이었다. 주준이 그의 생김새를 바라보니, 이마와 얼굴이 넓고 크며, 몸집은 범과 같고 허리는 곰처럼 탄탄해 보였다.

손견의 나이 17살 때였다. 아버지와 함께 전당호(錢塘湖)에 갔다가 해적 10여명이 상인의 재물을 빼앗아 강기슭에서 나누고 있는 것을 보고 손견은 의분을 참지 못했다.

"제가 저놈들을 잡아보겠습니다."

아버지에게 한마디 한 다음, 칼을 휘두르며 언덕 위로 뛰어올라가 소리높여 외쳐대면서 동쪽과 서쪽을 향해 마치 사람들을 부르는 양 지휘하니, 도적들은 관병들이 잡으러 오는 줄 알고 재물을 모두 버리고 도망쳤다. 손견이 그 뒤를 쫓아가서 마침내 도적 하나를 잡아 죽이니 이로써 고을 안에 그 이름이 알려져 교위에 천거되었다.

뒤에 회계(會稽)에서 허창(許昌)이란 자가 반란을 일으켜 수만의 무리를 거느리고 자칭 양명황제(陽明皇帝)라 일컫자 손견은 고을의 사마(司馬)와 함께 용사 1천여명을 모집하고, 그 지방 관군과 합세하여 도적을 쳐서 마침내 허창과 그 아들 허소(許韶)의 목을 베었다.

회계 자사(刺史) 장민(臧旻)이 표문을 써서 손견의 공을 아뢰자 조정에서는 손견에게 염독승(鹽瀆丞)이란 벼슬을 주고, 다시 우이승(盱眙丞)·하비승(下邳丞)을 제수했다.

이제 손견은 황건적의 무리들이 난리를 일으킨 것을 보고 시골의 젊은이들과 장사치들을 모아 회수(淮水)·사수(泗水) 땅의 정병 1천 5백명을 거느리고 주준을 도우러 완성에 온 것이었다.

주준은 매우 기뻐하며 손견으로 하여금 남문을 치게 하고, 현덕에게 북문을 치게 하며, 자기는 몸소 서문을 치고, 오직 동문만은 도적들이 달아날 수 있게 남겨두었다.

손견은 즉시 군사를 이끌고 남문으로 가서 남보다 먼저 성으로 기어올라갔다. 달려드는 도적의 무리를 연달아 20여명이나 베어버리자 적들은 흩어져 도망가기 시작한다. 멀리서 이 광경을 보고 있던 적장 조홍이 창을 치켜들고 말을 달려 돌진해온다. 손견은 곧 성위에서 몸을 날려 아래로 뛰어내리더니 조홍의 창을 빼앗아 그를 찔러 거꾸러뜨리고, 조홍의 말에 올라 이리저리 나는 듯이 오가며 닥치는 대로 적을 무찌른다.

형세가 다급해지자 손중은 북문을 열고 달아나려다 현덕과 부딪혔다. 손중은 싸울 마음이 없어 도망갈 기회만 보다가 현덕의 화살에 맞아 말에서 떨어져 죽고, 그 뒤를 서문으로 쳐들어온 주준의 대군이 덮치니 죽은 자가 수만이요 항복한 자는 그 수효를 헤아릴 길이 없었다.

이로써 남양 일대의 10여 고을이 모두 평정되었다.

주준이 군사를 거느리고 경사로 돌아가니, 황제는 그를 거기장군에 봉하고 하남윤(河南尹)에 임명했다. 주준은 곧 손견과 유비의 공을 조정에 아뢰었다. 손견은 연줄이 있어 별군사마(別郡司馬)를 제수받았으나, 현덕에게는 여러 날이 지나도록 끝내 아무런 기별이 없었다.

현덕은 관우·장비와 함께 성내로 들어가 울적한 심사를 이기지 못하여 발길 닿는 대로 거닐다가 낭중(郎中) 장균(張鈞)의 행차와 마주쳤다. 현덕이 낭중 장균 앞에 나아가 자신들이 세운 공적을 고하자, 장균은 깜짝 놀랐다. 그는 좋은 말로 세 사람을 위로하고 경사에 머물면서 위에서 분부가 내리기를 기다리라 이르고는, 그 길로 궁중으로 들어가 황제를 뵙고 아뢰었다.

"전에 황건적이 난을 일으켰던 것도 근원을 밝히자면 모두가 십상시 무리들이 함부로 벼슬을 팔며 저희들과 친한 자가 아니면 쓰지 않고, 저희와 원수진 자가 아니면 죄 있어도 죽이지 않아 천하가 크게 어지러워진 때문입니다. 이제 십상시의 목을 베어 그 머리를 남문 밖에 걸게 하시고, 사자를 보내어 천하에 널리 포고하신 다음 공있는 자에게 후히 상을 내리시면, 나라 안이 깨끗해지고 질서가 바로잡힐 것입니다."

듣고 있던 십상시들이 황망히 아뢴다.

"장균이 폐하를 속이고 있습니다."

영제는 무사를 시켜 장균을 궐 밖으로 몰아내게 했다. 이 일이 벌어진 뒤 십상시는 가만히 의논한다.

"이는 필시 황건적을 친 공이 있어도 아직 벼슬을 얻지 못한 무리가 불평을 품고 원망하는 말을 낸 것이니, 우선 작은 관직이라도 주었다가 뒤에 가서 다시 처리해도 늦지 않으리라."

이리하여 현덕은 정주(定州) 중산부(中山府) 안희현(安喜縣)이라는 조그만 고을의 현위(縣尉) 자리를 얻게 되었다. 현덕은 그동안 고락을 함께한 군사들을 해산하여 고향으로 돌아가게 하고, 가까이 따르는 20여 명만 데리고 관우·장비와 함께 안희현에 부임했다.

고을일을 한달 남짓 보면서 백성들을 혈육처럼 보살피고 추호도 범하는 것이 없으니, 명관을 만났다고 온 고을 백성들이 모두 그 덕을 칭송했다. 부임한 뒤로 현덕은 언제나 관우·장비와 식사와 잠자리를 같이했으며, 현덕이 관청에 나가 일을 볼 때에는 관우·장비 두 사람은 하루종일 그 옆에 시립하여 조금도 피곤한 기색이 없었다.

그러나 부임한 지 채 넉 달이 못 되어 조정에서 조서가 내려왔다. 전투에서 공을 세워 지방관이 된 자들을 심사해 정리하겠다는 내용이었다. 현덕은 그 일로 의구심에 사로잡혀 있었다. 이때 독우(督郵, 고을들을 순회하며 감독하는 관리)가 그 고을로 내려왔다.

현덕은 성밖으로 나아가 독우를 영접하고 정중히 예를 베풀었지만, 독우는 말 위에 거만하게 앉아서 손에 든 채찍을 가볍게 들어 답례를 대신할 뿐이었다. 관우·장비는 이 꼴을 보고 분을 참지 못했다. 역관(驛館, 관원들의 숙소)에 이르자 독우는 현덕을 섬돌 아래 뜰에 세워둔 채 마루 위에 앉아 남쪽을 바라보며 오랫동안 말이 없더니, 이윽고 입을 열어 한마디 묻는다.

"유현위는 어디 출신인고?"

현덕이 손을 맞잡고 허리를 구부리며 공손히 아뢴다.

"저는 중산정왕(中山靖王)의 후예로, 탁군에서 민병을 일으켜 황건적과의 30여 차례 크고작은 전투에서 세운 작은 공이 있어 지금의 관직을 받은 것입니다."

독우가 소리를 버럭 지르며 꾸짖는다.

"네가 황실의 친척이라 사칭하면서 또한 거짓 공적까지 말하는구나. 너는 조정에서 내린 조서를 보지도 못했느냐? 너와 같은 탐관오리를 모두 정리하는 중이다."

현덕은 그저 예예 하며 그의 앞을 물러나 관청으로 돌아와서 현리들과 의논하니 한 사람이 아뢴다.

"독우가 위협하는 것은 뇌물을 바라고 하는 수작입니다."

현덕은 정색을 하며 말했다.

"내가 추호도 백성을 범하지 않았는데 제게 줄 재물이 어디 있단 말이냐?"

이튿날 독우는 먼저 현리를 잡아들여 현위가 백성을 해친 사실을 자백하라고 을러댔다. 현덕이 몇번이나 찾아가 현리를 풀어달라고 빌었지만 문지기가 안으로 들여보내지도 않고 문밖에서 쫓아냈다.

이때 장비가 밖에 나와 울적한 김에 몇잔 술을 마시고는 말을 타고 역관 앞을 지나려는데, 촌늙은이 5, 60명이 문전에 모여서서 통곡을 하고 있었다. 장비가 의아하여 통곡하는 이유를 묻자 늙은이들이 서로 다투어 대답한다.

"독우 나으리가 현리를 윽박질러 유현덕 공을 까닭없이 죄인으로 몰려 하기에 저희들이 그렇지 않다는 말씀을 드리고자 왔는데, 안에 들이기는커녕 문지기에게 매만 맞고 분해서 그럽니다."

그들의 말에 장비는 분기탱천했다. 고리눈 부릅뜨고 이를 갈아붙이며 말에서 뛰어내려 그대로 역관으로 달려들어가니, 몇명 문지기 따위의 힘으로는 그를 가로막을 도리가 없었다. 장비가 곧장 역관의 뒷

장비는 부패한 관리를 붙들어매고 매질하다

건물로 달려들어가니 독우는 높이 앉아 있고, 현리가 결박당한 채 땅에 엎어져 있었다. 장비가 소리친다.

"이 백성을 해치는 도적놈아! 내가 누군지 아느냐?"

독우가 미처 입을 열기도 전에 장비는 다짜고짜 독우의 머리를 움켜잡아 역관에서 그대로 현청 앞까지 질질 끌고 갔다. 관청 문앞에는 말을 매어두는 기둥이 있었다. 장비는 그곳에다 독우를 붙들어매고, 옆에 있는 버드나무 가지를 꺾어 그의 종아리를 힘껏 때린다. 삽시간에 부러져나간 버드나무 가지가 10개도 넘었다.

이때 현덕은 동헌에 홀로 앉아 근심중에 있다가 관청 앞에서 들리는 시끄러운 소리를 듣고 좌우에게 그 까닭을 물었다.

"장장군이 관청 문앞에 한 사람을 매달아놓고 매질하고 있습니다."

현덕이 황급히 뛰어나와보니, 묶여 있는 자는 독우가 아닌가.

"이게 무슨 짓이냐?"

장비가 매를 든 채로 볼멘소리를 한다.

"이놈은 백성의 적이오. 내가 이놈을 때려죽일 작정이우."

독우는 현덕을 향하여 애걸한다.

"현덕공, 제발 나를 좀 살려주시오……"

현덕은 본래가 마음이 인자한 사람이라 즉시 장비를 꾸짖어 매질을 멈추게 하고, 손수 그의 묶인 것을 풀어주려는데 어느 틈에 곁에 다가온 관운장이 말한다.

"형님이 허다한 공을 세우시고 겨우 현위 하나를 얻어 하신 터에, 이제 도리어 독우 따위에게 이처럼 욕을 보셨습니다. 가시덤불 속은 본래 난새와 봉황이 깃들 곳이 못됩니다. 차라리 독우를 죽이고 벼슬을 버린 다음에 고향으로 돌아가 달리 원대한 계획을 세우시는 게 나을까 합니다."

현덕은 침통하게 고개를 끄덕이고는 인수(印綬)를 내오라 하여 독우의 목에 걸어주고 조용히 꾸짖는다.

"네가 백성에게 해를 끼친 죄는 죽여 마땅하다마는, 구차한 목숨만은 살려주마. 이제 인수를 돌려주었으니 나는 떠나겠다."

독우는 정주(定州)로 돌아가서 태수에게 이 사실을 고했다. 태수는 다시 조정에 공문을 띄워 보고하고 각처에 장교를 보내 유비·관우·장비를 체포하게 했다.

유비·관우·장비는 대주(代州)로 가서 유회(劉恢)에게 잠시 몸을 의탁하기로 했다. 유회는 현덕이 한나라 황실의 종친임을 알고 집에 숨겨주고는 일절 입밖에 내지 않았다.

한편 조정에서는 십상시들이 권력을 잡고 서로 의논하여 저희들의 의사에 반대하는 이들은 모두 잡아죽이려 했다.

조충이나 장양 같은 자들은 황건적을 물리친 장수들에게 금과 비단을 뇌물로 바치라고 요구했다. 그러고는 이에 응하지 않는 이들은 파직시키도록 참소했다. 황보숭과 주준 같은 강직한 이들이 뇌물 주기를 거부하자, 조충 등의 환관들은 황제에게 모함하여 그들을 파직했다.

어리석고 아둔한 영제는 그렇지 않아도 많은 권세를 누리고 있는 환관의 무리들에게 다시 벼슬을 내렸다. 조충의 무리를 거기장군으로 삼고 장양의 무리 13명을 모두 열후(列侯)에 봉하여, 나라 정사는 더욱 어지러워지고 백성들의 원망하는 소리가 날로 높아만 갔다.

이러한 때, 장사(長沙)에서는 도적 구성(區星)이란 자가 난을 일으키고, 또 어양(漁陽)에서는 장거(張擧)·장순(張純)이 반기를 들었다.

장거는 스스로 '황제'라 일컫고 장순은 스스로 '대장군'이라 일컬으니, 표문이 빗발치듯 올라왔건만 십상시가 모두 감추고 황제에게는 아뢰지도 않았다.

어느날 황제가 후원에서 십상시 무리와 더불어 잔치를 벌이고 있는데, 간의대부(諫議大夫) 유도(劉陶)가 들어와 황제 앞에서 큰소리로 통곡했다. 황제가 그 까닭을 물으니 유도는 엎드려 아뢴다.

"이제 나라의 존망이 위급하온데, 폐하께서는 환관의 무리들과 술이나 드시고 계십니까?"

황제는 의아하다는 듯이 되묻는다.

"이렇듯 태평세월인데, 나라가 위태롭다니 무슨 말이오?"

"사방에서 도적떼가 일어나 각 고을을 침범하고 있으니, 이 모두가 저 십상시들이 벼슬을 팔고 백성을 해롭게 하며 임금을 속여 조정의 바른 신하들을 쫓아냈기 때문입니다. 화(禍)가 목전에 이르렀음을 어찌 모르십니까?"

유도의 말에 십상시 무리는 곧 자리에서 일어나 관들을 벗고 모두 황제 앞에 엎드렸다.

"대신이 저희를 용납하지 않으니 소신들은 죽을 수밖에 없사옵니다. 청컨대 신들의 목숨이나 붙여주시어 향리로 돌아가게 하시옵고, 신들의 가산을 팔아서 군자(軍資)에나 보태소서."

그들은 말을 마치자 일제히 통곡을 했다. 이 모양을 본 영제는 진노하여 유도에게 말한다.

"너희 집에도 또한 곁에서 시중드는 사람이 있을 터인데, 어찌 짐에게만 용납이 안된단 말이냐?"

황제가 무사를 불러 유도를 끌어내 목을 베라고 명했다. 무사가 양

58

옆에서 달려들어 잡아일으키자, 유도는 황제를 처다보며 소리높여 부르짖는다.

"소신이 죽는 것은 털끝만치도 두렵지 않사오나 4백여년을 이어온 한나라 황실이 하루아침에 망하는 것이 애석할 따름이오!"

무사가 유도를 궐문 밖으로 끌고 나가 바야흐로 집행하려 할 때 대신 하나가 앞으로 나서며 외친다.

"멈추어라. 내가 들어가서 간언을 드릴 것이다."

모두 바라보니 그는 바로 사도(司徒) 진탐(陳耽)이었다. 진탐은 궁중으로 달려들어가 황제께 아뢴다.

"유간의에게 무슨 죄가 있어서 목을 베려 하시옵니까?"

영제가 대답한다.

"근신들을 헐뜯고 짐을 모독한 죄이니라."

진탐은 정색하고 아뢴다.

"천하 백성들이 모두 십상시의 고기를 씹으려 벼르는 터에 폐하께서만 홀로 부모처럼 받드시며, 그들 몸에 한치의 공도 없건만 모두 열후에 봉하시고, 더욱이 봉서로 말씀드리면 황건적과 내통하여 내란을 일으키려 한 자이온데 폐하께서 오늘에 이르도록 깨닫지 못하시니, 이대로 가다가는 사직이 머지않아 쓰러질 것입니다."

"봉서가 도적과 내통했다는 것은 분명치가 않으며, 더욱이 십상시 가운데 어찌 한두 명의 충신이 없겠소?"

진탐이 머리를 섬돌에 부딪치며 울며 간하니, 황제는 진노하여 끌어내라 명하고 유도와 함께 옥에 가두게 했다.

그날밤 십상시는 두 충신을 옥중에서 죽여버렸다. 그러는 한편 황제의 조서를 거짓으로 만들어 손견을 장사 태수로 임명하여 구성을 치게 하니, 50일이 못되어 강하(江夏)를 평정했다는 보고가 올라왔다. 그들은 손견을 오정후(烏程侯)에 봉했다. 그리고 유우(劉虞)를 유주 목사로 삼아 군사를 이끌고 어양으로 가서 장거와 장순을 치게 했다. 이를 알게 된 대주의 유회는 유우에게 편지를 보내 현덕을 천거했다.

유우가 그 글을 보고 크게 기뻐하여 현덕을 도위(都尉)로 삼아 나가서 도적을 치게 하니, 현덕은 관우·장비와 함께 군사를 거느리고 나아가 며칠 만에 적의 예기를 꺾었다.

장순은 본래 성정이 사나워 부하들에게 인심을 잃고 있던 터라, 부하들 중 두목 하나가 변심하여 장순을 찔러죽인 다음 머리를 베어들고 무리와 함께 와서 항복을 구했다. 형세가 불리해지자 장거는 살아남기 어려울 줄 알고 스스로 목을 매어 자결했다. 이로써 어양땅은 평정되었다. 유우는 글을 올려 조정에 유비의 큰 공을 알렸다.

조정에서는 비로소 유비가 안희 현위로 있을 때 독우를 매질한 죄를 용서하고 하밀(下密)의 현승일을 맡아보게 했다가 다시 고당위(高堂尉)의 벼슬로 전직시켰다. 노식 아래서 동문수학한 공손찬 역시 유현덕의 공로를 알리는 표문을 올렸다. 이에 조정은 현덕에게 별부사마(別部司馬)라는 직함을 주고 평원(平原) 현령에 제수했다.

현덕이 평원에 부임하여 군량과 군자금, 병마를 넉넉히 갖추니 예전과 같은 기상이 되살아나고, 유우는 도적을 평정한 공으로 태위(太尉) 벼슬을 받았다.

중평(中平) 6년(189) 4월, 영제는 병이 중해지자 대장군 하진을 궁중으로 불러 뒷일을 상의했다. 하진이라는 사람은 본래 가축 잡던 백정 출신으로, 그의 누이가 후궁으로 들어가 귀인(貴人)이 되어 황자 변

(辯)을 낳고 황후에 봉해짐으로써 조정에서 권세를 잡게 된 터였다.

하황후는 투기가 심하였다. 영제가 특별히 왕미인(王美人)을 총애하여 그 몸에서 황자 협(協)을 낳자 하황후는 곧 왕미인을 독살했다. 그뒤로 황자 협은 동태후 궁중에서 길렀는데, 이 동태후가 바로 영제의 어머니요, 해독정후(解瀆亭侯) 유장(劉萇)의 아내이다.

본래 환제가 아들이 없어 해독정후의 아들을 맞아다가 대를 잇게 했으니 그가 곧 영제이다. 영제는 대통을 물려받자 즉시 모친을 궁중으로 맞아들여 태후로 높인 것이다. 동태후는 일찍부터 영제에게 왕미인이 낳은 황자 협을 태자로 봉하도록 권해왔고, 영제 역시 협을 사랑하여 태자로 세우려 했다. 영제의 병이 중해지자 중상시(中常侍) 건석(蹇碩)이 은근히 아뢰었다.

"협 황자를 세우시려면 먼저 대장군 하진을 베어 후환을 없애도록 하소서."

영제는 그 말을 옳게 여겨 하진을 궁중에 들라고 했다. 황제의 부르심을 받고 대장군 하진이 궁중으로 들어가는데, 궁문 앞에 이르니 사마(司馬) 반은(潘隱)이 앞을 막는다.

"궁에 들지 마십시오. 건석이 장군을 죽이려 하고 있소이다."

하진은 크게 놀라 그대로 집으로 돌아와서 즉시 모든 대신을 모아놓고 환관의 무리들을 모조리 죽일 의논을 하니, 좌중에서 누군가 일어나 말한다.

"환관들의 세도는 충제(沖帝)와 질제(質帝) 때부터 시작되어 오늘날 조정 안 곳곳에 뻗쳐 있으니 모조리 죽이기는 어려울 것입니다. 만약에 일이 누설되면 반드시 멸문지화(滅門之禍)가 있을 것이니 깊이 생각해서 하시지요."

하진이 바라보니 전군교위(典軍校尉) 조조였다. 하진은 조조를 꾸짖는다.

"네 따위 아랫것이 어찌 조정 대사를 안다고 나서느냐?"

모두들 주저하고 있을 때 반은이 들어와 말한다.

"황제는 이미 세상을 떠나셨습니다. 지금 건석이 십상시 무리들과 짜고서 국상을 비밀에 부치고 거짓 조칙을 내어 대장군 하국구(何國舅, 국구는 황후의 오라버니)를 궁중으로 들라 하여 후환을 없앤 다음, 황자 협을 황제로 세우려 하고 있습니다."

반은의 말이 끝나기도 전에 사자가 와서 황제가 붕어하셨으니 하진은 속히 궁에 들어와 후사(後嗣)를 정하라는 전갈을 알렸다. 조조가 다시 말한다.

"장군이 지금 취해야 할 계책은 한시바삐 새로운 임금을 세우는 것입니다. 그후에 내시들을 처치하도록 하십시오."

하진 역시 같은 생각으로 좌중을 둘러본다.

"누가 나와 함께 궁중에 들어가서 새 황제를 바로 세우고 역적들을 토벌하겠는가?"

한 사람이 나서며 대답한다.

"정병 5천만 주시면 궐내로 들어가 새 임금을 세우고 환관의 무리를 모두 없앤 다음 조정을 일신하여 천하를 편안케 하오리다."

하진이 보니, 그는 사도 원봉(袁逢)의 아들이요 원외(袁隗)의 조카인 원소(袁紹)로, 자는 본초(本初)이며 이때 사예교위(司隷校尉, 수도 가까운 곳의 군현을 관할하고 군사권까지 관장함)로 있던 사람이었다. 하진은 크게 기뻐하여 원소에게 어림군(御林軍, 친위병) 5천을 내주었다. 원소가 온몸에 갑옷과 투구를 걸치고 검을 차니 하진은 하옹(何顒) · 순유(荀

佐)·정태(鄭泰) 등 대신 30여명과 함께 궁중으로 들어가 영제의 관 앞에서 태자 변을 황제의 자리에 오르게 했다.

백관이 새 황제의 등극을 축하하며 예를 올리는데, 원소는 궁중에 들어가자마자 중상시 건석을 잡으려 했다. 건석은 급한 대로 허둥지둥 어원(御園)으로 뛰어들어가서 꽃그늘에 숨었으나 같은 중상시 곽 승의 손에 죽음을 당했다. 이에 건석이 거느리고 있던 금군(禁軍)은 모조리 항복하고 말았다. 원소가 하진에게 말한다.

"한통속인 환관의 무리들을 오늘 이 좋은 기회에 모두 죽여없애야 합니다."

일이 자못 위급함을 알고 장양 일당은 황망히 내전으로 들어가 하 태후에게 아뢴다.

"처음에 대장군을 모함하는 꾀를 낸 것은 건석 한 사람이며 소신의 무리들은 도무지 모르는 일이온데, 이제 대장군께서 원소의 말만 들 으시고 소신들을 모두 죽이려 하니 부디 태후마마께서는 가엽게 여겨 주옵소서."

"너희는 아무 걱정 말라. 내 너희를 보호하리라."

하태후는 이렇게 말하고 곧 전지(傳旨)를 내려 하진을 불러들였다. 하진이 입궐하자 은근히 말한다.

"오라버니와 나는 본래 출신이 한미한 터에, 오늘날 이같은 부귀를 누리고 지내게 된 것은 장양 무리들 덕분이 아닙니까? 건석을 죽여 이미 죄를 다스렸으면 그만이지, 남의 말만 듣고 다른 환관들까지 모 두 죽일 필요야 없지 않겠어요?"

하진은 밖으로 물러나와 모든 관원들에게 말한다.

"건석이 나를 모해하여 죽이려 하니 내 그 일족을 멸하겠지만, 다른 무리들이야 구태여 죽일 필요까지는 없을 게요."

원소가 반대하고 나선다.

"만약 풀만 베고 그 뿌리를 뽑지 않는다면 반드시 큰 후환이 따를 것입니다."

그러나 하진은 원소의 말을 들으려 하지 않는다.

"이미 결정했으니 여러 말 말라."

하는 수 없이 모든 신하들은 물러나왔다. 이튿날 하태후는 하진에게 녹상서사(錄尙書事)의 벼슬을 내리고 다른 사람들에게도 합당한 벼슬을 내렸다.

한편, 동태후는 장양의 무리를 궁중으로 불러들여 조용히 상의한다.

"본래 하진의 누이를 내가 불러들였는데, 이제 그가 낳은 아들이 황제가 되어 지금 안팎의 신하들이 모두 그들의 심복이 되고, 그 권세가 엄청나게 커졌으니 장차 이를 어찌하면 좋겠느냐?"

장양이 계교를 아뢴다.

"마마께서 조정에 납시어 수렴청정하시고, 협 황자를 왕에 봉하시며 국구 동중(董重)의 관직을 높여 병권을 장악하게 하시옵고, 또 소신들을 중히 쓰시면 가히 대사를 도모할 수 있을 것입니다."

동태후는 크게 기뻐한다. 이튿날 조회를 열어 동태후는 황자 협을 진류왕(陳留王)으로 봉하고, 동중을 표기장군(驃騎將軍)으로 삼아 장양의 무리들과 함께 정사에 참여하게 했다.

하태후는 동태후가 이렇듯 권세를 마음대로 휘두르는 것을 보고는 궁중에 잔치를 열어 동태후를 청했다. 술을 거나하게 마셔 주흥이 한창 올랐을 때, 하태후는 문득 몸을 일으켜 잔을 받들고 동태후에게 두 번 절한 후 말한다.

"우리들은 부녀자라 나라 정사에 참여하는 것은 사리에 맞지 않사옵니다. 옛날에 여태후(呂太后)는 권세를 틀어쥐고 있다가 그 일가친척 1천여명이 모두 죽음을 면치 못했다 하지 않습니까. 이제 우리는 그저 구중궁궐에 깊이 앉아 있고 조정의 큰일은 대신과 원로에게 맡겨두심이 나라를 위하는 일이 아닐까 싶습니다. 부디 소비(小妃)의 말을 뿌리치지 마소서."

동태후는 화가 치밀었다.

"네 투기가 심해 죄없는 왕미인을 약 먹여 죽이더니, 이제는 네 소생이 임금 되고 네 오라비의 권세가 중하다고 그것을 믿고 감히 방자한 소리를 늘어놓는구나. 내가 표기장군에게 조칙을 내려 네 오라비의 목을 베기란 손바닥을 뒤집는 것처럼 간단한 일이다."

하태후도 화가 났다.

"제가 좋은 말씀으로 권하는데, 어찌 오히려 화를 내시옵니까?"

동태후가 더욱 화를 내며 말한다.

"너희 백정 집안의 천한 것들이 무얼 안단 말이냐?"

두 태후가 서로 다투자 장양 등이 뜯어말려 각기 궁으로 돌아가도록 했다.

한밤중에 하태후는 하진을 불러들여 동태후와 다투었던 일을 소상히 말했다. 하진은 퇴궐하여 삼공(三公)을 불러 대책을 논했다. 그들은 이튿날 아침 일찍 조회를 열어 신하들로 하여금 황제께 주청을 올리도록 했다. 그들은 동태후가 정궁(正宮)이 아닌 번비(藩妃)라 궁중에 오래 머물러 있게 하는 것은 옳지 않다 하여 하간(河間)으로 내쫓되 날짜를 정해 궁중을 떠나게 하고, 한편으로는 금군으로 하여금 표기장군 동중의 집을 포위하고 장군의 관인(官印)을 찾아오게 했다.

동중은 사태가 위급한 것을 알고 후당(後堂)에서 스스로 목을 찔러 자결했다. 집안에서 가족들의 곡성이 흘러나오자 그제서야 비로소 군사들은 흩어져 돌아갔다.

동태후 일파가 무너진 것을 본 장양과 단규의 무리들은 금은보화로 대장군 하진의 아우 하묘(何苗)와 그의 모친 무양군(舞陽君)에게 연줄을 놓았다. 그러고는 아침 저녁으로 하태후에게 자신들이 무사하도록 이야기해달라고 부탁했다. 이로써 십상시 무리들은 또다시 황제의 총애를 받게 되었다.

그해 6월에 하진은 조용히 사람을 하간으로 보내어 동태후를 역관 뜰에서 독살하고, 영구를 끌고 경사로 돌아와 문릉(文陵)에 장사 지낸 뒤 병이 났다 핑계대고 바깥 출입을 삼갔다. 어느날 사예교위 원소가 찾아와 하진에게 권한다.

"요사이 장양·단규 등이 공께서 동태후를 독살하고 대사를 도모한다는 헛소문을 밖에서 퍼뜨리고 있으니, 이때에 환관들을 없애지 않는다면 반드시 나중에 큰 화가 미칠 것입니다. 예전에 두무가 환관들을 죽이려다가 계획이 치밀하지 못하여 도리어 화를 입었지만, 공의 형제와 부하 장정들은 모두 영특한 분들이니, 지금 결단을 내리신다면 대권을 장악할 수 있습니다. 이는 하늘이 주신 기회이니 놓치지 마십시오."

그러나 하진은 말한다.

"천천히 의논하기로 하세."

하진이 선뜻 결단을 내리지 못하고 있을 때 좌우에 있던 자가 이 일을 가만히 장양에게 알렸다. 장양의 무리는 다시 하진의 동생 하묘에게 뇌물을 보내면서 도움을 간청했다. 뇌물을 먹은 하묘는 궁으로 들어가 하태후에게 아뢴다.

"대장군이 새 임금을 보좌하여 어진 정사를 베풀려 하지 않고 오직 살벌한 일만 계획하고 있습니다. 지금 까닭없이 십상시를 또 죽이려고 하니, 이는 나라를 크게 어지럽게 하는 일입니다."

하태후는 이 말을 받아들였다. 잠시 후 하진이 궁에 들어와 환관들을 죽여야겠다고 말하자 하태후가 나무란다.

"환관들이 궁궐을 다스리는 것은 한나라의 오랜 법도이고, 지금은 선제께서 세상을 버리신 지 오래지 않은 터인데, 함부로 옛신하들을 죽이려 하는 것은 종묘를 소중히 여기는 일이 아니오."

하진은 원래 결단력이 없는 위인이라 태후의 말을 거역하지 못하고 그저 예예 하고 물러나왔다. 원소가 그를 맞으며 묻는다.

"어찌 되었습니까?"

하진이 대답한다.

"태후께서 윤허하지 않으시니 어찌할까?"

원소가 말한다.

"그렇다면 곧 사방의 영웅들을 불러 군사를 거느리고 경사로 올라와서 환관의 무리들을 쳐죽이도록 하십시오. 그렇게 하면 일이 워낙 급하니 태후라 하더라도 허락하지 않을 수 없게 됩니다."

"거참 묘한 계책이구나."

하진은 즉시 격문을 각 진으로 보내어 제후를 경사로 부르려 했다. 주부(主簿) 진림(陳琳)이 말린다.

"안될 말씀이오. 속담에 이르기를 '눈 가리고 새를 잡는다 함은 자신을 속이는 짓'이라 하였습니다. 미물도 자신을 속여가면서는 잡기 어려운데, 하물며 국가대사에 속임수가 있어서야 되겠습니까. 이제 장군께서는 황제의 위엄을 등에 업고 병권을 손아귀에 넣어 용이 뛰어오르고 범이 달리듯이 무엇이든지 마음대로 할 수 있습니다. 환관들을 죽이는 것쯤은 활활 타오르는 화로에 머리털을 태우기처럼 쉬운 일이니 속히 군사를 동원하여 처단한다면 하늘과 사람이 순응할 것입니다. 그런데 어찌하여 외지의 영웅들을 불러올려 그들로 하여금 함부로 대궐을 범하게 하려 하십니까? 여러 영웅이 한자리에 모이면 각기 딴마음을 품게 될 것이니, 창날을 거꾸로 하여 그 자루를 남에게 맡기는 것과 같아 일은 이루지 못하고 도리어 환란만 일으키게 되오리다."

하진이 웃으면서 말한다.

"그것은 겁쟁이의 소견일 뿐이다."

옆에 있던 한 사람이 이들이 나누는 말을 듣고 손바닥을 두드리고 크게 웃으면서 중얼거린다.

"이런 일은 손바닥 뒤집기보다 쉽거늘 무슨 말이 이렇게 많은가."

바라보니 그는 전군교위 조조였다.

임금 주위 소인배들의 어지러움을 없애려면　　　　欲除君側宵人亂
모름지기 조정의 지략 있는 자의 꾀를 들으라　　　　須聽朝中智士謀

과연 조조는 뭐라고 말할 것인가?

동탁의 음모

동탁은 온명원에서 정원을 꾸짖고

이숙은 황금과 명주로 여포를 유혹하다

조조가 하진에게 말한다.

"환관들이 나라에 해를 끼친 것은 예로부터 있었던 일입니다. 군주가 그들을 너무 총애하고 큰 권력을 주어 이 꼴이 된 것입니다. 환관의 죄를 다스리려 한다면 우두머리만 없애면 되고, 그 일은 옥리 혼자서도 할 수 있거늘 어찌하여 지방 제후의 군사까지 부른단 말입니까? 그들을 다 죽이려 한다면 반드시 일이 탄로나서 오히려 그르치고 말 것입니다."

조조의 말에 하진이 벌컥 화를 낸다.

"맹덕, 그대도 사심을 품고 있는가?"

조조는 물러나와 한탄한다.

"천하를 어지럽게 할 자는 바로 하진이로구나."

하진은 제 고집대로 비밀조서를 가진 사자를 밤중에 은밀하게 각지로 보냈다.

한편 전장군(前將軍) 오향후(鰲鄕侯) 서량 자사 동탁은 지난번 황건적을 치는 싸움에 아무런 공이 없어 조정에서 죄를 물으려 하자, 십상시에게 뇌물을 바치고 다행히 모면할 수 있었다. 그뒤로 조정의 귀인들과 결탁하여 마침내 높은 벼슬에 올라 서주(西州)의 20만 대군을 통솔하기에 이르렀다. 그렇지 않아도 슬그머니 야심을 품고 있던 차에, 경사로 올라오라는 조칙을 받게 되자 동탁은 크게 기뻐하며 군마를 점검해서 속속 떠나보냈다.

그런 다음 사위 중랑장 우보(牛輔)를 남겨두어 섬서(陝西)를 지키게 하고, 동탁 자신은 이각(李催)·곽사(郭汜)·장제(張濟)·번조(樊稠) 등 수하장수와 더불어 군사를 이끌고 낙양으로 향했다. 동탁의 사위이며 참모인 이유(李儒)가 조언을 한다.

"비록 조서를 받기는 했으나 그 가운데는 애매한 부분이 많으니, 표문을 올려 대의명분과 입장을 밝혀두십시오. 그래야만 큰일을 도모할 수 있습니다."

동탁이 크게 기뻐하여 표문을 올리니, 그 내용은 대략 이러하다.

천하가 이처럼 어지러운 것은 환관 장양 무리들이 하늘의 법도를 능멸한 때문입니다. 신이 듣건대 '끓는 물을 식히려면 불쏘시개를 제거해야 하고, 종기를 째는 아픔이 독을 번지게 하는 것보다 낫다고 합니다. 이제 신이 감히 징치고 북을 울리며 낙양으로 들어가 장양 무리를 없앨 것이니, 종묘사직과 천하가 크게 다행스러워질 것입니다.

하진이 동탁의 표문을 받고 여러 대신들에게 보이자 시어사(侍御史) 정태(鄭泰)가 간한다.

"동탁은 이리와도 같은 자라, 경사로 끌어들이면 반드시 사람을 해칠 것입니다."

그러나 하진은 말한다.

"그대는 의심이 많아서 큰일을 도모하지 못하겠네."

노식이 또한 나서서 간한다.

"제가 동탁의 사람됨을 잘 아는데, 그는 양가죽을 둘러쓴 이리 같은 자입니다. 한번 궁궐에 들어오면 반드시 변란을 일으킬 것이니, 부디 그자를 끌어들이지 마시어 변란을 면하소서."

그래도 하진이 듣지 않자, 정태와 노식은 사직하고 떠났다. 조정 대신들 가운데도 벼슬을 버리고 향리로 돌아가는 이가 태반이었다. 하진은 사신을 보내 동탁을 민지(澠池)에서 맞이하게 했다. 동탁은 그곳에 이르러 행군을 멈추고 움직이지 않았다.

한편 장양의 무리들은 지방의 군사들이 경사로 몰려온다는 소식을 듣고 대책을 논의한다.

"이는 하진이 꾸민 일이니 우리 편에서 먼저 손을 쓰지 않았다가는 반드시 멸족의 화를 면치 못하리라."

이렇게 결론을 내린 장양의 무리는 먼저 도부수(刀斧手, 큰 칼과 도끼를 쓰는 군사) 50여명을 장락궁(長樂宮) 가덕문(嘉德門) 안에 매복시키고 하태후에게 들어가 아뢴다.

"지금 대장군이 거짓 조서로 지방의 군사들을 경사로 불러들여 소신의 무리를 모두 죽이려 하시니, 마마께서는 가엾게 여기시어 소신들의 목숨을 구해주소서."

태후가 말한다.

"너희들이 대장군 부중으로 가서 사죄를 드려보아라."

장양의 무리는 다시 엎드려 아뢴다.

"소신들이 대장군 부중으로 갔다가는 뼈도 못 추릴 것입니다. 엎드려 비옵건대 마마께옵서 대장군을 궐내로 부르시어 소신들을 죽이지 말라고 말씀해주소서. 들어주지 않으시려거든 소신들은 차라리 마마 앞에서 죽기를 바라옵니다."

태후는 마침내 하진을 궐내로 불러들이라는 조서를 내렸다. 하진이 태후의 부르심을 받고 즉시 궁으로 들어가려 하자 주부 진림이 나서며 말린다.

"태후의 이 조서는 십상시가 꾸민 것이니, 절대로 들어가면 안됩니다. 입궁하시면 반드시 화를 입을 것입니다."

하진은 가볍게 들어넘긴다.

"태후께서 나를 부르시는데 무슨 화를 입는단 말인가?"

원소가 또한 말한다.

"내시들을 죽이려던 계획이 다 누설된 지금 어찌하여 장군은 궐내로 들어가려 하십니까?"

조조도 옆에서 말한다.

"장군이 기어코 들어가시겠으면, 먼저 십상시 무리를 밖으로 불러

내신 뒤에 들도록 하십시오."

하진은 도리어 가소롭다는 듯이 말한다.

"무슨 어린애 같은 소견인가. 내가 지금 천하의 권세를 한손에 잡고 있는 터에 십상시가 감히 나를 어쩌겠는가?"

"장군이 기어코 들어가시겠으면 우리들이 무장한 군사들을 거느리고 호위하여 뜻하지 않은 변을 방비하도록 하겠습니다."

원소와 조조는 각기 정병 5백을 뽑아내어 원소의 아우 원술(袁術)에게 통솔하게 했다. 원술은 곧 갑옷 입고 투구 쓰고 군사를 청쇄문(靑瑣門) 밖에 늘어세우고, 원소와 조조는 허리에 칼을 차고 하진을 호위하여 장락궁 앞에 이르렀는데 환관이 앞을 가로막는다.

"태후께옵서 특히 대장군만 부르시는지라, 다른 사람은 함부로 들이지 말라 하십니다."

원소와 조조 등은 궁문 밖에 걸음을 멈추었고, 하진 혼자서 대장군의 위풍을 뽐내며 의기양양하게 걸음을 옮겼다. 가덕전(嘉德殿) 문 앞에 이르렀을 때, 장양과 단규가 마주 나오더니 좌우로 달려들며 에워쌌다. 하진은 크게 놀랐다. 장양이 소리를 가다듬어 꾸짖는다.

"동태후께 무슨 죄 있어 네가 독살을 했더냐? 국모의 장례에도 병을 핑계대어 나오지 않은 놈아, 네 본래 푸줏간이나 하던 미천한 놈을 우리가 황제께 천거하여 오늘날의 영화를 누리게 했건만, 은혜를 갚기는커녕 도리어 우리를 죽이려고 하느냐. 네가 말끝마다 우리들을 더럽다고 하는데 대체 깨끗한 놈은 누구란 말이냐?"

하진은 황급히 도망갈 길을 찾으려 했다. 그러나 궁문은 모두 굳게 닫혀 있었다. 그때 매복해 있던 도부수들이 일제히 달려들어 어지러이 내리치는 칼과 도끼에 하진의 몸은 어육이 되고 말았다.

후세 사람들이 시로써 이렇게 한탄했다.

한나라 기울어져 천수가 다하려니	漢室傾危天數終
어리석은 하진이 삼공이 되었구나	無謀何進作三公
충신들의 간언을 들을 줄 몰랐으니	幾番不聽忠臣諫
궁중에서 칼맞는 일 제 어이 면하리	難免宮中受劍鋒

장양의 무리가 이처럼 하진을 죽였는데, 밖에서는 하진이 좀처럼 나오지 않자 기다리던 원소가 궁문을 향해 크게 외친다.

"장군께서는 어서 수레에 오르십시오!"

장양의 무리가 안에서 이 소리를 듣고 하진의 머리를 담 너머로 내던진 뒤 황제의 명을 소리쳐 알린다.

"하진이 모반하여 이미 베어죽였으나, 나머지 따르던 무리들은 용서하여 죄를 사하노라."

원소가 소리를 가다듬어 부르짖는다.

"환관의 무리가 대신을 살해했으니 놈들을 쳐죽이려는 자는 모두 나와서 싸움을 도우라!"

그 소리에 응하여 하진의 장수 오광(吳匡)이 청쇄문 밖에다 불을 질렀고, 원술은 군사를 이끌고 궁정으로 뛰어들어 환관들을 닥치는 대로 죽였다. 원소와 조조도 함께 궐문을 부수고 들어가 조충·정광·하운·곽승 네명을 이리저리 쫓다가 취화루(翠花樓) 아래서 도륙을 해버렸다. 궁중에 이는 불길이 하늘을 찌를 듯했다. 장양·단규·조절·후람의 무리는 하태후와 태자(황제), 그리고 진류왕을 협박해 뒷길로 해서 북궁으로 달아나고 있었다.

한편 노식은 비록 벼슬은 내놓았으나 아직 낙양을 떠나지 않고 있다가 궁중에 변란이 일어난 것을 전해들었다. 그는 곧 갑옷을 갖춰입고 달려들어와 창을 들고 전각 아래 서 있었다. 멀리서 단규가 하태후를 윽박질러 밖으로 막 끌어내려 하고 있었다. 노식은 큰소리로 외친다.

"단규 이 역적놈아, 어디서 감히 태후를 핍박하느냐!"

단규는 깜짝 놀라 몸을 돌려 달아나고, 태후는 창문으로 급히 뛰어나와 위기를 모면했다.

한편 하진의 장수 오광이 내정으로 달려들어가는데 때마침 하진의 아우 하묘가 칼을 들고 나온다. 오광이 큰소리로 외친다.

"하묘는 내시들과 한패가 되어 제 형을 해친 놈이다. 마땅히 함께 죽여야 한다."

사람들이 일제히 소리친다.

"제 형을 죽인 역적놈을 죽여라!"

하묘가 달아나려 했지만 군사들이 에워싸고 칼을 마구 휘둘러 난도질했다. 원소는 다시 군사를 나누어 십상시의 가족들을 남녀노소 가리지 않고 모두 죽여버렸다. 그 바람에 수염이 없는 자로서 억울하게 죽은 이도 적지 않았다.

이때 조조는 궁중의 불을 끄게 하고, 하태후를 모셔내어 나라 일을 섭정하도록 하는 한편, 군사를 풀어 도망한 장양의 무리를 추적하여 어린 황제를 찾도록 했다.

한편 장양과 단규는 어린 황제와 진류왕을 협박하여 연기를 무릅쓰고 불속을 뚫고 밤새 달아나서 북망산에 이르렀다. 밤이 깊어 2경쯤 되었는데, 뒤쪽에서 함성이 크게 일며 한떼의 군마가 달려왔다. 앞장서서 말을 달려오는 이는 하남(河南)의 중부연리(中部掾吏) 민공(閔貢)이라는 사람이다. 민공이 말을 급히 달려 쫓아오며 큰소리로 외친다.

"이 역적놈아, 어디로 도망하려느냐!"

장양은 사태가 워낙 급하여 도저히 피할 길이 없음을 깨닫고 강물에 몸을 던져 자결했다. 어린 황제와 진류왕은 상황이 어찌 되었는지를 몰라 숨을 죽이고 강변의 우거진 잡초 속에 가만히 엎드려 있었다. 민공은 군사를 사방으로 풀어 두루 찾았으나, 어린 황제와 진류왕이 있는 곳을 찾지 못하고 다른 곳으로 가버렸다.

밤은 이슥해 어느덧 4경(새벽 2시)에 이르렀다. 이슬이 차게 내리고 몹시 배가 고파 황제와 진류왕은 서로 껴안고 우는데, 누가 들을까 하여 풀숲에 웅크린 채 소리도 내지 못했다. 애처로이 우는 황제를 위로하며 진류왕이 말한다.

"이 강기슭은 오래 있을 곳이 못되오니 어디든 살길을 찾아 떠나야겠습니다."

두 사람은 옷깃을 서로 붙잡아매고 강기슭으로 기어올라 나아갈 길을 찾았다. 캄캄한 어둠 가운데 가시덤불만 우거졌고 아무리 둘러보아도 길을 찾을 수가 없어 우왕좌왕하고 있는 터에, 문득 수천 수백마리의 반딧불이 떼를 지어 황제 앞에서 날아다니며 밝은 빛을 비추어주었다. 진류왕은 황제를 돌아보며 말한다.

"하늘이 아마도 우리 형제를 도와주시나봅니다."

형제가 손을 맞잡고 떼로 날며 빛을 비추는 반딧불의 뒤를 따라가니 차츰 길이 보이기 시작했다. 5경(새벽 4시)이 될 때까지 계속 걸었다. 다리가 아파서 더이상 걸을 수가 없는데, 길가 언덕 옆에 쌓인 건초더미가 보였다. 어린 황제와 진류왕은 그 건초더미에 지친 몸을 던지고 잠이 들었다.

건초더미가 있는 앞쪽에는 장원이 한 채 있었다. 이때 그 집 주인이 꿈을 꾸었는데, 붉은 태양 두 개가 바로 자기 집 뒤로 떨어진다. 놀라서 깨어나 옷을 주섬주섬 입고 밖으로 나왔다. 사방을 살펴보니 자기 집 뒤 건초더미 위에 한줄기 붉은 빛이 바로 하늘 위까지 뻗쳐 있다. 황급히 더듬어 찾아가보니 웬 소년 둘이 누워 있는 게 아닌가. 주인이 묻는다.

"너희들은 대체 뉘 집 아이들이냐?"

황제는 두려워 감히 대답을 못하고, 진류왕이 나서서 황제를 가리키며 말한다.

"이분은 바로 황제이시오. 십상시의 난리를 만나 이곳까지 피하여 오시었고, 나는 아우 되는 진류왕이오."

이 말에 집주인은 소스라치게 놀라 황제 앞에 거푸 두번 절하고 말한다.

"신은 선조대에 사도를 지낸 최열(崔烈)의 아우 최의(崔毅)로서, 십상시가 벼슬을 사고팔고 어진이를 괴롭히기에 이곳에 숨어 살고 있습니다."

최의는 황제를 부축하여 집안으로 모시고는 술과 음식을 마련하여 무릎을 꿇고 올렸다.

한편 민공은 사방으로 황제의 종적을 찾아다니다가 마침내 달아나던 단규를 붙잡았다.

"바른 대로 아뢰어라. 황제께서는 어디 계시냐?"

"도중에 잃어버려 어디로 가셨는지 모르오."

민공은 한칼에 단규를 베어 그 머리를 말 목에 매달고 나서 군사를 풀어 사방으로 황제를 찾게 했다. 그리고 혼자서 말을 몰아 길을 찾아 나선 곳이 우연히도 최의의 장원 앞이었다.

최의가 안에서 나와 말머리에 달린 수급을 보고 내력을 물었다. 그는 곧 황제의 종적을 찾아서 이곳까지 이른 것을 자세히 이야기했다. 최의가 그를 안으로 안내하자 임금과 신하는 한동안 통곡할 뿐 말문을 열지 못했다. 이윽고 민공이 황제에게 아뢴다.

"나라에는 하루라도 임금이 계시지 않으면 아니 됩니다. 청컨대 폐하께서는 곧 궁으로 돌아가시옵소서."

최의의 장원에는 겨우 여윈 말 한필이 있을 뿐이어서, 민공은 그 말을 빌려 황제를 타게 하고, 자신의 말 위에 진류왕을 함께 태우고 그곳을 떠났다. 농장을 떠난 지 얼마 안되어 사도 왕윤(王允)·태위 양표(楊彪)·좌군교위 순우경(淳于瓊)·우군교위 조맹(趙萌)·후군교위 포신(鮑信)·중군교위 원소 등 일행이 수백 인마를 이끌고 황제를 맞았다. 임금과 신하는 또 한차례 통곡했다.

먼저 사람을 시켜 단규의 수급을 도성 거리에 내걸어 역적의 종말을 만천하에 알리고, 좋은 말 두 필을 가려내어 황제와 진류왕을 각기 태워 낙양을 향해 출발했다. 이에 앞서 낙양성내의 아이들은 이런 동요를 즐겨불렀다.

황제가 황제 아니고	帝非帝
왕이 왕 아니라네	王非王
천승 만기 함께	千乘萬騎
북망산으로 달아나네	走北邙

결국 노랫말대로 모든 일이 맞아떨어진 셈이 되었다.

황제를 모시고 한 마장쯤 나아가니, 문득 깃발이 해를 가리고 먼지가 하늘을 덮으면서 난데없는 한떼의 인마가 앞으로 달려들었다. 백관이 모두 안색이 변하고 황제도 크게 놀라 어쩔 줄 모르는데, 원소가 말을 짓쳐 앞으로 나서며 소리쳐 묻는다.

"너희들은 누구냐?"

수놓은 깃발 아래로 한 장수가 말을 달려나오며 목소리를 가다듬어 되묻는다.

"황제 폐하는 어디 계시오?"

황제는 겁에 질려 말도 못하고 있는데, 곁에 있던 진류왕이 말을 몰고 앞으로 나서며 묻는다.

"그대는 누군가?"

그 장수가 대답한다.

"서량 자사 동탁이오."

"그대는 어가(御駕)를 호위하러 왔는가, 그렇지 않으면 핍박하러 왔는가?"

"특별히 호위하러 왔소이다."

진류왕은 한층 목소리를 가다듬었다.

"어가를 호위하러 왔다면 황제께서 이곳에 계신데, 어찌하여 말에서 내리지 않는가?"

동탁이 크게 놀라 황망히 말에서 뛰어내려 길 한편으로 비켜서며 허리를 숙였다. 진류왕은 부드러운 어조로 동탁을 칭찬하며 격려하는데, 처음부터 끝까지 한마디의 실언도 없었다. 동탁은 마음속으로 은근히 탄복하며 이때부터 이미 황제를 폐하고 진류왕을 옹립할 뜻을 품었다.

이리하여 황제는 어렵사리 궁으로 돌아왔다. 하태후와 만나 두 모자가 한바탕 통곡을 한 뒤 궁중을 점검해보니, 이게 웬일인가. 전국옥새(傳國玉璽)가 보이지 않았다.

그후 동탁은 군사를 성밖에 주둔해두고 날마다 철갑으로 무장한 기마병을 거느리고 성내로 들어와서 거리를 활보하니, 백성들이 몹시 불안해했다. 게다가 그는 거침없이 궁정을 드나들었다. 어느날 후군교위 포신이 원소를 찾아가 말한다.

"동탁이 딴마음을 품고 있는 것이 분명하니 속히 없애는 것이 좋겠습니다."

그러나 원소는 대답한다.

"조정이 새로이 바로잡혔는데 함부로 움직여서는 안되오."

포신은 다시 사도 왕윤을 찾아가 제 뜻을 밝혔다. 왕윤의 대답 역시 시원치 않았다.

"천천히 의논키로 하십시다."

포신은 길게 탄식하고 지체없이 자기 군사를 이끌고 태산(泰山)으로 돌아가버렸다.

이때 동탁은 하진 형제 수하에 있던 군사들을 포섭하여 병권을 장악한 뒤 이유를 불러 조용히 상의한다.

"내가 이제 황제를 폐하고 대신 진류왕을 세울까 하는데 어찌 생각하느냐?"

이유가 기다렸다는 듯 대답한다.

"지금 조정에 주인이 없으니 서두르셔야 합니다. 시일을 늦췄다가는 무슨 변고가 생길지 모르니 내일 당장 온명원(溫明園)에 문무백관을 불러모아 황제를 폐립(廢立)하겠노라는 뜻을 밝히십시오. 그리고 반대하는 자가 있다면 무조건 목을 치십시오. 위엄을 세우실 때는 바로 지금입니다."

그 말에 동탁은 크게 기뻐했다. 이튿날 온명원에다 큰 잔치를 베풀어 문무백관을 청하니, 모두 동탁을 두려워하는 터라 누가 감히 모이지 않을 것인가. 동탁은 백관이 다 모이기를 기다려 뒤늦게 허리춤에 칼을 찬 채로 자리에 앉았다. 술이 두어 순배 돌자 그는 문득 잔을 멈추더니 풍악을 그치게 한 다음 목청을 가다듬어 말한다.

"내 좌중에 드릴 말씀이 있소."

모든 사람이 쥐죽은 듯 귀를 기울이며 바라보았다. 동탁은 한차례 둘러보고 나서 말을 잇는다.

"황제는 만백성의 주인이시니 위엄이 없고서야 어찌 종묘사직을 받들 수 있겠소. 내가 뵈옵기에 폐하는 심히 나약하시오. 그러니 총명하고 학문을 좋아하는 진류왕께서 대위(大位)를 계승하심이 마땅할 것이오. 내 황제를 폐하고 진류왕을 세우고자 하는데, 대신들의 의향은 어떠시오?"

모두들 조용히 들을 뿐 누구 하나 감히 입을 열지 못하는데, 문득 한 사람이 술상을 밀치고 일어나 큰소리로 외친다.

"안될 말이다! 네가 누구기에 감히 그러한 말을 하느냐? 금상께서는 선제(先帝)의 적자(嫡子)이실 뿐만 아니라 이렇다 할 과실이 있는 것도 아닌 터에, 네 어찌 망령되이 폐립을 의논하려 드느냐? 네 감히 역적질을 하려는 게냐?"

형주 자사 정원(丁原)이었다.

"내 뜻을 따르는 자는 살고, 거역하는 자는 죽음을 면치 못하리라."

화가 난 동탁은 즉시 칼을 빼어들며 당장이라도 정원을 칠 기세였다. 이때였다. 불현듯 정원의 등뒤에 서 있는 한 장수의 모습이 이유의 눈에 들어왔다. 커다란 체구에 위풍이 늠름한 그 사나이는 손에 방천화극(方天畫戟)을 잡고 부릅뜬 눈으로 동탁을 노려보고 있었다. 심상치 않은 그 모습에 이유는 얼른 동탁의 팔을 잡는다.

"이같은 잔치자리에서 국정을 논하는 일은 옳지 않으니, 내일 조정에서 의논하시더라도 늦지 않을 것입니다."

여러 대신들의 권유로 정원이 말을 타고 떠나자 동탁은 좌중을 둘러보며 다시 묻는다.

"그래 내 의견이 잘못되기라도 했소?"

노식이 말한다.

"공의 말씀은 옳지 않소이다. 옛날에 은(殷)나라 임금 태갑(太甲)이 아둔하여 이윤(伊尹)이 그를 동궁(桐宮)에 내쳤고, 한나라 창읍왕(昌邑王)이 왕위에 오른 지 겨우 스무이레 동안에 지은 죄가 3천여 가지라, 곽광(霍光)이 태묘(太廟)에 고하고 이를 폐하였다 하오. 그러나 금상께서는 비록 나이 어리시기는 하나 총명인자하시고 또한 털끝만한 과실도 없으신 터에, 공이 한낱 외곽을 지키는 자사로서 일찍이 나라 정사에 참여한 적도 없고, 더구나 이윤이나 곽광같이 재주있는 인물도 못되면서 어찌 폐위를 논한단 말이오? 옛 성인께서도 '이윤의 뜻이 있다면 임금을 바꾸어도 가하지만 이윤의 뜻이 없으면 역적이라' 하셨소이다."

노기가 충천한 동탁은 다시 칼을 빼들어 노식을 치려는데 시중 채옹과 의랑 팽백(彭伯)이 막아서며 말한다.

"노상서(盧尙書, 노식)는 나라에 인망이 높으신 분으로, 지금 까닭없이 사람을 베면 천하 민심이 흉흉할까 두렵소."

동탁은 하는 수 없이 칼을 거두었다. 사도 왕윤이 조용히 한마디 한다.

"폐립 문제는 술자리에서 의논할 일이 아니니 다른 날로 미루시는 게 옳을 듯하오이다."

사람들이 흩어져 돌아간 뒤, 동탁은 칼을 잡고 온명원 입구에 나와섰다. 이때 한 장수가 문밖 큰길을 창을 들고 말을 탄 채 오락가락하고 있었다. 이를 본 동탁이 이유를 돌아보며 묻는다.

"저 장수는 누구인가?"

이유가 대답한다.

"정원의 수양아들 여포(呂布)로, 자는 봉선(奉先)이라 합니다. 주공께서는 잠시 몸을 피하도록 하시지요."

동탁은 얼른 온명원 안으로 몸을 피했다.

이튿날 수하군사가 들어와 알리기를, 형주 자사 정원이 군사를 거느리고 성밖에 와서 싸움을 청한다고 한다. 동탁은 노하여 즉시 군사를 이끌고 이유와 함께 나가 진을 쳤다. 양군이 마주서자 동탁은 이내 여포가 오른편에 버티고 서 있는 모습을 보았다. 여포는 묶은 머리에 금관을 쓰고 백화전포(百花戰袍)와 당예(唐猊, 그 가죽이 질겨 갑옷을 만들었다는 고대전설 속의 짐승) 갑옷을 입고, 허리에 사만보대(獅蠻寶帶, 사자모양을 새긴 보석 박은 띠)를 두른 모습으로, 창을 높이 치켜들고 말을 달려 정원을 따라 진 앞으로 나와섰다. 정원이 동탁을 가리키며 꾸짖는다.

"환관들이 정권을 농락하여 오랫동안 백성들을 도탄에 빠뜨리더니, 이제 네놈이 조그마한 공도 없이 감히 폐립을 거론하여 다시 조정을 어지럽히려 드느냐?"

동탁이 미처 대답할 겨를도 없이 여포가 그대로 말을 달려 덤벼들었다. 황급히 달아나는 동탁의 뒤를 정원이 군사를 휘몰아 덮친다. 동탁의 군사는 크게 패하여 30리 밖으로 달아나 진을 쳤다. 동탁은 부하들을 불러모으고 말한다.

"내가 보기에 여포는 참으로 비상한 인물이다. 이 사람 하나만 얻으면 천하에 두려울 것이 없겠는데……"

그때 누군가 앞으로 나서며 말한다.

"주공은 아무 염려 마십시오. 여포는 한고향 사람이라 제가 잘 압니다만, 용맹하되 꾀가 없고 제 이익 앞에서는 쉽사리 의리를 저버리는 위인입니다. 허락하신다면 저의 싱싱한 이 세 치 혀로 여포를 구슬려 제발로 주공을 찾아오도록 만들겠습니다."

동탁이 크게 기뻐하며 보니, 그는 호분중랑장(虎賁中郞將) 이숙(李肅)이다. 동탁이 반갑게 묻는다.

"네 어떻게 여포를 설득하겠단 말이냐?"

"주공께 적토(赤兎)라 불리는 명마가 있어, 하루에 능히 천리를 간다고 들었습니다. 이 말에다가 황금과 명주(明珠)를 가지고 가서 여포의 마음을 사로잡은 다음 달콤한 말로 꾄다면 정원을 배반하고 주공께 투항하게 하는 것쯤 그리 어려운 일이 아닙니다."

동탁이 이유에게 말한다.

"어찌하면 좋겠는가?"

이유가 말한다.

"주공께서 장차 천하를 취하실 생각이라면 말 한필이 아깝겠습니까?"

동탁은 이숙에게 적토마와 황금 등을 내주고 여포를 유혹하게 하다 동탁은 흔쾌히 적토마와 함께 황금 1천냥에다 수십 덩어리의 명주와 옥대 한 벌을 내주었다. 이숙은 곧장 예물을 챙겨들고 여포의 영채로 향했다. 영채를 지키고 있던 군사들이 달려나와 일행을 둘러싸자 이숙이 말한다.

"빨리 가서 여장군께 고향 친구가 찾아왔노라고 전하라."

군사 한명이 먼저 달려가 말을 전하자 여포는 어서 안으로 모셔들일 것을 분부했다. 이숙이 들어서며 인사한다.

"아우님께선 그간 별고 없으셨는가?"

여포도 마주 절하며 묻는다.

"오랫동안 뵙지 못하였는데, 그래 지금은 어디 계십니까?"

"나는 호분중랑장 벼슬에 있네만, 아우가 사직(社稷)을 구하려 한다는 말을 듣고 내 기쁨을 이길 길이 없어 말 한필을 가지고 왔네. 이 말은 하루에 능히 천리를 가며, 물을 건너고 산에 오르기를 마치 평지 밟듯 하니 이름은 적토라, 특별히 아우에게 드려 범 같은 위용을 도우려는 것일세."

여포는 곧 사람을 시켜 말을 끌어오게 했다. 살펴보니, 과연 온몸이 활활 타오르는 불덩어리와도 같이 잡털 한 오라기 섞이지 않았으며, 머리로부터 꼬리까지 길이가 한 장(丈)이요, 굽에서 목까지의 높이가 8척, 콧소리를 내며 우렁차게 소리치는 형상은 그대로 치솟아 하늘을 날고 바다 위를 달릴 듯했다.

후세 사람들이 적토마에 대해 남긴 시가 있다.

천리 내닫는 발굽 아래 이는 티끌먼지　　　　　奔騰千里蕩塵埃

물 건너고 산 오르는데 안개 자욱하더라　　　　渡水登山紫霧開

굴레를 끊어놓고 옥고삐 흔드는 모습   掣斷絲繮搖玉轡

화룡이 저 하늘에서 날아 내려온 듯하네   火龍飛下九天來

여포는 적토마를 보자 이루 말할 수 없는 기쁨을 느껴 사례한다.

"형님께서 이렇듯 훌륭한 용마(龍馬)를 내리셨는데, 이 은혜에 무엇으로 보답하면 좋겠습니까?"

이숙이 말한다.

"내 아우를 찾아온 것은 오직 의기(義氣)를 위함이네. 보답이라니 당치 않은 말씀일세."

여포는 주안상을 차리게 하여 이숙을 대접한다. 어느정도 취기가 오르자 이숙이 한마디 한다.

"아우를 만나본 지는 참으로 오랜만이지만 내 춘부장 어른은 가끔 뵈었다네."

여포가 껄껄 웃는다.

"형님이 취하신 게로군요. 선친께서 돌아가신 지가 언젠데 어찌 그런 말씀을 하시오?"

"아니, 그게 아닐세. 나는 지금 정자사(丁刺史)를 말하는 걸세."

여포는 무안해하며 말한다.

"내 부득이한 사정으로 그에 의탁하고는 있으나, 그리 말씀하시니 듣기 민망하외다."

이숙이 기다렸다는 듯 엄숙하게 말한다.

"거 무슨 말씀인가? 아우에게 하늘을 떠받치고 바다를 뒤엎을 만한 재주가 있음은 온 세상이 알아 흠모하고 공경하지 않는가? 그런 사람이 공명과 부귀를 구하려고만 들면 마치 주머니 속에서 물건 꺼내듯

할 터인데, 부득이하여 남의 수하에 있다니 정말 당치 않은 말씀일세."

"내 아직 주인을 제대로 못 만나 한스럽습니다."

이숙이 웃으며 말한다.

"옛말에도 좋은 새는 나무를 가려서 깃들고, 어진 신하는 주인을 가려 섬긴다 했네. 기회를 보아 서두르지 않으면 뒤늦게 후회해도 소용없을 걸세."

여포가 말한다.

"형님 보시기에 지금 조정에서 진실로 당대의 영웅이라 할 사람이 누구 같소이까?"

"내 여러 사람들을 두루 보아왔지만 정말로 동탁만한 이가 없다네. 동탁은 어진이를 공경하고 선비를 대접할 줄 알며 상과 벌이 분명하니, 마침내는 대업을 이루고야 말 것이네."

"내 그를 따르고 싶어도 길이 없는 게 한이오."

이숙은 기다렸다는 듯이 가지고 온 황금이며 구슬과 옥대를 여포 앞에 꺼내놓는다. 여포는 깜짝 놀란다.

"아니, 이게 웬 물건들이오?"

이숙은 좌우 사람들을 꾸짖어 내보내고 조용히 속삭인다.

"실은 동탁 나으리께서 오랫동안 아우의 명성을 흠모해오던 터에 특별히 나더러 갖다드리라 하신 걸세. 적토마도 실상은 동공이 보내신 것이라네."

여포가 말한다.

"동공이 이렇게까지 나를 생각해주시니 내 장차 이 은혜를 어떻게 갚아야 좋을지 모르겠소."

이숙이 말한다.

"나같이 재주 없는 사람도 호분중랑장 자리에 있네. 만약 그대가 동공께로 가기만 한다면 귀한 자리에 오를 걸세."

"한스럽게도 내가 티끌만한 공도 세운 것이 없으니 무슨 낯으로 찾아뵙는단 말이오?"

"공을 세우기야 마음먹기에 따라서 손바닥 뒤집기보다 더 쉬운 일이지만, 그대가 하려 들지 않을 뿐일세."

여포는 한동안 생각에 잠겼다가 결심한 듯 입을 연다.

"내가 정원을 죽이고 군사를 이끌고 동공께로 가면 어떻겠소?"

이숙이 고개를 크게 끄덕인다.

"아우께서 과연 그렇게만 한다면야 그보다 더 큰 공이 어디 있겠나? 그러나 지체했다가는 무슨 변이 생길지 모르니 서두르는 게 좋겠네."

이리하여 이숙은 여포에게 내일 당장 투항할 것을 약속받고 돌아갔다.

그날밤 2경 무렵 여포는 칼을 들고 곧장 정원의 장막 안으로 들어갔다. 정원은 불을 밝히고 병서(兵書)를 읽던 참이었다. 여포가 들어오는 것을 보고 정답게 묻는다.

"내 아들이 이 밤중에 웬일인고?"

여포가 큰소리로 맞받는다.

"내 당당한 사내대장부로서 네 아들이라니, 당치도 않다!"

정원은 놀라 말문이 막혔다.

"봉선아, 네 어찌 마음이 변했……"

순간, 칼이 번쩍 들리는가 싶더니 한칼에 정원의 목이 떨어진다. 여포는 베어낸 정원의 목을 들고 큰소리로 외친다.

"너희들은 듣거라! 정원이 어질지 않기로 내가 죽였다. 나를 따를 자는 남아 있고 따르지 않을 자는 갈 데로들 가거라."

군사들 대부분은 뿔뿔이 흩어져 각자 제 갈길로 가버렸다.

이튿날 여포는 남은 군사들을 데리고 정원의 수급을 챙겨 이숙을 찾아갔다. 이숙은 곧장 여포를 동탁에게로 데려갔고, 동탁은 크게 기뻐하며 여포를 반겨 잔치를 베풀었다. 동탁은 술잔을 권한 뒤 몸을 일으켜 먼저 예를 차린다.

"이제 장군을 얻은 것은 마치 큰 가뭄에 타들어가던 새싹이 단비를 만난 것과도 같소이다."

여포는 몸둘 바를 몰라하며 황급히 동탁의 손을 잡아 자리에 앉게 한 뒤 절을 올렸다.

"주공께서 이몸을 버리지만 않으신다면, 삼가 의부(義父)로 모실까 합니다."

동탁은 여포에게 황금 갑옷과 금은보화를 상으로 내리고 취하도록 마신 후 헤어졌다. 그뒤로 동탁의 위세는 더욱 커졌다. 그는 스스로 전장군(前將軍) 일을 맡고, 아우 동민(董旻)을 좌장군(左將軍) 호후(鄠侯)로, 여포는 기도위중랑장(騎都尉中郎將) 도정후(都亭侯)로 봉했다.

이유는 다시 동탁에게 황제폐립 계획을 서두르라고 권했다. 동탁은 곧 궁안에 성대한 잔치를 베풀어 문무백관을 청하고 여포로 하여금 무장한 군사 1천여명을 거느리고 좌우를 호위하게 했다. 그날 태부(太傅) 원외(袁隗)를 비롯한 문무백관 모두가 자리에 나왔다. 술이 두어 순배 돌자 동탁은 칼을 짚으며 말한다.

"금상께서는 정사에 어둡고 나약하여 종묘를 받들 수 없으니, 내 이제 이윤·곽광의 고사(故事)를 본받아 황제를 폐하여 홍농왕(弘農王)을 삼고 진류왕께서 대위를 이으시게 하려는즉, 만약 좇지 않는 자가 있으면 목을 베겠다."

모든 신하들이 두려워서 감히 입을 열지 못할 때 중군교위 원소가 분연히 자리를 차고 일어난다.

"금상께서 즉위하신 지 얼마 안되시며, 덕을 잃을 만한 행실도 없으신 터에, 네가 함부로 적자(嫡子)를 폐하고 서자(庶子)를 세우려 하다니, 이런 역적행위가 어디 있단 말이냐?"

동탁은 노하여 소리친다.

"천하의 일이 내 손에 달린 터에, 내 하려는 일을 뉘라 감히 거역하려느냐? 네가 아직 내 칼이 날카로운 줄을 모르는 모양이구나."

원소도 질세라 칼을 빼어들며 외친다.

"네 칼만 날카로운 줄 아느냐? 내 칼도 그 못지 않다!"

결국 술상을 앞에 두고 두 사람이 맞서게 되었다.

정원은 의기를 세우다가 먼저 죽었는데　　　丁原仗義身先喪

칼을 뽑아 맞선 원소 그 형세 위태로워라　　　袁紹爭鋒勢又危

원소의 목숨은 장차 어찌 될까?

어린 황제를 폐하는 동탁

동탁은 한 황제를 폐하여 진류왕을 세우고

조조는 역적 동탁을 죽이려다 칼을 바치다

동탁이 원소를 죽이려 하자 이유가 말린다.

"대사를 정하기도 전에 함부로 사람을 죽이는 것은 옳지 않습니다."

원소는 칼을 그대로 손에 든 채 문무백관에게 작별을 고하고 밖으로 나왔다. 품속에 지녀오던 벼슬직의 상징인 절(節)을 풀어내어 동문(東門) 위에 걸어놓은 원소는 기주(冀州)를 향해 떠나갔다. 원소가 자리를 뜨자 동탁은 태부 원외를 향해 말한다.

"그대의 조카 원소가 심히 무례하나, 내 그대의 낯을 보아 용서하겠소. 그건 그렇고, 그대 생각은 어떠하오? 황제를 폐위하고자 하는데 이견이 있으면 말해보오."

원외가 기어들어가는 소리로 간신히 대답한다.

"태위의 생각이 옳으신 줄로 압니다."

동탁은 날카로운 눈초리로 백관들을 죽 둘러본다.

"감히 대의(大議)를 막는 자가 있다면 군법으로 다스리겠소."

모든 신하들이 두려움에 떨며 한소리로 대답한다.

"명을 따르겠소이다."

연회를 마친 후 동탁은 시중(侍中) 주비(周毖)와 교위 오경(伍瓊)에게 묻는다.

"원소가 갔으니 어찌하면 좋겠는가?"

주비가 말한다.

"원소가 노기등등하여 가버렸으니 만약에 현상금을 걸고 급히 잡으려 들었다가는 반드시 변이 생길 것입니다. 더욱이 원씨 집안으로 말하자면 사대에 걸쳐서 많은 사람에게 은덕을 쌓아 그 문하에서 지금 벼슬직에 올라 있는 사람들이 도처에 널려 있습니다. 만일 그가 호걸을 거두고 무리를 불러모아 난이라도 일으키면 그 틈에 영웅들이 들고 일어날 것이고, 그렇게 되면 산동(山東) 지방은 이미 대감의 것이라 할 수 없습니다. 그러니 도량을 베풀어 오히려 그에게 군(郡)의 태수자리라도 내주셔서, 제가 죄를 면하게 된 것을 기쁘게 여겨 결코 후환을 일으키지 않도록 하소서."

오경이 덧붙여 말한다.

"원소는 꾀는 많지만 결단성이 없는 사람이라 크게 근심할 것은 없습니다. 작은 태수자리나 한자리 내주시면 민심은 저절로 수습될 것입니다."

동탁은 그들의 의견을 좇아 그날로 사람을 보내어 원소를 발해(渤海) 태수로 봉했다.

9월 초하룻날, 동탁은 황제를 청하여 가덕전(嘉德殿)에 오르게 하고 문무백관을 모두 모아놓은 다음 칼을 빼어들고 말했다.

"황제가 너무도 심약하고 사리에 어두워 천하를 다스릴 수 없다는 것은 자명한 사실이다. 이제부터 책문(策文)을 읽을 터이니 모두 듣도록 하라."

이유가 동탁의 명을 받아 책문을 읽어내려갔다.

일찍이 효령(孝靈) 황제께서 신하와 백성을 버리고 세상을 떠나신 뒤에 새로운 황제가 등극하시니 온 백성이 우러러보았으나, 천성이 경박하고 위엄이 없으며 상중에도 그 부덕함으로 대위(大位)를 그르쳤다. 또한 하태후도 국모로서의 범절(凡節)이 없어 정사를 어지럽혔으니, 영락태후(永樂太后, 동태후)께서 갑자기 세상을 떠나시자 백성들은 의혹에 사로잡히지 않을 수 없었다. 어찌 삼강(三綱)의 도(道)와 천지의 기강이 무너졌음을 개탄하지 않을 수 있으랴? 반면에 진류왕은 성덕(聖德)이 높으실 뿐만 아니라 법도를 엄중히 지켜 상중에도 그 예를 다하여 슬퍼하시고 그릇된 말은 입에 담지 않으셨다. 그 미덕은 온 천하가 아는 바로, 마땅히 대업을 이어받아 만세에 전해져야 할 것이라. 이에 황제를 폐하여 홍농왕을 삼고, 하태후는 더이상 정사에 관여치 못하도록 할 것이며, 진류왕을 받들어 황제로 섬기고자 한다. 이야말로 하늘의 뜻에 따르고 민심에 순응하여 만백성의 간절한 소망을 받들어 위로하는 길이다.

이유가 책문을 다 읽고 나자, 동탁은 좌우 신하를 꾸짖어 황제를 전각 아래로 끌어내리게 했다. 그러고는 옥새를 빼앗고 북쪽을 향해 꿇어앉게 하더니, 이제부터 신하로서 명령에 복종하라 하고, 태후에게도 태후복을 벗고 새 황제의 명을 받들라 했다. 급기야 황제와 태후는 서로 끌어안고 통곡을 한다. 이를 지켜보는 모든 신하들도 눈물을 금할 길이 없었다. 이때, 한 대신이 분노를 참지 못하고 소리친다.

"역적 동탁아, 네 어찌 감히 하늘을 속이려 드느냐! 네놈에게 내 목의 피를 뿌리고야 말리라!"

그는 곧장 전각 위로 뛰어오르며 동탁을 향해 손에 들고 있던 상간(象簡)을 휘둘렀다. 동탁은 크게 노하여 무사들을 시켜 당장 끌고 나가 목을 베도록 했다. 그는 다름아닌 상서(尙書) 정관(丁管)으로, 죽어가면서도 기개를 굽히지 않고 동탁의 잘못을 꾸짖으며, 조금도 두려워하는 기색을 보이지 않았다.

후세 사람들은 그의 충절을 이렇게 노래했다.

역적 동탁이 함부로 황제를 폐하려 하니	董賊潛懷廢立圖
한나라 종묘사직이 무너지게 되는구나	漢家宗社委丘墟
조정에 가득한 신하들 모두 입을 다물고 있는데	滿朝臣宰皆囊括
오직 정상서 한 사람 진정한 대장부로다	惟有丁公是丈夫

동탁은 진류왕을 청하여 전(殿)에 오르게 하고, 문무백관들로 하여금 하례(賀禮)를 올리도록 했다. 또한 하태후와 홍농왕, 왕비 당(唐)씨를 영안궁에 들게 한 뒤 궁문을 봉쇄해 모든 신하의 출입을 금하니,

애달프게도 어린 황제는 4월에 등극하여 9월에 쫓겨났다. 동탁이 새로 세운 진류왕 협의 자는 백화(伯和)요, 영제의 둘째아들로 헌제(獻帝)라 불리었는데, 이때 그의 나이는 9살이었다. 이로부터 연호를 고쳐 초평(初平)이라 했다.

동탁은 스스로 상국(相國)이 되어 황제 앞에서 절을 할 때 자신의 이름을 말하지 않고, 조정에 들어갈 때도 예에 따라 허리를 굽히고 종종걸음을 걷지 않을 뿐만 아니라 칼을 차고 신을 신은 채 전상에 오르는 등 그 위세가 극에 달했다.

이유는 동탁에게 덕망있는 인재를 최대한 등용하여 민심을 수습할 것을 권하며 채옹(蔡邕)을 천거했다. 동탁은 그의 말에 따랐지만 채옹이 선뜻 부름에 응하지 않자 진노하여 또다시 사람을 보냈다.

"만일 내 명을 거역하면 일족을 모두 죽여버리겠다."

채옹은 두려워하고 마침내 동탁을 찾아왔다. 동탁은 매우 기뻐하여 한달 동안에 세 번이나 그의 벼슬을 올려 시중의 자리에까지 앉히는 등 각별한 대접을 했다.

한편 폐위된 어린 황제는 하태후·당비와 더불어 영안궁에 갇혀 답답한 나날을 보내는데, 의복은 점점 해어지고 음식이 떨어져가며 하루도 눈물 마를 날이 없었다. 어느날, 제비 한쌍이 뜰안을 날아다니는 것을 지켜보던 어린 황제는 비감한 생각에 젖어 시 한수를 지어 읊었다.

푸른 새싹에 아지랑이 어리고	嫩草綠凝烟
제비 한쌍이 맵시있게 나는구나	裊裊雙飛燕
한줄기 낙수 물빛이 푸르러	洛水一條靑

언덕 위 사람들 부러워하네   陌上人稱羨

멀리 보이는 구름 깊은 저곳   遠望碧雲深

내 있던 옛 궁전이 아니던가   是吾舊宮殿

어느 누가 충의를 지켜   何人仗忠義

원한 맺힌 이 심사를 풀어줄거나   洩我心中怨

날마다 사람을 시켜서 동정을 살피던 동탁은, 이날 부하의 입을 통해 이 시의 내용을 전해듣고는 기다렸다는 듯이 말했다.

"원망하는 시를 지어 스스로 명을 재촉하는구나. 명분이 선 이상 더는 지체할 필요가 없겠다."

동탁의 명을 받고 이유는 즉시 무사 10명을 거느리고 어린 황제를 죽이고자 영안궁으로 들어갔다. 태후·당비와 함께 누각 위에 앉아 있던 황제는 이유가 왔다는 궁녀의 말만 듣고도 벌써 가슴이 떨리고 안색이 변했다. 잠시 후 누각 위로 올라선 이유는 대뜸 독주 한병을 내어놓는다.

"이게 무엇이오?"

황제가 어리둥절하여 묻자 이유가 천연스레 대답한다.

"봄날이 너무도 화창하여 상국께서 특별히 수주(壽酒, 장수를 비는 술)를 올리는 것입니다."

하태후는 의심스런 생각이 들었다.

"과연 수주라면 네가 먼저 마셔보아라."

이유가 화를 내며 소리친다.

"못 마시겠다는 거냐?"

이유는 좌우에 선 자들에게 단도 한 자루와 흰 비단 한 자락을 황제

앞에 꺼내놓게 했다.

"수주를 마시지 않으려거든 이것을 받아라!"

이유의 호령에 당비가 얼른 몸을 일으켜 앞으로 나서며 무릎을 꿇는다.

"첩이 대신하여 술을 마시겠으니, 원컨대 두 분 모자의 목숨만은 살려주오."

"네가 뭐라고 감히 왕 대신 죽겠다 하느냐?"

이유는 불호령을 하며 하태후에게 술잔을 내밀었다.

"네가 먼저 마셔라."

하태후의 입에서 탄식이 흘러나왔다.

"어리석은 하진이 역적을 경사로 끌어들여 오늘날 이 화를 겪게 하는구나!"

이유는 어린 황제에게 성화를 부리며 독주 마실 것을 재촉한다.

"잠시 태후와 작별인사나 나누게 해주오."

황제는 한차례 목놓아 울더니, 시 한수를 지어 읊었다.

천지가 바뀌고 일월이 뒤집혀서	天地易兮日月翻
만승 황제의 몸이 변방으로 밀려났구나	棄萬乘兮退守藩
신하에게 핍박받아 죽어가는 목숨	爲臣逼兮命不久
대세 이미 기우니 눈물만 속절없다	大勢去兮空淚潸

이에 당비가 화답한다.

하늘이 무너지고 땅마저도 꺼지누나	皇天將崩兮后土頹

이몸 후비로서 운명이 기구해라   身爲帝姬兮命不隨

생사의 길 다르거늘 이로부터 마치려는가   生死異路兮從此畢

애끓는 이 심사 어찌할거나!   奈何嫠速兮心中悲

시를 다 읊고 나서 어린 황제와 당비는 서로 부둥켜안고 한바탕 울음을 터뜨렸다. 이유가 화를 내며 다그친다.

"상국께서 기다리고 계시니 한시바삐 돌아가야 한다. 이렇듯 울고 앉았으면 행여나 누가 구해줄 성싶으냐?"

순간 하태후가 소리쳐 꾸짖는다.

"역적 동탁이 우리 모자를 핍박하고, 하늘이 우리를 저버려 너희들이 악한 짓을 하고 있다만, 머지않아 네놈들도 멸족당할 날이 있을 게다!"

이유는 격분하여 두 손으로 하태후를 떠밀어 누각 아래로 떨어뜨려 버렸다. 그는 무사들로 하여금 당비는 목 졸라 죽이고, 어린 황제의 입을 벌려 독주를 들이붓게 했다. 이렇듯 무지막지한 참살을 감행한 다음 이유는 곧장 동탁에게 돌아가 결과를 알렸다. 동탁은 시체들을 성밖으로 끌어내어 장사지내게 하고, 그후로는 밤마다 궁에 들어가서 궁녀들을 간음하고 용상에서 잠을 잤다.

어느날 동탁은 군사를 거느리고 성을 나서 양성지방으로 갔다. 때는 2월, 마을에 굿이 있어 촌 백성들이 남녀 가릴 것 없이 삼삼오오 짝을 지어 봄놀이를 나왔다. 이 모습을 본 동탁은 군사들에게 영을 내려 무조건 에워싸고 목을 베게 했다. 군사들은 닥치는 대로 부녀자들과 재물을 빼앗아 가득 싣고, 수레 밑에는 죽은 이들의 머리 1천여개를 주렁주렁 매달고 경사로 돌아와, 적군을 쳐서 크게 이기고 돌아왔노라 거짓 선전을 했다. 그런 다음 성문 밖에서 사람들의 머리를 모두 불태워 없애게 하고, 노략질해온 부녀자와 재물은 군사들에게 나누어 주었다.

월기교위(越騎校尉) 오부(伍孚)의 자는 덕유(德瑜)다. 그는 동탁의 잔인무도한 행동에 분노를 이기지 못하여 평소 조복(朝服) 속에 얇은 갑옷을 입고 단도를 숨기고서 호시탐탐 기회를 엿보고 있었다. 그러던 어느날 아침, 동탁이 막 조정에 들어서는 참이었다. 전각 아래 서 있던 오부는 때를 놓치지 않고 잽싸게 비수를 빼들고 달려들어 동탁을 찔렀다. 그러나 워낙 힘이 센 동탁인지라, 얼른 몸을 피하며 오부의 팔을 두 손으로 잡고 막아낸다. 이에 뒤따르던 여포가 달려들어 단숨에 오부를 땅바닥에 내동댕이쳤다. 동탁이 묻는다.

"누가 너를 모반하게 했느냐?"

오부는 눈을 부릅뜨고 똑바로 쳐다보며 꾸짖는다.

"네가 내 임금이 아니고, 내가 네 신하가 아닌 터에 모반이라니 가당치도 않다! 네놈의 죄가 하늘을 덮을 지경이라, 너를 죽이고자 하는 사람이 하나둘이 아니다. 내 너의 사지를 찢어죽여 온 천하에 보답하지 못함이 한스러울 뿐이다."

동탁은 화가 머리끝까지 치밀어 당장 오부를 끌어내 온몸을 토막내어 죽이도록 했다. 오부는 죽어가면서도 목숨이 다하는 마지막 순간까지 동탁을 꾸짖었다. 이러한 오부의 용기를 후세 사람들은 이렇게 노래했다.

한나라 말년에 충신으로 오부가 있으니　　　　　　　　漢末忠臣說伍孚
하늘을 찌를 듯한 기개 세상에 다시 없어　　　　　　　沖天豪氣世間無

역적 죽이려던 그 이름 아직도 전해지니　　　　　　　　朝堂殺賊名猶在

만고에 일컬어 대장부라 하리　　　　　　　　　　　　　萬古堪稱大丈夫

그런 일이 있은 뒤로 항상 동탁의 전후좌우에는 무장한 군사가 따르며 호위했다.

그무렵 발해에 머물고 있던 원소는 동탁의 전횡이 날이 갈수록 심해진다는 소식을 듣고 은밀히 사람을 보내 왕윤(王允)에게 밀서를 전했다. 서신의 내용은 대략 이러하다.

역적 동탁이 하늘을 속이고 임금을 폐한 것은 사람으로서 차마할 짓이 아니거늘, 공은 놈들이 저렇듯 마음껏 날뛰는 꼴을 보고도 모르는 체하고만 계시니, 이 어찌 나라에 보답하는 충신이라 하겠소이까? 나는 지금 군사를 모아 조련하여 장차 황실을 바로잡고자 하나, 감히 경솔히 움직이지 못하고 있소이다. 공께서도 나와 뜻을 같이하신다면 마땅히 틈을 보아 도모하길 바라며, 이몸을 부르신다면 언제라도 뜻을 받들어 뒤를 따르리다.

왕윤은 원소의 밀서를 받고 이런저런 궁리를 해보았으나 마땅한 계책이 떠오르지 않았다. 그러던 어느날, 대궐에 들어갔다가 옛 신하들만이 시반각(侍班閣) 안에 모여 있는 것을 보고 조용히 말했다.

"오늘은 바로 이 늙은 사람의 생일인데, 차린 것은 없으나 밤에 내집에 오셔서 술이나 한잔씩 나누셨으면 하오."

모두들 대답한다.

"당연히 가서 축하드려야지요."

그 즉시 집으로 돌아온 왕윤은 서둘러 후당(後堂)에다 잔칫상을 차리도록 했다. 밤이 되자 대신들이 하나둘 모여들었다. 술이 몇 순배나 돌았을까. 왕윤은 느닷없이 두 손으로 얼굴을 감싸쥐고 소리내어 울기 시작했다. 뜻밖의 일에 대신들은 모두 놀라서 묻는다.

"경사로운 생신날 어찌 그러십니까?"

왕윤이 말한다.

"실은 오늘이 내 생일이란 말은 거짓이오. 조용히 여러분을 모시고 지난날의 회포를 풀고 싶은 마음에, 행여라도 동탁이 의심할까 두려워 그리 말씀드린 것이오. 여러분도 아다시피 동탁이 황제를 속이고 권력을 마음대로 휘둘러, 나라의 앞날이 암담한 지경에 이르렀소이다. 돌이켜보건대 일찍이 한고조께서 진나라를 멸하고 초나라를 무너뜨려 비로소 얻으신 천하가 오늘에 이르러 동탁의 손에 망하게 될 줄이야 누가 알았겠소. 그게 바로 내가 우는 까닭이오."

왕윤의 말에 모여앉은 대신들은 일제히 울음을 터뜨렸다. 그런데 유독 한 사람만이 손뼉을 치며 웃어댄다.

"허허, 그만들 하시오. 이렇게 날밤 새도록 울기만 하면 동탁이가 절로 죽는답디까?"

그는 효기교위(驍騎校尉) 조조였다. 왕윤은 몹시 화가 났다.

"너희 조상들이 대대로 한나라 녹을 먹은 터에, 어찌 너는 나라에 보답할 생각은 하지 않고 도리어 우리를 비웃느냐?"

조조가 말한다.

"내 달리 웃는 것이 아니오. 여러 대감들이 이렇게 모여앉았어도 동탁을 해칠 계교를 내는 사람이 하나도 없다는 게 딱해서 그러오. 이 몸 조조, 비록 재주는 없으나 즉시 동탁의 머리를 베어 성문에 높이 매달아 천하에 사례하리다."

왕윤은 자리를 고쳐앉으며 묻는다.

"맹덕에게 특별한 계책이라도 있으시오?"

조조가 말한다.

"내가 요사이 몸을 굽혀 동탁을 섬기는 것은 오로지 기회를 엿보아 도모하려는 까닭이오. 이제 동탁도 나를 신임하는 눈치라서 가까이서 그를 접할 수 있소. 그래서 드리는 말씀이오만, 사도께서 칠성보도(七星寶刀)라는 보검을 한 자루 갖고 계시다고 들었는데, 그 보검을 잠시이 조조에게 빌려주신다면 당장이라도 승상부로 들어가 동탁을 찔러 죽이겠소. 이 일을 이룰 수만 있다면 내가 죽게 되어도 여한이 없겠소이다."

"맹덕이 진정 그런 마음을 가지고 있다면 그보다 다행스런 일이 천하에 또 어디 있겠소?"

왕윤은 친히 술을 부어 조조에게 권했다. 조조는 잔을 받아 땅바닥에 술을 뿌려가며 맹세를 했다. 왕윤은 더 망설이지 않고 보검을 꺼내다 조조에게 주었다. 조조는 왕윤에게서 칼을 받아 간직하고 술잔을 비운 다음 먼저 몸을 일으켰다. 잠시 후 다른 사람들도 술자리를 파하고 각기 흩어져 돌아갔다.

이튿날, 조조는 허리에 그 보검을 차고 승상부로 들어갔다.

"승상께서는 어디 계시냐?"

"작은 누각 안에 계십니다."

시종의 말에 조조는 곧장 누각으로 향했다. 안에 들어가보니 동탁은 평상에 앉아 있고, 그 곁에는 여포가 서 있다. 조조를 보자 동탁이 묻는다.

"맹덕이 오늘은 왜 이리 늦었는가?"

조조가 말한다.

"말이 야위어 걸음걸이가 신통칠 않습니다."

동탁이 여포를 돌아보며 말한다.

"내게 서량에서 올라온 좋은 말이 있으니, 봉선이 네가 한 마리 골라 맹덕에게 주도록 해라."

여포가 말을 고르려고 밖으로 나가자 조조는 속으로 쾌재를 불렀다.

'이 역적놈, 너도 이제 죽을 때가 되었구나!'

조조는 즉시 칼을 빼려다가 망설였다. 워낙 힘이 센 동탁인지라 경솔하게 움직일 수가 없었다. 주저하며 기회를 노리는데, 동탁은 몸이 비대하여 오래 앉아 있지 못하고 조조에게 등을 보이며 모로 드러눕는다.

'그래. 내 기필코 끝장을 내리라!'

조조는 더이상 망설이지 않고 보검을 빼들었다. 대번에 동탁의 등을 찌르려 하는데, 이런 공교로운 일이 또 있으랴. 동탁은 무심코 고개를 들어 벽에 걸린 거울을 바라보다가 그 속에 비친 조조의 갑작스런 행동에 급히 몸을 돌렸다.

"지금 무슨 짓을 하려는 게냐?"

이때 여포는 이미 말을 끌고 누각 밖에 와 있었다. 조조는 엉겁결에 칼을 두 손으로 받들고 공손히 꿇어앉아 아뢴다.

"저에게 보검 한 자루가 있기에 특별히 은혜로운 승상께 바치고자 합니다."

동탁이 이를 받아들고 보니 칼의 길이가 한자 남짓한데, 칼자루와

조조가 어쩔 수 없이 칠성보도를 동탁에게 바치다

칼등에 칠보(七寶)를 장식했고 칼날도 심히 날카로운 것이 과연 훌륭한 보검이었다. 여포가 안으로 들어서자 동탁은 살펴보던 칼을 건네며 잘 보관하라고 일렀다. 조조는 곧 허리에서 칼집마저 끌러 여포에게 건네었다. 동탁은 조조를 데리고 밖으로 나가 말을 보여주었다. 조조는 사례하며 말했다.

"한번 타보고 싶습니다."

동탁이 즉각 안장과 고삐를 가져다주게 했다. 조조는 말을 끌고 승상부를 나서자 곧 그 위에 뛰어올라 동남쪽을 바라고 쏜살같이 내달아 사라졌다. 여포가 동탁에게 말한다.

"아무래도 조조의 거동이 수상쩍습니다. 제가 딴뜻을 품고 왔다가 그만 일이 여의치 못하니까 임기응변으로 칼을 바친 게 아닐까요?"

"나도 그렇게 생각하던 참이다."

두 사람이 이야기를 나누는 중에 이유가 들어왔다. 동탁이 조조의 일을 들려주자 이유가 아뢴다.

"조조는 지금 처자 없이 낙양에서 홀로 지내고 있습니다. 곧 사람을 조조의 처소로 보내 불러보시지요. 그래서 곧장 달려오면 보도를 공께 바치려 했던 게 사실이나, 만약 핑계를 대고 오지 않으면 공을 찌르려 했던 것이 분명하니 즉시 잡아다 문초를 하심이 옳을 줄로 압니다."

동탁은 그 말을 좇아 즉시 옥졸 4명을 보내서 조조를 불러오게 했다. 그런데 한참이 지나서야 옥졸들이 돌아와서 보고한다.

"거처하는 곳에 가보니 그곳에는 들르지 않은 눈치입니다. 사람들 말로는, 여기서 말을 타고 나가 곧장 동문으로 갔는데, 수문장이 어디 가느냐고 묻자, 긴급한 일이 있어서 승상의 분부를 받고 가는 길이라고 황급히 말을 몰아갔다 합니다."

이유가 말한다.

"조조가 혼쭐이 빠져라 도망친 것을 보면 승상을 노렸던 게 틀림없습니다."

동탁은 격분한다.

"내가 조조를 그토록 대접해주었건만 도리어 나를 해치려 했단 말이냐?"

이유가 다시 아뢴다.

"이번 일에는 반드시 공모한 자가 있을 터인즉, 조조만 잡으면 곧 밝혀질 것입니다."

동탁은 즉시 영을 내려 전국에 포고문을 돌리고 조조의 모습을 그림으로 그려 방방곡곡에 붙이도록 했다. 조조를 사로잡아 바치는 자에게는 1천금의 상을 주고 만호후(萬戶侯, 1만호의 식읍을 갖는 제후)에 봉할 것이나, 반대로 숨겨주는 자는 조조와 같은 죄로 다스릴 것이라는 내용이었다.

성문을 빠져나와 고향인 초군(譙郡)을 향해 정신없이 말을 달리던 조조가 막 중모현(中牟縣)을 지나는 참이었다. 관(關)을 지키는 군사의 눈에 수상쩍게 보인 그는 사로잡혀 현령 앞으로 끌려갔다. 현령의 심문에 조조는 대답했다.

"나는 한낱 떠돌이 장사치로, 성은 황보(皇甫)라고 합니다."

현령은 조조의 얼굴을 유심히 살피며 한동안 말이 없다가 입을 열었다.

"내 일찍이 벼슬을 구하러 낙양에 올라갔다가 너를 본 일이 있어 네가 조조임을 잘 알고 있는데, 어째서 신분을 숨기려 하느냐? 경사로 압송하여 상을 청하겠다."

그러는 한편 현령은 조조를 잡아온 군사에게는 술과 음식을 후하게 내렸다. 그날밤, 현령은 심복부하를 시켜 조용히 옥에 갇힌 조조를 끌어내어 후원으로 데리고 갔다.

"내 듣기에 그대는 동승상께 특별한 대접을 받아온 것으로 알고 있는데, 어찌하여 화를 자초했는가?"

조조가 대답한다.

"제비나 참새 따위가 어찌 기러기와 고니의 큰뜻을 알겠는가. 너는 운이 좋아 나를 잡았으니 끌고 가서 상이나 청할 일이지, 무엇을 귀찮게 묻는가?"

현령은 좌우를 물리고 조용히 말한다.

"나를 업신여기지 마오. 내 아직 제대로 주인을 못 만났을 뿐, 속된 벼슬아치들과는 다르다오."

그제야 조조도 솔직한 심정을 털어놓는다.

"나의 조상은 대대로 한나라 녹을 먹고 살아왔소. 그런 터에 나라에 보답할 방도를 생각지 않는다면 짐승과 무엇이 다르겠소? 내가 몸을 굽혀 동탁을 섬길 때는 오직 기회를 보아서 놈을 죽이고 나라를 안정케 하려던 것이었는데, 뜻대로 되지 않았소. 이도 하늘의 뜻인가보오."

현령이 말한다.

"맹덕은 이제 어디로 갈 생각이오?"

조조가 말한다.

"고향으로 돌아가겠소. 거기서 거짓 조서를 내어 천하 제후들을 불러모으고 군사를 일으켜 함께 동탁을 치는 것만이 내 소원이오."

현령은 친히 조조의 결박을 풀어주고 조조를 상좌에 앉히더니 두번 절했다.

"공은 참으로 천하에 둘도 없는 충신이시오."

조조도 얼른 답례하고 현령의 성명을 물었다.

"내 성은 진(陳)이고 이름은 궁(宮)으로, 자는 공대(公臺)라 하오. 노모와 처자가 모두 동군(東郡)에 있는데, 공의 충의에 감동하여 벼슬을 버리고 공을 따르고 싶소."

조조는 말할 수 없이 기뻤다.

그날밤 진궁은 여비를 마련하고 조조에게 옷을 바꿔 입힌 뒤, 각각 칼 한 자루씩을 메고 말에 올라 조조의 고향을 향해 떠났다. 길을 떠난 지 사흘째 되는 날 해질 무렵에야 두 사람은 성고(成皐) 지방에 이르렀다. 조조가 채찍을 들어 맞은편 울창한 숲을 가리키며 말한다.

"저곳에 여백사(呂伯奢)란 이가 살고 있는데, 그분은 나의 아버지와 의형제를 맺은 사람이오. 집안 소식도 물어볼 겸 하룻밤 묵어가는 것이 어떻겠소?"

진궁도 반가워했다.

"그거 좋소이다."

두 사람이 말에서 내려 백사의 집 안으로 들어가 문안을 드리자 백사가 깜짝 놀라 묻는다.

"조정에서 조카를 잡으려고 사방으로 공문을 띄우고 야단법석인데, 어떻게 여기까지 용케 왔는가. 아버지는 벌써 진류(陳留)땅으로 피해가셨네."

조조는 지난 일을 상세히 말하고는 덧붙인다.

"만약에 여기 진궁 현령이 아니었으면 이몸은 벌써 가루가 되었을 것입니다."

조조의 말에 백사는 얼른 몸을 일으켜 진궁에게 절을 한다.

"공이 아니었으면 조카는 말할 것 없고 조씨 집안이 멸문의 화를 당할 뻔했소이다. 이제 아무 걱정 마시고, 누추하오만 오늘 밤은 내 집에서 편히 쉬도록 하시오."

그러고는 안으로 들어갔다가 한참 만에 다시 나와서 진궁에게 말한다.

"늙은이의 집에 좋은 술이 없어 서쪽 마을에 가서 한병 받아가지고 와야겠구려."

여백사는 곧장 나귀에 올라 집을 나섰다. 조조가 진궁과 함께 한참을 앉아 있노라니, 문득 후원에서 써억써억 칼 가는 소리가 들려왔다. 이에 귀를 기울이던 조조가 진궁의 귀에 속삭인다.

"여백사와 내가 친부모 자식간은 아닌지라 아무래도 안심이 안되오. 도대체 혼자서 어딜 갔는지, 가만히 동정을 살펴야겠소이다."

슬며시 방에서 나온 두 사람은 발소리를 죽이고 뒤껼으로 갔다. 초당 뒤에서 누군가 말하는 소리가 또렷이 들려왔다.

"묶어서 죽이는 게 어떨까?"

조조는 그럴 줄 알았다는 표정으로 말했다.

"우리가 먼저 손을 써야겠소. 그렇지 않았다간 저들 손에 당하고 말 거요."

조조는 망설이지 않고 진궁과 함께 달려들어 칼을 휘둘러 남녀 가리지 않고 닥치는 대로 여백사의 여덟 식구를 모두 죽이고 말았다. 또 남은 사람이 없나 하여 부엌을 들여다보다가, 진궁은 가슴이 철렁 내려앉았다. 부엌 한구석에 돼지 한 마리가 꽁꽁 묶여 버둥대고 있는 것이 아닌가. 방금 돼지를 잡으려 했던 모양이었다.

'아뿔싸! 맹덕이 너무 의심이 많아서 공연히 착한 사람들을 죽였구나.'

진궁이 깊이 탄식했다. 두 사람은 급히 말을 몰아 그곳을 떠났다. 한 마장쯤이나 갔을까. 나귀 안장에 술 두 병을 달고 손에는 과일과 채소를 든 채 돌아오던 여백사가 저만치 앞에서 그들을 발견하고 큰 소리로 외친다.

"아니 조카, 왜 벌써 떠나는가?"

조조가 말한다.

"죄 지은 몸이라 오래 머물 수가 없어 떠납니다."

여백사가 말한다.

"내 이미 집안 사람들한테 돼지 한 마리 잡으라고 일렀네. 여기 술도 사왔는데, 어찌 하룻밤도 묵지 않고 떠나겠다는 겐가? 어서 말머리를 돌리게나."

조조는 대꾸없이 말을 재촉하여 여백사의 곁을 지나쳐버린다. 몇 걸음을 가다가 조조는 갑자기 칼을 빼들고 말머리를 돌려 여백사를 불러세우며 물었다.

"저기 오는 사람이 누굽니까?"

여백사가 무심코 뒤를 돌아보자 조조는 그대로 달려들며 한칼에 여백사를 베어 나귀 아래로 떨어뜨렸다. 순식간의 일이라 말릴 겨를도 없이 이를 지켜보던 진궁이 크게 놀라 조조를 나무란다.

"이게 무슨 짓이오? 아까는 모르고 한 일이지만……"

조조가 대답한다.

"백사가 자기 집에 돌아가 식구들이 몰살당한 것을 보면 가만 있겠소? 반드시 무리를 거느리고 쫓아오거나 관가에 알릴 것이니, 우리가 화를 입지 않으려면 다른 방도가 없지 않소."

진궁이 말한다.

"그렇지만 함부로 사람을 죽이는 것은 정말 옳지 않은 처사요."

"차라리 내가 천하 사람을 저버릴지언정, 천하 사람이 나를 저버리게 할 수는 없소."

조조의 차가운 대답에 진궁은 더이상 아무 말도 하지 않고 굳게 입을 다물어버렸다.

그날따라 유난히 달빛이 밝았다. 말을 타고 얼마나 더 달렸을까. 두 사람은 달빛 아래 서 있는 한 객점을 발견하고 하룻밤 묵어가기로 했다. 조조는 말을 배불리 먹인 뒤에 먼저 잠자리에 들더니 곯아떨어졌다. 곤히 잠이 든 조조 곁에서 진궁은 이런저런 생각에 머릿속이 복잡했다.

'나는 조조가 어진 사람인 줄 알고 벼슬까지 버리고 따라왔건만, 오늘 하는 짓을 보니 승냥이 같은 놈이로구나. 이런 놈을 내버려두었다가는 반드시 후환이 될 터이니 지금 죽여 없애야겠다.'

진궁은 결심하고 칼을 빼어들었다.

| 타고난 마음 승냥이라 좋은 인물 아니로다 | 設心狼毒非良士 |
| 조조 동탁 이 둘은 원래 한 길의 사람일세 | 操卓原來一路人 |

조조의 목숨은 이제 어찌 될 것인가?

5

三
國
志

전국의 제후들이 모이다

조조의 거짓 조서에 모든 제후들이 호응하고
호뢰관을 칠 때 세 영웅은 여포와 싸우다

칼을 내려치려다 말고 진궁은 다시 생각에 잠겼다.

'내가 이자를 따라 여기까지 온 것은 오로지 나라를 구하겠다는 일
념에서였다. 이까짓 위인을 죽이는 일이 어찌 의로운 일이겠는가. 차
라리 내버려두고 혼자 떠나는 편이 낫겠다.'

진궁은 도로 칼을 꽂고 말에 올라 날이 미처 밝기도 전에 동군을 향
해 떠났다. 새벽녘에 문득 잠에서 깨어난 조조는 곁에 진궁의 모습이
보이지 않자 얼른 일어나 앉았다.

'이 사람이 나의 언행에 실망한 나머지 혼자 떠나간 게로군. 필시

전국의 제후들이 모이다 113

내가 어질지 못하고 의리 없는 위인이라 여겨 믿지 못한 것일 테지. 이러고 있을 게 아니라 나도 어서 여길 떠나야겠구나.'

조조는 서둘러 그곳을 떠나 밤낮으로 달려 진류땅에 이르렀다. 도착하자마자 조조는 아버지를 뵙고, 지금까지의 일들을 소상히 여쭙고 집안의 재산을 털어서라도 의병을 모집해야겠다고 자신의 뜻을 밝혔다. 부친이 대답했다.

"그런 큰일을 도모하자면 넉넉지 않은 자금으로는 성사시키기 어려울 게다. 이 고을에서 손꼽히는 거부 효렴 위홍(衛弘)은 재물보다는 의리를 소중히 여기는 사람이니, 그이의 도움을 받을 수만 있다면 가히 대사를 도모할 수 있을 게다."

조조는 곧 주안상을 차려 손님 맞을 준비를 하고 위홍을 집으로 모셔왔다. 어느정도 취기가 오르자 입을 연다.

"지금 한나라 황실에는 주인이 없고, 동탁이 제맘대로 권세를 휘두르며 황제를 속이고 백성을 괴롭히고 있음은 온 천하가 아는 사실입니다. 이에 모든 사람들이 이를 갈며 분해하는지라, 이몸이 나서서 사직을 바로잡고자 하나 힘이 부족한 것이 한이외다. 듣기에 어르신께서는 충의를 중히 여기시는 지사라 하니 감히 도움을 청하고자 이렇게 모셨습니다."

위홍이 흔쾌히 말한다.

"나도 그러한 생각을 가진 지 오래나 다만 영웅을 만나지 못한 것이 한이었네. 그런데 맹덕이 그렇듯 큰뜻을 품었다니 내 어찌 변변치 않은 재물을 아끼겠나?"

조조는 너무도 기뻤다. 그는 우선 거짓 조서를 써서 각 도에 돌리고 의병을 모으기 시작했다. 흰 깃발에 '충의(忠義)'라는 두 글자를 크게 써서 내걸자, 며칠 안되어 헤아릴 수 없이 많은 젊은이들이 구름처럼 모여들었다.

하루는 양평(陽平)의 위국(衛國) 사람으로, 성명은 악진(樂進)이요 자는 문겸(文謙)이라 불리는 자가 조조를 찾아왔다. 이어 성명은 이전(李典)이요 자가 만성(曼成)인 산양군(山陽郡) 거록현(鉅鹿縣) 사람도 찾아와 조조에게 의탁하니, 조조는 이 두 사람을 모두 거두어 장전리(帳前吏)로 삼았다.

또한 패국(沛國)의 초현(譙縣) 사람이 왔는데, 성은 하후(夏侯)요 이름은 돈(惇), 자는 원양(元讓)으로, 그는 다름아닌 하후영(夏侯嬰)의 자손이었다. 어려서부터 창과 몽둥이 쓰는 솜씨가 뛰어났던 그는 14살 때부터 스승에게 무술을 배우기 시작했는데, 어떤 사람이 스승을 욕보이자 그를 죽이고 몸을 피해 각지로 떠돌아다녔다. 그러다가 조조가 군사를 일으킨다는 소문을 듣고 아우 하후연(夏侯淵)과 함께 각각 장사 1천여명을 이끌고 찾아온 것이다. 이 두 사람은 따지고 보면 조조와 형제뻘이라 할 수 있었다. 조조의 부친인 조숭(曹嵩)이 원래 하후씨의 자손이었으나, 조씨 집에 양자로 갔던 까닭이다.

며칠 후, 이번에는 조씨 집안의 형제인 조인(曹仁)·조홍(曹洪)이 또 각각 군사 1천여명을 거느리고 찾아왔다. 조인의 자는 자효(子孝)요, 조홍의 자는 자렴(子廉)으로, 두 사람 모두 활쏘기와 말 다루는 재주가 출중했다.

조조는 크게 기뻐했다. 그가 마을에서 군마를 조련하기 시작하자, 위홍이 자신의 재산을 모두 내놓아 군사들의 갑옷은 물론 필요한 장비들을 마련해주었을 뿐만 아니라, 사방에서 군량을 보내오는 사람들의 수효가 헤아릴 수 없을 지경이었다.

이무렵 발해 태수로 있던 원소도 조조가 보낸 거짓 조서를 받고, 조조와 합류하기 위해 휘하의 문무 관원과 군사 3만명을 이끌고 발해를 떠나왔다. 이에 힘을 얻은 조조는 격문을 지어 각 고을에 돌렸다.

조조 등은 삼가 대의(大義)를 받들어 천하에 고하노라. 동탁이 하늘을 속이고 땅을 속이며, 나라를 망하게 하고 황제를 죽이며, 궁중을 어지럽히고 백성을 해치는 등 사납고 어질지 못함이 가득 차서 그 죄악이 하늘에 닿을 지경이라 이제 황제의 밀조를 받들어 의병을 일으켜 흉악한 무리들을 소탕하고 나라를 구하고자 한다. 바라건대 뜻있는 자들은 모두 도탄에 빠진 백성들을 도와 원한을 풀고 황실을 지킬 수 있도록 이 격문을 보는 즉시 함께 일어나라.

전국에 격문이 돌자 각 진의 제후들이 모두 군사를 일으켜 이에 응했다. 그 인물들은 다음과 같다.

제1진 후장군(後將軍) 남양 태수(南陽太守) 원술(袁術)

제2진 기주 자사(冀州刺史) 한복(韓馥)

제3진 예주 자사(豫州刺史) 공주(孔伷)

제4진 연주 자사(兗州刺史) 유대(劉岱)

제5진 하내군 태수(河內郡太守) 왕광(王匡)

제6진 진류 태수(陳留太守) 장막(張邈)

제7진 동군 태수(東郡太守) 교모(喬瑁)

제8진 산양 태수(山陽太守) 원유(袁遺)

제9진 제북상(濟北相) 포신(鮑信)

동탁을 치려 각처의 제후들이 모이다

제10진 북해 태수(北海太守) 공융(孔融)

제11진 광릉 태수(廣陵太守) 장초(張超)

제12진 서주 자사(徐州刺史) 도겸(陶謙)

제13진 서량 태수(西凉太守) 마등(馬騰)

제14진 북평 태수(北平太守) 공손찬(公孫瓚)

제15진 상당 태수(上黨太守) 장양(張楊)

제16진 오정후(烏程侯) 장사 태수(長沙太守) 손견(孫堅)

제17진 기향후(祁鄕侯) 발해 태수(渤海太守) 원소(袁紹)

각 지방의 군마는 수효가 일정하지 않아 많게는 3만에 이르고 적게는 1, 2만으로, 제각기 문관과 무장을 거느리고 낙양으로 향했다.

북평 태수 공손찬이 정병 1만 5천을 거느리고 덕주(德州) 평원현(平原縣)을 지나는데, 멀리 뽕나무 숲속에서 황색 깃발을 나부끼며 말 탄 장수 몇 사람이 달려나와 그를 맞았다. 자세히 보니 앞장선 사람은 다름아닌 유현덕이다.

"아우가 여긴 어쩐 일인가?"

공손찬의 물음에 현덕이 대답한다.

"지난날 형님 덕택에 평원 현령이 되어 줄곧 이곳에 머물다가, 형님께서 군사를 거느리고 이곳을 지나신다는 소문을 듣고 이렇게 나왔습니다. 잠깐 성에 들어가 말에게 물도 먹이고 쉬어가시는 게 어떠시겠습니까?"

공손찬이 현덕의 뒤에 서 있는 관우와 장비를 가리키며 묻는다.

"이들은 누구요?"

현덕이 말한다.

"이쪽은 관우, 저쪽은 장비라 하는데, 저와 의형제를 맺은 사람들입니다."

"옳아, 이 장수들이 바로 아우님과 함께 황건적을 토벌한 그 사람들이구먼."

"모두 이 두 사람의 힘이지요."

"그래 지금 무슨 벼슬에 있소?"

현덕이 대답한다.

"관우는 마궁수(馬弓手)로, 장비는 보궁수(步弓手)로 있습니다."

공손찬은 탄식한다.

"자네도 아다시피 지금 동탁이 세상을 어지럽히고 있는지라 천하

118

의 제후들이 함께 치기로 하여 나도 이렇게 나선 길일세. 어떤가, 아우도 그 하잘것없는 벼슬 집어치우고 나와 함께 역적을 물리치고 한나라 황실을 구하러 가지 않으려나?"

현덕이 선뜻 응한다.

"바로 제가 원하던 바입니다."

장비가 불쑥 나서며 투덜댄다.

"그때 내가 그놈을 죽이려 할 때 형님께서 말리지만 않았어도 오늘날 이런 일은 일어나지 않았을 거 아뇨?"

그러자 관우가 한마디 한다.

"일이 이미 이렇게 되었는데 어서 행장을 수습하여 길 떠날 준비나 하자."

이리하여 현덕은 관우·장비와 함께 휘하 장병을 거느리고 공손찬을 따라나섰다. 이들이 조조의 대채(大寨)에 이르자 다른 제후들도 뒤를 이어 도착해 진영을 배치하니 그 길이가 2백여리에 달했다. 조조는 곧 소와 말을 잡아 잔치를 베풀고 모든 제후들과 출병할 계책을 의논했다. 먼저 태수 왕광이 의견을 내놓는다.

"이제 대의를 받들어 거사함에 있어 우선 맹주를 한 분 세워야겠소. 그런 다음 모든 사람이 그 명령에 따르기로 하고 일제히 진격하는 게 좋을 듯하오."

이에 조조가 말한다.

"원소공은 집안 대대로 사대에 걸쳐 삼공(三公)을 지냈고, 그 문중에서 관리들도 많이 나왔을 뿐만 아니라 한조(漢朝) 명상(名相)의 후예이시니 가히 맹주로 받들 만하오."

원소는 극구 사양했지만, 모두들 주장한다.

"원소공이 아니면 안되오."

이튿날 3층으로 단을 쌓고, 동서남북과 중앙에 오색기(旗. 청·황·적·백·흑)를 세운 다음, 백모(白旄)와 황월(黃鉞)을 올리고 병부(兵符)와 장인(將印)을 가져다놓은 뒤 원소를 청하여 단에 오르게 했다. 원소는 의관을 바로잡고 칼을 차고서 늠름하게 단에 올랐다. 그는 분향재배하고 하늘에 맹세한다.

불행히도 한나라 황실이 기강과 계통을 잃으니, 역적 동탁이 그 틈을 타서 나쁜 짓을 일삼아 그 화가 황제에게까지 미치고 날로 더해가는 학정에 백성들은 도탄에 빠져 있다. 이에 원소 등이 나라가 망하는 것을 보고만 있을 수가 없어 의병을 규합하여 국난을 바로잡고자 한다. 오늘 이 자리에 모인 동맹군들은 마음을 합하고 힘을 모아 신하된 도리로서 결코 다른 생각을 품지 않을 것을 결의한다. 만일 이 맹세를 저버리는 자는 그 자신뿐만 아니라 자손까지도 살아남지 못할 것이니, 황천후토(皇天后土)와 조종신명(祖宗神明)께서는 우리를 굽어살피소서.

원소가 읽기를 마치고 맹세의 표시로 피를 마셨다. 이를 지켜보던 모든 제후들은 감정이 북받쳐올라 눈물을 흘렸다. 사람들은 단에서 내려오는 원소를 부축하여 장막에 올라가 앉게 하고, 직위와 나이순에 따라 두 줄로 나뉘어 앉았다. 술이 두어 순배 돌고 나서 조조가 말한다.

"오늘 이렇듯 맹주를 세웠으니, 이제 각기 명령을 받들어 나라를 구하는 일만 남았소. 누구 힘이 더 강하고 약한가를 따지기에 앞서,

그 힘을 한데 모으는 일만이 최선임을 명심합시다."

원소도 한마디 한다.

"이몸이 비록 재주는 없으나 여러분들의 추대를 받아 맹주가 된 이상, 공이 있으면 반드시 상을 주고 죄가 있으면 반드시 벌할 것이오. 나라에는 법이 있고 군에는 반드시 기율(紀律)이 있는 법, 각기 준수하여 한 사람도 어긋남이 없기를 바라오."

모두들 이구동성으로 대답한다.

"명령대로 따르겠습니다."

비로소 원소가 명을 내린다.

"아우 원술은 군량과 말먹이를 맡아 각 영(營)에 분배하되 부족함이 없도록 하라. 그리고 누군가 한 사람 선봉을 삼아 즉시 사수관(汜水關)으로 나가 싸움을 청하고, 나머지는 각각 험준한 곳을 골라 진을 치고 있다가 적당한 때 응전토록 하시오."

말이 떨어지기가 무섭게 장사 태수 손견이 나선다.

"제가 선봉에 서겠습니다."

원소가 말한다.

"문대(文臺, 손견의 자)의 용맹스러움은 가히 이 일을 감당하고도 남을 것이오."

그리하여 손견은 본부의 인마를 거느리고 사수관으로 나아갔다. 사수관을 지키던 장수는 즉시 파발마를 띄워 낙양 승상부에 급한 전갈을 보냈다.

동탁은 대권을 손에 넣은 뒤 매일 잔치를 벌이며 술 마시기를 일삼고 있었다. 그러던 어느날 이유가 사수관으로부터 급한 소식을 전하는 문서를 가지고 들어와 아뢰었다. 동탁은 깜짝 놀라 황급히 여러 장수들을 모아 대책을 상의했다. 온후(溫侯) 여포가 앞으로 나서며 말한다.

"아버님께서는 아무 염려 마십시오. 관문 밖 그따위 제후들에게 무슨 힘이 있겠습니까? 제가 호랑이 같은 군사들을 거느리고 나가서 그들의 머리를 모조리 베어다가 성문 위에 걸겠습니다."

동탁은 기뻐 어쩔 줄 모른다.

"하기야, 내게 봉선이가 있는데 무슨 걱정이 있겠느냐?"

이때였다. 말이 채 끝나기도 전에 여포 뒤에 서 있던 한 장수가 앞으로 나서며 큰소리로 말한다.

"그까짓 닭을 잡는 데 소 잡는 칼을 쓸 필요가 있겠습니까? 제가 나가서 간단히 해결할 터이니, 온후께서는 구경만 하십시오. 제게 맡겨주시면, 내 주머니 속 물건을 꺼내기보다 더 수월하게 제후놈들의 목을 베어오리다."

동탁이 보니, 9척 장신에 범 같은 체격, 이리 같은 늘씬한 허리에 표범 머리, 원숭이의 긴 팔을 지닌 그는 바로 관서(關西) 사람 화웅(華雄)이었다. 동탁은 너무도 기쁜 나머지 그 자리에서 화웅에게 효기교위(驍騎校尉)의 벼슬을 내리고 기병과 보병 5만을 기꺼이 내주었다. 그리하여 그 길로 이숙(李肅)·호진(胡軫)·조잠(趙岑)과 함께 밤을 새워 사수관으로 달려가서 적과 싸우도록 했다.

한편 제후들 가운데 손견이 선봉장이 된 것을 마땅찮게 여기는 자가 있었으니 그는 제북상(濟北相) 포신(鮑信)이었다. 포신은 손견에게 공을 빼앗길까 두려워 동생 포충(鮑忠)을 시켜 기병과 보병 3천을 거느리고 지름길로 질러가게 했다. 포충이 먼저 싸움을 걸자 화웅이 철기 5백을 거느리고 사수관에서 나는 듯이 달려내려오면서 소리친다.

"적장은 달아날 생각 마라!"

포충은 제대로 싸워보지도 못하고 황급히 말머리를 돌려 달아나려 한다. 그러나 피할 틈도 없었다. 화웅이 뒤로 바싹 추격해 칼을 한번 번뜩이자 포충은 대번에 목이 떨어져 말 아래로 거꾸러진다. 장수가 죽자 수많은 군사들은 무기를 버리고 사로잡혔다. 사람을 시켜 포충의 수급을 승상부에 올려 승리의 소식을 알리니, 동탁은 화웅에게 도독(都督)의 벼슬을 내렸다.

한편 손견은 휘하의 네 장수를 거느리고 그제야 사수관 앞에 이르렀다. 네 장수 중 한 장수는 우북평(右北平) 토은(土垠) 사람으로, 성명은 정보(程普)요 자는 덕모(德謀)라 하는데 철척사모(鐵脊蛇矛)를 잘 다루고, 둘째 장수는 영릉(零陵) 사람으로서 성명은 황개(黃蓋)요 자는 공복(公覆)으로 철편(鐵鞭)을 잘 쓰며, 세번째 장수는 요서(遼西) 영지(令支) 사람으로 대도(大刀)를 잘 쓰는데, 그의 이름은 한당(韓當)이고 자는 의공(義公)이며, 마지막 장수 오군(吳郡) 부춘(富春) 사람 조무(祖茂)는 쌍칼의 명수로, 그의 자는 대영(大榮)이다.

손견은 번쩍이는 은빛 갑옷차림에 붉은 두건을 쓰고 옆구리에는 고정도(古錠刀)를 차고서 화종마(花鬃馬)에 올라탄 채 사수관을 향해 큰소리로 외친다.

"역적 동탁의 조무라기들아, 어서 항복하지 못할까?"

그러자 관문이 열리며 화웅의 부장(副將) 호진(胡軫)이 군사 5천을 거느리고 달려나왔다. 정보가 창을 휘두르며 마주 달려나가 호진과 맞서싸운다. 얼마 안 가 정보의 창이 호진의 목을 찔러 말 아래로 떨어뜨려버렸다. 승세를 타고 손견이 군사를 휘몰아 관 앞으로 돌격해 들어가는데, 관문 위에서 화살이 비오듯 쏟아져내린다. 손견은 하는 수 없이 군사를 이끌고 일단 후퇴했다.

손견은 양동으로 돌아와 군사를 주둔하고 사람을 보내어 원소에게 승전을 고하게 하는 한편, 원술의 영채로 기별하여 속히 군량을 보내줄 것을 재촉했다. 이때 원술에게 한 부하가 술책을 말한다.

"손견으로 말할 것 같으면 강동의 무서운 호랑이입니다. 그가 낙양을 점령해 동탁을 죽이는 날엔 이리를 없애고 그 대신 범을 들어앉히는 꼴이 될 것입니다. 군량을 대주지 마십시오. 그러면 손견의 군사는 머지않아 저절로 흩어질 겝니다."

원술은 그 술책을 받아들여 손견에게 군량과 말먹이를 보내지 않았다. 그 결과 손견의 군사들은 굶주림에 빠져 전의를 상실하고 말았다. 염탐꾼이 이 소식을 전하자, 이숙이 화웅에게 계책을 내놓는다.

"오늘밤에 내가 군사를 거느리고 지름길로 가서 손견의 영채를 뒤에서 칠 것이니 장군은 군사를 휘몰아 정면에서 싸우시오. 그러면 손견을 사로잡을 수 있으리다."

화웅은 그의 말을 좇아 군사들을 배불리 먹인 다음 날이 저물기를 기다려 조용히 관을 나섰다.

달빛이 밝고 바람이 시원한 밤이었다. 손견의 영채에 다다랐을 때는 이미 한밤중이었다. 북을 치고 함성을 지르며 일제히 쳐들어가자, 느닷없는 기습에 놀란 손견은 잠자다 말고 허둥지둥 갑옷을 입으랴 두건을 쓰랴 정신이 없었다. 황급히 말에 올라 뛰쳐나가려는데 어느새 화웅이 앞을 막아선다.

손견과 화웅이 말을 타고 어울려 수합을 싸우고 있는데 영채 뒤에서는 이숙의 군사들이 일제히 불을 놓았다. 불길이 치솟자 손견의 군사들은 좌충우돌하며 제각기 도망갈 길을 찾느라 정신이 없다. 여러 장수들이 혼전을 거듭하고 있는 와중에 끝까지 곁을 지키던 조무가 손견을 도와 포위를 뚫고 달아나기 시작했다. 이를 발견한 화웅이 뒤를 쫓는다. 손견은 달아나면서 연달아 활을 두번 쏘았으나 화웅은 민첩하게 잘도 피한다. 손견은 다시금 활을 당겼다. 그러나 세번째 화살을 쏘기도 전에 힘을 너무 쓴 나머지 작화궁(鵲畫弓)이 그대로 부러지고 말았다. 손견은 부러진 활을 내던지고 내닫기 시작했다. 뒤를 따르며 조무가 말한다.

"주공께서 쓰고 계신 붉은 두건이 적의 표적이 되고 있으니 저에게 벗어주십시오. 제가 쓰겠습니다."

손견은 쓰고 있던 두건을 벗어 조무에게 주고 대신 그의 투구를 받아서 쓴 뒤 조무와 헤어져 다른 길로 달아났다. 화웅의 군사는 그런 줄도 모르고 오직 붉은 두건만을 쫓으니, 손견은 조무 덕에 샛길로 빠져 위기를 모면했다. 화웅의 추격이 점점 가까워오자, 조무는 붉은 두건을 벗어 불에 타다 만 민가의 나무기둥에 걸어놓고 숲속으로 달아나버렸다.

휘영청 밝은 달빛 아래, 화웅의 군사는 멀리서 붉은 두건을 발견하고 사면을 둘러쌌다. 그러나 누구 하나 감히 가까이 다가가지는 못한 채 멀찍이서 활만 쏘아댔다. 그렇게 날아드는 화살에도 상대편에서 전혀 반응이 없자 화웅은 그제야 속았음을 깨닫고 기둥으로 다가가 두건을 벗겨들었다. 그때였다. 벽력 같은 고함을 지르며, 숲속에 숨어 있던 조무가 쌍칼을 휘두르며 화웅에게 달려든다. 그러나 그보다 먼저 외마디소리와 함께 화웅의 칼날이 달빛에 번쩍 하는가 싶더니, 한칼에 조무를 내려쳐 두 동강을 내버렸다. 동이 훤히 틀 무렵에야 화웅은 군사를 거두어 관으로 돌아갔다.

얼마 후 정보·황개·한당은 손견을 찾아내어 패군을 수습하고 다시 영채를 세웠다. 뒤늦게 조무가 죽었다는 사실을 알게 된 손견은 가슴이 찢어지는 듯한 슬픔에 잠겼다. 그는 곧 마음을 다잡고 원소에게 전황을 알렸다. 한밤중에 손견의 패전소식을 전해들은 원소는 크게 놀랐다.

　"손견이 화웅의 손에 패하다니, 이럴 수가 있나."

　그는 즉시 모든 제후들을 불러모아 회의를 열었다. 뒤늦게 공손찬이 오자, 장중으로 불러들여 자리에 앉히고 말을 꺼낸다.

　"얼마 전 포(鮑) 장군의 아우가 군율을 어기고 마음대로 진병했다가 덧없이 목숨을 버리고 허다한 군사를 잃더니, 이제 또 손견이 화웅에게 패하여 군사의 사기가 크게 꺾였소이다. 장차 이를 어찌하면 좋겠소?"

　모든 제후가 한결같이 입을 닫고 대꾸가 없다. 원소가 좌중을 둘러보는데, 공손찬의 등뒤에 용모가 남다른 낯선 사람 셋이 입가에 냉소를 머금고 서 있는 게 눈에 띄었다. 원소가 묻는다.

　"공손 태수의 등뒤에 서 있는 자들은 누구요?"

　공손찬은 곧 현덕을 불러내 소개한다.

　"이 사람은 어릴 적부터 나와 동문수학한 평원령 유비입니다."

　조조가 묻는다.

　"그러면 바로 황건적을 무찌른 유현덕이 아니시오?"

　"그렇소이다."

　공손찬은 유현덕을 여러 제후에게 인사시키고, 그의 공로와 출신을 자세히 설명했다.

　"그렇다면 황실의 종친인데 자리에 앉으시오."

원소가 앉을 것을 권했으나 현덕은 겸손하게 사양한다. 그러자 원소는 아예 말을 놓는다.

"내가 자네의 벼슬을 대접해서 그러는 것이 아니라 한실의 종친이라기에 앉으라는 것이네."

현덕이 마지못해 말석에 자리잡고 앉자, 관우·장비는 두 손을 가슴 앞에 맞잡고 그 뒤에 나란히 섰다. 이때 전령이 급히 들어와 보고한다.

"화웅이 철기를 거느리고 관에서 내려와, 긴 장대에다 손건 태수의 붉은 두건을 걸어놓고 영채 앞으로 와서 욕설을 퍼부으며 싸움을 청하고 있습니다."

원소가 좌중을 향해 묻는다.

"누가 나서서 대적하겠는가?"

원술의 등뒤에 섰던 날랜 장수 유섭(兪涉)이 앞으로 나선다.

"소장이 나가겠습니다."

원소가 쾌히 응낙했다. 유섭은 곧 말을 달려나갔다. 그러나 얼마 안되어 전령이 달려와 보고한다.

"유섭 장군이 화웅과 맞서 불과 3합도 싸워보지 못하고 목이 잘려 죽었습니다."

사람들은 놀라지 않을 수 없었다. 이때 기주 자사 한복이 말한다.

"내 휘하에 뛰어난 장수 반봉(潘鳳)이 있는데, 그라면 능히 화웅의 목을 베고도 남을 것입니다."

원소는 급히 출전을 명했다. 반봉은 커다란 도끼를 들고 말에 올라나갔다. 그러나 그가 나간 지 얼마 안되어 다시 전령이 나는 듯이 말을 달려와 보고한다.

"반봉 장군 역시 화웅의 칼에 죽었습니다."

모든 사람의 낯빛이 달라졌다. 원소가 탄식하며 말한다.

"이런 애석한 일이 있나! 나의 빼어난 장수 안량(顔良)과 문추(文醜)가 이 자리에 없는 것이 한이로구나. 그들 중 한 사람만 있었어도 화웅 따위는 두려울 것이 없을 텐데……"

이때였다. 원소의 말이 채 끝나기도 전에 단 아래서 한 사람이 나서며 크게 외친다.

"소장이 나가서 화웅의 머리를 베어다 바치오리다."

사람들은 일제히 소리나는 쪽을 바라보았다. 9척 신장에 수염의 길이는 두 자가 넘고, 봉의 눈매에 누에 눈썹이 짙은 그의 얼굴은 무르익은 대춧빛이며, 소리는 마치 쇠북을 울리는 듯했다. 원소가 묻는다.

"누구인가?"

공손찬이 대답한다.

"유현덕의 의제(義弟) 관우입니다."

"지금 무슨 벼슬에 있소?"

"유현덕의 마궁수로 있소이다."

대답이 끝나기가 무섭게 원술이 관우를 향해 호통을 친다.

"네가 우리 제후들 중에 장수가 없다고 업신여기는 게냐? 한낱 궁수 따위가 어디라고 감히 그런 소리를 지껄이느냐? 저놈을 당장 밖으로 끌어내라!"

조조가 급히 말린다.

"공로(公路), 너무 노여워 마시오. 저자가 저렇듯 큰소리를 칠 때에는 그만한 용기와 지략이 있을 것인즉, 시험삼아 내보내서 만약 이기지 못하거든 그때 책망해도 늦지 않으리다."

원소는 도무지 내키지 않는 눈치다.

"한낱 마궁수 따위를 내보냈다가 화웅의 웃음거리가 되면 그땐 어쩔 테요?"

조조가 말한다.

"보아하니 평범한 인물 같지가 않은데, 화웅인들 저자가 마궁수인 줄 어찌 알겠소?"

잠자코 듣고만 있던 관우가 다시 청한다.

"만일 화웅을 이기지 못하면 그땐 내 목을 내어드리리다."

조조가 더운 술 한잔을 가져다가 관우에게 권한다.

"한잔 마시고 나가시게."

"그냥 두십시오. 술은 갔다 와서 마시지요."

관우는 말을 마치기가 무섭게 칼을 들고 밖으로 나가 말에 뛰어올랐다. 잠시 후 관 밖에서는 북소리와 함성이 천지를 진동한다. 금방이라도 하늘이 무너지고 땅이 꺼질 듯 요란하여 모든 제후들이 놀라 소식을 기다리는데, 문득 말방울소리가 들려왔다. 일제히 쳐다보니 관우가 화웅의 머리를 들고 와서 보란듯이 내팽개쳤다. 따라놓은 술이 미처 식지 않은 사이였다.

후세 사람들은 관우의 공로를 이렇게 칭송했다.

위엄이 천지를 진압한 제일 공훈	威鎭乾坤第一功
군문의 북소리 둥둥 울릴 때로다	轅門畫鼓響鼕鼕
관운장이 술잔 놓아둔 채 용맹을 떨쳐	雲長停盞施英勇
그 술이 식기도 전에 화웅의 목 베었더라	酒尙溫時斬華雄

조조가 기뻐 어쩔 줄 모르는데, 현덕의 등뒤에서 장비가 뛰어나오며 큰소리로 외친다.

"우리 형님이 화웅의 목을 베었으니, 이때를 타서 사수관으로 쳐들어가 동탁을 생포합시다. 어느 때를 더 기다리겠습니까?"

원술이 또 화가 나서 꾸짖는다.

"나는 대신의 몸으로도 스스로 겸양하는데, 일개 현령의 수하에 있는 졸개 따위가 어찌 이렇듯 방자하게 군단 말이냐? 저놈들을 모두 장막 밖으로 끌어내라."

조조가 다시 말린다.

"공이 있는 자에겐 상을 주는 법, 어찌 귀천만 따지시오."

원술은 자리를 차고 일어난다.

"공들이 이처럼 일개 현령 따위를 중히 여긴다면 나는 그만 물러가겠소."

조조가 딱하다는 듯 말한다.

"어찌 사소한 말 한마디로 큰일을 그르치려 하십니까?"

조조는 공손찬에게 현덕과 관우, 장비를 데리고 먼저 영채로 돌아가게 했다. 뒤이어 모였던 사람들이 모두 자리를 뜬 다음, 조조는 아무도 모르게 술과 고기를 보내 세 사람을 위로했다.

한편 싸움에 패한 화웅 휘하의 군사들이 관으로 돌아가 전황을 보고하자 이숙은 황급히 공문을 작성하여 동탁에게 올렸다. 동탁은 즉시 이유와 여포 등을 불러 의논했다. 이유가 말한다.

"이제 상장 화웅을 잃은데다 적의 형세는 더욱 커졌습니다. 더구나 적의 맹주 원소의 숙부 원외(袁隗)가 지금 조정의 태부로 있는 터이니, 만약 그들 무리와 내통이라도 하는 날엔 일이 더욱 난처해질 것입니다. 하오니 우선 화근을 없애버린 연후에, 승상께서 친히 대군을 이끌고 나가 적을 무찌르시는 게 좋을 것 같습니다."

동탁은 그 말을 타당하게 여겨 즉시 이각과 곽사를 불렀다. 그들에게 군사 5백명을 내주고 태부 원외의 집을 포위하여 남녀노소 가릴 것 없이 전부 죽인 후에 원외의 머리를 베어 사수관 관문 위에 높이 매달도록 지시했다.

이어 동탁은 군사 20만을 일으켜 두 길로 나누었다. 그중 5만은 이각과 곽사에게 주어 사수관을 굳게 지키되 싸움은 일으키지 말라 하고, 나머지 군사 15만은 동탁 자신이 이끌고 이유·여포·번조·장제(張濟) 등과 더불어 낙양으로부터 50여리 떨어진 호뢰관(虎牢關)으로 출발했다. 호뢰관에 다다른 동탁은 여포로 하여금 군사 3만명을 거느리고 관문 아래 영채를 세우게 하고, 자신은 몸소 관 위에 주둔했다.

이 소식이 원소의 대채에 전해지자 원소는 즉각 모든 제후들을 불러 대책을 상의했다. 조조가 말한다.

"동탁이 호뢰관에 군사를 주둔시킨 것은 우리 제후들의 허리를 끊으려는 수작이니, 우리도 병력을 반으로 나누어 이에 대처해야 할 것입니다."

조조의 제의에 따라 원소는 즉시 왕광·교모·포신·원유·공융·장양·도겸·공손찬 등 여덟 명의 제후로 하여금 호뢰관을 치게 하고, 조조는 따로 군사를 거느리고 뒤를 돌보게 했다. 여덟 제후들은 각기 군사를 이끌고 호뢰관으로 향했다.

제일 먼저 하내 태수 왕광이 그곳에 당도했다. 여포가 철기 3천군을 거느리고 나는 듯이 달려나온다. 왕광이 군마를 벌여세워 진을 치고 말잔등에 앉아 문기(門旗) 아래를 바라보니, 선두에 선 여포의 모습이 한눈에 들어왔다. 머리에는 삼차속발자금관(三叉束髮紫金冠, 비녀 세개로 묶은 머리에 얹은 자줏빛 금관)을 쓰고, 몸에는 서천홍금백화포(西川紅錦百花袍, 서천산 붉은 비단에 온갖 꽃을 수놓은 전투복)와 수면탄두연환개(獸面呑頭連環鎧, 머리를 삼키는 짐승얼굴 모양의 고리를 엮어 만든 갑옷) 갑옷을 입고, 허리에는 늑갑영롱사만대(勒甲玲瓏獅蠻帶, 단단한 껍질에 영롱한 사자모양을 새긴 띠)를 차고, 어깨에는 활과 전통을 메고, 손에 방천화극을 거머쥔 채 말 위에 높이 앉아 있는 모습이, 과연 출중한 인물에 빼어난 적토마였다. 왕광이 부하장수들을 돌아보며 묻는다.

"누가 나가 싸우겠는가?"

그 말이 떨어지기가 무섭게 뒤에서 한 장수가 창을 휘두르며 달려 나간다. 하내의 명장 방열(方悅)이다. 여포가 마주 달려온다. 두 말이 서로 어울려 싸운 지 5합이나 되었을까. 여포의 일격에 방열은 그대로 말 아래 거꾸러진다. 그 기세를 몰아 여포가 창을 휘두르며 돌격해오자 왕광의 군사는 크게 패하여 사방으로 흩어진다. 여포는 동에 번쩍 서에 번쩍하며 마치 무인지경을 넘나들 듯 닥치는 대로 찔러죽인다. 죽을 지경에 몰려 있던 왕광은 다행히도 교모와 원유의 군사들에 의해 구출되었다. 여포도 더는 공격하지 않고 물러났다.

세명의 제후들은 각기 적지 않은 군마를 잃고 30리를 물러나 영채를 세웠다. 뒤를 이어 나머지 다섯 제후도 모두 한곳에 모였다.

"여포의 용맹스러움을 대적할 만한 사람이 없으니 참으로 답답한 노릇이오."

모두 모여앉아 걱정만 하고 있는데, 여포가 다시 군사를 이끌고 와서 싸움을 청한다는 전갈이 왔다. 여덟 제후는 일제히 말에 올라 군사를 여덟 대로 나누어 높은 언덕 위에 진을 쳤다. 앞을 바라보니 여포의 군마가 수놓은 깃발을 날리며 질풍처럼 달려오고 있다. 상당 태수 장양의 부장 목순(穆順)이 창을 치켜들고 마주 달려나간다. 그러나 여포의 창이 번쩍 빛나는가 싶더니 목순은 그대로 말 아래로 떨어져 뒹군다.

지켜보던 여덟 제후들은 너무도 놀라 벌어진 입을 다물 줄 몰랐다. 이번에는 북해 태수 공융의 부장 무안국(武安國)이 철퇴를 휘두르면서 나는 듯이 말을 몰고 나간다. 여포도 말에 박차를 가해 무안국과 맞선다. 10여합쯤 싸우는데 여포가 휘두르는 창날에 무안국의 한쪽 팔이 무참하게 떨어져나갔다. 무안국은 철퇴를 버리고 그대로 달아난다. 여덟 제후의 군사들이 무안국을 구해내려고 일제히 달려들었다. 여포는 그제야 말머리를 돌려 물러났다.

여러 제후들은 영채로 돌아와 다시 머리를 맞댔다. 조조가 입을 연다.

"여포의 용맹을 당해낼 재간이 없으니 열여덟 제후가 한자리에 모여 좋은 방책을 의논해야겠소. 여포만 사로잡으면 동탁을 잡아죽이는 거야 시간 문제 아니겠소."

한창 의논하는 중에 여포가 다시 군사를 거느리고 와서 싸움을 청했다. 여덟 제후는 일제히 말을 타고 나갔다. 이번에는 공손찬이 제일 먼저 창을 휘두르며 여포와 맞섰다. 그러나 몇합 싸우지도 못하고 말머리를 돌렸다. 여포는 틈을 주지 않고 적토마를 몰아 뒤를 쫓는다. 적토마는 하루에 천리를 달리는 말이라, 바람처럼 내달아 순식간에 거리가 좁혀진다. 여포가 화극을 들어 공손찬의 등덜미를 덮치려는 순간이다. 뒤에서 한 장수가 벽력같이 소리지르며 말을 달려나온다.

그는 고리눈을 부릅뜨고 범의 수염을 곤두세운 채 장팔사모를 휘두르며 소리친다.

"성을 셋이나 가진 쌍놈아, 게 섰거라! 연인(燕人) 장비의 창을 받아라!"

화가 머리 끝까지 치민 여포는 공손찬을 버려두고 말을 돌려 장비에게로 달려들었다. 장비가 휘두른 장팔사모가 여포의 방천화극에 부딪치며 불꽃을 튀긴다. 창날이 휘돌아가고 창봉이 엇갈리면서 마치 범과 용이 바람과 구름에 휩싸인 듯, 50여합에 이르도록 좀처럼 승부가 나지 않는다.

이를 지켜보던 관운장이 춤을 추듯 82근짜리 청룡언월도를 휘두르며 내닫는다. 여포와 장비 사이로 비집고 들어선 관운장이 청룡도를 휘둘러 허공을 베면서 달려들자, 장비는 장팔사모의 창끝으로 독사가 이빨을 내어 꿈틀대며 공격하듯이 찔러들어간다. 당황한 여포는 재빨리 방천화극의 창날로 청룡언월도를 퉁겨내고, 장비의 창끝을 어깨 너머로 간신히 비껴낸다. 세 마리 말이 정(丁)자 모양으로 어우러져 30여합을 더 싸웠으나 여포는 좀처럼 물러설 기미를 보이지 않는다.

마침내 유현덕이 쌍고검을 휘두르며 황종마를 급히 몰아 비스듬히 쳐들어간다. 유현덕이 여포의 정면을 공격한 것은 아니나, 여포는 적토마를 전후좌우로 몰아 세 사람의 공격을 피해간다. 세 장수가 여포 하나를 둘러싸고 주마등처럼 어지러이 몰아친다.

여덟 제후와 그 군마가 모두 취한 듯 어린 듯 바라보고 있는데, 여포는 마침내 더 견디지 못하고 창을 들어 현덕의 면상을 냅다 찌르는 척하더니, 현덕이 급히 몸을 틀어 피하자 그 빈틈을 이용하여 창을 거꾸로 끌어당기고 쏜살같이 달아난다.

三英戰呂布

유비·관우·장비 세 영웅이 여포와 맞서싸우다

세 장수가 급히 뒤를 쫓았다. 여덟 제후의 군사들도 일제히 고함을 지르며 그 뒤를 따르니, 들판이 군사들로 순식간에 새까맣게 뒤덮였다. 여포의 군마는 정신없이 호뢰관을 향해 내닫는다. 그 뒤를 쫓아 유비·관우·장비도 숨돌릴 겨를 없이 말을 달렸다.

옛사람이 이때의 싸움을 시로써 읊었다.

한나라 운수는 환제 영제에 이르러	漢朝天數當桓靈
빛나던 태양 서산으로 기울었다네	炎炎紅日將西傾
간신 동탁이 어린 임금 폐하고	奸臣董卓廢少帝
황위에 오른 진류왕 나약하여 꿈속에서 놀라누나	劉協懦弱魂夢驚
조조가 격문을 돌려 천하에 고하자	曹操傳檄告天下
제후들 분노하여 군사를 일으켰네	諸侯奮怒皆興兵
원소를 맹주로 삼자 의논하고	議立袁紹作盟主
왕실 바로잡아 태평을 이루기로 하였다네	誓扶王室定太平
온후 여포를 당할 자 세상에 없는지라	溫侯呂布世無比
그 용맹 사해에 떨쳐 덮는구나	雄才四海夸英偉
몸에 두른 갑옷 은빛 비늘 번쩍번쩍	護軀銀鎧砌龍鱗
머리에 쓴 금관 꿩깃털을 꽂았구나	束髮金冠簪雉尾
옥에 짐승을 새긴 보대는 맹수를 삼키는 듯	參差寶帶獸平吞
떨쳐입은 백화전포는 봉새가 날듯했네	錯落錦袍飛鳳起
용마가 한번 뛰면 하늘 바람 일고	龍駒跳踏起天風
화극이 번뜩이니 서릿발 이는구나	畫戟熒煌射秋水
관문 앞에 나서 싸움 걸면 당할 자 누구냐	出關搦戰誰敢當
제후들마다 마음 졸이며 가슴 떨더라네	諸侯膽裂心惶惶

그런 중에 연인 장비가 나서니	踊出燕人張翼德
손에는 장팔사모 높이 치켜들고	手持蛇矛丈八槍
범의 수염 곧추서서 금실처럼 빛나며	虎鬚倒豎翻金線
부릅뜬 고리눈에 번갯불 일어나네	環眼圓睜起電光
여포 장비 한판 싸움 승부가 나지 않아	酣戰未能分勝敗
보다 못한 관운장이 좇아나오니	陣前惱起關雲長
청룡보도에 눈서리 찬란하다	靑龍寶刀燦霜雪
앵무전포는 나비처럼 펄럭이고	鸚鵡戰袍飛蛺蝶
말발굽 닿는 곳에 귀신도 울부짖고	馬蹄到處鬼神嚎
노기에 찬 두 눈 부릅뜨면 유혈이 낭자하네	目前一怒應流血
영웅 현덕이 쌍검을 들고 나서	梟雄玄德掣雙鋒
위풍당당하게 용맹을 뽐내누나	抖擻天威施勇烈
삼인이 포위하여 한참을 싸우니	三人圍繞戰多時
치고 막고 달아나랴 숨 돌릴 틈 없어	遮攔架隔無休歇
함성이 크게 일며 천지가 진동하고	喊聲震動天地翻
살기 가득, 견우성 북두성에 한기 서리네	殺氣迷漫牛斗寒
여포는 힘이 다해 달아날 길 찾아	呂布力窮尋走路
멀리 관문을 바라고 말을 달려 달아나네	遙望家山拍馬還
방천극을 거꾸로 잡아든 탓에	倒拖畫杆方天戟
금수놓은 오색기가 어지러이 흩어지고	亂散銷金五彩幡
말고삐 끊어져라 적토마 내달아서	頓斷絨縧走赤兔
나는 듯이 몸을 뒤채 호뢰관으로 올랐네	翻身飛上虎牢關

여포의 뒤를 좇아 호뢰관 아래에 도착한 세 사람은 무언가 눈길을

끄는 것이 있어 관문 위를 올려다보았다. 푸른 비단으로 만든 깃발이 때마침 불어오는 서풍에 나부끼고 있다. 장비가 큰소리로 외친다.

"저기에 반드시 동탁이 있을 게요. 여포 따위를 쫓아갈 게 아니라, 먼저 동탁을 붙잡아 화근을 뿌리째 뽑아버려야지."

그는 곧 말을 몰아 호뢰관을 향해 달려갔다.

역적잡기 모름지기 우두머리부터 잡아야지	擒賊定須擒賊首
기이한 공덕 세우자면 기인을 기다려야 하리	奇功端的待奇人

앞으로 승부는 어떻게 될 것인가?

옥새를 숨긴 손견

동탁은 황금빛 궁궐을 불태우는 만행을 저지르고

손견은 옥새를 감추어 맹약을 저버리다

장비는 말에 박차를 가해 단숨에 호뢰관 아래 이르렀다. 그러나 위에서 화살과 돌이 비오듯하니 올라가지 못하고 되돌아오는 수밖에 달리 방법이 없었다. 여덟 제후들은 현덕·관우·장비를 청하여 공로를 치하하고, 원소의 영채에 사람을 보내 전황을 보고했다. 원소는 승전 보고를 받자 즉시 손견에게 격문을 띄워 출진할 것을 명했다. 손견은 정보와 황개를 데리고 원술을 찾아가 지휘봉으로 땅바닥을 두드리며 항의한다.

"동탁이 나와 본래 원수진 일 없소마는 지금 내가 몸을 돌보지 않고 날아드는 화살과 돌을 무릅쓰며 결사적으로 싸우는 것은, 위로는 나라를 위하여 역적을 치자는 것이며 아래로는 장군 가문과의 의리 때문이외다. 그런데 장군이 나를 모함하는 말을 듣고 군량과 마초 공급을 중단하는 바람에 우리가 적들에게 패하고 말았으니, 그래 속이 편하시오?"

원술은 당황하여 무어라 대답을 못했다. 그는 하릴없이 손견을 모함했던 자의 목을 베도록 지시했다. 그러고는 자신의 생각이 깊지 못했음을 인정하고 사죄했다. 이때 손견 휘하의 군사 하나가 찾아와 보고한다.

"관 위에서 적장 한 사람이 말을 타고 영채에 와서 장군을 뵙고자 합니다."

손견은 원술과 작별하고 즉시 본채로 돌아왔다. 찾아온 사람은 뜻밖에도 동탁이 아끼는 장수 이각이다. 손견은 의아한 생각이 들어 묻는다.

"대체 무슨 일로 왔느냐?"

이각이 대답한다.

"승상께서 평소 장군을 공경해오시던 터에, 오늘 특별히 저를 보내신 까닭은 다름이 아니오라 따님의 혼인문제 때문입니다. 승상의 따님과 장군의 아들이 백년가약을 맺어 두 어르신께서 사돈이 된다면, 그런 경사스런 일이 또 어디 있겠습니까?"

"뭐라고?"

손견은 벌컥 화를 낸다.

"하늘을 거스르고 황실을 뒤엎은 천하의 역적놈이 나와 사돈을 맺자고? 내가 그 구족을 멸하여 천하에 보답하려 하거늘, 그런 가당찮은 소리를 하느냐? 당장 네놈의 목을 베어버려야 할 것이나 그냥 돌려보낼 터이니, 속히 가서 호뢰관을 내놓고 살 궁리들을 하여라. 한시라도 지체하면 그때엔 네 몸이 가루가 될 줄 알아라!"

이각은 머리를 싸안은 채 쥐구멍을 찾아 달아나듯 그대로 돌아와 동탁에게 손견의 무례함을 고했다. 동탁은 몹시 화가 나서 이유를 불러 앞일을 의논했다. 이유가 대답한다.

"여포가 패한 뒤 군사들의 사기가 크게 떨어졌습니다. 제 생각엔 하루 속히 낙양으로 돌아가 황제를 장안으로 옮기는 것이 좋을 듯합니다. 지금 거리에 떠돌고 있는 동요가 바로 그 해답이라 할 수 있습니다."

이유는 동요를 들려주었다.

서쪽에도 하나의 한나라요	西頭一箇漢
동쪽에도 하나의 한나라라	東頭一箇漢
사슴이 장안으로 들어가야만	鹿走入長安
바야흐로 어려운 일 사라지리라	方可無斯難

"생각건대 '서쪽에도 하나의 한나라'라는 것은 고조께서 서도 장안에 도읍하시어 12대를 전해온 것을 말하고, '동쪽에도 하나의 한나라'라는 것은 광무께서 동도 낙양에 도읍하시어 역시 오늘까지 12대를 전해온 것을 뜻합니다. 천운과 맞아떨어지는 지금, 승상께서는 그 천운에 따라 장안으로 도읍을 옮기시면 자연 근심이 없어질 줄로 압니다."

듣고 보니 그럴듯한 말이었다.

"그대가 일러주지 않았더라면 내 미처 깨닫지 못할 뻔했구나."

동탁은 그날밤으로 여포를 데리고 낙양으로 돌아가서 문무백관들을 불러모아 도읍 옮길 것을 상의한다.

"한나라가 동쪽 낙양에 도읍한 지 어언 2백여년에 이르러 운이 다한 듯하오. 내가 보기에 왕기(王氣)는 실상 장안에 있소. 이제 어가를 모시고 서쪽으로 옮기려 하니, 그대들도 속히 그 준비를 하도록 하오."

사도 양표(楊彪)가 말한다.

"장안 일대는 지금 형편없이 황폐해져 있습니다. 그런 터에 까닭없이 종묘(宗廟)를 없애고 황릉(皇陵)을 버리신다면, 백성들이 놀라 동요하지 않을까 심히 염려스럽습니다. 천하를 움직이기는 쉬우나 안정시키기는 지극히 어렵사오니, 승상께서는 한번 더 생각해서 결정하십시오."

"네 감히 국가대계를 막으려 하느냐?"

동탁이 화를 내자, 이번에는 태위 황완(黃琬)이 말한다.

"양사도의 말씀이 옳습니다. 장안은 지난날 왕망(王莽)의 찬역과 경시(更始) 연간 적미(赤眉)의 난으로 인해 불에 타서 남아 있는 인가가 없고, 또한 백성들도 모두 떠나버려 백에 한둘도 남아 있지 않습니다. 그런데 지금의 궁궐을 버리고 폐허로 가신다니, 옳지 않은 일입니다."

그러나 동탁은 들으려 하지 않는다.

"관동(關東)이 도적떼들로 들끓어 천하가 어지러운 이때, 장안은 효산(崤山)과 함곡관(函谷關) 같은 험한 요새가 있고, 또 가까운 곳에 농우(隴右)땅이 있어 목재와 석재, 벽돌과 기와를 쉽게 가져다 쓸 수 있으니 한달이면 궁궐을 지을 수 있을 것이다. 내 이미 결정을 내렸으니, 여러 말 하지 말라."

사도 순상(荀爽)이 간곡히 말한다.

"승상께서 도읍을 옮기려 하신다는 소문이 돌면 민심이 크게 동요하여 편안할 날이 없을 것입니다."

"천하를 위한 일에 백성들 따위가 무슨 대수란 말이냐?"

동탁은 몹시 화가 나서 그날로 양표·황완·순상을 파직시켜 평민으로 만들어버렸다. 회의를 마치고 밖으로 나온 동탁은 수레에 몸을 실었다. 막 길을 떠나려는데 웬 사나이 둘이 앞으로 달려와 절을 한다. 상서(尙書) 주비(周毖)와 성문교위(城門校尉) 오경(伍瓊)이다.

"무슨 일이냐?"

주비가 말한다.

"승상께서 장안으로 천도하려 하신다는 말을 듣고 아뢸 말씀이 있어 왔습니다."

동탁은 화가 머리끝까지 올랐다.

"듣기 싫다. 내가 전에도 너희 두놈 말을 듣고 원소를 살려두었다가 반란을 일으키는 바람에 이렇듯 낭패를 보았거늘, 감히 어디라고 와서 또 입을 놀리려는 게냐? 네놈들도 필시 원소와 한통속이렷다!"

그러고는 무사에게 명하여 두 사람을 성문 밖으로 끌어내 목을 베게 했다. 이어서 내일 당장 장안으로 떠날 수 있도록 모든 준비를 마치라고 명령했다. 이유가 옆에서 부추긴다.

"지금 조정에는 군자금과 양곡이 바닥났습니다. 낙양에는 부자가 많이 살고 있으니 그들의 재물을 몰수하도록 하십시오. 이들을 모두 원소의 무리로 뒤집어씌워 그 친인척을 죽이고 재산을 몰수하면 필시

어마어마한 돈을 얻을 수 있을 것입니다."

동탁이 이유의 말에 따라 철기 5천을 풀어 낙양의 부호를 모두 잡아들이니 그 수효는 실로 수천명에 이르렀다. 동탁은 부자들의 머리에 일일이 '반신역당(反臣逆黨)'이라 쓴 기를 꽂은 뒤에 모두 성밖으로 끌어내 죽이고 그 재산을 몽땅 빼앗았다.

이각과 곽사는 낙양의 백성 수백만명을 몰고 먼저 장안으로 떠났다. 백성 한무리에 군사 한무리를 배치하여 잔혹하게 끌고 가는 바람에 개천과 구덩이에 빠져죽은 자가 수도 없이 많았다. 또한 군사들이 아낙네와 처녀를 가리지 않고 닥치는 대로 겁탈하며 양식과 재물을 강탈하도록 내버려두니, 백성들의 울부짖는 소리가 천지를 진동했다. 조금이라도 걸음이 더딘 자가 있으면 뒤따르는 3천명의 군사들이 윽박지르며 다그쳤고, 시퍼런 칼을 휘둘러 노상에서 쳐죽이기도 했다.

동탁은 낙양을 떠나기 직전 모든 성문에 불을 지르게 했다. 불길은 순식간에 번져 민가를 태우고 종묘와 관부까지도 모두 태우니, 남북의 두 궁전에서 치솟은 불길이 불바다를 이루어 장락궁은 고스란히 잿더미가 되었다. 또한 여포를 시켜 역대 황제와 황후들의 묘까지 파헤쳐서 그 속에 든 금은보화를 모두 취하자, 이것을 본 군사들도 다투어 벼슬을 지냈던 자들의 큰 무덤은 물론 백성들의 무덤까지도 남김없이 파헤쳐버렸다. 동탁은 금은보화와 값비싼 비단 등을 수천개의 수레에 나누어 싣고 어린 황제와 비빈들을 협박하여 이끌고 장안을 향해 떠났다.

한편 동탁이 낙양을 버리고 장안으로 떠나는 것을 본 장수 조잠(趙岑)은 그길로 손견에게 사수관을 바쳤다. 손견이 제일 먼저 군사를 거느리고 낙양으로 들어가고, 현덕·관우·장비 세 사람도 호뢰관을 향해 짓쳐들어갔다. 모든 제후들은 군사를 이끌고 뒤를 따랐다.

낙양으로 들어가면서 손견은 개탄하지 않을 수 없었다. 눈길 닿는 곳마다 화염이 하늘을 찌를 듯하고 시커먼 연기가 땅을 덮어, 2, 3백 리 사이에 인가의 밥짓는 연기는 말할 것도 없고 닭이나 강아지새끼 한마리 구경할 수 없었다. 손견은 군사를 풀어 우선 불부터 끄게 하고, 여러 제후들로 하여금 아쉬운 대로 불탄 자리나마 군사를 주둔시키도록 했다. 조조가 원소를 찾아가 말한다.

"동탁이 서쪽으로 달아나는 지금 때를 놓치지 말고 즉시 뒤쫓아야 할 터인데, 이렇듯 군사를 끼고 앉아 움직이지 않는 것은 무슨 까닭이오?"

원소가 대답한다.

"군마가 모두 지쳐 있어 뒤쫓아간다 해도 별 도리가 없을 거요."

조조는 답답하다는 듯 여러 제후들을 향해 말한다.

"동탁이 궁궐을 불사르고 황제를 윽박질러 함부로 도읍을 옮기니 흉흉해진 민심이 천지를 뒤흔들 지경이외다. 지금이야말로 하늘이 동탁을 버리려는 때인데, 나가 싸워서 천하를 평정할 생각들은 하지 않고 무엇이 두려워 이렇듯 주저한단 말이오?"

그러나 제후들은 하나같이 말한다.

"경솔하게 움직일 일이 아니오."

조조는 너무도 화가 났다.

"이런 못난 사람들을 봤나! 내 그대들과 무슨 일을 도모하겠소?"

조조는 마침내 군사 1만여명을 거느리고 하후돈·하후연·조인·조홍·이전·악진 등과 더불어 밤을 새워 동탁의 뒤를 쫓았다.

한편 동탁은 어느덧 형양지방에 이르렀다. 태수 서영이 군사를 거느리고 나와서 영접했다. 이유가 또다시 속닥거린다.

"승상께서 낙양을 떠나오셨으니 원소의 군사들이 반드시 뒤쫓아올 것입니다. 서영을 시켜 형양성 밖 산등성이에 군사를 매복시켜두고, 우리를 쫓는 군사가 있으면 일단 지나가게 내버려두라 이르십시오. 그랬다가 제가 앞에서 막아내고 있을 때 퇴로를 끊고 공격하게 하시면 뒤에 오는 군사가 감히 더는 쫓아오지 못할 것입니다."

동탁은 고개를 끄덕인다. 그는 곧 이유의 말을 좇아 지시를 내리고, 여포로 하여금 정병을 이끌고 뒤를 막게 했다. 여포가 계책대로 움직이노라니 과연 조조의 군사가 뒤를 쫓아왔다. 여포는 소리를 높여 웃는다.

'과연 이유의 짐작대로구나.'

곧 군마를 벌여세우고 기다리고 있는데, 조조가 앞장서서 말을 달려나온다.

"이 역적놈아, 황제를 강제로 앞세워 가련한 백성들을 끌고 어디로 가느냐?"

여포도 질세라 마주 소리친다.

"네 이놈, 너는 주인을 배반한 주제에 무슨 망발이냐?"

이때, 하후돈이 창을 휘두르며 여포에게 달려든다. 몇 합을 싸우는데 이각이 한무리의 군사를 이끌고 왼쪽에서 짓쳐들어온다. 조조는 급히 하후연으로 하여금 나가 맞서게 한다. 그러자 이번에는 오른쪽에서 함성이 크게 일며 곽사가 군사를 이끌고 밀어닥치는 게 아닌가. 조조는 급히 조인에게 나가 싸우게 했다. 그러나 좌우 중앙 세 방면에서 달려드는 여포의 군세를 당해낼 도리가 없다.

하후돈이 여포를 대적하지 못하고 말머리를 돌려 후퇴하기 시작하자 여포는 철기를 끌고 여세를 몰아 끝까지 공격했다. 결국 조조의 군사는 참패를 당하고 형양으로 달아났다.

그렇게 얼마나 달렸을까. 어느 황량한 산모퉁이를 지날 무렵에는 어느덧 2경이 되어 달이 대낮처럼 환히 떠올라 있었다. 조조는 비로소 가쁜 숨을 돌리고 남은 군사를 수습했다. 너나없이 모두 지치고 배고픈 기색들이었다. 조조의 명에 따라 군사들은 밥을 짓기 위해 솥을 걸고 불을 지폈다. 이때였다. 느닷없이 함성이 크게 일어나며 숨어 있던 서영의 군사들이 사방에서 쏟아져나온다.

조조는 급히 말을 몰아 달아날 길을 찾았다. 그러나 얼마 못 가서 서영과 정면으로 마주쳤다. 얼른 말을 돌려 달아나려는데, 서영이 쏜 화살이 바람 가르는 소리를 내며 날아와 조조의 어깻죽지에 틀어박힌다. 조조는 화살이 꽂힌 채 그대로 말을 몰아 달아났다.

정신없이 산언덕을 넘어서는데 이번에는 숲속에 매복해 있던 두 명의 군사가 튀어나와 조조의 말을 동시에 공격한다. 번개같이 내지르는 창에 찔려 말은 그대로 거꾸러져버리고, 조조도 땅바닥에 나뒹굴었다. 두 군사가 조조를 향해 달려드는 순간이다. 웬 장수 하나가 말을 몰아 달려오더니 칼을 휘둘러 두 군사를 일시에 쳐죽이고, 말에서 내려 조조를 부축해 일으킨다. 그제야 제정신이 들어 보니, 그는 조홍이었다. 조조는 힘없이 조홍의 손길을 뿌리친다.

"나는 예서 죽을 것이니 너나 빨리 달아나거라."

"어서 말에 오르십시오. 저는 걸어서 가면 됩니다."

"적병이 곧 쫓아올 텐데 어찌하려고 이러느냐?"

"저 같은 목숨 하나 없어진다고 세상이 달라지겠습니까만, 공은 그렇지 않습니다."

"내가 만약 죽지 않고 살아남는다면 그건 오로지 네 덕이다."

조조는 말에 올랐다. 조홍은 갑옷과 투구를 벗어던진 뒤 칼을 쥐고 말을 따라 뛰기 시작했다. 어느덧 밤이 깊어 4경이나 되었는데, 한줄기 큰 물이 길을 막는다. 뒤에서는 적군의 함성이 점점 가까워지고 있었다. 조조의 입에서 탄식이 절로 흘러나온다.

"결국은 여기서 죽는구나."

조홍은 급히 조조를 말에서 내리게 하고 갑옷과 전포를 벗겨내더니 조조를 업고 강물에 뛰어들었다. 간신히 헤엄쳐 건너편 언덕에 오르자, 뒤쫓아온 군사들이 강을 가로질러 화살을 쏘아댄다. 조홍은 조조를 이끌고 뒤도 돌아보지 않고 달렸다.

두 사람은 물길을 따라 날이 훤히 샐 무렵까지 30여리를 달리다가 어느 언덕 아래에 멈춰섰다. 잠시 숨을 돌리는데, 또다시 함성이 일며 한떼의 군사가 달려온다. 서영이 상류 쪽으로 거슬러올라가 물을 건너 따라온 것이다. 조조가 당황하여 어찌할 바를 모르는데, 저만치 앞에서 하후돈과 하후연이 기병 수십명을 거느리고 나는 듯이 달려오며 외친다.

"네 이놈 서영아, 우리 주공에게 덤비지 말라!"

서영은 말머리를 돌려 하후돈을 향해 달려든다. 싸운 지 몇합도 안돼서 결국 서영은 하후돈의 창에 찔려 말에서 고꾸라지고, 뒤따르던 군사들도 뿔뿔이 흩어져 달아났다. 간신히 위기를 모면한 조조는 뒤늦게 달려온 조인·이전·악진 등과 만나 지금까지 겪은 일을 이야기하며 기쁨과 슬픔을 나누었다.

조조는 겨우 5백여명 남짓한 패잔병을 수습하여 하내(河內)로 돌아가고, 동탁은 계속해서 장안으로 향했다.

한편 다른 제후들은 각기 진을 치고 여전히 낙양에 주둔하고 있었다. 손견은 궁중의 남은 불을 끄고 건장전(建章殿)이 있던 자리에 장막을 쳤다. 그리고 군사들을 시켜 대궐 마당에 어질러진 타다 남은 기왓장들을 말끔히 치우게 했다. 또한 동탁이 파헤친 능들을 모두 덮은 뒤 태묘가 있던 자리에 세칸짜리 전각을 지어 역대 황제들의 위패를 모시고, 소·양·돼지를 잡아 여러 제후들과 함께 제를 올렸다. 제사가 끝나자 제후들은 각기 영채로 돌아갔다.

손견도 영채로 돌아와 건장전 뜰에 섰다. 그날따라 유난히 별이 빛나고 달이 밝았다. 손견은 칼을 찬 채 땅에 앉아서 하늘을 올려다보며 천문을 헤아렸다. 자미원(紫微垣, 황제를 상징하는 별) 주위에 부연 기운이 서려 있었다. 손견은 탄식한다.

"황제의 별이 저렇듯 밝지 못하니, 역적이 나라를 어지럽히고 백성들은 도탄에 빠져 허덕이며, 낙양은 한줌 재가 돼버리고 말았구나!"

이렇게 중얼거리는데, 자신도 모르게 눈물이 주르륵 흘러내렸다. 곁에 있던 군사 하나가 문득 전각 남쪽을 가리키며 말했다.

"저기 좀 보십시오. 건장전 남쪽 우물 속에서 알 수 없는 오색빛이 뻗쳐나옵니다."

손견은 즉시 군사에게 명하여 횃불을 밝히고 우물 속으로 내려가 살피게 했다. 잠시 후 우물 속에서 한 여인의 시체가 끌어올려졌다. 죽은 지 여러 날 된 듯했으나 시체는 조금도 썩지 않았다. 살펴보니 궁녀 차림새로, 비단 주머니 하나가 목에 걸려 있었다. 주머니를 열어 보았다. 황금 자물쇠가 채워진 붉은색의 자그마한 갑이 들었는데, 자물쇠를 여니 그 안에 옥새가 들어 있다. 둘레는 네 치 가량 되어 보이

손견이 옥새를 얻다

고, 윗부분에는 다섯 마리의 용이 엉켜 꿈틀거리는 듯한 형상을 새겼는데, 떨어져나간 한쪽 모서리가 금으로 메워져 있다. 자세히 보니, 전자(篆字)로 새겨진 여덟 글자가 눈에 띄었다. '수명어천(受命於天) 기수영창(旣壽永昌)', 즉 '하늘의 명을 받아 그 수명이 영원히 창성하리라'는 뜻이다. 옥새를 만져보다가 손견은 옆에 있던 정보에게 물었다. 정보가 대답한다.

"이것은 전국새(傳國璽)라 합니다. 이 옥은 옛날에 변화(卞和)라는 사람이 형산(荊山) 밑을 지나다가 얻은 것으로, 봉황이 돌 위에 깃드는 것을 보고 그 돌을 가져다가 초문왕에게 바쳤다 합니다. 초문왕이 돌을 깨어보니 그 속에 이 옥이 들어 있었는데, 진시황 26년에 솜씨 좋은 옥공(玉工)을 시켜 이것으로 옥새를 만들고, 이사(李斯)를 시켜 이 여덟 전자를 새긴 것입니다. 그리고 28년, 진시황이 순행차 동정호(洞庭湖)에 이르렀을 때 풍랑이 크게 일어 배가 뒤집히려 하자 급히 이 옥새를 호수에 집어던졌더니 즉시 바람이 멎고 물결이 잠잠해지더랍니다. 36년에는 진시황이 화음(華陰)땅으로 순행을 갔는데, 어떤 사람이 길을 막아서더니, '조룡(祖龍, 진시황)에게 옥새를 돌려주라' 하며 시종에게 옥새를 건네고는 홀연히 사라졌다 합니다. 이리하여 이 옥새가 다시 진나라로 돌아왔는데, 그 이듬해 진시황이 죽자, 손자 자영(子嬰)이 옥새를 한고조에게 바쳤습니다. 그뒤에 왕망이 역적질할 때 효원(孝元) 황태후가 그 무리인 왕심(王尋)과 소헌(蘇獻)에게 옥새를 던져 때리는 바람에 한쪽 모서리가 떨어져나간 것을 이렇듯 금으로 때웠다 하며, 광무제가 이 보물을 의양(宜陽)에서 손에 넣은 이래 오늘에 이른 것입니다. 근간에 듣기로는, 십상시의 난 때 어린 황제가 북망산에 갔다 돌아와보니 이 옥새가 없어졌다고 합니다. 이제 하늘이 이 옥새를 내리신 것은 공께서 황제의 자리에 오르시리라는 징조임에 틀림없습니다. 하오니 여기 머물러 계실 게 아니라 하루빨리 강동으로 돌아가 대사를 도모하셔야 할 것입니다."

정보의 긴 설명에 손견은 고개를 끄덕인다.

"내 생각도 그러하다."

이렇게 의견을 모으고 나서 손견은 군사들에게 비밀을 누설하지 않도록 경고했다. 그러나 공교롭게도 군사 중에 원소와 동향 사람이 끼여 있을 줄 누가 알았으랴. 그에게 이 사실은 다시 없는 출세의 기회였다. 그는 한밤중에 영채를 빠져나와 원소에게로 달려가 이 사실을 알렸다. 원소는 그 군사를 후하게 대접하고 자기 군사들과 함께 머물게 했다.

손견은 이튿날 작별인사를 하기 위해 원소를 찾아갔다.

"몸에 병이 나서 장사로 돌아가야겠기에 특별히 공에게 하직인사를 여쭙고자 이렇게 왔소이다."

원소는 입가에 비웃음을 띠고 말한다.

"저런, 전국새 때문에 병이 나신 게로군."

손견의 낯빛이 변한다.

"그, 그게 무슨 말씀이시오?"

원소가 정색을 한다.

"지금 우리는 오직 나라를 위하는 마음으로 군사를 일으켜 역적을 치려 하오. 그런 판에 공께서 조정의 보물인 옥새를 얻었다면 응당 여러 제후들에게 보이고 맹주인 나에게 맡겨두는 것이 도리요. 그런 연후에 동탁을 죽이고 다시 조정에 반납해야 할 터인데, 이를 숨겨가지고 떠나려는 저의가 무엇이오?"

"내게 무슨 옥새가 있다고 그러시오?"

"건장전 우물에서 나온 것은 대체 무어요?"

"나는 그게 어떻게 생긴 물건인지 구경도 못했소이다. 있지도 않은 물건을 가지고 도대체 어쩌자는 것이오?"

원소가 버럭 소리친다.

"속히 내놓는 것이 그대에게 이로울 게요."

손견은 하늘을 가리키며 맹세한다.

"내가 만약 그 보물을 얻어 몰래 감추었다면 필시 칼이나 화살에 맞아 죽을 것이외다."

이제까지 잠자코 지켜보고만 있던 제후들이 이구동성으로 말했다.

"저렇게까지 맹세하는 걸로 봐선 분명 가지고 있지 않은 듯하외다."

원소는 숨겨둔 군사를 불러낸다.

"우물 속에서 옥새를 찾아낼 때 이자가 곁에 있었다 하는데 그래도 부인하겠소?"

손견이 분을 참지 못하고 차고 있던 칼을 거칠게 뽑아들어 다짜고짜 군사를 베려 하자, 원소도 칼을 빼들며 꾸짖는다.

"네가 이 군사를 죽이려 드는 걸 보니 나를 속인 게 틀림없구나!"

원소의 등뒤에 서 있던 안량과 문추도 칼을 빼들었다. 이에 질세라 손견 휘하의 정보·황개·한당이 동시에 칼을 뽑아들었다. 삽시간에 살벌한 분위기가 되었다. 제후들이 일제히 나서며 원소와 손견을 말렸다. 이참에 손견은 분연히 말에 올라 영채를 버리고 낙양을 떠났다.

화가 치민 원소는 즉시 편지를 써서 심복으로 하여금 그날밤 안으로 형주로 가서 자사 유표(劉表)에게 은밀히 전하게 했다. 내용인즉, 손견이 돌아가는 길을 막고 옥새를 빼앗으라는 것이었다. 이튿날, 사람이 와서 보고한다.

"동탁의 뒤를 쫓아갔던 조조가 형양에서 싸웠지만 크게 패하고 돌아왔습니다."

원소는 즉시 사람을 보내 조조를 불러다가 술자리를 만들어 위로했다. 술이 어느정도 취하자 조조는 길게 한숨을 쉬며 말한다.

"내가 처음에 대의를 일으켜 나라를 위해 역적을 치려 하자, 여러분도 나와 뜻을 같이하여 이렇듯 모여들었소이다. 원래 내 계획을 말씀드리자면, 장군께서는 하내의 군사를 거느리고 맹진(孟津)땅으로 나아가고, 산조(酸棗)의 여러 제후들은 성고(成皐)땅을 굳게 지켜 오창(廒倉)에 진을 침으로써, 환원(轘轅)과 태곡(太谷)을 막아 그 험준한 요새를 제압하는 것이었습니다. 그런 한편 원술 장군께서는 남양(南陽) 군사를 이끌고 단석(丹析, 단현丹縣과 석현析縣)에 주둔한 후에 무관으로 진입해서 삼보(三輔, 장안 주변의 경조·풍익·부풍의 세 군郡)를 치되, 도랑을 깊이 파고 토성을 높이 쌓아, 싸우지는 않고 군사가 무척 많은 것처럼 전술을 써서 대세가 이미 기울었음을 과시하면, 그것은 순(順)으로 역(逆)을 다스리는 이치라 가히 천하를 바로잡을 수 있으리라 여겼소. 그런데 제공이 끝끝내 의심하며 나아가지 않아 마침내 대사를 그르치고 말았으니, 이 조조는 수치스런 생각뿐이외다."

조조의 원망 섞인 말에 원소를 비롯한 여러 제후들은 입이 있어도 할말이 없었다. 이날 자리가 파하고 나서 조조는 곰곰이 생각에 잠겼다. 원소를 비롯한 모든 제후들이 각기 딴마음을 품고 있으니 일을 성사시키기는 이미 틀린 노릇이었다. 더이상 머무를 필요가 없다고 생각한 조조는 즉시 군사를 이끌고 양주로 떠났다.

공손찬이 현덕·관우·장비에게 말한다.

"원소는 무능한 사람일세. 이대로 가다가는 반드시 변이 생길 것이니 우리들도 돌아가는 것이 좋겠네."

그들은 함께 군사를 수습해 북쪽으로 가서 현덕은 예전대로 평원 현령직을 맡고, 공손찬 자신은 북평(北平)으로 돌아가서 군사를 양성하기로 했다.

그무렵 연주 자사 유대는 양식이 떨어져 동군 태수 교모에게 군량미를 빌려달라고 청했다. 교모가 이를 외면하자, 유대는 군사를 거느리고 쳐들어가 교모를 죽이고, 항복하는 군사들을 제 휘하에 넣었다. 모든 제후들이 이렇듯 각기 흩어지자 원소도 마침내 자기 군사들을 거두어 낙양을 떠나 관동으로 가버렸다.

한편 형주 자사 유표는 자가 경승(景升)이요, 산양(山陽) 고평(高平) 사람으로, 한나라 황실의 종친이었다. 어려서부터 친구 사귀기를 좋아하여 명사(名士) 일곱 사람과 교우를 맺었는데, 당시에 이들을 가리켜 '강하팔준(江夏八俊)'이라 했다.

그 일곱 사람들을 살펴보면, 여남(汝南) 출신의 진상(陳翔)은 자가 중린(仲麟)이요, 같은 고을 사람 범방(范滂)은 자가 맹박(孟博)이며, 노국(魯國) 출신 공욱(孔昱)은 자가 세원(世元), 발해 출신 범강(范康)은 자가 중진(仲眞), 산양 출신 단부(檀敷)는 자가 문우(文友), 같은 고을 사람 장검(張儉)은 자가 원절(元節), 남양 출신 잠질(岑晊)은 자가 공효(公孝)로, 유표는 이들 일곱 사람과 벗을 삼고 연평(延平) 사람 괴량(蒯良)·괴월(蒯越) 형제와 양양(襄陽) 사람 채모(蔡瑁)의 도움을 받아 형주를 다스리고 있었다.

그러한 유표에게 어느날 원소로부터 한 통의 서찰이 전해졌다. 내용을 읽어본 유표는 즉시 괴월과 채모로 하여금 군사 1만명을 거느리고 나아가 손견의 길을 막으라 했다. 이러한 사실을 모르는 손견은 군사를 재촉하여 형주지방으로 들어섰다. 손견의 군사가 이르자, 괴월이 진을 벌이고 길을 막아섰다가 먼저 말을 몰고 나온다. 손견이 앞으로 나서며 묻는다.

"영도(英度, 괴월의 자)는 무슨 연유로 군사를 끌고 와 내 가는 길을 막는가?"

괴월이 대답한다.

"그대는 한나라 신하로서 어찌하여 전국새를 숨겨가지고 가는가? 선뜻 내놓지 않으면 한발짝도 움직일 수 없을 터이니, 그리 알아라."

손견은 크게 노하여 황개를 시켜 나가서 싸우게 했다. 황개가 나서자 채모가 춤추듯 칼을 휘두르며 나와 맞선다. 어우러져 두어 합쯤 싸웠을 때 황개는 철채찍을 휘둘러 채모의 호심경(護心鏡, 가슴 부위를 보호하기 위해 갑옷에 붙인 철판)을 후려친다. 채모가 기겁하여 말머리를 돌려 달아나자 손견은 군사를 휘몰아 급히 뒤를 쫓았다. 형주 경계에 이르러 산모퉁이를 돌아드는데, 산 뒤에서 북소리 징소리가 요란하게 울리며 유표가 군사를 이끌고 나타난다. 뜻밖의 상황에 놀란 손견은 말위에 앉은 채 예를 차리고 묻는다.

"경승께서는 어찌하여 원소의 글만 믿고 이웃 고을 사람을 괴롭히는 거요?"

유표가 꾸짖는다.

"그대가 진정 전국새를 숨기고 있다면 그건 바로 모반을 하려는 뜻이 아니오?"

손견은 다시 한번 맹세한다.

"내가 정말 그 물건을 가지고 있다면 칼과 화살에 맞아 죽고 말 것이오!"

"과연 그렇다면 네 군사의 행장들을 샅샅이 뒤져보자."

그 말에 손견은 불같이 화를 낸다.

"네가 대체 무슨 힘을 믿고 나에게 이렇듯 함부로 구느냐?"

손견은 싸울 태세로 채찍을 들어 군사들에게 신호를 보냈다. 손견의 군사들이 일제히 달려들자 유표는 슬며시 말머리를 돌린다. 손견은 말을 달려 유표를 쫓기 시작했다. 그러나 얼마 못 가 산 뒤 양쪽에서 복병이 일제히 달려나오고 뒤에서는 채모와 괴월이 쫓아와 손견을 완전히 포위했다.

옥새 얻었으되 쓸데없는 것을	玉璽得來無用處
도리어 그로 인해 싸움만 일어나네	反因此寶動刀兵

손견은 과연 이 곤경에서 벗어날 수 있을 것인가?

손견의 죽음

원소는 반하에서 공손찬과 싸우고
손견은 강을 건너 유표를 공격하다

유표에게 포위당한 손견은 정보·황개·한당 세 장수의 도움으로 간신히 죽음은 면했으나 군사 태반을 잃고 강동으로 달아났다. 그후 손견은 유표와 원수지간이 되었다.

한편 원소는 낙양에서 하내로 돌아와 군사를 주둔시키고 있었는데, 군량미가 떨어져 곤경에 처했다. 때마침 이 사실을 안 기주 자사 한복(韓馥)이 군사들을 위한 양식을 보내왔다. 이에 모사(謀士) 봉기(逢紀)가 원소에게 말한다.

"천하를 주름잡아야 할 대장부가 남이 보내주는 양식에 의지한다

는 게 말이나 될 일입니까? 기주는 땅이 넓어 자원도 풍부하고 곡식
이 많이 나는 곳인데, 장군께서는 어째서 그곳을 수중에 넣을 생각을
하지 않으십니까?"

원소가 대꾸한다.

"좋은 계책이 떠오르질 않아서 그러네."

"비밀리에 서신을 보내, 공손찬에게 함께 기주땅을 치자고 하십시
오. 우리도 군사를 보내 협공하기로 한다면 공손찬은 반드시 군사를
일으킬 것입니다. 그렇게 되면 어리석은 한복이 장군에게 달려와 기
주 일을 봐달라고 구원을 요청할 터이니, 그 기회를 적당히 이용하면
손쉽게 기주땅을 얻을 수 있을 것입니다."

원소는 매우 기뻐하며 곧 공손찬에게 편지를 보냈다. 원소의 속셈
을 알 리 없는 공손찬은 함께 기주를 쳐서 그 땅을 분배하자는 내용의
편지를 받자 기뻐하며 그날로 군사를 일으켰다.

다른 한편으로 원소는 이 사실이 한복의 귀에 들어가도록 계책을
썼다. 당황한 한복은 얼른 순심(荀諶)과 신평(辛評) 두 모사를 불러
상의했다. 순심이 말한다.

"공손찬이 연(燕)과 대(代) 지방의 군사를 거느리고 쳐들어온다면
그 기세를 무슨 수로 막아내겠습니까? 거기에 유비와 관우, 장비까지
가세할 경우 더더욱 대적하기 어려울 것입니다. 그래서 드리는 말씀
이온데, 원소 장군은 지혜와 용기가 뛰어나고 또 그 수하에 이름난 장
수들이 많으니, 그에게 도움을 청하여 기주를 함께 다스리자고 제의
하십시오. 그러면 그도 반드시 후하게 대접할 것이니, 그렇게만 된다
면 공손찬쯤이야 무어 두려울 게 있겠습니까?"

한복은 즉시 별가(別駕)를 맡아보는 관순(關純)을 보내 원소를 청

해오려 했다. 그러자 장사(長史) 벼슬의 경무(耿武)가 간한다.

"원소는 지금 기댈 데 없는 외톨이 신세로 그렇지 않아도 젖먹이 아이처럼 우리만 바라보고 있습니다. 우리가 모르는 척하면 금방이라도 굶어죽을 처지인데, 그런 위인에게 기주를 맡긴다는 건 당치 않은 말씀입니다. 이는 양떼 속으로 범을 끌어들이는 것과 다를 바 없습니다."

그러나 한복은 힘없이 말한다.

"나는 본래 원씨 문하에서 벼슬을 지내던 사람으로 재능 또한 원소에게 미치지 못한다. 옛말에도 어진 사람을 가려 자리를 양보하는 것이 군자의 도리라 했거늘, 너는 왜 그를 질투하느냐?"

한복이 전혀 들으려 하지 않자 경무는 혼잣말로 탄식한다.

"이제 기주땅도 끝장났구나!"

일이 이렇게 되자 벼슬을 버리고 가는 자가 30여명이나 되었지만, 그래도 경무와 관순만은 성밖에 숨어 원소가 오기를 기다렸다.

며칠 후 마침내 원소가 군사를 거느리고 나타났다. 경무와 관순이 칼을 빼들고 동시에 원소를 향해 달려들었다. 그러나 원소의 장수 안량이 한칼에 경무를 베어죽이고, 문추 또한 관순을 쳐죽였다.

결국 원소는 기주로 들어가 한복을 분위장군(奮威將軍)으로 삼고, 전풍(田豊)·저수(沮授)·허유(許攸)·봉기(逢紀)에게 고을일을 나눠 맡김으로써 한복의 권한을 모조리 빼앗아버렸다. 그제서야 한복은 자신이 어리석었음을 깨닫고 후회의 눈물을 흘렸다. 결국 그는 처자식을 버리고 필마단기(匹馬單騎)로 진류 태수 장막(張邈)에게 가서 의탁했다.

한편 공손찬은 원소가 이미 기주를 점령한 것을 알고 아우 공손월

(公孫越)을 보내 약속대로 땅을 나누어달라고 했다. 공손월의 말에 원소가 대꾸한다.

"만나서 서로 긴하게 나눌 말도 있고 한데, 자네 형님더러 직접 오라고 하게."

공손월은 별수없이 발길을 돌렸다. 말을 달려 한 50리쯤 갔을 때였다. 갑자기 길 양옆에서 한떼의 인마가 쏟아져나온다. 그들은 원소의 지시대로 동탁의 군사를 가장하여 달려들어 공손월을 활로 쏘아죽였다. 가까스로 도망쳐나온 공손월의 시종은 공손찬에게 이 사실을 알렸다. 공손찬은 노기등등하여 외친다.

"원소가 나를 꾀어 한복을 치게 하고는 저 혼자 기주땅을 독차지하더니, 이제는 동탁의 군사로 가장하여 내 아우를 활로 쏘아죽였다고? 내 기필코 이 원수를 갚고야 말리라!"

그러고는 휘하의 군사들을 이끌고 곧장 기주로 쳐들어갔다. 이 소식을 전해들은 원소도 군사를 이끌고 마주나와, 반하(磐河)에서 서로 대치했다. 원소의 군사가 반하고 동쪽에 진을 치자 공손찬의 군사는 물 건너 다리 서쪽에 진을 쳤다. 공손찬이 다리 위로 말을 달려나오더니 큰소리로 외친다.

"이 의리없는 놈아, 어찌 감히 나를 팔아먹었느냐?"

원소도 말을 채찍질하여 다리 위로 나가 맞선다.

"한복이 무능하여 내게 기주를 양보한 것인데, 그게 너와 무슨 상관이란 말이냐?"

"내 일찍이 너를 충의가 있는 자라 생각하여 맹주로 추대했는데, 지금 소행으로 봐서는 이리 같은 마음보에 개 같은 행실을 지녔구나. 그러고도 뻔뻔스럽게 낯을 들고 세상을 살아가려 하느냐?"

원소는 화가 머리끝까지 치밀었다.

"누가 나가 저놈을 사로잡겠는가?"

말이 채 끝나기도 전에, 문추가 창을 꼬나잡고 공손찬을 향해 말을 달린다. 공손찬은 다리 앞에서 문추와 맞서싸운 지 10여합이 채 못되어 더는 당해내지 못하고 냅다 달아나기 시작한다. 기세등등해진 문추는 승세를 몰아 뒤를 쫓는다.

공손찬이 진중으로 들어가버리자 문추는 나는 듯이 진을 뚫고 들어가 좌충우돌 마구 휘젓고 다닌다. 공손찬 휘하의 네 장수가 일제히 덤벼들었지만 문추의 창이 그중 한 장수를 찔러 말에서 떨어뜨리자 나머지 세 사람은 기겁해서 달아난다. 문추는 곧장 공손찬을 뒤쫓았고, 공손찬은 진을 벗어나 산골짜기를 향해 달아났다. 문추는 계속해서 공손찬의 뒤를 추격했다.

"당장 말에서 내려 항복하지 못하겠느냐!"

공손찬은 투구가 벗겨져 땅에 구르는 것도 모른 채 산등성이를 향해 정신없이 말을 몰았다. 필사의 힘으로 산 언덕을 달려올라갔으나 말이 발을 헛딛는 바람에 공손찬의 몸뚱이는 그대로 언덕 아래로 나뒹굴었다. 문추는 때를 놓치지 않고 힘껏 창을 치켜올린다. 공손찬을 향해 막 창을 내지르려는 찰나, 느닷없이 언덕 왼편에서 한 소년장수가 창을 꼬나잡고 나는 듯이 말을 달려 문추를 공격해온다.

이 틈을 타서 공손찬은 허겁지겁 몸을 추스려 언덕으로 기어올랐다. 정신을 가다듬고 내려다보니, 소년장수는 키가 8척이요 부리부리한 눈에 눈썹이 짙고, 하관이 발달하여 너부죽한 얼굴에 위풍이 늠름하다. 소년장수의 창술은 눈부실 정도인데, 문추는 의외의 강적을 만나 위아래로 막기에 바빴다. 문추가 창을 곧추 찔러들어가자 소년장수는 능숙하게 창대를 휘돌려 막으면서 그대로 문추의 옆구리로 창날을 질러들어온다. 문추는 가까스로 피하면서 주춤주춤 뒤로 밀리기 시작했다. 5, 60합을 싸웠으나 도무지 승부가 나질 않자 문추는 차츰 지쳐갔다.

때마침 군사들이 공손찬을 구하기 위해 몰려왔다. 상황이 불리해진 문추는 싸움을 중단하고 그대로 말머리를 돌려 달아난다. 소년장수 역시 더이상 쫓지 않는다. 공손찬은 바삐 언덕을 내려와 소년장수에게 다가갔다. 소년장수가 허리를 굽혀 예를 차리며 고한다.

"소장은 상산(常山) 진정(眞定) 사람으로, 조(趙)씨 성에 이름은 운(雲)이요, 자는 자룡(子龍)이라 합니다. 원소의 휘하에 있었으나, 그가 임금에게 충성하고 백성을 구제할 마음이 없는 것을 알고, 장군을 찾아 떠나온 길에 예기치 않게 여기서 뵙게 되었습니다."

공손찬은 매우 기뻐하며 그와 함께 영채로 돌아와 군사를 정돈했다.

이튿날 공손찬이 휘하 군마를 좌우로 나누어 진을 편성하니, 그 형세는 마치 새가 날개를 펼친 듯했다. 말 5천여필은 대부분 백마였다. 이는 공손찬이 일찍이 오랑캐 강인(羌人)들과 싸울 때 백마만 추려서 선봉을 삼고 자칭 백마장군이라 일컫자 오랑캐들이 백마만 보면 질겁하여 달아나기에 백마의 수를 대폭 늘린 때문이었다.

한편 원소도 안량과 문추를 선봉으로 각기 궁노수 1천여명을 좌우로 나누어 왼편의 군사들은 공손찬의 우군을, 오른편의 군사들은 공손찬의 좌군을 대적하게 했다. 또한 국의(麴義)에게 궁노수 8백명과 보병 1만 5천명을 거느리고 진을 치게 하고, 원소 자신은 기병과 보병 수만명을 이끌고 뒤를 받치기로 했다.

공손찬은 조자룡이 휘하에 들어온 지 얼마 안되어 아직 신뢰할 수 없는지라 따로 일군을 거느리고 뒤에 있게 하고, 대장 엄강(嚴綱)을 선봉으로 삼았다. 자신은 몸소 중군(中軍)을 영솔하여 다리 위로 나아갔다. 붉은 바탕에 금실로 '수(帥)'자를 수놓은 깃발을 말 앞에 세워두었다. 공손찬의 군사는 진시(辰時, 오전 8시)부터 사시(巳時, 오전 10시)까지 북을 치며 싸움을 돋우었으나 원소의 진영에서는 좀처럼 움직이려는 기미를 보이지 않는다. 그러나 그때 국의는 궁노수들로 하여금 모두 차전패(遮箭牌) 밑에 엎드려 있다가 포소리가 울리면 일제히 활을 쏘도록 지시해두었다.

기다리다 못한 엄강이 북을 치고 함성을 올리며 국의의 진으로 달려들었다. 국의의 군사는 엄강의 군사가 쳐들어와도 움직이지 않고 그대로 엎드려 적이 가까이 다가오기만을 기다렸다. 문득 포소리가 울리고 8백 궁노수가 일제히 활을 쏘아댄다. 엄강이 깜짝 놀라 급히 달아나려 하는데, 국의가 말을 몰아 번개처럼 달려들며 칼을 휘두른다. 엄강이 고꾸라지자 공손찬의 군사는 더 싸워볼 생각도 하지 않고 제각기 달아날 길을 찾아 흩어진다. 공손찬의 좌우 양군이 급히 달려들어 도우려 했으나 안량과 문추의 궁노수들이 쉴 새 없이 활을 쏘아대는 바람에 더 진격하지 못하고 멈춰버린다.

원소의 군사들은 더욱 기세가 등등해져서 다리 근처까지 밀고나왔다. 국의가 앞장서서 달려와 먼저 깃대를 잡은 장수를 베고 수놓인 기를 꺾어버린다. 깃대가 두 동강 나며 부러지자 공손찬은 말을 돌려 다리 아래로 달려내려갔다. 국의는 군사를 이끌고 공손찬의 뒤를 추격하려다가 조자룡이 마주 달려오자 주춤했다. 조자룡은 창을 휘두르며 말을 달려 몰아세우는데, 싸움을 시작한 지 몇합도 안되어 국의를 찔러 거꾸러뜨리고 혼자 원소의 군중으로 뛰어든다. 좌충우돌 싸우는 모습은 마치 무인지경을 달리는 듯하다. 달아나던 공손찬이 이에 힘을 얻어 가세하자, 원소의 군사는 크게 패했다.

이에 앞서 원소는 사람을 보내 전황을 탐지하도록 했는데, 국의가 공손찬의 깃대를 잡은 장수를 죽이고 패잔병의 뒤를 쫓고 있다는 보고를 접하고는 몹시 기뻐했다. 그래서 그는 아무런 준비도 없이 장수 전풍과 함께 창을 든 군사 수백명과 궁노수 수십명만을 데리고 구경을 나갔다.

"공손찬도 별게 아니로군."

득의양양해진 원소는 큰소리로 비웃었다. 바로 그때였다. 느닷없이 조자룡이 그들 앞으로 달려든다. 원소의 군사들은 급히 활을 쏘려 했으나 조자룡이 순식간에 몇사람을 찔러 죽이자 모두 달아나버렸다. 그 뒤를 공손찬의 군사가 물밀듯 쳐들어와 포위하자 곁에 있던 전풍이 황망히 말한다.

"주공께서는 어서 저 빈 집 담장 안으로 몸을 숨기십시오."

원소는 쓰고 있던 투구를 땅바닥에 패대기치며 소리친다.

"대장부가 한번 싸움터에 나왔으면 싸우다 죽을지언정 목숨을 구걸하지 않는 법이다. 그런데 내 어찌 담장 너머로 몸을 피해 살기를 바라겠느냐?"

원소의 말에 군사들은 한마음이 되어 죽기로써 싸우니 조자룡도 더는 쳐들어오지 못했다. 때마침 원소의 대군이 그를 구하기 위해 속속 도착했다. 안량 역시 군사를 이끌고 당도하여 좌우로 협공하자, 조자룡은 별수없이 공손찬을 보호하여 겹겹이 싸인 적의 포위망을 뚫고 다리 근처로 돌아갔다.

원소의 대군은 계속 뒤를 이어 숨 돌릴 새 없이 밀어닥쳤다. 공손찬의 군사들 가운데 헤아릴 수 없을 만큼 많은 인원이 미처 다리를 건너지 못해 물에 빠져죽고 말았다. 원소는 앞장서서 달아나는 공손찬을 쫓기 시작했다. 5리쯤 갔을 때 돌연 산 뒤에서 함성이 일며 한떼의 군사를 거느린 세 명의 장수가 나타났다. 앞장선 대장은 다름아닌 유비·관우·장비였다. 평원에 있던 이들 세 사람은 공손찬이 원소와 싸운다는 소식을 듣고 돕기 위해 달려온 것이다.

세 사람은 세 필의 말을 타고 세 가지 병기를 휘두르며 동시에 원소에게 달려들었다. 혼비백산한 원소가 손에 들고 있던 보검을 떨어뜨리고 말을 돌리자, 그의 군사들이 죽기로 달려오더니 그를 구출하여 간신히 다리를 건넜다. 공손찬 역시 군사를 수습해 영채로 돌아왔다. 유비·관우·장비가 인사를 올리자 공손찬이 치하한다.

"현덕이 먼길을 와서 나를 구해주지 않았더라면 오늘 싸움에 큰 낭패를 볼 뻔했소."

그러고는 조자룡을 불러 소개했다. 조자룡과 첫대면을 한 현덕은 한눈에 그 사람됨을 알아보고 내심 그를 놓치지 않으리라 마음먹었다.

한편 원소는 싸움에 패한 뒤로는 영채를 굳게 지키며 좀처럼 움직이려 하지 않았다. 양군이 서로 버틴 채 어느덧 한달이 지나갔다. 이 소문이 장안의 동탁에게 전해지자, 이유가 말한다.

"원소와 공손찬은 근래에 보기 드문 호걸들입니다. 지금 그들이 반하에서 싸우고 있다 하니, 황제의 조서를 보내 두 사람을 화해시키는 게 어떠실는지요. 그러면 두 사람이 깊이 감동받아 반드시 태사를 따르게 될 것입니다."

동탁은 크게 기뻐하며 고개를 끄덕였다.

이튿날 동탁은 태부(太傅) 마일제(馬日磾)와 태복(太僕) 조기(趙岐)를 시켜 조서를 가지고 반하로 떠나게 했다. 두 사람이 조서를 가지고 하북에 이르자 원소가 1백리 밖에까지 마중 나와서 두 번 절하고 조서를 받았다. 다음날 두 사람은 공손찬에게로 갔다. 조서를 받은 공손찬은 곧장 원소에게 사람을 보내어 화해할 의사를 전했고, 마일제와 조기는 장안으로 돌아와 그 결과를 보고했다.

공손찬은 그날로 군사를 정리하여 돌아가면서 유현덕을 평원상(平原相)에 앉힐 것을 조정에 건의했다. 유현덕은 조자룡과 작별인사를 나누며 손을 잡고 눈물을 떨구면서 헤어지는 것을 몹시 안타까워했다. 조자룡이 한숨 지으며 말한다.

"저는 지금껏 공손찬을 당대의 영웅인 줄로만 알았습니다. 그런데 이번에 하는 짓을 보니 원소와 다를 바가 없는 위인입니다."

현덕이 조자룡의 손을 잡고 위로한다.

"우선은 아무 생각 말고 계시게나. 그러노라면 우리가 다시 만날 날이 있을 걸세."

유현덕은 눈물을 뿌리며 조자룡과 작별했다.

한편 원술은 남양에 있으면서 원소가 새로 기주를 얻었다는 말을 듣고, 즉시 사람을 보내어 말 1천필을 보내달라고 요구했다. 그러나 원소는 그의 청을 거절했다. 이로 인해 두 형제간에 불화가 생겼다.

원술은 다시 형주로 사람을 보내 유표에게 양식 20만섬을 빌려달라고 부탁했는데, 유표 역시 이를 거절했다. 이를 몹시 원망스럽게 생각한 원술은 비밀리에 서신을 띄워 손견으로 하여금 유표를 치도록 충동질했다. 서신의 내용은 대강 이러했다.

　　지난날 유표가 공이 돌아가는 길을 막은 것은 다름아닌 나의 형 원소의 생각이었습니다. 이제 원소는 다시 유표와 한뜻이 되어 강 동땅을 치려 하니, 공은 속히 군사를 일으켜 유표를 치도록 하십시 오. 그러면 나는 공을 위해 원소를 칠 것이니, 두 원수를 한꺼번에 없애버림으로써 공은 형주를 얻고 나는 기주를 얻을 수 있는 좋은 기회를 부디 놓치지 않기를 바랍니다.

원술의 편지를 다 읽고 난 손견이 중얼거린다.
"그렇지 않아도 유표가 길을 막고 덤비던 일만 생각하면 이가 갈리 는 참인데 잘됐다. 다시 없는 좋은 기회를 놓칠 수 없지."
그러고는 즉시 정보·황개·한당을 불러들여 의논했다. 정보가 의 견을 내놓는다.
"원술은 워낙 거짓말을 잘하는 위인이라 믿을 수 없습니다."
손견은 완강하다.
"내가 내 힘으로 원수를 갚겠다는 것이지, 원술 따위의 힘을 빌리 자는 게 아니다."
그는 먼저 황개를 강변으로 보내 군선을 정비한 뒤 각종 무기와 양 식을 넉넉히 준비하고 큰 배에 전투용 말을 싣는 등 군사를 일으킬 준 비를 했다. 배를 타고 오락가락하던 염탐꾼이 이 사실을 탐지하고 즉 각 유표에게 알렸다. 유표는 깜짝 놀라 급히 문무관원들을 불러 대책 을 상의했다. 먼저 괴량이 말한다.
"근심하실 것 없습니다. 우선 황조(黃祖)로 하여금 강하(江夏) 군사를 이끌고 앞서 나가게 한 뒤 공께서는 몸소 형주와 양양(襄陽)의 군사를 거느리고 뒤를 받치십시오. 그러면 제아무리 대단한 손견이라도 멀리 강을 건너오느라 지친 터에 무슨 수로 우리와 대적하겠습니까?"

그럴듯한 말이었다. 달리 방책이 없다고 생각한 유표는 괴량의 말에 따라 황조를 앞세워 내보내고 자신은 대군을 일으켜 뒤를 맡기로 했다.

손견에게는 오부인(吳夫人)의 소생인 네 아들이 있었다. 맏아들의 이름은 책(策)으로 자는 백부(伯符)이며, 둘째아들의 이름은 권(權)으로 자는 중모(仲謀), 셋째아들의 이름은 익(翊)으로 자는 숙필(叔弼), 넷째아들의 이름은 광(匡)으로 자는 계좌(季佐)이다. 손견은 또 오부인의 동생인 둘째부인과의 사이에서도 1남 1녀를 두었다. 아들의 이름은 낭(朗)이요 자는 조안(早安), 딸의 이름은 인(仁)이며, 유씨 집안의 아들 하나를 양자로 삼았는데, 이름은 소(紹)요, 자는 공례(公禮)이다. 또 손견에게는 아우가 하나 있었는데, 이름은 정(靜)이요 자는 유대(幼臺)이다. 손견이 군사를 일으켜 길을 떠나려는데, 아우 손정이 여러 아들들을 이끌고 나와 말에 올라앉은 손견에게 절하며 간청한다.

"지금 동탁이 국권을 손아귀에 쥐고 제 맘대로 하고 있으며 황제는 무력하여 천하가 크게 어지러운 터입니다. 아시는 바와 같이 여기저기서 영웅들이 들고 일어나 각각 한 지방씩을 나누어 차지하고 있는 중에 오직 강동만이 별탈 없이 오늘에 이르렀습니다. 그런데 이제 형님께서 사사로운 원한으로 군사를 일으키려 하시니, 제가 보기에는 옳지 않은 일로 여겨집니다. 다시 한번 생각하십시오."

그러나 손견은 듣지 않는다.

"여러 말 하지 마라. 내 장차 천하를 누비려 하는 터에 앞길을 가로막는 원수를 어찌 그냥 둔단 말이냐?"

맏아들 책이 앞으로 나선다.

"아버님께서 기어이 가시겠다면 소자도 따라가겠습니다."

손견은 아들의 청을 받아들여 함께 배를 타고 번성(樊城)으로 쳐들어갔다. 강기슭에 매복하고 있던 유표의 장수 황조는 손견의 배가 가까이 다가오기를 기다렸다가 궁노수들로 하여금 일제히 활을 쏘게 했다.

화살이 빗발치듯 날아오자 손견은 각 군선에 명령을 내려 함부로 공격하지 말고 죽은 듯 엎드려 배를 대었다 물렸다 하며 적을 유인하도록 했다. 손견의 군선들은 기슭 가까이로 다가가는 듯싶다가 상대방이 활을 쏘아대기 시작하면 얼른 뒤로 물리기를 사흘 동안이나 반복하며 시간을 끌었다. 마침내 황조의 군사가 앞뒤 돌보지 않고 쏘아대어 화살이 거의 바닥이 날 무렵 손견은 배에 꽂힌 화살을 전부 거둬들이도록 했다. 세어보니 무려 10만개가 넘었다.

손견은 비로소 공격을 개시했다. 그날따라 순풍이 불어, 손견의 군사들이 일제히 활을 쏘아대는 대로 그야말로 백발백중이었다. 강기슭 위의 황조 군사는 더이상 버티지 못하고 날아드는 화살을 피해 정신없이 달아나고 말았다.

손견의 군사들이 기슭에 오르자 정보와 황개는 군사를 두 길로 나누어 황조의 영채로 쳐들어갔다. 한당이 뒤를 맡아 삼면에서 협공하니, 황조는 크게 패하여 번성을 버리고 등성(鄧城)으로 도망쳤다. 손견은 황개로 하여금 군선을 지키게 하고, 몸소 군사들을 이끌고 뒤를 쫓았다.

앞서 등성에 당도한 황조는 성 앞 벌판에 군사들을 벌여세워 진을 쳤다. 손견도 이에 따라 진을 친 다음 말을 달려 문기 아래로 나섰다. 곁에는 아들 손책이 갑옷차림에 투구를 쓰고 창을 세워든 채 아버지를 따르고 있었다. 황조가 강하의 장호(張虎)와 양양의 진생(陳生) 두 장수를 거느리고 나와 채찍을 들어 큰소리로 꾸짖는다.

"강동의 쥐새끼 같은 놈아! 네 어찌 감히 한실 종친의 경계를 침범하느냐?"

그러고는 장호를 내보냈다. 손견의 진영에서는 한당이 나서서 장호와 맞섰다. 두 장수가 서로 어우러져 30여합쯤 싸웠을 때, 느닷없이 진생이 앞으로 달려나왔다. 점점 열세에 몰리는 장호를 보다 못해 도우려는 것이었다. 아버지 옆에서 이를 지켜보던 손책이 손에 들고 있던 창을 거두고 재빨리 활시위를 당겼다. 화살은 진생의 얼굴을 향해 날아가 양미간에 정통으로 박혔고, 진생은 그대로 고꾸라진다.

진생이 말에서 떨어지는 것을 본 장호가 놀란 나머지 미처 손을 쓰지 못하는 사이에 이번에는 한당이 칼을 들어 장호의 머리통을 둘로 갈라놓았다. 때를 놓치지 않고 정보는 적진 앞으로 쳐들어가 황조를 생포하려 했다. 황조는 급히 말에서 뛰어내려 투구를 벗어던지고 보병들 사이에 섞여 도망쳤다. 손견은 달아나는 적군들의 뒤를 몰아치며 한수(漢水)에 이르렀고, 곧 황개에게 명하여 군선을 한강(漢江) 기슭에 정박시키도록 했다.

군사를 수습하여 유표에게로 간 황조는 손견의 군세가 결코 만만치 않다고 보고했다. 유표는 황망히 괴량을 불러 의논한다.

"지금 군사들이 크게 패하여 사기가 땅에 떨어져 있을 터이니, 우선 급한 대로 구덩이를 깊이 파고 보루를 높이 쌓아 그 예봉을 피한

다음 비밀리에 사람을 보내 원소에게 구원을 청하면 이 위험을 벗어날 수 있을 것입니다."

괴량의 말에 채모가 반대의견을 낸다.

"지금 그걸 계책이라고 내놓는 거요? 참으로 졸렬하기 짝이 없소이다. 적군이 성밑에까지 와서 언제 해자를 넘어올지 모르는데 어찌 이대로 앉아 죽기만 기다린단 말이오? 내 비록 재주는 없으나 군사를 이끌고 나가 한판 승부를 겨뤄보겠소."

유표는 고개를 끄덕였다. 채모는 당장 군사 1만여명을 거느리고 양양성 밖으로 나가 현산(峴山)에 진을 쳤다. 이어 손견이 승전으로 기세가 등등해진 군사들을 이끌고 기세좋게 진군해왔다.

채모가 말을 타고 나오자 손견이 수하장수들을 돌아보며 말한다.

"저자는 바로 유표 후처의 오라비이다. 누가 나를 대신해서 저자를 사로잡겠느냐?"

말이 떨어지기가 무섭게 정보가 철척사모(鐵脊蛇矛)를 꼬나잡고 말을 달려 앞으로 나섰다. 그 기세가 어찌나 사나운지 채모는 두어 합도 겨뤄보지 못하고 꽁무니를 뺐다. 그러나 손견이 그냥 놓아보낼 리 없다. 군사들을 몰아 정신없이 뒤를 치니, 순식간에 들판 가득 시체가 즐비했다. 채모는 군사를 반 이상 잃고 양양성으로 도망쳐들어갔다.

괴량이 유표에게 말한다.

"채모가 좋은 계책을 듣지 않고 나갔다가 이렇듯 참패를 당했으니 군법에 의해 목을 베는 것이 옳을 줄로 압니다."

그러나 유표는 얼마 전 채모의 누이동생을 후처로 맞이한 터라 차마 형벌을 내리지는 못했다.

손견은 군사를 사방으로 나누어 양양성을 에워싸고 공격하기 시작했다. 그러던 어느날 갑자기 광풍이 일더니 영채 한복판에 세워둔 '수(帥)'자를 쓴 깃대가 뚝 부러져버린다. 한당이 말했다.

"불길한 징조이니, 일단 군사를 거두어 돌아가시는 게 좋을 듯싶습니다."

손견은 고개를 젓는다.

"내가 지금껏 싸움에서 모두 이겨 양양을 차지하는 것은 이제 시간 문젠데, 바람에 깃대 하나 꺾였다고 군사를 물린단 말이냐?"

그는 한당의 말을 귀담아듣지 않고 더욱 맹렬하게 성을 공격했다.

이때 성안에서는 괴량이 유표에게 말한다.

"어젯밤에 천문(天文)을 보다가 장성(將星) 하나가 떨어지려는 걸 발견했는데, 그 별의 위치로 보아 손견에 해당하는 것 같습니다. 주공께서는 속히 원소에게 서신을 띄워 도움을 청하십시오."

유표는 곧 원소에게 글을 썼다.

"누가 포위를 뚫고 원소에게 다녀오겠느냐?"

패기만만한 장수 여공(呂公)이 선뜻 나섰다. 괴량이 말한다.

"떠나기 전에 내 계책을 잘 새겨들어라. 내 너에게 군마 5백을 줄 터이니, 활 잘 쏘는 자를 데리고 나가 포위를 뚫고 바로 현산을 향해 달아나도록 하라. 저들은 반드시 군사를 이끌고 뒤를 쫓을 것이다. 그럼 너는 군사를 나누어 1백명은 산꼭대기에 올라 돌을 준비하게 하고, 1백명은 활을 가지고 숲속에 매복해 있도록 하라. 그리하여 적병이 쫓아오면 절대 급히 달아나지 말고 우리 군사들이 매복한 지점까지 빙빙 돌며 유인하여, 위에서는 일제히 돌을 굴려 떨어뜨리고 좌우에서 활을 쏘게 하되, 계책대로 되거든 곧장 연주포(連珠砲)를 쏘아라. 그때를 기다렸다가 우리가 일제히 성밖으로 나가 접응할 터인즉,

만일 저편에서 뒤를 쫓지 않을 경우 포를 쏠 것 없이 곧장 가던 길을 계속 가야 한다. 오늘밤엔 달이 밝지 않으니 해 지기를 기다렸다가 성문을 나서도록 하라."

여공은 괴량의 계책을 듣고 군마를 정비하여 황혼 무렵 동문으로 조용히 성을 빠져나갔다.

한편 장막 안에 있던 손견은 돌연한 함성에 벌떡 일어났다. 그는 급히 말에 올라 수하의 30여기를 거느리고 밖으로 뛰어나갔다. 군사 하나가 급히 보고한다.

"방금 한떼의 군마가 성을 나와 현산 쪽으로 달려갔습니다."

손견은 다른 장수들에겐 알리지도 않고 30여기만 거느린 채 그대로 적병의 뒤를 쫓았다. 이때 여공은 이미 산속으로 들어가 위아래로 숲이 울창한 곳을 찾아 군사를 매복시켜놓았다. 손견의 말이 워낙 빨라 혼자 앞서 추격해가니 멀지 않은 곳에 적군이 바라보인다.

"이놈들, 게 섰거라!"

여공이 기다렸다는 듯 말머리를 돌려 즉각 손견에게로 달려들었다. 그러나 잠시 싸우는 시늉만 하다가 다시 말을 달려 산속으로 달아나기 시작한다. 손견은 곧장 그뒤를 추격해갔다. 얼마쯤 달리다가 문득 멈춰서며 사방을 둘러보았다. 어디로 사라졌는지 여공은 그림자조차 보이지 않는다. 두리번거리던 손견이 산 위로 올라가려는데, 갑자기 요란한 징소리와 함께 커다란 돌들이 어지러이 굴러내리고 좌우 숲속에서는 화살이 빗발치듯 날아온다. 온몸에 돌과 화살을 맞은 손견은 머리가 깨져 뇌수가 흘러내리며 말과 함께 현산에서 처참한 최후를 마쳤다. 이때 그의 나이 겨우 37세였다.

여공은 손견이 데리고 온 30여기의 군사를 모조리 잡아죽이고 약

손건은 온몸에 화살과 돌을 맞고 죽다

속대로 연주포를 쏘았다. 포소리가 울리자 성안에서 기다리고 있던
황조·괴월·채모가 각기 군사를 이끌고 달려나온다. 순식간에 강동
의 군사들은 갈팡질팡 큰 혼란에 빠졌다.

강변에서 군선을 지키고 있던 황개는 천지가 진동하는 듯한 함성을
듣고 즉시 수군(水軍)을 이끌고 달려갔다. 황조와 맞닥뜨린 황개는
싸운 지 채 두 합도 못 되어 이내 황조를 사로잡아버렸다.

한편 손책을 보호하며 급히 달아날 길을 찾던 정보는 여공과 맞닥
뜨리자 말을 몰고 달려나가 싸운 지 몇합 안되어 한창에 여공을 찔러
말 아래로 굴러떨어뜨렸다. 밤새도록 격전을 벌인 끝에 날이 밝아오
기 시작하자 비로소 유표는 군사를 거두어 성으로 돌아갔다.

손책도 군사를 거느리고 한수로 돌아가서야 아버지의 소식을 들었
다. 아버지가 헤아릴 수 없이 많은 돌과 화살에 맞아 얼마나 끔찍한
죽음을 당했는지와, 유표의 군사들이 그 시신을 성안으로 가지고 들
어갔다는 이야기를 상세히 전해들은 손책은 자리에 주저앉아 대성통
곡을 했다. 모여 있던 군사들도 일제히 울음을 터뜨렸다. 손책이 울음
섞인 소리로 말한다.

"적군에게 아버님의 시신을 맡겨두고 내 어찌 고향으로 돌아갈 수
있겠나!"

황개가 말한다.

"적장 황조를 사로잡아놓았으니, 유표에게 사람을 보내 강화를 청
하고 황조와 주공의 시신을 맞바꾸기로 하면 어떠실는지요."

황개의 말이 떨어지기가 무섭게 군리(軍吏) 환계(桓階)가 앞으로
나선다.

"저는 오래 전부터 유표와 잘 아는 처지이니 제가 가서 협상해보겠

습니다."

손책은 쾌히 승낙했다.

성안으로 들어간 환계는 유표를 만나 손책의 뜻을 전했다. 유표가 말한다.

"손견의 시신은 내 이미 관 속에 잘 모셔두었으니 황조를 속히 돌려보내도록 하시오. 그리고 각각 군사를 거두어 다시는 서로 침범하지 말도록 합시다."

환계가 감사를 표하고 막 떠나려는 참이었다. 계단 아래쪽에 서 있던 괴량이 앞으로 나선다.

"그건 안됩니다. 제 말씀대로만 하시면 강동의 군사 중 단 한 놈도 살아 돌아가지 못할 것입니다. 먼저 환계의 목을 베신 다음 제 계책을 쓰심이 현명할 줄로 압니다."

적을 치러 갔던 손견은 목숨을 잃고   追敵孫堅方殞命
화해를 청하려던 환계도 재앙을 만나는가   求和桓階又遭殃

환계는 이제 어찌 될 것인가?

왕윤의 계책

왕윤은 교묘하게 연환계를 쓰고
동탁은 봉의정을 발칵 뒤집어놓다

괴량이 말을 잇는다.

"손견은 이미 죽었고 그 아들들이 모두 어리니, 이때를 타서 급히
군사를 몰아 진격해간다면 북소리 한번으로도 강동땅을 손쉽게 얻을
수 있습니다. 그러나 시신을 돌려보내고 군사를 거둬들이면 저들에게
힘을 길러주어 장차 형주의 걱정거리가 될 뿐입니다."

그러나 유표는 말한다.

"우리편 장수 황조가 적에게 붙들려 있다. 그런데 어떻게 그냥 버
려둔단 말이냐?"

괴량이 말한다.

"그까짓 황조 하나를 버림으로써 강동땅을 얻을 수 있는데 무얼 어렵게 생각하십니까?"

"황조는 나의 충실한 심복이었다. 그를 버린다면 의를 저버리는 짓이다."

유표는 끝까지 괴량의 권고를 물리치고, 손견의 시신과 황조를 교환하기로 약속한 뒤 환계를 돌려보냈다. 환계가 돌아오자 손책은 즉시 황조를 돌려보내고 약속대로 부친의 시신을 돌려받았다. 손책은 부친의 영구(靈柩)를 모시고 군사를 거두어 강동으로 돌아가 곡아(曲阿)의 평원에 장사지냈다. 그후 강도(江都)로 돌아가 주둔하면서 어진 인재들을 두루 불러 대접하며 자신을 굽히니 천하의 호걸들이 차츰 그에게로 모여들었다.

한편 장안에 있던 동탁은 손견이 죽었다는 소문을 듣고 말한다.

"한가지 근심을 덜었구나. 그 아들은 지금 몇살이나 되었는고?"

누군가가 대답한다.

"17살이라 들었습니다."

이 말을 들은 동탁은 마음에 둘 것 없다고 여기고 더욱 교만하고 방자해져서 스스로 상보(尙父, 임금이 특별한 대우로 신하에게 내리는 칭호)라 일컫고 출입할 때는 무례하게도 황제의 의장(儀仗)을 갖추도록 했다. 또한 아우 동민(董旻)을 좌장군(左將軍) 호후(鄠侯)로, 조카 동황(董璜)을 시중(侍中)으로 삼아 금군(禁軍)을 맡아 다스리게 하고, 동씨 가문은 어른 아이 할 것 없이 모두 열후(列侯)에 봉하였다.

다른 한편으로는 장안성 250여리 밖에다 따로 미오(郿塢)라는 별궁

을 지었는데, 동원된 백성들이 무려 25만명이나 되고, 그 성곽 높이
와 두께는 장안성과 같았다. 성안에는 궁실과 창고를 지어 20년은 족
히 먹을 양식을 저장하고, 금은보화와 빛깔 좋은 비단과 진귀한 구슬
을 산처럼 쌓아두었을 뿐만 아니라 백성들 가운데 아름다운 소년소녀
8백여명을 뽑아들여 그곳에 가두었다.

또한 가속들은 모두 그 안에서 생활하게 하고, 동탁 자신은 보름 또
는 한달에 한번씩 장안을 왕래했다. 그가 한번 움직일 때마다 만조백
관들은 장안의 성문인 횡문(橫門) 밖까지 나아가 전송하거나 맞아들
였다. 그럴 때마다 동탁은 길에다 장막을 치고 그들과 더불어 술 마시
기를 일삼았다.

어느날 동탁이 자신을 전송하기 위해 횡문 밖까지 나온 백관들과
여느 때처럼 모여앉아 술판을 벌이고 있는데, 북쪽 지방에서 투항해
온 포로 수백명이 그 앞을 지나갔다. 동탁은 그들을 불러오게 하여 그
자리에서 팔다리를 자르고 눈알을 파내며 혀를 잘라 부글부글 끓는
큰 가마솥에 던져넣었다. 여기저기서 울부짖는 소리가 천지를 뒤흔들
고, 백관들은 차마 눈 뜨고는 볼 수 없는 끔찍한 광경에 부들부들 떨
며 젓가락을 떨어뜨리고 고개를 돌렸다. 그러나 동탁은 아랑곳없이
먹고 마시며 떠들어댔다.

하루는 또 동탁이 궁 안에서 백관들을 모아놓고 잔치를 벌였다. 술
이 두어 순배 돌았을 무렵이었다. 여포가 급히 들어와 동탁의 귀에 대
고 몇마디 소곤거렸다. 동탁의 입가에 웃음이 떠오르는가 싶더니 이
내 고개를 두어 번 끄덕인다.

"짐작대로구나."

그는 여포에게 사공(司空) 장온(張溫)을 끌어내라고 명했다. 백관

들은 얼굴빛이 파랗게 질렸다. 얼마 안 있어 시종 하나가 붉은 소반에 피가 뚝뚝 떨어지는 장온의 머리를 받쳐들고 들어왔다. 백관들이 모두 겁에 질려 어찌할 바를 모르는데, 동탁이 좌중을 둘러보며 껄껄 웃는다.

"너무 놀라지들 마시오. 장온이 원술과 결탁하여 나를 해치려 했기 때문에 오늘 이같은 일이 생겼소. 원술이 보낸 밀서가 내 아들 봉선에게 잘못 전해져서 그 사실을 알게 되었는데, 공들은 아무 관련이 없으니 조금도 불안해할 것 없소."

백관들은 그저 예예 하며 연신 굽신거리다가 말 없이 헤어졌다.

자기 부중(府中)으로 돌아온 사도 왕윤은 그날 술자리에서 있었던 일을 생각하며 불안감에 휩싸여 있었다. 밤이 깊어 달이 밝게 떠오르자 왕윤은 홀로 지팡이를 짚고 후원으로 갔다. 한동안 거닐다가 도미꽃 덩굴 옆에서 걸음을 멈추고 하늘을 우러러 소리없이 눈물을 흘리는데, 문득 모란정 쪽에서 누군가 길게 한숨짓는 소리가 들려왔다. 기이하게 생각한 왕윤은 발소리를 죽여 그 옆으로 다가갔다.

가까이 가서 살펴보니, 그는 뜻밖에도 부중의 가기(歌妓) 초선(貂蟬)이다. 그녀는 어려서 부중으로 뽑혀들어와 소리와 춤을 익혀 이제 나이 16세에 재주와 자색을 겸하여 갖추었는데, 왕윤이 각별히 사랑하여 친딸처럼 여겨오던 터였다. 왕윤은 한동안 듣고 있다가 앞으로 나서며 꾸짖는다.

"천한 것이로구나. 사내 생각으로 이 밤중에 한숨타령이냐?"

초선은 소스라쳐 놀라 무릎을 꿇고 대답한다.

"제 비록 천한 몸이지만 무슨 다른 정이 있사오리까?"

"그렇다면 어찌하여 이 밤중에 홀로 한숨을 짓는단 말이냐?"

초선이 말한다.

"소녀의 속마음을 사실대로 말씀드릴 터이니 들어주시겠습니까?"

"어디, 숨김없이 다 말해보아라."

초선이 두 손을 모으고 앉아 입을 연다.

"대감께서 소녀를 은혜로 기르시어 노래와 춤을 가르치고 예로써 대접해주시니, 제 비록 분골쇄신하더라도 그 크신 은혜의 만분의 일도 갚지 못할 것이옵니다. 그런데 요즘 대감을 뵈오니 양미간에 수심이 가득하신 것이, 필시 국가대사일 줄은 아오나 감히 여쭈어볼 처지는 못 되어 안타까웠나이다. 오늘따라 더욱 불안해하시는 모습을 뵙고 저도 모르게 한숨이 나왔나봅니다. 대감께서 엿보고 계시리라곤 생각지도 못했습니다. 만약에 소녀를 쓰실 곳이 있다면 만번 죽는다 해도 그 뜻에 따르겠습니다."

왕윤은 그윽히 초선을 내려다보다가 갑자기 무슨 생각이라도 난 듯 지팡이로 땅을 치며 중얼거린다.

"그렇구나! 한나라 운명이 네 손안에 있을 줄은 내 미처 몰랐구나. 나를 따라 화각(畫閣)으로 오너라."

왕윤은 화각 안에 있던 시녀들을 모두 물러가게 한 다음, 초선을 자리에 앉히더니 느닷없이 머리를 조아려 절을 했다. 초선은 깜짝 놀라 바닥에 마주 엎드리며 묻는다.

"대감께서는 어찌하여 이러십니까?"

왕윤이 말한다.

"너는 부디 한나라 백성들을 불쌍히 여겨다오."

왕윤의 눈에서 눈물이 비오듯 한다. 초선의 눈에도 눈물이 고인다.

"다시 한번 말씀드리지만, 소녀를 쓰실 곳이 있어 분부만 내리신다면 만번을 죽는다 해도 후회하지 않을 것입니다."

왕윤은 무릎을 꿇은 채 말한다.

"지금 이 나라 백성들은 거꾸로 매달린 듯한 고통에 허우적대고, 임금과 신하는 모두 누란(累卵)의 위기에 처해 있다. 이를 바로잡고 백성을 구할 자가 참으로 너밖에는 없구나. 역적 동탁이 감히 황제의 자리를 넘보고 있는데도 조정의 문무백관은 이렇다 할 계책도 없이 하늘만 쳐다보고 있는 형편이다. 그러니 지금부터 내가 하는 말을 잘 들거라. 동탁에겐 여포라 불리는 양아들이 하나 있다. 보기 드물게 용 맹스럽고 날쌘 인물이지만, 내가 보기에 동탁이나 여포나 둘 다 어지 간히 여색을 밝히는구나. 내 이제 연환계(連環計)를 써서 너를 여포에 게 시집보내겠다고 약속하고 나서 동탁에게 바칠 생각이다. 네가 할 일은 저들 사이에서 부자간을 이간질하여 여포로 하여금 동탁을 죽이 도록 하는 것이다. 만약 이 일을 성사시킨다면, 크나큰 악의 근원을 제거하여 기울어진 사직을 바로잡고 온 천하가 편안해질 터인즉, 이 모든 일이 오로지 너에게 달려 있다. 나라를 위해 이보다 더 큰 공은 없으리니 너는 해낼 수 있겠느냐?"

말없이 듣고 있던 초선이 조용히 대답한다.

"소녀가 만번 죽음도 사양치 않겠다는 터에 어찌 이만한 일을 싫다 고 하오리까? 당장이라도 보내만 주십시오. 소녀에게도 생각이 있사 오니, 뒷일은 제게 맡겨주소서."

왕윤이 말한다.

"이 일이 만약 누설되는 날에는 나는 멸문의 화를 입을 것이니라."

"대감께서는 조금도 심려 마십시오. 소녀 대의에 보답하지 못한다 면 만번 난도질당해 죽겠사옵니다."

왕윤은 눈물을 머금고 다시 초선에게 큰절을 올렸다.

다음날, 왕윤은 집에 보관해두었던 명주(明珠) 몇개를 장인(匠人)에게 내주고 이를 박아넣어 금관 하나를 만들게 했다. 며칠 후 금관이 완성되자 왕윤은 이것을 은밀히 여포에게 보냈다. 뜻밖의 선물을 받은 여포는 매우 기뻐하여 인사차 몸소 왕윤을 찾아왔다. 왕윤은 반갑게 그를 맞이하고 후당으로 데리고 가서 상석에 앉히고는, 미리 준비해둔 갖가지 술과 안주를 내어 극진히 대접했다. 여포가 기쁨을 감추지 못하며 말한다.

"이몸으로 말하자면 승상부의 한 장수에 지나지 않고, 사도는 곧 조정의 대신이신데, 어찌 이러십니까? 도리어 송구합니다그려."

그러자 왕윤이 대답한다.

"지금 천하에 진정한 영웅이라고는 오직 장군 한 분이 계실 뿐이외다. 내가 이렇듯 모시는 것은 장군의 직책 때문이 아니라 장군의 재주를 공경하기 때문이오."

여포가 더욱 기뻐한다. 왕윤은 은근히 술을 권하며 말끝마다 동탁과 여포를 추켜세웠다. 여포는 큰소리로 웃으며 연신 잔을 기울였다. 왕윤은 곁에 있던 사람들을 모두 내보내고 시녀 몇명만 남아 여포에게 술을 권하도록 했다. 술이 어느정도 오르자 왕윤이 분부한다.

"그 아이를 나오라고 해라."

잠시 후 푸른 옷차림의 시녀 둘이 곱게 단장한 초선을 부축하여 데리고 나온다. 여포가 놀라서 묻는다.

"이분이 대체 누굽니까?"

"이 사람의 딸 초선이외다. 내 평소에 장군의 특별한 대접을 받아오던 터에 가까운 친척이나 다름이 없기로, 이참에 인사나 올리라고 불렀소이다."

이어서 왕윤은 초선을 향해 분부한다.

"어서 한잔 올리도록 하여라."

초선은 여포의 잔이 넘치도록 술을 따르며 생긋 눈웃음을 던진다. 왕윤이 술에 취한 척하며 말한다.

"장군을 잘 모시도록 해라. 우리 집안이 이만큼 사는 것도 다 장군의 은덕이니라."

여포가 흐뭇해져서 초선에게 앉을 것을 청했다. 초선은 짐짓 사양하며 자리를 떠나 안으로 들어가려는 태도를 보인다. 왕윤이 나무라듯 말한다.

"장군은 나의 막역한 벗인데, 네가 곁에 좀 앉기로 무슨 흉이 되겠느냐?"

초선은 그제야 못이기는 척 왕윤의 옆에 앉았다. 여포는 넋을 잃고 오직 초선의 얼굴만 바라볼 뿐이다. 다시 몇잔을 마시다가 왕윤이 초선을 가리키며 여포에게 이른다.

"부족한 자식이기는 하나, 장군이 원하신다면 이 아이를 장군에게 보낼까 하는데, 의향이 어떠신지요?"

여포는 기다렸다는 듯 자리에서 일어나 사례한다.

"그렇게만 해주신다면 내 사도를 위해 견마지로(犬馬之勞)를 다하여 보답하겠소이다."

"그럼 조만간에 길일을 택하여 부중으로 보내도록 하오리다."

여포는 이루 말할 수 없이 기뻤다. 잠시도 초선에게서 눈길을 떼지 못하는데, 초선 또한 추파를 보내며 싫지 않은 기색이다. 술자리를 파할 무렵 왕윤이 말한다.

"저의 집에서 하룻밤 모시고 싶어도 동태사께서 괜한 의심을 할까 두려워 붙잡지 못하니 그리 아십시오."

여포는 거듭 감사를 표하고 돌아갔다.

그런 일이 있은 지 며칠 후, 왕윤은 조당(朝堂)에 들어갔다가 마침 여포가 곁에 없는 틈을 타서 동탁 앞에 엎드려 청한다.

"누추하오나 내일 태사를 저의 집에 모셔 소연을 베풀까 하옵는데, 왕림해주시겠습니까?"

동탁이 흔쾌히 허락한다.

"다른 사람도 아닌 사도의 청이신데 거절할 수 있겠소? 내 기꺼이 가리다."

왕윤은 감사의 절을 올리고 즉시 집으로 돌아와 산해진미를 갖추도록 이르고 전청(前廳) 한가운데 자리를 마련했다. 바닥에는 비단을 깔고 안팎에 수놓은 휘장을 둘러 동탁을 맞을 만반의 준비를 했다.

이튿날 점심 무렵, 동탁이 왕윤의 집으로 찾아왔다. 왕윤은 조복을 차려입고 문밖까지 나가 두번 절을 올려 최대한 예를 갖추어 동탁을 맞이했다. 동탁이 수레에서 내리자 창칼로 무장한 1백여명의 군사들이 좌우에서 호위하여 집안으로 들어서더니 양편으로 늘어섰다. 동탁이 자리를 잡고 앉자, 왕윤은 아래쪽에서 다시 두번 절을 올렸다. 동탁은 시종을 시켜 그를 부축하여 데려다가 자기 곁에 앉게 한다.

"태사의 높고 높으신 성덕은 이윤(伊尹)과 주공(周公)도 미치지 못할 것입니다."

왕윤이 짐짓 추켜세우자 동탁은 기뻐 어쩔 줄 모른다. 술이 나오고 풍악이 울렸다. 왕윤은 연신 술을 권하며 듣기 좋은 소리로 동탁의 기분을 돋우었다. 어느덧 날이 저물고 동탁이 거나하게 취하자, 왕윤이 청한다.

"태사, 후당으로 가서 한잔 더 하시지요."

동탁은 기분이 한껏 고조되어 호위하던 군사들을 물리치고 후당으로 갔다. 왕윤은 새로 상을 차리게 하고 다시 거푸 술을 권하며 말한다.

"이몸이 어릴 때부터 천문을 익혀 제법 볼 줄 아는데, 밤에 건상(乾象)을 살펴보니 이제 한나라 운수는 기울 대로 기울어 태사의 공덕이 천하에 떨칠 운입니다. 순(舜)이 요(堯)를 잇고, 우(禹)가 순(舜)을 이은 것처럼 태사께서 한나라를 이어받는다면, 이야말로 하늘의 뜻이며 만백성의 뜻이라 생각됩니다."

"어찌 감히 바랄 일이겠소."

동탁은 이렇게 말하면서도 기쁜 마음을 감추지 못한다.

"예로부터 도(道) 있는 사람이 도 없는 자를 치고, 덕 없는 사람이 덕 있는 사람에게 자리를 내어준다 했거늘, 어찌 과분하다 하겠습니까?"

동탁이 웃으며 말한다.

"사도 말씀처럼 만약에 천명(天命)이 내게로 돌아온다면 사도는 마땅히 으뜸 공신이 될 것이오."

왕윤은 허리 굽혀 감사를 표한 다음, 후당에 화촉을 밝혀놓고 시녀들만 남긴 채 술을 따르도록 한다.

"교방(敎坊)의 풍류는 익히 들어서 별로 흥이 나지 않으실 테고, 저의 집에 뛰어난 가기가 있는데, 한번 감상해보시겠습니까?"

"거 좋은 생각이오."

왕윤은 곧 명을 내려 주렴을 드리운 뒤 초선을 불러다가 생황(笙簧)

소리 은은히 울려퍼지는 가운데 주렴 밖에서 춤을 추게 했다. 초선의 그림자가 음악에 맞춰 움직이는데, 흔들리는 주렴 사이로 언뜻언뜻 보이는 간드러지는 몸매가 보는 사람의 애간장을 녹인다. 누군가 이 광경을 시로 읊었다.

본래 소양궁의 조비연(趙飛燕)이었나	原是昭陽宮裏人
놀란 기러기 손바닥에서 너울너울 춤추고	驚鴻宛轉掌中身
봄기운 짙은 동정호를 날아오는 듯	祇疑飛過洞庭春
양주곡에 맞춘 걸음마다 연꽃	按徹梁州蓮步穩
오, 봄바람에 한들대는 새로 돋은 한떨기 꽃	好花風裊一枝新
화당의 향기 가득하니 춘정을 어찌 이기리	畫堂香暖不勝春

이런 시도 있다.

박판의 빠른 장단에 맞춰 제비처럼	紅牙催拍燕飛忙
지나던 한조각 구름 화당으로 흘러드네	一片行雲到畫堂
그린 듯 검은 눈썹 나그네 한숨짓고	眉黛促成遊子恨
떠오르는 달 같은 두 뺨 애간장을 끊는구나	臉容初斷故人腸
천금의 저 미소 돈으로 어이 사리	楡錢不買千金笑
버들 같은 허리 보물장식이 무엇에 필요하랴	柳帶何須百寶粧
춤춘 뒤 주렴 사이로 눈길을 던지니	舞罷隔簾傯目送
누가 초양왕*이 될지 모르겠구나	不知誰是楚襄王

　* 전국시대에 호색한으로 이름난 초나라 왕

188

춤이 끝나자 동탁은 초선에게 가까이 오도록 했다. 초선이 주렴을 들추고 사뿐한 걸음걸이로 들어와서는 몸을 굽혀 두번 절한다. 초선의 아름다운 자태에 홀린 동탁이 상기된 어조로 묻는다.

"이 여인은 누구인가?"

왕윤이 대답한다.

"가기 초선이옵니다."

동탁이 묻는다.

"소리도 할 줄 아는가?"

왕윤은 곧 초선에게 한 곡조 부를 것을 명하자, 초선이 단판(檀板)을 잡고 나지막한 소리로 노래를 불렀다. 그 모습을 두고 누군가 이렇게 읊었다.

앵두알 같은 붉은 입술 방긋이 열어	一點櫻桃啓絳脣
옥구슬 드러내며 양춘백설가 부르네	兩行碎玉噴陽春
정향내 나는 혀는 한 자루 비검이 되어	丁香舌吐衡鋼劍
나라 어지럽히는 간신을 죽이려는 것이로다	要斬姦邪亂國臣

노래가 끝나자 동탁은 침이 마르도록 초선을 칭찬한다.

"태사께 한잔 따라올려라."

왕윤이 초선에게 분부하자, 동탁이 술잔을 잡고 묻는다.

"올해 몇살이냐?"

"열여섯이옵니다."

동탁이 빙그레 웃으며 말한다.

"참으로 선녀가 내려온 듯하구나."

동탁의 마음은 이미 초선에게 사로잡혀버렸다. 왕윤이 자리에서 일어나며 말한다.

"이 아이를 태사께 바칠까 하는데, 마음에 드시는지요?"

동탁의 입이 딱 벌어진다.

"이런 고마운 일이 있나. 사도께서 나를 이렇게까지 생각해주시다니, 이 은혜를 어찌 보답하면 좋겠소?"

"이 아이가 태사를 모시게 된다면 그보다 더 큰 복이 어디 있겠소이까?"

동탁은 몇번이고 고맙다고 사례한다. 왕윤은 즉시 초선을 가마에 태워 승상부로 먼저 보냈다. 동탁도 몸을 일으켜 작별인사를 했다.

왕윤은 몸소 동탁을 승상부까지 전송하고 말머리를 돌려 집으로 향했다. 과연 이 어려운 일이 별탈 없이 잘 될지 염려스럽기도 하고 초선이 가여운 생각도 들어 복잡한 심정으로 발길을 재촉하는데, 반도 채 못 가 문득 저만치 앞에서 요란한 말발굽소리가 들려온다. 한쌍의 붉은 등불이 길을 비추며 점점 가까이 온다. 어둠속에 나타난 사람은 다름아닌 여포였다. 여포가 손에 방천화극을 쥐고 말을 몰아오다가, 왕윤과 맞닥뜨리자 말을 세우고는 한손으로 왕윤의 옷깃을 움켜잡고 따진다.

"사도께서 어찌 이럴 수가 있소? 이미 초선이를 내게 주기로 하고서 다시 태사에게 보내다니 사람을 이렇듯 농락해도 되는 거요?"

왕윤은 급히 손을 저으며 말한다.

"길에서 이러실 게 아니라 내 집으로 가십시다. 집에 가서 자세한 내막을 말씀드리리다."

여포는 일단 왕윤을 따라 그의 집으로 향했다. 집에 도착하자 두 사람은 곧장 후당으로 들어갔다. 서로 인사를 마치자 왕윤이 묻는다.

"내가 장군을 농락하다니, 그게 무슨 말씀이시오?"

여포가 여전히 흥분한 채로 말한다.

"조금 전에 누가 와서 일러주기를, 사도가 초선이를 가마에 태워 승상부로 들여보냈다고 합디다. 대체 어찌 된 일인지 말씀 좀 들어봅시다."

왕윤이 말한다.

"장군이 속사정을 모르고 하시는 말씀이오. 어제 조당에서 동태사를 뵈었는데, 태사께서 이 늙은이에게 말씀하시기를 의논할 일이 있으니 집으로 찾아오겠다고 하십디다. 그래서 약소하나마 주안상을 마련하여 모셨던 것인데, 약주를 드시다가 문득 제게 초선이라는 딸이 있다는 소리를 들으셨다고 뜻밖의 말씀을 하시잖겠습니까. 초선이를 장군께 드리기로 했다는 얘기는 도대체 어디서 들었는지, 어떻게 생긴 아이이기에 여포에게 주기로 했는지 궁금하고, 또 내 말을 그대로 믿을 수는 없으니 한번 보고 싶다고 하시는 겁니다. 거역할 수도 없고 해서 초선이를 불러내 시아버님께 인사를 올리게 했더니, 태사께서는 '오늘이 마침 길일이니 온 김에 아예 초선이를 데리고 가서 봉선과 짝지어줘야겠다' 하셨지요. 장군도 생각을 좀 해보시오. 태사께서 친히 오신 마당에, 내가 무슨 수로 거역하겠소? 그래서 부랴부랴 차비를 하여 초선이를 승상부로 보낸 겁니다."

여포는 얼굴을 붉히며 사과한다.

"용서하시오. 내가 잠시 잘못 알고 큰 실수를 했소이다. 내일 다시 와서 정식으로 사죄하겠소."

왕윤이 다시 말한다.

"신행길에 보내려던 물건들도 그대로 있는데, 초선이가 장군 댁으로 들어가게 되면 곧 보내드리도록 하겠소이다."

여포는 정중히 인사하고 돌아갔다.

다음날 여포는 부중에 있으면서 아침 일찍부터 무슨 소식이 있으려니 하고 은근히 기다렸다. 그러나 해가 중천에 뜨도록 태사로부터는 아무런 기별이 없었다. 기다리다 못한 그는 곧 승상부로 달려가 시녀들에게 물었다. 한 시녀가 살짝 귀띔해준다.

"태사께서는 어젯밤 새로 들어온 여인과 잠자리에 들었는데, 아직 일어나지 않으셨습니다."

순간 여포는 피가 거꾸로 치솟는 느낌이었다. 잠시 멍청히 서 있던 여포는 동탁의 침실 뒤로 몰래 숨어들어 안을 엿보았다. 초선은 마침 자리에서 일어나 창가에서 머리를 빗고 있었다. 그녀는 무심히 창밖으로 눈길을 주다가 연못에 비친 사람 그림자를 발견했다. 커다란 체구에, 머리를 동여매어 관을 쓰고 있는 사내는 다름아닌 여포였다. 초선은 양미간을 찌푸려 수심이 가득한 표정으로 비단수건을 들어 몇번 눈물을 찍어내는 시늉을 한다.

여포는 한동안 밖에 서서 창 너머로 초선의 하는 양을 훔쳐보다가 밖으로 나와버렸다. 잠시 후 그가 다시 들어간 것은 동탁이 중당에 나와 앉아 있을 때였다. 여포를 본 동탁이 먼저 말을 건넨다.

"밖에 아무 일 없느냐?"

"별일 없습니다."

여포는 대답하고 동탁 곁으로 가 모시고 섰다. 아침상을 받은 동탁은 묵묵히 식사를 하기 시작했다. 동탁이 밥을 먹는 동안 여포는 자리에 선 채 눈만 움직여 방 안쪽을 살폈다. 수놓은 휘장 저편에서 오락가락하는 한 여인의 모습이 눈에 들어왔다. 갑자기 여인은 휘장을 살짝 젖히며 얼굴을 반쯤 내밀어 밖을 내다보았다. 순간 여포와 눈길이 마주치자 정이 가득 어린 눈빛으로 추파를 던진다. 초선을 두 눈으로 확인한 여포는 간장이 녹아내리는 듯한 열기에 사로잡혔다. 취한 듯 넋을 잃고 서 있는 여포를 본 동탁은 뭔가 석연치 않은 느낌이 들어 한마디 한다.

"별일이 없거든 봉선이는 그만 물러가거라."

여포는 부루퉁한 채 밖으로 물러나오는 수밖에 별 도리가 없었다.

동탁은 초선을 데려온 후로 여색에 빠져 한달이 넘도록 정사를 돌보지 않았다. 한번은 동탁이 그리 대수롭지 않은 병에 걸려 앓아눕게 되었는데, 초선은 허리띠도 풀지 않은 채 한시도 동탁의 곁을 떠나지 않고 주야로 지켜앉아 병구완을 했다. 그 정성이 어찌나 지극한지 동탁의 마음은 더욱 흡족했다.

그러던 어느날 여포가 문안인사를 하러 들어왔다. 때마침 동탁은 잠이 들어 있고, 초선은 침상 뒤에 앉아 있다가 상반신을 드러내어 여포를 바라보았다. 여포와 눈이 마주치자 초선은 손을 들어 자기 가슴을 가리킨 다음에 동탁을 가리키며 눈물을 비오듯 흘리기 시작한다. 이를 본 여포는 가슴이 찢어지는 듯하여 어찌할 바를 모르는데, 어느 틈에 깨어났는지 동탁은 여포를 발견하고 의식이 몽롱한 가운데 여포의 시선을 따라 고개를 돌렸다. 아니나다를까, 침상 뒤에는 초선이 서 있다. 동탁은 울컥 화가 치밀어 소리친다.

"이놈, 네가 감히 내 사랑하는 계집을 희롱하려 드느냐?"

그는 자리에서 벌떡 일어나 앉으며 좌우를 지키는 시종에게 불호령을 내린다.

"이놈을 당장 밖으로 끌어내어 앞으로는 이곳에 들어오지 못하도록 하라."

여포는 분노를 누를 길이 없어 가슴 가득 원망을 품은 채 물러나왔다. 처소로 돌아가는 길에 우연히 이유를 만난 여포는 자기 속마음을 털어놓았다. 이유는 깜짝 놀랐다. 그는 급히 동탁에게 들어가 아뢴다.

"태사께서 장차 천하를 취하시려는 터에, 어찌 조그만 허물이 있다고 해서 온후를 책망하십니까? 만약 그의 마음이 변하기라도 한다면 대사를 그르치게 됩니다."

동탁이 물었다.

"그러면 어찌했으면 좋겠느냐?"

"내일 아침에 불러들이셔서 금과 비단을 내리시고 좋은 말로 위로해주십시오. 그러면 자연 마음이 누그러질 것입니다."

이튿날 동탁은 이유의 말대로 여포를 불러들였다.

"어제는 내가 병중에 심신이 편칠 않아 말이 잘못 나간 모양인데, 그건 내 진심이 아니니 괘념치 말라."

그러고는 황금 10근과 비단 20필을 하사했다. 여포는 사례하고 돌아갔다. 여포는 전과 다름없이 가까이에서 동탁을 모시게 되었다. 그러나 초선을 향한 그의 마음은 변함이 없었다.

며칠 후 동탁은 몸이 회복되었다. 여러날 만에 그는 궁중으로 들어가 헌제와 함께 국사를 의논했다. 여포는 그 틈을 타서 방천화극을 손에 들고 몰래 내문(內門)을 빠져나왔다. 말에 올라탄 그는 급히 채찍을 가하여 승상부로 달려갔다. 말을 문앞에 매어놓고 창을 든 채 후당으로 들어가 초선을 찾으니 초선이 기다렸다는 듯 그를 맞이하며 말한다.

"후원에 있는 봉의정으로 가 계세요. 내 곧 뒤따라갈게요."

여포는 창을 들고 즉시 후원으로 가서 봉의정 아래의 굽은 난간 옆에 서서 초선이 오기만 기다렸다. 한참이 지나 마침내 초선이 나타났다. 늘어진 버들가지를 헤치며 꽃밭 사이로 하늘하늘 걸어오는 모습은 마치 구름을 타고 내려온 달나라 선녀와도 같았다. 여포에게 다가서기가 무섭게 그녀는 와락 울음을 터뜨린다. 품에 안겨 한참을 흐느끼다가 가까스로 입을 연다.

"저는 비록 친딸은 아니지만 왕사도께서는 저를 친딸이나 다름없이 아끼고 사랑해주셨습니다. 사도님의 뜻에 따라 처음 장군을 뵙고 평생 모시게 되어 더는 원이 없다고 생각했는데, 뜻밖에 태사가 옳지 않은 마음을 먹고 소첩의 몸을 더럽혔으니 목숨이 붙어 있는 게 한이옵니다. 첩이 차마 목숨을 끊지 못하고 이렇듯 살아 있는 것은, 오직 장군을 한번 뵈옵고 작별인사라도 올리고 싶어서였습니다. 이제 잠시나마 장군을 뵈었으니 더는 아무런 한이 없습니다. 이미 더럽혀진 몸, 어찌 다시 장군을 섬길 수 있겠사옵니까? 이렇게 살 바에는 차라리 장군 앞에서 깨끗이 목숨을 끊으렵니다. 첩의 마음을 받아주십시오."

말을 마치기가 무섭게 초선은 손으로 난간을 잡고 당장이라도 연못을 향해 뛰어들 태세다. 여포는 황망히 달려들어 그녀의 가는 허리를 부둥켜안으며 울부짖는다.

"말하지 않는다고 네 마음을 내가 모르겠느냐? 오직 너와 이야기를 나눌 기회가 없는 것이 한이었다."

초선은 은근히 품속으로 파고들며 말한다.

"금생에서는 장군의 아내가 될 수 없으니 우리 내세에 다시 만나기로 해요."

여포가 말한다.

"내가 금생에 너를 아내로 맞이하지 못한다면 영웅이 아니니라."

"첩은 지금 하루를 일년처럼 보내고 있습니다. 저를 불쌍히 여겨 하루빨리 구해주십시오."

여포는 쫓기는 듯 초조한 음성으로 말한다.

"내가 지금은 잠시 틈을 보아 온 것이라, 늙은 도적에게 의심을 살 지 모르니 어서 돌아가야 한다."

초선은 여포의 옷자락을 움켜잡고 쉽사리 보내려 하지 않는다.

"장군께서 이처럼 늙은 도적을 무서워하시니 첩이 하늘을 볼 날은 다시 없을 것 같사옵니다."

여포가 멈추어서며 말한다.

"조금만 기다려라. 좋은 계책을 생각해보자꾸나."

여포가 다시 창을 들고 서둘러 그곳을 떠나려 하자, 초선은 맥없이 옷자락을 놓으며 비오듯 눈물을 흘린다.

"첩이 깊은 규중에 있으면서 일찍이 우레소리처럼 커다란 장군의 명성을 들으며 사모해왔던 것은, 당세에 오직 한 분뿐인 영웅으로 믿 었기 때문입니다. 이처럼 다른 이에게 억눌려 있으실 줄은 진정 몰랐 사옵니다."

여포는 부끄러운 마음에 얼굴이 확 달아올라 선뜻 떠날 수가 없었 다. 그는 다시 창을 옆에 세워놓은 채 초선을 안고 몸을 어루만지며 좋은 말로 위로했다. 두 사람은 서로 부둥켜안은 채 차마 떨어지지를 못하였다.

한편 궁중에 있던 동탁은 뒤늦게야 여포가 곁에 없는 것을 깨닫고 뭔가 수상한 생각이 들어 헌제에게 황망히 하직인사를 올린 다음 수

여포와 초선이 봉의정에서 밀회하다 동탁에게 들키다

레를 타고 승상부로 돌아왔다. 승상부 앞에 다다르니 문앞에 여포의 적토마가 매여 있다. 동탁은 문지기에게 여포가 있는 곳을 물었다.

"온후께서는 아까 오셔서 바로 후당으로 들어가셨나이다."

동탁은 좌우를 꾸짖어 물리치고는 부리나케 후당으로 들어갔다. 여포를 찾았으나 보이지를 않는다. 목청 높여 초선을 부른다. 그러나 초선 역시 보이지 않는다. 시녀들이 달려나왔다.

"초선이를 못 보았느냐?"

동탁이 급히 묻자 한 계집이 대답한다.

"초선은 후원에서 꽃구경을 하고 있을 겁니다."

동탁은 서둘러 후원으로 갔다. 여포와 초선은 봉의정 아래에서 서로 부둥켜안고 다정하게 이야기를 나누고 있고, 한옆에는 방천화극이 기대어져 있었다. 동탁은 참지 못하고 버럭 소리를 질렀다.

"네 이놈!"

여포는 깜짝 놀라 소리나는 쪽을 돌아보았다. 동탁이 앞으로 달려오며 고래고래 소리치고 있다. 여포는 망연자실 서 있다가 동탁이 죽일 듯이 달려들자 얼른 몸을 피했다. 동탁은 난간에 기대어 있는 여포의 창을 집어들고 뒤를 쫓기 시작했다. 그러나 둔한 동탁이 날쌘 여포를 따라잡기란 쉽지 않았다. 비대한 몸으로 뒤뚱거리며 뒤를 쫓던 동탁은 도저히 안되겠던지 여포를 겨누어 창을 날린다. 여포는 날렵하게 창을 손으로 쳐서 바닥에 떨어뜨린다. 화가 머리 끝까지 치민 동탁은 땅에 떨어진 창을 집어들고 다시 뒤를 쫓았으나 여포는 이미 따라잡을 수 없을 만큼 멀리 달아나고 있었다.

동탁이 급히 후원 문을 빠져나가려는데 누군가 나는 듯이 마주달려오다가 동탁의 가슴을 정면으로 들이받았다. 동탁은 그대로 땅바닥에 엉덩방아를 찧으며 주저앉고 말았다.

분노는 천길 높이로 하늘을 찌를 듯한데　　　　沖天怒氣高千丈
땅에 쓰러진 뚱뚱한 몸은 언덕만하구나　　　　仆地肥軀做一堆

이 사람은 대체 누구일까?

9 —

동탁의 최후

여포는 왕윤을 도와 동탁을 죽이고
이각은 가후의 말에 따라 장안을 침범하다

동탁과 부딪친 사람은 다름아닌 이유였다. 이유는 황망히 동탁을 부축해 일으켜세운 뒤에 함께 서원으로 갔다. 서원에 자리잡고 앉자 동탁이 묻는다.

"무슨 일로 왔느냐?"

그제야 이유도 입을 연다.

"제가 마침 승상부에 들어서는데, 태사께서 몹시 노하여 후원으로 여포를 찾으러 가셨다는 말을 듣고 급히 달려오던 참이었습니다. 그런데 여포가 달려나오며 '태사가 나를 죽이려고 합니다' 하기에 제가 태사의 노여움을 좀 풀어드릴까 하고 황망히 오다가 뜻하지 않게 다치게 해드렸습니다. 참으로 죽을 죄를 지었습니다."

동탁은 새삼 노여움을 느끼며 말한다.

"그 배은망덕한 놈이 내 애첩을 희롱하는 데는 도저히 참을 수가 없도다. 내 맹세코 그놈을 죽여버릴 것이니라."

이유가 간곡히 말린다.

"그것은 잘못된 생각입니다. 옛날 초나라 장왕(莊王)은 절영회(絶纓會)에서 자신의 사랑하는 아내를 희롱한 장웅(蔣雄)의 죄를 추궁하지 않았더니, 뒤에 장왕이 진나라 군사에게 쫓겨 목숨이 위태로워지자 장웅이 죽기로써 구해냈다고 합니다. 지금 초선으로 말하자면 일개 여자에 불과하고, 여포는 곧 태사의 심복 맹장이 아니오이까? 태사께서 만약 이 기회에 초선을 여포에게 주신다면 그 크신 은혜에 감동하여 언젠가는 반드시 목숨을 걸고 그에 보답하려 할 것이니, 부디 심사숙고하십시오."

동탁은 한참 동안 말이 없더니 마침내 입을 연다.

"네 말에 일리가 있으니 내 생각해보마."

이유가 사례하고 물러가자, 동탁은 후당으로 들어가 초선을 불러앉히고 조용히 묻는다.

"네 어찌하여 여포와 몰래 만나느냐?"

초선이 울며 대답한다.

"첩이 후원에서 꽃을 보고 있는데 여포가 갑자기 들어왔어요. 첩이 놀라 피하려고 하자 여포 말이, 나는 태사의 아들인데 무슨 연유로 피하려 하느냐며 창을 들고 봉의정까지 쫓아왔구요. 첩은 아무래도 여포가 나쁜 마음을 품고 겁탈하려는 것이 아닐까 두려워, 욕을 당하기 전에 연못에 몸을 던져 자결하려 하였지요. 그런데 여포가 달려들어 끌어안고는 놓아주질 않는 거예요. 그렇게 생사의 갈림길에서 몸부림 치고 있는데, 때마침 태사께서 오시어 첩의 위태롭던 목숨이 살아난 것이지요. 그런데 여포와 몰래 만난다 하시니, 그런 억울한 말씀이 어디 있사옵니까?"

동탁은 물끄러미 초선을 바라보다가 불쑥 말한다.

"내 이제 너를 여포에게 줄까 하는데, 네 생각은 어떠하냐?"

그 말에 초선은 소스라쳐 놀라며 목놓아 운다.

"이몸이 이미 귀인을 섬긴 터에 갑자기 그런 천한 아랫것에게 내주시려 하다니 너무 야속합니다. 태사님 생각이 정 그러시다면, 그런 욕을 당하느니 차라리 죽어버리겠어요."

초선은 벌떡 일어나더니 벽에 걸린 보검을 떼어들고 당장이라도 자결할 듯한 시늉을 한다. 동탁은 놀라 황망히 칼을 뺏고 그녀를 껴안는다.

"내 공연히 해본 소리다. 농으로 해본 소리야."

초선은 동탁의 품속에 몸을 던지듯 안겨 얼굴을 묻고 흐느낀다.

"이유가 그러라고 했지요? 이유는 본래 여포와 절친한 사이라 태사의 체면과 첩의 목숨은 털끝만치도 생각지 않고 이러한 계교를 낸 것이 틀림없어요. 생각할수록 분해서…… 그놈을 산 채로 씹어먹어도 시원치 않겠어요."

동탁은 초선의 등을 어루만지며 말한다.

"염려 마라. 내가 어찌 너를 버릴 수 있겠느냐."

"태사님의 두터운 사랑을 받고 있다 하여도 첩이 이곳에 더 있다가는 여포의 손에 죽고 말 것입니다."

"내일 나와 함께 미오로 가자꾸나. 거기 가서 함께 즐기며 살도록 하자. 의심하거나 걱정하지 말거라."

초선은 그제야 눈물을 거두며 입가에 살포시 미소를 떠올린다.

다음날, 이유가 들어와서 동탁에게 말한다.

"마침 오늘 일진이 좋으니 초선을 여포에게 보내시지요."

동탁이 대답한다.

"나와 여포는 부자지간이나 진배 없는데, 아들에게 제 계집을 내어 주는 애비가 세상 천지에 어디 있겠느냐? 다만 내 여포의 죄를 따지 지는 않을 것이니, 네가 가서 내 뜻을 잘 전하고 좋은 말로 위로해주 도록 하라."

이유가 다시 권한다.

"태사께서는 지나치게 여색에 혹하셔서는 아니 되옵니다."

드디어 동탁의 낯빛이 변한다.

"네 아내도 여포에게 내어주겠느냐? 초선이 얘기는 이후 꺼내지도 말아라. 다시 입밖에 내는 날에는 네 목을 베고 말겠다."

이유는 밖으로 물러나와 하늘을 쳐다보며 깊은 한숨을 내쉬었다.

"우리 모두 한 계집의 손에 죽고 말겠구나……"

후세 사람이 책을 읽다가 이 대목에 이르자 시를 지어 이렇게 탄식 했다.

왕사도, 신묘한 계책 다홍치마의 여자에게 붙였으니　　司徒妙算托紅裙
병기도 쓰지 않고 군사 하나 안 움직였도다　　　　　不用干戈不用兵
호뢰관의 세 번 싸움 힘만 허비했거늘　　　　　　　三戰虎牢徒費力
개선의 노래 봉의정에서 울리도다　　　　　　　　　凱歌却奏鳳儀亭

동탁은 그날로 초선을 데리고 미오로 갈 것을 명했다. 모든 문무백관이 문밖에까지 나와서 전송했다. 수레에 오른 초선은 여포가 사람들 틈에 끼여 서서 뚫어져라 자기만 바라보고 있는 것을 발견하고는 두 손으로 얼굴을 가리고 슬피 우는 시늉을 했다. 초선을 실은 수레가 멀어지자 여포는 말을 몰아 언덕 위로 올라갔다. 먼지 속에 멀어지는 수레를 망연자실 바라보며 끓어오르는 분노와 슬픔을 달래느라 애쓰고 있는데, 등뒤에서 누군가가 말을 건넨다.

"온후는 어찌하여 태사를 따라가지 않고 여기 서서 그렇게 한숨만 쉬고 계시오?"

돌아보니 사도 왕윤이다. 서로 인사를 나누고 나서 왕윤이 말한다.

"이 늙은이가 요 며칠 대수롭지 않은 병이 나서 집안에만 틀어박혀 지내다보니 장군을 만나뵌 지도 꽤 오래 되었구려. 마침 태사께서 미오로 떠나신다기에 병을 무릅쓰고 나온 것인데, 장군까지 만나게 되었습니다그려. 그런데 장군께서 이런 곳에서 혼자 한숨을 내쉬고 있는 것을 보니 무슨 일인지 걱정이 앞서는군요."

여포는 다시 한숨을 쉬며 말한다.

"이 모두 공의 따님 때문이외다."

왕윤은 짐짓 놀라는 척한다.

"아니, 태사께서 아직도 초선이를 보내지 않으셨단 말이오?"

"그 늙은 도적놈이 푹 빠져서 도무지 내놓으려 들지를 않습디다."

왕윤은 더더욱 믿기지가 않는다는 듯 고개를 설레설레 젓는다.

"아무러면 그럴 리가……"

여포는 그 사이에 있었던 일을 낱낱이 털어놓았다. 왕윤은 몹시 분하다는 듯 하늘을 보며 발만 구를 뿐 한동안 입을 열지 못하다가 탄식하며 가까스로 말한다.

"태사께서 그런 금수와 같은 행실을 하시다니, 그럴 줄은 정말 몰랐소이다."

그는 여포의 손을 잡아끌었다.

"내 집으로 가십시다. 가서 상의합시다."

여포는 왕윤을 따라 그의 집으로 갔다. 집에 도착한 왕윤은 여포를 밀실로 데리고 들어가 술을 내오게 하여 성의껏 대접했다. 술이 몇잔 들어가자 여포는 다시 봉의정에서 초선과 만났던 일을 상세히 이야기하며 비분을 터뜨린다. 왕윤이 맞장구를 친다.

"태사가 내 딸을 강제로 겁탈하여 장군의 아내를 빼앗은 격이니 참으로 천하의 웃음을 살 일이오. 그러나 천하는 태사를 비웃는 게 아니라 이 왕윤과 장군을 비웃을 거요. 이 사람이야 늙고 무능하니 그렇다 칩시다. 천하의 영웅으로 세상을 뒤엎을 만한 기개를 가진 장군께서 이같은 모욕을 당하다니, 이런 기막힌 일이 어디 있겠소?"

왕윤의 말은 여포를 더욱 화나게 했다. 분노를 이기지 못한 여포는 주먹으로 상을 치며 노발대발했다. 왕윤이 여포를 진정시키려 한다.

"이 늙은 사람이 취중에 실언을 했소이다. 너무 노여워 마시오."

여포가 분연히 중얼거린다.

"내 맹세코 그 늙은 도적놈을 죽여서 이 오욕을 씻고야 말겠소."

왕윤은 급히 손을 들어 여포의 입을 막으려는 시늉을 한다.

"함부로 그런 말씀 마시오. 이 말이 태사 귀에 들어가기라도 하는 날엔 이 사람까지 화를 입게 되오."

그래도 여포는 분을 이기지 못하고 계속 떠들어댄다.

"사내대장부로 세상에 태어난 이상 어찌 남의 지배만 받으며 욕되게 살 수 있겠소?"

왕윤은 은근히 부채질을 한다.

"솔직히 장군처럼 재주있는 이가 동태사 밑에 있다는 자체가 애석한 일이지요."

"내 기어코 이놈을 죽이고야 말 것이오. 하지만……"

여포는 한풀 꺾인 음성으로 말을 잇는다.

"부자간의 정을 맺은 터에 후세 사람들이 무어라 떠들어댈지 그게 걱정이오."

이 말에 왕윤이 빙그레 웃는다.

"장군은 성이 여(呂)씨요 태사는 동(董)씨외다. 더욱이 봉의정에서 태사가 장군에게 창을 던질 때 무슨 부자간의 정이 있었겠소이까?"

여포는 무릎을 탁 친다.

"옳으신 말씀이오. 내 거기까지는 생각이 미치지 않았는데, 사도의 말씀을 듣고 보니 하마터면 잘못 판단할 뻔했소이다."

왕윤은 여포의 뜻이 굳어진 것을 확인하고 정색을 하며 말한다.

"장군이 만약에 한나라 황실을 붙들어 세운다면 충신으로서 그 이름이 청사에 기록되어 아름다운 행적과 더불어 백세(百世)에 전해지겠지만, 반대로 동탁을 돕는다면 이는 곧 반역을 하는 것이니 그 이름이 사필(史筆)에 올라 더러운 행적이 만년까지 남을 것이오."

왕윤의 말에 여포는 냉큼 자리에서 내려와 큰절을 올린다.

"내 뜻이 이미 결정되었으니 사도는 의심하지 마시오."

왕윤이 말한다.

"다만 일을 성사시키지 못했을 때 도리어 큰 화가 미칠 것이 걱정이외다."

여포는 갑자기 차고 있던 칼을 빼들더니 다짜고짜 자기 팔을 찔렀다. 그가 피로써 변심하지 않을 것을 맹세하자, 왕윤은 그의 앞에 무릎을 꿇고 공손히 머리를 조아린다.

"한나라가 망하지 않는다면 이는 모두 장군이 손을 쓰신 덕분이오. 이 일을 결코 누설하지 않도록 각별히 조심하시오. 때가 되어 계책이 서면 그때 다시 알려드리리다."

여포는 그렇게 하기로 하고 돌아갔다. 왕윤은 즉시 사람을 보내 복야사(僕射士) 손서(孫瑞)와 사예교위 황완(黃琬)을 청하여 일을 의논했다. 먼저 손서가 말한다.

"듣자하니 최근에 주상께서 병환에서 회복되셨다고 하니, 말 잘하는 사람을 하나 뽑아 미오로 보내어 황제께서 대사를 의논하려고 동탁을 부르신다 이르고, 한편으로는 황제의 밀조를 여포에게 보내어 궁궐 안에 군사를 매복시켰다가 동탁을 유인해 끌어들여 주살하는 것이 상책일 듯합니다."

황완이 묻는다.

"그렇다면 동탁에겐 누굴 보내면 좋겠소이까?"

손서가 말한다.

"글쎄요. 내 생각에는 여포와 동향 사람인 기도위(騎都尉) 이숙이 어떨까 하오. 이 사람은 동탁이 벼슬을 올려주지 않아 은근히 원망하는 마음을 품고 있는 터라 아무래도 이 일에 가장 적임자일 것 같소. 동탁도 그의 말이라면 별 의심 없이 따를 게요."

왕윤은 고개를 끄덕인다.

"그거 좋소이다."

왕윤은 곧 여포를 불러와 함께 의논한다. 여포가 말한다.

"전에 나에게 정건양(丁建陽)을 죽이도록 권한 사람도 바로 이숙입니다. 만약 가지 않겠다고 하면 그자부터 없애버리겠소."

왕윤은 다시 사람을 보내 조용히 이숙을 불러들였다. 이숙이 오자 여포가 말한다.

"전에 공이 나에게 정건양을 죽이고 동탁에게 의지하도록 권하지 않았소. 이제 동탁이 위로 황제를 속이고 아래로 백성을 괴롭혀 그 죄가 하늘에 닿을 지경이라 사람은 물론 귀신들까지 분개할 지경이오. 그러니 공은 미오로 가서 황제의 조서를 전하여 동탁이 입궐하도록 하시오. 그러면 우리는 군사를 매복시켰다가 그를 죽일 생각이오. 이렇듯 모두가 힘을 합해 한나라 황실을 지켜 충신이 되고자 하는데, 공의 생각은 어떠하오?"

이숙이 말한다.

"나 또한 그 도적을 없애려 마음먹은 지 오래였으나 마음을 같이할 사람이 없는 것이 한스러웠소이다. 장군께서도 뜻이 같으시다면 이는 곧 하늘이 주신 기회라, 내 어찌 그 뜻을 저버릴 수 있겠소?"

이숙은 화살을 꺾어 맹세의 뜻을 보였다. 지켜보던 왕윤이 거든다.

"공이 이번 일을 잘 처리해주신다면 현관(顯官)에 오르는 것쯤이야 대수겠습니까."

다음날 이숙은 10여명의 기병을 거느리고 미오로 갔다. 동탁은 이숙이 황제의 조서를 지니고 왔다는 말을 듣고 즉시 그를 불러들였다. 이숙이 들어가 문안인사를 올리자 동탁이 묻는다.

"황제께서 조서를 보내셨다니 무슨 내용인고?"

이숙이 아뢴다.

"황제께오서 그동안 병중에 있으시다가 회복되어 문무백관을 미앙전(未央殿)에 모아 장차 태사께 선위(禪位)하실 일을 의논하시려는 줄로 아옵니다."

"왕윤은 이 일을 어찌 생각하는 눈치던가?"

"왕사도는 벌써 사람을 시켜 수선대(受禪臺)를 쌓아놓고 오직 주공께서 오시기만 기다리고 있습니다."

동탁은 크게 기뻐한다.

"내가 간밤에 용 한 마리가 몸을 휘감는 꿈을 꾸었더니 오늘 과연 이렇듯 기쁜 소식을 듣는구나. 이때를 놓쳐서는 안되지."

그는 즉시 영을 내려 심복인 이각·곽사·장제·번조 네 장수로 하여금 비웅군(飛熊軍, 곰처럼 용감하고 날쌘 군사) 3천을 거느리고 미오를 지키게 하고, 자기는 그날로 장안으로 올라갈 채비를 했다. 떠나기에 앞서 동탁이 이숙에게 말한다.

"내가 황제가 되면 너를 집금오(執金吾)로 삼을 것이니라."

이숙은 허리를 숙여 감사의 뜻을 표하여 신(臣)의 예를 칭했다. 동탁은 떠날 채비를 마치고, 어머니에게 하직인사를 하기 위해 찾아갔다. 나이 아흔이 넘은 노모가 묻는다.

"어딜 가려는 게냐?"

동탁이 말한다.

"한나라 제위를 이어받기 위해 장안에 가는 길입니다. 어머니는 머지 않아 태후가 되시는 겁니다."

그러나 모친은 그의 말에 조금도 즐거워하는 기색이 아니다.

"내 근자에 까닭없이 자꾸 살이 떨리고 마음이 불안한 게 아무래도 길조가 아닌 것 같다."

동탁이 웃으며 대답한다.

"장차 국모가 되실 터인데, 어찌 그러한 조짐이 전혀 없겠습니까?"

동탁은 어머니에게 인사를 마치고 나서 초선에게 말한다.

"내가 황제가 되면 너를 귀비로 삼으마."

초선은 왕사도의 계교가 마침내 이루어지게 되었음을 짐작하고, 매우 기뻐하는 척하며 절을 올려 감사를 표했다.

동탁은 마침내 앞뒤 호위를 받으며 장안을 향해 출발했다. 30리쯤 갔을까. 어찌 된 영문인지 동탁이 타고 가던 수레가 덜컥거리더니 돌연 바퀴 하나가 부서져버린다. 동탁은 하는 수 없이 말로 바꾸어타고 가던 길을 재촉했다. 그런데 다시 출발하여 10리쯤 갔을 때, 갑자기 말이 앞발을 번쩍 들며 소리높이 울더니 고삐를 툭 끊어버린다. 동탁은 괴이한 생각이 들어 이숙을 향해 물었다.

"수레바퀴가 부서지고 말이 또한 고삐를 끊으니 이 무슨 조짐인가?"

이숙이 대답한다.

"태사께서 한나라의 제위를 이어받으시는데 옛것을 버리고 새것으로 바꾸어 장차 보석으로 장식한 수레와 황금 안장을 얻으실 징조인 줄로 아룁니다."

동탁은 기뻐하며 그 말을 모두 믿었다. 이튿날 다시 길을 가는데, 문득 광풍이 크게 일며 검은 안개가 하늘을 덮는다. 동탁은 다시 이숙에게 묻는다.

"이것은 또 무슨 조짐인고?"

"주공께서 장차 용위(龍位)에 오르려 하시니, 붉은 광명과 자줏빛 안개가 일어 하늘의 위엄을 떨쳐 보이려는 것이겠지요."

동탁은 더이상 의심하지 않고 말을 재촉했다. 동탁이 성문 앞에 이르자 문무백관이 모두 나와 영접하는데, 이유는 병으로 집에 누워 있던 터라 미처 나오지 못했다. 동탁이 승상부로 들어서자 여포가 와서 하례한다. 동탁이 말했다.

"내 황제자리에 오르면 너는 천하의 병마를 총독하게 될 것이다."

"참으로 황공하옵니다."

여포는 깊숙이 머리를 조아리고 장막 앞에서 하룻밤을 묵었다. 그날밤 열댓명의 아이들이 밖에서 노래를 부르는데, 그 소리가 바람을 타고 장막 안에까지 들려왔다.

천리초가 제아무리 푸르고 푸르러도　　　　　　　千里草 何靑靑

열흘을 못 넘겨서 죽고 말리라　　　　　　　　　十日卜 不得生

* '천리초(千里草)'는 '동(董)'자를 가리키고 '십일복(十日卜)'은 '탁(卓)'자를 일컫는 것이니, 동탁이 곧 죽게 되리라는 것을 암시한다.

노랫소리는 애절했다. 동탁이 이숙에게 묻는다.

"저 노랫소리는 무엇을 뜻하는가. 길조인가, 흉조인가?"

이숙은 그 노랫말이 동탁의 죽음을 일컫는 뜻임을 번연히 알면서도 시치미를 뗀다.

"유씨는 망하고 동씨가 일어난다는 뜻이옵니다."

이튿날 아침 동탁이 전후좌우로 시종들을 거느리고 입궐하는데, 문득 사람들 틈에 흰 두건을 쓴 도인의 모습이 눈에 들어왔다. 그는 푸른 도포차림에 손에는 긴 막대를 잡고 있었는데, 막대 위에는 한 길이 넘는 베에 입 '구(口)'자 두 개를 각각 써서 붙들어매었다.(즉 입 구가 둘이면 곧 성 '려(呂)'자가 되고, 그것을 베에 썼으니 베는 곧 '포(布)'라, 여포를 경계하라는 뜻이건만 동탁은 물론 이것을 알 리가 없다.)

동탁은 다시 이숙에게 물었다.

"저 사람은 왜 저러고 서 있는 겐가?"

"미친 놈 같습니다."

이숙은 대수롭지 않은 듯이 대꾸하고는 군사에게 일러 멀리 쫓아버리게 했다.

궁궐로 들어서자 여러 신하들이 각기 조복을 갖추어입고 양쪽 길에 길게 늘어서서 동탁을 맞이했다. 이숙은 손에 보검을 들고 수레 뒤를 따르다가, 북액문(北掖門)에 다다르자 호위하는 군사들을 모두 문밖에 머물러 있게 했다. 그러고는 수레를 이끄는 20여명만을 선별해 동탁과 함께 안으로 들어갔다.

동탁은 문을 들어서다가 멈칫했다. 저만치 앞에 사도 왕윤 이하 조정의 원로대신들이 모두 나와 하나같이 손에 보검을 잡고 전문(殿門) 앞에 늘어서 있는 게 아닌가. 동탁은 깜짝 놀라 이숙을 향해 물었다.

"저들이 왜 모두 칼을 가지고 있는 겐가?"

이숙은 못 들은 척 아무 대꾸도 하지 않고 그대로 수레를 몰아 앞으로 나아갔다. 전문 가까이 이르자 느닷없이 왕윤이 큰소리로 외친다.

"반적(叛賊)이 왔거늘 무사들은 어디 있는가?"

말이 끝나기가 무섭게 양편에서 1백여명의 무사들이 동탁을 향해 일제히 창칼을 휘두르며 달려들었다. 동탁은 조복 안에 갑옷을 받쳐 입고 있었는데 그 갑옷이 어찌나 두꺼운지 창이 꽂히질 않는다. 동탁은 한 팔에 상처를 입고 땅으로 굴러떨어지면서 큰소리로 부르짖는다.

여포가 방천화극으로 동탁의 목을 찌르다

"내 아들 봉선이는 어디 갔느냐!"

그 말이 미처 끝나기도 전에 수레 뒤에서 여포가 나선다.

"조칙을 받들어 도적을 참하노라!"

벽력 같은 외침과 함께 번쩍 치켜올려진 여포의 방천화극이 거침없이 동탁의 목을 찌른다. 이숙은 곧 그 머리를 베어 높이 치켜들었다. 여포는 화극을 왼손으로 바꿔 잡고 다른 손으로는 품속의 조서를 꺼내들며 큰소리로 외쳤다.

"조칙을 받들어 역적 동탁을 베었으나, 나머지 무리들은 그 죄를 묻지 않겠노라."

이에 모든 장수와 관리들이 소리 높여 만세를 불렀다.

후세 사람이 동탁을 한탄하여 읊은 시가 있다.

패업을 이루면 제왕이 되고	霸業成時爲帝王
못해도 부가옹은 되련만은	不成且作富家郎
누가 알았으랴, 하늘의 뜻 공평무사하여	誰知天意無私曲
미오 별궁 이루자마자 죽음으로 끝났도다	郿塢方成已滅亡

여포는 다시 큰소리로 외친다.

"이유 또한 동탁을 도와 같은 악행을 일삼았다. 누가 가서 그를 사로잡아 오겠는가?"

"내가 가겠소."

이숙이 앞으로 나섰다. 이때 궐문 밖에서 요란한 함성이 이는 듯싶더니 군사 하나가 들어와 보고한다.

"이유의 집 종들이 벌써 이유를 결박해 끌고 왔습니다."

왕윤은 곧 이유를 거리로 끌어내 죽이게 하고, 동탁의 시체도 큰 길에 던져놓아 백성들이 전부 볼 수 있게 했다. 동탁의 시체가 어찌나 비대한지 지키는 군사가 그 배꼽에다 심지를 박고 불을 붙이니 기름이 끓어내려 땅바닥에 흥건히 고일 정도였다. 백성들은 하나같이 동탁의 머리를 손으로 때리고 시체를 짓밟으며 그 앞을 지나갔다.

왕윤은 또 여포에게 명하여 황보숭·이숙과 더불어 군사 5만을 거느리고 미오로 가서 동탁의 재산을 모두 나라에 귀속시키고 식솔들을 잡아죽이도록 했다.

한편 미오를 지키고 있던 이각·곽사·장제·번조 등은 동탁이 이미 죽고 여포가 쳐들어올 것이라는 소문에 즉시 비웅군을 이끌고 밤을 새워 양주(涼州)로 달아났다.

미오에 당도한 여포는 우선 꿈에도 잊지 못하던 초선부터 찾았다. 황보숭은 명을 내려 미오성 안에 갇혀 있던 양갓집 자녀들을 모두 석방하고 동탁의 친속은 남녀노소를 가리지 않고 모두 잡아죽였다. 이때 동탁의 어미가 죽고, 동탁의 아우 동민과 조카 동황에게는 참수형이 내려졌다. 성안에 쌓인 동탁의 재물을 거둬들이니 황금이 수십만 근에다 백금이 수백만 근, 온갖 비단과 구슬뿐만 아니라 갖가지 그릇과 양식이 헤아릴 수 없을 정도로 많았다. 장안에 돌아온 그들은 왕윤에게 몰수한 것들을 모두 바쳤다.

왕윤은 술과 음식을 크게 내어 군사들을 위로하고 문무백관을 도당에 불러모아 큰 잔치를 베풀었다. 축하연에 모인 여러 대신들이 서로 술을 권하며 한창 기쁨을 나누고 있는데, 갑자기 사람 하나가 들어와 고한다.

"어떤 사람이 거리에 내놓은 동탁의 시체를 붙들고 목놓아 울고 있습니다."

왕윤은 화가 나서 버럭 소리를 지른다.

"동탁의 죽음에 사대부든 백성이든 모두들 기뻐하는데 감히 우는 자가 있다고? 그놈이 대체 누구란 말이냐?"

곧 무사를 불러 당장 잡아들일 것을 명했다. 잠시 후 무사가 한 사내를 끌고 들어온다. 모여 있던 대신들은 모두 놀라지 않을 수 없었다. 그는 당대의 기재(奇才)로 널리 알려진 인물로 시중 자리에 있는 채옹이 아닌가. 왕윤이 노기 띤 음성으로 꾸짖는다.

"역적 동탁을 죽인 것은 국가의 큰 경사이거늘, 너 또한 한나라 신하로서 기뻐하기는커녕 역적을 위하여 울다니 이 무슨 기이한 행동인가?"

채옹이 땅바닥에 엎드려 사죄한다.

"이몸이 비록 재주는 없으나 대의를 아는 터에, 어찌 나라를 배반하고 동탁을 위하겠사옵니까. 다만 한때 나를 알아준 지우였던지라 사사로운 감정을 절제하지 못하고 부지중 큰 실수를 저질렀습니다. 스스로 죄가 큰 줄은 아오나, 공께서 너그러운 마음으로 경수월족(黥首刖足, 죄인의 이마에 먹글자를 새기고 발목을 끊는 형벌) 정도로 형을 내리시어 한사(漢史)를 계속 써서 완성하는 것으로 속죄할 수 있게만 해주신다면 더없는 다행으로 여기겠습니다."

문무백관들은 채옹의 재주를 아껴 힘써 구하려 했다. 태부 마일제(馬日磾)가 앞으로 나선다.

"백개(伯喈, 채옹의 자)는 재주가 남다른 사람입니다. 그가 지은 죄로 보면 죽여 마땅하지만 아량을 베푸시어 그에게 한사를 완성하게 하심이 어떠실지요. 더구나 그는 효행이 지극한 사람으로 널리 알려져 있어 무턱대고 죽였다가는 인망을 잃을까 두렵습니다."

왕윤이 말한다.

"옛날에 효무제(孝武帝)가 사마천(司馬遷)을 죽이지 않고 『사기(史記)』를 쓰게 했더니 오히려 비방하는 글을 남겨 아직까지 전해지고 있소. 더구나 지금은 국운이 쇠미하여 조정이 어지러운 터에 간사한 신하로 하여금 어린 임금 좌우에서 붓끝을 놀리게 한다면 반드시 우리들을 비방하는 글을 남길 것이오."

마일제는 더이상 말하지 않고 물러나와 대신들에게 말했다.

"왕윤은 길게 가지 못할 것이외다. 착한 사람은 나라의 기강이요 역사를 기록하는 것은 국가의 법이거늘, 기강을 없애고 법을 폐하여 어찌 오래 갈 수 있겠소?"

왕윤은 마일제의 말을 듣지 않고 채옹을 옥에 가둔 뒤 목졸라 죽이고 말았으니, 이 소식을 들은 사대부들은 모두 눈물을 흘렸다. 이에 관하여 후세 사람들은 '채옹이 동탁을 위해 눈물을 흘린 것도 옳지 않지만, 왕윤이 채옹을 죽인 것도 지나친 일'이라고 평하며, 시를 지어 탄식했다.

동탁은 권력을 휘둘러 악행을 저질렀는데　　　　　董卓專權肆不仁
채옹은 무슨 까닭에 스스로 신세를 망쳤던고　　　　侍中何自竟亡身
당시에 제갈량은 융중에 누워 있었다네　　　　　　當時諸葛隆中臥
어찌 가벼이 난신과 어울리려 했으리오　　　　　　安肯輕身事亂臣

한편 이각·곽사·장제·번조 등은 섬서땅에 피신해 있으면서 장안으로 사람을 보내 표문을 올려 죄를 사해줄 것을 요청했다. 이를 받아

본 사도 왕윤이 말했다.

"동탁이 그처럼 제멋대로 날뛴 것은 모두 이들 네 사람의 도움에 의한 것이었다. 비록 천하에 대사면을 내렸다고는 하나, 이 네 사람만은 용서할 수 없다."

사자는 돌아가서 이각에게 그대로 전했다. 이각의 실망은 이만저만이 아니었다.

"아무래도 용서받긴 틀린 모양이니 이대로 앉아 죽음을 기다리고 있을 수는 없는 일, 각기 흩어져서 살 길을 찾는 수밖에 없겠소이다."

이각의 말에 모사 가후(賈詡)가 고개를 젓는다.

"여러분이 군사를 버리고 뿔뿔이 흩어진다면 일개 정장(亭長)이라도 공들을 능히 붙잡을 수 있을 거요. 공들이 각자 흩어져서 살 길을 찾는다는 것은, 섬서사람들을 설득하여 본부의 남은 군사들과 함께 장안으로 쳐들어가 동탁의 원수를 갚느니만 못하오. 그렇게 해서 만일 일이 잘 되면 조정을 받들어 천하를 바로잡게 되는 것이고, 실패할 경우 그때 도망쳐도 늦지 않을 것이외다."

이각 등은 가후의 충고에 따라 앞으로의 계책을 의논했다. 그후 그들은 서량주 일대에 무서운 소문을 퍼뜨리기 시작했다.

"사도 왕윤이 장차 서량주 백성들을 모두 몰살하려 한다."

많은 사람들이 놀라 어쩔 줄 몰랐다. 그들은 다시 소리를 높였다.

"이대로 앉아 개죽음을 당하겠는가, 아니면 모두 일어나 우리와 함께 반기를 들겠는가?"

백성들이 너나할 것 없이 들고 일어나니 그 수효가 순식간에 10만이 넘었다. 이각의 무리는 곧 그들을 네 길로 나누어 장안을 향해 출발했다. 도중에 그들은 동탁의 사위인 중랑장(中郞將) 우보(牛輔)를 만났다. 그 역시 군사 5천명을 거느리고 장인의 원수를 갚겠다고 나선 길이었다. 이각은 군사를 합친 다음 우보를 선봉에 세우고, 자신을 비롯한 네 사람은 계속 진군했다. 왕윤은 서량의 군사가 장안으로 쳐들어온다는 소식을 듣고 여포와 대책을 의논했다.

"사도는 아무 염려 마십시오. 그까짓 쥐새끼 같은 놈들 얼마가 쳐들어온들 겁날 게 뭐가 있겠소?"

여포는 대수롭지 않다는 듯이 말하고는 이숙과 함께 군사를 이끌고 성을 나섰다. 선봉에 선 이숙은 곧 우보의 군사와 맞닥뜨렸다. 우보가 칼을 휘두르며 나와 이숙과 맞섰다. 일대 접전이 벌어진 지 얼마 안되어, 우보가 열세에 몰리는가 싶더니 끝내 패하여 달아난다.

그날밤 2경 우보는 군사를 이끌고 이숙의 영채를 습격했다. 정신없이 잠에 빠져 있던 이숙의 군사들은 어지럽게 흩어지며 그대로 30여 리 밖으로 쫓겨갔다. 군사를 반이나 잃은 이숙은 여포를 찾아갔다. 여포는 크게 화를 냈다.

"한심한 놈 같으니! 네가 군사들의 사기를 꺾었으니 무슨 수로 책임질 테냐?"

그러고는 당장 이숙의 머리를 베어 군문(軍門)에 높이 매달았다.

이튿날 여포는 군사를 거느리고 직접 우보와 맞섰다. 그러나 우보는 여포의 적수가 아니었다. 도저히 여포를 당해낼 재간이 없는 우보는 몇합 싸워보지도 못하고 이내 군사를 몰아 달아났다. 그날밤, 우보는 심복인 호적아(胡赤兒)를 불러 조용히 상의한다.

"여포가 워낙 날쌔고 용맹하여 당해낼 도리가 없으니 달리 생각해야겠다. 괜히 다시 나가 싸우다가 목숨을 잃느니, 이각 일당 모르게 그들이 숨겨놓은 금은보화를 훔쳐내 믿을 만한 사람 서넛만 데리고 몰래 도망가버리는 게 어떻겠느냐?"

호적아는 두말 없이 고개를 끄덕인다. 두 사람은 군사들이 모두 잠들기를 기다렸다가 보물을 훔쳐내 심복부하 3, 4명만을 데리고 몰래 영채를 빠져나왔다. 강을 건널 즈음 문득 금은보화를 혼자서 차지해야겠다는 생각이 들게 된 호적아는 망설이지 않고 결단을 내렸다. 우보가 다시 길을 떠나기 위해 말에 오르려는 참이었다. 호적아는 칼을 뽑아들고 우보에게로 달려들었다. 칼을 한번 크게 휘두르자 우보의 머리는 그대로 땅바닥에 나뒹굴었다. 호적아는 그 길로 우보의 머리를 들고 여포의 영채로 달려가 바쳤다. 여포가 의심쩍게 여겨 그 경위를 묻자 호적아의 부하들이 지금까지의 일을 소상히 고했다.

"호적아가 우보를 죽이고 금은보화를 모두 빼앗았습니다."

여포는 노하여 당장 호적아의 목을 베어버렸다. 그러고는 다시 군사를 거느리고 이각의 군대가 미처 진을 치기도 전에 방천화극을 휘두르며 쳐들어갔다. 갑작스런 기습에 우왕좌왕하던 이각의 군사들은 제대로 싸워보지도 못하고 앞을 다투어 달아나기에 급급했다. 이각은 50리가 넘게 달아나 비로소 숨을 돌리고 산을 의지해 겨우 영채를 세웠다. 그리고 곽사·장제·번조 세 장수와 더불어 앞으로 어떻게 대처할지를 의논했다. 이각이 좌중을 한번 둘러보고는 입을 연다.

"여포가 비록 용맹스럽기는 하나 본래 꾀가 없는 사람이니 그리 근심할 것 없소. 나는 군사를 이끌고 이곳 산골을 철통같이 지키며 그를 유인할 테니, 곽장군은 군사를 몰아 뒤를 치기로 하되, 옛날에 팽월(彭越)이 초나라 군사를 교란하던 수법을 쓰는 거요. 징이 울리면 공격하고 북이 울리면 군사를 뒤로 물리는 것이지요. 한편으로는 장장군과 번장군이 군사를 양편으로 나누어 바로 장안으로 쳐들어가면 여포가 무슨 수로 이쪽저쪽을 다 막아낼 수 있겠소? 그리 되면 적은 반드시 크게 패할 것이외다."

"거 참 훌륭한 계책이오."

세 사람은 이구동성으로 이각의 말에 동의한다. 이들이 이런 이야기를 나누고 있는 동안 여포는 군사를 이끌고 산밑에 이르렀다. 이각이 기다렸다는 듯 달려나가 싸움을 걸고는 작전대로 군사를 몰아 달아난다.

노기충천한 여포는 군사를 휘몰아 급히 뒤를 쫓는다. 이각은 즉시 산위로 올라가 돌을 굴리고 빗발치듯 화살을 쏘아댄다. 여포의 군사들이 주춤하여 더 나아가지 못하고 갈팡질팡하는데, 이번에는 뒤에서 곽사의 군사가 밀어닥친다. 놀란 여포는 급히 군사를 돌려 곽사와 맞선다. 그러나 북소리가 크게 진동하는 소리만 들릴 뿐 곽사의 군사는 이미 물러가고 없었다. 군사를 돌릴 틈도 없이 이번에는 요란한 징소리와 함께 반대 쪽에서 이각의 군사들이 고함을 내지르며 몰려온다. 다시금 황망히 군사를 수습해 싸우려 하자 물러갔던 곽사가 또다시 군사를 몰아 뒤쫓아온다. 여포가 군사를 돌려 곽사를 맞아 싸울 태세를 취하면 북소리가 크게 울리며 곽사는 다시 군사를 거두어 물러가버리고, 이각을 향해 싸울 태세를 취하면 다시 곽사가 뒤쫓아오기를 되풀이했다.

그렇게 며칠에 걸쳐 진을 빼자 여포는 더이상 싸울래야 싸울 수도 없고 쉴래야 쉴 수도 없어 거의 미칠 지경이 되었다. 분통이 터져 애꿎은 수하 장졸들만 못살게 굴며 신경이 날카로워져 있는데, 군사 하나가 급히 달려와 보고한다. 장제와 번조가 두 길로 나누어 장안을 습격하여 몹시 위태로운 상황이라는 것이다. 여포는 즉시 군사를 수습하여 장안으로 향했다.

이각·곽사가 곧 군사를 휘몰아 그 배후를 어지러이 쳤다. 여포는 이에 대처하지 않고 계속 앞만 보고 달리니, 결국 적지 않은 군사를 잃고 장안성에 이르렀다. 그러나 그때는 적병이 구름처럼 운집하여 성 주위를 물샐 틈 없이 포위하고 있었다. 그 형세가 어찌나 큰지 여포의 군사들은 싸우기도 전에 겁부터 집어먹었다. 더욱이 여포의 성미가 지나치게 사나운 것을 두려워한 나머지, 슬그머니 빠져나가 항복하는 자가 적지 않았다. 여포의 근심은 갈수록 더했다.

여포가 속수무책으로 덧없이 날짜만 보내는 중에, 성안에 숨어 있던 동탁의 잔당인 이몽(李蒙)과 왕방(王方)이 적들과 내통하여 몰래 문을 열어주었다. 적군은 네 길로 나누어 일제히 성안으로 몰려들어오기 시작했다. 여포는 적군 가운데로 뛰어들어 좌충우돌했으나 혼자 힘으로 물밀듯 하는 적의 형세를 막아낼 도리가 없다. 그는 하는 수 없이 몇백명의 기병만을 거느리고 급히 청쇄문 앞으로 가서 외친다.

"사도 어른! 어서 밖으로 나오십시오!"

사도 왕윤이 모습을 나타냈다. 여포가 왕윤을 향해 다시 외친다.

"형세가 급박합니다. 어서 말을 타고 나오십시오. 저와 함께 몸을 피합시다. 우선 관을 빠져나가 다른 방도를 강구하는 게 좋을 것 같습니다."

왕윤은 말한다.

"만약 사직(社稷) 영령의 가호로 나라가 편안해질 수만 있다면 나는 더 바랄 게 없소. 그렇지 못하다면 어차피 한번 죽을 목숨 나라를 위해 기꺼이 바치겠소. 국난을 만나 구차스럽게 살아남아 뭘 하겠소? 그러니 장군은 나를 대신해서 관동에 있는 제공(諸公)들에게 용서를 구하고, 나라를 위해 최선을 다해달라고 전해주시오."

여포가 거듭 권하지만 왕윤은 말없이 고개를 젓는다. 이때였다. 갑자기 이곳저곳에서 아우성치는 소리가 들리더니 모든 성문에서 일제히 불길이 치솟았다. 여포는 처자식도 버려둔 채 수하에 남은 기병 1백여명만 거느리고 관을 빠져나왔다. 그러고는 곧장 말을 달려 원술에게로 갔다.

이각과 곽사는 성안에 들어서자 즉시 군사를 풀어 마음대로 노략질하게 했다. 도적의 손에 죽은 무고한 백성들이 수천에 달하며, 태상경(太常卿) 충불(种拂)·태복(太僕) 노규(魯旭)·대홍려(大鴻臚) 주환(周奐)·성문교위(城門校尉) 최열(崔烈)·월기교위(越騎校尉) 왕기(王頎) 등도 모두 이때 죽음을 당했다.

이각과 곽사의 무리가 마침내 내정을 에워싸 사태가 지극히 급박해졌다. 신하들은 황급히 황제께 아뢴다.

"폐하께서는 친히 선평문(宣平門)에 납시어 도적의 무리에게 난을 멈추도록 명하십시오."

이각의 무리는 황제가 나타나자 즉시 군사들을 진정시킨 다음 일제히 소리 높여 만세를 부르기 시작했다. 헌제는 문루에 올라 내려다보며 묻는다.

"경들은 어찌하여 주청(奏請)도 없이 함부로 군사를 몰아 장안에 들어왔는가? 앞으로 어쩔 작정인가?"

이각과 곽사는 황제를 우러러 아뢴다.

"동태사로 말씀드리자면 곧 폐하의 둘도 없는 중신이었거늘, 죄 없이 왕윤에게 모살당했습니다. 신들이 이렇게 온 것도 원수를 갚으려는 것이지 결코 반란을 일으키려는 것은 아니옵니다. 하오니 왕윤만 내어주시면 당장이라도 군사를 물리겠나이다."

황제의 곁에 서 있던 왕윤이 이 말을 듣고 아뢰었다.

"신이 본시 사직을 위하여 한 일이었으나 뜻밖에도 이 지경에 이르렀나이다. 폐하께서는 신을 아껴 나랏일을 그르치지 마시고, 청컨대 내려가 저들을 만나볼 수 있도록 허락하여주소서."

황제는 주저하며 차마 허락하지 못한다. 왕윤은 과감히 몸을 날려 선평문 아래로 뛰어내리며 큰소리로 외친다.

"왕윤이 여기 있다!"

이각과 곽사가 동시에 칼을 빼들고 꾸짖는다.

"동태사에게 무슨 죄가 있어 죽였느냐!"

왕윤이 대꾸한다.

"역적 동탁의 죄가 하늘과 땅에 가득 차고 넘쳤음은 온 천하가 아는 터에 너희만 몰랐더냐? 그 역적놈이 죽던 날 장안의 백성들 가운데 기뻐하지 않는 자가 없었거늘, 어찌 유독 너희들만 그 소문을 못 들었느냐?"

"동태사는 죄가 있어 죽였다고 하지만, 우리는 무슨 죄가 있다고 죽이려 드는 게냐?"

왕윤은 눈을 크게 부릅뜨고 결연히 소리친다.

"역적놈 주제에 말이 많구나. 나 왕윤은 오늘 여기서 죽으면 그만이다. 죽음을 두려워할 내가 아니다!"

말이 떨어지기가 무섭게 이각과 곽사는 동시에 칼을 번쩍 치켜들었다. 왕윤은 외마디소리를 지르며 한칼에 쓰러졌다. 그는 결국 선평문루 아래에서 두 역적의 손에 죽고 말았다.

후세에 사관이 시를 지어 다음과 같이 칭송했다.

왕윤은 기막힌 계책을 써서   王允運機籌

간신 동탁을 끝장냈다네   奸臣董卓休

마음속에 나라를 걱정하는 뜻 품고   心懷家國恨

눈썹 사이에는 사직을 위한 수심으로 가득 찼네   眉鎖廟堂憂

영특한 기운이 은하수까지 뻗치니   英氣連霄漢

충성심이 북두성을 관통해   忠誠貫斗牛

오늘에 이르기까지 그 혼백이   至今魂與魄

봉황루에 서려 있도다   猶繞鳳凰樓

두 도적이 왕윤을 죽인 다음 군사들을 풀어 왕윤의 집안 사람이면 남녀노소를 가리지 않고 모조리 잡아죽이자 장안 사람 치고 눈물을 흘리지 않는 이가 없었다. 그때 이각과 곽사는 깊은 생각 끝에 말한다.

"일이 이에 이르렀으니 지금 황제를 죽이고 대사를 도모하지 않는다면 다시는 기회가 없으리라."

두 사람은 즉시 칼을 뽑아들고 함성을 지르며 궁궐로 쳐들어갔다.

괴수를 처단하니 재앙이 그치는가 싶더니   巨魁伏罪災方息

추종하던 무리들 날뛰어 다시 화를 일으키누나   從賊縱橫禍又來

헌제의 목숨은 과연 어찌 될 것인가?

군사를 일으키는 조조

마등은 왕실을 위해 의병을 일으키고
조조는 아버지의 원수를 갚으려고 군사를 일으키다

이각과 곽사가 헌제를 죽이려 하자, 장제와 번조가 이를 말린다.

"안될 일이오. 지금 까닭없이 황제를 죽이면 반발하는 이가 적지
않을 것이오. 우선 각 지방의 제후들을 불러들여 처치한 연후에 황제
를 죽입시다. 그러고 나면 천하는 우리 것이나 다름없소."

일리가 있는 말이었다. 이각과 곽사는 이내 칼을 거두고 한걸음 물
러섰다. 황제가 문루 위에서 묻는다.

"왕윤이 이미 죽었는데 어찌하여 아직도 군마를 물리지 않느냐?"

이각과 곽사가 대꾸한다.

"신들이 왕실을 위해 공을 세웠으나 아직 이렇다 할 벼슬을 내리시지 않기로 이렇듯 군사를 물리지 못하고 있사옵니다."

"경들은 무슨 벼슬을 원하는가?"

이각·곽사·장제·번조는 각기 바라는 직함을 써서 올린 후 그 관품을 달라고 억지를 부렸다. 황제는 그대로 따르는 수밖에 도리가 없었다.

마침내 이각을 봉하여 거기장군 지양후(池陽侯)로 삼아 사예교위를 겸직하게 하고 절(節)과 월(鉞)을 주었으며, 곽사는 후장군(後將軍) 미양후(美陽侯)에 봉하여 역시 절·월을 주어 정사에 참여하게 하고, 번조는 우장군(右將軍) 만년후(萬年侯)로, 장제는 표기장군(驃騎將軍) 평양후(平陽侯)로 봉하여 군사를 거느리고 홍농에 주둔하게 했다. 이밖에도 이몽과 왕방의 무리를 교위로 삼으니, 이각과 곽사의 무리는 그제야 사례하고 군사를 거느려 성문을 나섰다.

성밖으로 나온 그들은 동탁의 시체부터 찾았다. 시신을 찾아내고 보니 그 사이 시일이 흘러 거의 썩었을 뿐만 아니라, 수천 수만명이 주먹질에 발길질을 하여 부서진 뼈 몇 토막만 겨우 남아 있었다. 이것들을 주워모아 향나무로 형체를 깎아 만들어 안치한 다음 성대하게 제사를 지냈다. 그리고 황제가 입는 의관과 관(棺)을 써서 길일을 택하여 미오로 옮겨 장사지내기로 했다.

그러나 하늘이 노하셨음인지 장사날이 되자 뇌성벽력과 함께 큰 비가 내리더니, 들판이 온통 물에 잠겨 수심이 여러 자가 넘고 관은 벼락을 맞아 박살이 나서 시체가 관 밖으로 드러나버렸다. 이각은 날이 개기를 기다려 다시 장사를 지내려 했으나 그날밤에 또다시 뇌성벽력이 일고 큰비가 내렸다. 다음날도 마찬가지였다. 세 차례나 시도했지만 결국 장사를 지내지 못하고 간신히 주워모은 동탁의 살점과 뼈토막마저 벼락을 맞아 흔적도 없이 타버리고 말았으니, 동탁에 대한 하늘의 노여움이 그만큼 컸던 탓이리라.

대권을 손아귀에 넣은 이각, 곽사의 무리는 잔학무도하기가 이를 데 없었다. 그들은 백성들을 학대하며 한편으로는 황제 곁에 은밀히 자신들의 심복을 심어두어 일거수일투족을 감시하게 했다. 그때 헌제는 황제의 자리에 앉아 있다고는 하나 자유롭게 움직일 수가 없었으니 가시방석과 다름 없고, 조정의 관원들은 모두 두 역적에 의해 임명되거나 파면되었다. 그러면서도 한편으로 인망을 잃지 않으려고 특별히 주준을 불러들여 태복(太僕)으로 봉하여 함께 정사를 살피기로 했다.

하루는 서량 태수 마등(馬騰)과 병주 자사 한수(韓遂)가 군사 10여 만을 일으켜 역적의 무리를 토벌하기 위해 장안으로 쳐들어오고 있다는 보고가 들어왔다. 본시 이들 두 사람은 장안에 은밀히 사람을 보내어 시중으로 있는 마우(馬宇)와 간의대부(諫議大夫) 충소(种邵), 좌중랑장(左中郎將) 유범(劉範) 세 사람과 내응하여 함께 적을 치기로 했다. 마우 일행은 몰래 이각·곽사의 눈을 피해 황제를 찾아뵙고 이 일을 아뢰었다.

헌제는 밀조를 내려 마등을 정서장군(征西將軍)으로, 한수를 진서장군(鎭西將軍)으로 봉하여 서로 힘을 합해 도적을 치도록 명했다. 두 사람이 군사를 일으켜 장안으로 향했다는 첩보를 받고, 이각·곽사·장제·번조 등은 한자리에 모여 이에 대항할 계책을 세웠다. 모사 가후가 나서며 말한다.

"제 생각은 이렇습니다. 두 군사들이 모두 멀리서 왔으니 방비를 엄중하게 하여 지키면서 적군이 싸움을 청하더라도 응하지 말아야 합니다. 그러면 1백일이 못 가서 군량이 떨어져 견디지 못하고 물러갈 것이니, 그때 군사를 풀어 뒤를 치면 마등과 한수는 쉽게 잡을 수 있습니다."

이몽과 왕방이 반대한다.

"나가서 싸우지 않고 저들이 물러가기만 기다린다니 당치도 않은 말씀이오. 저희에게 정병 1만명만 내어주시면 당장 나가서 마등과 한수의 머리를 베어다가 바치겠소이다."

가후가 고개를 젓는다.

"지금 나가 싸웠다가는 반드시 패하고 말 것이오."

"만약 패하거든 우리 목을 베시오. 그 대신 우리가 이기면 공이 머리를 내놓아야 합니다."

이몽과 왕방이 분연히 말했으나, 가후는 대꾸도 하지 않고 이각과 곽사를 향해 말한다.

"장안 서편으로 2백리 밖에 주질산(盩厔山)이 있는데, 그곳은 길이 험준하니 장제와 번조 두 장군으로 하여금 군사를 주둔하여 굳게 지키도록 하고, 이몽과 왕방은 군사를 이끌고 나가서 적군을 맞이하여 싸우도록 하는 것이 좋겠습니다."

이각과 곽사는 그 말에 따라 군사 1만 5천을 점검하여 이몽과 왕방에게 주었다. 두 사람은 의기양양하게 장안성을 출발하여 280리 떨어진 곳에 진을 쳤다. 머지않아 서량 군사가 당도했다. 이몽과 왕방 두 사람은 군사를 이끌고 나가 진을 펴고, 서량 군사는 길을 막고 진세를 펼친다. 마등과 한수가 말머리를 나란히 하여 앞으로 나오더니 이몽과 왕방을 가리키며 큰소리로 외친다.

"나라를 배반한 저 역적놈들을 누가 나가서 사로잡겠느냐?"

그 말이 떨어지기가 무섭게 한 소년장수가 손에 긴 창을 들고 준마에 올라 앞으로 내닫기 시작한다. 백옥처럼 흰 얼굴에 눈빛이 별처럼 반짝이는 소년장수는 호랑이 같은 체구에 원숭이처럼 긴 팔, 배는 표범 같고 허리는 이리처럼 날렵했다. 그는 바로 마등의 아들 마초(馬超)로 자는 맹기(孟起), 열일곱살 나이에 참으로 영리하고 용맹스럽기 짝이 없었다.

나이 어린 마초를 업신여긴 왕방은 주저없이 말을 몰아 달려나간다. 왕방이 소년장수의 기를 죽이려는 듯 큰소리로 고함을 지르며 달려들어 칼을 휘두르는데, 마초는 태연자약하게 마상에서 몇번쯤 창대를 저어 칼날을 막아낸다. 창과 칼이 서로 맞부딪쳤다가 적당한 거리로 헤어지기를 세번쯤 거듭했을까. 마초가 칼을 치켜든 왕방의 빈 틈을 노려 겨드랑이에 창날을 깊숙이 꽂아넣으니, 외마디소리도 없이 왕방의 몸은 말에서 굴러떨어져버렸다. 마초는 아무 일도 없었던 듯 유유히 말머리를 돌렸다.

이를 지켜보던 이몽은 너무도 화가 났다. 그는 철창을 치켜들고 급히 말을 몰아 마초의 뒤를 쫓는다. 그런 줄도 모르고 천천히 말을 몰아 돌아오고 있던 마초의 등뒤에서 이몽은 창을 겨누며 순식간에 거리를 좁혀갔다. 진문(陣門) 아래 서 있던 마등이 깜짝 놀라 소리친다.

"등뒤에 따라오는 놈이 있다!"

그 말이 채 끝나기도 전에 마초는 번개같이 몸을 틀어 이몽을 사로잡아 말 위로 끌어올린다. 원래 마초는 이몽이 쫓아오고 있는 것을 알면서도 일부러 천천히 가다가, 이몽이 말을 바짝 붙여 창을 내지를 때

살짝 몸을 비켜 이몽의 창이 허공을 가르자 원숭이처럼 긴 팔로 잽싸게 목을 휘감아 보기좋게 사로잡은 것이다.

주인을 잃은 이몽의 군사들은 이내 뿔뿔이 흩어져 달아난다. 마등과 한수는 기세를 늦추지 않고 뒤를 몰아쳐서 크게 이기고, 적진 가까이에 진을 치고 나서 이몽의 목을 베어 높이 내걸었다.

이각과 곽사는 이몽·왕방이 모두 마초의 손에 죽었다는 소식을 듣고서야 비로소 가후에게 선견지명이 있었음을 깨달았다. 결국 그들은 가후의 계책에 따라 진중에 깊이 박혀, 아무리 상대방이 와서 싸움을 걸어도 좀처럼 응하지 않았다. 과연 가후의 예측대로 두 달이 채 못되어 양식이 떨어진 서량군은 군사를 거두어 돌아갈 일을 상의하게 되었다.

한편 장안 성중에서는 마우의 집 종이 사소한 일로 주인에게 앙심을 품고 승상부로 들어가서, 주인 마우와 충소, 유범이 성밖의 마등, 한수와 내통하려 한다고 밀고했다. 화가 머리끝까지 치민 이각과 곽사는 곧 군사를 보내 세 집의 가족이라면 남녀노소, 신분고하를 가리지 않고 모두 끌어내다 죽이고, 마우·충소·유범 등 세 사람의 목을 베어 모두가 볼 수 있도록 진문에 매달게 했다.

마등과 한수는 군량미도 이미 떨어진데다 성안 사람과 내통한 사실이 누설된 것을 알고 더는 어찌할 도리가 없어 군사를 이끌고 물러가기 시작했다. 이각과 곽사는 장제에게 명하여 마등의 뒤를 쫓도록 하고, 번조에게는 한수의 뒤를 몰아치게 했다. 서량군은 크게 패하여 달아났다. 마초가 뒤에 남아 죽기로 싸워서 장제의 군사를 물리쳤으나, 한수는 그대로 번조에게 쫓기는 신세가 되었다. 번조가 악착같이 뒤를 쫓아 진창(陳倉) 근방에서 그만 붙잡힐 지경이 되자 한수는 갑자기 말을 멈추고 번조를 향해 말했다.

"공은 나와 동향사람 아니시오? 어찌 이리 무정할 수가 있소?"

번조도 말을 세우고 대답한다.

"윗사람의 명령이니 난들 어쩌겠소?"

"나 역시 나라를 위해서 이러는 거요. 그러한 터에 이렇듯 무지막지하게 사람을 몰아세울 건 없지 않소?"

한수의 말에 번조는 더 쫓지 않고 그대로 군사를 거두어 영채로 돌아갔다. 그러나 누가 알았으랴? 이것을 본 자가 있었으니 다른 사람 아닌 이각의 조카 이별(李別)이었다. 이별은 당장 숙부에게 번조가 고의로 한수를 놓아보낸 사실을 고해바쳤다. 이 말을 들은 이각의 노여움은 컸다. 그는 당장이라도 군사를 일으켜 번조를 치려 했다. 가후가 말한다.

"아직 민심이 안정되지 않은 터에 자주 군사를 움직이는 것은 바람직하지 않소이다. 그러기보다는 잔치를 베풀어 장제와 번조의 공을 치하하는 것처럼 꾸며 번조의 목을 베면 식은죽 먹기일 것입니다."

이각이 크게 기뻐하며 그의 말을 좇아 잔치를 베풀고 장제와 번조를 청하자 그들은 기꺼이 자리에 나왔다. 술이 어느정도 취하여 이각은 돌연 낯빛을 바꾸어 말한다.

"번조는 듣거라. 너는 어찌하여 한수와 몰래 내통해 반역행위를 하였느냐?"

번조가 당황해 미처 대답할 겨를도 없이 벽 뒤에서 도부수들이 달려나와 그 자리에서 목을 베어버린다. 경악한 장제는 그대로 땅바닥에 꿇어엎드렸다. 이각은 장제를 일으켜 자리에 앉히며 말한다.

"번조는 죄가 있어 참하였으나 그대는 내 심복으로 공을 세운 터에 무얼 두려워하는 겐가?"

그러고는 번조의 군사를 장제에게 주니 그는 깊이 사례한 뒤 군사
들을 이끌고 홍농으로 돌아갔다.

이각과 곽사가 서량의 군사들을 물리친 뒤로 그들의 위세는 하늘을
찌를 듯하여 제후들 가운데 누구 하나 감히 모반할 엄두를 내지 못했
다. 또한 모사 가후의 몇차례 진언으로 백성들을 편안케 하고 어진 사
람과 호걸을 등용하여 정사를 다스리니, 다소나마 조정에 생기가 돌
기 시작했다.

이무렵 청주(靑州)땅에 또다시 황건적이 들고 일어났다. 그 무리가
실로 수십만명에 달했는데, 그들은 뚜렷한 두목도 없이 각처로 떠돌
아다니며 양민을 약탈하고 괴롭히기를 일삼았다. 태복 주준이 황건적
을 소탕할 만한 인물로 한 사람을 추천하니, 이각과 곽사가 그 사람이
누구냐고 물었다. 주준이 대답한다.

"산동의 적들을 소탕할 사람은 다름아닌 조맹덕입니다."

이각이 묻는다.

"그렇다면 그는 지금 어디 있는가?"

"현재 동군(東郡) 태수로서 군병을 많이 거느리고 있으니, 지금이
라도 그에게 황건적을 치도록 명령만 내리시면 며칠 안 걸려서 적을
완전히 소탕할 것입니다."

이각은 매우 기뻐하며 밤새 조서를 작성해 동군에 전하게 했다. 황
제의 이름을 빌린 그 조서는 조조로 하여금 군사를 일으켜 제북상(濟
北相) 포신(鮑信)과 더불어 도적을 치라는 내용이었다.

조조는 곧 명을 받들어 포신과 함께 군사를 일으켜 먼저 수양(壽陽)
땅으로 쳐들어갔다. 포신은 섣불리 적진 깊숙이 잘못 들어갔다가 도

리어 적의 손에 붙잡혀 죽고 말았다. 그러나 조조는 적병을 쫓아 곧장 제북에 이르니, 항복하는 자가 수만명에 달했다.

조조는 투항해온 도적의 무리들을 앞세우고 계속 진격해갔다. 그의 군대가 이르는 곳마다 항복하지 않는 자가 없어, 군사를 일으킨 지 불과 1백일 만에 무려 30여만 병사와 그 지역 백성으로 1백여만의 남녀가 항복해왔다. 조조는 그들 중에서 날렵한 사람들만 뽑아 청주병(靑州兵)이라 칭하고, 나머지는 각자 고향으로 돌려보내 농사를 짓도록 했다. 이후 조조의 위엄과 명성은 날로 드높아져서, 이 사실이 장안에 까지 알려졌다. 조정에서는 조조에게 진동장군(鎭東將軍)이란 벼슬을 내렸다.

조조는 연주(兗州)땅에 머물면서 널리 인재들을 불러모았다. 제일 먼저 숙질 두 사람이 조조를 찾아왔다. 영천(潁川) 영음(潁陰) 사람 순욱(荀彧)과 그 조카 순유(荀攸)로, 순욱의 자는 문약(文若)이요, 순유의 자는 공달(公達)이다. 순욱은 순곤(荀昆)의 아들로 본래 원소 밑에 있다가 그를 버리고 조조에게로 온 것이다. 조조는 그와 이야기를 나눠보고는 크게 기뻐하며 말했다.

"그대는 내게 장자방(張子房, 한 고조 유방의 뛰어난 모사 장량張良)과 같은 사람이오."

그러고는 그를 행군사마(行軍司馬)로 삼았다. 그 조카 순유는 나라 안에서 유명한 현량(賢良)으로, 일찍이 황문시랑(黃門侍郎)을 지냈으나 벼슬을 버리고 고향에 돌아가 있다가 숙부와 함께 조조를 찾아왔는데, 그에게는 행군교수(行軍敎授)라는 직함을 내렸다.

순욱이 조조에게 말한다.

"이곳 연주에 어진 선비 한 사람이 있다고 들었는데, 지금 어디에 있는지 모르겠소이다."

조조가 묻는다.

"누구 말씀이오?"

"동군(東郡) 동아(東阿) 사람으로, 성명은 정욱(程昱)이요 자는 중덕(仲德)이라 합니다."

"나도 그 이름을 들은 지 오래요."

조조는 곧 사람을 시켜 그를 찾게 했다.

정욱은 산속에서 글을 읽으며 나날을 보내고 있었다. 조조는 정중히 그를 불러 자기 사람으로 만들고는 매우 기뻐했다. 정욱이 순욱에게 말한다.

"나는 견문이 부족하여 고루하기 짝이 없는 사람이라 공의 천거를 감당하기 어려우나, 공의 동향사람으로 곽가(郭嘉)라는 이가 있는데, 그의 자는 봉효(奉孝)로, 당대의 현량인 그를 어찌하여 모시지 않으십니까?"

순욱이 무릎을 친다.

"내 그만 깜빡 잊었소이다."

그는 곧 조조에게 곽가를 추천하여 연주로 불러와 함께 천하의 일을 의논했다. 곽가는 광무제의 적손(嫡孫)인 유엽(劉曄)을 천거했다. 그는 회남(淮南) 성덕(成德) 사람으로 자는 자양(子陽)이었다. 조조는 즉시 유엽도 청해왔다. 유엽 또한 두 사람을 천거한다. 한 사람은 산양(山陽) 창읍(昌邑)의 만총(滿寵)이란 사람으로 자는 백녕(伯寧)이요, 또다른 사람은 무성(武城)의 여건(呂虔)이란 사람으로, 자는 자각(子恪)이다. 조조도 그들의 이름을 일찍부터 들어서 알고 있던 터라 곧 그들을 불러들여 군중종사(軍中從事)로 삼았다.

만총과 여건이 함께 또 한 사람을 천거하니, 그는 곧 진류(陳留) 평구(平邱) 사람 모개(毛玠)로 자는 효선(孝先)이다. 조조는 그 역시 초빙하여 종사로 삼았다.

그런가 하면 태산(泰山) 거평(巨平) 사람인 장수 하나가 군사 수백 명을 거느리고 조조를 찾아왔다. 그의 성명은 우금(于禁)으로 자는 문칙(文則)이다. 그는 활쏘기와 말타기에 능하며 무예가 출중했다. 조조는 주저없이 그를 점군사마(點軍司馬)로 삼았다.

하루는 하후돈이 거대한 몸집의 장사 한명을 데리고 왔다.

"누군가?"

조조의 물음에 하후돈이 대답한다.

"진류 사람으로 전위(典韋)라 하는데, 매우 용맹하고 힘이 출중합니다. 전에 장막(張邈) 밑에 있다가 다른 부하들과 뜻이 맞지 않아 맨손으로 수십명을 때려 죽이고 산속에 들어가 숨어 있었습니다. 그러던 차에 제가 사냥을 나갔다가 이 사람이 호랑이를 잡으려고 골짜기를 건너뛰는 것을 보고 군중에 거두어두었는데, 지금 주공께 천거하는 것입니다."

조조는 전위를 바라보다가 하후돈을 향해 말한다.

"용모가 남다른 것을 보니 과연 용력이 비상할 것 같구면."

하후돈이 대답한다.

"한번은 이 사람이 친구 원수를 갚아주려고 사람을 죽인 일이 있었는데, 머리를 베어들고 저잣거리로 나갔더니 수많은 사람들 중 누구 하나 감히 접근할 엄두를 내지 못했다 합니다. 또 이 사람이 쓰고 있는 두 자루 철극(鐵戟)은 무게가 80근이나 되며, 그것을 말 위에 앉아 어찌나 가볍게 휘두르는지 놀라울 정도입니다."

조조는 곧 전위에게 명하여 시범을 보이도록 했다. 전위가 몸을 날려 말에 오르더니 쌍창을 휘두르며 나는 듯이 오갔다. 모두 취한 듯 매료되어 바라보자니, 문득 난데없는 광풍이 일며 장막 아래 세워둔 커다란 깃대가 바람에 날려 쓰러지려 했다. 군사 여러 명이 일시에 달려들어 붙잡았으나 거센 바람을 이겨낼 수가 없었다. 이것을 본 전위가 즉시 말에서 뛰어내려 군사들을 물리치고는 한손으로 깃대를 잡고 똑바로 세웠다. 바람이 더욱 거친 소리를 내며 몰아쳤으나 깃대는 더이상 미동조차 하지 않았다.

"그 옛날 악래(惡來, 상商나라 주왕紂王 휘하의 용맹한 무사)를 보는 것 같구나."

조조는 연신 감탄하며 그를 장전도위(帳前都尉)로 삼은 다음 자신이 입고 있던 비단전포와 준마 그림을 새긴 안장을 하사했다. 이리하여 조조 수하에 문반(文班)으로는 모신(謀臣)이 있고, 무반(武班)으로는 맹장이 있어 그 위엄을 산동에 떨쳤다.

당시 조조의 아비 조숭(曹嵩)은 난을 피하여 진류를 떠나 낭야(琅琊)에 살고 있었다. 조조는 태산 태수 응소(應劭)를 보내 부친을 모셔오게 했다. 서신을 받은 조숭은 조조의 아우 조덕(曹德)과 함께 일가친척 40여명에 아랫사람 1백여명을 수레 1백여 채에 나눠 싣고 연주를 향해 길을 떠났다.

연주로 가려면 서주를 거쳐야 한다. 서주 태수 도겸(陶謙)은 자가 공조(恭祖)로, 성품이 부드럽고 성실한 사람이었다. 그는 일찍부터 조조의 영웅다운 면모에 반하여 사귀고 싶어했으나 기회가 없던 차에, 마침 조조의 부친이 자기 고을을 지난다는 소문에 몸소 성밖으로 나가 두번 큰절을 하여 공경하는 마음을 표하고 이틀 동안 잔치를 베풀어 정성껏 대접했다. 조숭 일행이 떠날 때 도겸은 다시 성밖까지 나가 배웅하고, 도위(都尉) 장개(張闓)에게 군사 5백명을 주어 그들 일행을 호송하게 했다.

조숭이 가솔을 거느리고 길을 떠나 화현(華縣)과 비현(費縣) 사이에 이르렀을 때였다. 늦여름의 초가을 날씨로 말짱하던 하늘이 갑자기 어두워지며 비가 쏟아지기 시작했다. 조숭은 산중턱에 있는 오래된 절로 찾아들어가 하룻밤 묵어가기를 청했다. 승려 한 사람이 그들을 맞아주었다. 조숭은 가족들만 안으로 들여 쉬게 하고 장개에게는 군사들을 거느리고 양쪽 회랑에 머물게 했다. 길에서 소나기를 만나 옷이 흠뻑 젖은 군사들은 저희들끼리 수군대며 은근히 원망하는 소리가 높았다. 장개는 즉시 수하 두목을 조용한 곳으로 불러 상의한다.

"우리는 본시 황건적의 잔당으로 마지못해 도겸에게 항복하여 그 밑에서 지내면서 도무지 좋은 일이라고는 없었다. 그런데 조숭 일행의 재물을 실은 수레가 저렇게 많은 것을 보니, 우리에게도 드디어 기회가 온 모양이다. 저 어마어마한 재물을 손아귀에 넣기만 하면 우리 모두 평생을 풍족하게 살 수 있을 게 아니냐. 오늘밤 3경(밤 12시)에 저들의 침소로 일제히 쳐들어가 조숭 일가를 죽여버리자! 그런 다음 재물을 강탈하여 모두들 산속으로 들어가는 게 어떻겠느냐?"

장개의 말에 모두들 찬성했다.

그날밤에는 비바람이 유독 거세었다. 조숭이 잠을 이루지 못하고 앉아 있노라니 느닷없이 사방에서 큰 함성이 일었다. 조덕이 칼을 찾아들고 허둥지둥 뛰어나갔다. 그러나 미처 사태를 파악하기도 전에 외마디 비명을 지르며 칼을 맞고 그대로 거꾸러져버렸다.

조숭은 허겁지겁 첩을 데리고 밖으로 뛰쳐나갔다. 그는 담장을 넘어 달아날 작정이었다. 그러나 막상 담장 밑에 이르자 첩의 몸이 워낙 비대하여 담을 넘기가 쉽지 않았다. 다급해진 그는 첩을 끌고 뒷간으로 가서 숨었으나 끝내는 난군들에 의해 피살되고 말았다. 응소는 간신히 목숨을 구해 원소에게로 갔다.

장개는 조숭의 일가족을 처참하게 몰살시키고 재물을 빼앗은 뒤 절을 불살라버리고는 5백명의 졸개들을 데리고 회남땅으로 도망쳐버렸다.

후세 사람들은 이 일에 대해 이렇게 시를 읊었다.

'조조는 간웅이라' 세상에 알려졌는데	曹操奸雄世所誇
일찍이 여씨 온가족을 몰살하였다네	曾將呂氏殺全家
이제는 제 식구가 모두 살해당하니	如今闔戶逢人殺
하늘의 돌고도는 이치는 응보의 오차가 없구나	天理循環報不差

이때 응소의 부하 한 사람이 간신히 목숨을 건져 도망하여 이 사실을 조조에게 알렸다. 부친을 위시해 온가족이 몰살당했다는 말에 조조는 땅을 치며 통곡하다가 그대로 졸도해버렸다. 잠시 후 정신을 되찾은 조조는 이를 갈며 소리쳤다.

"도겸이란 놈이 부하들을 딸려보내 내 아버님을 죽이다니, 어떻게 그런 원수놈과 한하늘 아래 살 수 있겠느냐. 당장 군사를 일으켜 서주를 쓸어버리기 전에는 내 한이 풀리지 않을 것이다!"

그는 당장 순욱과 정욱에게 군사 3만을 주어 견성(鄄城)·범현(范縣)·동아(東阿) 세 고을을 지키도록 한 뒤, 자신은 나머지 군사를 거느리고 하후돈과 우금, 전위를 선봉으로 삼아 서주를 향해 출발했다.

조조가 부친의 원수를 갚으려 군사를 일으키다

"성을 점령하는 즉시 그 안에 살고 있는 백성들을 모두 죽여 내 부친의 원수를 갚으리라!"

조조의 음성은 끓어오르는 분노로 떨려나왔다.

이무렵 구강(九江) 태수 변양(邊讓)은 본래 도겸과 교분이 두터운 처지라, 서주가 위기에 처했다는 소문을 듣자 몸소 군사 5천을 거느리고 도겸을 돕기 위해 길을 나섰다.

행군하던 중에 이 소식을 전해들은 조조는 더더욱 화가 치밀었다. 그는 하후돈을 시켜 길을 막고 있다가 변양이 나타나는 즉시 죽여버리게 했다.

당시 동군종사(東郡從事)로 있던 진궁(陳宮) 역시 도겸과 교분이 두터운 사이로, 조조가 군사를 일으켜 원수를 갚고자 서주 백성을 모두 죽이려 한다는 말을 듣고 밤새도록 말을 달려 조조를 만나러 왔다. 조조는 진궁이 도겸을 위해 자신을 설득하러 왔음을 짐작하고 만나려 하지 않았으나, 과거에 그의 은혜를 입은 터에 그냥 돌려보내는 것은 도리가 아닌지라 장막 안으로 불러들여 만났다. 진궁이 조심스레 입을 연다.

"지금 공께서는 크게 군사를 일으켜 부친의 원수를 갚기 위해 서주로 가시는 줄로 압니다. 또한 서주땅에 당도하는 즉시 그곳에 살고 있는 무고한 백성들을 모두 죽여없애려 한다는 소문을 듣고 각별히 한 말씀 올리려고 이렇게 찾아왔소이다."

조조는 잠자코 듣고만 있었다. 진궁이 말을 잇는다.

"도겸은 어진 사람으로 결코 사사로운 이익을 위해 의리를 저버릴 사람이 아니외다. 이번에 공의 부친께서 화를 입으신 것도 장개란 놈이 혼자서 저지른 일이지 결단코 도겸의 죄가 아니며, 더욱이 서주 백성들이야말로 공과 무슨 원수진 일이 있단 말씀입니까? 그들을 모두 죽이는 것은 명공께 결코 이롭지 않으니, 청컨대 부디 심사숙고해주십시오."

조조는 노기를 띠고 말한다.

"그대는 과거에 나를 버리고 가더니, 이제 무슨 면목으로 나를 찾아왔소? 도겸은 우리 가족을 죽였으니 마땅히 쓸개를 도려내고 심장을 찍어내어 내 원한을 풀 것이오. 그대가 도겸을 위해 나를 설득하러 온 모양인데, 더이상 듣고 싶지 않소."

진궁은 작별을 고하고 물러나와 속으로 탄식했다.

'내 무슨 낯으로 도겸을 보겠는가!'

그는 그 길로 말을 달려 진류 태수 장막에게로 갔다.

조조는 계속 서주를 향해 진군하며, 대군이 이르는 곳마다 죄없는 백성들을 살육하고 함부로 무덤들을 파헤치는 등 끔찍한 만행을 일삼았다. 도겸은 서주에서 조조가 원수갚기 위해 군사를 일으켜 백성들을 무참히 도륙하고 있다는 보고에 하늘을 우러러 목놓아 울었다.

"내가 하늘에 죄를 지어 서주 백성들로 하여금 이 고통을 겪게 하는구나!"

그는 급히 사람들을 불러모아 대책을 의논했다. 조표(曹豹)가 말한다.

"조조 군사가 이미 성밖에 이르렀는데 어찌 손을 묶고 앉아 죽기만을 기다리겠습니까? 제가 비록 재주는 없으나 주공을 도와 나가서 적을 물리치오리다."

도겸은 하는 수 없이 군사를 거느리고 성밖으로 나갔다. 멀리 바라보니 조조의 군사가 밀려오는데, 마치 넓은 들판에 서리가 내리고 눈이 쌓인 듯 그 위세가 실로 대단했으며, 무엇보다도 '보수설한(報讐雪恨, 원수를 갚아 한을 풀다)'이라 씌어진 커다란 백기 하나가 유독 눈에 띄었다. 군사와 말들이 진세를 펼치자 조조가 흰 상복차림으로 말을 달려 선두로 나서더니 채찍을 휘두르며 큰소리로 꾸짖는다. 도겸 역시 말을 타고 문기 아래로 나와 공손히 몸을 굽혀 예를 갖추며 말한다.

"나는 본래 공과 교분을 맺고 싶어 장개에게 공의 부친을 호송케 했던 것인데, 뜻밖에 그자가 제 버릇을 버리지 못하고 이런 일을 저질렀으니 내 책임 또한 크오이다. 그러나 그 일은 실로 내 뜻과는 관계가 없는 일이니 다시 한번 깊이 생각하여 판단해주십시오."

조조는 들으려고도 않고 소리친다.

"하잘것없는 늙은 놈이 내 아버지를 죽이고도 무슨 할말이 있다고 주둥이를 나불대는가? 누가 저 늙은 도적을 사로잡아 오겠느냐?"

하후돈이 창을 꼬나잡고 말을 달려나간다. 도겸이 황망히 말머리를 돌려 진중으로 몸을 피하자 조표가 창을 휘두르며 달려나와 맞섰다. 두 장수가 서로 어우러져 싸우기 시작하는데 갑자기 거친 광풍이 일며, 그 바람에 모래가 솟구치고 돌들이 허공을 날았다. 양쪽 군사들은 바람을 피해 일단 뒤로 물러서는 수밖에 없었다. 도겸은 성으로 들어가 다시 상의한다.

"조조 군사의 형세가 워낙 커서 대적할 길이 없으니, 내 스스로 몸을 결박해 조조의 영채로 찾아갈까 하오. 내 한 목숨 버려 서주 백성들을 구할 수만 있다면 무슨 일인들 못하겠소."

말이 끝나기도 전에 누군가가 앞으로 나선다.

"공께서 지금껏 서주를 다스려오는 동안 백성들이 한결같이 은혜를 입어 감사하게 여기고 있는 터입니다. 비록 조조의 군사가 많다고는 하나 우리 성을 쉽사리 무너뜨리지는 못할 것이니, 공께서는 백성들과 함께 이 성을 굳게 지키면서 밖으로 나가서는 안됩니다. 내 비록 재주는 없으나 계책을 써서 조조로 하여금 죽어도 몸을 묻을 곳이 없게 하오리다."

모든 사람이 놀라며 그를 향해 이구동성으로 물었다.

"그 계책이란 대체 무엇이오?"

교분을 맺으려다 도리어 원한을 지었더니	本爲納交反成怨
막다른 골목에서 살길 열릴 줄 누가 알았으랴	那知絶處又逢生

이 사람은 과연 누구인가?

복양 싸움

유비는 북해에서 공융을 구출하고
여포는 복양에서 조조를 격파하다

계책 운운한 사람은 동해(東海) 구현(朐縣) 출신으로, 이름은 미축(麋竺)이요 자는 자중(子仲)인데, 그 집안은 대대로 내려오는 부호였다.

일찍이 미축이 낙양에 가서 물건을 매매하고 수레를 몰아 집으로 돌아오는 길에 젊고 아름다운 한 여인을 만났다. 그 여인은 미축에게 수레에 태워줄 것을 부탁했다. 미축은 수레에서 내려 여인을 태우고 자기는 걷기 시작했다. 그러자 여인이 함께 타기를 청했다. 미축은 수레에 올라앉아 멀찍이 거리를 두고 여인에게는 곁눈질 한번 하지 않왔다. 얼마쯤 가다가 여인은 수레에서 내려 감사를 표하고는 헤어지기 전에 한마디 일러주었다.

"나는 남방(南方)의 화덕성군(火德星君)이오. 옥황상제의 명을 받들어 그대 집에 불을 놓으러 가는 길인데, 그대가 예로써 나를 대해준 데 감복하여 특별히 알려드리는 것이니, 속히 돌아가서 재물을 다실어내도록 하오. 내 오늘밤 안으로 찾아갈 것이오."

말을 마치기가 무섭게 여인은 홀연히 사라져버렸다. 미축은 깜짝 놀라 나는 듯이 집으로 달려와 소장하고 있던 값진 물건과 세간들을 닥치는 대로 들어냈다. 그날밤, 과연 부엌 쪽에서 난데없이 불길이 치솟더니 커다란 집이 순식간에 타버렸다.

그후 미축은 느낀 바가 있어, 재산을 정리하여 널리 가난한 자들을 도왔고, 이 소문을 들은 도겸이 그의 어진 성품을 높이 평가하여 데려다가 별가종사(別駕從事)를 삼았던 것이다. 미축은 차근차근 자신의 계책을 설명한다.

"이몸은 북해군(北海郡)에 가서 공융(孔融)에게 구원을 청하고, 다른 한 사람은 청주로 가서 전해(田楷)에게 원병을 청하는 것입니다. 이 두 곳의 군사가 와주기만 한다면 조조가 물러서지 않고는 배겨낼 수 없을 것이외다."

도겸은 미축의 계책에 따라 두 통의 편지를 쓰고 나서 좌우를 둘러보며 묻는다.

"청주에는 누가 갔다오겠는가?"

한 사람이 선뜻 나선다. 그는 광릉(廣陵)땅의 진등(陳登)이란 사람으로 자는 원룡(元龍)이다. 도겸은 먼저 진등을 청주로 보낸 다음 미축에게 서신을 맡겨 북해로 보내고서, 자기는 성을 굳게 지키며 조조의 공격에 대비했다.

북해 태수 공융의 자는 문거(文擧)로, 노국(魯國) 곡부(曲阜) 사람이다. 그는 공자(孔子)의 20대 후손이요 태산 도위(泰山都尉) 공주(孔宙)의 아들로, 어렸을 때부터 남달리 뛰어나고 총명했다.

그가 열살 때의 일이다. 일이 있어 하남윤(河南尹) 이응(李膺)을 찾아간 적이 있었는데, 문지기가 어린 그를 무시하여 들여보내주지 않자 정색을 하고 말했다.

"우리 집안은 이씨 집안과 대대로 친분관계를 맺어온 터이니 염려 말고 들여보내주시오."

마침내 안으로 들어간 그는 이응을 대하자 절로써 예를 갖추었다. 물끄러미 바라보던 이응이 한마디 물었다.

"너의 집안과 내 집안이 대대로 무슨 친교가 있었다는 게냐?"

공융이 천연스레 대답했다.

"저의 조상 공자께서는 일찍이 이씨 가문의 노자(老子)께 예(禮)에 대해 물으신 적이 있습니다. 그것이야말로 제 가문과 어르신 가문이 의(誼)를 맺어왔음을 증명하는 게 아니겠습니까?"

이응이 그를 기특하게 여겨 마주앉아 이런저런 얘기를 시켜보는데, 마침 태중대부(太中大夫) 진위(陳煒)가 찾아왔다. 이응이 공융을 가리키며 말했다.

"이 아이는 기동(奇童)이오."

진위가 빙그레 웃으며 대꾸했다.

"어려서 총명한 아이들이 커서는 그렇지 못한 수가 많습디다."

그 말이 끝나기가 무섭게 공융이 응수했다.

"말씀을 듣고 보니 어르신께서도 어렸을 때는 매우 총명하셨을 것 같습니다."

진위와 이응이 박장대소하며 말했다.

"이 아이가 장성하면 반드시 당대의 큰 그릇이 되겠소이다."

그때부터 공융의 명성은 널리 알려졌고, 뒤에 중랑장이 되었다가 여러 번 벼슬을 옮겨 북해 태수에까지 오르게 된 것이다. 그는 유난히 사람을 좋아하여 집안에 손님이 끊일 날이 없었다. 그는 평소에 이렇게 말하곤 했다.

"내가 있는 자리에 언제나 손님이 끊이지 않고 술독에 술이 비지 않으면 그 이상 바랄 게 뭐가 있겠소?"

그러한 성품인지라 공융은 북해에서 6년을 머무는 동안 민심을 크게 얻어 백성들의 존경을 한몸에 받았다.

그날도 공융은 여느 때처럼 찾아온 객들과 더불어 술을 마시며 담소를 즐기고 있었다. 한창 이야기를 나누는 중에 아랫사람 하나가 들어와 보고한다.

"서주에서 미축이란 이가 찾아왔습니다."

공융이 그를 안으로 들게 하여 찾아온 연유를 물으니, 미축은 품속에서 도겸의 서신을 꺼내놓는다.

"지금 조조가 서주를 포위하고 매섭게 몰아치고 있어 도움을 청하고자 이렇게 왔습니다."

"도공조(陶恭祖)와는 내 일찍부터 교분이 두터운 사이인데다 자중(子仲, 미축의 자)께서 이렇듯 몸소 오셨으니 어찌 아니 간다 할 수 있겠소. 허나 내가 조맹덕(曹孟德)과 원수진 일도 없으니 먼저 서신을 띄워 화해하도록 권해보고, 그래도 듣지 않으면 그때 가서 군사를 일으키는 것이 순서일 듯싶소."

"조조는 자기 군사의 힘을 믿고 있어 결단코 화해하려 들지 않을 것입니다."

미축의 말에 공융은 일단 군사를 정비하며 다른 한편으로는 조조에게 서신을 띄울 채비를 하면서 부하들과 상의하고 있는데 군사 하나가 급히 들어와 보고한다.

"황건적의 잔당 관해(管亥)가 졸개 수만명을 거느리고 물밀듯 쳐들어오고 있습니다."

공융은 매우 놀라 급히 본부의 군사들을 이끌고 성밖으로 나갔다. 서로 진을 치고 대치하자 관해가 말을 달려 앞으로 나서며 큰소리로 외친다.

"이곳 북해에 양식이 넉넉하다기에 왔으니 우리에게 양식 1만 석만 빌려다오. 순순히 내어주면 곧 군사를 물릴 것이요, 그렇지 않으면 이 성을 쳐부수고 늙은이 어린아이 할 것 없이 모조리 죽여버릴 테다!"

공융이 꾸짖는다.

"나는 한나라의 신하로서 한나라 땅을 지키고 있는 터이다. 목에 칼이 들어온다 해도 너희 같은 도적떼에게 내줄 양식은 없느니라."

관해는 벌컥 화를 내더니, 말을 박차고 칼을 휘두르며 직접 공융에게 달려들었다. 이때 공융의 장수 종보(宗寶)가 창을 세워들고 나가 맞섰다. 그러나 종보는 싸움을 시작한 지 두어 합도 못 되어 관해의 칼에 맞아 말 아래로 나뒹굴고 만다. 이를 지켜보던 공융의 군사들은 기겁하여 앞을 다투어 성안으로 달아나기 바빴다. 관해는 군사를 나누어 사방으로 성을 포위했다.

공융은 마음이 답답하고 괴로웠다. 이를 지켜보는 미축의 심사는 말할 나위조차 없었다. 이튿날 공융은 성위에 올라서서 바깥 동정을 살폈다. 겹겹으로 성을 에워싼 적의 형세가 실로 엄청나서 그의 근심은 더욱 깊어졌다. 그때 갑자기 성밖이 소란스러워졌다. 웬 장수 하나가 창을 휘두르며 나타나더니 마치 무인지경을 넘나들 듯 좌충우돌하며 적진을 뚫고 성문을 향해 달려오고 있는 게 아닌가. 눈 깜짝할 사이에 성문 앞에 이른 그가 큰소리로 외친다.

"문을 열어라!"

공융은 그가 누구인지 알 수 없어 선뜻 문을 열어주지 못하고 망설였다. 적들이 함성을 지르며 성 주변 해자까지 쫓아왔다. 장수가 얼른 몸을 돌려 창을 휘두르니 순식간에 수십명이 말 아래로 고꾸라진다. 적들은 그 기세에 눌려 더는 덤비지 않고 뒤로 물러선다. 공융은 그제야 급히 문을 열게 하여 그를 맞아들였다.

성안으로 들어선 장수는 즉시 말에서 내리더니 창을 내려놓고 성위로 올라와 공융을 향해 정중히 절을 했다. 공융도 답례하며 묻는다.

"그대는 뉘시오?"

"저는 동래(東萊) 황현(黃縣) 사람으로, 이름은 태사자(太史慈)요 자는 자의(子義)입니다. 제가 이렇게 찾아온 것은 다름 아니라 제 늙으신 어머님의 간곡한 당부 말씀이 있으셨기 때문입니다. 저는 어제 요동(遼東)에서 어머님을 뵈러 왔다가 황건적의 무리가 성을 공격하고 있다는 말을 들었습니다. 저의 노모께서는 평소에 공의 은덕을 입어 무척 감사하게 여기던 터에, 어서 가서 도와드리라며 안타까워하시기에 이렇듯 필마단기로 달려왔습니다."

공융은 너무도 기뻤다. 비록 태사자를 만난 적은 없으나 그의 용맹은 익히 들어 알고 있었다. 공융은 태사자가 멀리 타향에 나가 있는 동안 성밖 20여리쯤에서 홀로 살고 있는 그의 노모에게 종종 사람을 보내어 살피며 양식과 옷감을 보내주곤 했는데, 공융이 어려움을 겪게 되자 이번에는 태사자의 모친이 그 은혜를 갚기 위해 이렇듯 아들을 보낸 것이다. 공융은 태사자에게 갑옷과 준마, 안장 등을 주며 후히 대접했다. 태사자가 말한다.

"부디 저에게 날랜 군사 1천명만 주십시오. 성을 나가 도적을 물리치겠습니다."

공융은 고개를 젓는다.

"그대가 비록 용맹스럽다고는 하나, 적의 형세가 너무 커서 섣불리 나갔다가는 낭패 보기 십상일세."

"모친께서 공의 두터운 은덕을 갚아드리고자 특별히 저를 보내신 터에, 만약 도적의 포위망을 풀어드리지 못한다면 돌아가서 모친을 뵈올 낯이 없습니다. 원컨대 나가서 싸우게 해주시면 죽기로 싸우겠습니다."

공융은 한참을 생각하던 끝에 입을 연다.

"내가 들으니 유현덕이란 사람이 당세의 영웅이라 하던데, 만약 그의 도움만 받을 수 있다면 저들의 포위는 저절로 풀릴 것이네. 그러나 포위를 뚫고 도움을 청하러 갈 만한 사람이 없으니……"

태사자가 기다렸다는 듯이 말한다.

"공께서 글을 써주시면 이몸이 당장 다녀오겠습니다."

공융은 크게 기뻐하며 서신을 써서 태사자에게 주었다. 태사자는 음식을 배불리 먹은 뒤 투구와 갑옷차림으로 허리에 활과 화살을 차고, 손에는 철창을 들고는 말에 오르기가 무섭게 쏜살같이 성문을 나섰다. 태사자가 성밖으로 나와 해자 근처에 이르자 적장 하나가 졸개들을 이끌고 달려들었다. 태사자는 창을 휘둘러 닥치는 대로 찔러죽이며 포위를 뚫고 계속해서 말을 달렸다.

누군가 성을 나왔다는 사실을 알게 된 관해는 그가 필시 구원병을 청하러 가는 것이라 짐작하고 급히 기병 수백명을 거느리고 뒤를 쫓아 마침내 태사자를 사방팔방으로 에워쌌다. 태사자는 얼른 활을 빼어들고 전후좌우로 정신없이 화살을 쏘기 시작했다. 활시윗소리가 울릴 때마다 백발백중, 연달아 말에서 굴러떨어지는 적들은 그 수를 헤아릴 수가 없었다. 결국 적들은 잔뜩 겁을 집어먹고 제각각 흩어져 달아나기에 바빴다.

태사자는 거뜬히 포위망을 뚫고 밤새도록 말을 달려 평원(平原)에 도착하여 유현덕을 만났다. 예를 갖추어 인사를 한 뒤, 공융이 포위를 당해 구원을 청하게 된 일을 소상히 아뢰고 서신을 바쳤다. 현덕이 글을 읽고 나서 묻는다.

"그대는 누구신가?"

"저는 동해의 보잘것없는 사람으로 태사자라 합니다. 북해 태수와는 피를 나눈 친척도 아니며 같은 고향사람도 아닙니다. 다만 그분과 의기투합하여 근심을 나누고 환난을 극복하고자 하는 뜻을 가지고 있습니다. 지금 공융 어른께서는 극심한 곤경에 처해 계시옵니다. 황건적의 잔당인 관해가 갑자기 쳐들어와 북해를 포위하여 이처럼 고립무원인 채로 있다가는 성이 언제 함락될지 모르는 위급한 상황입니다. 공께서는 어질고 의로우며 위태로운 사람을 구해주시는 분이라 들었습니다. 공융 어른께서도 평소 공의 높으신 명성을 들어오던지라 특별히 저로 하여금 창칼을 무릅쓰고 포위를 뚫고 나와 이렇듯 구원병을 청하게 한 것입니다."

태사자의 말을 끝까지 듣고 난 현덕은 사뭇 진지한 표정이 되며 중얼거린다.

"북해의 공융이 이 세상에 유비가 있는 것을 알았던가……?"

유현덕은 즉시 관우·장비와 더불어 정병 3천을 거느리고 북해를 향해 길을 떠났다. 원병이 오는 것을 본 관해는 직접 군사를 이끌고 나와 맞섰다. 그는 현덕의 군사가 적은 것을 보고 대수롭지 않게 여겼다. 현덕이 관우·장비·태사자와 함께 선봉에 나서자 관해도 질세라 격분하여 달려나왔다. 태사자가 맞서기 위해 앞으로 나가는데 관우가 한걸음 앞서 달려나가 관해와 대적한다. 두 사람이 어우러져 싸움을 시작하자, 양편 군사가 일제히 함성을 지르며 위세를 부추겼다. 그러나 관해가 무슨 수로 관우를 대적하겠는가. 수십합을 싸우다가 관우의 청룡도가 허공중에 번쩍 빛나더니, 관해의 몸뚱이가 두 동강나며 말 아래로 굴러떨어진다.

때를 맞추어 장비와 태사자도 각기 창을 치켜들고 말을 달려 적진 가운데로 성난 범처럼 뛰어든다. 현덕이 그 뒤를 쫓아 군사를 휘몰아 간다. 성위에서 이 광경을 목격한 공융의 눈에는 마치 범들이 양의 무리 속에 뛰어들어 종횡무진으로 날뛰는 것처럼 보였다.

공융도 군사들을 몰고 나와 양쪽에서 협공하여 적을 치기 시작했다. 도적의 무리는 여지없이 패하여 태반은 항복하고 나머지는 제각각 흩어져 달아났다.

공융은 유현덕 일행을 성안으로 맞아들여 인사를 나눈 다음 크게 잔치를 베풀어 승리의 기쁨을 나누었다. 그러고는 미축을 불러 소개하며, 장개가 조숭을 죽이는 바람에 조조가 군사를 일으켜 서주를 포위하고 싸움을 일으킨 것과, 미축이 북해로 도움을 청하러 오기까지의 정황을 현덕에게 자세히 설명했다. 현덕이 개탄한다.

"도공조는 어진 군자이신데 죄없이 억울한 일을 당하게 되다니 참으로 안됐소이다."

공융이 말한다.

"공께서는 한실의 종친으로, 조조가 자기 군사의 힘만 믿고 백성들을 괴롭히며 갖은 악행을 자행하고 있으니 저와 함께 서주로 가서 돕지 않으시렵니까?"

"변명 같소만, 제가 거느리고 있는 군사가 적고 장수도 많지 않으니 섣불리 움직여서 해결될 일이 아닌 듯하오이다."

"내가 도공조를 구하고자 하는 것은 지난날의 우정 때문만이 아니라 대의를 위한 것이오. 공께서도 의리를 앞세워 함께 일어설 수 없겠소?"

현덕이 마침내 대답한다.

"정 그러시다면 공께서 먼저 떠나시지요. 저는 공손찬에게 가서 4, 5천의 군사를 얻어 곧 뒤따라 가오리다."

"공은 부디 신의를 지키십시오."

"이 유비를 어찌 보고 하시는 말씀입니까? 성인께서 말씀하시기를, 자고로 사람은 모두 죽게 마련이나 신용 없이는 살 수 없다 했습니다. 제가 북평에 가서 군사를 얻든 얻지 못하든 반드시 서주로 갈 것이니 그 점은 염려 마십시오."

공융은 이 말을 듣고 미축을 시켜 먼저 서주로 돌아가서 이 소식을 전하게 하고, 자신도 군사를 수습하여 떠날 채비를 했다. 태사자가 작별인사를 한다.

"제가 늙으신 어머니의 명령을 받들어 어르신을 돕고자 왔으나, 다행히 일이 무사히 처리된 것을 보니 이제 떠나야 할 때가 된 것 같습니다. 더구나 고향사람인 양주(揚州) 자사 유요(劉繇)가 서신을 띄워 저를 부르는지라 아니 갈 수도 없고 하니, 후일에 다시 뵙기로 하겠습니다."

공융은 황금과 비단을 주어 사례하려 했으나 태사자는 한사코 거절하고 떠나갔다. 태사자가 집으로 돌아가 그간의 일을 소상히 말하자 그의 늙은 어머니는 기뻐하며 말했다.

"네가 북해 태수의 은혜를 보답했다니 참으로 기쁘구나. 여기서 지체할 게 아니라 어서 양주로 가거라."

그리하여 태사자는 다시 집을 나와 양주로 향했다.

공융이 군사를 일으킨 이야기는 여기서 줄이고, 한편 현덕은 북해로 가서 공손찬을 만났다. 서주를 구하러 가는 길이니 군사를 빌려달라고 말하자 공손찬이 한마디 한다.

"조조는 일찍이 그대와 아무런 원수지은 일이 없거늘 뭣 때문에 남의 싸움에 뛰어들어 고생을 자초하려는가?"

현덕이 말한다

"내 이미 약속을 한 터라 신의를 저버릴 수는 없습니다."

공손찬은 하는 수 없다는 듯 대답한다.

"그렇다면 내 군마 2천을 빌려주겠네."

"조자룡도 함께 가게 해주셨으면 좋겠습니다."

공손찬이 순순히 허락하자 현덕은 관우, 장비와 더불어 자기 휘하의 군사 3천명을 거느리고 앞장서고, 조자룡으로 하여금 공손찬에게서 빌린 군마 2천명을 이끌고 뒤를 따르게 하여 서주를 향해 말을 달렸다.

한편 미축은 서주로 돌아가 도겸에게 북해 태수 공융이 유현덕에게
원병을 청한 사실을 알렸다. 또한 청주에 갔던 진등도 돌아와서 청주
자사 전해가 기꺼이 군사를 이끌고 도우러 오기로 했음을 보고하니,
그제야 도겸은 안도의 한숨을 내쉬었다.

이리하여 공융과 전해 양군은 약속대로 서주땅에 이르렀다. 그러나
조조의 형세가 워낙 큰 것이 두려웠는지 멀찍이 산을 의지해 진을 치
고 경솔히 움직이려 하지 않았다. 조조도 구원병이 두 방향에서 온 것
을 보고는 군사를 나누어 배치하고 싸움을 자제하며 사태를 관망하는
듯했다.

그무렵 유현덕이 마침내 군사를 이끌고 도착했다. 공융이 그를 영
채로 맞아들인다.

"조조 군사의 세가 워낙 크고 또 조조가 본래 용병에 능한 사람이
라 경망되이 나가서 싸우는 것이 그리 이롭지 않겠소. 천천히 동정을
살핀 다음 군사를 움직이는 것이 좋을 것 같소."

공융의 말에 현덕이 대답한다.

"옳으신 말씀이오만, 성에 양식이 넉넉지 않다니 이런 식으로 계속
버티기는 어려우리라고 봅니다. 제 생각에는 운장과 자룡으로 하여금
군사 4천을 거느리고 공의 지시를 따르게 하고, 저는 장비와 함께 조
조의 진을 뚫고 성안으로 들어가 도겸을 만나 뒷일을 의논해보는 것
이 좋을 것 같습니다."

유현덕의 말에 크게 만족한 공융은 전해와 함께 기각지세(掎角之
勢)를 이루고, 관우와 조운이 각기 군사를 거느려 양쪽에서 접응키로
했다.

이날 현덕은 장비와 더불어 1천 인마를 이끌고 조조의 영채로 진격해갔다. 영채에 다다르자 갑자기 안에서 북소리가 크게 울리며 기병과 보병들이 물밀 듯 몰려나오는데, 앞장선 대장 우금(于禁)이 길을 막아서며 크게 외친다.

"웬 미친 놈들이 여기가 어디라고 함부로 발을 들여놓느냐?"

장비는 거두절미하고 곧장 달려나가 우금과 맞섰다. 두 장수가 어우러져 몇합 싸우는 동안에 현덕이 쌍고검을 휘두르며 군사를 휘몰아 진격했다. 궁지에 몰린 우금이 말머리를 돌려 달아나기 시작하자 장비는 그 뒤를 쫓아 닥치는 대로 쳐죽이며 곧장 서주성까지 몰아붙였다.

도겸이 성위에서 내려다보니 바람에 나부끼는 붉은 깃발이 눈에 띄는데, 그 위에 흰 글씨로 '평원 유현덕'이라는 다섯 글자가 씌어 있다. 도겸은 급히 군사를 시켜 성문을 열게 하여 현덕을 맞아들였다.

도겸은 현덕과 정중히 인사를 나눈 뒤 잔치를 베풀어 극진히 대접했다. 그뿐 아니라 군사들에게도 배불리 먹을 수 있도록 술과 음식을 아끼지 않았다. 말로만 듣다가 직접 현덕을 만난 도겸은 그의 훤칠한 용모와 늠름한 기상, 그리고 활달한 태도에 매료되었다. 그는 너무도 기쁜 마음에 미축을 시켜 서주의 관인(官印)을 가져오게 하더니 다짜고짜 현덕 앞에 내놓았다. 현덕은 뜻밖의 일에 깜짝 놀라며 묻는다.

"무슨 까닭으로 이러십니까?"

도겸이 대답한다.

"아시다시피 세상이 하도 뒤숭숭하여 황실의 기강이 바로잡히지 못하고 있소이다. 그런데 오늘 이렇게 만나뵙고 보니 공께서는 한나라 종친이며 당대 영웅이시라. 무너져가는 이 나라 사직을 붙들어세우기에 가장 적합한 인물인 것 같소. 나는 이제 나이가 들고 무능하여 서주땅 하나도 다스리기 어려우니 바라건대, 나를 대신하여 우리 서주를 맡아주시오. 내 당장 표문을 써서 조정에 올릴 것이니, 공은 부디 사양하지 마시오."

현덕은 몸을 일으켜 재배하고 말한다.

"이 유비가 비록 한나라 황실의 자손이기는 하나, 쌓은 공도 없을뿐더러 덕이 부족하여 평원상 노릇도 감당을 못하는 터입니다. 제가 이렇게 온 것은 오직 대의를 위하여 어르신을 돕고자 하는 뜻 외에 아무런 사심이 없습니다. 그런데 공께서 그런 말씀을 꺼내시는 건 혹시라도 이 유비가 딴마음을 품고 있지 않나 의심하시기 때문이 아니오이까? 만약 제가 털끝만치라도 그런 뜻을 품었다면 하늘이 돕지 않을 것입니다."

도겸이 말한다.

"이 늙은이의 진심이니 부디 사양치 마시오."

도겸이 거듭 권했지만, 현덕은 한사코 사양하며 그의 말을 들으려 하지 않는다. 곁에서 지켜보던 미축이 나서며 말한다.

"지금 적병이 성밑에 이르렀으니 우선 적을 물리칠 방책을 의논하시고, 그들을 물리친 뒤에 다시 상의하시는 게 좋겠습니다."

그러자 유현덕이 말한다.

"우선 제가 조조에게 글을 써서 화해를 권해보겠습니다. 그래도 듣지 않으면 그때 공격해도 늦지 않을 것입니다."

도겸이 고개를 끄덕였다. 현덕은 곧 세 곳의 영채에 격문을 띄워 당분간 움직이지 말라 지시하고, 한편으로는 사람을 시켜 조조에게 서신을 전달하게 했다.

한편 조조는 휘하의 여러 장수들을 모아놓고 서주성을 공략할 계책을 세우고 있던 중에 서주에서 서신이 왔다는 보고가 올라왔다. 조조가 서신을 열어보니 바로 유비의 글이다.

관외(關外)에서 한번 공을 뵈온 뒤로 너무 멀리 떨어져 있어 지금까지 다시 뵙지 못하였소이다. 저번에 공의 부친께서 뜻밖의 변을 당하신 것은 실로 장개란 자의 어리석은 소행이지, 결코 도공陶公의 죄가 아니었던 것으로 압니다. 지금 밖에서는 황건적의 남은 무리들이 소란을 피우고 있고 안에서는 동탁의 잔당들이 조정을 어지럽히고 있소이다. 원컨대 귀공은 조정의 위급함을 먼저 생각하시어, 사사로운 원한에 얽매일 것이 아니라 서주를 포위한 군사를 거두어 나라를 구하는 데 쓰신다면, 서주를 위해서도 다행한 일이거니와 천하를 위하여도 그만한 다행이 없을 것입니다.

조조는 유비가 보내온 서신을 읽고는 분통을 터뜨린다.

"대체 유비가 어떤 자이기에 이러한 글을 보내 내게 충고한단 말이냐. 더구나 글 속에 은근히 비난하는 말투가 보이지 않는가?"

그는 즉시 사자로 온 자의 목을 베라 하고, 한편으로는 전력을 다해 성을 치도록 명했다. 그때 곽가가 만류한다.

"유비가 먼길을 원병 와서 싸우기 전에 먼저 예를 갖춘 것이니, 공께서도 좋은 말씀으로 회답을 하여 유비의 마음을 늦춘 연후에 저들을 공격하면 일이 한결 수월하겠습니다."

조조가 그 말을 좇아 유비의 사자를 잘 대접하여 머물게 하며 천천히 회답하기로 했다. 이때 갑자기 군사 하나가 헐레벌떡 달려와 보고

한다.

"여포가 이미 연주를 치고 복양(濮陽)을 점령했다 합니다."

원래 여포는 이각·곽사의 난이 일어나자 그 길로 무관(武關)을 빠져나와 원술을 찾아갔다. 그러나 원술이 그를 믿지 못하여 받아주지 않자 그 길로 다시 원소를 찾아가니, 원소는 그를 받아들여 함께 상산 (常山)으로 가서 장연(張燕)을 격파했다. 득의양양해진 여포가 이때부터 원소의 수하장수들을 우습게 여기며 거만을 떨자, 이를 지켜보던 원소는 참다못해 그를 죽이려 했다. 결국 여포는 원소에게도 오래 붙어 있지 못하고 다시 달아나 장양(張楊)에게로 가서 몸을 의탁했던 것이다.

이때 여포와 교분이 두텁던 방서(龐舒)라는 사람은 장안에서 여포의 아내와 자식들을 자기 집에 숨겨두고 있다가, 여포가 장양의 휘하에 들어갔다는 소식을 듣고서야 은밀히 돌려보내주었다.

이 사실을 안 이각과 곽사는 크게 노하여 방서를 잡아 죽이고는 즉시 장양에게 글을 보내 여포를 죽이라고 명했다. 여포는 다시 장양을 떠나 장막에게 투항했다. 때마침 진궁이 장막의 아우 장초(張超)를 따라 그곳에 와 있다가, 여포가 온 것을 보고 장막에게 말했다.

"지금 천하가 어지러워 영웅이 벌떼처럼 일어나는 터에 공께서는 천리 땅과 많은 백성을 거느리고 있으면서도 남의 통제를 받고 있으니, 이런 딱한 노릇이 어디 있겠습니까? 그래서 드리는 말씀이오마는, 지금 조조는 군사를 일으켜 서주를 치러 갔기 때문에 연주땅이 텅 비어 있는 실정입니다. 이때를 틈타 당세의 용사인 여포와 더불어 연주를 쳐서 차지하면, 가히 천하를 도모할 수 있으리다."

장막은 매우 기뻐하며 즉각 여포에게 군사를 주어 연주를 치게 하고, 더 나아가 복양까지 점령하도록 했다. 그 결과로 견성(鄄城)·동아(東阿)·범현(范縣) 세 고을만이 순욱과 정욱이 계책을 세워 죽기로써 지켜내어 온전했고, 나머지는 모두 빼앗기고 말았다. 조인 역시 여포와 싸웠으나 번번이 지기만 했다. 그래서 하는 수 없이 사람을 보내 조조에게 급히 알리게 된 것이다.

급보를 받고 조조는 크게 놀란다.

"연주를 잃었다면 내 장차 어디로 돌아간단 말인가? 이러고 있을 때가 아니다. 속히 대책을 강구해야겠다."

곽가가 말한다.

"상황이 급박하니 우선 유비에게 거짓 답서를 보내 인정을 베푸신 다음, 즉시 군사를 돌려 연주성을 회복하심이 옳을 줄로 압니다."

조조는 그 말을 좇아 즉시 유비에게 회답을 전하고 군사를 정비하여 연주로 향했다.

한편 사자는 서주로 돌아가 도겸에게 답서를 올리고 조조의 군사가 이미 물러갔음을 알렸다. 도겸은 말할 수 없이 기뻤다. 그는 사람을 시켜 공융·전해·관우·조운 등을 청해들여 크게 잔치를 베풀었다. 잔치가 끝나자 도겸은 현덕을 상좌에 앉히고 여러 사람이 모인 자리에서 정중히 말을 꺼낸다.

"나는 이제 너무 나이가 들어 기력도 없고 슬하의 두 자식마저 변변치 못하여 국가의 중임을 감당키는 어려운 처지요. 유공으로 말하자면 황실의 자손으로 덕이 많고 재주가 뛰어난 분이니 서주를 맡아 다스리기에 이만한 재목이 없으리라 보오. 이제부터 나는 유공에게 서주땅을 넘겨주고 쉬면서 몸조리나 할 생각이니 그리들 아시오."

현덕이 당황스레 말한다.

"그럴 수는 없습니다. 공융 어른께서 저를 이곳에 보내신 것은 오직 의리로써 서주를 돕자는 것이었습니다. 그런데 제가 갑자기 까닭 없이 서주를 차지하게 된다면 천하 사람이 나를 의리없는 자라 손가락질할 테고, 저 또한 그렇게 되는 걸 원치 않습니다."

미축이 곁에서 권한다.

"지금 한나라 황실이 몹시 흔들려서 천하가 극도로 혼란스러우니 이때야말로 나라를 위해 공업을 세울 때가 아닌가 싶소이다. 더구나 이곳 서주는 물자가 풍부하고 백성도 1백만이나 되니 부디 사양치 마십시오."

현덕은 한사코 사양한다.

"아무리 그렇다 해도 이 일만은 결단코 따를 수 없소이다."

이번에는 진등이 나선다.

"도겸 태수께서는 늘 병환에 시달리느라 고을일을 돌보시기에 어려움이 많습니다. 바라건대 공께서 이곳을 맡아주셨으면 합니다."

현덕이 생각난 듯 말한다.

"원공로(원술)는 4대째 삼공을 지낸 집안이라 천하 사람이 모두 존경해 마지않습니다. 그가 가까이 수춘(壽春)에 있거늘 어찌하여 그에게 물려주려 하지 않으십니까?"

그 말에 공융이 입을 연다.

"원공로는 무덤 속의 뼈다귀나 다름없으니 들어 말할 것이 못되오. 오늘 일은 하늘이 내린 기회입니다. 그런데도 불구하고 공께서 끝까지 거절하신다면 반드시 후회하게 될 겁니다."

아무리 여러 사람이 말해도 현덕은 좀처럼 고집을 꺾으려 들지 않는다. 도겸은 급기야 눈물을 흘리며 사정한다.

유비가 두번째로 서주를 사양하다

"현덕공께서 나를 버리고 가신다면 나는 죽어서도 눈을 감지 못할 게요."

그때까지 잠자코 있던 관우가 보다못해 나선다.

"도공께서 저렇듯 간곡히 권하시는데 잠시라도 서주를 맡아 다스리는 게 옳지 않겠습니까?"

장비도 한마디 한다.

"거 뭐 우리가 억지로 빼앗자는 것도 아니고, 저쪽에서 호의로 양보하는 것을 그렇게까지 마다고 할 거야 없지 않수?"

현덕은 못마땅한 얼굴로 관우와 장비를 돌아본다.

"너희들이 나를 불의에 빠뜨리려는 게냐?"

도겸이 다시 거듭 간청했으나 현덕은 끝까지 뜻을 굽히지 않는다. 하는 수 없이 도겸이 말한다.

"공의 뜻이 정히 그러시다면, 여기서 가까운 곳에 소패(小沛)라는 고을이 있어 족히 군사를 주둔시킬 만하니, 부디 그곳에라도 잠시 머물면서 우리 서주를 보호해주면 어떠시겠소?"

이에 여러 사람이 모두 나서서 소패에 머물 것을 권한다. 현덕은 마침내 이를 응낙했다. 도겸은 몇번이고 감사의 뜻을 표하고 군사를 위무하는 잔치를 베풀었다. 이윽고 잔치가 완전히 파하자 조자룡이 하직을 고했다. 현덕은 그의 손을 잡고 눈물을 흘리며 헤어짐을 아쉬워했다. 공융과 전해도 작별하고 각기 군사를 거느리고 돌아갔다.

뒤이어 현덕도 관우·장비와 함께 군사를 거느리고 소패로 향했다. 소패에 도착하여 성과 담부터 보수하고 백성들을 잘 다스리자, 고을 인심이 좋아졌다.

한편 조조가 군사를 이끌고 돌아오니 조인이 나와 영접한다.

"여포의 형세가 몹시 큰데다 진궁이 돕고 있어 연주와 복양땅은 이미 빼앗겼고, 견성·동아·범현 세 고을만이 순욱과 정욱의 공으로 간신히 위기를 모면하여 성곽을 보존하고 있습니다."

조조가 대꾸한다.

"내 생각에 여포는 비록 용맹하지만 지략이 뛰어나지 못하니 과히 염려할 것 없다. 우선 영채를 세운 다음 다시 의논하자."

여포는 조조가 회군하여 이미 등현(滕縣)을 지났음을 알고 부장(副將) 설란(薛蘭)과 이봉(李封)을 불렀다.

"오래 전부터 너희들을 쓰려던 차에 마침 잘되었다. 내가 군사 1만을 줄 것이니 너희 둘이서 연주를 굳게 지키고 있거라. 나는 몸소 군사를 이끌고 나가서 조조를 물리치겠다."

두 장수가 명에 따르겠다고 할 때 진궁이 급히 들어서며 묻는다.

"장군은 연주를 버리고 어디로 가시려 하오?"

여포가 답한다.

"나는 복양으로 가서 군사를 주둔시키고 정족(鼎足, 솥발처럼 셋으로 나뉘어 맞섬)의 형세를 이루려 하네."

진궁이 반대한다.

"잘못 생각하셨소이다. 설란은 연주를 지켜낼 재목이 못 됩니다. 여기서 정남쪽으로 180리 밖에 태산이 있으니, 험준한 길목 곳곳에다 정병 1만명만 매복시켜두십시오. 그렇게 얼마간 기다리고 있노라면, 조조의 군사들이 연주가 함락되었다는 소식을 듣고 반드시 서둘러 올 것입니다. 그때를 기다렸다가 그들 중 절반 정도가 지나갈 무렵 일제히 쏟아져나가 친다면, 거뜬히 조조를 사로잡을 수 있을 것입니다."

여포는 고개를 젓는다.

"내가 복양에 군사를 주둔시키려는 데는 달리 좋은 계책이 있어서 그러네. 이 일은 내게 맡겨두게."

여포는 결국 자기 고집대로 설란에게 연주땅을 맡겨두고는 곧장 복양으로 가버렸다.

한편 조조의 대군이 태산의 험준한 길목에 이르자, 모사 곽가가 말한다.

"더 나아가선 안됩니다. 이런 곳에는 복병이 있을 가능성이 많습니다."

조조가 껄껄 웃는다.

"여포처럼 미련한 놈이 그런 꾀를 낼 리가 없지. 설란 따위에게 연주를 맡겨놓고 저는 복양으로 간 터에 무슨 매복을 해두었겠느냐?"

그러고는 조인에게 일군을 거느리고 연주를 포위하라 이르고, 자기는 몸소 복양으로 가서 여포를 치기로 했다. 조조의 군사가 가까이 왔다는 말을 듣고 진궁은 여포에게 계교를 말한다.

"조조 군사는 지금 먼길을 오느라 지쳐 있을 테니 숨 돌릴 새 없이 몰아치는 것이 우리에게 유리합니다. 잠시라도 지체하여 회복할 틈을 주어서는 안됩니다."

그러나 여포는 여전히 큰소리를 칠 뿐이다.

"내가 필마로 천하를 누비고 다녔는데, 어찌 한낱 조조 따위를 두려워하겠는가? 놈들이 영채를 세울 때까지 기다렸다가 단숨에 사로잡을 테니 두고 보게."

조조는 복양 근방에 당도하자 서둘러 영채를 세우고 다음날 아침, 수하장수들을 거느리고 들판에 나가 군사를 벌여세웠다. 모든 준비가 끝나자 문기 아래 말을 세우고 둥글게 진을 친 여포의 진영을 살폈다.

드디어 여포가 앞장서서 말을 달려나온다. 좌우에 여덟명의 맹장이 호위하며 나오는데, 하나는 안문(雁門) 마읍(馬邑)의 장요(張遼)라는 인물로 자는 문원(文遠)이며, 다른 하나는 태산(泰山) 화음(華陰)의 장패(臧霸)라는 인물로 자는 선고(宣高)였다. 두 장수 장요와 장패가 또 각각 세 장수를 거느리니, 그들은 학맹(郝萌)·조성(曹性)·성렴(成廉)·위속(魏續)·송헌(宋憲)·후성(侯成) 등이다. 여포가 이들 여덟 장수를 이끌고 선두로 나서자 5만 군사가 일제히 함성을 지르며 천지가 떠나갈 듯 북소리를 울려댔다. 조조는 손을 들어 여포를 가리키며 꾸짖는다.

"내 너와 일찍이 원수진 일이 없거늘, 어찌하여 남의 땅을 빼앗은 게냐?"

여포가 비웃는다.

"한나라 땅을 가지고 네 땅 내 땅이 어디 있단 말이냐?"

그는 말을 마치자 장패를 불러 나가 싸우라 했다. 조조 진에서는 악진이 말을 몰아나왔다. 두 필의 말이 서로 마주치고 두 자루 창이 어우러져 싸우기를 30여합이나 끌었으나 좀처럼 승부가 나지 않는다.

조조의 편에서 하후돈이 싸움을 도우러 달려나가자, 여포 쪽에서도 장요가 말을 짓쳐나와 앞을 가로막는다. 네 장수가 뒤엉켜 싸우는데도 쉽게 승부가 나지 않자, 이를 지켜보던 여포는 더 참지 못하고 방천화극을 꼬나잡고 적토마를 몰아 적진 한복판으로 살같이 내달았다. 그러자 하후돈과 악진이 기겁해서 말머리를 돌려 달아난다. 여포는 기세를 늦추지 않고 계속 몰아쳐 조조의 군사는 3,40리 밖으로 패퇴했다. 그제서야 여포도 군사를 거두었다.

조조는 첫번 싸움에 크게 패하자 영채로 돌아와 장수들을 모아놓고 앞으로의 일을 의논했다. 먼저 우금이 말한다.

"제가 오늘 산위에 올라가 관망하여보니, 복양 서편에 여포의 영채가 하나 있는데 군사가 그리 많은 것 같지 않았습니다. 중요한 것은, 저들이 지금 우리가 패해 달아났다 하여 다소나마 긴장이 풀려 있다는 점입니다. 오늘밤 허술한 틈을 타서 저들의 영채를 들이치면, 여포의 군사들은 모두 질겁해서 싸워볼 생각도 못하고 달아날 터이니 야습이 상책입니다."

조조는 그 말에 따라 우금을 비롯하여 조홍(曹洪)·이전(李典)·모개(毛玠)·여건(呂虔)·전위(典韋) 등 여섯 장수와 함께 기병과 보병 2만명을 이끌고 그날밤 조용히 여포의 서쪽 영채를 향해 출발했다.

이때 여포는 영채에서 술과 고기를 내어 군사들의 노고를 치하하며 승리의 기쁨에 젖어 있었다. 진궁이 걱정스레 말한다.

"이렇게 방심하고 있을 때가 아닙니다. 서쪽 영채는 군사적으로 무척 중요한 곳인데, 이때를 틈타 조조가 습격이라도 해오면 어쩌시렵니까?"

여포는 당치도 않다는 듯 내뱉는다.

"아까 우리한테 그렇게 당했는데, 무슨 경황으로 다시 올 생각을 하겠소?"

진궁이 거듭 당부한다.

"그렇지 않습니다. 조조는 군사를 부리는 데 능한 사람이니 조금도 긴장을 늦춰서는 아니 됩니다."

여포도 이번에는 진궁의 말을 좇아 고순(高順)·위속·후성 세 장수에게 명하여 군사들을 이끌고 출발해 서쪽 영채를 지키도록 했다.

한편 조조는 해가 질 무렵 군사들을 나누어 사방에서 서쪽 영채를 기습했다. 영채를 지키던 여포의 군사들은 갑자기 당한 일이라 미처 막아내지 못하고 뿔뿔이 흩어져 달아난다.

조조가 어렵지 않게 서쪽 영채를 장악하고 난 뒤 4경쯤 되어서, 그때서야 도착한 고순이 군사를 이끌고 쳐들어왔다. 조조는 직접 군사를 지휘하여 고순과 맞선다. 양편 군사가 동틀 무렵까지 일대 혼전을 벌이는데, 문득 서쪽에서 요란한 북소리가 들려왔다. 군사 하나가 조조에게 달려와 보고한다.

"여포가 직접 군사를 거느리고 쳐들어오고 있습니다."

조조는 곧 영채를 버리고 달아났다. 고순·위속·후성의 무리가 뒤를 쫓고, 여포는 어느틈에 군사를 휘몰아 정면에서 추격해온다. 우금과 악진이 조조를 대신해 여포에게 달려들었다. 그러나 그들 두 사람으로 당해낼 수 있는 여포가 아니다. 다급해진 조조는 말에 채찍을 가하며 북쪽을 향해 내닫기 시작했다. 정신없이 달리는데 갑자기 산모퉁이에서 한떼의 군사들이 쏟아져나온다. 왼쪽은 장요, 오른쪽은 장패의 무리다.

이번에는 여건과 조홍으로 하여금 맞서게 했으나 역시 열세였다. 조조는 다시 말머리를 돌려 서쪽으로 달아나기 시작했다. 그런데 이게 웬일인가. 얼마 안 가서 또다시 커다란 함성이 일며 한떼의 군사가 달려나오고 학맹·조성·성렴·송헌 네 장수가 길을 가로막는다. 조조의 장수들이 하나같이 죽을 각오로 싸우는 동안 조조는 필사적으로 포위망을 뚫고 나가려 애썼다. 그러나 채 빠져나가기도 전에 불현듯 징소리가 울리더니 그것을 신호삼아 빗발치듯 화살이 날아든다. 진퇴 양난에 처한 조조가 다급히 외친다.

"누구 없느냐, 날 좀 구해다오!"

기병들 사이에서 장수 하나가 조조의 음성을 듣고 나는 듯이 달려 온다. 그는 바로 전위다.

"주공은 염려 마십시오!"

전위의 손에는 철극 한쌍이 쥐어져 있다. 그는 몸을 날려 말에서 뛰어내리더니, 쌍철극은 옆구리에 끼고 단극(短戟) 10여개를 두 손에 나눠 쥐고서, 수하군사들에게 명한다.

"내 뒤로 적들이 10보 안에 들어오거든 알려다오."

그러고는 화살을 뚫고 뛰기 시작한다. 여포의 기병 수십명이 말을 몰아 급히 뒤를 쫓는다. 군사들이 소리친다.

"10보요!"

전위가 다시 외친다.

"5보 안에 들거든 나를 불러라."

잠시 후 군사들이 외친다.

"5보요!"

전위는 번개같이 몸을 돌려 손에 쥐고 있던 단극을 한 자루씩 날린다. 단극은 하나도 빗나가는 법 없이 던지는 족족 명중하여 순식간에 여포의 기병 10여명을 거꾸러뜨린다. 이를 본 남은 무리들은 더이상 뒤쫓을 엄두를 내지 못하고 일제히 흩어져 달아난다.

전위는 다시 말에 뛰어올라 한쌍의 철극을 휘두르며 적군 속으로 뛰어들었다. 여포의 장수 학맹·조성·성렴·송헌 네 장수도 전위 하나를 당해내지 못해 달아나기 바빴다. 전위가 적군을 과감히 물리치고 마침내 조조를 구해내니, 그제야 흩어졌던 다른 장수들도 모여들었다.

어느덧 날이 저물어 어두워졌다. 조조 일행이 길을 찾아 영채로 돌아가고 있는데, 갑자기 등뒤에서 함성이 크게 일며 여포의 군사들이 쫓아오기 시작한다. 여포가 말 위에 앉아 방천화극을 꼬나잡고 벽력같이 소리치며 달려온다.

"조조야, 이 도적놈아. 꼼짝 말고 게 섰거라!"

조조의 말과 군사들은 지칠 대로 지쳐 서로의 얼굴만 쳐다보며 오직 도망갈 생각뿐이다.

겹겹의 포위망 잠시 벗어났나 했더니	雖能暫把重圍脫
아뿔싸, 감당하기 어려운 강적이 쫓아왔네	祇怕難當勁敵追

이렇듯 위급한 상황에서 조조는 과연 살아남을 것인가?

12

조조와 여포

도겸은 서주를 세번째로 양도하려 하고

조조는 여포와 크게 싸우다

조조가 정신없이 달아나고 있는데, 남쪽에서 한떼의 군마가 달려왔다. 하후돈이 군사를 거느리고 구하러 온 것이다. 하후돈이 여포와 맞서 한바탕 싸움을 벌이는데 어느덧 날이 저물고 장대비가 쏟아지기 시작한다. 양편은 각기 군사를 거두어 물러났다.

조조는 영채로 돌아와 생명을 구해준 전위에게 후한 상을 내리고, 공로를 치하하는 뜻에서 벼슬을 올려 영군도위(領軍都尉)로 삼았다.

한편 영채로 돌아온 여포는 진궁을 불러 앞으로의 일을 의논했다. 진궁이 말한다.

"복양성 안에 전(田)씨 성을 가진 부자 한 사람이 살고 있는데, 이 고을의 제일 가는 부호로 거느린 하인만도 1천명이 넘습니다. 그 사람을 시켜 조조에게 밀서 한통을 보내십시오. 내용은 '여포는 성질이 잔악하고 어질지 못하여 백성들이 크게 원망하고 있습니다. 여포는 성안에 고순만을 남겨두고 여양(黎陽)으로 옮겨갈 참이니, 이 틈을 타서 밤중에 군사를 이끌고 쳐들어오면 제가 안에서 도울 것입니다' 이렇게 적으면 됩니다. 그래서 만약 조조가 진격해오면 그를 유인하여 성안으로 끌어들인 다음 사대문에 불을 지르고 밖에 복병을 깔아두면, 조조가 경천위지(經天緯地)의 재주가 있다 해도 도저히 벗어나지 못할 것입니다."

진궁의 계교를 좇아 여포는 즉시 전씨에게 은밀히 명령을 내려 조조의 영채에 사람을 보내도록 했다.

이무렵 조조는 여포와의 싸움에서 크게 패한 뒤 대책을 세우지 못하고 매우 심란해하며 한참을 이 궁리 저 궁리로 서성대다가 복양의 부호 전씨에게서 밀사가 왔다는 보고를 받았다. 즉시 불러들여 가지고 온 서찰을 개봉하니 이렇게 씌어 있다.

여포는 이미 여양으로 갔고 성안이 텅 비어 있습니다. 이 기회를 틈타 속히 오셔서 성을 치시면, 이몸 또한 만반의 준비를 하고 있다가 내응하리다. 성위에 '의(義)'자가 씌어진 백기를 꽂아둘 터이니 그리 아십시오.

조조의 얼굴에 희색이 돌았다.

"이것이야말로 하늘이 준 기회로다. 나에게 복양땅을 얻게 하시려는 게야."

조조는 밀서를 가지고 온 자에게 후한 상을 내리고는 군사를 수습해 진격할 준비를 서둘렀다. 이를 보고 모사 유엽이 말한다.

"여포는 워낙 아둔한 사람이라 꾀가 없지만, 진궁은 다릅니다. 이면에 무슨 계략이 숨어 있을지 모르니, 섣불리 움직이실 일이 아닙니다. 공께서 굳이 가시겠거든 군사를 셋으로 나누어 두 부대는 성밖에 매복시켜 접응케 하고, 한 부대만 이끌고 성안으로 들어가시는 게 안전할 듯싶습니다."

조조는 그의 말대로 군사를 셋으로 나누어 복양성 밑에 이르렀다. 조조가 앞으로 나서며 동정을 살펴보니, 성위에 빙 둘러 깃대가 꽂혀 있는데, 과연 약속대로 서쪽 문귀퉁이에 '의'자가 씌어진 백기 하나가 눈에 들어온다. 조조는 속으로 몹시 기뻤다.

정오 무렵이 되자 성문이 열리며 장수 두명이 군사를 거느리고 나온다. 앞장선 사람은 후성이란 자이고, 뒤따르는 자는 고순이다. 조조는 전위를 시켜 후성을 맞아 싸우게 했다. 두 사람이 맞서싸운 지 불과 몇합에, 후성은 전위를 당해내지 못하고 말머리를 돌려 성안으로 달아난다. 전위가 후성의 뒤를 쫓아 조교(弔橋, 성문 밖 해자를 건널 수 있게 한 개폐식 다리) 앞에 이르자, 고순이 그를 막아선다. 그러나 잠시 후 고순마저도 전위의 위세에 밀려 도망치듯 성안으로 달려들어간다. 그 혼란한 틈을 타서 몇명의 군사가 말을 몰아 조조 앞으로 오더니, 전씨의 밀서를 올린다. 서둘러 펼쳐보니, 이렇게 씌어 있다.

오늘밤 초경(오후 8시)쯤 성위에서 징소리가 울리거든 그것을 신호 삼아 진군해오십시오. 즉시 성문을 열어드리겠습니다.

조조는 하후돈으로 하여금 군사를 거느리고 왼편에 있게 하고, 조홍은 군사를 거느리고 오른편에 있게 한 뒤, 자신은 하후연·이전·악진·전위 등 네 장수와 더불어 군사를 거느리고 성을 향해 진군했다. 갑자기 이전이 앞으로 나서며 말한다.

"주공께서는 잠시 성밖에서 기다리시지요. 저희가 먼저 들어가보겠습니다."

조조가 꾸짖는다.

"내가 몸소 들어가지 않으면 누가 앞장선단 말이냐!"

그는 즉시 군사를 몰아 성을 향해 전진했다. 때는 초경쯤으로, 달은 아직 뜨지 않았다. 문득 서쪽 문루에서 징소리가 들리더니 요란한 함성과 더불어 문 위에서 무수한 횃불들이 일제히 밝혀지며 성문이 활짝 열린다. 동시에 들어올려져 있던 조교가 천천히 내려온다. 조조는 기다렸다는 듯 앞장서서 성안으로 뛰어들었다. 급히 말을 몰아 관청에 이르기까지 사람의 그림자는커녕 개미새끼 한 마리 눈에 띄지 않는다. 그제야 자신이 속았다는 생각이 든 조조는 즉시 말머리를 돌리며, 군사들을 향해 큰소리로 외친다.

"퇴각하라!"

바로 그때 관청 안에서 포소리가 크게 울리더니, 사방 성문에서 하늘을 사를 듯한 불길이 일시에 치솟는다. 징소리 북소리가 터져나갈 듯이 울리고 함성에 강이 뒤집히고 바다가 끓는 듯했다. 동쪽 길에서는 장요가 달려나오고, 서쪽 길에서는 장패가 달려나와 조조의 군사들을 협공하기 시작한다. 조조는 몸을 빼어 북문을 향해 말을 달렸다. 그러나 얼마 가지 않아 길가에 매복해 있던 학맹과 조성이 군사를 휘몰고 나와 앞을 가로막는다. 조조가 소스라쳐 놀라 남문을 향해 말머리를 돌려 달아나니, 이번에는 고순과 후성이 길을 가로막는다. 전위가 눈을 부릅뜨고 이를 갈며 닥치는 대로 적을 베며 앞으로 뚫고 나가자, 고순과 후성은 그 기세에 성밖으로 밀려나갔다.

전위는 이들을 추격하여 조교까지 달려가다가 문득 뒤를 돌아보니 조조의 모습이 보이지 않는다. 다시 말을 몰아 성안으로 뛰어들어가는데, 문앞에서 이전과 마주쳤다. 전위가 급히 묻는다.

"주공께서는 어디 계시오?"

"나도 지금 찾아다니는 길이오."

"그럼 공께서는 밖으로 나가 원병을 청하시오. 나는 성안으로 들어가서 주공을 찾아보리다."

이전은 성밖으로 나갔다. 전위는 다시 성안으로 뛰어들어가 미친 듯이 조조를 찾아헤맸다. 그러나 어디에서도 조조의 모습을 찾을 길이 없다. 다시 성을 빠져나와 해자 쪽으로 달려가던 전위는 맞은편에서 달려오는 악진과 마주쳤다. 악진이 급히 묻는다.

"주공께서는 어디 계시오?"

"나도 두 차례나 성안을 돌아보았건만 뵙지 못하였소."

"같이 들어가 다시 한번 찾아봅시다. 무슨 일이 있어도 주공을 구해내야 합니다."

두 사람이 함께 말을 달려 성문 앞에 이르렀을 때였다. 갑자기 성 위에서 화포(火炮)가 터지며 마구 불덩어리가 떨어져내린다. 악진의 말이 놀라 멈춰서더니 꼼짝도 하지 않는다. 전위는 혼자서 연기와 불길을 뚫고 성안으로 달려들어가 여기저기 조조를 찾아다녔다.

한편 조조는 전위가 성밖으로 나가는 것을 보고서도, 적군이 사방에서 달려드는 바람에 미처 남문으로 나가지 못하고 북문으로 말머리를 돌려야 했다. 이때 화염 속에서 누군가가 손에 창을 들고 말을 몰아 달려온다. 바라보니 여포가 아닌가.

조조는 곧 손을 들어 얼굴을 가리고 말에 더욱 채찍을 가했다. 그는 여포의 곁을 스쳐 앞으로 내달았다. 그러나 몇걸음 못 가서 여포는 갑자기 말머리를 돌려 조조의 뒤를 쫓아와 창끝으로 조조의 투구를 가볍게 치며 묻는다.

"혹시 조조를 못 봤느냐?"

조조는 손을 들어 반대쪽을 가리키며 말한다.

"저기, 황마(黃馬) 타고 도망치는 자가 바로 조조입니다."

그 말이 떨어지기가 무섭게 여포는 조조를 버리고 조조가 가리킨 방향으로 바람처럼 달려간다. 간신히 위기를 모면한 조조는 이번에는 동문을 향해 말머리를 돌렸다. 정신없이 달리다가 그는 비로소 전위를 만났다.

전위가 급히 조조를 호위해 혈로를 뚫고 성문 앞에 다다르니 주위는 온통 화염에 휩싸여 있다. 더구나 성위에서 나뭇단이며 건초더미를 계속 떨어뜨려 불길은 더욱 사나운 기세로 타오른다.

전위가 창을 내두르며 화염을 뚫고 달리기 시작했다. 조조는 그 뒤를 따랐다. 그러나 막 성문을 통과하려는 순간 갑자기 위에서 불붙은 대들보가 떨어져내리며 조조가 탄 말의 엉덩이를 후려친다. 말이 고꾸라지자 조조는 황급히 대들보를 밀쳐내고 간신히 몸을 빼냈으나 그 바람에 손과 팔에 화상을 입고 머리털과 수염이 몽땅 타버렸다.

전위가 얼른 되돌아와 조조를 일으키는데, 마침 하후연이 나타났다. 두 사람은 함께 조조를 부축해 하후연의 말에 태웠다. 전위는 또다시 앞장서서 달려드는 적군을 물리치며 큰길 쪽으로 혈로를 열고, 조조와 하후연은 함께 말을 타고 뒤를 따른다. 간신히 성을 빠져나온 세 사람은 계속 혼전을 벌인 끝에 날이 훤히 밝아서야 영채로 돌아왔다. 모든 장수들이 엎드려 절하며 문안을 드리자, 조조는 멋쩍은 듯 껄껄 웃으며 말한다.

"변변치 않은 놈의 계책에 속아 낭패를 봤구나. 내 반드시 복수를 하고야 말리라."

곽가가 곁에서 거든다.

"계책이 있으시다면 서둘러 실행해야 합니다."

"저들의 계책을 거꾸로 이용하는 게 좋을 것 같다. 너희들은 즉시 내가 심한 화상으로 이미 5경에 죽었다고 헛소문을 내어라. 그럼 여포가 반드시 군사를 이끌고 쳐들어올 테니, 마릉산(馬陵山) 속에 군사를 매복시켜두고 놈들이 반쯤 들어서길 기다렸다가 중도에서 허리를 끊어 치면 여포를 쉽사리 사로잡을 게다."

곽가가 두말없이 찬성한다.

"참으로 훌륭한 계책이십니다."

모든 군사들이 상복을 입고 조조가 죽었다고 헛소문을 퍼뜨렸다. 이 소문을 들은 정탐꾼이 복양성으로 돌아가 여포에게 전했다. 여포는 당장 군마를 점검하여 이끌고 조조의 영채를 향해 출발했다. 어느덧 마릉산에 이르러 조조의 영채를 향해 중간쯤 접어들었을 때 갑자기 북소리가 크게 울리며 사방에서 복병이 일어났다. 죽기로 싸웠으나 여포는 군마를 태반이나 잃고 간신히 복양으로 돌아가 문을 굳게 닫아걸고는 방비를 삼엄하게 하며 다시는 나오려 하지 않았다.

그해에 갑자기 수많은 메뚜기떼가 날아들어 벼농사를 망쳐버리는 바람에 관동 일대의 곡식값이 엄청나게 치솟아 곡식 한 섬에 50관(貫)을 호가하니, 사람이 사람을 잡아먹는 지경에 이르렀다. 군량미가 떨어지자 조조는 하는 수 없이 군사를 거두어 견성으로 돌아갔다. 여포 역시 양식을 구하러 산양으로 가서 군사를 주둔하니, 이로써 양편의 싸움은 일단 중지되었다.

이때 서주에 있던 도겸은 병상에서 신음하고 있었다. 어느덧 그의 나이 63세로, 갑자기 앓아누운 이래 나날이 병이 악화되어 회복할 기미를 보이지 않았다. 그는 미축과 진등을 불러다 후사를 의논했다. 미축이 아뢴다.

"조조의 군대가 물러간 것은 여포가 연주를 습격했기 때문입니다. 지금은 흉년이라 잠시 싸움을 중단했으나, 내년 봄에는 반드시 다시 올 것입니다. 전에 태수께서 두번이나 자리를 물려주시려 했으나 유현덕이 굳이 사양한 것은 그때만 해도 어르신께서 건강하셨기 때문입니다. 그러나 이제 병세가 악화되어 고을을 다스리시기 어려운 터이니, 다시 한번 간곡히 부탁하면 그도 더는 사양하지 못할 것입니다."

미축의 말에 도겸은 기뻐하며 즉시 소패로 사람을 보내서 군무로 상의할 일이 있다고 하고 유현덕을 불러들였다. 현덕은 관우·장비와 더불어 군사 수십기만 거느리고 서둘러 서주로 왔다. 세 사람은 도겸에게 안내되어 문안인사를 올렸다. 도겸이 반기며 말한다.

"현덕공을 청한 것은 다름이 아니라, 간곡히 부탁드릴 일이 있어서요. 이 늙은이는 병세가 위독하여 언제 죽을지 모르니 부디 내 청을 받아들여주시오."

"무슨 일이신지 말씀하십시오."

"전에도 말씀드렸지만, 공께서는 한나라 황실의 종친으로 나라를 위해 이 서주땅을 다스려달라는 것이외다. 그렇게만 해준다면 이 늙은 몸, 지금 죽어도 여한이 없겠소이다."

"어르신께는 자제분이 두 분이나 계시는데, 어찌하여 저에게 이러십니까?"

"물론 큰아들 상(商)과 작은아들 응(應)이 있긴 하나 중임을 맡을 만한 그릇이 못 됩니다. 제가 죽은 뒤에 공께서 잘 가르쳐주시길 바랄 뿐이오. 허나, 결코 고을일은 맡겨서는 안됩니다."

"제 한몸으로 이 막중한 임무를 어찌 감당하겠습니까?"

"내가 공을 보좌할 사람을 천거하리다. 북해 출신으로 손건(孫乾)이란 사람이 있는데, 자는 공우(公祐)라 합니다. 그 사람이라면 능히 공을 보필할 수 있을 겁니다."

도겸은 이제 미축을 돌아보며 당부한다.

"유공은 당세의 인걸이시니 잘 섬기게나."

현덕이 끝내 사양하자, 도겸은 진심임을 표하려는 듯 손을 들어 자기의 가슴을 가리키며 숨을 거두고 말았다. 사람들은 한참을 몹시 슬퍼하다가 곧바로 현덕에게 패인(牌印)을 바쳤다. 그래도 현덕은 한사코 거절하며 받아들이지 않는다.

다음날 서주 백성들이 몰려왔다. 그들은 하나같이 땅에 엎드려 통곡하며 간청한다.

"유사군(劉使君)께서 이 고을을 맡아주시지 않는다면 우리들은 하루도 편안히 살 날이 없을 겝니다."

보다못한 관우와 장비가 거듭 권하자 현덕은 당분간만 서주 일을

三讓徐州 [낙관]

一
유비가 세번째로 서주를 사양하다

맡아보기로 허락했다. 현덕은 손건과 미축을 보좌관으로 삼고 진등을
막관(幕官)으로 삼아 소패에 주둔시킨 군마를 모두 성안으로 옮긴 다
음 방을 붙여서 백성들을 안심시키는 한편, 도겸의 장례를 서둘렀다.
상을 치르는 데 지위 고하를 막론하고 일제히 상복을 갖춰 입도록 했
으며, 성대한 제전을 마련하여 제를 올리고 황하(黃河)의 원류에 장
사지내고서 도겸의 유표(遺表, 신하가 죽을 때 임금에게 올리는 표문)를 조정
에 올렸다.

견성에 주둔하고 있던 조조는 도겸이 이미 죽고, 유비가 서주 목사
가 되었다는 소식을 듣고는 몹시 화를 냈다.

"내 아직 원수를 갚지 못했는데, 유비란 놈이 화살 하나 쏘지 않고
가만히 앉아서 서주를 차지했다고? 내가 기필코 그놈을 먼저 죽이고
도겸의 시체를 갈가리 찢어 내 아버님의 한을 풀어드리고 말리라."

조조는 당장이라도 군사를 일으킬 기세를 보였다. 순욱이 들어와서
간한다.

"일찍이 고조께서 관중(關中)을 보전하고, 광무제(光武帝)께서 하
내(河內)를 확보하신 것은 근본을 중히 여겨 뿌리를 확고히함으로써
천하를 바로잡으려는 뜻에서였습니다. 그 결과 밖으로 나가서는 적을
물리치고, 물러나서는 안을 굳게 지킬 수 있었으며, 한때의 역경을 딛
고 대업을 이루게 되었던 것입니다. 주공께 연주와 하제(河濟)는 군
사적으로 중요한 요새로서, 옛 관중이나 하내와 다름이 없습니다. 만
약 지금 서주를 취하려면 많은 병력이 필요한데, 모든 군사가 동원되
면 이 연주땅은 누가 지킬 것이며, 또한 그 허술한 틈을 타서 여포가
침범한다면 연주를 잃을 것입니다. 그렇다고 많은 군사들을 이곳에

남겨둔다면 서주에서의 싸움에서도 승리하기 어려울 터이니, 만약에 서주마저 얻지 못할 경우 주공께서는 대체 어디로 돌아가실 생각이십니까? 지금 도겸이 죽었다고는 하나, 이미 유비가 서주땅을 지키고 있고, 더구나 그는 서주 백성들에게 깊은 신뢰를 얻고 있는 터라, 무슨 일이 생기면 모든 백성들이 죽기로써 유비를 도와 싸울 것입니다. 그러니 주공께서 연주를 버리고 서주를 취하려 하시는 것은 곧 큰 것을 버리고 작은 것을 얻고자 하는 격이요, 근본을 버리고 실로 하찮은 것에 연연해하는 격이며, 안전함을 위태로움과 바꾸는 격입니다. 부디 깊이 생각하여 결정하십시오."

조조가 침묵 끝에 입을 연다.

"그러나 금년 같은 흉년에 군량도 넉넉지 못한 터에 이렇듯 무작정 앉아 있을 수만은 없는 노릇 아닌가?"

"그렇다면 동쪽으로 진(陳)지방을 공략하여 군사들의 배를 채워주는 것이 상책입니다. 황건적의 잔당인 하의(何儀)와 황소(黃劭) 등이 인근 마을을 약탈하여 여남(汝南)과 영천(潁川) 등지에 금은보화는 물론이고 비단과 양식을 산더미처럼 쌓아두고 있다 하는데, 그깟놈들쯤이야 우리의 적수도 못 됩니다. 놈들을 쳐서 그 양식을 빼앗아 군사를 기른다면, 조정이 기뻐하시고 백성들이 또한 기뻐할 테니, 이야말로 하늘의 뜻에 따르는 일이 아니고 무엇이겠습니까?"

조조는 순욱의 말에 따라, 하후돈과 조인으로 하여금 남아서 견성을 지키게 하고, 자기는 몸소 군사를 이끌고 나가 먼저 진지방을 공략한 후 여남과 영천을 향해 진격해갔다. 하의와 황소는 조조의 군사가 온 것을 알고, 수하의 무리들을 집결시켜 양산(羊山)에서 대치했다. 그들은 수효만 많을 뿐 대오행렬이 없는 오합지졸이었다.

조조는 군사들을 시켜 화살과 돌을 퍼붓게 하는 한편 전위로 하여금 나가 싸우게 했다. 하의도 질세라 부장을 내보내 맞서게 했다. 그러나 싸우기 시작한 지 3합도 못 되어 전위가 휘두르는 철극에 맞아 말 아래로 거꾸러져버린다. 여세를 몰아 조조는 적도들을 닥치는 대로 시살하며 양산 너머에 영채를 세웠다.

이튿날 황소가 군사들을 이끌고 와서 둥그렇게 진을 치더니, 그 가운데서 한 장수가 뚜벅뚜벅 걸어나온다. 머리에 누런 수건을 동여매고 녹색 옷차림을 한 그는 손에 쇠몽둥이를 들고서 큰소리로 외친다.

"나는 절천야차(截天夜叉) 하만(何曼)이다! 어느 놈이 나와 겨뤄볼 테냐?"

조홍이 냅다 소리를 지르며 말에서 뛰어내리더니, 칼을 뽑아들고 앞으로 나선다. 서로 어우러져 4,50합이나 싸웠으나 좀처럼 승부가 나지 않는다. 조홍은 꾀를 내어 달아나는 척하며 타도배감계(拖刀背砍計, 칼을 늘어뜨리고 있다가 갑자기 등을 돌려 적을 치는 계책)를 쓰기로 작정했다. 그러고는 하만이 뒤를 쫓자 가까이 오기를 기다렸다가 돌연 번개같이 몸을 돌리며 펄쩍 뛰어오르는 듯싶더니, 한칼에 하만의 어깻죽지를 후려쳐 쓰러뜨린다. 하만이 어깨를 싸쥐고 비틀대며 몸을 일으키려 하자 다시 한번 목을 내려쳐서 아예 숨통을 끊어놓는다.

기세가 오른 이전이 고함을 지르며 나는 듯이 적진 가운데로 뛰어든다. 그 거센 공격에 황소는 미처 피하지 못하고 그대로 이전의 손에 생포되고 말았다. 사기등등해진 조조의 군사들이 닥치는 대로 적을 참살하여 한바탕 싸움에서 크게 이기니, 도적에게서 빼앗은 재물과 양식이 그 수효를 헤아릴 수 없을 정도였다.

적장 하의는 전세가 불리해지자 남은 무리 수백기만을 거느리고 갈

파(葛陂)를 향해 달아나기 시작한다. 한창 도망하는 중에 느닷없이 산모퉁이에서 한떼의 군사들이 쏟아져나오더니 거구의 장사가 앞을 막아선다. 그는 8척 신장에 허리는 절구통보다도 커 보였으며, 손에 한 자루 대도를 거머쥐고 있다.

하의가 곧 창을 꼬나잡고 대들었으나 싸운 지 단 1합 만에 장사의 손에 사로잡히고 말았다. 이를 지켜보던 나머지 무리들은 감히 싸워볼 엄두도 내지 못하고 사시나무 떨듯 하며 다투어 항복하기에 바빴다. 장사는 그들을 개 몰듯 몰고 가 토성으로 들어가버렸다. 전위가 하의를 쫓아 갈파에 이르니, 이번에도 역시 그 장사가 병사들을 거느리고 앞을 막아선다. 전위가 소리쳐 묻는다.

"이놈, 너도 황건적이냐?"

장사가 대답한다.

"나는 황건적 수백명을 붙잡아 토성 안에 가둬둔 사람이다."

"그래? 그렇다면 그놈들을 당장 내놓아라!"

"내가 들고 있는 이 보검을 빼앗아봐라. 그럼 당장 내어주마."

전위는 화가 치밀어 쌍철극을 휘두르며 달려들었다. 두 장수가 맞붙어 겨루는데, 진시(辰時, 오전 8시)에 시작해 오시(午時, 오후 12시)에 이르기까지 승부가 나지 않는다. 두 장수는 잠시 쉬기로 했다. 얼마 안 있어 장사가 다시 말을 몰아 나오며 큰소리로 외친다.

"그만 나오너라. 이번엔 결판을 내자!"

"그러자!"

한 자루 대도와 두 자루 철극이 다시금 어우러졌다. 어느덧 해가 저물어 황혼녘이 되었으나 여전히 승부는 나지 않고, 사람보다 말들이 지쳐서 더 싸울 수가 없다. 이를 지켜보던 전위의 군사가 나는 듯이 말을 달려 조조에게 가서 정황을 보고했다. 조조는 크게 놀라 서둘러 수하장수들을 거느리고 달려와 싸움을 구경했다.

다음날 날이 밝기가 무섭게 장사가 다시 와서 싸움을 청한다. 조조는 그의 위풍당당한 모습을 보고 은근히 마음에 들어 전위에게 오늘은 거짓으로 패하라 분부했다.

전위는 조조의 명에 따라 30합 가량 싸우다가 못이기는 체하며 진영으로 도망쳐온다. 장사가 뒤를 쫓아 진문 앞까지 왔으나 조조의 군사들이 화살을 빗발치듯 쏘아대자 되돌아갔다. 조조는 급히 군사들로 하여금 5리쯤 물러나게 한 뒤 몰래 함정을 파놓고 갈고리를 든 군사를 매복시켰다.

이튿날 아침 조조는 다시 전위를 시켜 나가 싸우게 했다. 전위가 1백여명의 기병을 거느리고 나가 싸움을 걸자, 장사가 가소롭다는 듯 웃어댄다.

"패해 달아난 놈이 무슨 낯으로 다시 왔느냐?"

전위는 대꾸하지 않고 나아가 몇합 싸우는 척하다가 이내 말머리를 돌린다. 장사는 춤추듯 칼을 휘두르며 달아나는 전위의 뒤를 급히 쫓다가 말을 탄 채로 함정 속에 빠지고 말았다. 매복해 있던 군사들이 장사를 결박하여 조조 앞으로 끌고 왔다. 조조는 얼른 자리에서 내려와 그를 끌고 온 군사들을 꾸짖어 물리치고 친히 결박을 풀어주었다. 또한 옷을 가져오게 하여 새옷으로 갈아입힌 다음 자리에 앉히고 고향과 이름을 물었다. 장사가 대답한다.

"나는 초국(譙國) 초현(譙縣) 사람 허저(許褚)로 자는 중강(仲康)입니다. 지난번 황건적의 난이 일어났을 때 일가친척 수백명을 모아 이곳에다 토성을 쌓고 도적을 막았는데, 어느날 도적떼가 몰려옵디다.

곧 사람들을 시켜 돌을 잔뜩 주워오게 해서, 쳐들어오는 놈들을 내가 한놈 한놈 돌을 날려 쳤습지요. 백발백중의 팔매질에 놈들이 다 물러 갔는데, 며칠 있다 다른 놈들이 또 몰려옵디다그려. 그때 우리는 마침 양식이 떨어졌기로 도적놈들과 화해하고, 소를 쌀과 바꾸기로 했습니다. 이놈들이 쌀섬을 지고 와서 대신 소를 몰고 가는데, 고개를 채 반도 못 내려가서 소들이 모두 길길이 뛰며 우리 쪽으로 도로 돌아오더군요. 그래, 내가 달려나가 양손에 한 마리씩 쇠꼬리를 붙잡고 뒷걸음질을 쳐서 백보 남짓 그들 쪽으로 끌어주었더니, 이 모양을 보고 도적 놈들이 모두 놀라서 소들을 놓아둔 채 그대로 달아나버립디다. 그런일이 있고부터 소문이 돌았는지 그뒤로는 다시 오는 놈이 없어서 지금까지 예서 무사히 지내고 있습니다."

조조가 말한다.

"내 그대의 명성을 들은 지 오래요. 그래, 앞으로 내 밑에서 지내는 게 어떻겠소?"

"진작부터 원하던 바올시다."

이리하여 허저는 그의 일가친척 수백명을 거느리고 조조의 휘하에 들게 되었다. 조조는 허저를 도위(都尉)로 삼고 상을 후하게 내린 다음, 사로잡은 하의와 황소의 목을 베어 여남과 영천땅을 평정했다. 조조가 군사를 거두어 견성으로 돌아오자 조인과 하후돈이 연주 소식을 고한다.

"며칠 전에 정탐꾼이 와서 보고하기를, 요즘 설란(薛蘭)과 이봉(李封)의 군사들이 밖으로 나와 노략질을 일삼고 다니는 바람에 지금 연주성이 텅 비었다고 합니다. 승리를 거둔 여세를 몰아 이를 공격한다면 북소리 한번에 연주성을 되찾을 수 있을 것입니다."

이에 조조는 다시 일어나 곧장 군사를 이끌고 지름길로 연주를 향해 급히 진격했다. 설란과 이봉은 뜻밖의 기습에 당황했으나 곧 남아 있는 군사들을 수습하여 성밖으로 나왔다. 허저가 조조에게 말한다.

"제가 저 두놈을 잡아 공에게 올리는 첫 예물로 삼을까 합니다."

조조는 크게 기뻐하며 나가 싸우게 했다. 허저가 달려나가자 이봉이 창을 휘두르며 덤벼든다. 그러나 채 2합도 싸우기 전에 허저의 칼이 이봉의 머리를 베어 떨어뜨린다. 이를 본 설란은 기겁하여 급히 말머리를 돌리더니 성으로 들어가려 했다. 그러나 어느 틈엔가 이전이 조교 근처에 버티고 서서 그의 돌아갈 길을 끊었다. 성으로 돌아가지 못한 설란은 군사를 이끌고 거야(鉅野)를 향해 달아나려 했다. 그러나 뒤쫓아온 여건(呂虔)의 화살 한 발에 말에서 떨어져 죽고 말았다. 설란의 군사들은 모두 뿔뿔이 흩어져버렸다.

조조가 연주를 되찾으니, 정욱이 다시 군사를 몰아 복양으로 진격할 것을 청했다. 그 말에 조조는 허저와 전위를 선봉에 서게 하고 하후돈과 하후연은 좌군을, 이전과 악진은 우군을 통솔하게 했다. 그리고 자신은 중군을 이끌고 우금과 여건은 후군 삼아 복양을 향해 떠났다. 조조의 군사가 복양에 이르자 여포는 직접 군사를 거느리고 나아가 싸우려 했다. 이에 진궁이 말한다.

"아직 나가시면 안됩니다. 장수들이 다 모인 뒤에 계책을 의논하여 나가시는 게 좋을 듯합니다."

여포는 버럭 화를 낸다.

"내가 뭣이 두려워서 지체한단 말이냐?"

그러고는 진궁의 말을 듣지 않고 그대로 군사를 이끌고 성밖으로 나갔다. 여포는 진을 벌여세운 뒤 창을 비껴들고 조조의 진영을 향해 욕설을 퍼붓는다. 조조 진에서 허저가 뛰어나왔다. 두 장수가 서로 어우러져 20합 가량 싸웠으나 승부가 나질 않는다.

"여포를 혼자 힘으로 당해낸다는 게 쉬운 일이 아니지……"

지켜보던 조조가 나직이 중얼거리고는 즉시 전위를 내보내 싸움을 돕게 했다. 전위와 허저가 여포를 협공하자, 연달아 좌편의 하후돈·하후연과 우편의 이전·악진이 달려나간다. 여섯 맹장이 여포 하나를 둘러싸고 치니, 아무리 대단한 여포라도 견뎌낼 도리가 없다. 여포는 몸을 빼어 성쪽으로 달아나기 시작한다. 그런데 뜻하지 않은 일이 벌어졌다. 성위에서 내려다보고 있던 전(田)씨가 급히 사람을 시켜 다리를 들어올리게 한 것이다. 여포가 다급히 외친다.

"조교를 내려라! 어서 성문을 열어라!"

전씨가 대꾸한다.

"닥쳐라! 나는 이미 조장군께 항복했으니 아예 성에 들어올 생각은 말아라."

사태의 급함을 깨달은 여포는 전씨에게 한바탕 저주를 퍼붓고, 곧장 말머리를 돌려 정도(定陶)땅으로 달아났다. 복양성 안에 있던 진궁도 전씨가 변절한 사실을 알고 허둥지둥 여포 가족들을 보호하여 성을 빠져나갔다. 조조는 마침내 복양을 되찾고, 전씨의 지난날의 허물을 용서했다. 유엽이 권한다.

"여포는 사나운 범과도 같아서 지금 비록 곤경에 처했다 하더라도 언제 다시 기운을 되찾아 덤벼들지 모를 일입니다. 이 기회에 아예 놈을 없애버려야 후환이 없을 것입니다."

옳은 말이었다. 조조는 유엽 등에게 복양을 지키도록 한 뒤, 자기는 다시 군사를 이끌고 여포의 뒤를 쫓아 정도로 향했다. 이때 여포는 장막·장초와 더불어 성안에 틀어박혀 있었다. 고순·장요·장패·후성 등은 바닷가로 양식을 구하러 나가서 아직 돌아오지 않고 있었다.

정도에 도착한 조조는 공격하지 않고 사태를 관망하며 여러 날을 보내다가 무슨 생각에선지 40리 밖으로 물러나 영채를 세웠다. 제군(濟郡) 일대는 마침 보리가 무르익어 수확의 손길을 기다리고 있었다. 조조는 군사를 동원하여 보리를 베어다가 양식을 마련했다.

정탐꾼으로부터 이같은 보고를 받은 여포는 곧 군사를 이끌고 조조의 영채로 쳐들어갔다. 그러나 조조의 영채에 다다라 그 왼편의 울창한 숲을 보고서는 혹시 복병이 있지 않을까 염려하여 그대로 되돌아갔다. 조조는 여포가 군사를 이끌고 왔다가 그냥 돌아가는 것을 보고 즉시 수하장수들을 불러 말한다.

"여포가 그냥 돌아간 것을 보니 저 숲속에 복병이 있을 줄로 짐작한 모양이다. 숲속에 정기(旌旗)를 여러 개 꽂아 실제로 군사를 매복해둔 것처럼 꾸미도록 하라. 그리고 서쪽에 긴 둑이 있는데, 물이 메말라 정예군사를 배치하기에 좋다. 그곳에 숨어 있다가, 내일 여포가 필시 숲에 불을 지르러 올 터이니 때맞춰 그 뒤를 치면 여포를 쉽게 사로잡을 수 있을 게다."

조조는 곧 고수 50명만 영채에 남아 북을 치게 하고, 근처 마을에서 남녀 수백명을 데려다 영채 안에서 함성을 올리도록 지시한 뒤 정예군사들은 모두 제방 뒤에 매복시켜놓았다.

한편 성으로 되돌아간 여포가 진궁에게 자신이 보고 온 바를 얘기하자, 진궁이 충고한다.

"조조는 꾀가 많으니 경솔히 상대했다가는 낭패 보기 십상입니다. 싸우는 것만이 능사가 아니라 계책을 철저히 세워 행동으로 옮기셔야 합니다."

그러자 여포가 큰소리를 친다.

"내가 내일이면 화공을 써서 복병놈들을 모조리 죽여없앨 테니 두고 보아라."

이튿날 여포는 진궁과 고순으로 하여금 성을 지키게 하고, 자신은 다시 군사를 거느리고 성문을 나섰다. 멀리 수풀 한복판에 무수한 깃발들이 바람에 나부끼고 있는 게 눈에 들어온다.

'역시 짐작대로군.'

여포는 자기 생각이 틀림없다고 믿고 군사를 몰아 숲 주변에 불을 질렀다. 불길은 순식간에 번지며 무섭게 타들어간다. 그러나 금방이라도 군사들이 뛰쳐나올 것 같던 숲속에선 아무런 반응도 없다. 여포는 조조의 영채로 말머리를 돌렸다. 그가 군사들을 지휘하여 영채로 막 뛰어들려는데, 갑자기 안에서 천지가 진동하는 듯한 요란한 북소리가 울리기 시작한다. 여포는 깜짝 놀라 주춤 멈춰섰다. 뭔가 의심스러운 생각에 주저하는데, 느닷없이 영채 뒤에서 한떼의 군사가 몰려나온다. 여포는 얼른 그들을 향해 말머리를 돌렸다. 그순간, 이번에는 '쾅!' 하는 포소리와 함께 제방 뒤에 매복해 있던 군사들이 일제히 고함을 지르며 물밀듯 쏟아져나온다.

하후돈·하후연·허저·전위·이전·악진 등이 일시에 사방에서 공격하자, 여섯 장수들의 기세에 눌린 여포는 감히 싸워볼 생각도 못하고 재빨리 군사를 거두어 달아난다. 여포는 이 싸움에서 수하장수 성렴(成廉)이 악진의 화살에 맞아 죽었으며, 군사를 3분의 2 가량 잃었다. 군사 하나가 먼저 달아나 진궁에게 싸움의 결과를 보고했다. 진궁이 말한다.

"군사도 없는 빈 성을 지키기는 어렵다. 빨리 피하는 게 낫겠다."

진궁은 고순과 함께 여포의 일가족을 데리고 정도성을 빠져나왔다. 조조가 승리를 거둔 여세를 몰아 성안으로 쳐들어가니, 그 기세는 하늘을 찌를 듯했다. 미처 도망치지 못한 장초는 불 속에 뛰어들어 스스로 목숨을 끊었고, 장막은 용케 성을 빠져나가 원술에게로 갔다. 이리하여 산동 일대는 모두 조조의 차지가 되었다. 조조가 백성들을 안심시키고 성곽을 보수한 이야기는 더 말할 것이 없다.

한편 도망치던 여포는 중도에서 휘하의 여러 장수들과 만났고, 진궁도 여포를 찾아왔다.

"우리가 비록 패하여 많은 군사를 잃었지만, 마음만 먹으면 조조쯤이야 얼마든지 이길 수 있다!"

여포는 여전히 큰소리치며 다시 정도성으로 진격해 조조를 치려 한다.

싸움에서 이기고 지는 일 병가의 상사라	兵家勝敗眞常事
권토중래 또한 누가 알 수 있으랴	捲甲重來未可知

과연 여포와 조조의 승부는 어찌 날 것인가?

13

이각과 곽사의 난

이각과 곽사는 큰 싸움을 일으키고
양봉과 동승은 함께 황제를 구하다

정도에서도 조조에게 크게 패한 여포는 곧장 바닷가로 달아나, 그 곳에서 흩어진 군마를 정돈하고 여러 장수들을 모아 다시 조조를 칠 대책을 세웠다. 진궁이 나서서 간한다.

"지금 조조의 형세가 워낙 커서 대적하기가 어려우니, 우선 몸둘 곳을 찾은 연후에 쳐도 늦지 않을 것입니다."

"다시 원소에게로 가서 잠시 의탁할까 하는데, 어찌 생각하오?"

"먼저 기주로 사람을 보내 그쪽 소식을 알아본 뒤에 움직이는 것이 좋을 성싶습니다."

여포는 진궁의 의견에 따르기로 한다.

이무렵 원소는 기주에 있으면서 조조와 여포가 한창 싸우고 있다는 소식을 듣고 있었다. 모사 심배(審配)가 말한다.

"여포는 이리나 범 같은 자라. 그가 만약 연주를 얻게 되면 우리 기주를 도모하려 들 게 뻔합니다. 그러니 차라리 조조를 도와 애시당초 근심거리를 없애는 것이 옳을 줄로 압니다."

그 말에 따라 원소는 안량(顔良)에게 군사 5만을 주어 조조를 도우러 가게 했다. 이 소식을 탐지한 정탐꾼이 급히 달려가 알리자, 여포는 몹시 놀라 진궁을 불러 의논했다. 진궁이 말한다.

"듣자하니 근자에 유현덕이 서주를 맡아 다스리게 되었다는데, 그에게 가보는 것이 어떨지요."

여포는 그 말에 따라 군사를 거느리고 서주로 향했다. 이 소식을 전해들은 현덕이 휘하 장수들을 불러놓고 말한다.

"여포는 당대의 뛰어난 용장이니 나가서 맞아들이는 것이 도리일 듯싶소."

미축이 반대한다.

"그렇지 않습니다. 호랑이 같은 여포를 받아들였다가는 반드시 큰 해를 입게 될 것입니다."

"지난날 여포가 연주를 습격하지 않았으면 조조는 끝끝내 이 서주를 손아귀에 넣고야 말았을 거요. 위급한 상황에서 덕을 보았는데, 어찌 곤경에 빠진 그를 모른 척 외면할 수 있겠소? 그도 생각이 있는 사람이니 딴마음은 먹지 않을 테지."

장비가 불쑥 말참견을 한다.

"형님은 마음이 너무 너그러운 게 탈이우. 어쨌거나 대비책은 있어야 하우."

현덕은 마침내 무리를 거느리고 30리 밖으로 나가 여포 일행을 영접하여 여포와 함께 말머리를 나란히하고 성으로 돌아왔다. 그러고는 서로 예를 갖추어 인사를 나눈 뒤 마주앉았다. 여포가 말한다.

"이몸이 왕사도와 함께 계교를 써서 동탁을 죽인 뒤 이각과 곽사의 변을 만나 몸붙일 곳 없이 관동 일대를 떠돌아다녔건만, 제후들 가운데 누구 한 사람도 받아주는 이가 없었소이다. 그러던 중에, 얼마 전 포악하기 짝이 없는 조조가 이곳 서주땅을 침범했을 때 공께서는 군사를 일으켜 도겸을 구하셨지요. 그때 나는 연주를 습격해 조조의 세력을 분산시키려 한 것이 도리어 그의 간계에 넘어가 패장이 되어 이렇듯 공을 찾아오기에 이르렀소이다. 이제 공께 의탁하여 함께 대사를 도모하려 하는데, 공의 뜻은 어떠하신지요?"

현덕이 말한다.

"도사군께서 세상을 떠나신 후 마땅히 서주를 다스릴 사람이 없어 제가 잠시 고을일을 맡아보던 터에, 마침 장군께서 오셨으니 저는 이제 물러나야겠습니다. 이제부터는 장군께서 서주땅을 맡아 다스려주시오."

현덕은 당장 패인(牌印)을 내어다 여포에게 주려 했다. 여포는 너무도 기뻤다. 망설임도 없이 손을 내밀어 덥석 받으려다가 불에 데인 듯 멈칫한다. 현덕의 뒤에서 노기등등하여 자기를 노려보고 있는 관우·장비와 눈이 마주쳤던 것이다. 여포는 내밀었던 손을 내저으며 어색하게 웃어 보인다.

"이 사람은 한낱 무관에 지나지 않거늘, 어찌 서주 목사 일을 감당할 수 있겠소이까?"

유비가 내주는 서주의 패인을 여포가 마지못해 사양하다

그래도 현덕이 거듭 권하자 진궁이 나선다.

"아무리 강해도 의탁하는 자는 주인행세를 할 수 없다는 말이 있습니다. 그러니 공께서도 공연한 의심은 거두십시오."

진궁의 말에 현덕은 더이상 권하지 않고 잔치를 베풀어 후하게 대접한 후, 따로 숙소를 정해 편히 쉬도록 해주었다.

다음날은 여포가 자기 숙소에서 답례의 뜻으로 술상을 마련하여 현덕을 청했다. 현덕은 관우·장비와 더불어 즐거운 마음으로 술자리에 참석했다. 술이 웬만큼 돌았을 때, 여포는 현덕에게 후당으로 갈 것을 청한다. 현덕이 관우·장비와 함께 후당으로 들어서자, 여포는 젊은 아내를 불러 인사를 시키려 했다. 현덕이 극구 사양하자 여포가 취한 척하며 말한다.

"아우님께서 그렇게까지 사양할 건 없지 않소?"

그 말이 떨어지자마자 곁에 있던 장비가 고리눈을 부릅뜨고 버럭 소리친다.

"네 이놈! 우리 형님이 어떤 분이신데 네깐놈이 감히 아우라 하느냐? 우리 형님으로 말하자면 황실의 후예로 더없이 귀한 분이시다. 당장 밖으로 나오너라. 내 너와 3백합이라도 겨루겠다!"

현덕이 깜짝 놀라 꾸짖었다. 곁에 있던 관우가 얼른 나서서 장비를 밖으로 끌어냈다. 현덕이 여포에게 사과한다.

"미련한 아우가 취중에 헛소리를 한 것이니, 형께선 너무 노여워 마시오."

여포는 입을 다물고 한동안 말이 없었다. 잠시 후 자리가 파하자 여포는 현덕을 전송하기 위해 밖으로 나왔다. 이때였다. 갑자기 말발굽 소리가 요란하더니 장비가 장팔사모를 꼬나잡고 말을 몰아 들어오며 벽력같이 소리친다.

"여포는 앞으로 나서라! 내 너와 3백합을 겨루겠다!"

현덕이 급히 관우를 시켜 말리게 했다.

이튿날 여포가 현덕을 찾아와 하직을 고한다.

"공께서는 저를 거두어주셨으나 아우님들이 용납하려 않으니, 달리 머물 곳을 찾아 떠나는 게 좋을 것 같소이다."

현덕이 말한다.

"장군이 이렇게 떠나신다면 그건 순전히 이 사람 잘못입니다. 용렬한 아우의 무례한 행동을 용서하십시오. 동생에게도 훗날 기회를 보아 반드시 사과드리도록 이르겠습니다. 그보다 여기서 가까운 곳에 소패라는 고을이 있는데, 제가 일찍이 군사를 주둔시켜 머물던 곳입니다. 협소한 곳이지만, 장군께서는 불쾌하게 생각지 마시고 잠시 그곳에 가서 지내시면 어떠실지요? 양식과 군수품은 제가 대드리도록 하겠습니다."

여포는 현덕에게 깊이 감사를 표했다. 그러고는 그 길로 군사를 거느리고 소패로 갔다. 여포가 떠난 뒤 현덕이 직접 장비를 찾아 심하게 꾸짖은 것은 말할 필요도 없다.

한편 조조는 산동지방을 평정하고 나서 조정에 표문을 올려 이 사실을 알렸다. 조정에서는 조조에게 건덕장군(建德將軍) 비정후(費亭侯)의 벼슬을 내렸다. 이즈음 이각은 스스로 대사마(大司馬)가 되고, 곽사는 스스로 대장군이 되어 거리낌 없이 횡포를 부리고 있었다. 그러나 조정에서는 누구 하나 감히 무어라 말하는 사람이 없었다. 그런 중에 태위 양표와 대사농 주준이 헌제에게 은밀히 아뢴다.

"이제 조조 휘하에는 군사가 20만이며, 수십명의 모사와 장수들이 있습니다. 폐하께서 그를 얻으실 수만 있다면 사직을 보전할 수 있음은 물론이요, 간악한 무리들을 제거하여 천하를 안정시킬 수 있을 것입니다."

헌제는 눈물을 글썽인다.

"짐이 두 역도들에게 얼마나 오랫동안 말 못할 수모를 당했는지 모르오. 그자들의 목을 벨 수만 있다면 더 바랄 것이 없겠소."

양표가 아뢴다.

"신에게 한가지 계책이 있습니다. 먼저 두놈을 이간시켜 싸움을 붙일 테니, 폐하께서는 조조에게 조칙을 내려 적도들을 소탕하게 하여 조정을 편안케 하소서."

"그 계책이란 무엇인가?"

"신이 듣자오니, 곽사의 계집이 유달리 투기가 심하다 하옵니다. 그 계집에게 사람을 보내 반간계(反間計, 두 사람 사이를 멀어지게 하는 이간 책)를 쓰면, 두 도적은 서로 죽이지 못해 안달이 날 것입니다."

헌제는 곧 밀조를 써서 양표에게 주었다. 퇴궐하여 집으로 돌아온 양표는 즉시 자기 아내를 은밀하게 곽사의 집으로 보냈다. 뭔가 용무가 있는 것처럼 꾸며 곽사의 아내를 만난 양표 부인은 이런저런 이야기 끝에 넌지시 말했다.

"듣자니 곽장군께서 이사마의 부인과 은근히 가깝게 지내신다고 하던데, 부인께서도 그 소문을 들으셨는지요? 만약 이 일을 사마께서 아시게 되면 장군님 신상에 큰 변고라도 생길까 염려되어 드리는 말씀입니다. 부인께서는 모쪼록 유념하셔서 두 분의 왕래를 끊도록 하시는 게 좋을 것 같습니다."

곽사 부인의 안색이 금세 어두워진다.

"어쩐지 요즘 들어 외박이 잦기에 수상쩍다 했지만, 그런 염치없는 짓을 저지르고 다닐 줄은 정말 몰랐어요. 부인께서 귀띔해주시지 않았다면 감쪽같이 속고 지낼 뻔했군요. 얘기해줘서 고마워요. 내 기필코 방비를 해야지요."

양표 부인이 하직을 고하자, 곽사 부인은 몇번이고 사례하며 믿어 의심치 않았다. 며칠 뒤 곽사가 이각의 초청을 받고 연회에 참석하기 위해 외출을 서두르자, 곽사 부인이 앞을 막아선다.

"내 들으니 이사마는 성미가 좋지 않은 사람 같아요. 더구나 두 영웅이 한자리에 설 수는 없는 법이라는데, 만약에 그 사람이 음식에다 독이라도 타먹이면 내 신세는 어찌 되겠어요?"

곽사는 아내를 나무라며 그대로 나가려 했다. 그러나 아내가 한사코 말리며 비켜서려 하지 않아 그는 결국 외출을 포기했다. 그날 저녁 이각은 사람을 시켜 곽사의 집으로 술과 안주를 보내왔다. 곽사 부인은 그 음식에다 남 모르게 독약을 넣어 곽사 앞에 내놓았다. 곽사가 젓가락을 들어 맛보려 하자 그녀는 급히 손을 들어 만류한다.

"밖에서 들어온 음식을 어떻게 함부로 드시려 하세요?"

곽사 부인은 고기 한점을 집어 개에게 던져주었다. 덥석 음식을 받아먹은 개는 그 자리에서 모로 쓰러져 죽어버렸다. 이때부터 곽사의 마음에는 자연히 이각에 대한 불신감이 자리잡기 시작했다.

며칠 후, 조정에서 회의를 마치고 나오는데 이각이 굳이 곽사를 자기 집으로 청했다. 하는 수 없이 이각의 집에 끌려간 곽사는 늦게까지 술을 마신 후 만취해서 돌아왔다. 그런데 어찌 된 일인지 집에 돌아오기가 무섭게 복통을 일으킨 그는 배를 싸쥐었다.

"그것 보세요. 음식에다 독을 탄 게 틀림없어요."

곽사 부인은 즉시 똥물을 퍼오게 하여 남편에게 먹였다. 먹은 음식을 모조리 토하고 나서야 속이 가라앉은 곽사는 격분하여 씩씩댔다.

"내가 제놈과 함께 대사를 도모한 사이인데, 이제 와서 까닭없이 나를 해치려 하다니 이럴 수가 있나! 이렇게 당하고 있을 수만은 없지. 내가 먼저 손을 써서 놈을 죽여버리고 말 테다."

곽사는 즉시 군사들을 정비하여 이각을 칠 준비를 했다. 그러나 누군가에게서 이러한 뜻밖의 소식을 전해들은 이각은 노기가 충천했다.

"곽사란 놈이 내게 이럴 수가 있단 말이냐!"

이각 역시 군사를 거느리고 곽사를 치러 나서니, 두 장수가 거느린 군사가 수만명에 이르렀다. 그들은 장안성 밖에서 혼전을 벌이는 한편 백성들을 상대로 노략질을 일삼았다.

이각의 조카 이섬(李暹)은 군사를 거느리고 궁궐을 포위한 뒤, 수레 둘을 마련해 황제와 복황후를 각각 태우고 가후(賈詡)와 좌령(左靈)에게 감시, 호송케 했다. 나머지 환관과 궁녀들은 그 뒤를 따라 궐문을 나서다가 달려드는 곽사의 군사와 맞닥뜨려 어지러이 날아드는 화살에 수도 없이 목숨을 잃었다.

양편이 한창 혈전을 벌이는데, 이각이 군사를 이끌고 달려와 곽사의 배후를 공격했다. 곽사는 그제야 군사를 거두어 물러갔다. 곽사가 후퇴하자 이각은 황제와 복황후가 탄 수레를 협박하여 위험을 무릅쓰고 성밖으로 내몬 후 일언반구도 없이 자신의 진영으로 데리고 갔다.

이각의 군사가 한차례 휩쓸고 지나가자, 곽사는 군사들을 몰고 성안으로 들어가 남은 비빈과 궁녀들을 사로잡아 모조리 자기 진영으로 압송한 뒤 궁궐에 불을 질렀다. 다음날, 곽사는 이각이 황제를 납치해 간 사실을 뒤늦게 알고 다시 군사를 이끌고 이각의 진영으로 쳐들어갔다. 이각 또한 군사를 몰고 나가 싸우니, 황제와 복황후는 가슴이 떨리고 마음이 진정되지 않아 목숨을 부지하고 있는 것이 오히려 지옥이었다. 후세 사람이 이 광경을 연상하여 탄식한 시가 있다.

광무의 중흥으로 한실을 다시 일으켜	光武中興興漢世
앞뒤로 계승하여 12대에 이르렀더니	上下相承十二帝
환제와 영제 무도하여 나라가 기울고	桓靈無道宗社墮
환관이 권세를 부려 말세가 되었도다	閹臣擅權爲叔季
어리석은 하진이 어쩌다가 삼공 되어	無謀何進作三公
쥐새끼무리 없애고자 간웅을 불러들였던가?	欲除社鼠招奸雄
승냥이 몰아냈으나 범과 이리가 든 격	豺獺雖驅虎狼入
서량땅의 역적놈 음흉한 마음 품으니	西州逆竪生淫凶
왕윤의 충정심 한 여인에게 계책을 붙여	王允赤心托紅粉
동탁과 여포를 이간하여 원수로 만들어서	致令董呂成矛盾
역적 괴수 죽여 세상이 태평할 줄 알았으나	渠魁殄滅天下寧
이각 곽사 분을 품을 줄 뉘 알았으리	誰知李郭心懷憤
가시밭길 같은 황제의 운명 어찌할꼬	神州荊棘爭奈何
육궁*이 모두 굶주려 시름겨워 하누나	六宮饑饉愁干戈
인심이 흩어지니 천명도 다하여서	人心旣離天命去
영웅들은 천하를 나누어 차지하기 바빴네	英雄割據分山河
후대의 제왕들이여, 이 일을 거울삼아	後王規此存兢業
나라의 강토 잃지 않도록 조심하라	莫把金甌等閒缺
무고한 생령들 목숨 잃어 오장육부 뿌려지고	生靈糜爛肝腦塗
물과 산은 아직도 온통 원혈에 젖어 있어	剩水殘山多怨血

옛 역사 펼쳐봄에 슬픔을 못 이기겠다   我觀遺史不勝悲

고금의 망국유적만 아득하여라   今古茫茫嘆黍離

임금 된 자 마땅히 근본을 굳게 지켜야 하리니   人君當守苞桑戒

누가 태아 명검을 잡아 나라 기강 세울 건가?   太阿誰執全綱維

* 황후와 후궁

이각의 진영으로 쳐들어간 곽사는 전세가 불리해지자 잠시 물러났다. 이 틈을 타서 이각은 황제와 복황후를 수레에 태워 미오로 옮긴 뒤 조카 이섬을 시켜 지키게 했다. 이섬은 사람들의 출입을 철저히 통제하며 음식조차 제대로 공급해주지 않아, 임금을 모시는 신하들은 모두 굶주림에 지쳐 운신도 못할 지경이 되었다. 보다못한 황제는 이각에게 쌀 다섯 섬과 소뼈 다섯 마리분을 신하들에게 나누어줄 것을 청했다. 이 말을 전해들은 이각은 소리를 버럭 지른다

"아침저녁으로 밥을 올리는데 그만하면 족하지, 무얼 또 달란 말이냐?"

심사가 뒤틀린 그는 마지못해 상한 고기와 썩은 쌀을 주어 보냈다. 그나마 아쉬운 대로 음식을 해서 먹으려 했으나 악취가 너무 심해 도저히 입을 댈 수가 없다. 헌제는 더이상 참을 수가 없어 분을 터뜨렸다.

"아무리 역적놈이라지만 이럴 수가 있는가!"

시중 양표가 급히 아뢴다.

"이각은 워낙 성질이 잔인하고 포악한 자이니, 어찌하겠습니까? 엎드려 비옵건대 폐하께오서 참으셔서 그의 예봉을 피하소서."

헌제는 고개를 푹 떨군 채 말없이 눈물만 흘렸다. 떨어지는 눈물이

용포 소매를 적시는 것을 보고 신하들도 저마다 울음을 삼키는데, 사람 하나가 급히 들어오며 보고한다.

"지금 한 떼의 군마가 폐하를 구하러 오고 있다는 소식이옵니다. 멀리서도 창검이 빛나고 징소리와 북소리가 천지를 진동합니다."

순간 헌제의 얼굴에 기쁜 기색이 떠올랐다.

"날 구하러 온다고? 그게 누구인지 당장 알아보고 오너라."

잠시 후 정황을 알아보고 들어온 시종이 맥풀린 소리로 말한다.

"곽사라 하옵니다……."

헌제는 더욱 낙담하지 않을 수 없었다. 이때 성밖에서 함성이 크게 들려왔다. 이각이 군사를 거느리고 곽사를 맞아 싸우러 나가는 참이었다. 이각이 채찍을 들어 곽사를 가리키며 크게 꾸짖는다.

"내 너를 박대하지 않았는데, 어찌하여 나를 해치려 하느냐?"

곽사도 지지 않고 대꾸한다.

"이 역적놈아, 너 같은 반역자를 어찌 살려두란 말이냐?"

"네놈이 알다시피 나는 황제를 보호하고 있는 몸이다. 그런 날보고 역적이라니, 말이 될 소리냐?"

"황제를 납치해 감금하고서 보호라니, 네놈이야말로 말이 되는 소리를 해라."

"닥쳐라! 여러 말 할 것 없이 결판을 내자. 우리 단 둘이 겨루어 이기는 자가 황제를 모시기로 하자."

두 사람은 그 자리에서 10합을 겨뤘으나 승부가 나지 않는다. 싸움이 한창 절정에 달할 무렵 양표가 급히 말을 달려나오며 외친다.

"두 분 장군은 잠깐 싸움을 멈추시오. 내가 대신들과 상의하여 두 분을 화해시키고자 이렇게 달려왔소."

이리하여 이각과 곽사는 일단 싸움을 중단하고 각자 진영으로 돌아갔다. 양표는 곧 대사농 주준과 더불어 조정 관원 60여명을 모아 먼저 곽사의 진영으로 가서 화해를 권했다. 그러나 곽사는 그들의 말을 들으려 하지 않을 뿐더러 모두 잡아가두려 한다.

"너무하시오. 우리는 두 분 장군을 화해시키려는 것뿐 다른 뜻이 있어 온 게 아닌데 어찌 이렇게 대접할 수 있단 말이오?"

대신들이 일제히 항의하자 곽사가 대꾸한다.

"이각은 황제도 감금하는 판인데, 내가 공들쯤 잡아가둔들 무어 그리 대수겠소?"

양표가 말한다.

"한 사람은 황제를 감금하고 또 한 사람은 우리 대신들을 감금하니, 도대체 어쩌자는 것이오?"

곽사가 발끈하여 당장 쳐죽일 듯 허리에 찬 칼을 뽑아들었다. 곁에 있던 중랑장(中郎將) 양밀(楊密)이 얼른 막아서며 만류한다.

"참으시오. 이각을 제거하지 못하고 조정의 원로부터 죽이는 것은 현명한 처사가 아니외다."

듣고 보니 딴은 옳은 말이었다. 곽사는 칼을 도로 칼집에 꽂고 선심이라도 쓰듯이 양표와 주준을 놓아보냈다. 그러나 나머지 대신들은 모두 진영 안에 가두어버렸다. 밖으로 나오자 양표가 주준에게 말한다.

"한나라의 신하 된 몸으로 임금을 구해 나라를 편안히할 수 없다면 목숨을 부지한들 무슨 낯으로 하늘을 볼 수 있겠소?"

두 사람은 부둥켜안고 통곡하다가 땅바닥에 쓰러져 혼절했다. 간신히 깨어나 집으로 돌아간 주준은 결국 몸져 눕더니 며칠 안 가 세상을 뜨고 말았다. 이각과 곽사는 그뒤로도 50여일을 계속하여 싸웠는데, 이때 죽은 자가 수를 헤아릴 수 없이 많았다.

평소에 이각은 해괴하고 요사스런 술법을 좋아했는데, 진중에 항상 무녀를 불러들여 북을 울리며 내림굿을 한다고 야단법석을 피우곤 했다. 모사 가후가 여러 차례 중지할 것을 간했으나 이각은 좀처럼 들으려 하지 않았다. 어느날 시중 양기(楊琦)가 헌제에게 가만히 아뢴다.

"신이 보기에 가후가 비록 이각의 심복이기는 하나 그래도 폐하에 대한 충성심이 아직 남아 있는 듯하더이다. 그러니 폐하께서 가후를 불러다가 대책을 의논하시면 어떨는지요?"

이렇게 말하는데, 마침 가후가 약속이라도 한 듯 불쑥 들어섰다. 헌제는 좌우를 물리치고 울면서 가후에게 말한다.

"경이 한나라 황실의 처지를 가엾게 여겨 짐의 목숨을 구해줄 수 있겠는가?"

가후가 엎드려 절하며 아뢴다.

"그것이야말로 신이 원하는 바이옵니다. 폐하께서는 아무 말씀 마시고 신에게 맡겨만 주십시오."

"짐은 경만 믿겠소."

헌제는 눈물을 거두고 감사의 뜻을 표했다. 가후가 물러가고 잠시 후에 이각이 나타났다. 칼을 찬 채로 거침없이 들어서는 그를 보고 헌제의 얼굴은 이내 흙빛이 되었다. 이각이 거만스레 말한다.

"곽사란 자가 반역의 뜻을 품어 공경(公卿)들을 감금하고 폐하까지 납치하려 하니, 신이 아니었으면 폐하는 벌써 놈의 손에 붙들려 포로 신세가 되었을 거요."

헌제가 손을 마주 모아 보이며 사례하자 이각은 비로소 물러갔다. 그러자 이번에는 황보력(黃甫酈)이 들어섰다. 헌제는 그가 말주변이 뛰어나고, 무엇보다도 이각과 동향사람이란 점을 생각하여 이각과 곽사를 화해시킬 것을 간곡히 당부했다. 헌제의 명을 받들어 곽사의 영채를 찾은 황보력은 어떻게든 곽사를 설득해보려고 애를 썼다.

"이각이 황제를 내놓는다면, 나도 대신들을 놓아주겠다."

곽사의 말에 황보력은 다시 이각을 찾아갔다.

"황제께오서 이몸이 공과 동향인 서량사람임을 아시고 나에게 두 분의 화해를 당부하시기로 이렇게 왔소이다. 곽공은 명을 받들어 황제의 뜻에 따르기로 하셨는데, 공께서는 어쩌시렵니까?"

"나로 말하면 여포를 쳐서 물리친 크나큰 공로가 있고, 또한 황제를 보필하여 정사에 관여해온 지난 4년 동안 많은 공훈을 쌓았음은 온 천하가 다 아는 일이오. 그런데 일개 말도적에 지나지 않던 곽사라는 놈이 감히 대신들을 감금하여 나와 겨루려고 하니, 어찌 눈 뜨고 봐줄 수가 있겠소? 내 맹세코 그놈을 죽이고야 말 테니 두고 보시오. 알다시피 내 휘하에는 뛰어난 지략을 가진 장수들과 군사들이 있소. 그만하면 곽사 따위야 거뜬히 이기고도 남을 텐데 무엇 때문에 화해를 한단 말이오?"

"그렇지 않소이다. 옛날에 유궁국(有窮國)의 후예(后羿)는 자신의 활 쏘는 재주만 믿고 뒷일은 생각지 않다가 마침내 멸망했소.(고대 하夏나라 때 유궁국의 왕 후예가 자신의 능력만 믿고 정사를 돌보지 않다가 신하에게 죽임을 당한 고사) 또한 가까운 예로 동태사의 경우를 보면, 공도 잘 알다시피 그가 얼마나 막강한 힘을 가지고 있었습니까? 그러나 양자 여포가 은혜를 원수로 갚는 바람에 머리가 잘려 국문(國門)에 내걸리는 신세가 되었소. 그러니 힘이 강한 것이 능사도 아니며 믿을 것도 못 되지요. 공은 상장(上將)의 몸으로 모든 권세를 한손에 쥐셨고, 아울러 자손과 일가친척이 모두 높은 벼슬에 올라 있으니 국은(國恩)이 두텁다 하지 않을 수 없소. 그런데 지금 곽사는 대신들을 감금하고 장군은 황제를 감금하고 있으니, 과연 누가 누구를 나무랄 수 있겠소이까?"

이각은 화가 나서 칼을 빼들며 꾸짖는다.

"황제가 너를 보내면서 나를 욕하라 시키더냐? 당장에 네놈부터 목을 베어 본때를 보여줘야겠구나!"

기도위(騎都尉) 양봉(楊奉)이 얼른 끼여들며 간한다.

"곽사를 제거하지 못한 채 황제의 사신부터 죽이면 이는 곽사에게 군사를 일으킬 명분을 제공하는 셈이며, 또한 모든 제후들이 그를 돕도록 만드는 결과를 초래할 것입니다."

가후 또한 애써 말리자, 이각의 노기가 다소 누그러졌다. 가후는 이각의 마음이 바뀌기 전에 얼른 황보력을 밖으로 밀어냈다. 밖으로 나온 황보력이 소리높여 외친다.

"이각이 조칙을 받들려 하지 않는 것은 황제를 죽이고 스스로 황제가 되려는 속셈이로구나!"

시중 호막(胡邈)이 깜짝 놀라 나서서 막는다.

"말 조심하시오. 무슨 일을 당하려고 이러십니까?"

황보력은 호막을 꾸짖는다.

"호막아, 너 또한 조정의 신하로서 어찌하여 역도들의 하수인 노릇을 하느냐? 임금이 욕을 당하는 마당에 신하 된 몸으로 어찌 살기를 바라겠는가. 더러운 목숨을 부지하느니 차라리 이각의 손에 죽는 편이 낫겠다."

이 말을 전해들은 황제는 급히 영을 내려 황보력을 서량으로 돌려보냈다. 원래 이각의 군사들은 태반이 서량사람들로, 게다가 강병(羌兵, 오랑캐족 군사)의 도움을 받고 있었다. 황보력은 서량으로 돌아가 그곳 사람들에게 말했다.

"이각은 반역자다. 그를 따르는 자 또한 역적으로 몰려 큰 해를 입을 것이니, 신중히 생각하여 행동하라."

황보력의 말은 서량사람들 사이에서 널리 퍼졌다. 군사들의 마음이 흔들리기 시작했다. 이각은 이 소문을 듣고 크게 노하여 호분(虎賁)직에 있는 왕창(王昌)을 시켜 당장 황보력을 잡아오게 했다. 왕창은 평소 황보력의 충성심을 누구보다 잘 알고 있던 터라, 쫓아가지도 않고서 황보력이 어디로 달아났는지 아무리 찾아도 없더라며 거짓 보고를 했다. 가후는 가후대로 이각 군중의 강병들을 충동질했다.

"황제께서는 일찍이 너희들의 충의와 노고를 아시고, 너희를 고향으로 돌려보내라는 밀조를 내리셨다. 명을 받들어 귀환하면 후에 큰 상이 있으리라."

그렇지 않아도 이각이 싸움만 시키고 상이나 벼슬을 전혀 내리지 않는 데 불만을 품고 있던 강병들은 일제히 병기를 챙겨 떠나버렸다. 가후는 다시 헌제에게 은밀히 아뢰었다.

"이각은 본래 욕심만 많지 꾀가 없는 사람으로, 뜻밖에도 군사들이 뿔뿔이 흩어지자 몹시 불안해하고 있습니다. 이런 때에 높은 벼슬을 미끼삼아 그를 안심시켜두면 여러모로 도움이 될 것입니다."

헌제는 당장 조칙을 내려 이각을 대사마로 봉했다.

"이것은 무당들이 내림굿을 하여 빌어준 덕이다."

이각은 이렇게 말하며 무녀들에게 후한 상을 내렸다. 그러나 군사들에게는 아무런 상도 내리지 않았다. 기도위 양봉이 화가 나서 송과(宋果)에게 말한다.

"우리가 화살과 돌이 빗발치는 사지에서 죽음을 무릅쓰고 싸웠거늘, 그 공이 무녀만도 못하단 말이오?"

송과도 맞장구친다.

"그러게 말이오. 이럴 바에는 차라리 그 역적놈을 잡아죽이고 황제를 구하는 게 어떻겠소?"

"좋소. 그럼 이렇게 합시다. 오늘밤 그대가 영채에 불을 지르면, 나는 밖에서 군사를 거느리고 기다렸다가 불길이 치솟는 즉시 들이치는 거요."

두 사람이 이렇듯 약속을 정하고 2경(밤 10시)이 되기만을 기다리는데, 뜻밖에도 누군가가 엿듣는 바람에 이 사실은 곧 이각에게 알려지고 말았다. 몹시 화가 난 이각은 당장 송과를 잡아다 목을 베어버렸다. 그런 줄도 모르고 양봉은 군사를 거느리고 밖에서 신호가 있기를 기다렸다. 웬일인지 2경이 지나도록 안쪽에서는 아무런 기척이 없다. 그런데 갑자기 징과 북소리가 크게 울리며 이각이 직접 군사를 거느리고 짓쳐나오는 게 아닌가. 양봉은 결국 4경(새벽 2시)까지 한바탕 혼전을 벌인 끝에 크게 패하여 군사를 이끌고 서안(西安)으로 가버렸다.

이때부터 이각의 군세는 점점 약해졌고, 게다가 걸핏하면 곽사의 공격을 받아 죽어나가는 군사의 수도 점점 늘어났다. 이각이 이래저래 심란해 있는데 사람 하나가 달려와 보고한다.

"장제(張濟)가 대군을 이끌고 섬서지방에서 이리로 오는 중입니다. 두 장군을 화해시키러 오는 것이라는데, 만약 자기 말에 따르지 않을 경우 어느 쪽이든 가만두지 않겠답니다."

이각은 먼저 장제의 마음을 사기 위해 군중으로 사람을 보냈다. 그가 곽사와의 화해안을 받아들일 용의가 있음을 전하자, 곽사 쪽에서도 이를 받아들이지 않을 수 없었다. 장제가 표문을 올려 홍농(弘農)으로 옮길 것을 청하니, 헌제는 매우 기뻐한다.

"짐이 그토록 동도(東都, 낙양)를 그리워했거늘, 이제나마 돌아갈 수 있다면 얼마나 다행이겠느냐."

그날로 장제를 표기장군(驃騎將軍)으로 봉하니, 장제는 백관들에게 양식이며 술과 고기를 내어 크게 잔치를 베풀었다. 곽사는 그동안 영채 안에 가둬둔 대신들을 모두 풀어주었고, 이각은 군마를 수습한 뒤 어림군(御林軍) 수백명을 동원해서 헌제를 호송하여 길을 떠났다.

황제의 수레가 신풍(新豊)을 지나 패릉(覇陵)에 이르니, 때는 가을이 깊어 찬바람이 소슬하다. 패릉의 한 다릿목에 이르렀을 때였다. 문득 함성이 크게 일더니 수백명의 군사가 몰려와 앞을 막아서며 소리친다.

"웬놈들이냐?"

시중 양기가 말을 몰아 다리 위로 올라서며 되물었다.

"황제의 행차를 가로막는 네놈들이야말로 누구냐?"

군사들 중 두 장수가 앞으로 나서며 대답한다.

"우리는 곽장군의 명을 받들어 다리를 지키는 중이오. 황제의 행차시라면 어디 봅시다. 두 눈으로 확인하기 전에는 믿을 수 없소."

양기가 주렴을 높이 들어 보인다. 수레 위에 앉아 있던 헌제가 한마디 한다.

"짐을 보고도 왜 물러가지 않는가?"

이에 모든 군사가 소리 높여 만세를 부르더니 일제히 길 양편으로 물러서며 어가를 통과시켰다. 두 장수는 군사를 이끌고 돌아가 곽사에게 사실대로 보고했다.

"어가는 이미 지나갔습니다."

곽사가 노발대발하며 호통친다.

"멍청한 놈들 같으니! 내 당장 장제의 대군을 당해내기 어려워 짐짓 이각과 화해하는 척했던 것인데, 뭘 어쨌다구? 너희들에게 패릉교를 지키게 한 것은 황제를 납치해 미오로 끌고 와서 장제를 혼내줄 생각에서였다. 그런데 마음대로 어가를 놓아보내다니, 어떻게 책임질 테냐?"

곽사는 당장 칼을 뽑아 두 장수의 목을 치고, 급히 군사를 일으켜 어가의 뒤를 쫓았다.

어가가 화음현(華陰縣)에 이르렀을 무렵이다. 갑자기 뒤에서 천지가 떠나갈 듯한 함성이 일며 누군가 큰소리로 외쳤다.

"게 멈춰라, 당장 멈춰서지 못하겠느냐!"

헌제가 눈물을 글썽이며 대신들에게 말한다.

"가까스로 이리의 소굴을 벗어났나 했더니, 다시 범을 만났구나. 이 일을 어찌하면 좋겠느냐?"

대신들도 모두 낯빛이 변해 어찌할 바를 모르는데, 적군은 점점 더 가까이 다가왔다. 이때였다. 산모퉁이에서 또다른 무리들이 북을 울리며 나타났다. '대한양봉(大漢楊奉)'이라 씌어진 커다란 깃발을 세워 들고서 1천여명의 군사들이 달려오고 있었으니, 다름아닌 양봉의 군사였다. 양봉은 이각에게 패한 후 군사를 이끌고 종남산(終南山)에 들어가 숨어 있다가 어가가 온다는 소문을 듣고 황제를 호위하러 달려온 길이었다. 양봉이 군사를 벌여세워 진을 이루자, 곽사의 장수 최용(崔勇)이 선두에 나서며 욕설을 퍼부어댔다. 양봉이 화가 나서 휘하 장수들을 돌아보며 소리친다.

"공명(公明)은 어디 있느냐?"

한 장수가 커다란 도끼를 들고 나는 듯이 말을 달려나와 곧장 최용을 공격한다. 두 말이 어우러져 싸우기 시작한 지 불과 1합에 최용의 머리가 두 쪽이 나며 말 아래로 굴러떨어진다. 양봉이 승세를 타고 군사를 몰아 닥치는 대로 쳐죽였다. 곽사의 군사는 크게 패해 20여리를 물러났다. 양봉은 얼른 군사를 수습한 뒤 어가 앞으로 나아갔다. 헌제가 반갑게 맞이하며 그의 공을 치하한다.

"경이 짐을 구해주었으니, 그 공이 참으로 크오."

양봉은 무릎을 꿇고 깊이 머리를 조아렸다. 헌제가 다시 입을 열었다.

"방금 적장을 벤 자는 누구인가?"

양봉은 곧 그 장수를 불러 수레 앞에서 절하게 하고 소개했다.

"이 사람은 하동(河東) 양군(楊郡) 사람으로 성은 서(徐)씨요 이름은 황(晃), 자는 공명이라 하옵니다."

황제는 서황에게도 치하의 말을 아끼지 않았다. 양봉이 어가를 호위하여 화음에 이르니, 장군 단외(段煨)가 의복과 음식을 갖추어 황제께 올렸다. 그날 헌제는 양봉의 영채에서 밤을 지냈다.

이튿날, 패해 달아났던 곽사가 다시 군사를 수습하여 공격해왔다. 서황이 앞서 나아가 싸웠으나 곽사가 사면팔방으로 에워싸고 몰아치는 통에 급기야 황제와 양봉은 위기에 처하게 되었다. 이때였다. 동남 쪽에서 느닷없이 커다란 함성이 일며 한 장수가 군사를 거느리고 급히 달려왔다. 그의 도움으로 서황은 또다시 곽사의 군사들을 크게 물리쳤다. 한바탕 싸움이 끝나고 장수는 헌제 앞으로 나아가 큰절을 올렸다. 그는 다름아닌 국척(國戚, 황제의 외척) 동승(董承)이었다. 헌제가 울며 지난 일들을 하소연하자, 동승이 말한다.

"폐하께서는 이제 근심을 거두소서. 신이 양장군과 더불어 맹세코 두 도적을 베어 천하를 바로잡겠나이다."

헌제는 하루라도 빨리 동도로 가기를 원했다. 양봉 일행은 어가를 모시고 밤낮없이 홍농을 향해 길을 재촉했다.

곽사는 패한 군사를 거느리고 돌아가다가 우연히 이각과 마주쳤다. 곽사가 말한다.

"양봉과 동승이 어가를 빼앗아 홍농으로 향했소. 그들이 산동에 도착해 자리를 잡으면 반드시 천하에 포고하여 제후들과 더불어 우리를 치려 할 게 뻔한데, 그리 되면 우리의 삼족까지도 목숨을 보전하지 못할 게요."

이각이 답한다.

"지금 장제는 군사를 거느리고 장안에 진을 치고 있소. 내 보기에 그들이 경솔하게 움직일 것 같지는 않으니, 이 틈에 우리가 서로 군사를 합하여 홍농으로 가서 황제를 죽인 다음 천하를 반씩 나눠 가지면 어떻겠소?"

곽사는 기꺼이 그 제안을 받아들였다. 두 사람은 군사를 한데 집결해 홍농을 향해 출발했다. 홍농으로 가는 동안 버릇처럼 노략질을 해대니, 그들이 지나는 곳마다 남아나는 것이 없다. 양봉과 동승은 도적의 무리가 다시 뒤를 쫓는다는 말을 듣고 군사를 돌려 동간(東澗)에 이르러 일대 접전을 벌였다. 이각과 곽사가 상의한다.

"저들에 비해 우리 군사가 더 많으니 혼전을 벌이면 이길 것이오."

이리하여 이각은 왼쪽, 곽사는 오른쪽으로 나뉘어 어지럽게 몰아치며, 양편의 군사가 까맣게 들을 덮고 맹렬한 기세로 공격해들어갔다. 양봉과 동승도 좌우로 갈라져 죽기로써 싸웠으나 백관과 궁인은 물론 부책(簿冊)이며 전적(典籍), 어용지물(御用之物) 따위는 모두 포기한 채 간신히 황제와 황후만을 비호해 빠져나왔다. 이각과 곽사는 군사를 이끌고 홍농으로 들어가 마구 약탈했다. 동승과 양봉은 어가를 모시고 섬서(陝西) 북쪽을 향해 달아났다. 이각과 곽사는 다시 군사를 나누어 그 뒤를 쫓았다.

동승과 양봉은 형세가 몹시 위태로움을 깨닫고, 사람을 보내 이각과 곽사에게 화해를 청하는 한편, 급히 황제의 밀조를 하동으로 보내 백파수(白波帥) 한섬(韓暹)과 이락(李樂)·호재(胡才) 등에게 원군을 청했다. 이락은 원래 산적이었으나 너무도 다급한 상황이라 이것저것 가릴 처지가 못 되었다. 황제가 지난날의 죄를 사하고 벼슬까지 내린다는데 세 장수가 마다할 이유가 없었다. 당장 휘하 군졸들을 총동원하여 달려와 동승과 함께 일제히 공격을 개시하여 홍농을 되찾았다.

그러나 그것으로 끝난 게 아니었다. 이각과 곽사는 이르는 곳마다 백성들을 약탈하며 노약자는 서슴없이 죽여버렸다. 또한 젊은 장정들은 닥치는 대로 잡아들여 감사군(敢死軍)이라 이름하고 싸울 때마다 화살받이로 내세우니, 그 형세는 날로 커져만 갔다.

한편 이락은 군사를 이끌고 위양(渭陽)에 이르렀다. 이 사실을 안 곽사는 꾀를 내어 군사들에게 의복과 몸에 지닌 물건들을 길에다 버리게 했다. 이락의 군사들은 길바닥에 옷들이 널려 있는 것을 보고 서로 다투어 줍느라 대오가 엉망이 돼버렸다. 이각과 곽사는 기다렸다는 듯이 군사를 휘몰아 어지러이 공격했다.

이락의 군사가 크게 패하자, 양봉과 동승도 적을 막아내지 못하고 어가를 비호하여 북쪽을 향해 달아나기 시작했다. 등뒤에서는 역적의 무리가 뒤쫓고 있었다. 이락이 말을 달려 황제의 수레 곁으로 오더니 아뢴다.

"형세가 심히 급하오니, 폐하는 말에 올라 먼저 떠나십시오."

헌제가 사양한다.

"짐이 백관을 버리고 어찌 혼자 갈 수 있겠는가?"

그 말에 뒤를 따르던 모든 신하들이 하나같이 눈물을 흘렸다. 적군의 추격을 막던 호재는 이미 죽은 뒤였다. 양봉과 동승은 역적의 추격이 급해지자 황제께 청했다.

"폐하, 수레를 버리고 걸어가시는 편이 나을 것 같습니다."

얼마 안 가 황하(黃河)에 다다랐다. 이락의 무리가 어디선지 작은 배 한 척을 구해왔다. 날은 차고 강바람은 매서웠다. 헌제와 복황후는 간신히 강언덕에 올랐으나 비탈진 절벽이 가로막아 도저히 내려갈 수가 없었다. 뒤에서는 커다란 함성과 함께 추격병이 점점 가까이 다가오고 있었다. 양봉이 말한다.

"말고삐를 풀어서 폐하의 허리에 묶어 내려 배에 오르시게 하는 길밖에 없겠소이다."

사람들 가운데서 황후의 친정오라버니 복덕(伏德)이 흰 비단 10여 필을 들고 앞으로 나온다.

"이 비단은 난군(亂軍) 중에 얻은 것인데, 이것을 이어서 쓰기로 합시다."

행군교위(行軍校尉) 상홍(尙弘)이 비단을 풀어 황제와 복황후의 몸을 감싸 묶은 뒤 몇몇 사람들을 시켜 황제부터 조심스레 배에 오르게 했다. 뒤이어 황후의 오라버니 복덕이 황후를 등에 업고 배에 내려서자, 남아 있던 무리들이 서로 먼저 배에 오르려고 다투어 줄을 잡고 늘어졌다. 칼을 짚고 뱃머리에 서 있던 이락이 가차없이 칼을 휘둘러 그들을 물속으로 떨어뜨렸다.

가까스로 배를 띄워 황제와 황후를 건네고 난 후 되돌아가 사람들을 태우려 하니, 이번에도 역시 언덕에 모여 있던 사람들이 한꺼번에 달려들어 매달리는 바람에 난리법석이 벌어졌다. 이락은 다시 칼을 들어 뱃전에 매달린 자들의 손과 팔을 마구 내려쪘었다. 배가 움직이기 시작하자 미처 배에 오르지 못한 사람들의 울음소리가 천지를 진동한다.

간신히 강을 건너고 보니 황제를 모시는 대신들과 측근 10여명만이 곁에 남아 있을 뿐이었다. 이번에는 양봉이 어딘가에서 달구지 한 채를 찾아서 끌고 왔다. 헌제와 황후를 모시고 길을 떠나 대양(大陽)에 이르니 어느덧 해가 저물었다. 지치고 굶주린 채로 헤매다가 인가를 발견했으나, 난리통에 모두 도망가버려 집집마다 텅 비어 있었다. 그중 쓸 만한 기와집 한 채를 치우고 황제를 모시니, 어디 숨어 있었는지 촌로 하나가 조밥 한 사발을 들고 왔다. 황제와 황후는 마주앉아서 수저를 들었다. 그러나 난생 처음 대하는 거친 밥이라 깔깔한 게 목구멍에 걸려 도무지 넘어가질 않았다.

이튿날 헌제는 조서를 내려 이락을 정북장군(征北將軍)으로, 한섬은 정동장군(征東將軍)으로 각각 봉한 후 수레에 올라 막 길을 떠나려는데, 대신 두 사람이 나타나 엎드려 절하며 울음을 터뜨린다. 태위 양표와 태복(太僕) 한융(韓融)이었다. 두 대신을 만나자 황제와 황후도 눈물을 흘렸다. 이윽고 눈물을 거두며 태복 한융이 아뢴다.

"이각과 곽사 두 도적이 신의 말은 좀 듣는 편이오니, 신이 목숨을 걸고 가서 싸움을 중단하도록 설득해보겠습니다. 폐하께서는 부디 옥체를 보전하소서."

한융이 떠나자, 이락은 황제를 모시고 양봉의 진영으로 가서 잠시 쉬도록 했다. 그후 양표의 청에 따라 안읍현(安邑縣)을 도읍으로 정하여 잠시 머물기로 하고 옮겼다. 그러나 그곳 역시 황제가 지낼 만한 집은 눈에 띄지 않았다. 하는 수 없이 문도 울타리도 없는 초가 한 채를 치우고 그곳에 기거하기로 했다. 가시나무를 꺾어다가 사면을 둘러막아 울타리를 삼으니, 대신들은 초가집에서 황제와 더불어 국사를 논하였다. 장수들은 군사를 거느리고 울 밖에서 호위했다.

이때부터 이락은 본색을 드러내기 시작했다. 산적노릇을 하며 살아온 그인지라 성정이 포악하며 매사에 방약무인했다. 대신들 가운데 조금이라도 제 비위를 거스르는 자가 있으면 황제가 보는 앞에서 함부로 욕설과 구타를 서슴지 않았다. 또한 일부러 탁주와 거친 음식을 황제께 드리며 잡숫기를 권하니, 황제라도 참아내는 수밖에 별 도리가 없었다.

이락과 한섬은 또 황제에게 연명(連名)으로 자기들의 졸개인 온갖 무뢰배와 하인배·무당·군졸 2백여명에게 교위(校尉)나 어사(御史) 등의 벼슬을 내려줄 것을 강요했다. 그 경황에 옥새를 지니고 있을 리 만무한 황제는 나뭇조각에 송곳으로 글씨를 파서 임명장을 대신하니, 황제의 체통 따위는 이미 무너진 지 오래였다.

한편, 태복 한융이 이각과 곽사를 찾아가 두 사람을 설득하여 그들은 마침내 군사를 거두기로 하고 잡아두었던 여러 대신과 궁녀들을 모두 놓아주었다.

　그해에는 전에 없는 극심한 흉년으로 백성들은 풀뿌리와 나무껍질로 목숨을 연명해야 했으며, 그나마도 부족해 굶어죽은 사람의 시체가 사방에 널렸다. 이런 중에도 하내(河內) 태수 장양(張楊)은 쌀과 고기를 바치고 하동(河東) 태수 왕읍(王邑)이 비단을 바쳐, 헌제는 다소나마 안정을 얻게 되었다. 동승은 양봉과 서로 상의하여 낙양으로 사람을 보내서 궁궐을 고치도록 하고, 황제를 모셔 곧 동도로 돌아갈 준비를 했다. 이를 지켜보던 이락이 반대하고 나섰다. 동승이 설득한다.

　"낙양은 원래 황제가 계시던 도읍이오. 안읍 같은 작은 고을에 어찌 황제를 계속 머무시게 할 수 있겠소? 이제 어가를 받들어 낙양으로 돌아가는 것은 당연한 이치요."

　이락이 불쾌하다는 듯 말한다.

　"어가를 모시고 갈 테면 가시오. 나는 그대로 여기 남겠소."

　동승과 양봉은 마침내 이락을 그곳에 남겨둔 채 어가를 모시고 동도를 향해 떠났다. 이락은 비밀리에 이각과 곽사에게 사람을 보내 황제를 납치할 음모를 꾸몄다.

　이 사실을 알게 된 동승·양봉·한섬 등은 군사들로 하여금 밤낮으로 황제를 물샐틈없이 호위하게 하고 기관(箕關)땅을 향해 걸음을 재촉했다. 이락은 음모가 누설되었음을 알고 이각과 곽사의 군사가 도착하기도 전에 혼자서 군사를 거느리고 서둘러 뒤를 쫓았다. 그날 4경이 지나 기산(箕山) 아래에서 어가를 만난 이락이 큰소리로 외친다.

　"멈춰라! 이각·곽사가 여기 왔다."

이 소리를 들은 헌제가 소스라쳐 놀라 어찌할 바를 모르는데, 문득 산위에서 환한 횃불들이 무수히 올랐다.

전에는 두 도적이 두 패로 나뉘었더니   前番兩賊分爲二
이제는 세 도적이 하나로 뭉쳤도다   今番三賊合爲一

한나라 황제의 운명은 어찌 될 것인가?

14

대권을 잡은 조조

조조는 어가를 허도로 옮기고

여포는 서주를 야습하다

이락이 군사를 이끌고 이각과 곽사를 사칭하며 어가를 뒤쫓아오자 헌제는 크게 놀랐다. 양봉이 황제를 위로한다.

"고정하소서. 저놈은 이각과 곽사가 아니라 이락입니다."

양봉은 곧 서황으로 하여금 나가 싸우게 했다. 이락이 앞장서 말을 몰아 나오더니, 겨우 1합에 서황의 도끼에 맞아 말 아래로 굴러떨어진다. 이를 본 잔당들은 아예 싸워볼 생각도 않고 뿔뿔이 흩어져 달아났다. 서황은 군사를 휘몰아 그 태반을 죽였다. 그러고는 어가를 보호해 기관땅을 지나는데, 하내 태수 장양이 양식과 비단을 싣고 나와 지도(軹道)에서 어가를 영접했다. 헌제는 그 자리에서 장양을 대사마에 봉했다. 장양은 공손히 하직인사를 올린 후 군사를 거느리고 야왕(野王)으로 떠났다.

마침내 헌제는 다시 낙양으로 돌아왔다. 그러나 낙양은 이미 예전의 낙양이 아니었다. 궁궐은 모조리 불타 한줌 재로 변했고, 사방을 둘러봐도 잡초만 무성하여 황량하기 짝이 없다. 남아 있는 것이라곤 무너진 담장뿐이어서 양봉은 급한 대로 남아 있는 벽에 의지해 지붕을 덮게 하고 어설프게나마 황제의 거처를 마련했다. 문무백관들은 조례(朝禮) 때마다 가시덤불 속에서 예를 올렸다. 이로부터 황제는 흥평(興平) 연호를 고쳐 건안(建安) 원년(196)이라 했다.

그해 역시 크게 흉년이 들어서, 낙양성에 사는 백성들은 불과 수백 호밖에 안되었는데도 먹을것이 없어 대부분 성밖으로 나가 풀뿌리나 나무껍질로 연명했다. 조정에서도 상서랑(尙書郎) 이하의 벼슬아치들은 모두 밖으로 나가 풀뿌리와 나무껍질을 찾아 헤매다녔다. 굶주림으로 많은 사람들이 무너진 담장 밑에 쓰러져 죽었으니, 한나라 말년 운수처럼 참담한 경우는 다시 없었다.

후세 사람이 이 참상을 시를 지어 탄식했다.

망탕산에서 백사가 피흘려 죽은 뒤	血流芒碭白蛇亡
붉은 깃발 나부끼며 천하를 종횡하여	赤幟縱橫游四方
진나라 사슴 쫓아 사직을 일으키고	秦鹿逐翻興社稷
초나라 오추마 넘어뜨려 천하를 정했다네	楚騅推倒立封疆
황제가 나약하고 간신이 들끓어	天子懦弱奸邪起
국운이 쇠잔하니 도적이 미쳐 날뛰누나	氣色凋零盜賊狂

서경, 동경 두 수도의 난리 겪은 자취를 보소　　　看到兩京遭難處

철석간장인들 슬픔이 없을소냐　　　　　　　　　鐵人無淚也凄惶

태위 양표가 헌제에게 아뢴다.

"지난번에 내리신 조서를 아직도 조조에게 보내지 못했습니다. 지금 조조는 여전히 산동에 머물고 있는데, 그 휘하에 뛰어난 장수와 많은 군사들을 거느리고 있으니 불러들여 왕실을 돕게 하심이 어떠하올는지요."

헌제가 말한다.

"이미 조서를 내렸으니 경이 알아서 하시오."

양표는 칙지를 받들어 밖으로 물러나오자마자 사람을 시켜 조조를 불러오게 했다.

한편 산동에 있던 조조는 헌제가 무사히 낙양으로 돌아갔다는 소식을 듣고 모사들을 모아 상의했다. 순욱이 나서서 말한다.

"과거에 진(晉)나라 문공(文公)은 주(周)나라 양왕(襄王)을 잘 받들어 모셨기 때문에 제후들의 존경을 한몸에 받았고, 한고조(漢高祖)는 초나라 의제(義帝)의 장례를 잘 치러준 까닭에 천하의 민심을 얻을 수 있었습니다. 그러므로 장군께서 의병을 일으켜 어려운 처지에 계신 황제를 돕는 것은 백성들의 마음을 얻는 길이자 불세출의 영웅으로 추앙받을 수 있는 절호의 기회입니다. 서두르지 않으면 좋은 기회를 놓칩니다."

조조가 그 말을 듣고 크게 기뻐하며 당장 군사를 수습하는데, 때마침 황제가 보낸 사신이 당도했다는 보고가 들어왔다. 조조는 조서를 받아보고 그날로 군사를 일으켰다.

황제는 낙양에서 답답한 나날을 보내고 있었다. 모든 것이 미비하여 제대로 정사를 돌볼 수도 없을뿐더러 무너진 성곽조차 고쳐 쌓지 못했다. 그런 중에 이각과 곽사가 또다시 군사를 이끌고 쳐들어온다는 보고가 들어왔다. 황제가 깜짝 놀라 양봉에게 묻는다.

"산동에 간 사자가 아직 돌아오지 않았는데 이각과 곽사의 무리가 온다니 이를 어찌하면 좋겠는가?"

양봉과 한섬이 동시에 대답한다.

"폐하, 신들이 목숨을 걸고라도 폐하를 지켜드릴 것이오니 염려 마옵소서."

동승이 나선다.

"성곽이 허술한데다 군사 또한 많지 않은 터에, 적들과 싸워 이기지 못하면 그때는 어떻게 하시겠소? 차라리 어가를 모시고 산동으로 피하느니만 못할 것 같소이다."

황제는 동승의 말에 따라 그날로 산동을 향해 길을 떠났다. 문무백관들은 타고 갈 말이 없어 모두 어가를 따라 걸어가야 했다. 그렇게 낙양을 떠나 한마장이나 갔을까. 문득 자욱한 먼지가 일어 태양을 가리더니, 징과 북소리가 하늘을 뒤흔들며 요란한 말발굽소리와 함께 수많은 군사들이 몰려왔다.

황제와 황후가 겁에 질려 떨며 말도 못하고 있는데, 웬 사람 하나가 나는 듯이 말을 달려와 수레 앞에 멈춰선다. 가까이서 보니 그는 산동에 갔던 사신이다. 그가 말에서 내려 땅바닥에 엎드리며 말한다.

"조장군이 폐하의 부르심을 받들어 산동의 군마를 일으켜 달려오고 있습니다. 또한 오던 중에 이각과 곽사의 무리가 낙양을 침범하려 한다는 소식을 듣고, 하후돈에게 장수 10명과 정병 5만을 주어 폐하를 호위할 수 있도록 먼저 보냈으니, 그들이 곧 도착할 것입니다."

헌제는 비로소 안도의 숨을 내쉬었다. 곧이어 하후돈이 허저와 전위의 무리를 이끌고 와서 군례(軍禮)로써 인사를 올렸다. 헌제가 막 위무의 말을 하는데, 그 말이 채 끝나기도 전에 동쪽에서 한떼의 군마가 몰려온다는 보고가 들어왔다. 헌제가 곧 하후돈에게 명하여 알아보게 하니, 하후돈이 다녀와서 아뢴다.

"조조 장군의 보병이옵니다."

잠시 후 조홍·이전·악진 등이 뒤를 이어 와서 황제를 뵙고 각자 자신들의 성명을 고했다. 조홍이 말한다.

"신의 형이 적병이 지척에 이르렀음을 알고 하후돈 혼자 당해내기 어렵겠다고 저희에게 도우라 하여 이렇게 달려왔습니다."

"조장군이야말로 진정 나라를 위하는 신하로다!"

헌제가 그들에게 수레를 호위하도록 하고 앞으로 나서는데, 다시 급한 말발굽소리를 내며 파발꾼이 달려와 고한다.

"이각과 곽사의 무리가 점점 가까이 오고 있습니다."

황제는 하후돈에게 군사들을 나누어 적병에 대처하도록 명했다. 하후돈과 조홍은 각기 군사를 이끌고 새가 날개를 펼치듯 양편으로 나뉘었다. 그러고는 기병이 앞장서고 보병이 뒤따라 맹렬히 공격하여 이각과 곽사의 무리를 크게 무찔렀다. 이때 벤 적병의 머리가 무려 1만여개나 되었다.

황제는 다시 낙양의 옛 궁궐터로 돌아왔다. 하후돈은 황제를 안으로 모시고 자신은 성밖에 머물며 밤새도록 지켰다. 이튿날, 드디어 조조의 대군이 낙양에 이르렀다. 조조는 성밖에 진을 벌인 뒤, 성안으로 들어가 황제를 뵈었다. 계단 아래 엎드린 조조를 친히 일으켜 세우며 황제가 말한다.

"먼 길을 오느라 수고가 많았소."

조조가 아뢴다.

"신은 일찍이 나라의 은혜를 입어 어찌하면 보답할 수 있을지 늘 마음에 새기고 있던 터였습니다. 이제 이각과 곽사 두 도적의 죄악이 하늘을 찌를 듯하여 더는 두고 볼 수 없습니다. 신에게 정병 20만이 있사오니, 하늘의 뜻에 따라 저들을 반드시 섬멸하고야 말겠습니다. 부디 폐하께서는 사직을 중히 여기시어 옥체를 보전하소서."

헌제는 조조를 사예교위(司隸校尉)에 봉하여 절월(節鉞, 대장에게 내리는 표식)을 주고, 녹상서사(錄尙書事)를 겸임하게 했다.

한편, 이각과 곽사는 조조가 멀리서 왔기 때문에 군마가 몹시 고단하리라 믿고서 다시 한번 공격하여 속전속결로 승부를 내려 했다. 그러자 모사 가후가 반대한다.

"다시 싸워봤자 우리 쪽이 불리합니다. 조조의 군사들은 정예병이고 장수들 또한 뛰어난 맹장들뿐이라 차라리 늦기 전에 항복하여 죄를 용서받는 편이 나을 것입니다."

이각이 버럭 화를 낸다.

"이놈, 네가 감히 내 예기를 꺾으려 드느냐!"

당장 칼을 빼어들어 내리칠 태세였다. 곁에 있던 수하장수들이 일제히 나서서 말린 덕에 간신히 죽음을 면한 가후는 그날밤 혼자서 영채를 빠져나와 고향으로 가버렸다.

이튿날 이각은 군사를 거느리고 다시 조조에게 도전했다. 조조는 먼저 허저·조인·전위 등을 시켜 3백 철기병(鐵騎兵)을 거느리고 이각의 진중으로 들어가 세 차례나 접전한 뒤 비로소 진을 벌여세웠다. 이각의 진지에서도 질세라 그의 조카 이섬(李暹)과 이별(李別)이 말을 달려나와 맞선다. 이를 보고 허저가 번개같이 마주 달려나가며, 이섬이 미처 손을 쓸 새도 없이 한칼에 그의 목을 베어버린다. 그 바람에 이별이 깜짝 놀라 제풀에 말에서 떨어지자, 허저는 잽싸게 달려들어 그의 머리마저 베어들고 서서히 말을 돌려 진으로 돌아왔다.

"그대는 나에게 번쾌(樊噲, 한나라 유방의 맹장으로 여러번 유방의 목숨을 구함)나 다름없네!"

조조는 몹시 기뻐하며 허저의 등을 두드려주었다. 그러고는 곧 하후돈으로 하여금 군사를 거느리고 왼쪽으로 나가게 하고 조인은 오른쪽으로, 조조 자신은 친히 중군을 통솔하여 삼면에서 돌격할 태세를 취했다.

북이 한번 울리자 모든 군사들이 일제히 쳐들어가니, 적군은 맹렬한 공격을 견디지 못하여 뿔뿔이 흩어져 달아난다. 조조는 직접 보검을 빼들고 밤새도록 추격하여 적을 무찔렀다. 문자 그대로 주검이 들에 깔리고 피가 흘러 내를 이루었다. 항복한 군사들은 셀 수도 없이 많았다. 가까스로 목숨을 건져 서쪽을 향해 달아난 이각과 곽사는 그야말로 상갓집 개꼴이 되어 깊은 산속으로 자취를 감추었다.

조조가 크게 이기고 돌아와 낙양성 밖에 군사들을 주둔시키자, 양봉은 한섬과 은밀히 의논했다.

"이제 조조가 큰 공을 세웠으니 앞으로 권력을 잡게 될 것이오. 그렇게 되면 우리를 용납하려 들지 않을 게 뻔하지 않소?"

두 사람은 당장 황제를 찾아뵈었다.

"이각과 곽사가 산으로 도망갔다 하는데 신들이 뒤쫓아가서 이참에 아예 화근을 없앨까 하오이다."

헌제가 이를 허락하자 두 사람은 즉시 많은 군사를 이끌고 대량(大梁)으로 떠나갔다.

그때 황제가 의논할 게 있다고 조조에게 사람을 보냈다. 조조는 궁에서 사자가 왔다는 말에 얼른 안으로 들게 했다. 사자를 맞이하는데, 그의 이목이 수려하며 낯빛이 맑고 고운 것이 왠지 마음에 걸린 조조는 속으로 생각한다.

'동도(東都, 낙양)에 크게 흉년이 들어 군사와 백성들이 모두 굶주리는 판에 어찌하여 이 사람만 저렇게 낯빛이 좋을까……?'

조조가 묻는다.

"공의 얼굴은 유난히 윤기가 돌고 안색이 좋소그려. 무슨 특별한 비결이라도 있는 게요?"

사자가 대답한다.

"별다른 비결은 없사옵고, 30년간 담식(淡食, 싱겁고 기름지지 않은 식사)을 해온 때문이 아닌가 싶습니다."

조조는 고개를 끄덕이고 다시 묻는다.

"공은 지금 무슨 벼슬에 계시오?"

"이몸은 효렴(孝廉)으로 천거받아 원소와 장양 밑에서 종사를 지내다가, 최근 황제께서 환도하셨다는 소식을 듣고 입조하여 지금은 정의랑(正議郎)으로 있습니다."

"존함은 어찌 되시오?"

"제음(濟陰) 정도(定陶) 태생으로, 성명은 동소(董昭), 자는 공인(公仁)이외다."

그 말에 조조는 얼른 자리를 고쳐앉으며 말한다.

"귀공의 높은 명성을 들은 지 오래거늘 오늘에야 이렇게 만나게 되었소이다."

조조는 즉시 술상을 마련하도록 명하고 순욱을 불러 서로 인사를 나누게 하는데, 급한 보고가 올라왔다.

"한떼의 군마가 동쪽을 향해 가고 있는데, 어떤 자들인지 알 수가 없습니다."

조조가 당장 사람을 시켜 알아보려 하자 동소가 말한다.

"구태여 알아보실 것도 없습니다. 아마도 이각의 장수로 있던 양봉과 백파수 한섬일 터인데, 공께서 이곳에 오셨으니 달리 살 길을 찾아 대량땅으로 떠나는 것 아니겠습니까."

조조가 묻는다.

"그것은 이 사람을 의심한 행동이 아니겠소?"

동소가 말한다.

"둘 다 신통치 않은 자들이니 개의하실 바 없소이다."

조조가 다시 묻는다.

"이각·곽사는 어찌 생각하오? 두놈 모두 아직 살아 있으니 그냥 내 버려두어도 별탈 없겠소?"

"범이 발톱이 없고 새가 날개를 잃었는데 제놈들이 어쩌겠습니까? 머지않아 공의 손에 사로잡히고 말 터이니 염려 마십시오."

조조는 동소의 대답이 막힘이 없고 사리에 밝은 것을 보고 화제를 바꾸어 조정의 일을 물었다. 동소가 차분히 대답한다.

"공이 의병을 일으켜 역적들을 주멸하고 조정에 들어와 황제를 보 필한다면 이는 곧 오패(五霸, 춘추시대 다섯 패권자. 제齊나라 환공桓公, 진晉나라 문공文公, 진秦나라 목공穆公, 송나라 양공襄公, 초楚나라 장왕莊王)의 공로와 다름없습니다. 다만 모든 장수들이 사람이 다르고 뜻이 달라서 공에게 반드시 복종하라는 법이 없으니, 이곳에 머물러 계신다면 분명 여러 모로 불편한 일이 생길 것입니다. 그러니 황제를 모시고 허도(許都)로 옮겨가는 것이 상책이겠으나, 황제께서는 난리통에 이리저리 옮겨다니다가 낙양에 돌아오신 지 얼마 안되어 모든 백성들이 하루 속히 안정되기를 바라는만큼, 또다시 어가를 옮긴다면 당연히 반대가 따르겠지요. 그러나 남다른 일을 행하는 자만이 남다른 공로를 세울 수 있는 것이니, 장군의 용기있는 결단이 필요할 것으로 보입니다."

동소의 대답에 조조는 매우 흡족하여 동소의 손을 잡고 웃으며 말한다.

"그것이 바로 이 사람의 뜻이오. 그러나 양봉이 대량에 있고 대신들이 조정에 있으니, 그 일을 단행할 경우 혹 무슨 변고라도 생기진 않겠소?"

"그리 어렵게 생각할 일은 아닙니다. 우선 양봉에게 서신을 띄워 안심시킨 후, 대신들에게는 낙양에 양식이 없어 어가를 허도로 모시려 한다고 말씀하십시오. 허도는 노양(魯陽)이 가까워 양식을 운반하기에 편리하다고 설득하시면 대신들도 기꺼이 따를 것입니다."

조조는 그 말을 듣고 크게 기뻐했다. 동소가 돌아가려 하자 조조는 아쉬운 듯 그의 손을 잡으며 말한다.

"앞으로도 공은 내가 도모하는 일에 많은 가르침을 주시오."

동소는 사례하고 돌아갔다. 그뒤로 조조는 매일같이 모사들을 모아놓고 비밀리에 도읍 옮길 일을 의논했다.

한편 시중 태사령(太史令) 왕립(王立)은 사적인 자리에서 종정(宗正) 유애(劉艾)에게 조용히 말했다.

"내가 천문을 보니, 지난 봄부터 태백성(太白星, 금성)이 북두성과 견우성 사이에서 진성(鎭星, 토성)을 범하여 천진(天津)을 지나고, 형혹성(熒惑星, 화성)이 또한 역행하여 태백성과 천관(天關)에서 만났으니, 이는 금(金)과 화(火)의 기운이 모여 새 임금이 나실 조짐이라. 머지않아 대한(大漢)의 천기와 운수가 다하여 진(晉)과 위(魏)땅에 반드시 새로 일어나는 자가 있을 것 같소."

그는 또한 헌제에게도 이같이 아뢰었다.

"천명에는 변화가 있고, 오행(五行) 또한 하나의 기운만 성할 수는 없는 법입니다. 화(火)를 대신하는 것은 토(土)이니, 한나라를 대신해 장차 천하를 다스릴 자는 필시 위(魏)에 있을 것입니다."

이 말을 전해들은 조조는 즉시 사람을 보내 왕립의 입을 단속했다.

"공의 충성심을 내 모르는 바는 아니나, 하늘의 이치는 깊고도 먼 것이니 부디 말씀을 삼가시오."

그러고는 순욱에게 왕립의 말을 전했다. 순욱이 말한다.

"한나라가 화덕(火德)을 입었다면 장군은 토명(土命)을 타고나셨소. 그리고 허도 역시 토에 속하니, 그곳으로 가시면 흥하게 마련이외다. 즉 화능생토(火能生土)요 토능왕목(土能旺木)이라. 이는 동소나 왕립의 말과 같은 뜻으로, 후일에 반드시 새로 일어나는 이가 있음을 의미합니다."

조조는 마침내 결단을 내리고 이튿날 궁중에 들어가 황제를 뵙고 아뢴다.

"동도(東都)는 이미 너무도 황폐하여 복원하기가 어렵고, 양식을 운반해오는 데도 어려움이 많습니다. 그러나 허도는 노양땅과 가까운 데다 성곽과 궁실이 갖춰져 있으며 돈과 양식 등 모든 물자가 풍족하

조조는 어가를 허도로 옮기다

니 신은 감히 폐하께 도읍을 허도로 옮기실 것을 간청하는 바입니다. 부디 윤허하여주소서."

헌제는 감히 조조의 말을 물리칠 수 없었다. 신하들도 하나같이 조조의 세력을 두려워하는 터라 모두들 입을 다문 채 서로의 얼굴만 쳐다보았다.

마침내 길일을 잡아 낙양을 떠나는데, 조조가 군사를 거느리고 어가를 호위하니 문무백관이 그 뒤를 따라 행렬을 지었다. 얼마쯤 가다가 어느 고개에 이르렀을 때다. 갑자기 요란한 함성이 일더니 양봉과 한섬이 군사를 거느리고 나타나 길을 막아선다. 그 가운데서 서황이 앞으로 나서며 소리친다.

"네 이놈 조조야! 어가를 납치해 어디로 가려느냐?"

조조가 말을 달려 앞으로 나갔다. 서황이 도끼자루를 들고 매서운 눈초리로 조조를 쏘아보았다. 그 모습이 어찌나 늠름하고 위풍당당한지 조조는 속으로 칭찬해마지 않으며, 허저를 내보내 싸우게 했다. 허저가 달려나가 맞서니, 칼과 도끼가 어우러져 겨루기를 50여합이 지나도록 도무지 승부가 나질 않는다. 조조는 징을 울려 일단 군사를 거둔 뒤 모사들을 모아 의논했다.

"양봉과 한섬 따위는 거론할 여지도 없으나, 서황은 참으로 뛰어난 장수이다. 힘으로 굴복시키고 싶지 않은데, 어찌하면 내 수하에 거둘 수 있을지 의견들을 내보아라."

행군종사(行軍從事) 만총(滿寵)이 앞으로 나선다.

"주공은 염려 마십시오. 서황을 만난 적이 있으니, 제가 나서서 잘 구슬러보겠습니다."

"무슨 좋은 계책이라도 있는가?"

"오늘밤 제가 졸개로 변장하고 몰래 그의 영채로 숨어들어가겠습니다. 그를 직접 만나 알아듣게 상황을 설명하고 마음을 움직여 스스로 주공 앞에 투항해오도록 만들겠습니다."

조조는 흔쾌히 승낙했다. 그날밤 만총은 졸개로 꾸미고 적의 영채 안으로 숨어들었다. 숨을 죽이고 사람의 눈을 피하여 서황의 장막으로 다가가서 안을 엿보니, 서황이 촛불을 밝힌 채 갑옷차림으로 우두커니 앉아 있다. 만총은 소리없이 안으로 들어가 서황 앞에 공손히 절하며 말한다.

"그간 별고 없으셨소이까?"

서황은 벌떡 몸을 일으켜 침착하게 살피더니 비로소 알아본다.

"아니, 자네는 산양(山陽)땅의 만백녕(滿伯寧, 백녕은 만총의 자)이 아닌가? 그런데 이곳엔 어떻게 왔는가?"

만총이 말한다.

"나는 지금 조장군 휘하에 있네. 아까 양군이 맞선 자리에서 옛벗을 보게 되어, 이렇듯 죽음을 무릅쓰고 찾아왔네."

서황은 만총에게 자리를 권하며 찾아온 뜻을 묻는다.

"무슨 일인지 차근차근 말씀해보게."

만총이 자세를 바로잡고 진지하게 입을 연다.

"우선 내가 한마디 묻고 싶은 게 있네. 자네처럼 용맹하고 지략이 출중한 사람도 드물거늘, 무슨 까닭으로 양봉과 한섬 같은 자들 밑에서 자신을 굽히고 있는가?"

갑작스런 질문에 서황은 얼른 대답을 못하고 당황스런 눈치를 보였다. 만총이 말을 잇는다.

"지금부터 내 애기를 잘 들게나. 조장군은 당대의 영웅으로, 어진

이를 좋아하고 장수를 예로써 대접한다는 것은 천하가 다 아는 바일세. 오늘도 싸움터에서 자네를 보고는 늠름한 기상과 용맹함에 이끌려 칭찬을 아끼지 않으시더니, 이렇듯 나를 보내신 걸세. 물론 자네 하나쯤이야 힘센 장수를 내보내 굴복시킬 수도 있지만, 그러기엔 뛰어난 장수를 잃을까 걱정이라고 일부러 나를 보내 자네를 모셔오라는 걸세. 그러니 자네는 이제부터라도 저 어리석은 자들의 무리에서 벗어나 조장군을 도와 함께 대업을 이루지 않겠는가?"

서황은 한동안 말이 없더니 길게 한숨을 내쉰다.

"나도 양봉이나 한섬이 큰일을 할 만한 인물이 못 된다는 것을 알고 있지만, 저들과 생사를 같이한 지도 너무 오래라 쉽게 저버릴 수가 없네."

만총이 다시 설득한다.

"그런 말씀은 마시게. 옛말에도 '영특한 새는 나무를 가려서 깃들고 어진 신하는 주인을 가려서 섬긴다' 했거늘, 섬길 만한 주인을 만나고도 이를 놓친다면 대장부로서 그처럼 딱한 일이 어디 있겠나?"

서황이 마침내 몸을 일으킨다.

"알았네. 자네 말에 따르겠네."

만총은 잠깐 망설이다가 말한다.

"내친 김에 아예 양봉과 한섬의 목을 베어 조장군을 뵙는 예물로 삼는 게 어떻겠나?"

그 말에 서황은 단호히 고개를 젓는다.

"아랫사람으로서 주인을 죽이기까지 한다면 그것이야말로 의(義)가 아니지. 나는 도저히 그렇게는 못하겠네."

만총은 얼른 사과한다.

"내 생각이 짧았네. 자네는 진정한 의가 무엇인지 아는 사람일세."

이렇게 해서 서황은 자기가 거느리고 있던 수십명의 부하들을 데리고 만총을 따라 영채를 빠져나왔다. 이 사실은 이내 양봉에게 알려졌다. 양봉은 몹시 화가 나서 1천여명의 기병을 거느리고 서황의 뒤를 쫓았다.

"배반자 서황아, 게 섰거라!"

양봉의 벼락 같은 호통에 서황은 아무런 대꾸 없이 묵묵히 채찍질만 했다. 한창 쫓고 쫓기며 산모퉁이를 지날 무렵이었다. 갑자기 커다란 포소리가 울리더니 산 위와 아래에서 일제히 횃불이 일어나며 복병들이 사방에서 뛰쳐나온다. 조조가 몸소 군사를 거느리고 앞장서 나오며 외친다.

"모두들 멈춰라. 내 여기서 네놈들을 기다리고 있었다! 저놈을 놓치지 말아라!"

양봉은 깜짝 놀라 군사를 돌리더니 달아나려 한다. 그러나 조조의 군사들이 순식간에 그들을 포위했다. 때마침 한섬이 군사를 거느리고 나타나 위기에 처한 양봉을 도와 조조의 군사들과 맞섰다. 한섬과 조조의 군사들이 일대 혼전을 벌이는 동안 가까스로 포위망을 뚫고 빠져나온 양봉은 뒤도 돌아보지 않고 달아나기 시작했다. 조조가 적군이 우왕좌왕하는 틈을 타 맹렬하게 공격하니, 양봉과 한섬의 군사들은 많은 사상자를 내고, 많은 수가 항복했다. 형세가 어렵게 되자 양봉과 한섬은 남은 군사들을 이끌고 원술에게로 달아났다.

조조가 군사를 거두어 영채로 돌아오니, 만총이 서황을 데리고 와서 인사를 시켰다. 조조는 몹시 기뻐하며 서황을 후히 대접했다.

이리하여 무사히 어가를 모시고 허도에 이른 조조는 곧 궁궐과 전각을 새로 짓고, 종묘와 사직, 성대(省臺), 사원(司院), 각 관아를 세우며 성곽과 창고를 수축했다. 또한 동승 등 열세 사람을 열후에 봉하고, 공로에 따라 상과 벌을 내리며 전권을 휘둘렀다.

조조는 스스로 대장군(大將軍) 무평후(武平侯)라 칭했다. 그리고 순욱은 시중(侍中) 및 상서령(尙書令)에, 순유는 군사(軍師)에, 곽가는 사마좨주(司馬祭酒)에, 유엽은 사공창조연(司空倉曹掾)에, 모개(毛玠)와 임준(任峻)은 전농중랑장(典農中郎將)에 봉해 전량(錢糧)을 독촉하게 했으며, 정욱(程昱)은 동평상(東平相)에, 범성(范成)과 동소는 낙양령(洛陽令)에, 만총은 허도령(許都令)에, 하후돈·하후연·조인·조홍 등은 모두 장군에, 여건·이전·악진·우금·서황 등은 교위(校尉)에, 허저·전위는 도위(都尉)에 각각 임명하고, 그밖의 장수와 병사들에게도 각기 벼슬을 내렸다. 이때부터 대권은 모두 조조의 손안에 들어서 조정의 큰일은 항상 조조에게 먼저 알린 후에야 비로소 황제께 아뢸 수 있게 되었다.

조조는 수도를 허도로 옮기는 등 대사(大事)를 정한 뒤, 후당에 연회를 베풀고 수하의 모사들을 모아 의논한다.

"듣자니 유비가 서주에 군대를 주둔시켜 스스로 고을을 다스리고, 근래에는 싸움에 패한 여포가 유비에게 몸을 의탁하고 있다는데, 만약 이 두 사람이 마음을 합해 군사를 일으켜 쳐들어온다면 심복지환(心腹之患, 고치기 어려운 병. 없애기 어려운 근심)이 따로 없소. 공들에게 좋은 묘책이 없겠소?"

그 말이 떨어지기 무섭게 허저가 나선다.

"저에게 정병 5만명만 주신다면 유비와 여포의 머리를 베어다 승상께 바치겠소이다."

순욱이 웃으며 말한다.

"용맹하기로 말하자면 장군을 따를 사람이 없지만, 이런 일은 계책을 써야 하오."

그러고는 조조를 향해 말을 잇는다.

"도읍을 갓 옮겨 민심이 어수선한데 군사를 쓰는 일은 온당치 않습니다. 제게 한 가지 계교가 있습니다. 비록 유비가 서주를 다스리고는 있지만 아직 황제의 명을 못 받은 처지이니 주공께서 황제께 청하여 유비를 서주목(徐州牧)에 임명하게 한 뒤에, 여포를 없애라는 밀서를 보내십시오. 일이 뜻대로 이루어진다면 유비는 한쪽 날개를 잃는 격이니 그를 처치하기도 수월할 테고, 만일 그리 되지 않는다 해도 반드시 여포가 유비를 죽이고 말 것이니, 이른바 이호경식지계(二虎競食之計)를 써서 두 범이 경쟁하여 서로를 잡아먹게 하자는 것입니다."

조조는 순욱의 계책대로 즉시 황제께 청을 올려 유비를 정동장군(征東將軍) 의성정후(宜城亭侯)에 봉하고 서주목에 임명함과 동시에, 밀서 한통을 칙사에게 주어 서주로 내려보냈다.

한편 서주에 있던 유현덕은 황제께서 허도로 천도하셨다는 말을 전해듣고 표문을 올려 경축하려는 참에, 문득 칙사가 당도했다는 보고를 받았다. 유비는 성밖에까지 나가서 칙사를 맞아들이고 황제의 은명(恩命)을 받드는 의식을 행한 다음, 잔치를 베풀어 환대했다. 그 자리에서 칙사가 말한다.

"공께서 누구 덕에 이렇게 은명을 받게 되신 줄 아시는지요? 다름 아닌 조장군께서 힘써 천거하신 덕분이외다."

유현덕이 자리에서 일어나 감사의 뜻을 전하자, 칙사는 품에서 밀서를 꺼내주었다. 유현덕은 밀서를 보고 나서 고개를 두어번 끄덕이며 짧게 대답했다.

"이 일은 생각을 좀 해봐야겠소이다."

유현덕은 잔치를 마치고 칙사를 역관으로 보내 쉬게 했다. 그러고는 이 일에 대해 사람들과 함께 의논했다. 장비가 나서며 한마디 한다.

"여포로 말하자면 본래 의리가 없는 놈이니, 잡아죽인들 무슨 상관이우?"

하지만 유현덕의 뜻은 달랐다.

"형세가 궁하여 나를 찾아온 터인즉, 내가 이제 그를 죽인다면 이역시 의롭지 못한 일 아니겠느냐?"

"참 형님은 마음도 좋으시구려."

이튿날 여포가 경축하러 찾아왔다. 유현덕은 곧 여포를 안으로 들게 했다. 여포가 하례인사를 올린다.

"이번에 공께서 조정의 은명을 받으셨단 말씀을 듣고 하례하러 왔소이다."

유현덕이 겸손하게 인사를 받는 중에, 장비가 갑자기 칼을 빼들고 대청으로 뛰어올라와서는 다짜고짜 여포를 치려 한다. 유현덕이 황망히 장비를 가로막았다. 여포가 깜짝 놀라 부르짖는다.

"어찌하여 익덕은 나를 죽이려고 하는 게요?"

장비는 곧이곧대로 말한다.

"조조가 네놈을 의리 없는 놈이라고 우리 형님더러 잡아죽이라 했다."

유현덕은 장비를 호되게 꾸짖어 물러가게 하고, 여포와 함께 후당으로 들어갔다. 현덕은 조조가 보내온 밀서를 여포에게 보여주었다.

밀서를 살펴본 여포가 울먹이며 말한다.

"이것은 필시 조조가 우리 두 사람을 이간하려는 속셈이오."

현덕이 말한다.

"형장께선 아무 염려 마오. 이 유비는 맹세코 의롭지 않은 일은 하지 않으리다."

여포는 거듭 감사의 뜻을 표했다. 유현덕은 술자리를 베풀어 여포를 극진히 대접했다. 날이 저물어 여포가 소패로 돌아가고 난 뒤, 관우와 장비가 현덕에게 묻는다.

"도대체 여포를 없애지 않는 까닭이 뭐요?"

유현덕이 말한다.

"이건 조조가 나와 여포가 공모하여 저를 칠까 두려워서 꾸민 계교다. 우리 둘을 서로 다투게 하고는 중간에서 이득을 보려 함인데, 내가 어찌 그자의 꾀에 넘어가겠느냐?"

관우는 비로소 그 말을 알아듣고 고개를 끄덕였으나, 장비는 여전히 막무가내다.

"그런 놈은 죽여버려야 후환이 없다니까 그러우."

유현덕이 타이른다.

"아서라, 그것은 대장부가 할 짓이 아니다."

이튿날 유현덕은 허도로 돌아가는 사자편에 황제의 성은에 감사하는 표문과 조조에게 보내는 답서를 주어 보냈다. 글의 내용은 시간을 두고 차차 기회를 보아가며 처신하겠다는 것이었다. 칙사는 돌아가서 조조에게 현덕이 여포를 죽이지 않았다고 전했다. 조조가 순욱에게 묻는다.

"일이 어긋난 모양인데 어찌하면 좋겠소?"

"또 한 가지 좋은 계책이 있습니다. 이른바 '구호탄랑지계(驅虎呑狼之計)'입니다."

"그것은 또 어떤 계책이오?"

"몰래 사람을 원술에게 보내서, 유비가 비밀리에 황제께 표문을 올려 회남(淮南)을 치려 한다고 전하면, 격노한 원술은 반드시 군사를 일으켜서 유비를 칠 것입니다. 그때 공께서는 유비에게 조서를 내려 원술을 치게 하십시오. 이렇게 해서 유비와 원술이 서로 싸우게 되면, 여포는 그 틈을 타서 딴마음을 품을 테니 이보다 좋은 계책이 어디 있겠습니까? 이것이 바로 범을 몰아 이리를 잡아먹게 하는 '구호탄랑'의 계책이지요."

조조는 크게 기뻐하며 먼저 원술에게로 사람을 보낸 다음, 황제의 거짓 조서를 꾸며 서주로도 사람을 내려보냈다.

유현덕은 또다시 황제의 조서를 받들고 칙사가 내려왔다는 소식을 듣고 황망히 성밖으로 나가 맞이했다. 조서를 읽어보니, 즉시 군사를 일으켜 원술을 치라는 분부였다. 현덕은 분부를 따르겠다고 전하여 칙사를 돌려보냈다. 미축이 말한다.

"이것 역시 조조의 계략이올시다."

"나도 그런 줄은 아네. 그러나 어찌 황제의 명을 거역하겠나."

유현덕은 곧 군사를 점검하며 출병을 서두른다. 손건이 한마디 한다.

"뒤에 남아 성을 지킬 사람이나 정해놓고 떠나시지요."

유현덕이 묻는다.

"아우들 중에 누가 성을 지키겠느냐?"

관운장이 먼저 나선다.

"제가 지키겠소."

"내 자네와 의논해야 될 게 수시로 많은데 어찌 떨어져 있겠는가?"

이번에는 장비가 나선다.

"그럼 내가 남겠수다."

"내가 너에게 맡기고 갈 수 없는 이유가 두 가지 있다. 하나는 술만 취하면 성질을 부리고 공연히 군사를 매질하기 일쑤이기 때문이요, 다른 하나는 사람이 진중치 못하여 일을 경솔히 하고, 또 남의 충고를 도무지 들으려 하지 않기 때문이다. 널 두고는 도무지 마음을 놓을 수가 없다."

장비는 다짐을 한다.

"형님, 내 오늘부터는 맹세코 술도 안 먹고 병사도 안 패고, 또 모든 일을 다른 사람의 충고를 잘 들어서 처신토록 하겠수."

곁에서 미축이 한마디 한다.

"말은 그럴듯한데 어디 믿을 수가 있어야지……"

장비가 벌컥 화를 낸다.

"내가 형님을 모시고 다닌 뒤로 한번도 신의를 지키지 않은 적이 없는데 네가 어찌 나를 우습게 안단 말이냐?"

"아우의 말은 비록 그러하나, 마음이 좀체로 놓이질 않는구나."

현덕은 이렇게 말하고는 진등(陳登)에게 당부한다.

"그대가 내 아우를 도와 항상 술을 과하게 마시지 않게 하여 큰 실수 없도록 하게나."

진등이 수락하자 현덕은 여러가지 분부를 마친 후, 급히 기병과 보병 3만을 통솔하고 서주를 떠나 남으로 향했다.

한편, 원술은 유비가 몰래 황제께 표문을 올려 자신이 관할하고 있는 땅을 뺏으러 온다는 소식을 듣고 진노했다.

"아니, 본시 촌구석에서 자리나 짜며 짚신이나 삼아 팔던 자가 갑자기 큰 고을을 다스리고 제후들과 동렬에 섰다기에 가뜩이나 벼르고 있던 참인데, 그자가 도리어 나를 치려 한다구? 이런 발칙한 자가 있나!"

원술은 급히 장수 기령(紀靈)으로 하여금 10만 대군을 거느리고 서주로 떠나게 했다.

기령의 군사와 현덕의 군사는 우이(盱眙)에서 마주쳤다. 군사가 적은 유현덕은 산을 의지하고 물가에 영채를 세웠다. 원술의 장수 기령은 산동사람으로 삼첨도(三尖刀)를 잘 다루었는데, 그 무게가 무려 50근이나 되었다. 이날 기령은 군사를 거느리고 진에서 나와 큰소리로 외친다.

"촌놈 유비야, 어찌하여 감히 우리 경계를 범하려 드느냐?"

유현덕이 대꾸한다.

"삼가 황제의 명을 받들어 역신(逆臣)을 치러 온 터에, 감히 거역하려 들다니 네 죄는 죽어 마땅하다!"

기령은 대로하여 칼을 휘두르며 말을 몰아 곧장 현덕에게 달려들었다. 이에 관우가 마주 달려나가며 외친다.

"이놈, 무례하게 굴지 마라!"

두 사람이 어우러져 싸우기를 30합, 그래도 승부가 나지 않았다. 기령이 가쁜 숨을 몰아쉬며 말한다.

"잠시 쉬었다가 다시 싸우자."

관운장은 급히 말머리를 돌려 진영으로 돌아왔다. 진영 앞에 말을 세우고 기령이 다시 나오기를 기다렸건만 기령은 안 나오고 부장(副將) 순정(荀正)이 대신 나오는 것이 아닌가. 관운장이 한마디 한다.

"기령이 나와 싸우라고 하라. 내 그와 자웅(雌雄)을 결하리라."

순정이 응수한다.

"너는 무명 소장(小將)이니 기장군의 상대가 아니다."

격노한 관운장은 말을 몰고 나가 청룡도를 한번 휘둘러 순정을 베어 말 아래로 굴러떨어뜨린다. 이어 현덕이 군사를 몰아 쳐들어갔다. 기령은 크게 패하여 회음(淮陰) 하구까지 물러나 그곳을 굳게 지키며, 다시는 감히 맞서싸우려 하지 않았다. 그후 기령은 몇번 어둠을 타서 현덕의 진영을 급습했으나 번번이 서주 병사에게 큰 손실만 입고 물러났다. 양쪽 군사는 오랫동안 대치상태에 있었다.

한편 장비는 현덕이 관운장과 함께 떠난 뒤로 일체의 자질구레한 일은 진등에게 맡겨두고, 군사기밀에 관한 중대한 일만 자신이 처리했다. 그러던 어느날 장비는 대청 위에 큰 잔치를 베풀고 관리들을 모두 청하였다. 자리를 잡고 앉자 장비가 입을 연다.

"형님이 떠나실 때 내게 술을 삼가라고 하셨는데, 그것은 혹여 무슨 실수라도 할까 염려하신 때문이야. 그러니 오늘 하루만 실컷 마시고 내일부터는 모두 술을 멀리하고 나를 도와 성을 지키자구. 자, 오늘만은 마음껏 마셔보세."

말을 마치고 장비는 자리에서 일어나 몸소 관리들에게 술을 권했다. 술잔이 돌아 조표(曹豹) 앞에 이르자 조표가 말한다.

"이 사람은 태생이 술을 먹지 못하오."

장비가 눈을 부릅뜬다.

"이런 죽일 놈 같으니라고. 술을 안 먹겠다고? 내 꼭 한잔 먹이고야 말겠다."

조표는 두려운 나머지 마지못해 한잔을 받아마셨다. 장비는 모든 관리들에게 차례로 술을 권하고 나서, 큰 잔을 가져오게 하여 손수 철철 넘치게 부어서 연거푸 몇십 잔을 마셨다. 크게 취했으나 스스로는 그 사실도 깨닫지 못했다. 그는 다시 몸을 일으켜 좌중에 술잔을 돌려 어느덧 조표 앞에 이르렀다. 조표가 다시 사양한다.

"소인은 참으로 술을 마시지 못하오."

장비가 말한다.

"아니, 넌 좀 전에도 술을 받아마시지 않았더냐. 이제 와서 무슨 딴소리냐?"

거듭 권해도 조표는 끝내 사양한다. 이미 술에 취한 장비는 벌컥 화를 냈다.

"네 감히 장수의 명령을 어기다니, 당장 이놈을 끌고가 곤장 1백대를 쳐라!"

군사들이 조표를 끌고 가려 하자, 진등이 나서서 한마디 한다.

"현덕공께서 떠나시며 뭐라 일렀소?"

장비는 진등의 말에도 아랑곳하지 않는다.

"너는 문관이니 문관 일이나 알아서 하고, 내 일에는 일절 간섭하지 마라."

조표는 할수없이 장비에게 간청한다.

"익덕공께서는 부디 내 사위의 낯을 봐서라도 용서해주오."

"네 사위가 대체 누구란 말이냐?"

"바로 여포올시다."

그 말에 장비는 더욱 분기탱천했다.

"내 본래 너를 때릴 생각이 없었으나, 네가 여포를 앞세워 나를 위협했으니 도저히 그냥 둘 수가 없다. 내가 너를 치는 것은 곧 여포를 치는 것이다!"

좌중이 모두 일어나서 말렸으나 이미 장비의 귀에는 아무 소리도 들리지 않는다. 장비는 매를 들고 무서운 기세로 조표를 쳤다. 매질하기를 50대, 보다 못해 사람들이 나서서 뜯어말려 겨우 매질이 멈췄다.

잔치가 끝나고 모든 관리들이 돌아갔다. 집으로 돌아온 조표는 도무지 분함을 참을 길이 없어 즉시 편지를 써서 소패로 보냈다. 먼저 장비의 무례한 행실을 적은 다음, 유현덕이 지금 회남에 가고 없는데다 오늘밤 장비가 술에 만취했으니, 이 기회를 놓치지 말고 즉시 군사를 거느리고 와서 서주를 빼앗으라는 내용이었다. 여포는 편지를 보자마자 진궁을 청해 의논했다. 진궁이 말한다.

"소패는 본시 오래 있을 곳이 못 됩니다. 마침 이렇게 좋은 기회가 왔으니 즉시 서주를 손에 넣읍시다. 지금 이 기회를 놓치면 후회막급일 것입니다."

여포는 얼른 갑옷을 챙겨입고 말에 올라 기병 5백명을 거느리고 먼저 떠났고, 진궁이 대군을 이끌고 뒤를 따랐으며, 맨마지막으로 고순이 출발했다.

소패는 서주에서 겨우 4,50여리 남짓한 거리여서 말에 오르기만 하면 금세 닿는 곳이었다. 여포가 기병을 거느리고 말을 달려 서주성에 이르렀을 때는 밤이 깊어 막 4경이 지난 뒤였다. 달빛이 대낮처럼 밝게 비추는데, 밖에 소패의 군사가 와 있는 줄도 모른 채 성은 조용하기만 했다. 여포가 성문 앞으로 가서 크게 외친다.

"유공께서 중요한 기밀 때문에 사람을 보냈소."

마침 성위에 있던 조표 수하의 병사가 이 사실을 보고했다. 조표는 곧 성위로 올라가서 살펴보고는 군사를 시켜 성문을 열었다. 여포가 신호를 보내자 군사들이 일제히 성안으로 밀려들고 함성이 천지를 울린다. 이때 장비는 술에 만취해 부중(府中)에서 자다가, 사람들이 급히 흔들어 깨우자 겨우 일어났다.

"장군, 큰일났습니다. 여포가 속임수를 써서 성문을 열고 쳐들어왔습니다."

장비는 크게 노하여 허둥지둥 갑옷을 입고 장팔사모(丈八蛇矛)를 들었다. 그가 부문(府門) 밖으로 뛰쳐나가 말에 오르려 하는데, 여포의 군사들이 어느새 들이닥쳐 성안을 가득 메웠다. 장비는 여포와 정면으로 맞섰다. 그러나 술이 덜 깬 탓에 몸이 뜻대로 움직여주질 않는다. 여포도 장비의 용맹을 아는지라 선뜻 덤벼들지는 못한다. 그 틈을 노려 18명의 연장(燕將)들은 장비를 보호해 적을 무찌르며 동문을 지나 성밖으로 빠져나왔다. 현덕의 가족이 부중에 있었지만 미처 돌볼 겨를도 없었다.

한편 조표는 술에 취한 장비가 겨우 수하 10여명의 호위를 받으며 도망가는 것을 보고, 군사 1백여명을 이끌고 뒤쫓아갔다. 장비는 조표를 보자 분을 이기지 못하고 말을 돌려 공격한다. 겨우 3합을 싸웠을 뿐인데 조표는 패해 달아났다. 장비는 분연히 강가에까지 쫓아가 창을 번쩍 들더니 조표의 등 한복판을 꿰뚫었다. 조표는 말을 탄 채 그대로 강물 속에 떨어져 죽고 말았다. 장비는 소리쳐 성밖으로 빠져나온 군사들을 불러모아 회남으로 향했다.

서주를 손에 넣은 여포는 먼저 백성들을 안심시키고 나서 군사 1백명을 보내 현덕의 가족이 사는 집을 지키게 하고, 누구를 막론하고 함부로 드나들지 못하게 했다.

한편, 수십 기를 이끌고 우이로 달려가 현덕을 만난 장비는 조표가 여포와 안팎에서 호응하여 야밤에 습격하는 바람에 서주를 빼앗기고 말았다고 고하였다. 이 말을 듣고 좌중의 사람들은 모두 얼굴빛이 변했다. 현덕이 한숨을 내쉬며 말한다.

"얻었을 때도 기쁘지 않았거늘 잃었다고 해서 무슨 근심할 일이 있겠느냐."

관운장이 재촉하듯 묻는다.

"두 분 형수님은 어디 계시냐?"

"모두 성안에 계십니다."

유현덕은 묵묵히 말이 없고, 관우는 발을 구르며 원망한다.

"네가 애초에 남아서 성을 지키겠다고 했을 때 내 뭐라 했더냐. 또 형님께서 뭐라고 당부를 하셨더냐. 이제 성을 잃고 두 분 형수님마저 잡혀 계시니 어쩌면 좋단 말이냐?"

장비는 너무도 죄스러워 몸둘 바를 몰라 하며 얼빠진 사람처럼 서 있더니 불쑥 칼을 빼들어 제 목을 찌르려 했다.

이런 장비를 보고 훗날 어떤 사람이 시를 지어 탄식했다.

술잔 들어 마실 적엔 거침이 없었거니   擧杯暢飮情何放
칼 뽑아 목숨 버려도 이미 늦었어라   拔劍捐生悔已遲

이제 장비는 어찌 될 것인가?

소패왕 손책

소패왕은 태사자와 싸우고

엄백호와도 크게 싸우다

　장비가 칼을 뽑아 목을 찔러 죽으려 하자 유현덕이 달려들어 칼을
빼앗아 던지며 말한다.

　"옛사람이 이르기를 형제는 손발과 같고, 처자는 의복과 같다 하였
다. 의복이야 떨어지면 기워입을 수 있으나 손발은 한번 끊어지고 나
면 다시 이을 도리가 없는 법. 우리 삼형제가 도원에서 형제의 의를
맺을 때에 비록 한날 한시에 태어나지는 못했을지언정 같이 죽기로
맹세한 일을 벌써 잊었더냐? 내 비록 지금 성과 가족을 잃었다고 해
서 어찌 형제를 죽게 하겠는가. 더구나 성은 본래 내 것이 아니요, 가

족은 비록 잡혀 있다지만 여포가 반드시 해치지 않을 터이니 앞으로 구해낼 방도를 찾을 수 있을 것이다. 그런데 네 어찌 한순간의 잘못으로 목숨까지 버리려 든단 말이냐?"

유현덕이 말을 마치고 목놓아 울자 관우와 장비도 따라 울었다.

한편 원술은 여포가 서주를 빼앗았다는 소식을 듣고 급히 사람을 보내 곡식 5만섬과 말 5백필, 금은 1만냥, 비단 1천필을 주기로 약속하며 곧 유비를 치라 했다. 여포는 크게 기뻐하며 즉시 고순에게 군사 5만을 주어 현덕의 배후를 공격하도록 지시했다. 유현덕은 이 소식을 듣자 날이 흐리고 비가 오는 틈을 타 일단 군사를 거두고, 우이를 버리고 떠났다. 동쪽으로 가 광릉(廣陵)을 빼앗을 생각이었다. 고순이 군사를 이끌고 와보니 이미 현덕은 떠난 뒤였다. 그는 원술의 장수 기령에게 약속한 물건을 넘겨달라고 했다. 기령이 대답한다.

"공은 군사를 거두어 돌아가시오. 내 주공을 뵙고 상의해서 좋도록 하리다."

고순은 서주로 회군하여 여포에게 기령의 말을 전했다. 여포가 커다란 의심을 품고 있을 즈음 원술에게서 서신이 당도했다. 편지의 내용은 다음과 같았다.

고순이 비록 군사를 거느리고 왔으나 유비를 없애지는 못하였소. 유비를 잡게 될 때 언약한 물건을 보내리다.

여포는 격노하여 즉시 군사를 일으켜 원술을 치려 했다. 진궁이 만류한다.

"안됩니다. 원술은 회남의 수춘(壽春)에 웅거하여 군사가 많고 양식이 넉넉하니, 경솔히 대적할 수 없습니다. 오히려 현덕을 소패로 돌아오게 하여 우익(羽翼)으로 삼도록 하시지요. 그런 다음 뒷날에 현덕을 앞세워 원술을 쳐부수고, 이어서 원소를 쳐부수면 가히 천하를 주름잡을 수 있을 것입니다."

여포는 진궁의 말대로 즉시 현덕의 진영에 사람을 보냈다.

한편, 유현덕은 군사를 이끌고 광릉을 향해 가다가 원술의 갑작스러운 습격을 받아 군사를 태반이나 잃었다. 그리고 돌아오던 중에 여포의 사자를 만난 현덕은 여포의 서신을 받고 크게 기뻐했다. 관우와 장비가 말한다.

"여포 같은 의리 없는 놈의 말을 어찌 믿겠습니까?"

현덕은 덤덤하게 한마디 한다.

"제가 호의로 대하는데 내 어찌 그를 의심하겠느냐?"

그리하여 현덕은 서주에 당도했다. 여포는 행여나 현덕이 자신을 의심할까 염려하여 먼저 사람을 시켜 가족을 돌려보냈다. 감부인(甘夫人)과 미부인(糜夫人)이 돌아와서 현덕에게 말하기를, 그동안 여포가 사람을 시켜 처소에 아무도 들지 못하게 지켜주었고, 항상 시첩을 시켜 물건을 보내와서 부족한 게 없었다고 자세하게 얘기했다. 현덕이 관우와 장비를 돌아보며 말한다.

"내 뭐라 하더냐? 여포가 내 가족을 해치지는 않을 거라고 했지."

현덕은 여포에게 사례하기 위해 성으로 들어갔다. 장비는 여포를 깊이 원망하여 함께 가지 않고 두 형수를 모시고 소패로 가버렸다. 현덕이 여포를 만나 사례하니, 여포가 변명을 늘어놓는다.

"내가 성을 빼앗으려 한 게 아니었소. 공의 아우 장비가 술에 취해 사람을 죽이려 한다기에 혹시 큰 실수나 하지 않을까 걱정스러워 지키러 왔을 뿐이오."

현덕이 답한다.

"나는 오래 전부터 형장께 서주를 내줄 생각이었소."

여포는 짐짓 사양하는 척하며 현덕에게 성을 내줄 뜻을 밝혔다. 그러나 현덕은 극구 사양하고 군사를 몰고 소패로 돌아왔다. 관우와 장비는 마음속에 불만이 가득했지만, 현덕은 호젓이 웃으며 말한다.

"사람이란 몸을 굽혀 제 분수를 지키며 하늘이 주신 때를 기다릴 뿐, 헛되게 목숨을 걸고 일을 도모해서는 아니 되는 법이다."

여포가 비단과 양식을 소패로 보내왔다. 이리하여 현덕과 여포 사이에는 평화가 유지되었다.

한편 수춘에서는 원술이 휘하의 장수들을 위로하기 위해 큰 잔치를 베풀고 있었다. 이때 한 사람이 들어와 보고하기를 여강(廬江) 태수 육강(陸康)을 치러 갔던 손책이 이기고 돌아왔다 전한다. 원술이 손책을 불러들였다. 손책이 대청 아래에서 절을 올리자 원술은 손책의 노고를 치하하고 술자리를 베풀어 대접했다.

원래 손책은 아버지 손견이 전사한 뒤 강남으로 물러나, 현명한 인재와 장수를 예로써 대접하며 힘을 길러왔다. 그런데 외숙뻘 되는 단양(丹陽) 태수 오경(吳景)이 서주 목사 도겸과 사이가 좋지 못해 자주 다투었기 때문에, 손책은 어머니와 가족을 곡아(曲阿)에 옮겨놓고 자기는 원술에게 의탁하고 있었다. 원술은 손책을 지극히 아껴 항상 이렇게 말했다.

"내게 손랑(孫郎, 손책) 같은 아들만 있다면야 죽은들 무슨 한이 있겠는가."

원술은 손책을 회의교위(懷義校尉)에 임명하고 군사를 내주며 경현(涇縣)의 대수(大帥) 조랑(祖郞)을 치게 했더니, 단번에 승전고를 울리며 돌아왔다. 손책의 용맹스러움에 탄복한 원술이 다시 그로 하여금 여강 태수 육강을 치게 했더니, 이번에도 역시 승리하고 돌아온 것이다.

잔치를 끝내고 자기의 영채로 돌아온 손책은 너무도 울적한 심사를 달랠 길이 없었다. 늘 그랬지만, 연회석상에서 자기를 대하는 원술의 오만무례한 태도가 생각할수록 괘씸하고 마음이 상했다. 그날따라 달빛도 밝아서 그는 뜰을 거닐다가 문득 아버지의 생각을 떠올렸다.

'돌아가신 아버님은 그토록 걸출한 영웅이었건만, 어찌하여 이몸은 이 지경에 이르렀단 말인가!'

생각이 여기까지 미치자 손책은 울분을 이기지 못해 마침내 목놓아 통곡한다. 이때 누군가 밖에서 뜰 안으로 들어서며 큰소리로 웃는다.

"백부(伯符, 손책의 자)는 어찌하여 그리 우시오? 아버님께서는 생존해 계실 때 나를 많이 부리셨는데, 그대가 지금 결단하지 못하는 일이 있다면 내게 의논할 일이지 어찌하여 혼자 그렇게 울고 있소?"

손책이 보니, 그는 바로 주치(朱治)로 자는 군리(君理)인데, 단양 고장(故鄣) 사람으로 아버지 손견의 수하로 종사관을 지낸 사람이다. 손책은 얼른 눈물을 거두고 주치에게 자리를 권한다.

"이몸이 우는 이유는 자식으로서 아버님의 크신 뜻을 계승하지 못한 것이 한스럽기 때문이라오."

주치가 말한다.

"백부는 왜 원술에게 군사를 빌려 강동으로 가지 않소? 오경을 구한다는 명분으로라도 대사를 도모하지 않고, 언제까지 이렇게 남의 밑에서 갑갑하게 지내려는 거요?"

두 사람이 이야기를 나누는데 갑자기 한 사람이 끼여든다.

"두 분이 어떤 일을 도모하시는지 다 들었소이다. 내 수하에 날랜 장수가 1백여명 있으니, 백부를 도와 한 팔이 되어드리겠소."

손책이 보니 그는 원술의 모사인 여범(呂範)으로, 여남(汝南) 세양(細陽) 사람이요 자는 자형(子衡)이었다. 손책은 반색하며 그에게도 자리를 권하였다. 여범이 말한다.

"다만 원술이 군사를 빌려주지 않을까 그게 걱정이오."

손책이 말한다.

"선친께서 남기신 전국옥새(傳國玉璽)가 내게 있으니 그걸 잡히고 군사를 빌리면 안되겠소?"

여범이 말한다.

"안 그래도 원술은 전부터 은근히 옥새를 손에 넣고 싶어했소. 그걸 맡기면 틀림없이 군사를 내줄 거요."

이리하여 세 사람은 마음을 정했다. 이튿날 손책은 원술을 보러 들어가 절하고 울면서 고한다.

"아버지의 원수를 아직 갚지 못한 터에 외숙 오경이 양주 자사 유요(劉繇)에게 핍박을 받고 있고, 곡아에 있는 노모와 식솔도 그대로 두었다가는 반드시 해를 입을 것입니다. 청컨대 군사 몇천만 빌려주시면 강을 건너가 환난을 구하고 노모와 식솔을 거두려 합니다. 허나 혹여 명공께서 믿지 못할까 두려우니, 선친이 남긴 옥새를 가져오게 하여 맡겨두겠습니다."

원술은 옥새를 받아보고는 기쁨을 감추지 못한다.

"내 너의 옥새를 탐내는 것은 아니나, 네 뜻이 그러하다면 맡아두겠다. 군사 3천명과 말 5백필을 내줄 터이니, 난을 평정한 후 속히 돌아오너라. 벼슬이 낮아서 군사를 거느리기 어려울 테니, 내 황제께 표를 올려 너를 절충교위(折衝校尉) 진구장군(殄寇將軍)으로 봉하려 한다. 곧 떠나도록 하라."

손책은 원술에게 절하여 사례한 다음 물러났다. 그리고 길일을 가려 주치와 여범, 오랫동안 함께 고생해온 정보(程普)·황개(黃蓋)·한당(韓當) 등과 더불어 군마를 이끌고 마침내 수춘을 떠났다.

손책 일행은 역양(歷陽)에 이르러 한떼의 군마와 맞닥뜨렸다. 앞장선 용모가 수려한 젊은이가 손책을 보더니 말에서 내려 절을 한다. 손책이 보니 그 젊은이는 주유(周瑜)였다. 그는 여강 서성(舒城) 사람으로, 자는 공근(公瑾)이다. 주유는 어린 시절에 손견이 동탁을 칠 때 서성으로 옮겨와 살다가 손책과 만나 의형제가 되었다. 원래 주유는 손책과 동갑이지만 손책의 생일이 두 달 앞선다 하여 형으로 대접해오던 터이다. 이번에 그는 숙부 주상(周尙)이 단양 태수가 되어 문안하러 가는 길에 뜻하지 않게 손책을 만나게 된 것이다. 손책은 너무도 반가운 나머지 주유에게 이내 자신의 속마음을 털어놓았다. 주유가 말한다.

"이 아우가 견마의 힘을 다하여 대업을 돕겠소."

손책도 기뻐하며 말한다.

"내 공근을 얻었으니 틀림없이 큰일을 이룰 것일세."

손책은 주유를 주치와 여범에게 인사시켰다. 주유가 손책에게 묻는다.

"형님께서 대사를 도모하시려면 사람이 필요한데, 강동의 두 장(張)씨를 아시는지요?"

"두 장씨라, 그게 누군가?"

"한 사람은 팽성(彭城)의 장소(張昭)로 자는 자포(子布)요, 또 한 사람은 광릉(廣陵)의 장굉(張紘)으로 자는 자강(子綱)이라 하오. 두 사람 모두 천하를 경륜할 만한 재주를 가졌는데, 난리를 피해 이곳에 와서 숨어살고 있소. 형님께서 불러 등용하시면 좋을 것이오."

손책은 기쁜 마음으로 즉시 그들에게 예물을 보내 청했으나, 두 사람 모두 사양하고 오지 않았다. 마침내 손책이 직접 그들을 찾아가 흉금을 털어놓고 이야기를 나누니, 그제야 두 사람은 손책의 청을 받아들인다. 손책은 장소를 장사(長史)로 삼아 무군중랑장(撫軍中郎將)을 겸하게 하고, 장굉을 참모(參謀) 정의교위(正議校尉)로 삼아 유요를 칠 계획을 의논했다.

유요는 동래(東萊) 모평(牟平) 사람으로 자는 정례(正禮)이다. 한 황실의 종친으로 태위 유총(劉寵)의 조카이자 연주 자사 유대(劉岱)의 아우이기도 하다. 양주 자사로 수춘에 주둔하던 그는 원술에게 쫓겨나 강동의 곡아에 머무르고 있었다. 그러다가 손책이 군사를 거느리고 온다는 소식을 듣고는 급히 수하장수들을 모아놓고 상의했다. 부장 장영(張英)이 말한다.

"제가 군사를 거느리고 우저(牛渚)에 진을 치면 설사 백만대군이라도 쉬이 쳐들어오지 못할 것이오."

장영의 말이 채 끝나기도 전에 장막 아래에서 한 사람이 나서며 크게 외친다.

"이몸이 선봉에 서겠소."

사람들이 보니 동래 황현(黃縣) 사람인 태사자(太史慈)가 아닌가. 태사자는 황건적 잔당에게 포위당한 북해의 공융(孔融)을 구한 뒤 유요를 찾아와 그의 수하에 있었는데, 손책의 군사가 당도했다는 말을 듣고 선봉이 되기를 자원한 것이다. 유요가 말한다.

"자네는 아직 나이가 너무 젊어 대장을 맡기기 뭣하니 내 곁에서 명을 받들도록 하게."

태사자는 마뜩지 않은 표정으로 물러났다.

군사를 거느리고 우저에 당도한 장영은 군량 10만섬을 창고에 쌓아두고 기다리다가 손책의 군사가 당도했다는 보고를 받았다. 그는 즉시 군사를 동원하여 우저의 물가에 진을 치고 대치했다.

손책이 말을 타고 진 앞으로 나서자 장영이 마주서서 크게 꾸짖었다. 손책의 진중에서 황개가 말을 달려나온다. 이에 장영이 맞서 두어 합 싸웠을까. 갑자기 장영의 진영이 혼란스러워진다. 한 군사가 보고하기를 영채 안에 불을 지른 자가 있다는 것이다. 장영이 급히 군사를 돌리자 손책이 승세를 몰아 맹렬히 공격했다. 마침내 장영은 우저를 버리고 달아나버렸다.

장영의 영채에 불을 지른 사람은 용맹한 두 장수였는데, 한 장수는 구강(九江) 수춘 사람으로 성명은 장흠(蔣欽), 자는 공혁(公奕)이요, 다른 한 장수는 구강 하채(下蔡) 사람으로 성명은 주태(周泰), 자는 유평(幼平)이었다. 본래 어지러운 세상을 만난 두 사람은 무리를 모아 양자강에서 노략질을 하며 살고 있었다. 그러다가 손책이 강동의 호걸이며, 어진이를 예로써 우대하고 널리 인재를 구한다는 소문을 듣고 수하의 무리 3백여명을 이끌고 합류하기 위해 찾아오던 길이었다. 손책은 크게 기뻐하며 곧 장흠과 주태를 군전교위(軍前校尉)로 삼았다. 손책 일행은 우저의 창고에 있던 양식과 병기, 항복한 군사 4천여명을 거두어 다시 신정(神亭)으로 행군했다.

한편 장영은 패배한 군사를 수습해 곡아로 돌아갔다. 유요는 크게 노하여 장영의 목을 베려 했으나, 모사 착융(笮融)과 설례(薛禮)가 애써 말려 명을 거두었다. 유요는 다시 장영으로 하여금 말릉성(秣陵城)으로 가서 적군을 막게 하고, 자신은 직접 대군을 이끌고 신정령 남쪽 기슭에 영채를 세웠다. 손책은 신정령 북쪽에 영채를 세웠다. 손책이 문득 지역의 백성을 불러 묻는다.

"혹시 이 근처에 한나라 광무제의 사당이 있는가?"

"바로 신정령 위에 있습니다."

손책이 좌우를 돌아보고 말한다.

"내 간밤 꿈에서 광무제가 부르시기에 만나뵈었다. 아무래도 참배를 드려야겠다."

장소가 간한다.

"안됩니다. 신정령 남쪽은 바로 유요의 영채인데, 행여 복병이라도 있으면 어쩌려고 그러십니까?"

"신령께서 나를 도우시는 터에 두려울 게 뭐가 있겠느냐?"

손책은 곧 갑옷차림에 창을 들고 말에 올라, 정보를 비롯해 황개·한당·장흠·주태 등 12명을 거느리고 신정령으로 올라갔다. 사당에 다다르자 손책은 말에서 내려 분향재배한 뒤 무릎을 꿇고 축원을 올린다.

"만약 손책이 이제 강동에서 몸을 일으켜 죽은 아비의 뜻을 다시 세우게 되면 마땅히 사당을 중수(重修)하여 사시사철 정성껏 제사를 올리겠나이다."

축원을 마친 손책은 사당을 나와 다시 말에 올라서 수하장수들을 돌아보며 이른다.

"여기까지 왔으니 고개 너머 유요의 영채를 살피고 가세."

모두들 말렸지만, 손책은 아랑곳하지 않는다. 그가 고갯마루에 서서 남쪽을 바라보노라니, 마침 숲속에 숨어 있던 유요의 군사가 이를 보고 급히 달려가 유요에게 알렸다. 유요가 말한다.

"이는 필시 손책이 우리를 유인하려는 계책이다. 명령이 있을 때까지 섣불리 쫓지 마라."

그때 무리 중에서 태사자가 튕겨 일어났다.

"이때 손책을 안 잡고 언제까지 기다리겠소이까?"

그러고는 유요의 명도 받지 않은 채 분주히 갑옷을 입고 말에 올라 창을 잡고는 영채를 나서며 큰소리로 외쳤다.

"용기 있는 자는 나를 따르라!"

그러나 아무도 움직이려 들지 않는데, 그때 장수 한 사람이 벌떡 일어서며 말한다.

"태사자는 참으로 용맹한 장수다. 내가 가서 도우리라."

그는 말에 오르더니 급히 뒤따라 나섰다. 모든 장수들은 두 사람을 비웃었다.

한편 유요의 영채를 한참 살펴보던 손책이 말머리를 돌려 고개를 내려가려는데, 갑자기 고개 위에서 큰소리가 들렸다.

"손책은 게 섰거라!"

손책이 돌아보니, 장수 둘이 나는 듯이 말을 몰아 고개를 내려오고 있었다. 손책은 수하의 12명 장수들을 옆으로 벌여세운 다음 창을 비껴들고 말을 세워 기다렸다. 태사자가 말을 달려오며 크게 외친다.

"누가 손책이냐?"

손책이 되묻는다.

"너는 누구냐?"

"나는 동래의 태사자다. 손책을 잡으러 왔다."

손책이 여유만만하게 웃어 보인다.

"내가 바로 손책이다. 너희 둘이 한꺼번에 덤벼보아라. 조금도 두렵지 않다. 너희들을 겁낸다면 손책이 아니다!"

"나 역시 네놈들이 한꺼번에 덤벼도 겁나지 않는다."

태사자는 소리치며 창을 비껴들고 곧장 말을 몰아 손책을 향해 덤벼들었다. 손책 또한 창을 들고 내달아 맞붙는다. 두 사람이 어우러져 싸우기를 50합에 이르렀으나 좀처럼 승패가 나지 않는다. 정보의 무리는 모두 마음속으로 놀라움을 금치 못했다.

태사자가 손책의 창법을 보니 한치의 빈틈이 없어, 짐짓 거짓으로 패하여 달아나는 체한다. 태사자는 고개 위로 오르지 않고 산 뒤로 말을 몰아간다. 손책이 급히 뒤쫓으며 큰소리로 꾸짖는다.

"도망치는 놈은 대장부가 아니다!"

'따르는 장수가 12명이나 있는데 나는 혼자다. 설사 손책을 사로잡는다 해도 도로 빼앗길 게 뻔한 일. 좀더 유인해 호젓한 곳에서 싸우는 게 상책이리라.'

이렇게 생각한 태사자는 달아나다 돌아서서 몇합 싸우고, 싸우다가는 다시 말머리를 돌려 달아나기를 되풀이한다. 손책 역시 태사자를 놓아보내려 하지 않고 뒤쫓아, 마침내 평지에 이르렀다. 태사자가 급히 말을 돌려 다시 손책과 싸운 지 50여합, 손책이 태사자에게 창을 내지르자 태사자는 몸을 비틀어 피하며 창자루를 손으로 틀어쥐었다. 이번에는 태사자가 창을 겨눠 손책을 찌르자 손책 또한 번개같이 몸을 틀며 태사자의 창자루를 움켜쥔다. 두 사람이 서로 맞붙잡고 밀고

太史慈酣鬪小霸王
庚辰歲之春
宇山書畵

태사자와 손책이 맞붙어 싸우다

당기며 한동안 용을 썼다. 그러다가 두 사람이 동시에 말에서 굴러떨어지니, 말은 어디론가 줄행랑을 놓아버렸다. 두 사람은 급기야 창을 버리고 맨손으로 힘을 겨루기 시작했다. 엎치락뒤치락하는 통에 전포가 갈가리 찢겨나간다. 그야말로 용호상박이었다.

손책은 재빨리 손을 놀려 태사자의 등뒤에 있는 단극(短戟, 짧은 창)을 빼들었다. 태사자도 번개처럼 손을 뻗쳐 손책이 쓰고 있던 투구를 벗겨들었다. 손책이 태사자의 단극으로 태사자를 찌르고, 태사자는 손책의 투구로 이를 막는다. 이때 갑자기 뒤에서 함성이 크게 일며 유요의 군사 1천여명이 달려왔다. 손책은 당황했다. 순간 손책 쪽에서도 정보 등 12명의 장수가 달려나온다. 손책과 태사자는 그제야 맞잡았던 손을 풀었다.

자기 군중에서 말 한 필을 얻어탄 태사자가 다시 창을 들고 달려든다. 달아나던 손책의 말을 정보가 잡아끌고 와서 손책도 창을 잡고 말에 올랐다. 이어 유요의 군사 1천여명과 손책, 그리고 휘하의 열두 장수가 접전을 벌여 신정령 아래까지 이르렀다. 이때 다시 함성이 일며 주유가 군사를 거느리고 오니, 유요도 직접 군사를 지휘해 고개를 달려내려온다. 그러나 때는 이미 황혼이요, 갑자기 비바람까지 몰아쳐 양편 모두 군사를 거두어 본진으로 돌아갔다.

이튿날, 손책이 군사를 거느리고 유요의 영채 앞에 나섰다. 유요 또한 군사를 이끌고 마주나온다. 양군이 진을 치고 서로 대치했다. 이때 손책이 군사를 시켜서 어제 태사자에게서 빼앗아온 단극을 창끝에 매달고는 일제히 외치게 한다.

"태사자가 재빨리 달아나지 않았던들 벌써 찔려죽었을 것이다!"

태사자도 군사를 시켜 손책의 투구를 들고 나가 진영 앞에 걸어두고 큰소리로 외치게 한다.

"손책의 대가리가 여기 있노라!"

이렇듯 두 진영이 서로 이겼다 강하다 주장하며 어지러이 함성을 내지르는데, 태사자가 진영 앞으로 나서서 승부를 가리자고 소리친다. 손책이 서둘러 나서려 하는데 정보가 말한다.

"주공이 몸소 나서지 않더라도 이몸이 가서 사로잡아 오겠소."

정보가 말을 몰고 나서자 태사자가 꾸짖는다.

"너는 내 적수가 못 된다. 당장 손책을 보내라."

정보가 크게 노하여 창을 휘두르며 태사자에게 달려든다. 두 장수가 어우러져 싸운 지 30합에 이르렀을 때, 유요가 급히 징을 쳐 군사를 거두었다. 태사자가 돌아와 불만스레 묻는다.

"지금 막 적장을 사로잡을 참인데 무슨 일로 군사를 거두셨소?"

유요가 대답한다.

"급보가 날아왔다. 주유가 군사를 이끌고 곡아를 급습했는데, 여강 송자 사람으로 자가 자열(子烈)인 진무(陳武)가 내통하여 성이 적의 수중에 들어갔다는구나. 우리의 근거인 곡아를 잃었으니 지금 이러고 있을 때가 아니다. 속히 말릉으로 가서 설례·착융과 합세해 곡아를 되찾아야 한다."

유요는 곧 퇴군령을 내렸다. 태사자도 따르지 않을 수 없었다. 손책이 굳이 그 뒤를 쫓지 않고 군사를 수습하자 장소가 말한다.

"저들은 주유에게 곡아를 점령당해 싸울 마음이 없을 터이니, 오늘밤에 적의 영채를 기습하는 게 좋을 듯싶습니다."

손책은 고개를 끄덕였다. 그날밤, 손책이 군사를 다섯 길로 나누어 쳐들어가니 유요의 군사는 크게 패하여 도망치기에 바빴다. 태사자도 혼자 힘으로는 손책의 대군을 당할 길이 없어, 마침내 10여기의 수하만 거느리고 밤새 경현을 향해 말을 달렸다.

손책은 이 싸움에서 새로이 진무를 얻었다. 진무는 키가 7척이요, 낯빛이 누렇고 눈동자는 붉어서 생김새가 괴상했다. 손책은 진무를 지극히 아껴서 교위에 임명하고 선봉에 세워 설례를 공격하게 했다. 진무가 10여기를 이끌고 적진으로 뛰어들어 삽시간에 50여명의 목을 베니, 설례는 성문을 굳게 닫고 감히 나오려 하지 않았다. 이렇듯 손책이 군사를 이끌고 말릉성을 공격하고 있는데, 갑자기 파발꾼이 달려와 급보를 전한다.

"유요가 패군을 수습하고 착용의 무리와 합세해 우저를 공격하러 갔습니다!"

손책은 크게 노하여 대군을 이끌고 우저로 달려갔다. 유요와 착용이 말을 몰고 나와 맞선다. 손책이 말한다.

"내가 친히 이곳에 왔거늘 어찌하여 항복하지 않느냐!"

유요의 등뒤에서 한명의 장수가 창을 든 채 말을 몰아 나온다. 바로 유요의 부장 우미(于麋)였다. 손책이 나아가 맞서싸우니, 우미는 3합도 버티지 못하고 손책에게 사로잡혀버렸다. 손책은 우미를 옆구리에 끼고 자기 진영으로 돌아간다. 유요의 장수 번능(樊能)은 우미가 잡혀가는 것을 보고 급히 뒤를 쫓아 손책의 등을 향해 창을 겨누었다. 이때 손책 진영의 군사들이 큰소리로 외친다.

"장군, 등뒤를 조심하시오!"

손책이 급히 고개를 돌려보니 번능이 바로 등뒤에 와 있다. 손책은 눈을 부릅뜨고 대갈일성한다. 사뭇 벼락치는 소리 같았다. 번능은 그 소리에 소스라쳐 놀라 그대로 말에서 굴러떨어지더니 머리가 깨져 죽어버렸다. 손책이 마침내 문기(門旗) 아래 이르러 옆에 끼고 온 우미를 내려놓고 보니 그는 이미 숨이 끊어진 지 오래였다. 손책이 이렇듯 삽시간에 한 장수는 팔에 끼워 죽이고 또 한 장수는 소리질러 죽이니, 그뒤로 사람들은 그를 일컬어 '소패왕(小覇王)'이라 했다.

이날 유요는 크게 패하였다. 수하군사의 태반이 손책에게 항복하고, 손책이 목을 벤 군사만도 1만여명이 넘었다. 결국 유요는 착용과 함께 예장(豫章)으로 도망하여 유표에게 몸을 의탁했다.

손책은 다시 군사를 돌려 말릉을 공략하러 갔다. 그가 직접 성밑으로 가서 설례에게 항복을 권유하는데, 이때 성위에서 몰래 쏜 화살이 손책의 왼쪽 넙적다리에 정통으로 꽂혔다. 손책은 그대로 말 아래로 굴러떨어졌다. 주위의 장수들이 급히 달려들어 손책을 영채로 옮긴 다음 다리에 꽂힌 화살을 뽑고 상처에 금창약(金瘡藥)을 발랐다.

손책은 군사들에게 명하여 자신이 화살에 맞아 죽었다고 거짓소문을 퍼뜨리게 했다. 그러고는 모든 군사들이 통곡을 하며 영채를 거두어 떠났다. 성안에 있던 설례는 손책이 죽었다는 소식을 듣고 당장 군사를 모아 날랜 장수 장영·진횡과 함께 성을 나와 그 뒤를 추격했다. 그런데 이게 웬일인가. 갑자기 사방에서 복병이 몰려나오더니 죽은 줄 알았던 손책이 앞으로 나서며 큰소리로 외치는 게 아닌가.

"손책이 바로 여기 있다!"

설례의 군사들은 귀신이라도 본 듯 모두 제자리에 얼어붙어버렸다. 잠시 후 그들은 마치 약속이나 한 듯이 창과 칼을 떨구고 일제히 땅바닥에 엎드렸다. 손책이 모든 군사들에게 명한다.

"항복하는 자는 단 한명도 죽이지 말라!"

뜻밖의 변을 당한 장영은 말머리를 돌려 달아나다가 진무의 창에 찔려 죽고, 진횡은 장흠의 화살에 맞아 죽었다. 또한 설례는 어지럽게 싸우는 중에 죽었다. 손책은 말릉으로 들어가 백성을 안정시키고, 다시 군사를 이끌고 태사자를 잡으러 경현으로 떠났다.

한편 태사자는 민첩한 군사 2천여명을 새로 뽑고, 수하군사들까지 합해 유요의 원수를 갚기 위해 군세를 정비하고 있었다. 손책은 주유와 함께 태사자를 사로잡을 계책을 의논했다. 의논이 끝난 뒤 주유가 군사들에게 영을 내린다.

"경현을 삼면으로 공격하되, 서·남·북 삼문만 치고 동문은 남겨두어라. 적들이 달아날 수 있도록 길을 터주고, 성에서 25리 떨어진 곳에 군사를 셋으로 나누어 매복하라. 태사자가 그곳에 이르면 군사와 말이 모두 지쳐 반드시 사로잡을 수 있을 것이다."

본래 태사자가 불러모은 군사들은 태반이 산과 들에 흩어져 살던 백성이라 도무지 기율을 몰랐다. 게다가 경현성은 성곽이 그리 높지 않아 대군을 막고 싸울 곳이 못 되었다. 그날밤, 손책은 진무로 하여금 간편한 차림새로 몰래 성위에 올라가 불을 놓게 했다. 태사자는 불이 난 것을 보고 그대로 말에 올라 동문을 열고 나갔다. 손책은 곧 군사를 이끌고 태사자의 뒤를 추격했으나 30리 정도 쫓다가 추격을 멈추고 말았다. 태사자는 단숨에 50리 길을 달렸다. 사람도 말도 지칠 대로 지쳐버렸다. 그때 느닷없이 갈대밭에서 큰 함성이 일어난다. 태사자는 말을 재촉하여 급하게 달아나기 시작했다. 그러나 얼마 못 가 길가 숲에서 던진 반마삭(絆馬索, 적의 말의 다리를 걸어 넘어뜨리기 위해 둘러친 새끼나 밧줄)에 걸려 말이 쓰러지는 바람에 그대로 사로잡히고 말았다.

손책의 복병들이 사로잡은 태사자를 영채로 끌고 왔다. 손책은 태사자가 잡혀왔다는 보고를 듣고 친히 나와 군사들을 꾸짖어 물리치고는 몸소 결박을 풀어주었다. 그러고는 자기가 입고 있던 비단 전포를 벗어서 태사자에게 입히더니 그를 안으로 청해들인다.

"그대야말로 참으로 대장부인데 어리석은 유요가 사람을 쓸 줄 몰랐소. 그래서 공으로 하여금 오늘과 같은 패배를 맛보게 한 것이오."

태사자는 손책이 자신을 후하게 대접해주자 감격하여 항복할 뜻을 보였다. 손책이 웃으며 태사자의 손을 잡는다.

"신정령 아래서 우리가 서로 싸울 때 만약 공이 나를 잡았다면 어찌했겠소? 나를 죽였을지도 모를 일 아니오?"

태사도 웃으며 답한다.

"그야 알 수 없는 일이지요."

손책은 다시 한번 껄껄 웃더니, 태사자를 장막 안으로 청하여 상좌에 앉히고 잔치를 베풀었다. 태사자가 문득 입을 연다.

"유요가 대패하여 군사들이 마음붙일 곳을 잃었소이다. 제가 가서 남은 군사들을 수습하여 공을 도울까 하는데, 저를 믿어주실지 모르겠소이다."

손책은 자리에서 일어나 감사의 뜻을 표한다.

"그것은 진실로 내가 원하는 바요. 내일 정오까지는 꼭 돌아오기로 나와 약속해주오."

태사자는 손책의 말에 응낙하고 떠나갔다. 손책 수하의 여러 장수들이 말한다.

"태사자는 이번에 가서 다시는 돌아오지 않을 것입니다."

손책은 확신에 찬 음성으로 대꾸한다.

"태사자는 신의있는 사람이라 결단코 나를 배신하지 않을 거요."

그러나 모든 장수들은 손책과 생각이 달랐다.

이튿날 손책의 장수들은 영문(營門)에 장대 하나를 세워놓고 그림자를 관측하고 있었다. 해시계가 정확히 정오를 가리킬 무렵 태사자가 군사 1천여명을 이끌고 영채에 도착했다. 손책은 몹시 기뻐하고, 모든 사람들은 손책의 사람 보는 안목에 탄복했다.

이어 손책은 군사 수만명을 거느리고 강동으로 내려가서 백성들을 위무하니, 항복해오는 자가 헤아릴 수 없이 많았다. 처음에 강동사람들은 모두 손책을 '손랑(孫郞)'이라 부르며 그의 군사가 온다는 말만 들어도 간담이 서늘해져 달아나기 일쑤였다. 그러나 막상 군대가 도착하면 그렇지 않았다. 손책은 군사들의 노략질을 엄금하여 닭 한 마리, 개 한 마리도 손대지 않음으로써 신뢰를 쌓았다. 급기야 백성들은 스스로 술과 고기를 들고 찾아와 손책의 군사를 격려하기에 이르렀고, 그럴 때마다 손책은 돈과 비단으로 답례했다. 백성들의 환호성이 들판에 가득했다. 또한 항복해온 유요의 군사들 가운데 그대로 종군을 원하는 자는 받아주고, 원치 않는 자는 상금을 후하게 주어 고향에 돌아가 농사짓고 살도록 해주니, 모든 백성들이 손책을 우러러 칭송해 마지않았다.

이리하여 손책은 세력을 크게 떨치게 되었으며, 어머니와 숙부, 아우들을 모두 곡아로 데려올 수 있었다. 그는 아우 손권으로 하여금 주태와 함께 선성(宣城)을 지키도록 하고, 자신은 다시 군사를 이끌고 오군(吳郡)을 공격하러 남쪽으로 떠났다.

이때 오군땅에는 엄백호(嚴白虎)라는 자가 자칭 '동오의 덕왕(德王)'이라 일컬으며 웅거하면서 수하 장수를 보내 오정(烏程)과 가흥(嘉興)까지 장악하고 있었다. 그러던 중 손책의 군사가 쳐들어온다는 보고를 받자 그는 즉시 아우 엄여(嚴興)로 하여금 군사를 거느리고 나아가 대적하게 했다.

양쪽 군사는 풍교(楓橋)에서 마주쳤다. 엄여가 다리 위에서 칼을 비껴들고 말을 세웠다. 손책의 군사 하나가 나는 듯이 말을 달려 이 사실을 진영에 알렸다. 손책이 창을 거머쥐고 말에 오르려 하는데, 장굉이 간한다.

"모름지기 군사들의 목숨은 주장(主將)에게 달려 있소이다. 보잘것 없는 도적을 친히 대적하는 일은 경솔한 짓이오니, 부디 자중하십시오."

"참으로 지당한 말이오. 그러나 내 몸소 적의 화살과 돌을 무릅쓰지 않으면 군사들이 명령을 따르지 않을까 두렵소이다."

손책은 장굉의 충고대로 우선 한당을 보내 싸우게 했다. 한당이 칼을 들고 말에 올라 다리 위로 나아갔다. 이때 장흠과 진무는 어느새 작은 배를 타고 강기슭으로부터 다리 아래에 이르러서는 화살을 어지러이 퍼부어 언덕 위에 있는 군사들을 물리치고, 일제히 몸을 날려 언덕 위로 뛰어올라 닥치는 대로 베어죽였다. 엄여가 패하여 군사를 거두어 달아나자 한당은 군사를 이끌고 창문(閶門) 아래까지 추격했다. 적병은 앞을 다투어 성안으로 몰려들어가 문을 굳게 닫아걸었다.

손책은 군사를 나누어 수륙(水陸) 두 길로 진격하여 오성(吳城)을 포위했다. 성을 포위한 지 사흘이 지나도록 성안에서는 도무지 나와 싸울 기미가 없다. 손책은 몸소 군사를 거느리고 창문 밖에 이르러 항복하라고 외쳤다. 이때 성루에서 한 장수가 왼손으로 문루 기둥을 붙들고, 오른손으로는 성 아래 손책을 가리키며 욕설을 퍼부어댄다. 태사자가 말 위에서 활에다 화살을 메겨 들고는 좌우를 돌아보며 말한다.

"내 저놈의 왼손을 쏘아맞힐 터이니 잘들 보시오."

태사자의 말이 미처 끝나기도 전에 시윗소리가 울리더니, 곧장 날아간 화살은 그 장수의 왼손을 꿰뚫고는 문루 기둥에 깊이 박혀버렸다. 성 위아래에서 이를 지켜본 모든 사람들은 일제히 태사자에게 갈채를 보냈다. 적들은 급히 그 장수를 구하여 성루 아래로 내려보냈다. 엄백호가 크게 놀라 중얼거린다.

"저들에게 저런 장수가 있으니 어찌 당하겠는가."

그는 드디어 강화를 청하기로 했다.

이튿날 엄백호의 아우 엄여가 성을 나와 손책을 찾아왔다. 손책은 엄여를 진중으로 청하여 술을 권했다. 웬만큼 술기운이 돌기 시작하자 손책이 엄여에게 묻는다.

"그래 형님의 뜻이 뭐요?"

엄여가 대답한다.

"장군과 강동을 나누자고 하십니다."

"뭐라구? 쥐새끼 같은 무리가 어찌 감히 나와 대등한 위치에 서려 한단 말이냐."

손책은 진노하여 불호령을 내렸다.

"당장 이놈을 끌어내 목을 베어라!"

엄여는 칼을 빼들고 벌떡 일어섰다. 그러나 손책이 번개같이 허리에 찬 칼을 빼 휘두르자 엄여는 외마디 비명을 지르며 나뒹굴고 말았다. 손책은 엄여의 목을 베어 성안으로 보냈다. 엄백호는 도무지 대항할 수 없음을 깨닫고 마침내 성을 버리고 달아났다. 손책은 군사를 거느리고 엄백호를 추격하면서 황개를 보내 가흥(嘉興)을 치게 하고, 태사자를 보내 오정을 쳐서 빼앗으니, 여러 고을들이 일시에 모두 평정되었다.

엄백호는 여항(餘杭)으로 달아나며 가는 곳마다 노략질을 일삼았다. 그러자 그 지방의 능조(凌操)라는 사람이 고을사람들을 모아 대항하니, 그 바람에 엄백호는 다시 회계(會稽)를 향해 달아났다. 능조 부자가 엄백호를 뒤쫓아온 손책을 영접했다. 손책은 두 사람을 종정교위(從征校尉)로 삼아 함께 군사를 거느리고 강을 건넜다. 엄백호는 도적의 무리를 모아 서진 나루에 진을 치고 있었다. 손책은 정보를 보내 싸우게 했다. 엄백호는 또다시 크게 패하여 밤을 새워 회계로 달아났다.

한편 회계 태수 왕랑(王朗)은 엄백호를 돕기 위해 군사를 일으키려 했다. 이때 누군가 나서며 만류한다.

"안됩니다. 손책은 인의(仁義)를 앞세운 군대요 엄백호는 포학한 짓을 일삼는 무리이니, 오히려 엄백호를 사로잡아 손책에게 내주는 게 옳을 듯싶소이다."

고을 관리인 우번(虞翻)이었다. 그는 회계 여요(餘姚) 사람으로 자는 중상(仲翔)이었다. 왕랑이 오히려 꾸짖어 물리치자 우번은 길게 한숨을 쉬며 나가버렸다. 왕랑은 더이상 지체하지 않고 군사를 일으켜 엄백호와 함께 산음(山陰) 벌판에 진영을 벌여세웠다. 손책 또한 진을 친 후 말을 몰고 나와 왕랑을 향해 소리친다.

"내 인의의 군사를 일으켜 절강지방을 평안케 하려고 왔거늘, 그대는 어찌하여 도적을 돕는단 말인가?"

왕랑이 맞서 손책을 꾸짖는다.

"너야말로 이미 오군을 얻고도 다시 내 땅까지 넘보다니 욕심이 지나친 게 아니냐? 내 오늘 엄백호를 위해 원수를 갚아주리라."

손책이 진노하여 나가 싸우려 하는데, 벌써 태사자가 말을 달려나가고 있었다. 왕랑이 춤추듯 칼을 휘두르며 맞선다. 몇합 안되어 왕랑의 장수 주흔(周昕)이 싸움을 도우려고 달려나오니, 손책의 진영에서는 황개가 나는 듯 말을 달려나가 주흔을 맡아 싸운다.

양쪽 진영에서 점차 북소리가 요란해지며 군사들이 모두 몰려나와 일대 접전을 벌였다. 그때 갑자기 왕랑의 진 뒤쪽이 어지러워지더니 한떼의 군사가 공격해온다. 왕랑은 크게 놀라 본진으로 되돌아가 적을 막았다. 군사를 몰아 왕랑의 배후를 찌른 사람은 주유와 정보였다.

협공을 받은데다가 적은 군사로 대군을 당할 길이 없어진 왕랑은 엄백호·주흔과 더불어 혈로를 뚫고 성으로 들어가서 급히 조교(弔橋)를 끌어올린 뒤 성문을 굳게 닫아버렸다. 손책은 승세를 몰아 대군을 거느리고 성밑까지 추격하여 병력을 나누어 사방의 성문을 일제히 공격한다. 성안에서 왕랑은 손책의 맹렬한 공격에 위급함을 느낀 나머지 죽음을 각오하고 다시 나가 싸우려 했다. 엄백호가 말린다.

"손책의 군사가 막강하니 귀공은 호를 깊이 파고 보루를 높게 올려 단단히 성을 지키면서 나가지 마시오. 그리하면 저들은 한달이 못 되어 양식이 떨어져 제풀에 물러갈 것이니, 그때 허술한 틈을 노려 공격하면 싸우지 않고도 이길 수 있을 것이외다."

왕랑은 그 말대로 회계성을 굳게 지킬 뿐 움직이지 않았다. 손책은 며칠 동안 계속해서 성을 공격했다. 그래도 왕랑은 꿈쩍도 하지 않는다. 손책은 사람들을 모아 의논했다. 진영에 함께 있던 숙부뻘 되는 손정(孫靜)이 말한다.

"왕랑이 성을 굳게 지키니 급하게 함락시키기는 어려울 것이오. 회계 전량(錢糧)의 태반이 사독(査瀆)에 있는데, 여기서 불과 몇십리밖에 안되니, 먼저 사독을 손에 넣는 게 좋겠소. 이것이야말로 방비 없는 데를 치고, 뜻하지 않은 데서 군사를 일으키는 것이 아니겠소."

손책이 이 말을 듣고 몹시 기뻐한다.

"숙부의 묘책으로 능히 적을 물리칠 수 있을 것입니다."

손책은 즉시 영을 내려 각 진영마다 불을 밝히는 한편, 일부러 기를 많이 세워 군사들이 있는 것처럼 꾸몄다. 그러고는 야음을 틈타 포위를 풀고 남쪽으로 떠날 채비를 했다. 주유가 말한다.

"주공께서 대군을 거두어 떠나는 것을 알면, 반드시 왕랑이 성을 나와 뒤쫓을 것이오. 이때 기습병을 쓰면 승리할 수 있습니다."

"이미 그 준비도 해놓았으니 회계성은 오늘밤 안으로 우리 손에 들어올 것이다."

손책은 마침내 군마를 거느리고 떠났다. 손책의 군사가 물러갔다는 보고를 받은 왕랑은 엄백호·주흔 등과 함께 성루에 올라 성밖을 두루 살펴보았다. 그러나 성밑에는 여전히 불길이 타오르며, 연기가 피어오르고 있었다. 정기(旌旗)도 어지럽지 않았다. 왕랑이 몹시 의아해하고 있을 때 주흔이 말한다.

"손책이 군사를 거두어 달아나면서 우리를 속이려고 쓴 계책이오. 군사를 이끌고 나가 뒤를 치도록 합시다."

엄백호가 한마디 한다.

"혹시 손책이 사독을 치려는 게 아니겠소? 내 주장군과 함께 군사를 이끌고 뒤쫓아가겠소."

왕랑이 말한다.

"사독은 내가 곡식을 쌓아둔 곳이니 방비를 엄히 해야겠소. 군사를 거느리고 먼저 가시오. 내 곧 뒤따라가 도우리다."

엄백호와 주흔은 군사 5천명을 이끌고 성을 나섰다. 때는 초경(오후 8시) 무렵이었다. 20여리를 달렸을 때, 갑자기 숲속에서 북소리가 크게 울리며 일시에 횃불이 일어나 사방을 환히 비추었다. 엄백호가 깜짝 놀라 급히 말머리를 돌리려 하는데 한 장수가 말을 내달아 앞을 가로막는다. 불빛 속에서 살펴보니 바로 손책이다. 주흔이 칼을 휘두르며 달려들었으나, 단번에 손책의 창에 찔려 거꾸러지고 만다. 그러자 수하의 무리들은 다투어 항복했다. 엄백호는 그대로 말을 몰아 혈로를 뚫고 여항(餘杭)을 향해 달아났다. 뒤를 따르던 왕랑은 이미 엄백호의 군사가 패했다는 소식을 듣고, 성으로 되돌아가지 못하고 군사들을 이끌고 바닷가 쪽으로 달아나버렸다. 손책은 곧 군사를 돌려 회계성을 점령한 다음 백성들을 안정시켰다.

하루도 못 되어 한 장수가 엄백호의 수급을 가지고 와서 손책에게 바쳤다. 그 사람을 보니 키가 8척이요, 넓적한 얼굴에 입이 유난히 컸다. 이름을 묻자 회계 여요 태생으로, 성명은 동습(董襲)이요 자는 원대(元代)라고 하였다. 손책은 그를 기꺼이 받아들여 별부사마(別部司馬)로 삼았다. 이로써 동쪽 지방은 모두 평정되었다. 손책은 숙부뻘 되는 손정에게 회계성을 지키게 하고, 주치를 오군태수로 삼은 다음 군사를 거두어 강동으로 돌아갔다.

한편 손권은 주태와 함께 선성을 지키고 있었는데, 깊은 밤 난데없는 산적떼가 몰려와 사방에서 성을 공격했다. 미처 대적할 틈도 없어서 주태는 즉시 손권을 안아 말에 태우고 제대로 갑옷도 챙겨입지 못한 채 들이닥친 산적들을 맞이하여 삽시간에 10여명이나 해치웠다. 그런데 갑자기 한 도적이 말을 달려 주태의 등을 향해 창을 내질렀다.

주태는 허리 쪽으로 치고 들어오는 창을 움켜쥐고 비틀며 거세게 밀쳤다. 그 서슬에 상대방은 말 아래로 굴러떨어졌다. 주태는 빼앗은 창을 휘두르며 도적을 공격하여 혈로를 뚫고 손권을 구해냈다. 나머지 도적들은 모두 도망가고 말았다.

간신히 도적들을 물리치긴 했으나 주태의 몸은 열두 군데나 창에 찔렸다. 창독으로 염증이 생겨 부어오르며 시간이 흐를수록 회복되기는커녕 목숨이 위태로운 지경에 놓였다. 대군을 거느리고 돌아온 손책은 이 말을 듣고 깜짝 놀랐다. 장하에서 동습이 말한다.

"제가 해적과 싸우다 여러 군데 창에 찔린 적이 있사온데, 회계 고을 관리로 있는 우번이 용한 의원을 천거해주어 불과 보름 만에 나은 일이 있소이다."

"우번이라니 우중상 말씀이오?"

"그렇습니다."

"우번이 어진 사람이란 말은 내 일찍이 들은 바 있소."

이렇게 말한 손책은 즉시 장소에게 동습과 함께 가서 우번을 청해오라고 명하였다. 우번을 데려오자, 손책은 예를 갖추어 대우하고 그를 공조(功曹)로 삼은 다음, 용한 의원이 급히 필요하다고 말했다. 우번이 말한다.

"패국(沛國) 초군(譙郡) 사람으로 화타(華佗)라는 이가 있소이다. 자는 원화(元化)라 하는데, 당대의 명의올시다. 제가 가서 청해 오리다."

우번은 그날로 길을 떠나 화타를 데려왔다. 손책이 보니, 얼굴은 동안(童顔)이나 머리는 학처럼 하얗게 센 모습에 이세상 사람 같지 않은 기운이 서려 있었다. 손책은 화타를 상빈으로 모시고 주태의 상처를 보아주십사 간곡히 부탁했다. 화타가 상처를 살펴보고는 말한다.

"고치기 쉬운 상처올시다."

화타가 약을 쓰기 시작한 뒤로 한달도 안되어 주태는 완쾌되었다. 손책은 크게 기뻐하며 화타에게 후히 사례했다. 그리고 즉시 군사를 보내 산적떼를 소탕하니, 이로써 강남 일대가 평온을 되찾았다. 손책은 군사를 나누어 각각 요처를 지키게 하고 조정에 표문을 올려 아뢰었다. 그러는 한편 조조와 교분을 맺으며, 원술에게 서신을 보내 옥새를 돌려달라고 청했다.

한편 원술은 옥새를 맡아둔 뒤로 딴마음을 품게 되었다. 손책으로부터 옥새를 돌려달라는 서신을 받은 그는 이런저런 핑계를 대며 시간을 끌었다. 막상 옥새를 손에 쥐고 보니 은근히 황제자리에 욕심이 생겼던 것이다. 그는 장사(長史) 양대장(楊大將)·도독(都督) 장훈(張勳)·기령(紀靈)·교유(橋蕤)·상장(上將) 뇌박(雷薄)·진란(陳蘭) 등 30여명을 모아놓고 의논했다.

"손책이 내가 빌려준 군마로 오늘날 강동땅을 저렇듯 수중에 넣고는 은혜 갚을 생각은 않고 도리어 옥새를 돌려달라고 하니 참으로 괘씸하다. 장차 이 일을 어찌하면 좋겠느냐?"

양대장이 말한다.

"손책이 장강(長江)의 요새를 점거하고 있을 뿐만 아니라 군사가 정예하고 양식이 넉넉하니 가볍게 생각할 일이 아닙니다. 먼저 유비를 쳐서, 지난날 아무 연고도 없이 우리에게 덤벼들었던 원수부터 갚도록 하십시오. 저에게 좋은 계책이 있으니 그대로만 한다면 곧 유비를 사로잡을 수 있을 것입니다. 그런 뒤에 손책을 공략해도 늦지는 않을 것입니다."

강동으로 가서 범을 잡으려 않고　　　　　　　　　不去江東圖虎豹

서주로 와서 용과 싸우려 하네　　　　　　　　　却來徐郡鬪蛟龍

과연 양대장이 말하고자 하는 계책이란 무엇일까?

16 _

의리 없는 여포

여포는 원문 밖의 방천화극을 쏘아맞히고
조조는 육수에서 패하다

양대장이 원술에게 유비를 칠 계책이 있다고 하자 원술이 묻는다.

"그 계책이 무엇인가?"

"유비의 군사는 소패에 주둔하고 있어 무찌르기 쉬우나, 염려되는
것은 서주에 호랑이처럼 버티고 있는 여포입니다. 우리가 여포에게
황금과 비단, 곡식을 주기로 약조하고서 이제까지 주지 않고 있으니,
만약 여포가 유비를 돕는다면 큰일 아니겠습니까? 우선 여포에게 양
식을 보내 환심을 얻어 군사를 일으키지 않게 하고 나서 유비를 사로
잡습니다. 유비부터 사로잡으신 다음 여포를 도모하신다면 서주도 손

에 넣을 수 있을 것입니다."

원술은 기뻐하며 당장 좁쌀 20만섬을 마련하여 한윤(韓胤)에게 주어 밀서와 함께 여포에게 전하도록 했다. 여포는 크게 기뻐하며 한윤을 후하게 대접했다. 한윤이 돌아가 그대로 원술에게 고하니, 원술은 마침내 기령을 대장으로, 뇌박과 진란을 부장으로 삼아 군사 수만명을 거느리고 소패를 치게 했다.

현덕은 이 소식을 듣고 즉시 사람들을 모아 상의한다. 장비가 무조건 나가 싸우겠다고 나서자 손건이 말한다.

"우리 소패에는 양식도 넉넉지 않고 병력도 적은 터라 대군과 맞서 싸우기란 쉬운 일이 아닙니다. 아무래도 여포에게 글을 보내 구원을 청하는 게 낫겠습니다."

장비가 말한다.

"그놈이 행여나 오겠소."

그러나 현덕의 생각은 달랐다.

"손건의 말이 옳다."

그러고는 즉시 다음과 같은 편지를 써서 여포에게 보냈다.

엎드려 생각건대, 장군께서 염려해주신 덕에 이몸이 소패에 살고 있으니, 하늘 같은 은덕에 진심으로 감사드리는 바입니다. 이제 원술이 사사롭게 원수를 갚겠다고 하면서 장수 기령으로 하여금 군사를 이끌고 이곳을 침략하게 했으니, 고을의 존망이 조석에 달려 있소이다. 장군이 아니면 누가 이 고을을 구해낼 수 있으리까. 청컨대 장군께서 1여(旅, 5백명 단위의 군대)의 군사를 거느려 위급한 처지에서 구해주신다면 그 은혜 잊지 않겠소이다.

여포는 편지를 보고 나서 진궁과 상의한다.

"지난번에 원술이 양식을 보내고 밀서를 전해온 것은 현덕을 돕지 말라는 뜻일세. 그런데 이렇게 현덕이 도움을 청해왔으니 어찌해야 좋을지……"

잠시 생각하는 얼굴이더니 다시 입을 연다.

"현덕이 소패에 군사를 주둔하고 있는 것이야 내게 해될 것이 없지만, 만약 원술이 현덕을 삼키고 보면 그 다음에는 반드시 북으로 태산(泰山)의 여러 장수와 합심하여 나를 도모하려 들 게 뻔한데, 그리 되면 내가 어찌 베개를 높이 베고 편히 잘 수 있겠는가? 아무래도 현덕을 돕느니만 못할 것 같네."

여포는 이렇게 결론을 내리고 마침내 군사를 일으켜 길을 떠났다.

한편, 기령은 대군을 거느리고 소패의 동남쪽에 당도하여 영채를 세웠다. 그러고는 낮이면 깃발을 벌여세워 산천을 가리고, 밤이면 대낮같이 횃불을 밝혀 천지가 진동하도록 북을 울려댄다. 현덕은 수하에 거느린 군사라고 해야 오직 5천여명뿐이었으나, 그냥 있을 수도 없고 해서 일단 군사를 이끌고 성밖으로 나와 포진했다. 그때 여포가 소패에서 한마장쯤 떨어진 곳으로 군사를 몰고 와서 남쪽에 영채를 세웠다는 보고가 들어왔다. 기령은 여포가 군사를 이끌고 와서 유비를 도우려 한다는 말을 듣고, 즉시 여포의 진중으로 편지를 보내 신의 없는 태도를 책망했다. 여포가 웃으며 말한다.

"내게 한 가지 좋은 수가 있다. 원술과 유비 모두 나를 원망하지 않게 하리라."

여포는 기령과 유비의 진영에 각각 사람을 보내 두 사람을 청했다.

현덕이 여포가 청한다는 말을 듣고 즉시 움직이려 하는데, 관우와 장비 두 아우가 말린다.

"형님, 경솔히 가실 일이 아니오. 여포는 분명히 딴생각을 품고 있을 거요."

현덕은 가볍게 말한다.

"내가 저를 박대하지 않았으니, 나를 해치지는 않을 게다."

현덕은 곧 말을 타고 진영을 떠났다. 하는 수 없이 관우와 장비도 뒤를 따랐다. 현덕 일행이 여포의 영채로 들어서자 여포가 현덕에게 말한다.

"내 오늘 특별히 공의 위급함을 풀어줄 작정이오. 훗날 뜻을 이루거든 부디 잊지나 마오."

현덕이 거듭 사례하자, 여포는 비로소 현덕에게 자리를 권한다. 관우와 장비 두 사람은 칼을 든 채 현덕의 등뒤에 섰다. 마침 사람이 와서 고한다.

"기령 장군이 오셨소이다."

현덕은 뜻밖의 일에 깜짝 놀라 자리를 피하려 했다. 여포가 손을 들어 제지한다.

"내 특히 두 분을 청하여 의논을 할 게 있어 모셨으니, 조금도 불안해하지 마시오."

현덕은 여포의 심사를 알 길이 없어 마음이 매우 불안해졌다. 기령도 말에서 내려 무심히 영채 안으로 들어서다가 뜻밖에도 유비가 앉아 있는 것을 보고 소스라쳐 놀란다. 그대로 몸을 돌려 나가려 하는 그를 좌우 사람들이 만류한다. 그러나 소용이 없다. 보다못해 여포가 몸소 나가 기령을 붙잡더니 마치 어린아이 다루듯 가볍게 끌고 왔다.

기령이 항의한다.

"장군은 나를 죽일 작정이오?"

여포는 기령을 자리에 앉히며 말한다.

"그럴 리가 있겠소?"

"아니면 저 귀 큰 자를 죽이려는 거요?"

"그것도 아니오."

"그럼 대체 어쩌실 생각이오?"

"현덕은 나와 형제나 다름없는데 장군 때문에 곤욕을 치르고 있다기에 도우려는 것뿐이오."

"그렇다면 나를 죽이려는 게 분명하군?"

"그렇지 않대두 그러시는구려. 이몸은 평생 싸움을 싫어하고 말리기를 좋아하는 탓으로, 양쪽을 화해시키려는 것뿐이오."

"어떻게 화해를 시킬 작정이오?"

"내게 한 가지 방법이 있소이다. 일이 성사되고 안되고는 천명일 것이오."

여포는 기령의 손을 끌고서 장막 안으로 들어가 현덕과 대면하게 했다. 두 사람은 제각기 의심을 품은 채 서로를 마주보았다. 여포는 가운데 자리를 잡고 앉더니 기령을 왼편에, 유비를 오른편에 앉힌 다음 술상을 내오도록 했다. 술잔이 두어 순배 돌자 여포가 입을 연다.

"두 집안은 내 낯을 봐서 모두 군사를 거두시오."

유현덕은 말이 없다. 기령이 먼저 말한다.

"나는 주공의 명을 받들어 10만 군사를 이끌고 유비를 잡으러 온 몸이오. 그런데 그냥 돌아가라니, 무슨 말씀을 그리 하시오?"

화가 난 장비가 칼을 빼들고 호통을 친다.

"우리가 비록 군사는 많지 않으나 네까짓놈들이야 실로 어린아이처럼 보일 뿐이다. 백만 황건적에 비하면 아무것도 아닌 것들이 감히 우리 형님을 어찌 보고 하는 소린가!"

관운장이 급히 장비의 손을 붙들며 말한다.

"여장군의 뜻이 어떤지 먼저 들어보자. 그 다음에 각기 영채로 돌아가서 싸워도 늦지 않을 것이다."

여포가 소리를 높인다.

"내 그대들을 청한 것은 화해를 시키려는 것이지, 싸움을 시키려는 게 아니오."

저쪽에서는 기령이 불만스러운 얼굴빛이고, 이쪽에서는 장비가 여차하면 칠 기세로 울근불근한다. 여포는 격노하여 소리를 내지른다.

"당장 방천화극을 가져오너라!"

여포가 가져온 화극을 집어들자 기령과 유비 두 사람 모두 낯빛이 변했다.

"내 두 집안을 서로 화해시키려 하는데, 그 일의 성사는 모두 하늘의 뜻에 달렸소."

여포는 좌우를 돌아보며 분부를 내린다.

"이 화극을 원문(轅門) 밖 빈 터에 갖다세워라!"

화극이 원문 밖에 세워졌다. 여포가 기령과 유비를 돌아보며 말한다.

"여기서부터 저 원문까지 150보는 족히 되오. 내 이제 화살을 쏘아 저 화극 끝 곁가지를 맞힌다면 양쪽 다 군사를 거두어 돌아가시고, 만약 맞히지 못하거든 각기 영채로 돌아가 싸울 준비를 하시오. 허나, 내 말을 따르지 않는다면 내가 먼저 군사를 몰아 칠 것이니 알아서들 하오."

기령은 속으로 코웃음을 치며 생각했다.

'150보 밖에 있는 화극 끝 곁가지를 맞히기가 어디 쉽겠나? 우선 그러마 하고, 활 쏘기를 기다렸다가 맞히지 못하거든 그때 유비를 쳐도 그만이지.'

기령은 쾌히 승낙하고, 현덕 또한 마다할 도리가 없다. 여포는 모두 자리에 앉도록 하고서 다시 두 사람과 술을 한잔씩 마신 다음 활과 화살을 가져오도록 명한다. 현덕은 마음속으로 가만히 축원한다.

'부디 여포가 맞히게 하소서.'

여포는 천천히 전포 소매를 걷어올린 다음, 화살을 시위에 메겨들고 힘껏 잡아당겼다. 손에 땀을 쥐게 하는 순간, 여포는 시위에서 손을 떼며 한소리 크게 외친다. 활이 가을 하늘의 달처럼 둥그렇게 부풀어오르면서 시위를 떠난 화살은 마치 흐르는 별처럼 허공을 날아 한 치의 어긋남없이 방천화극의 곁가지에 정통으로 맞고 떨어진다. 장막 안팎에 있던 장수들이 일제히 탄성을 올렸다.

후세 사람이 시를 지어 칭송했다.

온후의 활솜씨 세상에 짝이 없어라	溫侯神射世間稀
원문에서 표적 맞혀 위기에서 구해주었네	曾向轅門獨解危
해를 쏘아 떨어뜨린 명궁 후예 무색하고	落日果然欺后羿
원숭이 울린 유기도 못 따르리	號猿直欲勝由基
호근현 시윗소리 울린 곳에	虎筋弦響弓開處
조우령 화살 날아 닿는 시각	雕翎領飛箭到時
표범꼬리 요동치듯 화극을 꿰뚫어	豹子尾搖穿畫戟

여포는 원문 밖의 방천화극 곁가지를 활로 쏘아 맞히다

여포는 화극의 곁가지를 쏘아맞히고 나서 한차례 크게 웃더니 활을
땅바닥에 던져놓고는 기령과 유비의 손을 잡고 말한다.

"하늘의 뜻이니 두 집안은 즉시 군사를 거두어 돌아가시오."

여포는 다시 술을 가져오게 하여 큰 잔에 가득 부어 두 사람에게 권
한다. 현덕은 마음속으로 부끄러워하고, 기령은 한동안 말없이 앉아
있다가 한마디 한다.

"장군의 말씀을 거역할 수는 없지만, 이대로 돌아가면 주공이 어찌
내 말을 믿겠소이까?"

여포가 대답한다.

"내 자세한 사연을 써드릴 터이니 마음 놓으시오."

몇 순배 술잔이 더 돈 다음 기령은 할수없이 여포의 서신을 가지고
먼저 돌아갔다. 여포가 현덕에게 공치사를 한다.

"내가 아니었더라면 공께서는 위태로울 뻔했소. 은혜를 잊지 마시
오."

현덕은 깊이 사례하고 관우·장비와 함께 여포의 진영을 나섰다. 이
튿날 세 진영의 군마가 모두 흩어지니, 기령은 회남으로, 현덕은 소패
로, 여포는 서주로 각각 돌아갔음은 두말할 필요가 없다.

한편 회남으로 돌아간 기령은 원술에게 전후사정을 낱낱이 고하고
여포의 서신을 올렸다.

"여포에게 그렇게 많은 양식을 주었건만 어린애 장난 같은 짓으로
도리어 유비편을 들더란 말이지? 내 몸소 대군을 거느리고 가서 유비

를 치고 더불어 여포도 응징하리라."

원술은 분하여 어쩔 줄을 모른다. 기령이 말한다.

"생각을 달리하시는 게 좋겠소이다. 여포는 본래 용력이 뛰어난데다 서주에 웅거하고 있으니, 만일 유비와 손이라도 잡는 날에는 맞서 싸우기 어렵습니다. 듣자하니, 여포의 처 엄씨에게 과년한 딸이 하나 있다고 합니다. 주공께 아드님이 있으니 사람을 보내 청혼을 하십시오. 여포가 딸을 주공댁에 보내오면 마침내 유비도 죽일 수 있을 것입니다. 이른바 소불간친지계(疎不間親之計)를 써서, 일단 한쪽을 가까이 한 뒤에 상대의 친한 사이를 이간하자는 것이올시다."

원술은 기령의 말대로 즉시 한윤을 중매쟁이로 삼아 예물을 가지고 서주 여포에게 가서 혼인을 청하라 일렀다. 서주에 닿은 한윤이 여포에게 말한다.

"우리 주공께서 일찍이 공을 사모하여 따님을 며느리로 맞이하시길 원합니다. 더불어 서로 사돈의 정을 맺고자 하는 뜻을 전해올리는 바입니다."

여포는 내당으로 들어가 아내 엄씨와 의논했다. 원래 여포에게는 아내 둘과 첩 하나가 있었다. 엄씨가 바로 첫번째 부인이며, 나중에 초선을 첩으로 맞아들였고, 소패에 있을 때 조표의 딸에게 장가를 들어 둘째부인으로 삼았다. 조씨는 소생도 없이 일찍 죽었고, 초선 역시 아이가 없는데다 오직 엄씨만이 딸 하나를 낳았으니, 그에 대한 여포의 사랑은 그야말로 유난했다. 엄씨가 여포에게 말한다.

"듣자니 원공께서는 오랫동안 회남에 웅거하여 군사가 많고 양곡이 넉넉하며 머지않아 황제가 되리라 하니, 만약 대사를 이루기만 하면 우리 딸은 장차 황후가 될 수도 있는 게 아니겠습니까? 다만 그에게 아들이 몇이나 있는지 그게 궁금합니다."

"아들은 하나요."

"그렇다면 혼인을 시킵시다. 설사 황후가 못된다 하더라도 서주를 잃을 걱정은 없지 않겠습니까?"

여포는 마침내 뜻을 정하여 한윤을 융숭하게 대접하고, 혼인을 허락했다. 한윤이 돌아가서 원술에게 보고하니, 원술은 즉시 빙례(聘禮)를 갖추어 한윤을 다시 서주로 보냈다. 여포는 원술의 예물을 받은 다음 술상을 차려 극진히 대접하고 역관에 머물러 쉬게 했다.

다음날 여포의 모사 진궁이 역관으로 한윤을 찾아왔다. 그는 인사를 나누고 자리에 앉은 다음 주위 사람을 내보내고는 은밀히 묻는다.

"대체 누가 꾸민 계교요? 원공으로 하여금 봉선과 사돈을 맺게 한 뒤에 마침내 현덕의 머리를 치자는 뜻 아니오?"

한윤은 깜짝 놀라 손을 내저으며 말한다.

"공께서는 부디 이 말씀을 누설하지 마십시오."

"나야 입밖에 내지 않겠소만, 오래 끌면 자연 남들이 눈치채게 되니 중간에 무슨 변이나 생기지 않을까 그게 걱정이오."

한윤이 청한다.

"그럼 어찌하면 좋겠소? 귀공께서 가르쳐주시지요."

진궁이 말한다.

"내가 봉선에게 내일이라도 당장 신부를 원공에게 보내라고 하면 어떻겠소?"

한윤은 크게 기뻐하며 자리에서 일어나 절하여 깊이 사례한다.

"그렇게만 해주신다면 원공께서도 공의 은덕을 결코 저버리시지는 않을 거요."

진궁은 그 길로 여포를 찾아갔다.

"공께서 따님을 원공의 아들과 결혼시키기로 하셨다니 매우 잘된 일입니다. 언제쯤 혼사를 치르실 생각입니까?"

여포가 대답한다.

"차차 의논해서 할 생각이네."

"자고로 빙례를 받고 성혼하기까지는 각각 기간이 정해져 있습니다. 황제는 1년, 제후는 반년, 대부는 한철이요, 보통 백성은 한달입니다."

"원공로는 하늘로부터 옥새를 받았으니 머지않아 황제가 될 터, 황제의 예를 따르는 게 옳지 않겠나?"

"안됩니다."

"그럼 제후의 예를 좇는 수밖에 없겠군."

"그것도 안됩니다."

"그럼 대부의 예를 따라야 하나?"

"역시 아닙니다."

여포는 어이가 없어서 웃는다.

"그럼 공대는 나더러 백성의 예를 좇으란 말인가?"

"그런 건 아닙니다."

"그럼 대체 어찌하란 말이오?"

여포가 묻는 말에 진궁은 정색하고 대답한다.

"지금 천하 제후들은 서로 형세를 다투고 있습니다. 공께서 원공과 사돈을 맺는다는 소문이 들리면, 필시 투기하는 제후들이 있을 것이외다. 만일 택일을 멀리했다가 혼례를 치르러 가는 도중에 누군가 군사라도 매복해놓고 신부를 빼앗으려 하면 어찌하겠습니까? 혼인을 허락하지 않았다면 몰라도 이미 허락하신 이상 다른 제후들이 모르고 있을 때 따님을 수춘으로 보내 별관에 머무르게 한 뒤에 길일을 택해 성례하면, 만에 하나라도 뒤탈이 없을 것입니다."

여포는 기꺼이 진궁의 뜻을 받아들였다.

"듣고 보니 옳은 얘기일세."

여포는 내당으로 들어가 엄씨에게 이 뜻을 전하여 밤을 새가며 혼수감을 갖추었다. 그리고 보마(寶馬)가 이끄는 향나무 수레에 딸을 태우고, 송헌(宋憲)과 위속(魏續)에게 호위를 명하여 한윤과 함께 떠나도록 했다. 일행은 풍악소리가 천지를 울리는 가운데 성밖으로 나왔다.

이때 진등(陳登)의 아버지 진규(陳珪)는 병이 들어 집에 있다가 문득 요란한 풍악소리를 듣고 집안 사람에게 까닭을 물었다. 그 사연을 들은 진규는 자리에서 벌떡 일어났다.

"소불간친의 계책이로군. 현덕이 위태롭도다!"

그는 병을 무릅쓰고 곧 부중으로 가서 여포를 만났다. 여포가 묻는다.

"대부께서 어인 일로 오셨소?"

진규가 말한다.

"장군께서 돌아가셨다기에 조상(弔喪)하러 왔소이다."

여포는 깜짝 놀라 묻는다.

"어디서 그런 말을 들으셨소?"

진규는 차근차근 말한다.

"지난번에 원공로가 양곡과 금은·비단을 보낸 것은 유현덕을 죽이려는 속셈이었는데, 공이 화극을 쏘아 현덕을 위기에서 구해주었소.

이제 또 원공로가 공에게 혼인을 청하는 것은 따님을 볼모로 삼아 현덕을 친 다음 소패를 손에 넣으려는 것이오. 소패가 망하면 서주 또한 위태로울 게 뻔한 일이오. 게다가 원공로가 공에게 군량을 빌려달라, 군사를 빌려달라 할 때마다 일일이 응하려면 얼마나 귀찮은 노릇이며, 또한 현덕과는 원수를 맺는 일 아니오? 그렇다고 청을 들어주지 않으시면 사돈간의 정리를 상하여 마침내 원술이 군사를 일으킬 것이오. 더구나 원술은 항상 황제라고 자칭할 마음을 품고 있다 하니, 이는 곧 반역이오. 원공이 만약 모반을 일으키는 날에는 공은 바로 역적의 인척이니, 장차 누가 공을 용납하겠소이까?"

여포는 크게 놀란다.

"내 진궁의 말만 믿고 한 노릇인데 큰일날 뻔했구나!"

그는 당장 장요(張遼)에게 명하여 멀리 30리 밖에까지 쫓아가서 딸과 그 일행을 데려오게 했다. 그리고 한윤을 감금하고, 원술에게는 따로 사람을 보내 아직 혼수준비가 부족하니 다 갖춘 후에 보내겠다고 전했다.

진규는 다시 여포에게 한윤을 허도로 보내라고 하였다. 그러나 여포는 주저하며 결단을 내리지 못하고 있었다. 이때 문득 사람이 와서 보고한다.

"현덕이 소패에서 군사를 뽑고 말을 사들이고 있는데, 무슨 의도인지 모르겠습니다."

여포는 웃으며 말한다.

"그야 장수의 본분이거늘, 의심할 것 없다."

그 말이 채 끝나기도 전에 송헌과 위속이 들어와서 고한다.

"저희 두 사람이 명공의 분부를 받들어 산동에 가서 말 3백필을 사가지고 소패 가까이 이르러, 난데없는 도적떼를 만나 절반이나 빼앗겼소이다. 헌데 소문을 듣자니, 유비의 아우 장비가 일부러 산적처럼 변장하여 도적질을 했다 합니다."

여포는 화가 머리끝까지 치밀어 군사를 거느리고 장비를 치기 위해 소패로 달려갔다. 현덕은 이 소식을 듣고는 크게 놀라 황망히 군사를 거느리고 성에서 나왔다. 양쪽 군사가 진영을 벌이고 대치했다. 현덕이 말을 타고 앞으로 나서며 여포를 향해 말한다.

"형장은 무슨 연고로 군사를 거느리고 이곳에 오셨소이까?"

여포가 손짓을 해가며 외친다.

"내가 원문의 화극을 쏘아 너를 위급한 상황에서 구해주었거늘, 너는 무슨 까닭으로 내 말을 빼앗아갔단 말이냐?"

"말이 부족하여 근자에 각처로 사람을 보내 사온 일은 있지만, 감히 형장의 말을 빼앗다니, 그럴 리가 있겠소이까?"

"네가 장비를 시켜 내 말 150필을 빼앗아가고도 딴소리를 할 셈이냐?"

이때 장비가 창을 꼬나잡고 현덕의 등뒤에서 말을 달려나오며 큰소리로 외친다.

"그래, 내가 네놈의 말을 빼앗았다. 어쩔 테냐?"

여포가 격노하여 소리친다.

"이놈 고리눈깔아, 매번 나를 업신여기려 드는구나!"

장비가 마주 대고 일갈한다.

"네 이놈, 내가 말 빼앗은 건 분하고, 네놈이 우리 형님의 서주땅을 빼앗은 데 대해선 왜 말이 없느냐!"

여포가 방천화극을 비껴들고 말을 몰아나와 장비를 공격한다. 이에 장비는 장팔사모를 휘두르며 맞서싸운다. 두 장수가 분기탱천하여 창날을 맞부딪치며 싸움판을 벌이는데, 하늘과 땅이 요동치는 듯하다. 연신 욕설을 퍼부으며 1백여합이 되도록 싸웠으나 좀처럼 승부가 나지 않는다. 유현덕은 혹시 장비가 실수할까 두려워 급히 징을 울려 군사를 거두고 성으로 들어갔다. 여포는 군사를 나누어 소패성을 철통같이 에워쌌다. 유현덕이 장비를 불러 크게 꾸짖는다.

"이건 모두 네가 남의 말을 빼앗아서 일으킨 일이다. 그래, 빼앗은 말은 모두 어디다 두었느냐?"

장비가 대답한다.

"여러 절에다 잘 맡겨놓았수."

유현덕은 즉시 여포에게 사람을 보내 빼앗은 말을 모두 돌려보낼 터이니 부디 서로 군사를 거두자고 청했다. 여포가 청을 받아들이려고 할 때 진궁이 나선다.

"이 기회에 유비를 죽여없애지 않으면 뒷날 반드시 화를 입을 것입니다."

이 말에 여포는 생각을 바꾸어 현덕의 청을 물리치고 더욱 거세게 소패성을 공격했다. 현덕이 미축과 손건을 불러 상의하니, 손건이 말한다.

"여포를 가장 미워하는 사람은 조조입니다. 즉시 성을 버리고 허도로 가서 우선 조조에게 몸을 의탁한 다음, 군사를 빌려 여포를 치는 게 상책일 듯싶습니다."

현덕이 좌우를 돌아보며 묻는다.

"누가 앞장서서 포위를 뚫겠는가?"

장비가 말한다.

"이 아우가 목숨 걸고 앞장서 싸우겠수!"

이에 장비가 앞서 나가고, 관우는 뒤를 맡으며, 유비 자신은 가운데에서 늙은이와 어린아이를 보호하기로 했다.

그날밤 3경(밤 12시), 달 밝은 때를 타서 현덕 일행은 북문으로 조용히 빠져나가고 있었다. 이때 송헌과 위속이 군사를 몰고 나와 가로막는다. 장비가 적진으로 뚫고 들어가 무찌르며 포위망을 벗어나 달아나니, 뒤쪽에서 장요가 추격해온다. 그러자 일행의 뒤를 지키던 관우가 기다렸다는 듯이 맞서싸워 멀리 물리쳤다.

여포는 현덕이 소패성을 버리고 떠난 것을 알고는 구태여 멀리 쫓지 않았다. 즉시 군사를 거두어 성안으로 들어가서 백성들을 안심시킨 여포는 고순에게 소패를 지키게 한 뒤 서주로 돌아갔다.

현덕은 허도에 이르러 성밖에 영채를 세우고, 먼저 손건을 들여보내 조조에게 찾아온 이유를 고하게 했다. 손건의 말을 들은 조조가 말한다.

"현덕은 형제와 다름없소."

그러고는 흔쾌히 현덕을 성안으로 청했다.

이튿날 현덕은 관우와 장비에게 성밖에 남아 있도록 지시한 뒤, 손건과 미축 무리를 데리고 성안으로 들어갔다. 조조는 상빈(上賓)의 예로써 현덕을 정중히 맞아주었다. 현덕은 여포에게 핍박받은 일을 낱낱이 호소했다. 듣고 나서 조조가 위로한다.

"여포는 본래 의리 없는 놈이오. 이제 내가 아우님과 합세하여 쳐없애도록 하겠소."

현덕은 사례했다. 조조는 잔치를 베풀어 현덕을 극진히 대접하고, 날이 저물어서야 자리를 파하였다. 현덕이 돌아가자, 순욱이 들어와 조조에게 말한다.

"유비는 영웅입니다. 지금 일찌감치 손을 보지 않으면 훗날 반드시 걱정거리가 될 것입니다."

조조는 말이 없다. 순욱이 물러가자 이번에는 곽가가 들어왔다. 조조가 묻는다.

"순욱이 나더러 유비를 없애자고 권하는데 어찌하면 좋겠소?"

곽가가 대답한다.

"안됩니다. 주공께서는 백성을 위해 포악한 자들을 없애고자 의병을 일으키신 분입니다. 그러니 신의로써 천하의 호걸을 청해 맞아들이셔야 할 뿐만 아니라 오히려 그들이 오지 않을까 두려워해야 할 판입니다. 현덕은 일찍부터 영웅으로 불리는 사람으로, 지금 곤궁한 처지가 되어 주공께 의탁하러 온 터에, 만일 그를 죽여없앤다면 이는 곧 어진 이를 해치는 일이 됩니다. 천하의 지모지사(智謀之士)들이 이런 소문을 듣게 되면 누가 주공을 믿고 따르려 할 것이며, 주공께서는 장차 누구와 함께 천하를 도모하시겠습니까? 한 사람의 화를 덜기 위해 사해(四海, 곧 온 천하)의 인망을 잃는 일이니, 주공께서는 안위의 경중을 깊이 살피셔야 할 줄로 압니다."

"그대의 말이 바로 내 뜻과 같소."

조조는 매우 흡족해하며 다음날로 즉시 황제께 표문을 올려 유비를 예주(豫州) 목사로 천거했다. 정욱이 간한다.

"유비는 절대 남의 밑에 있을 사람이 아닙니다. 속히 제거하는 게 좋습니다."

그러나 조조는 듣지 않는다.

"바야흐로 영웅을 써야 할 때 한 사람을 죽여 천하의 마음을 잃어서는 아니 된다. 곽봉효도 나와 뜻이 같도다."

조조는 정욱의 말을 물리치고 군사 3천명과 양식 1만섬을 현덕에게 보내주었다. 그리고 예주로 부임한 다음 소패로 나아가 흩어진 군사를 정비한 뒤 함께 여포를 치도록 했다. 예주에 부임한 현덕은 조조에게 사람을 보내 함께 여포를 치자고 청하여 마침내 기일을 정했다.

조조가 군사를 일으켜 유비와 함께 여포를 치러 가려는데, 파발꾼이 급히 말을 달려와 고한다.

"장제(張濟)가 관중에서 군사를 이끌고 남양(南陽)을 공격하다 화살을 맞고 죽었습니다. 장제의 조카 장수(張繡)가 대신 무리를 통솔하여 모사 가후의 도움으로 형주의 유표와 결탁하고서 지금 완성에 진을 치고 있고, 장차 궁궐로 쳐들어가 어가를 탈취할 작정이랍니다."

조조는 격노하여 즉시 군사를 일으켜 장수를 치려 했다. 그러나 그 틈을 타고 여포가 다시 침범하지나 않을까 염려스러워 순욱에게 계책을 물었다. 순욱이 대답한다.

"별로 어려운 일은 아닐 듯합니다. 여포는 본래 꾀가 없는 자라, 목전의 이익에만 급급하여 조금이라도 득을 보면 기뻐 어쩔 줄 모릅니다. 명공께서는 즉시 서주로 사람을 보내 여포의 벼슬을 높이고 상을 내리면서 유현덕과 화해할 것을 권하십시오. 여포는 기뻐서 뒷일 따위는 생각할 겨를이 없을 것입니다."

"그것 참 좋은 생각이오."

조조는 봉군도위(奉軍都尉) 왕칙(王則)에게 벼슬을 내리는 사령장과 화해를 권하는 서신을 주어 서주로 보냈다. 그런 다음 장수를 치기 위해 군사 15만을 일으켜 세 길로 나누어 나아갔다. 선봉은 하후돈이었다. 조조의 대군이 육수(淯水)에 이르러 영채를 세우자, 가후는 이를 보고 장수에게 권한다.

"조조의 군세가 워낙 커서 도저히 대적하기 어려울 것이오. 차라리 항복하시는 게 나을 성싶소이다."

장수는 그 말에 따르기로 하고, 가후를 조조에게 보내 교섭하도록 했다. 조조는 가후의 언변이 물 흐르듯 능숙한 데 이끌려 수하에 거두어 모사를 삼고자 했다. 조조의 청에 가후가 답한다.

"이몸은 일찍이 이각을 섬겨 천하에 죄를 지었는데, 그후 장수에게 의탁하여 지금까지 그의 신임을 한몸에 받아왔소이다. 내 말이라면 모두 들어주고 내 계교는 반드시 따라주는 그를 어찌 차마 버릴 수 있겠소이까?"

가후는 사양하며 하직을 고하고 돌아갔다. 이튿날 가후가 장수와 함께 다시 조조에게 오자, 조조는 장수 일행을 후하게 대접한 다음 군사를 거느리고 완성으로 들어가 주둔했다. 나머지 군사들은 성밖에 주둔하게 하니, 10여리 가량이나 영채가 끊이지 않고 이어졌다. 조조가 완성에 며칠을 머무는 동안 장수는 매일같이 잔치를 베풀어 조조를 대접했다. 하루는 술에 취해 침소로 돌아온 조조가 가만히 부하들에게 묻는다.

"성안에 혹시 기녀는 없느냐?"

조조의 형의 아들인 조안민(曹安民)이 벌써 그의 뜻을 짐작하고 가만히 대답한다.

"지난밤에 제가 관사 곁을 지나다가 우연히 한 부인을 보았는데, 가히 경국지색(傾國之色)이었습니다. 주위에 물어보니 바로 장수의 숙부 장제의 처라 하더이다."

조조는 즉시 조안민을 시켜 무장군사 50여명을 거느리고 가서 데려오라 일렀다. 조조가 보니 과연 절색이라, 가까이 불러서 묻는다.

"성씨가 뭐요?"

부인이 답한다.

"작고한 장제의 처 추(鄒)씨입니다."

음성 또한 나긋나긋한 게 여간 곱지 않다. 조조는 흐뭇한 미소를 떠올리며 다시 말을 건넨다.

"부인은 나를 아시오?"

"오래 전부터 승상의 명성을 익히 들어 알고 있사온데, 오늘밤에 이처럼 뵙게 되니 그저 기쁠 따름이옵니다."

"내 특별히 부인을 생각하여 장수의 항복을 받아들였소. 그렇지 않았더라면 반드시 멸족했을 것이오."

추씨가 몸을 일으켜 절한다.

"참으로 살려주신 은덕에 감사드리나이다."

"오늘 이렇듯 부인을 만나게 되어 천행이오. 부인, 오늘밤 나와 잠자리를 같이하고 나를 따라 허도로 가서 부귀영화를 누리는 게 어떻겠소?"

추씨는 가만히 고개를 숙여 보였다. 이윽고 그날밤 두 사람이 잠자리를 같이하는데 추씨가 말한다.

"이대로 성안에 머물러 있으면 반드시 장수가 눈치챌 것이고, 다른 사람들의 뒷공론도 두렵습니다."

조조가 말한다.

"내일부터는 성밖에 있는 영채에서 지내도록 합시다."

이튿날 조조는 추씨를 데리고 영채로 처소를 옮겼다. 그러고는 전위(典韋)로 하여금 중군(中軍. 본부) 밖을 지키면서 조조의 부름이 없으면 누구도 함부로 드나들지 못하게 하니, 안팎이 단절된 채 철저히 통제되었다. 조조는 매일 영채 안에서 추씨와 즐기며 도무지 돌아갈 생각을 하지 않았다. 드디어 장수의 집안사람이 이 일을 은밀히 고했다. 장수는 분통을 터뜨린다.

"조조 이 도적놈이 이렇게까지 나를 모욕하다니⋯⋯"

장수는 즉시 가후를 불러 의논했다. 가후가 말한다.

"이 일을 절대 입밖에 내서는 안됩니다. 내일 조조가 처소에서 나와 군무를 의논할 때를 기다려서⋯⋯"

그러고는 바짝 다가앉아 귓속말로 계책을 일러주었다. 이튿날 조조가 장중에서 일을 보고 있는데, 장수가 들어와 고한다.

"새로 항복한 군사들 중에 도망치는 자가 많으니, 중군에다 진영을 옮겨둘까 합니다."

조조가 이를 허락했다. 장수는 즉시 수하군사를 조조가 거처하는 영채 가까이로 옮겨 사방으로 진을 쳤다. 그러고는 기일을 정해 거사를 계획하는데, 무엇보다도 용맹한 전위가 밤낮으로 조조를 호위하고 있는 게 문제였다. 장수는 편장(偏將) 호거아(胡車兒)를 불러 이 일을 의논했다. 호거아는 힘이 장사로, 5백근을 등에 지고, 하루에 7백리를 가는 기인이었다. 호거아가 계책을 말한다.

"모두들 전위를 두려워하는 이유는 그가 가진 쌍철극(雙鐵戟) 때문입니다. 주공께서는 내일 전위를 청해다가 술을 취하도록 먹여 보내십시오. 그러면 소장이 그의 수하들 틈에 섞여 있다가 몰래 그 쌍철극을 훔쳐내오겠습니다. 쌍철극만 없으면 전위도 전혀 두려울 게 없습니다."

장수는 흡족해하며 수하군사들에게 활과 화살을 준비하도록 영을 내리는 등 비밀리에 거사를 준비했다. 그리고 가후로 하여금 전위를 청해와서 정성껏 술을 권하게 하니, 전위는 밤 늦도록 잔을 기울이다가 잔뜩 취해서 돌아갔다. 호거아도 다른 군사들 틈에 섞여 대채 안으로 들어갔다.

그날밤, 조조는 장막 안에서 추씨와 더불어 술을 마시고 있었다. 그때 갑자기 장막 밖에서 사람들 소리와 말 우는 소리가 소란스레 들려왔다. 사람을 시켜 알아보게 하니, 장수의 군사가 밤순찰을 돌고 있다고 한다. 조조는 더 의심하지 않았다. 그런데 2경쯤 되었을 때 갑자기 영채 안에서 난데없는 아우성소리가 들리더니, 마초를 쌓아둔 수레에 불이 났다는 보고가 들어왔다. 조조는 대수롭지 않게 생각했다.

"군사들이 실수로 불을 낸 모양이니 더이상 소란 피우지 마라."

잠시 후 사방에서 불길이 치솟아올랐다. 조조는 그제야 사태가 심상치 않음을 깨닫고 황급히 전위를 불렀다. 전위는 대취하여 세상 모르고 쓰러져자다가 갑자기 요란한 징소리와 북소리, 고함소리에 퍼뜩 잠에서 깨어났다. 황급히 자리를 박차고 일어나 쌍철극을 찾았으나 좀처럼 눈에 띄지 않는다.

이때 이미 적군은 원문으로 들이닥치는 중이었다. 전위는 군졸이 허리에 차고 있던 칼을 급히 뽑아들었다. 어느새 무수한 기병들이 각기 긴 창을 손에 들고 앞다투어 영채 안으로 뛰어들어온다. 전위가 있는 힘을 다해 앞으로 나서서 20여명을 해치우자 비로소 기병들은 물러섰다. 그러나 이번에는 보병들이 밀려들며 여기저기에서 창날이 번뜩인다. 전위는 무서운 기세로 싸웠으나 미처 갑옷을 입지 못한 터라 수십 군데 상처를 입고 말았다. 전위는 손에 든 칼이 무뎌져 쓸모없게 되자 내던지고 적병 두명을 한손에 한 사람씩 움켜쥐고 해치웠다. 삽시간에 그에게 맞아죽은 자가 8, 9명이니, 보병도 감히 더는 나서지 못하고 멀찍이서 화살을 퍼부어댔다. 빗발치듯 날아드는 화살 속에 전위는 죽기를 각오하고 영채의 문을 막아섰다. 그러나 영채 뒤로 돌격해오는 적군을 어찌하겠는가. 마침내 적군이 던진 창이 등을 꿰뚫어 전위는 두어번 크게 고함을 지르고는 피투성이가 되어 쓰러지더니 숨을 거두고 말았다. 그런데 어찌 된 일인지 한참이 지나도록 누구 하나 감히 앞문으로 들어서는 자가 없었다.

한편, 조조는 전위가 앞문을 막고 싸우는 사이에 재빨리 말을 타고 대채 뒷문으로 달아났다. 조카 조안민은 타고 갈 말도 없어 달음박질로 조조를 뒤따르고 있었다. 조조는 황망히 달아나다가 오른팔에 화살을 맞았고, 달리던 말도 화살 세 대를 맞았다. 그러나 그 말은 대원(大宛, 지금의 이란)산 준마로 화살을 맞은 뒤로는 더욱 빠르게 내달았다. 마침내 육수 강변에 이르렀는데 적군들이 급하게 추격해왔다. 뒤따라오던 조안민은 장수의 군사에게 잡혀 이미 어육이 된 뒤였다.

조조는 급히 말을 몰아 물살을 헤치며 강을 건넜다. 겨우겨우 언덕에 올랐을 때 화살 하나가 날아들어 조조가 타고 있던 말의 눈에 명중했다. 조조는 말과 함께 그대로 나뒹굴었다. 그때 맏아들 조앙(曹昻)이 말에서 뛰어내리더니 조조를 부축해 제가 타던 말에 태웠다. 이리하여 조조는 무사히 달아날 수 있었다. 그러나 조앙은 어지러이 날아드는 화살에 목숨을 잃고 말았다. 간신히 위기에서 벗어난 조조는 계속해서 달아나다가 중도에 여러 장수들을 만나 남은 군사들을 수습했다.

그무렵, 하후돈이 거느리고 있던 청주 군사들은 승세를 타고 마을을 헤집고 다니며 노략질을 일삼고 있었다. 이에 평로교위(平虜校尉) 우금(于禁)은 수하군사를 지휘해 청주 군사들을 소탕함으로써 백성들을 위무했다. 도망쳐온 청주 군사 하나가 조조를 만나 울며 고한다.

"우금이 변심하여 우리 청주 군사를 보는 족족 죽였사옵니다."

조조는 깜짝 놀랐다. 얼마 후 하후돈·허저·이전·악진 등이 오자 조조가 분부한다.

"우금이 반역하였다니, 즉시 군사를 정비해 치도록 하라."

한편 우금은 조조가 수하장수들을 거느리고 진군해오는 것을 보자, 즉시 참호를 파고 궁수들을 배치하며 진영을 정돈했다. 이를 보고 수하 사람이 묻는다.

"청주 군사가 장군이 반역했다고 승상께 거짓으로 고하여 지금 저렇게 오고 있는데, 어찌하여 장군은 변명할 생각은 않고 영채부터 세우시는 것입니까?"

우금이 답한다.

"지금 적병이 승상의 뒤를 쫓고 있는데 아무 대책이 없다면 무슨 수로 적병을 막겠소? 변명하는 것은 나중 일이요, 우선 적을 물리치고 봐야 하지 않겠소?"

우금이 영채를 막 세우고 난 뒤였다. 아니나다를까, 장수의 군사가 조조의 뒤를 쫓아 두 길로 나뉘어 쳐들어왔다. 우금은 곧 말을 몰고 나가 맞서싸웠다. 적은 급히 군사를 거두어들인다. 우금이 군사를 휘몰아 추격하자, 다른 장수들도 각기 군사를 이끌고 우금을 도와 공격에 가담한다. 그렇게 1백여 리를 뒤쫓아갔다. 결국 장수는 크게 패하여 더이상 저항하지 못하고 패잔병을 이끌고 유표에게로 도망쳤다.

조조가 군사를 수습하며 장수들을 점호할 때에야 우금은 비로소 나서며 지금까지의 정황을 설명했다. 청주 군사들이 노략질을 일삼아 민심을 크게 잃은 터라 하는 수 없이 그들을 죽였다는 우금의 변명에 조조가 되묻는다.

"그러면 즉시 내게 정황을 고할 일이지 영채부터 세운 것은 어인 까닭인가?"

우금이 답한다.

"적들이 승상을 뒤쫓아오는 형세라 적을 물리치는 일이 더 급했소이다."

그제야 조조는 의심이 풀렸다.

"그대가 경황없는 와중에도 남들의 모략을 염려하지 않고 능히 군사를 정돈하고 진영을 굳게 세워 도리어 승리를 거두었으니, 아무리 이름난 옛 명장이라 하더라도 이보다 더할 수는 없다."

조조는 이렇게 칭찬하며 금으로 만든 그릇 한벌을 상으로 내리고 익수정후(益壽亭侯)에 봉하는 한편, 하후돈을 불러 군사를 단속하지 못한 죄를 문책했다. 또한 제물을 차려 전위를 위한 위령제를 올리며 목놓아 울더니, 손수 술을 따라 올리고는 모든 장수들을 향해 말한다.

"내가 맏아들과 조카를 잃었어도 이렇게 슬프지 않거늘, 오직 전위를 생각하면 뼈에 사무치게 애통하구나."

유달리 부하를 아끼는 조조의 진심어린 말을 듣고 모여선 모든 사람들이 하나같이 감동의 눈물을 흘렸다.

이튿날 조조는 군사를 거두어 허도로 돌아갔다.

한편 조조의 명을 받고 조서를 받들어 서주로 간 왕칙은 여포의 영접을 받고 부중으로 들어갔다. 조서는 여포를 평동장군(平東將軍)으로 봉하고 특별히 인수(印綬)를 하사한다는 내용이었다.

"조승상께서는 장군을 지극히 존경하고 있습니다."

왕칙이 조조의 서신을 내주며 입에 침이 마르도록 칭찬하자, 여포는 크게 기뻐했다. 이때 사람이 들어와 원술이 사자를 보내왔다고 고했다. 여포가 즉시 불러들여 무슨 일로 왔는지 묻자 원술의 사자가 말한다.

"원공께서 조만간 황제의 위에 오르고 동궁을 세우려 하니, 동궁비 되실 따님을 속히 회남으로 모셔오라 하셨습니다."

여포가 벌컥 성을 낸다.

"역적놈이 감히 뭐라구?"

그러고는 그 자리에서 원술의 사자를 한칼에 베고, 갇혀 있던 원술의 사자 한윤을 끌어내 칼을 씌워 허도로 압송하도록 명했다. 그리고 진등을 시켜 표문을 가지고 왕칙과 함께 허도에 가서 사은하게 했다. 또한 조조에게 사례하는 답서를 보내며, 기왕이면 자신을 서주 목사로 제수해줄 것을 청하였다. 조조는 여포가 원술의 구혼을 거절했다는 보고를 받고 몹시 기뻐하며 즉시 한윤을 거리로 끌고 나가 참수하게 했다. 여포의 사자 진등이 조조에게 조용히 말한다.

"여포는 이리와 같은 자올시다. 용맹하긴 하나 지혜가 없어서 거취를 가볍게 하니, 일찌감치 없애버리시는 게 좋을 듯싶소이다."

조조가 대답한다.

"나도 여포가 이리 같은 자라 참으로 오래 두고 기르기는 어렵다는 걸 익히 알고 있소. 공의 부자가 아니면 누가 그의 실정을 살피겠소. 공은 부디 나를 돕도록 하시오."

"만일 승상께서 일을 도모하신다면, 내 마땅히 안에서 내통하겠소이다."

조조는 크게 기뻐하며 진등의 아버지 진규에게 녹봉 2천섬을 내리고, 진등을 광릉(廣陵) 태수로 삼았다. 진등이 하직을 고하자 조조가 그의 손을 잡고 말한다.

"동쪽의 일은 오로지 공에게 당부하오."

진등은 머리를 끄덕여 쾌히 승낙하고 서주로 돌아왔다. 여포가 허도에서의 일을 묻자 진등이 대답한다.

"저의 아비에게는 녹봉 2천섬을 내렸고, 이몸을 광릉 태수로 봉했습니다."

여포는 화가 나서 소리친다.

"너는 나를 위해 서주 목사의 직첩은 구하지 않고, 너희 부자만 벼슬과 국록을 얻었단 말이냐? 네 아비가 나에게 조조와 힘을 합하고 원술과 절혼하라 하여 그리 했더니, 나는 아무것도 얻지 못하고 그래 너희 부자만 잘되었구나. 결국 너희들이 나를 이용해먹은 셈이 아니더냐?"

분을 못이겨 당장 칼을 뽑아 죽이려 한다. 진등이 크게 웃으며 말한다.

"장군께서는 어찌 그리 사리에 밝지 못하시오?"

"무슨 그따위 소리를 하느냐?"

"내가 조조에게 '여장군을 기르는 것은 범을 기르는 것과 같아서 고기를 배불리 주어야지, 만약 부족하면 사람을 잡아먹습니다' 했더니, 조조가 웃으며 이리 말하더이다. '내 생각은 좀 다르오. 나는 여장군을 대하는데 매 기르듯 하외다. 주위에 여우와 토끼가 아직도 많은데 뭐하러 배불리 먹일 필요가 있겠소? 매는 본래 배고프면 쓸모가 있지만 배가 부르면 날아가버린다오' 하더군요. 그래서 대체 누가 여우며 토끼란 말씀입니까 하고 물으니, 조조 말이, 회남의 원술과 강동의 손책, 기주의 원소, 형양의 유표, 익주의 유장, 한중의 장로가 모두 여우나 토끼가 아니면 뭐겠소 하더이다."

여포는 칼을 땅에 내던지고 흡족하게 웃는다.

"조공이 과연 나를 제대로 아는구먼!"

이때 사람이 뛰어와 급히 알린다.

"원술이 대군을 이끌고 서주로 쳐들어오고 있습니다."

여포는 듣고서 놀라는 기색이 역력했다.

친선을 맺으려다 원수지간으로 변해   秦晉未諧吳越鬪

혼인을 하자더니 군사 끌고 쳐들어오네   婚姻惹出甲兵來

과연 사태는 어떻게 전개될 것인가?

칠로군을 쳐부순 여포와 조조

원술은 칠로군을 크게 일으키고
조조는 세 장군을 한곳에 모으다

회남에 웅거한 원술은 영토가 넓고 양식이 넉넉한데다 손책이 맡긴 옥새까지 가지고 있는 터라, 드디어 황제노릇을 해볼 생각이 나서 수하들을 모두 모아놓고 의논했다.

"옛날 한고조는 사상(泗上)의 한낱 정장(亭長, 현縣의 하부단위로 10리를 관할하는 관직명)에 지나지 않은 미천한 신분으로 천하를 손에 넣었다. 그러나 4백년이 지난 지금 한나라 운세가 다하여 세상이 크게 어지러워지고 있다. 우리 집안은 4대에 걸쳐 삼공을 낸 명문으로 백성들의 존경을 받고 있으니, 나는 이제 천명을 따르고 인심에 순응하여 황제의 위에 오르려 한다. 공들의 뜻은 어떠한가?"

주부(主簿) 염상(閻象)이 말한다.

"가당치 않은 말씀입니다. 그 옛날 주나라 후직(后稷, 주나라의 시조)은 덕을 닦고 공을 쌓아 문왕(文王)에 이르러 천하의 3분의 2를 차지했건만, 오히려 신하로서 은나라를 섬겼습니다. 명공의 가문이 비록 귀하다 하나 아직 옛 주나라의 융성함만 못하며, 한나라 황실이 비록 쇠미하다고는 해도 은나라 주왕(紂王)만큼 포악하지 않은 터이니, 결코 이 일을 행해서는 아니 되옵니다."

원술은 노기를 띠고 말한다.

"우리 원씨는 본래 진(陳)나라 땅에서 났으니 곧 대순(大舜)의 후예라, 진나라 토덕(土德)이 한나라 화덕(火德)을 계승하는 것은 운세에 맞는 일이다. 또한 참(讖, 예언)에 의하면 '한나라를 대신할 자는 도고(塗高)'라 했는데 나의 자가 공로(公路)이니, 공로의 '로(路)'와 도고의 '도(塗)'가 같은 뜻이므로 이는 곧 비결(秘訣)에도 부합한다. 더구나 나는 전국옥새를 가지고 있으니 만약 내가 황제가 안된다면 이야말로 하늘의 도를 거역하는 바가 아니겠느냐? 내 뜻은 이미 정해졌으니, 더 여러 말을 하는 자는 목을 베겠다."

원술은 드디어 연호를 중씨(仲氏)로 정하고, 대(臺)·성(省) 등의 관부를 두었다. 또한 황제의 위용을 갖추어 용봉연(龍鳳輦, 황제가 타는 가마)을 타고 출입하는 한편, 남북 교(郊)에 제사를 지냈다.(천지에 즉위를 고하는 의식) 풍방(馮方)의 딸을 황후로 삼고 아들을 동궁(東宮)에 책봉한 다음 여포의 딸을 동궁비로 삼기 위해 사람을 서주로 보냈다. 그런데 이미 여포가 한윤을 허도로 압송하여 조조로 하여금 죽이게 했다는 소식을 전해들은 원술은 크게 노해 장훈(張勳)을 대장으로 삼아 20

여만 대군을 7로군으로 나누어 서주를 치게 했다.

제1로는 대장 장훈이 한가운데 서고, 제2로는 상장 교유(橋蕤)가 왼쪽을, 제3로는 상장 진기(陳紀)가 오른쪽을 맡아 진군하기로 했으며, 제4로는 부장 뇌박(雷薄)이 왼쪽을, 제5로는 부장 진란(陳蘭)이 오른쪽을, 제6로는 항복한 장수 한섬(韓暹)이 왼쪽을, 제7로는 항복한 장수 양봉(楊奉)이 오른쪽을 맡아 각각 휘하 장병을 이끌고 진군했다.

또한 원술은 연주 자사 김상(金尙)을 태위로 삼아 7로군의 물자와 양식을 운반하는 일을 맡기려 했다. 김상은 이를 끝내 거절했다. 원술은 즉시 그의 목을 베어 죽이고, 대신 기령을 칠로도구응사(七路都救應使)로 삼아 그 일을 맡겼다. 그리고 자신은 직접 3만 군사를 거느리고, 이풍(李豊)·양강(梁剛)·악취(樂就)를 최진사(催進使)로 삼아 칠로군을 돕게 했다.

한편 여포가 사람을 시켜 탐문해보니 장훈의 군사는 큰길로 곧장 서주를 향해 오고 있고, 교유의 군사는 소패를, 진기의 군사는 기도(沂都)를, 뇌박의 군사는 낭야(琅琊)를 향해 오고 있으며, 진란의 군사는 갈석(碣石)을, 한섬의 군사는 하비(下邳)를, 양봉의 군사는 준산(浚山)을 향해 오는데, 하루에 50리씩 진군하면서 가는 곳마다 노략질을 일삼고 있다 한다. 여포는 급히 모사들을 불러모아 대책을 논의했다. 진규와 진등 부자도 그 자리에 참석했다.

"원술이 20여만 대군을 일으켜 7로로 나누어 서주를 향해 진군중이라니 이를 어찌하면 좋겠나?"

진궁이 나서서 말한다.

"이번 일은 진규·진등 부자가 초래한 일입니다. 저들은 조정에 아첨하여 봉록과 벼슬을 구하고 장군에게는 이같은 재앙을 몰고 왔으니, 진규 부자를 참수하여 그 목을 원술에게 바치면 저절로 물러갈 것입니다."

여포는 그 말을 듣자마자 진규·진등 부자를 끌어내게 했다. 진등이 소리 높여 웃으며 말한다.

"장군께서 이리도 겁이 많으실 줄은 몰랐소이다. 내 보기에 원술의 칠로군은 일곱 무더기의 썩은 풀더미로밖에 안 보이거늘, 무얼 그리 염려하시는 겁니까?"

여포가 말한다.

"네게 적을 물리칠 만한 좋은 계책이 있다면 말해보아라. 만일 쓸 만한 계책이라면 네 죄를 용서해주마."

진등이 말한다.

"장군께서 이몸의 말씀대로 한다면 서주에는 아무 근심이 없을 것입니다."

"말해보라."

"원술의 군사가 비록 많다 하나 모두 오합지졸에 불과하여 군기도 없고 저희들끼리도 믿지 않소이다. 그러니 우리가 정병(正兵, 계책을 쓰지 않고 싸우는 군사)으로 지키고 기병(奇兵, 계책을 써서 기습하는 군사)을 써서 공격한다면 승리는 따놓은 당상입니다. 게다가 제게 또 한 가지 계책이 있는데, 그 계책을 쓰면 서주를 지킬 뿐만 아니라 원술도 사로잡을 수 있을 것이외다."

"그 계책이란 무언가?"

"알다시피 한섬과 양봉은 본래 한나라 조정의 옛 신하였소이다. 그들은 조조의 세력을 두려워하여 달아났으나 몸둘 곳이 없어 부득이 원술에게 의탁하고 있는 처지입니다. 그러한 터라 원술도 저들을 우습게 여길 게 분명하고, 저들 또한 원술의 수하에 있으면서 내심으로는 얼마나 불만이 많겠소이까? 그러니 한섬과 양봉 두 사람에게 밀서를 보내 내통하고 한편으로는 유비와 손을 잡는다면, 반드시 원술을 사로잡을 수 있을 것이외다."

여포는 즉시 진등에게 영을 내린다.

"그럼 그대가 직접 서신을 들고 한섬과 양봉에게 가서 교섭하도록 하라."

진등은 이를 수락했다. 여포는 곧 표문을 만들어 사람을 허도로 보내 황제와 조조에게 사태를 알렸다. 또한 예주로도 사람을 보내 유비에게 도움을 청하는 한편, 진등에게 기병 몇명을 주어 하비로 떠나도록 했다.

진등은 하비에 이르는 길목에서 기다리고 있었다. 이윽고 한섬이 군사를 거느리고 와서 영채를 세웠다. 진등이 한섬의 영채로 찾아가자 한섬이 묻는다.

"그대는 여포 수하에 있는 사람인데 이곳에는 무슨 일로 왔는가?"

진등이 웃으며 말한다.

"이몸은 대한(大漢)의 당당한 신하로서, 여포의 부하란 말씀은 당치 않소이다. 그보다도 장군이야말로 한실의 옛 신하가 아닙니까? 그런데 지금은 역적의 신하가 되어 있으니, 일찍이 관중(關中)에서 황제를 보호하던 공이 수포로 돌아갔지 않소이까? 어쩌다 그리 되셨는지 생각할수록 애석할 따름이외다. 더욱이 원술은 천성이 의심이 많아 언젠가는 장군께서도 화를 면키 어려울 터인데, 지금이라도 대책을 세우지 않았다가는 반드시 후회하게 될 것이오."

한섬은 탄식한다.

"나 또한 한나라 조정으로 돌아가고자 하오만, 길이 없는 것이 한이오!"

진등이 품에서 여포의 밀서를 꺼내준다. 한섬은 읽고 나서 말한다.

"이제 뜻을 알았으니 그대는 먼저 돌아가시오. 양장군과 함께 창끝을 돌려 원술을 공격할 테니, 불길이 이는 것을 신호로 삼아 여포 장군더러 접응하라 하시오."

진등은 한섬과 작별하고 급히 돌아와 여포에게 그대로 전했다. 여포는 곧 군사를 5로로 나누어서, 고순은 군사를 거느리고 소패로 나아가 교유를 맞아 싸우도록 하고, 진궁은 기도로 나아가 진기를 대적하며, 장요와 장패는 함께 낭야로 나가서 뇌박과 맞서싸우도록 했다. 또한 송헌과 위속도 함께 군사를 거느리고 갈석으로 가서 진란과 맞서게 했다. 그리고 자신은 몸소 일군을 거느리고 큰길로 나아가 장훈을 대적하기로 했다. 각기 군사를 1만명씩 거느리고, 남은 군사는 성을 지키기로 했다.

여포는 서주성을 떠나 30리 밖에 영채를 세웠다. 적장 장훈은 군사를 이끌고 오다가 여포를 대적할 수 없음을 깨닫고, 20리 밖으로 물러나 진을 쳤다. 후속부대의 도착을 기다렸다가 연계하여 싸우려는 것이었다.

그날밤 2경쯤 한섬과 양봉이 군사를 거느리고 와서는 도처에 불을 놓았다. 이를 신호로 여포의 군사가 장훈의 영채로 들이닥쳤다. 장훈 진영은 일대 혼란에 빠졌다. 여포는 기세를 몰아 공격을 늦추지 않았고, 장훈은 결국 크게 패하여 달아났다. 날이 샐 무렵까지 끈질기게 추격하던 여포는 앞을 막아서는 적장 기령과 맞닥뜨렸다. 이에 한섬과 양봉이 달려나와 여포를 도우니, 기령 또한 패하여 달아난다.

여포는 군사를 몰아 그 뒤를 급히 추격했다. 이때였다. 갑자기 산등성이 뒤쪽에서 한떼의 군사가 쏟아져나온다. 용·봉황·해·달 등을 수놓은 깃발과 사두오방(四斗五方)의 기치가 바람에 나부낀다. 또한 금과은부(金瓜銀斧, 고대 호위병이 지니던 의장용 무기. 각기 끝을 오이모양, 도끼모양으로 하고 금과 은으로 장식함)며 황월백모(黃鉞白旄, 의전장식. 금칠한 도끼와 모우 꼬리장식을 한 흰 깃발)를 나누어들고 나오는데, 바로 황제만이 쓰는 의장(儀仗)이다. 그 속에서 황금빛 비단으로 꾸민 일산(日傘)이 움직이더니, 황금갑옷 차림의 원술이 두 자루의 칼을 팔목에 걸고 여포의 눈앞에 나타났다. 원술은 진 앞에 말을 세우고는 큰소리로 꾸짖는다.

"주인을 배반한 종놈아!"

여포는 울컥 화가 치밀어 다짜고짜 방천화극을 휘두르며 달려들었다. 원술의 수하장수 이풍(李豐)이 창을 들고 나와 맞선다. 어울려 싸우기를 불과 3합에 여포의 화극이 번쩍 빛나는가 싶더니 이풍의 상체가 기우뚱 균형을 잃는다. 이풍은 화극에 손을 찔려 창을 떨군 채 그대로 달아나버린다. 여포는 숨 돌릴 틈도 주지 않고 군사를 휘몰아 공격했다. 크나큰 혼란에 빠진 원술의 군사는 우왕좌왕하며 제각기 달아나기에 바빴다. 여포가 그 뒤를 쫓아 빼앗은 말과 무기와 갑옷의 수가 헤아릴 수 없을 정도였다.

원술이 남은 군사를 이끌고 정신없이 달아나는데, 갑자기 산등성이 뒤에서 한떼의 군사들이 쏟아져나오며 길을 가로막았다. 한 장수가 앞으로 나서며 버럭 소리지른다.

"역적놈이 그래도 살기를 바라는가!"

관우였다. 기겁한 원술은 수하장수와 군사들을 내팽개친 채 혼자 달아나고, 남은 군사들도 사방으로 흩어져버렸다. 관우는 그들의 뒤를 쫓아 닥치는 대로 무찔러 승리를 거두었다. 이리하여 제대로 싸워보지도 못하고 크게 패한 원술은 몇 남지 않은 군사들을 수습하여 회남으로 돌아갔다.

큰 승리를 거둔 여포는 관우와 양봉, 한섬 일행과 함께 서주로 돌아와 크게 잔치를 베풀어 그들의 노고를 위로했다. 또한 수하의 군사들에게도 상을 내려 배불리 먹도록 했다. 이튿날 관우는 하직인사를 하고 예주로 돌아갔다.

여포는 한섬을 기도목(沂都牧)에, 양봉을 낭야목(琅琊牧)에 천거하는 표문을 허도에 보낸 다음 그들을 서주에 머무르게 하고자 수하들을 불러 의논했다. 진규가 말한다.

"안됩니다. 한섬과 양봉 두 사람은 산동으로 보내야 합니다. 그러면 산동 일대가 모두 평정되어 1년 안에 장군의 수중에 들어올 수 있을 것입니다."

여포는 그 말대로 두 사람을 각각 기도와 낭야로 보내, 그곳에 있으면서 은명(恩命)을 기다리게 했다. 진등이 가만히 아버지 진규에게 묻는다.

"어찌하여 두 사람을 서주에 남게 하여 여포를 죽이는 일을 도모하지 않으셨습니까?"

진규가 답한다.

"만약 두 사람이 여포 편에 서서 한패가 되었다가는 도리어 범에게 발톱과 어금니를 더해주는 꼴이 아니겠느냐?"

진등은 아버지의 고견에 탄복하지 않을 수 없었다.

한편, 싸움에 패하여 회남으로 돌아온 원술은 억울하고 분할 따름이었다. 어떻게든 다시 군사를 일으켜서 원수를 갚고야 말리라 결심하고, 곧 사람을 강동의 손책에게 보내서 힘을 빌려달라고 청했다. 손책은 크게 노하였다.

"감히 내 옥새를 가지고 스스로 황제라 칭하며 한나라 황실을 배반했으니, 이는 곧 대역죄로다. 내가 군사를 일으켜 그 죄를 물으려는데 오히려 도와달라니 참으로 가당찮구나."

그러고는 거절하는 서신을 써서 사자에게 주었다. 사자가 회남으로 돌아가 답신을 전하자 원술은 분통을 터뜨렸다.

"입에 젖내도 가시지 않은 놈이 감히 이럴 수가 있단 말이냐? 내 그놈부터 처없애리라."

장사(長史) 양대장(楊大將)이 극구 만류하여 이를 막았다.

한편 손책은 거절하는 답신을 보낸 뒤 원술이 쳐들어올 것에 대비해 강어귀를 지키고 있었다. 이때 뜻밖에 조조가 보낸 사자가 와서 손책을 회계(會稽) 태수로 봉하고, 군사를 일으켜 원술을 치라는 칙명을 전했다. 손책은 사람들과 의논하고 곧 군사를 일으키려 했다. 장사 장소가 말한다.

"원술이 비록 패한 지 얼마 안되었으나, 워낙 군사가 많고 양식이 넉넉하여 그 형세가 만만치 않소이다. 따라서 조조에게 서신을 보내, 남정(南征)하여 회남의 원술을 치게 하십시오. 그런 뒤에 우리가 협공한다면 원술의 군사를 물리치기란 그리 어렵지 않을 것입니다. 또 그렇게 해야 만에 하나 우리가 불리해지더라도 조조의 구원을 받을 수 있지 않겠습니까?"

손책은 장소의 말을 좇아 조조에게 서신을 보내 그 뜻을 전했다.

한편 조조는 허도로 돌아온 뒤에도 자신을 대신하여 목숨을 바친 전위 생각에 울적한 나날을 보내고 있었다. 그는 전위를 기리기 위해 사당을 짓고 제사를 올리고는 그의 아들 전만(典滿)을 중랑(中郞)으로 봉하여 부중에 두었다. 손책의 사자가 이르러 조조가 그 서신을 읽고 있는 중에, 때마침 사람이 들어와 고한다.

"근래에 군량미가 부족한 원술이 군사를 일으켜 진류로 나와 노략질을 하고 있다 합니다."

조조는 마침내 남쪽으로 쳐내려갈 뜻을 정하고 출정준비를 했다. 조인에게 허도를 지키도록 명한 뒤 나머지 군사를 모조리 거느리고 나아가니, 기병과 보병이 도합 17만이요 양식을 실은 수레가 1천여대에 달했다. 그는 또한 손책·유비·여포에게도 사람을 보내서, 곧 군사를 일으켜 함께 원술을 칠 것을 청하였다.

조조의 대군이 예주 경계에 이르자 먼저 유현덕이 군사를 거느리고 나와서 맞이했다. 조조는 유현덕을 자신의 진영으로 청해들여 인사를 나누었다. 이어 현덕이 수급 두 개를 조조에게 바쳤다. 조조가 놀라서 묻는다.

"누구의 머리요?"

현덕이 답한다.

"하나는 한섬의 목이고, 다른 하나는 양봉의 목이외다."

"어떻게 이것들을 얻으셨소?"

"여포가 얼마 전 이들에게 기도와 낭야 두 고을을 맡아보게 했습니다. 그런데 엉뚱하게도 이자들이 군사를 풀어 백성들을 약탈하니 기막힐 노릇이었지요. 두 고을에 어찌나 원성이 자자하던지, 제가 생각다 못해 술자리를 만들고 상의할 일이 있다고 하여 저들을 청했습니다. 술을 마시다가 술잔 던지는 것을 신호 삼아, 관우와 장비 두 아우를 시켜 잡아죽이고 수하군사들을 모조리 항복하도록 했는데, 아무래도 제가 큰 죄를 지은 것 같습니다. 용서하십시오."

"그대가 나라에 해가 되는 자들을 없애주었으니 실로 큰 공을 세웠다 하겠거늘, 그게 어찌 죄가 된단 말씀이오?"

조조는 유현덕의 공을 치하한 후 군사를 합하여 함께 서주로 향했다. 두 사람이 경계에 이르자 여포가 나와서 맞이했다. 조조가 듣기 좋은 말로 여포를 위무하고 좌장군으로 삼은 다음, 싸움이 끝나는 대로 허도로 돌아가 서주 목사의 인수를 정식으로 보내겠노라고 했다. 여포는 매우 기뻐했다. 조조는 여포의 군사를 좌군으로, 유비의 군사를 우군으로 삼아 하후돈과 우금을 선봉에 세우고 자신은 몸소 대군을 통솔하여 중군으로 진격했다.

원술은 조조의 군사가 당도했다는 말을 듣고 대장 교유를 선봉으로 삼아 군사 5만명을 거느리고 나가서 대적하게 했다. 마침내 양군은 수춘 경계에서 마주쳤다. 원술 쪽에서는 제일 먼저 교유가 말을 몰고 나와 하후돈과 싸움을 벌였다. 그러나 교유가 싸운 지 3합도 못되어 하후돈의 창에 찔려 죽자, 수하 군사는 크게 패하여 모두 성안으로 달아났다.

원술에게 갑자기 연이어 보고가 들어왔다. 손책은 배를 타고 강기슭을 따라 서쪽을 치고, 여포는 군사를 이끌고 동쪽을 친다고 했다. 그리고 유비와 관우·장비는 남쪽을 치고, 조조는 몸소 17만 대군을 거느리고 북쪽을 치고 있다는 것이었다. 원술은 소스라치게 놀라 급히 수하 장수들을 불러 의논했다. 장사 양대장이 나서서 아뢴다.

"수춘은 해마다 홍수와 가뭄이 번갈아 드는 터라 백성들 모두 먹을 것을 얻지 못하고 있는 실정입니다. 이런 와중에 또 군사를 일으키면 민심이 흉흉해져서 적에 맞서싸우기가 어렵습니다. 차라리 군사를 단속하여 성을 굳게 지키고, 전투를 피하십시오. 적의 양식이 떨어질 때를 기다리다보면 반드시 저들에게 변란이 생길 터이니, 폐하께서는 어림군(御林軍)을 거느리고 이곳을 떠나 회수를 건너십시오. 이는 첫째로 상황이 무르익기를 기다리고, 둘째로는 적의 날카로운 기세를 잠시 피하기 위함입니다."

원술은 양대장의 말을 받아들였다. 이풍·악취·양강·진기 등 네 장수에게 10만 군사를 주어 수춘성을 굳게 지키도록 지시한 후, 자신은 나머지 군사와 창고 안에 있는 금은보화를 모두 챙겨가지고 서둘러 회수를 건넜다.

한편, 조조는 17만 군사가 날마다 먹어치우는 엄청난 양의 군량을 도저히 당해낼 재간이 없었다. 그도 그럴 것이 고을마다 흉년이 들어서 보급도 거의 불가능했던 것이다. 군사를 재촉하여 급히 싸우려 했으나, 이풍 등이 성문을 굳게 닫아걸고 꼼짝을 하지 않는다. 성을 포위한 채 제대로 싸워보지도 못하고 어느덧 한달이 지났다. 드디어 양식은 바닥이 났고, 조조는 손책에게 서신을 보내 곡식 10만 섬을 빌려왔으나 17만 군사가 지탱하기엔 너무도 부족한 양이었다. 군량 담당자 임준(任峻)의 부하 왕후(王垕)가 조조에게 말한다.

"군사는 많고 양식은 적으니 어찌하오리까?"

조조가 말한다.

"작은 되로 나누어주어 우선 시장기나 면하도록 하여라."

"군사들이 원망할 터인데 어찌하시렵니까?"

"다 생각이 있으니, 시키는 대로 하라."

왕후는 조조의 분부대로 각 영채의 군사에게 날마다 배급하던 양을 작은 되로 줄여 나누어주었다. 조조는 가만히 사람을 시켜서 군사들의 반응을 살피게 했다. 모두들 승상이 자신들을 속였다고 원망이 자자했다. 조조는 고개를 끄덕이고 나서 가만히 왕후를 불러들였다.

"내가 너의 물건 한 가지를 빌려 그걸로 병사들을 진정시키려 하니, 부디 아끼지 마라."

왕후가 묻는다.

"승상께서 무슨 물건을 쓰시려 하는지요?"

"네 머리를 베어서 군사들에게 내보여야 한다."

왕후는 깜짝 놀라 애원한다.

"이몸이 무슨 죄가 있사옵니까?"

"네게 죄가 없는 것은 잘 안다만, 너를 죽이지 않고는 그들의 마음을 잡을 수 없으니 어쩔 도리가 없구나. 네가 죽은 뒤에 처자들은 잘 돌보아줄 터이니, 그 점은 염려 말아라."

왕후가 다시 무슨 말인가를 하려는데, 조조는 어느새 도부수를 불러들였다. 도부수는 즉시 왕후를 문 밖으로 끌어내 목을 벤 다음, 그 목을 장대 위에 높이 매달아놓았다. 그리고 조조는 이렇게 방문을 붙였다.

왕후가 군사들에게 나누어줄 곡식을 작은 되로 나누어주고 빼돌렸으므로 군법에 의해 처형하노라.

그제서야 조조에 대한 군사들의 원망은 진정되었다. 이튿날 조조는 각 영채의 장령들에게 엄명을 내렸다.

"만약 힘을 합해 사흘 안으로 성을 쳐부수지 못하면 모두 참형에 처하리라!"

조조가 몸소 성밑으로 나아가 군사들을 독려하여 흙과 돌을 날라다 해자를 메우게 했다. 이때 성위에서 화살과 돌멩이가 비오듯 쏟아지자 곁에 있던 두명의 군사가 몸을 피해 물러선다. 조조는 그 즉시 칼을 빼어 두 사람의 목을 베고, 말에서 뛰어내려 몸소 흙을 날라다 해자를 메웠다.

이 모습을 지켜보던 군사들은 앞을 다투어 성문을 향해 돌진했다. 그 기세가 어찌나 대단한지 성위의 적군들은 감히 대적할 엄두를 내지 못했다. 조조의 군사들은 사기 충천하여 성벽을 타넘기 시작했다. 먼저 성벽을 타오른 몇몇 군사들이 쇠사슬을 끊고 성문을 활짝 열어젖혔고, 대병력은 물밀듯 성안으로 밀려들어갔다.

원술의 장수 이풍·진기·악취·양강은 모두 사로잡혔다. 조조는 이풍 무리를 저자로 끌어내 참수하게 하는 한편 원술이 본떠서 만든 궁실과 전각, 관아 등 백성에게 금지된 모든 기물을 불살랐다. 수춘성은 하루아침에 폐허가 되고 말았다.

조조는 사람들을 불러모아 회수를 건너 원술을 공격할 일을 의논했다. 순욱이 아뢴다.

"해마다 흉년이 들어 식량 수급이 어려운데 다시 군사를 일으키면 장졸들은 지치고, 백성들의 고초 또한 막심하여 득이 없을 것입니다. 잠시 허도로 돌아가서서 내년 봄 보리 익기를 기다려 군량이 넉넉해지거든 다시 도모하시는 게 좋겠습니다."

조조가 주저하며 얼른 결단을 내리지 못하고 있는데, 문득 파발꾼이 들이닥치며 급보를 알린다.

"달아났던 장수가 유표에게 의탁하여 다시 반란을 일으키고, 남양과 강릉의 여러 고을이 반기를 들었습니다. 조홍이 막지 못하고 패전을 거듭하고 있는데 매우 위급한 상황입니다."

조조는 곧 손책에게 글을 보내, 즉시 강을 건너 유표가 함부로 날뛰지 못하게 견제하라고 일렀다. 그리고 자신은 그날로 군사를 거느리고 돌아가 장수를 칠 계책을 세우기로 했다. 떠나기 전에 유현덕에게는 소패에 주둔하고, 여포와 형제의 의를 맺어 서로 돕고 싸우는 일이 없도록 하라고 권유했다. 여포가 먼저 군사를 거두어 서주로 돌아갔다. 그뒤 조조는 조용히 현덕을 불러 말한다.

"내 공더러 소패에 주둔하라 한 것은 함정을 파놓고 범이 걸려들기를 기다리라는 뜻이오. 그대는 진규 부자와 상의하여 기회를 잘 보도록 하시오. 내가 군사를 내어 공을 도우리다."

이리하여 조조와 유현덕 모두 군사를 거두어 각각 돌아갔다.

조조가 군사를 끌고 허도로 돌아오자 보고가 올라왔다.

"단외(段煨)는 이각을 죽이고, 오습(伍習)은 곽사를 죽여, 그 수급을 가져왔습니다. 뿐만 아니라 단외는 이각의 가족 2백여명을 사로잡아왔습니다."

조조는 이각과 곽사의 머리를 높이 매달고 이각의 가족 2백여명을 각 성문으로 끌어내 참하니, 백성들이 모두 통쾌히 여겼다. 황제는 어전에 나와 문무백관을 모아서 태평연(太平宴)을 베풀었다. 단외는 탕구장군(蕩寇將軍)에, 오습은 진로장군(殄虜將軍)에 봉하여 각기 군사를 거느리고 장안을 지키게 하니, 두 사람은 절하여 사례하고 물러갔다.

조조는 황제께 장수가 또다시 난을 일으켰으니 군사를 동원해 징벌하겠다고 아뢰었다. 황제가 몸소 수레를 타고 궁궐을 나와 전송하니, 때는 건안 3년(198) 4월이었다.

　조조는 순욱에게 허도를 지키라 이르고, 몸소 대군을 거느리고 출발했다. 행군하는 길가에는 보리가 누렇게 익어 있었다. 백성들은 군사가 온다는 소식에 두려워 몸을 피하고, 감히 나와서 보리를 베지 못했다. 조조는 즉시 원근 각 고을의 노인들과 관리들에게 사람을 보내 널리 알린다.

　"내 황제의 명을 받들어 역적을 몰아내고 백성들을 편안케 하려는 바이다. 바야흐로 보리가 무르익는 때에 부득이 군사를 일으킬 수밖에 없었으니, 보리밭을 지날 때는 각별히 조심하되, 만약 함부로 보리밭을 짓밟는 자가 있으면 누구든 모두 목을 베겠다. 군법이 심히 엄하니 너희 백성들은 놀라지 말고 마음을 놓으라."

　백성들은 조조의 전언을 듣고 모두 기뻐하며 그 덕을 칭송하지 않는 자가 없었고, 대군이 지나는 곳마다 길에 나와서 무수히 절을 올렸다. 군사들은 보리밭을 지날 때마다 모두 말에서 내려 손으로 조심스레 헤쳐가며, 감히 보리를 밟는 자가 없었다.

　조조 역시 말을 타고 보리밭을 지나고 있었다. 그런데 갑자기 보리밭 속에서 난데없이 비둘기 한 마리가 푸드득 날아올랐다. 그 바람에 놀란 조조의 말이 껑충 뛰어오르더니 보리밭으로 뛰어들어 함부로 짓밟았다. 조조는 즉시 행군주부(行軍主簿)를 불렀다.

　"내가 오늘 보리를 밟았으니 곧 그 죄를 다스리도록 하게."

　행군주부는 심히 송구스러워하며 아뢴다.

　"황공하옵니다. 누가 감히 승상의 죄를 다스리오리까?"

조조가 말한다.

"내 손으로 법을 만들어놓고서 스스로 어긴다면 다른 사람들을 어찌 복종시킨단 말인가?"

조조는 즉시 차고 있던 칼을 빼어 스스로 목을 찌르려 했다. 사람들이 급히 달려들어 만류했다. 곽가가 한마디 한다.

"옛 『춘추』에 이르기를, 지존(至尊)에 대해서는 법으로 다스릴 수 없다 하였습니다. 승상께서 대군을 통솔하고 계신 터에 어찌 스스로 목숨을 끊으실 수 있사오리까?"

조조는 한참을 생각하던 끝에 입을 연다

"『춘추』에 그런 뜻이 있다 하니 내 죽음은 면하였소."

그러고는 칼을 들어 머리털을 끊어 땅바닥에 던지며 말한다.

"이 머리털로 목을 대신하겠다."

장수들이 조조의 머리털을 삼군에 두루 보이며 말한다.

"승상께서 보리밭을 짓밟아 목을 베어 징계해야 하나, 이 머리털로 대신하노라."

이 말을 들은 군사들은 모두 놀라며 누구 한 사람 군령을 어기는 자가 없었다.

후세 사람들이 시를 지어 이 일을 논했다.

10만의 용사, 10만의 마음　　　　　　　十萬貔貅十萬心

한 사람 호령으로 다스리기 어려워라　　一人號令衆難禁

칼 뽑아 머리털 끊어 머리를 대신하다니　拔刀割髮權爲首

조조의 저 술수 놀라울 따름　　　　　　方見曹瞞詐術深

군령을 어긴 벌로 조조는 스스로 목을 베는 대신 머리털을 자르다 한편 장수는 조조가 대군을 거느리고 온다는 소식을 듣고 곧 유표에게 글을 보내 도움을 청하는 한편, 자신은 뇌서(雷敍)·장선(張先) 두 장수와 함께 군사를 거느리고 성을 나섰다. 양군이 서로 마주보고 진을 쳤다. 장수가 앞으로 말을 몰고 나서더니 손가락으로 조조를 가리키며 큰소리로 꾸짖는다.

"너는 거짓으로 인의를 내세우면서 몰염치한 짓을 자행하는 놈이다. 대체 금수와 뭐가 다르단 말이냐?"

조조는 크게 노하여 허저를 불러 싸우도록 했다. 장수는 곧 장선으로 하여금 맞서싸우게 한다. 두 장수가 접전을 벌인 지 불과 3합에 장선이 허저의 칼에 맞아 말 아래로 떨어져죽자 장수의 군대는 그대로 무너져 크게 패했다. 조조가 군사를 휘몰아 진격하니, 장수는 남양성 안으로 달아나 성문을 굳게 닫아걸었다.

조조는 성을 에워싸고 공격을 시작했다. 그러나 남양성은 해자의 폭이 넓고 물이 깊어 쉽게 접근하기 어려웠다. 조조는 군사를 시켜 흙을 날라다 해자를 메우게 하고, 흙을 담은 포대와 나뭇단과 짚단 등을 성 주위에 쌓아올려 성으로 오르는 발판을 만들도록 했다. 그 위에 사다리를 세워 군사들에게 성안을 정찰하라 이르고, 자신은 몸소 말을 타고 성 주변을 살폈다. 사흘 동안 줄곧 성 주변을 둘러보던 조조는 서문 쪽에다 나뭇단과 짚단을 쌓아올리게 한 다음 군사들에게 그 위로 오르도록 명했다.

한편, 성위에서 이 광경을 지켜보던 가후가 장수에게 말한다.

"조조가 뭘 하려는지 이제 알았소이다. 그러니 조조의 계책을 역으로 이용하는 게 좋겠소."

뛰는 놈 위에 나는 놈 있다더라　　　　　　　强中自有强中手
속임수 쓰려는데 속임수로 받아치네　　　　　　用詐還逢識詐人

가후가 말하는 계책이란 과연 어떤 것일까?

18

눈알을 씹어삼키는 하후돈

가후는 적을 역이용해 승리하고

하후돈은 화살을 뽑아 눈알을 씹어삼키다

   조조의 속셈을 알아차린 가후는 적의 계략을 어떻게 역이용할 것인
지를 장수에게 설명한다.

   "저는 지난 사흘 동안 조조가 성밖을 두루 살피는 것을 줄곧 지켜
보았습니다. 조조는, 새로 쌓아 전돌 빛깔이 다른 곳도 있는 동남쪽
성벽이 낡고 허술해 보일 뿐 아니라 방어를 위한 녹각(鹿角, 사슴뿔처럼
만든 방어용 울타리)도 태반이 부서진 것을 보고, 그리로 쳐들어올 생각
을 정한 것 같소이다. 그러면서도 서북쪽 성벽에다 나뭇단과 짚단을
쌓아 허장성세를 부리는 것은, 우리로 하여금 그곳을 굳게 지키게 만

든 뒤에 실제로는 한밤중에 동남쪽 성벽을 타넘으려는 속셈입니다."

장수가 묻는다.

"과연 그렇다면 어찌하면 좋겠소?"

가후가 대답한다.

"그야 간단한 일이지요. 내일 정예병을 뽑아서 배불리 먹인 뒤 가벼운 옷차림으로 동남쪽 백성들의 집에 숨어 있게 하십시오. 그대신 백성들을 군사로 가장시켜 서북쪽을 지키는 척 꾸미면, 조조는 반드시 야음을 틈타 동남쪽 성벽을 타넘을 것입니다. 그때 포소리를 신호 삼아 복병들이 일제히 일어나 친다면 조조를 사로잡기란 그리 어렵지 않을 것입니다."

장수는 크게 기뻐하며 그 계책에 따르기로 한다. 그런 줄도 모르고 조조의 진영에서는 한 정탐꾼이 조조에게 이렇게 보고한다.

"장수가 군사를 거두더니 함성을 지르며 서북쪽 성벽을 굳게 지키고 있습니다. 동남쪽은 텅 비어 있습니다."

조조는 머리를 끄덕였다.

"적들이 나의 계략에 말려들었구나!"

조조는 곧 군사들에게 은밀히 삽과 괭이 등 성벽을 기어오를 장비를 갖추도록 했다. 낮 동안에는 군사를 몰고 나가 서북쪽을 공격하는 시늉을 하다가, 날이 저물어 2경쯤 되자, 정예병을 거느리고 동남쪽으로 진격하여 성벽을 타고 올라가 녹각을 부수었다. 그런데 어찌 된 일인지 성안에서는 아무런 반응도 없었다.

조조의 군사들은 망설임없이 일제히 성벽을 타넘어 들어갔다. 그때 느닷없이 커다란 포소리와 함께 사방에서 복병들이 일제히 떨쳐일어났다. 조조가 급히 군사를 호령하여 물러나려는데, 등뒤에서 장수가 정예병들을 거느리고 매섭게 휘몰아쳐온다. 조조의 군사는 크게 패하여 성밖으로 수십리나 허둥지둥 달아났다. 장수는 날이 밝을 무렵까지 맹렬한 공격을 퍼붓고 나서야 군사를 거두어 성안으로 들어갔다. 조조가 비로소 군사들을 수습하여 점고해보니, 죽은 군사가 5만여 명이요 많은 물자를 잃었으며, 여건과 우금도 부상을 입었다.

한편, 가후는 조조가 패하여 달아나는 것을 보고 급히 장수에게 권했다. 유표에게 서신을 보내 조조가 돌아갈 길을 끊도록 하라는 것이다. 유표가 장수의 서신을 받고 군사를 일으키려 하는데 홀연 정탐꾼이 와서 전한다.

"손책의 군사가 강어귀에 진을 치고 있습니다."

괴량(蒯良)이 말한다.

"손책이 강어귀에 진을 치고 있는 것은 바로 조조의 계략입니다. 이제 조조가 패했으니, 지금 기세를 몰아 공격하지 않으면 반드시 후환이 있을 것이외다."

유표는 황조(黃祖)에게 요새를 굳게 지키게 한 다음, 몸소 군사를 거느리고 안중현으로 가서 조조의 돌아갈 길을 끊었다. 그리고 장수에게 사람을 보내어 서로 연대를 꾀하였다. 유표가 이미 군사를 일으켰음을 전해들은 장수는 즉시 가후와 함께 조조의 뒤를 추격했다.

조조의 군사들이 천천히 행군하다가 양성(襄城) 육수(淯水)에 이르렀을 때였다. 조조가 갑자기 말 위에서 통곡을 한다. 좌우 사람들이 깜짝 놀라 묻는다.

"승상께서 어인 이유로 이러십니까?"

조조가 울음섞인 소리로 대답한다.

"지난해에 바로 이곳에서 대장 전위를 잃은 생각을 하니 아니 울

수가 없구나."

조조는 영을 내려 군마를 멈추게 하고 제를 올려 전위의 영혼을 위로했다. 조조가 친히 분향을 마치고 울면서 절하자, 모든 사람이 감탄해 마지않았다. 조조는 전위의 제사를 지낸 다음, 조카 조안민과 맏아들 조앙을 비롯해 그때 함께 전사한 군사들의 제사를 지냈다. 그리고 마지막으로 그때 화살에 맞아죽은 자신의 애마까지 제를 지냈다. 이튿날 허도를 지키고 있는 순욱이 사람을 보내왔다.

"유표가 장수를 돕기 위해 안중에 진을 치고 돌아오시는 길을 끊으려 할 것입니다. 승상께서는 조심하십시오."

조조는 곧 순욱에게 답신을 보냈다.

내가 하루에 조금씩 천천히 행군하는 것은 적군이 우리 뒤를 쫓는 것을 몰라서가 아니오. 내게도 나름대로 생각이 있소. 안중에 도착하면 반드시 장수를 꺾을 테니 너무 염려 마시오.

조조가 군사들을 재촉하여 안중현 경계에 이르니, 유표의 군사는 이미 요새에 진을 친 채 기다리고 있었다. 후방에서는 장수가 군사를 거느리고 뒤쫓아오고 있었다. 조조는 곧 영을 내려, 어두운 밤을 틈타 험한 곳을 뚫어 길을 냈다. 그리고 산골 곳곳에 은밀하게 군사를 배치하도록 했다.

먼동이 틀 무렵 유표와 장수가 군사를 한곳에 모으고 살펴보니 조조의 군사가 그리 많아 보이지 않았다. 그들은 조조가 달아났다고 생각해 군사를 이끌고 서둘러 험한 산길로 들어섰다. 그순간 산속에 매복해 있던 조조의 군사들이 기다렸다는 듯 일제히 들고 일어났다. 예기치 못한 상황에 당황한 장수와 유표의 군사는 참패를 면치 못했다. 싸움에서 크게 이긴 조조는 군사를 이끌고 안중의 험한 요새지를 벗어나 영채를 세웠다.

유표와 장수는 패잔병을 수습하고 대책을 협의하기 위해 한자리에 모였다. 유표가 먼저 입을 연다.

"우리가 조조의 간계에 빠져 이렇게 패할 줄 누가 알았겠소?"

장수가 대꾸한다.

"그러게 말씀이외다. 그렇다고 순순히 물러날 수는 없는 일, 다시 기회를 엿보아 반드시 놈을 잡아야 합니다."

이렇게 뜻을 모은 유표와 장수는 각기 군사를 거느리고 안중현에 주둔했다.

이때 순욱은 원소가 군사를 일으켜 허도를 치려 한다는 급보를 받고 즉시 조조의 진중으로 사람을 보냈다. 조조는 이 소식에 마음이 급해져 그날로 회군할 채비를 했다. 장수 역시 정탐꾼에게서 이 소식을 전해듣고 당장 군사를 일으켜 조조를 추격하려 했다. 가후가 나서며 만류한다.

"뒤쫓지 마십시오. 뒤쫓아 싸우면 반드시 패합니다."

유표가 적극 주장한다.

"지금 적을 뒤쫓지 않으면 가만히 앉아서 기회를 놓치는 일이 될 것이오."

장수는 군사 1만여명을 거느리고 유표와 함께 조조의 뒤를 추격했다. 맹렬히 뒤를 쫓아 10여리쯤 달렸을까. 드디어 조조의 후대(後隊)를 따라잡아 일대 접전이 벌어졌다. 그러나 조조의 군사들이 어찌나 사력을 다해 대항해오는지 두 사람은 크게 패하고 말았다. 장수가 돌아와서 가후에게 말한다.

"공의 말을 듣지 않았다가 과연 낭패를 보았구려."

가후가 대꾸한다.

"당장 군사를 정비하여 다시 한번 추격하시지요."

장수와 유표가 동시에 반문한다.

"그게 무슨 말이오? 지금 막 패하고 돌아온 마당에 다시 한번 추격하라니, 진정으로 하는 말이오?"

가후가 빙그레 웃으며 장담한다.

"이번에는 반드시 크게 이길 것입니다. 만일 내 말대로 되지 않으면 내 머리를 베시오."

장수는 가후의 말을 믿었지만, 유표는 주저하여 함께 가지 않았다. 장수가 혼자서 군사를 거느리고 다시 조조의 뒤를 쫓았다. 과연 이번에는 조조의 군사가 크게 패하여 말이며 수레, 군수품들을 버리고 앞다투어 달아났다. 장수는 기세 좋게 뒤쫓았다. 그러나 갑자기 산등성이 뒤쪽에서 한무리의 군사가 쏟아져나와 감히 더 쫓지 못하고 군사를 거두어 안중으로 돌아왔다. 유표가 가후에게 물었다.

"먼젓번에는 우리가 정병을 거느리고 추격했는데도 공은 반드시 패할 것이라 했고, 이번에는 패한 군사를 거느리고 추격했으나 공은 반드시 이기리라 했소. 과연 두번 다 공의 말이 맞았소이다. 대체 어인 까닭이오? 공이 나를 좀 깨우쳐주시오."

가후가 대답한다.

"별로 어려운 일이 아니지요. 장군께서는 용병을 잘하시나 조조의 상대는 아니십니다. 비록 패했지만 돌아가는 조조의 군대는 반드시 용감한 장수와 날랜 정예병을 뒤에 배치하여 추격병을 방비했을 것이오. 그러니 우리 군사가 용맹해도 당해내지 못할 터라, 패할 줄 알았던 것입니다. 허나 조조가 서둘러 퇴각하는 걸 보면 반드시 허도에 무슨 일이 생긴 게 분명하지요. 그러니 추격해온 적은 이미 무찔렀겠다, 속히 돌아갈 생각에 급급하여 다시 후대를 방비했을 리가 없질 않겠소? 이때 우리가 다시 추격하여 싸운다면 이길 게 뻔하지 않겠소이까?"

유표와 장수는 가후의 식견에 탄복하지 않을 수 없었다. 가후는 유표에게 형주로 돌아갈 것을 권하였고, 장수에게는 양성을 지키며 유표와 서로 긴밀한 관계를 유지하도록 해두었다. 유표와 장수는 각기 군사를 거느리고 길을 떠났다.

한편, 조조는 추격해온 적을 물리치고 행군하던 중 장수의 군사가 다시 쫓아와 후군이 크게 패했다는 소식을 전해들었다. 조조는 즉시 말머리를 돌려 수하장수들을 거느리고 몸소 도우러 나섰다. 그러나 그가 당도했을 때는 장수의 군대는 물러나버린 뒤였다. 패잔병들이 입을 모아 말한다.

"만약 산등성이 뒤쪽에서 한떼의 인마가 쏟아져나와 적을 막아주지 않았다면 저희들은 그만 적의 포로가 되었을 것입니다."

"대체 누가 구해주었단 말이냐?"

이때 한 장수가 말에서 내리더니 조조에게 절을 올린다. 그는 강하(江夏)의 평춘(平春) 사람으로, 성은 이(李)요 이름은 통(通), 자는 문달(文達)이라고 하며, 진위중랑장(鎭威中郎將)으로 있었다. 조조가 묻는다.

"그대는 어디서 왔소?"

이통이 대답한다.

"근래 여남을 지키고 있다가 승상께서 장수와 유표의 무리와 싸우신다는 말씀을 듣고 도우러 왔습니다."

조조는 크게 기뻐하며, 이통을 건공후(建功侯)에 봉하고 여남의 서쪽 경계를 지켜서 유표와 장수의 군사를 방비하도록 했다. 이통은 조조의 명을 받들어 감사의 절을 올리고 떠났다.

허도로 돌아온 조조는 즉시 황제에게 손책의 공로를 아뢰어 토역장군(討逆將軍)에 봉하고, 오후(吳侯)로 삼았다. 그리고 사자에게 조서를 주어 강동의 손책에게 이를 전하고, 유표를 토벌하라 이르도록 했다. 조조가 부중으로 돌아가자 모든 관리들이 문안인사를 왔다. 인사가 끝나기를 기다렸다가 순욱이 묻는다.

"승상께서는 천천히 행군하여 안중으로 가시면서 어떻게 적병과 싸워 이길 것을 아셨소이까?"

"저들은 물러나려 해도 돌아갈 길이 없으니 반드시 사생결단으로 싸울 줄 알았다. 그래서 나는 천천히 가면서 적들을 끌어들이고 매복한 군사들로 친 것이다. 따라서 반드시 이길 줄 알았다."

순욱이 조조의 계책에 찬탄해 마지않는데, 곽가가 들어선다. 조조가 곽가에게 묻는다.

"그대는 어찌하여 이렇듯 늦게 오는고?"

곽가가 소맷자락 안에서 서신을 꺼내놓으며 말한다.

"원소가 사람을 시켜 승상께 서신을 보내왔습니다. 공손찬을 쳐없앨 터이니 부디 군량과 군사를 빌려주십사 하는 내용입니다."

"원소가 허도를 도모하려 한다는 말을 들었는데, 내가 돌아오니 딴소리를 하는 게 틀림없다."

조조가 말을 마치고 편지를 열어보니, 그 글이 매우 교만하였다. 조조가 곽가에게 묻는다.

"원소가 이리 무례하니 내 반드시 그를 치기는 쳐야겠는데, 힘이 부족하니 어찌하면 좋겠나?"

"유방(劉邦)이 항우(項羽)의 적이 아니었음은 주공께서도 잘 아시지 않습니까? 한고조께서는 오로지 지혜로써 이기셨으니, 항우가 비록 강하기는 했어도 끝내 잡히고 말았습니다. 게다가 원소에게는 열 가지 패할 이유가 있고, 주공께는 열 가지 이길 이유가 있으니, 원소의 군사가 비록 강성하다 해도 전혀 두려울 바가 없습니다."

"무슨 말인지 알아듣게 말해보게나."

"첫째, 원소는 예절이 번거롭고 형식이 많으나 주공께서는 모든 일을 자연의 이치에 맡기니, 이는 도(道)로써 이기는 것입니다. 둘째로, 원소는 천리를 거스르며 움직이나 주공께서는 순리대로 거느리시니, 이는 의(義)로써 이기는 것이지요. 셋째, 환제(桓帝)·영제(靈帝) 이래로 정사가 타락하여 오늘날 이리 되었건만, 원소는 이를 관대히 보았고 주공께서는 강력한 법을 세워 다스렸으니, 이는 치(治)로써 이기는 것입니다. 넷째로, 원소가 겉으로는 관대한 듯해도 안으로는 시기심이 많아서 친·인척에게만 일을 맡기오나, 주공께서는 겉은 대범하고 마음은 사리에 밝아 사람을 쓰시되 오직 재능을 보고 하시니, 이는 도(度)로써 이기는 것이며, 다섯째로, 원소는 꾀는 많지만 결단력이 부족하건만 주공께서는 계책만 세우면 즉시 행하시니, 이는 지모(智謀)로 이기는 것이요, 여섯째로, 원소는 오로지 명성만 듣고 사람을 거두지만 주공께서는 지성으로 사람을 대접하니, 이는 덕(德)으로써 이기는 것입니다. 일곱째로, 원소는 가까이에 있는 자만 생각할 줄 알았지 멀리 있는 자는 소홀히하는 반면에 주공께서는 널리 사람을 아끼시어 멀고 가까운 구별이 없으니, 이는 인(仁)으로써 이기는 것입니다. 여덟째로, 원소는 참소하는 말을 듣고 남을 의심하지만 주공께서는 이에 대해 꿋꿋하시니, 이는 명철함으로써 이기는 것이오며, 아홉째로, 원소는 시비가 분명치 못하오나 주공께서는 법도가 엄정하오니, 이는 문(文)으로써 이기는 것이외다. 마지막으로 원소는 허세를 좋아하고 병법의 요점을 모르지만, 주공께서는 적은 군사로 많은 무리를 이기며 용병술이 귀신 같으시니, 이는 무(武)로써 이기는 것이지요. 이렇게 주공께는 원소를 이길 열 가지 이유가 있으니, 원소를 물리치는 데 아무런 어려움이 없으십니다."

조조가 기쁨을 감추지 못하고 껄껄 웃으며 말한다.

"과찬이오. 그대의 말을 내 어찌 감당하겠는가?"

순욱이 이어서 말한다.

"곽봉효의 십승십패설(十勝十敗說)이 제 소견과 꼭 같소이다. 원소의 군사가 비록 많다고 하나 두려울 게 뭐가 있겠습니까?"

곽가가 다시 말한다.

"가장 큰 근심거리는 서주의 여포입니다. 이제 원소가 멀리 북쪽으로 공손찬을 치러 가면, 우리는 이 기회에 먼저 여포를 쳐서 동남쪽을 평정하고, 그 다음에 원소를 치는 게 상책입니다. 그렇지 않고 바로 원소를 치면 여포가 그 틈을 타서 허도를 공격할 터이니, 우리의 피해가 적지 않을 것입니다."

조조는 그 말을 옳게 생각하고, 동쪽의 여포를 칠 일을 의논했다. 순욱이 말한다.

"먼저 사람을 유비에게 보내 약속을 정하시고, 답을 기다렸다가 군사를 움직이시지요."

조조는 순욱의 말을 따랐다. 유현덕에게 서신을 보내는 한편, 원소의 사자를 후히 대접한 다음 헌제께 아뢰어 원소를 대장군 태위(大將軍太尉)로 봉하여 기주(冀州) · 청주(靑州) · 유주(幽州) · 병주(幷州) 등 네 주의 도독을 겸하게 했다. 그러고는 원소에게 다음과 같은 밀서를 보냈다.

공이 공손찬을 친다면 나는 마땅히 군사를 내어 공을 도우리라.

이 글을 받아본 원소는 몹시 기뻐하며 즉시 군사를 일으켜 공손찬을 치러 떠났다.

한편 여포는 서주에 머물면서 걸핏하면 사람을 모아 잔치를 베풀었다. 진규 부자는 술자리에 참석할 때마다 입에 침이 마르도록 여포를 칭송해 마지않았는데, 이를 지켜보던 진궁은 그들의 아첨 떠는 꼴이 못마땅하여 틈을 엿보아 여포에게 고한다.

"진규 부자가 장군 앞에서는 아첨을 일삼으나 과연 그들의 속마음이 어떤지는 헤아릴 수가 없습니다. 공께서는 아무쪼록 조심하소서."

여포는 불끈 화를 내며 진궁을 꾸짖는다.

"너는 어찌하여 좋은 사람을 참소하여 해하려 하느냐!"

진궁은 밖으로 나오며 한숨을 짓는다.

"충성된 말을 귀담아듣지 않으니, 화를 면치 못할 것이로다."

진궁은 여포를 버리고 다른 곳으로 떠날 생각도 했다. 그러나 이제 와서 차마 그렇게도 못하겠고, 또 남의 비웃음이나 사지 않을까 두려워 우울하게 지내고 있었다. 어느날 진궁은 울적한 심사를 달랠 겸 시종 몇을 거느리고 소패 땅으로 사냥을 나갔다. 그런데 문득 관도(官道) 위로 나는 듯이 달려가는 역마(驛馬)를 발견했다. 수상하게 여긴 진궁은 뒤따르던 시종들과 함께 지름길로 쫓아가서 그 역마를 사로잡았다.

"너는 누구의 명을 받고 어디로 가는 것이냐?"

진궁이 물었으나, 말을 달리던 사자는 그가 여포의 부하라는 것을 눈치채고 당황하여 감히 대답을 못했다. 진궁이 시종을 시켜 그의 몸을 뒤져보니 그의 품속에서 유현덕이 조조에게 보내는 밀서 한통이 나왔다. 진궁은 곧 그를 포박하여 여포에게로 끌고 갔다. 여포의 추궁에 잡혀온 자가 실토한다.

"조승상의 분부로 예주의 유공께 글을 전하고 답서를 받아 돌아가는 길이올시다. 그러나 뭐라 씌어 있는지는 모르옵니다."

여포가 곧 봉한 것을 뜯고 보니 그 내용은 이러하다.

　　승상의 명을 받들어 여포를 도모하려 하오매, 어찌 한시인들 마음을 늦추리이까. 다만 제게 군사가 적고 장수 또한 많지 않아서 감히 경망되이 움직이지 못할 따름입니다. 승상께서 대군을 일으키신다면 제가 마땅히 선봉에 서겠습니다. 삼가 병기와 갑옷을 정비하여 지시를 기다리겠소이다.

　편지를 읽고 난 여포는 피가 거꾸로 솟는 듯했다. 분노에 찬 그의 음성이 잇새로 부들부들 떨려나온다.

"조조 이 도적놈이 내게, 내게 감히 이럴 수가 있단 말이냐!"

여포는 그 자리에서 사자의 목을 베었다. 그런 다음 진궁과 장패로 하여금 태산에 웅거하고 있는 산적 손관(孫觀)·오돈(吳敦)·윤례(尹禮)·창희(昌豨) 무리와 결탁하여 동쪽으로 산동에 있는 연주 일대의 모든 군(郡)을 치게 하고, 고순과 장요는 소패성으로 보내 유현덕을 치도록 하며, 송헌과 위속에게는 서쪽의 여남과 영천을 공략할 것을 명한다. 그리고 자신은 몸소 중군을 거느려 세 곳의 군사를 후원하기로 했다. 고순과 장요는 여포의 영을 받은 즉시 군사를 거느리고 서주를 출발해 소패로 향했다. 이 일을 정탐꾼이 현덕에게 알려왔다. 현덕이 급히 사람을 모아 의논하니, 손건이 나서며 말한다.

"속히 조조에게 사람을 보내 구원을 청하도록 하십시오."

현덕이 좌우를 돌아보며 묻는다.

"누가 허도로 가서 급보를 전하겠느냐?"

뜰 아래에서 한 사람이 나서며 대답한다.

"이몸이 가겠소이다."

그는 현덕과 한고향 사람인 간옹(簡雍)으로, 자는 헌화(憲和)이며, 그때 현덕의 손님으로 와 있었다. 현덕은 곧 편지를 써서 간옹에게 주어 밤낮을 가리지 않고 허도로 가서 구원을 청하게 했다. 그러고는 성을 지키는 기구를 정비하여 자신은 남문을 지키고, 손건은 북문을, 관우는 서문을, 장비는 동문을 지키도록 하는 한편, 미축과 그의 아우 미방(糜芳)은 함께 중군을 지키도록 지시했다. 원래 미축에게는 누이 동생이 있었으니, 곧 현덕의 둘째부인이다. 현덕은 미축·미방과 처남 매부 사이가 되는지라 그들로 하여금 특별히 중군을 지켜 가족을 보호하게 한 것이다.

고순의 군사가 소패에 이르렀다. 현덕은 성루에 올라서서 그들에게 묻는다.

"내 봉선과 원수진 일이 없거늘, 어찌하여 군사를 거느리고 예까지 오셨소?"

고순이 앞으로 나서며 소리친다.

"네가 조조와 결탁하여 우리 주인을 해치려던 일이 탄로났으니, 속히 나와 결박을 받으라!"

그러고는 즉시 군사를 휘몰아 성을 공격하기 시작했다. 현덕은 성문을 굳게 닫고 나가지 않았다. 이튿날은 장요가 군사를 이끌고 와서 서문을 공격했다. 관운장이 성 위에 올라서서 그를 내려다보며 말한다.

"그대처럼 비범한 인물이 어찌하여 여포 같은 무리를 따르는 게요?"

장요는 고개를 숙이고 아무런 대답이 없다. 그에게 충의가 있음을 짐작한 관운장은 거듭 몰아세우지도, 나서서 싸우지도 않는다. 장요가 군사를 거느리고 동문으로 가니, 장비는 곧 나가 싸우려 했다. 한 군사로부터 이 사실을 전해들은 관운장은 급히 동문으로 향했다. 아니나 다를까 장비는 막 성밖으로 나서려는 참이었고, 장요는 이미 군사를 몰고 물러가는 중이었다. 관우는 급히 장비를 불러들였다. 장비가 불만에 가득 차서 볼멘소리로 투덜댄다.

"저들이 겁을 먹고 물러가는데, 왜 뒤쫓지 못하게 하는 거유?"

관우가 말한다.

"그 사람의 무예는 우리 두 사람에 못지 않다. 내가 바른말을 한마디 했더니 느낀 바가 있어 우리와 싸우려고 하지 않는 것이지, 무서워서 도망치는 게 아니다."

장비는 그제야 군사를 시켜 성문을 굳게 지키게 하고, 다시는 나가서 싸우려 하지 않았다.

한편 간옹은 현덕의 서신을 가지고 허도에 이르러 조조에게 그간 있은 일들을 소상히 전했다. 조조는 급히 사람들을 모아놓고 의논한다.

"내가 나가서 여포를 치는 데 원소는 별반 근심되지 아니하나, 유표와 장수가 이 틈에 허도로 쳐들어오지 않을까 걱정이로다."

순유가 입을 연다.

"유표와 장수는 앞서 크게 패하여 감히 경거망동하지 못할 것입니다. 허나 여포는 워낙 용맹한 터라 만약 원술과 결탁이라도 하여 회수(淮水)와 사수(泗水) 연안지역을 휘젓고 다닌다면 신속하게 맞서싸우기 어려울 것입니다."

이번에는 곽가가 나선다.

"여포의 반역행위에 여러 사람이 동참하기 전에 하루라도 빨리 기를 꺾어놓아야 합니다."

조조는 그 말에 따랐다. 즉시 하후돈·하후연·여건·이전 등에게 군사 5만명을 내주며 먼저 떠나게 하고 몸소 대군을 거느리고 뒤따라 출발했다. 간옹 역시 뒤를 따랐다.

파발꾼이 소패로 달려가 조조가 대군을 거느리고 오고 있다고 고순에게 전하자, 고순은 이를 즉시 여포에게 알렸다. 여포는 즉시 후성(侯成)·학맹(郝萌)·조성(曹性)에게 군마 2백여기를 이끌고 가서 고순과 합류하여 소패성에서 30리 가량 떨어진 곳에 진을 치고 조조의 군대를 맞으라고 지시했다. 그리고 자신은 몸소 대군을 거느리고 뒤따라가서 돕기로 했다.

유현덕은 고순과 장요가 성을 포위하고 있던 군사를 거두어 물러가는 것을 보고는, 조조의 군사가 진군해오고 있음을 짐작했다. 현덕은 즉시 손건에게 남아서 성을 지키라 이르고, 미축·미방 형제에게 각별히 가족의 보호를 당부했다. 그런 다음 자신은 관우·장비와 더불어 성밖으로 나가 각기 군사를 나누어 진을 치고 조조의 군대를 기다렸다.

한편, 군사를 거느리고 진군하던 하후돈은 마침내 고순의 군사와 맞닥뜨렸다. 하후돈이 곧장 창을 들고 싸움을 청하니, 고순이 말을 몰고 나와서 맞선다. 고순은 4, 50합을 맞서싸우다가 하후돈을 당해내지 못하고 도망치기 시작한다. 하후돈이 급히 뒤쫓았으나 고순은 진을 맴돌면서 달아난다. 이때 진영 위에서 보고 있던 조성이 가만히 활에 살을 메겨들고 하후돈이 가까이에서 지나기를 기다려 손을 떼었다. 시윗소리를 울리며 날아든 화살은 하후돈의 왼쪽 눈에 그대로 들어박힌다. 하후돈이 손을 들어 크게 소리지르며 눈에 박힌 화살을 잡아당기자, 눈알까지 그대로 뽑혀나오고 말았다.

"아버지의 정기와 어머니의 피로 만든 것인데 내 어찌 버리겠느냐!"

하후돈은 뽑혀나온 눈알을 입에 넣고 삼키더니, 곧장 창을 고쳐잡고 말을 몰아 조성에게로 달려들었다. 조성이 미처 손쓸 사이도 없이 하후돈의 창은 조성의 머리통을 꿰뚫어버렸다. 조성은 말 아래로 굴러떨어져 죽었다. 이 광경을 지켜보던 양쪽 군사들은 하나같이 기가 질려버렸다. 하후돈이 자신의 진영을 향해 말머리를 돌리는 순간, 고순이 군사를 휘몰아 공격을 퍼붓기 시작했다. 이 싸움에서 조조의 군사는 크게 패했다. 하후돈은 아우 하후연의 도움으로 간신히 목숨을 건졌고, 여건과 이전은 패한 군사들을 수습하여 제북(濟北)으로 달아

눈에 화살을 맞은 하후돈이 화살을 뽑아 자신의 눈알을 씹어삼키다

나 영채를 세웠다.

조조의 군사를 물리친 고순이 군사를 되돌려 현덕을 공격하려는데 때마침 여포의 대군이 도착했다. 여포는 고순·장요와 함께 군사를 세 길로 나누어 현덕·관우·장비의 세 영채를 치러 갔다.

후세 사람이 시를 지어 이 싸움을 노래했다.

눈알 삼킨 장수 제아무리 용맹하다 해도　　　　　　啖睛猛將雖能戰
화살 맞아 눈 잃고서야 어찌 선봉에 버티랴　　　　　　中箭先鋒難久持

현덕과의 승부는 과연 어찌 될 것인가?

19

여포의 죽음

조조는 하비성에서 적군을 몰살하고
여포는 백문주에서 목숨을 잃다

이때 고순과 장요는 관우의 영채를 공격하고 여포는 몸소 장비의
영채를 공격하니, 관우와 장비가 각각 나가 싸우고 현덕은 군사를 이
끌고 두 진영을 오가며 도왔다. 난데없이 여포가 군사를 나누어 배후
를 기습하는 바람에 관우와 장비의 군사는 패하고 말았다. 현덕은 황
급히 수십기의 기병만 거느리고 소패성으로 달아났다. 여포가 급히
뒤를 쫓는다. 현덕은 다급하게 성 위의 군사를 향해 조교를 내리라고
소리쳤다. 여포가 등뒤까지 따라붙은 순간에야 겨우 조교가 내려지고
성문이 열렸다.

성 위의 군사들은 즉시 활을 들어 쏘려 했지만 잘못하다가는 현덕을 다치게 할까 두려워 공격할 수 없었다. 그 틈에 여포는 그대로 성안으로 들어서버렸다. 성문을 지키던 군사들은 감히 막아보려 하지도 못하고 사방으로 달아났다. 여포는 즉시 수하의 군사들을 불러들였다. 형세가 워낙 다급하니 유현덕은 가족들을 돌아볼 경황도 없이 성안을 곧장 가로질러 서문으로 빠져나갔다. 여포가 현덕의 처소에 이르자, 미축이 황망히 나와 맞으며 간곡히 고한다.

"이몸이 들은 바로는 대장부는 적의 처자를 해치지 않는다 했소이다. 장군과 천하를 다투는 자는 조조요. 현덕공은 화극을 쏘아 위급한 처지에서 구해준 장군의 은혜를 언제나 잊지 않고 있소이다. 이렇게 조공과 결연하게 된 것은 부득이한 일이었으니, 장군께서는 부디 가없게 여기시오."

여포가 대답한다.

"현덕은 나의 옛벗이니, 내 어찌 차마 그 처자를 해치겠느냐."

여포는 미축이 현덕의 처자를 서주로 데리고 가서 편히 지내도록 배려해주었다. 그리고 고순과 장요로 하여금 소패를 지키도록 명한 뒤 자신은 곧 군사를 이끌고 산동 연주의 경계를 향해 떠났다. 그즈음 손건은 이미 성을 빠져나왔고, 관운장과 장비도 각기 패잔병을 수습해 산속에 몸을 숨기고 있었다.

한편, 현덕이 홀로 말을 타고 성을 빠져나와 달려가는 중에 문득 등 뒤에서 요란한 말발굽소리가 들려왔다. 돌아보니 다름아닌 손건이다. 현덕이 말한다.

"이제 두 아우의 생사조차 알지 못하고 처자도 버리고 왔으니, 장차 어찌했으면 좋겠는가?"

손건이 말한다.

"우선 조조한테 몸을 의탁하여 후일을 도모하십시오."

현덕은 손건의 말에 따르기로 했다. 두 사람은 추격병이 있을까 두려워 인적이 드문 샛길을 더듬어 허도로 향했다. 양식이 떨어지면 마을로 들어가 먹을것을 구했는데, 어디를 가든 그가 예주 목사 유현덕이라는 사실을 알면 하나같이 앞을 다투어 음식을 내놓았다. 한번은 이런 일조차 있었다. 어느날 날이 저물어 한 촌가를 찾아드니, 젊은 주인이 나와 현덕과 손건에게 넙죽 절을 올린다. 현덕이 하룻밤 묵어가기를 청하고 젊은이의 이름을 물으니, 사냥을 업으로 삼고 살아가는 유안(劉安)이라고 한다. 유안은 자기를 찾아온 사람이 평소 흠모하던 예주 목사 유현덕임을 한눈에 알아보았다. 산짐승이라도 잡아 대접하고 싶었으나, 제아무리 사냥을 업으로 삼고 산다 할지라도 이미 밤 늦은 시각이라 여의치 않은 일이었다. 마침내 유안은 아내를 죽여 현덕을 대접했다. 현덕이 물었다.

"이게 웬 고기인가?"

유안이 대답했다.

"이리 고기올시다."

현덕은 아무런 의심 없이 배불리 먹고 자리에 들었다. 포만감과 고단함에 단잠을 잔 현덕은 이튿날 이른 아침에 눈을 떴다. 길을 떠나기 위해 말을 끌어내려 뒤뜰로 향하던 그는 집 모퉁이를 막 돌아서다가 소스라쳐 놀라지 않을 수 없었다. 부엌바닥에 한 여인이 쓰러져 죽어 있는데 두 팔의 살이 모두 도려진 채 뼈만 남아 있는 게 아닌가.

"이게 어찌 된 일인가?"

현덕이 뒤따라나온 유안에게 떨리는 음성으로 물었다. 유안이 말없이 고개를 떨구었다. 비로소 현덕은 자신이 간밤에 먹은 고기가 유안의 아내였음을 깨달았다. 현덕은 유안의 손을 잡고 눈물을 흘리며 움직일 줄 모르다가 한참 후에야 말에 오르며 권하였다.

"함께 떠나지 않으려느냐?"

유안이 울음을 삼키며 고했다.

"주공을 모시고 떠나고 싶은 마음 간절하나, 늙은 어머님이 계셔서 감히 그럴 수가 없습니다."

유현덕은 거듭 감사의 뜻을 표하고 길을 떠났다. 현덕이 양성(梁城)을 향해 말을 달리는데, 갑자기 먼지가 구름처럼 일어 하늘을 가리더니 한떼의 군사가 이쪽을 향해 달려왔다. 자세히 보니 조조의 군사가 분명했다. 현덕은 손건과 함께 곧장 중군 깃발이 있는 곳으로 가서 조조를 만났다. 유현덕은 소패성을 여포에게 빼앗기고 두 아우의 생사도 모르는 채 처자까지 버리고 온 일을 낱낱이 호소했다. 조조는 눈물을 흘리며 함께 슬퍼했다. 또한 유안이 자기 아내를 죽여 그 고기로 현덕을 대접하더라는 말에, 조조는 즉시 손건을 시켜 황금 1백냥을 유안에게 보내도록 했다.

조조의 대군이 제북(濟北)에 이르자 하후연이 마중을 나왔다. 하후연은 조조를 진영 안으로 모셔들이며 자신의 형 하후돈이 한쪽 눈을 잃고 아직 완쾌되지 않아 자리에 누워 있음을 보고했다. 조조는 몸소 하후돈을 찾아가 살펴보고, 허도로 먼저 돌아가 몸조리를 하라 이른 뒤 사람을 보내 여포가 지금 어디 있는지 알아보도록 했다. 며칠 후 정탐꾼이 돌아와서 전한다.

"여포는 진궁·장패와 함께 태산의 산적들과 결탁하여 연주지방의 여러 고을을 공격하고 있습니다."

조조는 곧 조인에게 군사 3천명을 거느리고 소패성을 치라 명하고, 자신은 몸소 대군을 거느리고 현덕과 함께 여포와 싸우러 진군했다.

조조가 산동땅의 소관(蕭關, 소패성의 관문) 가까이 이르렀을 때다. 태산의 산적 손관·오돈·윤례·창희 무리가 수하 도적 3만여명을 이끌고 나와서 길을 막는다. 조조는 허저를 시켜 나가 싸우게 했다. 네명의 산적 대장이 일제히 달려들었다. 허저가 번개같이 칼을 놀려 네 장수를 상대하니, 그들은 얼마 견디지 못하고 각기 말머리를 돌려 달아난다. 조조는 기세를 몰아 그 뒤를 추격하여 소관에 당도했다. 소관에 있던 파발꾼이 급히 여포에게 달려가서 사태를 알렸다.

이때 여포는 이미 서주로 돌아와 있었는데, 소패성이 위태하다는 급보를 받자 진규에게 서주를 맡기고, 자신은 진등과 함께 소패를 구하기로 했다. 진규가 아들 진등에게 가만히 이른다.

"일찍이 조공이 네게 동쪽의 일을 맡긴다 하지 않았느냐. 여포는 이제 패할 것이니 곧 일을 도모하도록 해라."

진등이 말한다.

"바깥일은 제가 맡아서 할 터이니, 여포가 패하여 돌아오거든 아버님께서는 미축과 함께 성을 굳게 지키시고 절대로 여포를 성안에 들이지 마십시오. 저는 스스로 몸을 빼낼 계책이 있습니다."

"헌데 여포의 처자가 이곳에 다 있고 좌우 심복들도 많으니, 그게 걱정이다."

"제게 계책이 있으니 염려 마십시오."

진등은 곧장 여포에게로 가서 말했다.

"서주는 사방에서 적들에게 공격을 받을 테고 게다가 조조는 반드시 있는 힘을 다해 공격할 것이니, 먼저 물러갈 곳을 정해두는 게 좋을 듯싶습니다. 재물과 곡식을 하비성으로 옮겨두었으면 하는데 장군의 뜻은 어떠하신지요? 설사 적들에게 포위를 당할 경우에라도 하비성에 군량만 넉넉하면 능히 지탱할 수 있을 터이니, 서두르시는 게 좋을 것입니다."

"그대의 생각이 옳을 듯싶네. 내 처자도 그리 옮겨야겠군."

여포는 마침내 송헌과 위속을 시켜 처자를 호위하여 재물과 군량을 하비성으로 옮기게 한 다음, 자신은 진등과 함께 군사를 거느리고 소관을 구하러 떠났다. 중도에서 진등이 여포에게 말한다.

"소인이 먼저 조조의 허실을 알아볼 터이니, 공께서는 제가 돌아온 다음에 진군하심이 어떠실는지요?"

여포가 허락하자 진등은 곧 말을 몰아 소관으로 갔다. 진궁이 그를 성내로 맞아들였다. 진등이 말한다.

"주공께서는 그대들이 나가서 싸우지 않는 것을 의심하여 처벌하시러 오는 길이오."

진궁이 대답한다.

"지금 조조의 군세가 강성하니 경솔하게 대적할 수 없는 상황이오. 우리들은 관문을 굳게 지킬 터이니, 주공께서는 소패성을 보전하시는 게 상책이라고 권해주시오."

진등은 말없이 고개를 끄덕였다. 날이 저물어 진등이 관 위로 올라가 보니, 조조 군사가 바로 관 아래에까지 와 있다. 진등은 어둠을 틈타 몰래 세 통의 서신을 화살에 매어 관 아래 조조의 진중으로 쏘았다. 이튿날 아침 진등은 진궁에게 하직을 고하고 여포에게로 돌아왔다.

"산적 손관의 무리들이 조조의 형세를 보고 항복하려는 것을 진궁을 시켜 단단히 지키라 일렀사옵니다. 그러니 장군께서는 날이 어두워지기를 기다렸다가 진궁을 구하소서."

"공이 아니었으면 소관도 벌써 조조 수중에 넘어갈 뻔했네그려."

여포는 아무것도 모른 채, 다시 진등으로 하여금 소관으로 가서 진궁의 무리와 약속을 정하여 호응하되, 불을 질러 군호를 삼을 것을 지시했다. 진등은 다시 말을 달려 소관으로 가서 진궁에게 말한다.

"큰일났소! 조조가 샛길로 군사를 몰아 관내로 들어서고 있소이다. 주공께서는 서주가 심히 위태로우니 즉시 군사를 거두어 돌아오라 하셨소."

진궁은 급히 군사를 거느리고 소관을 버리고 떠났다. 진궁의 무리가 관을 나서자, 진등은 곧 성루에서 횃불을 올려 신호를 보냈다. 여포가 횃불을 보고 곧장 공격을 시작했다. 여포의 군사는 진궁의 군사와 마주쳤다. 그들은 상대편을 적으로 알고 어둠속에서 어지러이 싸워 서로 죽이고 죽었다. 한편 전날밤 진등의 서신을 받은 조조의 군사들은 소관으로 일제히 몰려들어갔고, 산적 손관 등은 각기 도망하여 사방으로 달아나버렸다. 마침내 소관은 조조의 손에 떨어졌다.

날이 훤히 밝을 무렵까지 싸우다가 그제야 사태를 파악한 여포는 진궁의 군사와 합세하여 분주히 서주로 돌아갔다. 여포가 성 밑에 이르러 속히 문을 열라 외치는데, 갑자기 성 위에서 화살이 비오듯 쏟아졌다. 성루에서 미축이 큰소리로 외친다.

"우리 주공 유현덕의 성을 빼앗은 건 바로 너였으니, 마땅히 우리 주공께 되돌려드려야 하지 않겠느냐? 다시는 이 성에 들어올 생각을 말라!"

여포는 진노했다.

"진규는 대체 어디 있느냐?"

미축이 대답한다.

"내 손에 죽은 지 이미 오래다."

여포가 진궁을 돌아보며 묻는다.

"진등은 어디 있느냐?"

진궁이 답답하다는 듯 대꾸한다.

"장군께서는 그 간사한 도적에게 아직도 미련이 있으십니까?"

여포가 사람을 시켜 진등을 두루 찾아보게 했으나 이미 종적을 알 길이 없었다. 진궁이 여포에게 권한다.

"한시바삐 소패로 돌아가십시다."

여포는 진궁의 말을 좇아 군사를 수습하여 소패를 향해 떠났다. 그러나 반도 못 가서 질풍처럼 몰려드는 한떼의 군마와 맞닥뜨렸다. 가만 보니 바로 고순과 장요였다. 여포는 괴이한 생각이 들어 급히 묻는다.

"성은 어찌하고 이리 오는 게냐?"

고순이 대답한다.

"조금 전에 진등이 달려와 주공께서 적군에게 포위되었으니 빨리 가서 구하라고 했습니다."

"모두 다 그 간사한 도적놈의 계략입니다."

진궁의 말에 여포는 분통을 터뜨렸다.

"내 맹세코 이 도적놈을 살려두지 않으리라!"

여포는 화살같이 말을 몰아 소패성에 이르렀다. 어느새 성 위에는 조조의 군기(軍旗)가 펄럭이고 있다. 조조가 조인을 시켜 소패를 공략하여 성을 빼앗아 지키게 한 것이다. 여포가 주먹을 치켜들어 성 위를 가리키며 진등에게 욕을 퍼부었다. 성루에 모습을 드러낸 진등은 오히려 여포를 향해 큰소리친다.

"나는 한나라의 신하거늘, 어찌 너같이 무도한 역적을 섬길 수 있겠느냐?"

여포가 노기충천하여 성을 치려 하는데, 갑자기 등뒤에서 커다란 함성이 일며 한무리의 군사가 몰려온다. 무리를 이끄는 장수는 바로 장비였다. 고순이 나서서 싸웠으나 당해내지 못한다. 여포가 직접 나가 한참 장비와 접전을 벌이는 중에 또다시 진 밖에서 함성이 일어난다. 조조가 친히 대군을 통솔하여 몰려오고 있었다.

여포는 도저히 당해내지 못하리라 짐작하고, 군사를 이끌고 동쪽으로 달아나기 시작했다. 조조의 군사가 맹렬하게 뒤를 쫓는다. 여포 진영의 사람과 말이 모두 지쳐 있는데, 산모퉁이에서 또다시 한떼의 군사가 달려나와 앞을 가로막았다. 한 장수가 말을 세우며 칼을 비껴들고 큰소리로 외친다.

"여포는 도망치지 말라. 관운장이 여기 있다!"

여포가 황망히 나서서 싸우는데 등뒤에서는 또 장비가 벼락치듯 소리를 지르며 쫓아온다. 여포는 더이상 싸울 엄두를 내지 못하고 진궁과 함께 죽기로써 혈로를 뚫고 하비성으로 달아났다. 가까스로 하비성에 다다르자, 후성이 군사를 이끌고 나와 여포를 맞아들였다.

한바탕 싸움이 끝났다. 관우와 장비는 서로 얼싸안고 눈물을 흘리며 그동안 지내온 일을 이야기하느라 여념이 없었다. 관우가 말한다.

"나는 해주 가는 길목에 진을 치고 있다가 소식을 듣고 부리나케 오는 길이다."

"저는 망탕산에 들어가 있다가 답답해서 나왔는데, 이렇게 형님을 만났지 뭐요."

관우와 장비는 군사를 이끌고 조조의 군중에 있는 현덕을 찾아가 울며 절하였다. 현덕 역시 기쁨과 슬픔이 한데 어우러져 눈물이 솟구친다. 현덕은 조조에게 두 사람을 데려가 인사시킨 뒤 함께 조조를 따라 서주성으로 들어갔다.

미축이 일행을 맞이하러 나와 가족이 모두 무사하다고 전하니, 현덕은 비로소 시름을 놓고 기뻐했다. 진규와 진등 부자도 조조에게 와서 절하며 뵀었다. 조조는 큰 잔치를 베풀어 수하의 여러 장수들을 위로했다. 조조가 중앙에 앉고 진규는 왼쪽에, 현덕은 오른쪽에 앉고, 나머지 장수들도 서열에 따라 차례로 앉았다. 잔치가 끝난 뒤에 조조는 진규 부자의 공로를 가상히 여겨, 10개 현에서 도조(稻租)를 받게 하고, 다시 진등을 복파장군(伏波將軍)에 봉했다.

서주를 손에 넣은 조조는 매우 흡족해하며 다시 사람들을 불러 하비성 칠 계획을 의논했다. 정욱이 나서서 말한다.

"이제 여포에게 남아 있는 것은 하비성뿐입니다. 지금 우리가 너무 심하게 몰아치면 여포는 죽기로 싸우고, 반드시 원술에게 가서 붙을 것입니다. 만일 여포와 원술이 손을 잡는다면 그 형세는 참으로 만만치 않겠지요. 그러니 유능한 사람을 보내 회남으로 가는 길목을 지키도록 하여 안으로는 여포를 막고, 밖으로는 원술에 대비하는 게 좋을 듯하옵니다. 그뿐 아니라 지금 산동에는 여포 수하에 있던 장패와 손관의 무리가 아직도 항복하지 않고 있으니, 그들 또한 소홀히해서는 안됩니다."

조조는 현덕을 돌아보며 말한다.

"산동의 여러 고을은 내가 맡을 테니, 회남으로 가는 길목은 유현덕께서 맡아주기 바라오."

"승상의 분부를 어찌 마다하리까."

현덕은 기꺼이 그 뜻을 받아들였다. 다음날 현덕은 미축과 간옹을 서주에 남겨두고, 손건과 관우·장비와 함께 군사를 이끌고 회남으로 가는 길목을 지키러 떠났다. 조조도 대군을 이끌고 하비성을 치기 위해 길을 나섰다.

한편 하비성에 머물게 된 여포는 넉넉한 양식과 사수(泗水)에 힘입은 지리적 이점만 믿고 편안한 나날을 보내고 있었다. 어느날 진궁이 말한다.

"조조의 군사가 이쪽으로 오고 있다 합니다. 저들이 영채를 세워 자리를 잡기 전에 우리 쪽에서 먼저 공격하면 반드시 승리를 얻을 것입니다."

여포가 대답한다.

"그동안 여러 차례 패했거늘 어찌 경망스럽게 나가겠는가. 그들이 공격해오기를 기다렸다가 모조리 사수의 물귀신으로 만들어버릴 참이다."

그로부터 며칠 뒤 조조가 와서 영채를 세운 다음, 수하장졸들을 거느리고 성 아래 이르러 큰소리로 외쳤다.

"여포는 내 말을 듣거라!"

여포가 성 위에 올랐다. 조조가 여포를 향해 말한다.

"듣자니 봉선이 또 원술과 사돈을 맺으려 한다기에 군사를 거느리고 이곳까지 왔소. 원술로 말하자면 조정에 반역한 대역죄인이고, 그대는 동탁을 토벌하여 얻은 공로가 있는 터에, 어찌하여 전공(前功)

을 버리고 역적을 좇는단 말이오. 만약 성이 무너지고 나면 뉘우쳐도 어쩔 수 없는 일, 지금이라도 투항하여 한나라 황실을 돕는다면 봉후(封侯)의 지위를 잃지 않을 것이오."

여포는 마음이 흔들린다.

"승상께서 잠시 물러나 계시면 의논하여 회답하리다."

바로 그때였다.

"네 이놈, 간사한 역적 조조야!"

여포 곁에 있던 진궁이 큰소리로 외치며 어느 틈에 화살을 쏘아 조조의 일산(日傘)을 맞혔다.

"내 맹세코 너를 죽이고야 말겠다."

조조는 노기 등등하여 이렇게 외치고는 마침내 하비성을 공격하기 시작했다. 진궁이 여포에게 말한다.

"조조의 군사는 먼 길을 오느라 지쳐 있어 오래 지탱하기 어려울 것입니다. 장군께서는 보병과 기병을 거느리고 성밖에 영채를 세우십시오. 저는 나머지 군사를 데리고 성을 지키겠습니다. 만약 조조가 장군을 공격해오면 제가 군사를 이끌고 나가서 그 배후를 칠 것이고, 반대로 조조의 군사가 성을 공격해오면 장군께서 그 뒤를 치십시오. 열흘도 못 가서 조조의 군중에 양식이 떨어질 것이니, 그때를 기다려 휘몰아친다면 단번에 깨뜨릴 수 있습니다. 이것이 이른바 기각지세(掎角之勢)입니다."

"좋은 계략이다."

여포는 곧 부중으로 돌아와 싸움에 필요한 군비를 수습했다. 때마침 겨울이라 종자에게 분부하여 솜옷을 많이 내오게 하니, 그의 아내 엄씨가 나와서 묻는다.

"장군께서는 어딜 가시려 하십니까?"

여포가 진궁의 계략을 자세히 설명하자 엄씨가 말한다.

"장군께서 성을 남에게 맡기고 처자도 버리고 멀리 나갔다가 만에 하나 변고라도 생기면 제가 어찌 장군을 다시 모실 수 있겠나요?"

여포가 주저하며 결단을 내리지 못하고 사흘 동안 집에서 나오지 않았다. 진궁이 들어가 아뢴다.

"조조가 성을 포위하고 있습니다. 속히 나가지 않으면 반드시 곤궁한 지경에 처할 것입니다."

여포가 말한다.

"가만히 생각해보니, 성을 두고 멀리 나가는 게 굳게 지키고 있느니만 못할 것 같다."

진궁이 다시 권한다.

"요즘 들으니 조조의 군중에 양식이 부족하여 조조가 허도로 사람을 보냈다 하더이다. 일간 군량이 수송되어올 모양인데 장군께서는 정병을 거느리고 나가서 곡식이 오는 길을 끊어놓아야 합니다. 절호의 기회입니다."

여포가 듣고 보니 진궁의 말이 옳게 여겨졌다. 그는 안으로 들어가 떠날 채비를 하며 엄씨에게 정황을 설명했다. 엄씨가 다시 울면서 말한다.

"장군께서 만약 이대로 나가신다면 진궁과 고순이 무슨 수로 이 성을 온전히 지키겠습니까? 만약에 실수라도 하는 날에는 그때 가서 후회한들 무슨 소용이리까. 지난날 장안에 머물 때에도 장군께서는 첩을 버리고 떠난 적이 있었지요. 다행히 방서(龐舒)의 도움으로 간신히 장군을 다시 만나 이렇듯 모시게 되었는데, 또다시 첩을 버리고 가시겠다니 참으로 야속합니다. 장군은 앞길이 만리 같은 분이시니, 제가 그 길을 막을 수야 없겠지요. 소첩은 앞으로 어찌 되든 상관말고 장군께서는 어서 가십시오."

엄씨는 말을 마치자마자 통곡을 터뜨린다. 여포는 마음이 착잡하여 좀처럼 결단을 내리지 못한 채 이번에는 초선을 찾았다. 그러나 초선 또한 그를 붙잡는다.

"장군께서는 저를 지켜주십시오. 부디 장군의 몸을 가벼이 움직이지 마소서."

"너무 염려 말아라. 설사 조조가 성을 포위했다 해도 내게는 화극과 적토마가 있는데 누가 감히 나를 범하겠느냐?"

여포는 초선을 위로하고 밖으로 나와 진궁에게 말한다.

"허도에서 군량이 온다는 것은 속임수이다. 조조는 워낙에 계략이 많으니 섣불리 움직일 수 없다."

진궁이 밖으로 물러나와 하늘을 우러르며 탄식한다.

"이제 우리는 죽어도 묻힐 땅조차 없겠구나!"

여포는 이때부터 하루종일 엄씨와 초선과 함께 술로써 답답한 심사를 달래려 했다. 한창 술을 마시는데, 여포의 모사 허사(許汜)와 왕해(王楷)가 들어와 여포에게 묘책을 말한다.

"지금 원술은 회남에서 크게 기세를 떨치고 있습니다. 장군께서는 예전에 원술과 사돈을 맺기로 한 일도 있는데, 어찌하여 그에게 구원을 청하지 않으십니까? 원술의 군사와 안팎으로 협공하면 조조의 군사를 쳐부수기란 그리 어렵지 않습니다."

여포는 그들의 계책에 따르기로 했다. 그날로 서신을 써서 두 사람에게 주어 떠나게 하는데, 허사가 말한다.

"지금 성이 포위되어 있으니 우선 길을 터주셔야겠습니다."

여포는 장요와 학맹에게 군사 1천명을 주어 두 사람이 적진을 뚫고 나갈 수 있도록 호위하게 했다. 그날밤 2경 무렵, 장요가 앞장을 서고 학맹은 뒤쪽을 지키며 허사와 왕해를 호위해 일제히 하비성을 빠져나갔다. 한참을 달려 어느덧 현덕의 영채를 지나서 뒤를 쫓던 몇몇 적장들을 물리치고 애구(隘口, 좁고 험한 길목)를 벗어났다. 학맹은 군사 5백명을 거느리고 그대로 허사와 왕해를 따라가고, 장요는 나머지 군사를 이끌고 성으로 돌아왔다. 얼마 후 다시 애구에 다다른 장요는 한떼의 군사를 거느린 관운장과 정면으로 맞닥뜨리고 말았다. 그러나 싸움이 벌어지기 전에 고순이 군사를 거느리고 성에서 달려나와 위험에 처한 장요를 도와 성내로 들어갈 수 있었다.

한편, 허사와 왕해는 무사히 수춘에 당도했다. 허사와 왕해가 원술에게 여포의 서신을 바치니, 원술이 노기띤 어조로 말한다.

"지난날 봉선은 나의 사신을 죽이고 혼인을 거절하더니, 이제 와서 새삼스럽게 제 편에서 청하는 것은 어찌 된 까닭인가?"

허사가 아뢴다.

"지난 일은 모두가 조조의 간계로 말미암아 그리 된 것이니 명공은 굽어살피소서."

원술이 말한다.

"너희 주인이 지금 조조의 핍박을 받아 곤경에 처하지 않았다면 어찌 제 딸을 내게 보내려 하겠느냐!"

이번에는 왕해가 말한다.

"이제 명공께서 저희를 돕지 않으시면 해를 입으시게 될지도 모를 일입니다. 입술이 상하면 이도 시리게[脣亡齒寒] 마련이라, 조조를 치는 일이 오히려 명공께도 이로울 것이옵니다."

원술이 잠시 생각해보더니 마침내 말한다.

"봉선이 이리 붙었다 저리 붙었다 하여 믿을 수 없으니, 먼저 딸을 내게 보내주면 그때 군사를 내주겠다."

두 사람은 마침내 원술에게 하직을 고하고, 학맹과 함께 수춘성을 떠나 애구까지 무사히 왔다. 하지만 다시 유현덕의 영채를 지날 일이 걱정이었다. 허사가 말한다.

"아무래도 낮에는 움직이기 어려울 것 같소. 한밤중에 우리 두 사람이 먼저 갈 터이니, 학장군께서 뒤를 맡아주시오."

약속한 대로 날이 어둡기를 기다려 학맹을 남겨둔 채 허사와 왕해가 먼저 길을 떠났다. 학맹이 잠시 기다렸다가 군사 5백명과 함께 조심스레 뒤를 따르는데, 문득 장비가 벼락같이 호통을 치며 가로막는다. 학맹이 맞서싸웠으나 단 1합에 그만 장비에게 사로잡히고, 5백명의 군사는 뿔뿔이 흩어져 달아나버렸다. 장비가 학맹을 끌고 현덕에게 가자, 현덕은 다시 그를 조조 앞으로 끌고 갔다. 학맹은 여포가 원술에게 구원을 청하기 위해 사돈을 맺기로 한 일을 낱낱이 고하였다. 조조는 대로하여 학맹의 머리를 베고 나서 각 영채에 이른다.

"모든 영채에서는 물샐틈없이 방비하도록 하라. 만에 하나 여포나 그의 군사를 단 한명이라도 놓치는 자가 있으면 군법에 따라 처단하겠다."

각 영채의 군사들은 모두 추상 같은 영을 듣고 바짝 긴장했다. 현덕은 영채로 돌아와 급히 관우와 장비에게 다짐을 준다.

"우리가 바로 회남의 요충지를 맡고 있으니, 두 아우는 각별히 조심하여 조공의 군령을 어기지 않도록 하여라."

장비가 투덜거린다.

"이 아우가 적장을 사로잡아 적의 기밀을 알게 해줬는데 조조는 상은커녕 군령이니 군법이니 하며 도리어 호통만 치니 대체 이게 무슨 경우요?"

유현덕이 타이른다.

"그렇게 말할 게 아니다. 조조는 많은 군사를 통솔하고 있는데 군령이 아니고는 어떻게 군사를 복종시키겠느냐? 그리 알고 군령을 어기지 않도록 해라."

관우와 장비는 순순히 응낙하고 물러갔다.

한편 하비성으로 돌아온 허사와 왕해는 여포를 만나 원술의 말을 그대로 전했다.

"먼저 따님을 보내주셔야만 군사를 내주겠다 합니다."

"그러니 어떤 방법으로 보내면 좋겠나?"

여포가 묻자 허사가 대답한다.

"학맹이 붙잡혔으니 지금쯤 조조가 내막을 죄다 알고 미리 방비하고 있을 것입니다. 장군께서 몸소 나서서 신부를 호송한다면 모를까, 다른 사람이야 무슨 수로 철통 같은 경비를 뚫고 나가겠습니까?"

여포가 말한다.

"그렇다면 당장 오늘밤에라도 서두르는 게 어떻겠나?"

"오늘은 흉살이 있는 날이라 안됩니다. 내일이 대길하니, 기다렸다가 내일 밤 술시(戌時, 밤 8시)나 해시(亥時, 밤 10시)에 보내도록 하십시오."

여포는 곧 장요와 고순을 불러 영을 내린다.

"그대들은 군사 3천을 인솔하고 신부가 타고 갈 수레 한채를 준비하라. 내가 직접 2백리 밖까지 호송하리라. 거기서부터는 그대들이 회남까지 호송토록 하라."

다음날 밤 2경 무렵이다. 여포는 딸에게 솜옷을 두둑이 입히고 다시 그 위에 갑옷을 입힌 다음 자신의 등에 업고 적토마 위에 오르더니 방천화극을 거머쥔 채 성밖으로 내달았다. 장요와 고순이 3천 군마를 이끌고 그 뒤를 따랐다. 현덕의 영채 앞에 이르렀을 때다. 갑자기 북소리가 크게 울리더니, 관우와 장비가 군사를 몰고 나와 길을 가로막으며 큰소리로 외친다.

"꼼짝 마라!"

여포는 전혀 싸울 뜻이 없는지라 이리저리 길을 뚫고 나가려 애를 썼다. 그런데 다시 현덕이 한무리의 군사를 거느리고 달려나와 그를 공격한다. 양쪽 군사간에 일대접전이 벌어졌다. 아무리 여포가 용맹하다 해도 딸을 등에 들쳐업고 있는데다 혹여 딸이 다칠까 두려워 마음놓고 싸울 수도 없다. 그때 다시 뒤쪽에서 조조의 장수 서황과 허저가 군사를 몰고 쳐들어오며 소리친다.

"여포를 놓치지 마라!"

여포는 도저히 뚫고 나갈 수 없음을 깨닫고 급히 말머리를 돌려 다시 성으로 들어가버렸다. 그제야 현덕은 관우·장비와 더불어 군사를 수습하고, 서황의 무리도 각기 영채로 돌아갔다. 결국 여포의 군사는 한명도 성을 빠져나가지 못했다. 성으로 돌아온 여포는 답답한 마음에 술로 나날을 보냈다.

조조는 벌써 두 달이 넘도록 하비성을 공격했으나 함락시키지 못하였다. 어느날 정탐꾼이 와서 고한다.

"하내(河內) 태수 장양이 군사를 동시(東市)에 출동시켜 여포를 구하러 오려다가 그의 부장 양추(楊丑)의 손에 죽고 말았습니다. 양추는 장양의 수급을 들고 승상께 바치러 오는 중에 다시 장양의 심복 장수인 휴고(眭固)의 손에 죽었사온데, 휴고는 장양의 수하군졸을 거느리고 견성(犬城)으로 갔다 합니다."

조조는 보고를 받자마자 사환(史渙)을 시켜서 휴고를 쫓아가 죽이라 명하였다. 그리고 장수들을 모아놓고 상의한다.

"장양이 다행히 자멸했지만 아직도 북쪽으로는 원소가, 동쪽으로는 유표와 장수가 도사리고 있소. 게다가 이곳 하비성도 두 달 넘게 공격하고 있지만 함락시키지 못하고 있소. 이대로 여포를 버려두고 환도하여 잠시 싸움을 쉴까 하는데 공들의 생각은 어떻소?"

순유가 급히 말린다.

"천만부당하신 말씀입니다. 여포는 번번이 패하여 이미 예기가 꺾였습니다. 장수의 기세가 꺾이면 군사들도 싸울 마음이 없는 법이외다. 진궁이 비록 꾀가 있다고는 하나 이제 와서 제가 무얼 어떻게 하겠습니까? 여포가 기운을 차리지 못했고 진궁도 미처 계략을 세우지 못했으니, 이때를 놓치지 않고 속히 치신다면 여포를 사로잡을 수 있을 것입니다."

이때 곽가가 나서서 조용히 말한다.

"제게 하비성을 함락시킬 계책이 있사온데, 아마도 군사 20만명을 쓰는 것보다도 나을 겁니다."

순욱이 말한다.

"기수와 사수의 물길을 터놓자는 것 아니오?"

곽가가 웃으며 대답한다.

"바로 그것이외다!"

조조는 크게 기뻐하며 즉시 각 영채에 영을 내렸다. 군사들은 모두 몰려나와 기수와 사수 두 강의 둑을 끊고, 물줄기를 하비성으로 돌려놓았다. 조조의 군사들은 높은 언덕에 자리잡고 앉아 하비성이 물에 잠기는 것을 구경했다. 물줄기가 급하고 험한 까닭에 하룻밤 사이에 동문을 제외한 나머지 문들 쪽은 모두 물바다가 되었다. 군사들이 크게 놀라 여포에게 급히 알렸다. 여포가 말한다.

"나의 적토마는 물도 평지처럼 건너는데 두려울 게 뭐가 있겠느냐?"

여포는 날마다 엄씨와 초선과 더불어 술로 세월을 보내던 터라, 마침내 주색으로 몸이 상해 몰골이 말이 아니었다. 그러다가 하루는 우연히 거울에 비친 자신의 모습을 보고 깜짝 놀랐다.

'내가 너무 주색에 빠져 지냈구나. 오늘부터 끊으리라.'

그는 곧 성안 사람들에게 영을 내렸다.

"앞으로 술을 마시는 자가 있으면 누구든 목을 벨 것이다."

여포가 금주령(禁酒令)을 내린 직후, 수하장수 후성에게 공교로운 일이 있었다. 본래 후성에게는 말 15필이 있었는데, 말을 먹이는 자가 몰래 훔쳐다가 현덕에게 바치려 했다. 후성이 이를 알아차리고 급히 추격하여 마침내 도적을 죽이고 말을 되찾았다. 그러자 장수들이 찾아와서 후성을 치하했다.

마침 후성에게는 담가둔 술 대여섯 말이 있어 치하에 답하기도 할 겸 장수들과 더불어 마시고 싶은 생각이 들었다. 그러나 며칠 전에 내린 여포의 금주령 때문에 불안하여, 생각 끝에 술 다섯병을 들고 부중으로 가서 여포에게 고했다.

"장군의 위엄에 힘입어 잃었던 말을 모두 되찾았습니다. 여러 장수들이 와서 치하하기에 담가두었던 술이나 나누고자 하는데, 감히 저희만 마실 수 없어 먼저 장군께 바치려 합니다."

여포가 불같이 화를 낸다.

"내 이미 술을 금했거늘, 너희가 도리어 여럿이 모여 술을 마시려 했단 말이냐? 그래 모두들 함께 모여 나를 거꾸러뜨리려 작당을 한 게로구나!"

그러고는 곧 후성을 문밖으로 끌어내다 목을 베라 명했다. 송헌과 위속 등 여러 장수가 여포에게 달려와 애걸했다. 여포는 다소 누그러져서 말했다.

"후성이 내 명을 어겼으므로 마땅히 참수할 것이나, 여러 장수들의 얼굴을 봐서 곤장 1백대로 대신하겠다."

여러 사람들이 다시 입이 아프게 애걸했다. 여포는 못이기는 체 곤장 50대로 감해주었다. 이 조처에 모든 장수들은 기가 죽었다. 송헌과 위속이 위로하러 후성을 찾아왔다. 후성이 울며 두 사람의 손을 잡고 하소연한다.

"공들이 아니었더라면 이 사람은 송장이 되고 말았을 게요."

송헌이 말한다.

"여포는 자기 처자만 알았지, 우리들은 초개처럼 여기고 있소."

위속도 한마디 한다.

"조조의 군사가 성을 철통같이 포위하고 강물은 성을 삼킬 듯하니 우리도 언제 죽을지 기약이 없구려."

송헌이 다시 말한다

"여포는 어질지도 못하고 의리도 없으니, 그를 버리고 우리 함께 달아나는 게 어떻겠소?"

위속이 고개를 저으며 말한다

"달아나는 건 대장부가 할일이 아니오. 그러느니 차라리 여포를 잡아다 조조에게 바치는 게 어떻겠소?"

후성이 나선다.

"나는 이번에 잃었던 말을 되찾았다가 이렇듯 형벌을 받았소만, 여포가 평소에 믿는 것은 적토마뿐이니, 두 분이 여포를 사로잡고 성문을 열어 항복할 의향이 있다면 내가 먼저 적토마를 훔쳐내어 조공을 만나보겠소."

세 사람이 의논하여 서로 할일을 정했다. 그날밤, 후성은 살며시 마원(馬院)에 들어가서 적토마를 끌어내 타고 동문으로 달려갔다. 위속이 지키고 있다가 즉시 문을 통과시킨 다음 짐짓 뒤를 쫓는 체하다가 들어와버렸다. 후성은 조조의 영채를 찾아가서 적토마를 바치며 고했다.

"송헌과 위속 두 장수가 백기를 꽂아 성문을 열기로 했습니다."

조조는 곧 방문 수십장을 써서 화살에 꽂아 하나씩 하비성 안으로 쏘아보내게 했다. 그 방문에는 이렇게 씌어 있었다.

대장군 조조는 황제의 칙명을 받들어 여포를 정벌하러 출병했다. 만약 대군에 항거하는 자가 있으면 성을 함락하는 날 온집안이 주륙(誅戮, 죄를 물어 죽임)을 면치 못할 것이고, 위로는 장교에서부터 아래로는 백성에 이르기까지 능히 여포를 사로잡아 바치거나 또는 그 수급을 바치는 자가 있으면 벼슬과 상을 후히 내리리라. 이제 방을 내어 모두에게 알리는 바이다.

이튿날 새벽, 성밖에서 천지를 울리는 함성이 들려왔다. 여포는 소스라쳐 놀라 화극을 들고 성에 오르더니 각 문을 점검했다. 그러고는 위속을 불러 후성을 놓쳐 적토마를 잃은 죄를 다스리려 했다. 그때 조조의 군사는 성밖에서 성 위에 꽂혀 있는 백기를 보고 더욱 크게 함성을 지르며 맹렬하게 성을 공격해왔다. 여포는 몸소 군사를 지휘해 공격해오는 적을 막으며 싸웠다. 전투는 새벽부터 한낮까지 계속되었다.

조조의 군사가 잠시 공격을 늦추었다. 여포는 문루 위에 앉아 곤한 몸을 쉬다가 저도 모르게 의자에 기대앉은 채 잠이 들고 말았다. 기회를 노리고 있던 송헌은 좌우 사람들을 물린 뒤, 여포의 곁에 세워진 방천화극부터 집어들었다. 그리고 위속과 함께 재빨리 미리 준비해둔 밧줄로 여포의 온몸을 단단히 결박했다. 곤히 자다가 깜짝 놀라 일어난 여포는 몸부림치며 사람들을 불렀다. 그러나 달려오던 군사들은 모두 송헌과 위속의 손에 죽고 말았다. 송헌과 위속이 꽂아놓은 백기를 들어 흔들자, 조조의 군사들은 일제히 성 아래로 몰려들었다. 위속이 큰소리로 외친다.

"여포를 사로잡았다!"

그러나 성문 앞에 선 하후연은 좀처럼 믿지 못했다. 그순간 송헌이 성 위에서 여포의 방천화극을 밖으로 떨어뜨리고 성문을 열어젖혔다. 그제야 조조의 군사들은 아우성치며 성내로 몰려들어왔다. 고순과 장요는 서문을 지키고 있다가 물길에 막혀 달아나지 못하여 사로잡히고, 진궁은 말을 달려 남문으로 달아나려다 서황에게 잡히고 말았다.

조조는 성내에 들어서자 우선 터놓았던 강물을 막고 방을 붙여 백

—
지쳐 깜박 잠든 여포가 부하들의 손에 결박당하다

성들을 안심시켰다. 조조가 유현덕과 함께 백문루(白門樓, 하비성 동쪽 문루) 위에 올라가 앉으니, 관우와 장비가 양쪽에 호위해 섰다. 포로 1천여명이 차례로 끌려왔다. 제아무리 용맹하기로 소문난 여포라 해도 밧줄에 꽁꽁 묶이고 보니 어쩔 도리가 없었다. 여포가 끌려나오며 소리친다.

"갑갑해서 숨도 못 쉬겠소. 좀 늦추어주시오."

조조가 대답한다.

"호랑이를 어찌 허술하게 묶을 수 있겠느냐?"

여포는 후성·위속·송헌 등이 서 있는 것을 보고 한마디 던진다.

"내 너희를 과히 박대하지 않았는데, 어찌하여 날 배반했느냐?"

송헌이 대답한다.

"너는 처첩의 말만 듣고 우리 장수들의 계책을 듣지 않았다. 그러고도 박대하지 않았다는 것이냐?"

그 말에 여포는 말문이 막힌 듯 입을 다물었다. 이때 여러 군사들이 고순을 결박하여 데려왔다. 조조가 묻는다.

"네 할말이 있느냐?"

고순은 입을 봉하고 대답하지 않는다. 조조가 노하여 꾸짖는다.

"저놈을 끌고 가서 목을 베어라!"

고순이 끌려나가고, 이번에는 서황이 진궁을 끌고 들어온다. 조조가 묻는다.

"공대(公臺, 진궁의 자)는 그간 별고 없었는가?"

진궁은 얼굴빛 하나 변하지 않고 대답한다.

"내가 너를 버린 것은 네 마음이 바르지 않기 때문이었다."

"내가 바르지 못하다고 하면서 너는 어찌하여 여포 같은 자를 섬겼단 말이냐?"

"여포는 비록 지혜는 없으나 너처럼 간사하고 음험하지는 않다."

"너는 스스로 지혜가 많다 자랑했거늘, 그래 어찌하다 오늘 일이 이렇게 되었느냐?"

진궁은 곁에 서 있는 여포를 돌아보고 한마디 한다.

"이 사람이 내 말을 듣지 않았기 때문이다. 만약 내 말대로만 했더라면 이리 되지는 않았을 게다."

조조가 다시 묻는다.

"이제 어찌했으면 좋겠느냐?"

진궁이 소리 높여 대답한다.

"나는 기꺼이 죽음을 맞이할 것이다!"

"네가 죽는다면 너의 노모와 처자는 어찌하려느냐?"

진궁이 태연하게 대답한다.

"내 들으니, 효로써 천하를 다스리는 자는 남의 부모를 해치지 않으며, 어진 덕으로써 천하를 다스리는 자는 남의 후사를 끊지 않는다 했다. 내 노모와 처자의 목숨 또한 그대의 손에 달렸을 뿐이다. 나는 이미 사로잡힌 몸이니 오직 죽기를 청할 뿐, 아무 미련도 없다."

조조는 불현듯 진궁이 아까운 생각이 들었다. 진궁은 당당하게 문루 아래로 뚜벅뚜벅 걸어내려간다. 좌우 장수들이 조조의 뜻을 헤아려 만류했으나 진궁은 그대로 성루 아래로 내려간다. 조조가 저도 모르게 몸을 일으켜 울며 보내는데, 진궁은 끝끝내 뒤를 돌아보지 않았다. 조조는 부하들에게 분부했다.

"공대의 노모와 처자를 허도로 모셔다 편히 살게 하여라. 만일 소홀히하는 자가 있으면 목을 베리라."

진궁은 진정어린 조조의 말을 듣고서도 아무 말 없이 목을 늘여 형을 받았다. 모든 사람들이 울며 그의 죽음을 안타까워했다. 조조는 관을 갖추어 예로써 그를 허도에 장사지내주었다.

후세 사람이 시를 지어 진궁의 장렬한 최후를 애도했다.

생사에 당해서 두 뜻이 없었더라	生死無二志
장부여, 어찌 그다지도 장렬한가	丈夫何壯哉
금석 같은 그의 충고를 외면하여	不從金石論
동량의 재목을 헛되이 잃었구나	空負棟樑材
진실로 공경하며 주인을 위하더니	輔主眞堪敬
늙으신 모친 두고 떠나는 애닯은 모습	辭親實可哀
백문에서 죽는 날에	白門身死日
공대와 같은 인물 어디에 있으랴	誰肯似公臺

조조가 진궁을 배웅하느라 문루에서 내려서 있는데, 여포가 유현덕에게 말한다.

"오늘날 공은 상객이 되어 높이 앉았고 이몸은 죄수가 되어 계단 아래 있거늘, 어찌하여 나를 위해 한마디도 말해주지 않는 거요?"

유현덕이 말없이 고개를 끄덕이는데 조조가 다시 문루 위로 올라온다. 조조가 자리에 미처 앉기도 전에 여포가 소리 높여 말한다.

"명공이 이제껏 근심한 것은 바로 이 여포였소. 이제 내가 항복했으니, 공은 대장이 되고 이몸이 부장이 되면 천하를 평정하기가 어렵지 않을 거외다."

조조가 현덕을 돌아보며 묻는다.

"여포의 뜻을 어찌 생각하오?"

유현덕이 대답한다.

"공께서는 정건양(丁建陽)과 동탁의 일을 보지 못하셨소?"

여포가 유현덕을 노려보며 말한다.

"참으로 신의 없는 놈이로구나!"

조조는 마침내 좌우를 돌아보며 명한다.

"여포를 끌어내 목을 베어라!"

여포는 끌려내려가며 현덕을 향해 소리친다.

"이놈, 귀 큰 놈아! 내가 원문 아래 화극을 세우고 활을 쏘아 너를
구해준 일을 잊었느냐?"

문득 한 사람의 외침소리가 들려왔다.

"이 변변치 못한 놈아, 어차피 죽을 바에야 사내답게 죽지 못하고
그 무슨 추태냐?"

사람들이 소리나는 곳을 바라보니, 장요가 도부수에게 끌려들어오
고 있었다. 조조는 여포를 끌어내 목을 벤 다음 저자에다 내걸었다.

후세 사람이 시를 지어 여포의 어리석음을 탄식했다.

도도히 넘치는 홍수에 하비성이 잠기던 날　　　　　洪水滔滔淹下邳

여포는 붙잡혀 포로가 되었으니　　　　　　　　　當年呂布受擒時

하루 천리를 달리던 적토마만 남았구나　　　　　　空餘赤兎馬千里

한 자루 방천화극은 무엇하랴　　　　　　　　　　漫有方天戟一枝

묶인 범 풀어주길 바라다니 비겁한 소리　　　　　　縛虎望寬今太懦

매는 배불리 먹이지 않는다는 옛말이 틀림없다　　　養鷹休飽昔無疑

아내 생각에 진궁의 간언 외면하더니　　　　　　　戀妻不納陳宮諫

'은혜 모르는 귀 큰 놈'이라 남을 욕하다니 　　　　　　　枉罵無恩大耳兒

또 현덕을 논한 시가 있으니, 그 시는 이러하다.

사람 다치는 주린 범의 결박 늦추지 않는 건 　　　　傷人餓虎縛休寬
동탁 정원이 흘린 피 아직 마르지 않은 까닭 　　　　董卓丁原血未乾
유현덕, 여포의 심보를 이미 알거늘 　　　　　　　　玄德旣知能啖父
어찌 남겨두었다가 조조를 해치게 하지 않았던가 　　爭如留取害曹瞞

　무사들이 장요를 조조 앞으로 끌고 왔다. 조조가 장요를 가리키며
묻는다.

　"이자는 무척 낯이 익은데!"

　장요가 말한다.

　"복양성(濮陽城) 안에서 만난 일이 있는데 그새 잊었더냐?"

　조조가 웃으며 말한다.

　"그래, 너도 그 일을 기억하고 있구나!"

　장요가 탄식한다.

　"아아, 분할 뿐이로다!"

　"무엇이 분하다고 그러느냐?"

　"그날 복양성의 불이 맹렬하지 못하여 너 같은 나라의 도적을 태워
죽이지 못한 것이 한스럽다!"

　조조는 화가 치밀었다.

　"패장이 감히 나를 욕하느냐?"

　조조가 칼을 뽑아들고 장요를 죽이려 하자 장요는 두려워하는 빛

없이 목을 내밀었다. 이때 한 사람이 뒤에서 조조의 팔을 잡고 말리며, 또 한 사람은 조조 앞에 무릎을 꿇고 간청한다.

목숨 구걸하는 여포는 구해주는 이 없더니 乞哀呂布無人救
꾸짖는 장요는 도리어 살아날 길이 있었네 罵賊張遼反得生

장요를 구하려는 자들은 누구일까?

20

옥대 속에 숨긴 황제의 밀서

조조는 허전에서 사냥을 하고
동승은 내각에서 조서를 받다

조조가 장요를 쳐죽이려 하는데 조조의 뒤에서 팔을 붙잡은 것은 현덕이요, 무릎을 꿇고 간청한 것은 관우였다. 유현덕이 말한다.

"이렇게 마음이 곧은 인물은 마땅히 살려두었다가 써야 합니다."

관운장도 간청한다.

"나는 일찍부터 문원이 충의지사임을 익히 들어 알고 있던 터입니다. 부디 그를 살려주십시오."

조조는 기다렸다는 듯 얼른 칼을 내던지며 말한다.

"나 역시 장요가 의리있는 인물이라는 걸 알고 있소. 그저 짐짓 희롱한 것이오."

그러고는 손수 결박을 풀어주고 자기의 옷을 벗어서 입혀준 다음 장요를 끌어다가 상좌에 앉혔다. 장요는 조조의 그와같은 후의에 감격하여 마침내 조조에게 항복했다. 조조는 장요를 중랑장에 임명하고 관내후(關內侯)로 봉한 다음, 장패를 회유하게 했다. 장패는 여포가 이미 죽은데다 장요 또한 항복했다는 말을 듣고 스스로 군사를 이끌고 와서 항복했다. 조조는 장패에게 후한 상을 내린 뒤에, 이번에는 그로 하여금 손관·오돈·윤례 등을 회유하게 했다. 그러나 창희만은 끝내 귀순하지 않았다. 조조는 장패를 낭야상(琅琊相)에 임명하고 손관 등 모두의 벼슬을 높여준 뒤, 청주와 서주 연해를 지키게 했다. 또한 여포의 처자를 허도로 보내고, 모든 군사들에게 상을 내려 수고를 치하했다.

조조가 영채를 거두어 군사를 거느리고 허도로 돌아가는 길이었다. 막 서주를 지나는데 백성들이 모두 거리로 몰려나와 분향하고 절을 올리며 간절히 유현덕을 청한다.

"유사군(劉使君) 나으리를 서주 목사로 두시어 이 고을을 다스리게 하소서."

조조가 이른다.

"유사군은 공적이 워낙 크니, 우선 허도로 올라가 황제를 뵙고 작위를 받은 다음에 다시 돌아와도 늦지 않을 것이니라."

그 말에 백성들은 더욱 깊숙이 머리를 조아렸다. 조조는 거기장군 차주(車冑)에게 서주를 임시로 다스리도록 명하고 허도에 도착해서는 출정했던 군사들에게 공로에 따라 각기 상을 내렸다. 유현덕은 특별히 승상부 왼쪽 가까이 있는 저택에 머물게 했다.

이튿날 헌제가 조회를 열었다. 조조는 표문을 올려 현덕의 공로를 아뢰고 나서 현덕을 데리고 들어가 황제를 뵙게 했다. 유현덕이 조복(朝服)을 갖추어입고 어전의 붉은 계단 아래서 배알하니, 헌제는 유현덕을 전각 위로 오르게 한 뒤 묻는다.

"경의 조상이 누군고?"

유현덕이 아뢴다.

"신은 중산정왕(中山靖王)의 후손이며 효경황제(孝景皇帝) 폐하의 현손이옵니다. 그리고 할아비는 유웅(劉雄)이옵고, 아비는 유홍(劉弘)이옵니다."

황제는 종족세보(宗族世譜)를 가져오라 하여 종정경(宗正卿)에게 읽으라 명했다.

"효경황제께서 아드님을 열네 분 두었으니, 일곱째 아드님이 바로 중산정왕 유승(劉勝)이라. 승은 육성정후(陸城亭侯) 유정(劉貞)을 낳고, 정은 패후(沛侯) 유앙(劉昂)을 낳고, 앙은 장후(漳侯) 유록(劉祿)을 낳고, 록은 기수후(沂水侯) 유련(劉戀)을 낳고, 련은 흠양후(欽陽侯) 유영(劉英)을 낳고, 영은 안국후(安國侯) 유건(劉建)을 낳고, 건은 광릉후(廣陵侯) 유애(劉哀)를 낳고, 애는 교수후(膠水侯) 유헌(劉憲)을 낳고, 헌은 조읍후(祖邑侯) 유서(劉舒)를 낳고, 서는 기양후(祁陽侯) 유의(劉誼)를 낳고, 의는 원택후(原澤侯) 유필(劉必)을 낳고, 필은 영천후(潁川侯) 유달(劉達)을 낳고, 달은 풍령후(豊靈侯) 유불의(劉不疑)를 낳고, 불의는 제천후(濟川侯) 유혜(劉惠)를 낳고, 혜는 동군(東郡) 범령(范令) 유웅(劉雄)을 낳고, 웅은 유홍(劉弘)을 낳고, 홍은 벼슬하지 않았으며, 유비는 바로 유홍의 아들이라."

헌제가 세보(世譜)로 따져보니, 현덕은 바로 황제에게 숙부뻘이 되었다. 헌제는 크게 기뻐하며 그를 편전(偏殿, 황제가 평소에 거처하는 궁전)으로 청해들이고 숙질간의 예를 베풀며 생각한다.

'조조가 대권을 손에 넣고 국사를 제 마음대로 하고 있는데 이렇듯 영웅다운 황숙을 얻었으니 참으로 짐에게 큰 힘이 되리로다.'

헌제는 유현덕을 좌장군(左將軍) 의성정후(宜城亭侯)로 봉하고 잔치를 베풀어 극진히 대접했다. 잔치가 끝난 뒤 유현덕은 사은하고 조정에서 물러나왔다. 이때부터 사람들은 유현덕을 가리켜 유황숙(劉皇叔)이라 불렀다.

조조가 부중으로 돌아가자 순욱 등 모사들이 들어와 말한다.

"황제께서 유비를 황숙으로 인정하셨으니 승상께는 별로 이로울 게 없을까 걱정입니다."

조조가 태연히 답한다.

"현덕이 비록 황숙이 되었다 해도 내가 황제의 칙명을 일컬어 명하면 복종하지 않을 수 없을 것이야. 더구나 현덕을 허도에 붙들어놓으니 그가 명색은 황제 곁에 있지만 실은 내 손아귀 안에 있는 터에 두려워할 게 뭐 있는가? 내가 염려하는 것은 태위 양표(楊彪)다. 양표는 원술과 친척간이니 만약 그가 원술이나 원소와 내통이라도 하는 날이면 피해가 적지 않을 게야. 내 곧 그를 없애야겠다."

조조는 그날로 은밀히 사람을 보내, 양표가 원술과 내통한다고 무고한 표문을 올리게 했다. 그러고는 즉시 양표를 옥에다 가두고 만총(滿寵)에게 명하여 그 죄를 다스리게 했다. 이때 북해 태수 공융(孔融)이 허도에 머물러 있다가 이 소식을 듣고 깜짝 놀라 조조를 찾아와 간한다.

"양공은 4대를 내려오며 청렴하고 덕이 높기로 널리 알려진 사람입니다. 설사 원술과 내왕이 있다 하더라도 그것만으로 죄를 다스릴 수는 없습니다."

조조가 무심히 대답한다.

"조정에서 하는 일이니 나는 모르겠소."

공융이 다시 말한다.

"성왕(成王)이 소공(召公)을 죽였다고, 주공의 입장에서 모르는 일이라 발뺌할 수 있겠소이까?"

공융의 이 물음에 조조도 양표의 관직을 빼앗아 향리로 돌아가게 했을 뿐, 그 이상 형벌을 내리지는 못하였다.

의랑(議郞) 조언(趙彦)이 조조의 횡포에 분개하여 황제께 상소했다. 조조가 칙명도 없이 제 마음대로 대신을 내쫓는다고 탄핵한 것이다. 조조는 격분하여 즉시 조언을 잡아들여 죽였다. 이에 문무백관은 조조를 두려워하여 더이상 입을 여는 자가 없었다. 모사 정욱이 조조에게 말한다.

"명공의 위명이 날로 높거늘, 어찌하여 이런 기회에 패업(霸業)을 이루지 않으십니까?"

조조가 말한다.

"조정에는 아직도 황제에게 충성하겠다는 고굉지신(股肱之臣)이 많아서 가벼이 움직일 수 없네. 아무래도 황제를 모시고 사냥을 나가서 여러 사람의 동정을 좀 살펴보아야겠다."

조조는 좋은 말과 날쌘 매, 사냥개를 고르고 활과 화살을 갖춘 다음, 군사들을 성밖에 집결시켰다. 그러고는 대궐로 들어가 헌제에게 함께 사냥을 나가자고 청했다. 헌제가 내키지 않는 기색으로 말한다.

"사냥은 옳은 일이 아닌 듯하오."

조조가 다시 아뢴다.

"옛 제왕은 봄에 하는 사냥을 '수(蒐)'라 하고, 여름에 하는 사냥을 '묘(苗)', 가을에 하는 사냥을 '선(獮)', 겨울철 사냥은 '수(狩)'라 하여, 매 계절마다 사냥길에 올라 그 무위(武威)를 천하에 떨쳐 보였습니다. 이처럼 사해(四海)가 어지러운 때일수록 사냥을 하여 무술을 연마해야 합니다."

조조가 이렇듯 강력히 주장하자, 헌제도 더는 그 청을 거절할 수가 없었다. 헌제는 마침내 소요마(逍遙馬)를 타고, 보석으로 장식된 활과 금촉이 달린 화살을 챙겨 의장을 갖춘 뒤에 성을 나섰다.

유현덕과 관우와 장비도 각각 전통을 메고, 속에는 엄심갑(掩心甲, 가슴가리개)을 받쳐입었으며, 병장기를 챙겨들고 완전무장을 했다. 그런 뒤 수십명의 기마병을 거느리고 황제를 따라 허창성(許昌城, 허도)을 나섰다.

이리하여 조조가 조황비전마(爪黃飛電馬, 발굽이 누렇고 번개처럼 빠른 말)에 올라 10만 군사를 거느리고 황제와 함께 허전(許田)으로 사냥을 가니, 무려 2백여 리에 달하는 사냥터를 군사들이 에워싸고 있었다. 조조는 황제와 겨우 말머리 하나의 거리를 두었을 뿐 거의 나란히 앞으로 나아간다. 뒤따르는 자들은 모두 조조의 심복장수들뿐이었으며, 문무백관은 멀리 떨어져서 감히 황제 근처에는 얼씬도 못하였다.

황제가 소요마를 달려 마침내 허전에 이르자, 유현덕은 관우·장비와 함께 길가에 서서 맞이했다. 헌제가 유현덕에게 말한다.

"황숙의 사냥솜씨를 한번 보고 싶소."

유현덕은 헌제의 분부를 받들어 말에 올랐다. 마침 풀숲에서 토끼

한 마리가 불쑥 튀어나왔다. 현덕이 번개같이 활을 당겨 토끼를 쏘아 맞혔다. 헌제가 현덕에게 갈채를 보내며 언덕을 넘어섰다. 그때였다. 이번에는 가시덤불 속에서 커다란 사슴 한 마리가 뛰어나와 반대쪽으로 달아난다. 황제가 연달아 화살 세 대를 겨누어 쏘았으나 모두 빗나가고 말았다. 황제는 뒤돌아보며 조조에게 말한다.

"경이 쏘아보오."

조조는 화살을 뽑으려다 말고, 황제의 보조궁과 금촉으로 만든 화살을 빌려달라 하더니, 재빨리 활을 당겨 화살을 날린다. 달아나던 사슴은 조조가 쏘아올린 화살을 맞고 그대로 쓰러지고 말았다. 신하들과 장수들은 사슴의 등에 꽂힌 금촉으로 된 화살을 보고는 황제를 향해 일제히 만세를 외쳤다.

그런데 이게 웬일인가. 기다렸다는 듯 조조가 황제의 앞을 가로막고 나서더니 문무백관의 치하에 답례하는 것이 아닌가. 모든 사람들은 만세를 부르다 말고 대경실색했다.

유현덕의 등뒤에 서 있던 관운장은 조조의 거동에 크게 노하여 누에 같은 시커먼 눈썹을 곤두세우고, 봉의 눈을 부릅떴다. 그 무서운 형상은 청룡도를 번쩍 치켜들고 그대로 달려가 조조를 단칼에 벨 기세였다. 현덕이 얼른 손을 내저으며 눈짓을 보냈다. 관우는 감히 움직이지 못한 채 눈을 질끈 감았다. 현덕은 조조 앞으로 다가가서 몸을 굽혀 칭찬한다.

"승상의 솜씨는 참으로 세상에 보기 드문 신궁(神弓)입니다."

조조가 웃으며 답한다.

"이는 또한 황제의 큰 복이시오."

슬쩍 말머리를 돌려 황제를 향해 치하하더니, 빌려쓴 보조궁을 돌려드릴 생각도 하지 않고 턱하니 자기 등에 걸었다.

사냥을 끝내고 허전에서는 한바탕 잔치가 벌어졌다. 잔치가 끝난
뒤에야 일행은 황제를 모시고 허도로 돌아왔다. 이윽고 처소로 돌아
온 관우가 현덕에게 묻는다.

"조조 그 역적놈이 임금을 업신여기기에 내가 죽여서 나라의 근심
을 덜려 했거늘, 형님은 어찌하여 날 말리셨소?"

유현덕이 대답한다.

"쥐를 잡겠다고 독을 깨어서는 안된다는 말이 있다. 그때 황제께서
는 바로 조조 곁에 계셨고, 또 주위에는 모두 조조의 심복들뿐이었다.
만약 네가 순간의 노여움으로 경망되이 움직였다가 뜻을 이루기는커
녕 오히려 황제께서 다치시기라도 했다면, 그 죄를 모두 우리가 뒤집
어썼을 것 아니냐?"

"허나 오늘 그 도적을 죽이지 않았으니, 훗날 반드시 나라의 화근
이 될 것이오."

"오늘 일은 비밀에 부치고, 함부로 입밖에 내지 마라."

한편, 환궁한 헌제는 복황후에게 울면서 말했다.

"짐이 즉위한 이래 간웅이 계속 일어나 먼저는 동탁에게 변을 당하
였고, 나중에는 이각과 곽사의 난리를 만나 짐과 그대는 다른 사람들
이 겪지 못한 고초를 겪었소. 처음 조조를 만났을 때는 이제야말로 사
직을 위한 충신을 만났구나 생각했더니, 뜻밖에 권력을 잡고 제 맘대
로 국사를 휘두르니 짐이 매번 그를 볼 때마다 마치 가시방석에 앉은
듯 괴롭소이다. 게다가 오늘은 사냥터에서 조조가 나를 대신하여 문
무백관의 치하에 답례까지 했으니 이렇게 무례할 데가 어디 있겠소.

반드시 머지 않아 딴뜻을 품을 터이니, 우리 부부는 언제 어디서 죽을지 모르겠소."

"조정의 대신이 모두 한나라의 녹을 먹는 터에 국난을 구할 사람이 한 사람도 없다니, 이렇게 통탄할 일이 어디 있사오리까?"

복황후도 비감하여 눈물을 짓는데 문득 누군가 들어오며 아뢴다.

"폐하, 너무 상심하지 마시옵소서. 소신이 한 사람을 천거하여 나라의 화근을 뿌리뽑도록 하겠사옵니다."

황제가 눈을 들어 보니 바로 복황후의 아버지 복완(伏完)이다. 헌제는 용포 소매로 눈물을 닦아내며 묻는다.

"장인께서도 조조의 횡포를 알고 계셨습니까?"

복완이 말한다.

"허전에서 사슴 쏘던 일을 누가 보지 못했사오리까. 다만 문무백관이 모두 조조의 심복이 아니면 일가친척이니, 국척이 아니고서야 어찌 충성을 다하여 역적을 치겠사오리까. 노신은 권력이 없어 이 일을 행하기 어렵거니와, 거기장군 동승(董承)이면 가히 대사를 맡길 만합니다."

"동국구(董國舅, 국구는 황후의 오라버니)가 국난에 힘을 많이 쓸 줄은 짐도 익히 알고 있는 바요. 곧 입궐하라 하여 함께 대사를 의논하십시다."

복완이 머리를 내젓는다.

"폐하의 측근에 있는 자들은 모두 조조의 심복이니, 만약 이 일이 누설되면 무슨 변을 당할지 모르옵니다."

"그러니 이 일을 어찌하였으면 좋겠소?"

"신에게 한 가지 방법이 있습니다. 폐하께서 비단옷 한 벌과 옥대를 은밀하게 동승에게 내리시되, 옥대 속에다 밀서를 집어넣고 꿰매도록 하십시오. 그리하여 동승이 집으로 돌아가서 뜯어보게 하시면 동승이 보고 밤낮으로 계책을 세울 것이니, 아마 귀신도 모르게 일이 진행될 것이옵니다."

헌제는 그 말을 옳게 여겼다. 복완이 하직하고 물러갔다.

황제는 손가락을 깨물어 혈서를 써서 복황후에게 주었다. 복황후는 그 밀서를 옥대 속에 집어넣고 자줏빛 비단으로 안을 대어 직접 정성스레 꿰매었다. 황제는 다 꿰매기를 기다려 그 옥대를 입고 있던 금포 위에 둘렀다. 그런 다음 내시를 시켜 동승을 대궐로 불러 들이도록 했다. 동승은 조복을 갖추어 입고 입궐하여 헌제에게 예를 올렸다. 황제가 이른다.

"짐이 간밤에 황후와 더불어 지난날 패하(覇河)에서 겪던 고초에 대해 이야기를 나누다가 불현듯 국구의 공적이 생각났소. 그래서 오늘 특별히 그 은공을 위로하려고 국구를 부른 것이오."

동승은 머리를 조아리며 사은한다. 헌제는 용상에서 일어나더니 동승을 데리고 편전을 나와 태묘(太廟, 역대 황제의 위패를 모신 사당)로 향했다. 공신각(功臣閣)에 올라선 황제는 분향재배한 다음, 동승과 함께 차례로 화상(畵像)을 둘러보았다. 한가운데 한고조의 초상이 모셔져 있다. 황제가 동승에게 묻는다.

"선조 고황제(高皇帝)께서는 어디에서 몸을 일으켰으며, 어떻게 천하를 평정하고 나라를 세우셨소?"

난데없는 질문에 동승은 깜짝 놀라며 반문한다.

"폐하께서 어찌 신을 희롱하십니까? 제가 성조(聖祖)의 사적을 어찌 모르겠사옵니까? 고황제께서는 사상(泗上)의 정장(亭長)이라는 미천한 신분으로, 3척 검을 들어 백사(白蛇)를 베시고는 의를 일으켜 천하를 종횡하시었으니, 3년 만에 진나라가 망하고 5년 만에 초나라를 멸하여 만세의 기업을 세우신 것이 아니옵니까?"

"짐의 선조께서는 그렇듯 영웅이셨건만, 자손은 이리도 나약하니 참으로 한심스럽소."

황제가 한숨을 내쉬고는 좌우 화상을 가리키며 말을 잇는다.

"이 두 사람은 바로 유후(留侯) 장량(張良)과 찬후(酇侯) 소하(蕭何)가 아니오?"

"그러하오이다. 고황제께서 나라를 세우실 때 실로 이 두 사람의 힘이 컸사옵니다."

헌제는 좌우를 둘러본다. 가까이에 사람이 없는 것을 확인하고 음성을 낮추어 동승에게 조용히 말한다.

"경도 이 두 사람처럼 짐의 화상 곁에 나란히 걸릴 것이오."

"신은 털끝만큼의 공훈도 세운 바 없거늘, 어찌 감히 그런 영예를 바랄 수 있사오리까."

"경이 서도(西都, 장안)에서 구해준 은공을 하루도 잊은 적이 없었으나, 여태 보답하지 못하였소."

황제는 입고 있던 금포와 옥대를 가리킨다.

"경은 부디 짐의 이 금포를 입고, 또 짐의 이 옥대를 둘러 항상 짐의 곁에 있는 듯이 여기도록 하오."

동승이 머리를 조아리며 사례한다. 황제가 금포를 벗고 옥대를 끌러 동승에게 건네주며 은밀히 속삭인다.

"경은 돌아가서 자세히 살펴보고, 부디 짐의 뜻을 저버리지 말라."

동승은 황제의 뜻을 짐작했다. 즉시 금포를 입고 옥대를 허리에 두른 다음에, 하직을 고하고 공신각을 내려왔다.

그런데 황제가 동승과 함께 공신각에 올라 밀담을 나눈 일을 벌써 조조에게 전한 사람이 있었다. 조조는 의심이 일어나 급히 대궐로 들어섰다. 마침 동승은 궁궐 문을 나서다가 대궐로 들어서는 조조와 맞부딪치고 말았다. 너무 순식간이라 몸을 피할 곳이 없어 동승은 길 옆으로 비켜서서 예를 올린다. 조조가 다가와서 묻는다.

"국구는 무슨 일로 입궐하셨소?"

동승이 대답한다.

"황제의 부르심을 받고 입궐하였더니, 내게 이렇게 금포와 옥대를 내리시더이다."

"무슨 일로 하사하신 것이오?"

"지난번 서도에서의 공로를 생각하시어 내리셨소이다."

"어디 그 옥대를 풀어 내게도 좀 보여주오."

동승은 옥대 속에 필시 밀서가 있으리라 짐작되어 냉큼 풀지 못하고 머뭇거렸다. 조조가 더욱 의심하여 좌우를 꾸짖으며 억지로 옥대를 풀어오게 하더니 한동안 이리저리 살펴보았다.

"과연 좋은 옥대로다. 이번에는 국구께서 입고 계신 그 금포를 좀 보여주시오."

동승은 두려운 마음을 애써 누르며 조조의 말에 따랐다. 조조는 두 손으로 금포를 펴들고 한동안 햇빛에 비추어보더니, 선뜻 제 몸에 두르고 옥대까지 띤 다음에 좌우의 사람들을 돌아보며 묻는다.

"어떠냐, 내 몸에 꼭 맞느냐?"

좌우에서 한입으로 아뢴다.

"참으로 잘 어울리십니다."

조조는 빙그레 웃으며 동승에게 말한다.

"국구는 이 금포와 옥대를 내게 줄 생각이 없으시오?"

동승이 대답한다.

"황제께서 하사하신 물건을 어찌 함부로 남에게 주겠소이까. 이 사람이 따로 한 벌 지어서 승상께 드리겠습니다."

"국구께 이 물건을 하사한 데에는 무슨 깊은 곡절이 있는 게 아니오?"

그 말에 동승은 깜짝 놀라는 체하며 말한다.

"어찌 감히 그런 일이 있겠습니까. 그렇게 필요하시다면 황제께서 하사하신 물건이오나 승상께 드리리다."

"공이 모처럼 황제께 하사받은 것을 어찌 함부로 빼앗겠소. 장난으로 한번 해본 소리요."

조조는 웃으며 옥대와 금포를 벗어서 동승에게 내주었다. 동승은 조조와 헤어져 집으로 돌아왔다.

그날밤 동승은 홀로 서재에 앉아서 등불을 밝혀놓고 금포를 샅샅이 살펴보았다. 그러나 어디에서도 별다른 점을 발견할 수가 없었다. 동승은 생각했다.

'황제께서 의대를 내리시고 돌아가서 자세히 보라고 하신 데에는 반드시 곡절이 있을 터, 그런데 아무런 흔적도 찾을 수 없으니, 이건 도대체 어찌 된 일꼬?'

동승은 이번에는 옥대를 들어서 자세히 살펴보았다. 영롱한 백옥 위에 작은 용과 꽃이 새겨져 있고 안으로 댄 자줏빛 비단이 더없이 아름다우나 그저 심상한 옥대일 뿐, 도무지 특별한 게 없었다.

'참으로 괴이한 일이로다.'

동승은 옥대를 탁자 위에 올려놓고 몇번이나 되풀이하여 살펴보고 또 살펴보았다. 한참을 그러다가 노곤함을 이기지 못하여 탁자에 몸을 기대고 잠깐 쉬려는 참이었다. 갑자기 등잔 심지가 세차게 타오르면서 옥대 위로 불똥이 튀어 자줏빛 비단 끝자락에 떨어졌다. 깜짝 놀란 동승은 재빨리 손으로 비벼 껐으나 어느새 옥대에는 구멍이 났다. 그런데 하얀 비단이 드러나 보이고, 언뜻 핏자국 같은 게 눈길을 끌었다. 동승은 급히 칼로 실밥을 뜯어내고 내용물을 꺼내보니, 그건 놀랍게도 황제의 친필 혈서였다. 황제의 조서에는 이렇게 씌어 있었다.

짐이 들은 바에 의하면, 인류의 큰 도리는 부자간의 관계를 첫째로 하고, 존비(尊卑)의 분별은 군신(君臣)을 근본으로 한다고 하였다. 근자에 조조가 권세를 부려 군부(君父)를 핍박하고, 붕당을 만들어 나라의 기강을 무너뜨리며, 상벌과 봉작(封爵)이 짐의 뜻과는 무관하게 좌지우지되니, 짐은 밤낮으로 나라의 운명이 위태로운 지경에 처하지 않을까 근심한다. 그런 고로, 경은 이 나라의 대신이요 짐의 가까운 친척으로서, 고황제께서 힘들여 창업하신 것을 생각하여 충의에 불타는 열사를 불러모아 간당을 제거하고 사직을 다시 바로잡는다면 심히 다행일 것이다. 짐은 손가락을 깨물어 피로써 이 조서를 쓰나니, 경은 신중을 기하여 짐의 기대에 어긋남이 없게 하라.

건안(建安) 4년 봄 3월에 쓰노라.

조서를 읽은 동승은 너무나 비통하여 밤새 흐느껴 울며 그날밤을 뜬눈으로 새웠다. 이튿날 아침, 동승은 다시 서재에 앉아서 조서를 거

동승은 옥대 속에 숨겨진 황제의 밀서를 읽다

듭 읽었으나 도무지 묘책이 떠오르지 않았다. 탁자 위에 조서를 올려 놓고 이런저런 계책을 골똘히 생각하다가 그만 탁자에 기대앉은 채 깜박 잠이 들고 말았다.

이때 시랑(侍郞) 왕자복(王子服)이 동승을 찾아왔다. 문지기는 왕자복이 주인 대감과 교분이 두터운 것을 아는 까닭에 막지 않고 그대로 들여보냈다. 왕자복이 서재에 들어가보니 동승은 탁자에 엎드려 곤히 잠을 자고 있었다. 가만히 보니 동승의 소맷자락 밑에 하얀 비단조각이 보이고, 그 위에 '짐'이라는 글씨가 흐릿하게 보이는 것이 아닌가. 왕자복은 무언가 의심스러운 생각이 들어 가만히 비단조각을 뽑아보았다. 혈서로 쓴 황제의 조서가 틀림없었다. 왕자복은 얼른 그것을 자신의 소맷자락 안에 감추었다.

"국구 대감은 참으로 마음도 편하시오. 어찌 이리 태평하게 잠이 든단 말이오?"

왕자복은 동승의 어깨를 흔들어 깨웠다. 동승이 깜짝 놀라 깨고 보니, 탁자 위에 놓아둔 조서가 보이지 않는다. 동승이 혼이 나간 듯 어찌할 바를 모르는데 왕자복이 한마디 한다.

"그대가 조공을 죽일 속셈인가본데, 내 가서 고해바칠 것이오."

동승이 울며 간청한다.

"형장께서 만약 그리 하시면 한나라 종사는 이대로 끝장이오."

왕자복이 정색을 하고 말한다.

"농담으로 해본 소리요. 우리 조상도 대대로 한나라의 녹을 먹은 터에 어찌 충성된 마음이 없겠소. 나도 그대를 도와 국적을 없애는 데 앞장서리다."

동승은 뛸 듯이 기뻐한다.

"형께서 그리하여 주신다면 나라를 위하여 참으로 다행한 일이오."

"우리 밀실로 가서 황제께 충성을 맹세하는 뜻에서 서명을 합시다. 삼족(三族)이 멸함을 당한다 해도 나라를 위한 일이니 무얼 두려워하겠소?"

왕자복의 말에 동승은 당장 흰 비단 한 폭을 내다가, 먼저 자기 이름을 쓰고 왕자복에게 붓을 내준다. 왕자복도 자신의 이름을 쓴 다음 동승에게 말한다.

"장군 오자란(吳子蘭)도 평소 나와 친분이 두터운데 함께 일을 도모할 만합니다."

동승이 말한다.

"조정 대신 가운데 장수교위(長水校尉) 충집(种輯)과 의랑(議郞) 오석(吳碩)도 나의 심복이오. 두 사람 모두 반드시 우리와 뜻을 같이할 것이오."

이렇게 한참 의논을 나누는데 하인이 들어와 여쭌다.

"충교위와 오의랑 두 분께서 오셨습니다."

"이는 하늘이 우리를 돕는 것이로다."

동승은 이렇게 말하며, 왕자복에게 잠깐 병풍 뒤에 숨어 있게 하고 두 사람을 서원으로 청해 들였다. 하인이 내온 차를 마시고 난 뒤, 장수교위 충집이 먼저 입을 연다.

"지난번 허전에서 사냥할 때 일을 생각하면 공께서는 분하지도 않소?"

동승이 대답한다.

"분하기야 하지만 그렇다고 어찌하겠소?"

오석이 끼여든다.

"내 이 역적을 죽이고 싶은 마음 누를 길이 없는데, 뜻을 같이할 사람이 없는 게 한이오."

충집이 말한다.

"나라를 위해서 화근을 없앨 수만 있다면 비록 이몸이 죽는 한이 있더라도 여한이 없겠소."

그때 갑자기 병풍 뒤에서 왕자복이 걸어나오더니 두 사람을 가리키며 말한다.

"너희 둘이 조승상을 죽이려 하다니, 즉시 고발할 것이다. 동국구는 부디 증인이 되어주오."

충집이 노하여 소리친다.

"충신이 어찌 죽음을 두려워하겠느냐? 우리는 죽어서도 한나라 귀신이 될 것이다. 나라의 도적에게 아부하여 목숨을 구걸하는 네 따위와는 다르다."

동승이 웃으면서 충집과 오석에게 말한다.

"그렇지 않아도 그 일 때문에 지금 막 두 분을 뵈려던 참이었소. 왕시랑의 말은 농담이외다."

동승이 소맷자락에서 황제의 조서를 꺼내 두 사람에게 보이니, 충집과 오석은 조서를 읽고 눈물을 뿌렸다. 동승이 맹약의 뜻으로 서명을 청하자 두 사람 모두 자기의 이름을 적어넣었다. 왕자복이 말한다.

"그럼 다들 잠깐 앉아 계시오. 내 가서 오장군을 청해오리다."

잠시 후, 왕자복은 장군 오자란과 함께 돌아왔다. 오자란은 좌중의 사람들과 인사를 하고 나서 역시 맹약을 나누고 서명했다. 동승은 곧 그들을 후당으로 안내하고 술상을 차려내와 함께 술잔을 기울였다. 이때 다시 문지기가 들어와 고한다.

"서량 태수 마등(馬騰) 대감이 오셨습니다."

동승이 분부한다.

"내가 병으로 누워 있어 오늘은 만나뵙기 어렵다고 여쭈어라."

문지기가 나가서 마등에게 그대로 고하니, 마등이 화를 벌컥 내며 말한다.

"내가 어제 저녁 동화문(東華門) 밖에서 이 댁 대감이 금포를 입고 옥대를 띠고 나오는 것을 분명히 보았거늘, 병환으로 누워 계신다니 그게 웬 말이냐? 내가 한가하게 놀러온 게 아니건만 어찌 나를 따돌리려 드느냐?"

문지기가 돌아와 마등이 진노했다고 전한다. 동승은 하는 수 없이 몸을 일으켰다.

"그럼 이몸이 잠시 나가서 만나고 오리다."

밖으로 나간 동승은 마등을 맞아들여 인사를 나누고 자리에 앉았다. 마등이 말한다.

"내가 이번에 황제를 뵙고, 다시 서량땅으로 돌아가게 되었기에 하직인사를 하러 온 길인데, 어찌하여 나를 보지 않으려 한 거요?"

동승이 대답한다.

"갑자기 몸이 좀 불편하여 영접하지 못했소이다. 너그럽게 용서하시오."

"대감 얼굴에 화색이 가득한데 병색이라니요?"

동승은 대답할 말이 없어 잠자코 있었다. 순간 마등이 갑자기 자리에서 벌떡 일어나더니 깊은 한숨과 함께 섬돌을 내려서며 말한다.

"도무지 나라를 구할 사람이 어디에도 없으니……"

동승은 그 말에 급히 쫓아내려가 마등의 소매를 잡는다.

"나라를 구할 사람이 없다니, 그게 무슨 소리요?"

마등이 대답한다.

"허전에서 사냥할 때 있었던 일을 생각하면, 지금도 가슴이 막혀 숨을 못 쉴 지경이오. 그래 공은 황제와 친척의 몸으로 주색에만 빠져 도무지 도적을 칠 생각은 안하니, 어찌 나라를 구할 인물이 되겠소이까!"

동승은 마등이 진정으로 하는 말인지 혹은 자기 속을 떠보려 하는 소리인지 몰라서 짐짓 깜짝 놀라는 체한다.

"조승상께서는 이 나라의 막중한 대신이오. 조정이 조승상에게 의지하고 있거늘, 공은 어찌하여 그런 말씀을 하시오?"

마등이 격노하여 말한다.

"그래 대감은 아직도 그 도적놈을 믿는단 말이오!"

"대감, 고정하시오. 이목이 많으니 음성을 낮추시오."

마등은 아랑곳하지 않는다.

"살기를 탐하고 죽기를 두려워하는 무리와 내 어찌 대사를 논하겠느냐!"

마등은 한마디 내던지고 나가려 한다. 동승은 더이상 마등을 의심하지 않고 조용히 말한다.

"고정하시오. 내 공에게 보여드릴 물건이 있소이다. 이리 들어오시지요."

마침내 동승은 마등을 서재로 데려가 황제의 조서를 내보였다. 황제의 조서를 읽는 동안 마등은 머리카락과 수염이 모두 곤두서고, 어찌나 이를 갈고 입술을 깨물어댔는지 입 언저리가 온통 피투성이였다. 마등이 동승에게 말한다.

"대감께서 일을 도모하기만 한다면, 이몸이 곧 서량의 군사를 일으켜 후원하리다."

동승은 곧 마등을 후당으로 데리고 가서 왕자복 등과 만나게 한 다음, 비단에 서명하게 했다. 마등이 피를 나누어 마시며 맹세한다.

"우리는 죽을 각오로 오늘의 맹세를 저버리지 맙시다."

그러고는 다섯 동지를 돌아보며 말한다.

"열 사람만 얻어도 충분히 대사를 이룰 수 있을 것이오."

동승이 말한다.

"충의지사를 얻기란 어려운 법이오. 변변치 못한 인물을 끌어들였다가는 오히려 일을 그르치게 됩니다."

마등은 문갑 위에 놓인 고관 대신들의 이름이 적혀 있는 원행로서부(鴛行鷺序簿, 고관대신 인명록)를 집어들고 한 장씩 뒤적이다가, 문득 유씨 종족에 이르자 손뼉을 치며 말한다.

"어찌하여 이 사람과 의논하려고 하지 않는 거요?"

모두가 누구냐고 묻는다. 마등이 천천히 입을 열어 그 사람의 이름을 말했다.

국구 동승이 조서를 받고부터   本因國舅承明詔

또 한나라 바로 세울 종친이 나오도다   又見宗瀁佐漢朝

과연 마등은 어떤 인물을 내세울 것인가?

호랑이굴을 벗어난 현덕

조조는 술을 마시며 영웅을 논하고
관우는 속임수로 성을 열어 차주를 참하다

동승은 조바심이 나서 마등에게 대답을 재촉한다.

"귀공께서는 누구를 말씀하시는 거요?"

"예주 목사 유현덕이오. 그 사람이 지금 이곳에 있는데, 어찌하여 함께 일을 의논하지 않으십니까?"

동승이 고개를 내젓는다.

"그 사람은 비록 황숙이라고는 하지만 지금 조조에게 의탁해 있는 처지인데, 어찌 우리와 함께 하겠소이까?"

"내가 지난번 허전에서 사냥할 때 자세히 보았소. 조조가 황제를 대신하여 문무백관의 만세를 받을 때, 현덕의 등뒤에 있던 관운장이 칼을 들어 조조를 죽이려 합디다. 그때 현덕이 눈짓으로 말렸는데, 그것은 조조를 도모할 마음이 없어서가 아니라, 주위에 조조의 심복들이 너무 많아서 혹시 실수라도 할까 염려해서가 아니었겠소. 공이 지금이라도 찾아가서 현덕을 시험해보시면 반드시 우리와 함께할 것이오."

마등의 말에 오석이 한마디 한다.

"그 일은 좀더 생각해보기로 하십시다. 절대로 서둘러서 될 일이 아니오."

그제서야 자리에서 일어나 여섯 명의 동지들은 모두들 돌아갔다.

이튿날, 어두운 밤을 틈타 동승은 황제의 조서를 품에 지니고 유현덕의 공관을 찾아갔다. 문지기가 들어가서 전하자, 현덕이 곧바로 나와서 작은 누각으로 동승을 안내한다. 주인과 손님이 자리에 앉자 관우와 장비가 현덕의 곁에 시립(侍立)했다. 현덕이 동승에게 조용히 묻는다.

"동국구께서 이렇듯 야밤에 오셨으니 도대체 무슨 일이십니까?"

동승이 대답한다.

"대낮에 말을 타고 장군께 왔다가는 조조가 의심하겠기에 일부러 이렇게 밤에 왔소이다."

유현덕은 아무런 대꾸도 하지 않고 술을 내오라 일렀다. 동승이 다시 입을 연다.

"지난번 사냥터에서 관운장이 조조를 죽이려 할 때, 장군께서는 어찌하여 눈짓으로 그를 제지하셨소이까?"

유현덕이 깜짝 놀라 말한다.

"공이 그것을 어찌 아셨소?"

"남들이야 못 보았겠지만, 이몸은 똑똑히 보았소이다."

현덕은 더 숨기지 못하고 얼버무린다.

"아우가 조조의 외람된 행동을 보고 그만 저도 모르게 격분했던 모양입니다."

현덕의 말에 동승은 갑자기 소맷자락으로 얼굴을 가리며 오열을 터뜨린다.

"조정의 신하들이 모두 운장만 같다면야 나라를 근심할 일이 무에 있겠소?"

유현덕은 혹시 조조가 자신을 시험해보기 위해 사람을 보낸 것은 아닌지 의심이 나서 짐짓 거짓말을 한다.

"조승상께서 나랏일을 잘 보고 계신데, 어찌하여 세상이 태평하지 않다고 근심하시오?"

동승은 그 말에 낯빛이 변하여 벌떡 자리에서 몸을 일으킨다.

"공은 한나라의 황숙이기에 일부러 찾아와서 털어놓고 말하는 것인데, 어찌하여 마음을 감추려고만 하시오?"

그제야 현덕도 말한다.

"혹시 국구께서 거짓으로 날 속이는 게 아닌가 하여 한번 시험해본 것이오."

동승은 마침내 황제의 조서를 꺼내 현덕에게 보여준다. 현덕은 비분강개하여 어찌할 바를 몰랐다. 동승이 이번에는 다시 의장(義狀, 서약서)을 꺼내 보인다. 현덕이 받아보니 여섯 사람의 이름이 적혀 있다. 거기장군 동승, 공부시랑 왕자복, 장수교위 충집, 의랑 오석, 소신장군 오자란, 서량 태수 마등이다. 유현덕이 말한다.

"공께서 조서를 받들어 도적을 치신다니, 유비가 어찌 견마(犬馬)의 수고를 사양하리이까."

동승은 절하여 사례하고, 현덕에게 의장에 이름 올리기를 청했다. 현덕은 흔쾌히 응낙하고 곧 붓을 잡아 일곱번째로 '좌장군 유비'라고 서명했다. 동승이 말한다.

"앞으로 세 사람만 더 얻으면 열 사람이 되오. 동지 열 사람만 모이면 지체없이 도모할 생각이오."

유현덕이 고개를 끄덕이며 당부한다.

"부디 서두르지 마시고 차근차근 하십시오. 급하게 서두르다가 말이 새기라도 하는 날에는 큰일이외다."

이날밤, 동승은 현덕과 오래도록 의논하다가 5경(새벽 4시)이 되어서야 돌아갔다.

그날 이후 유현덕은 조조의 모해를 방비하기 위해 소일거리 하나를 만들었다. 사람들의 눈을 속이기 위해 후원에다 채소밭을 꾸민 것이다. 현덕은 세상일에 무심한 양 직접 씨앗을 뿌리고, 거름 주고, 풀 뽑고, 물을 주며 밭을 돌보았다. 관우와 장비가 불평을 한다.

"형님께서는 천하대사에는 도무지 무관심하고 소인들이나 하는 일로 소일하고 계시니, 대체 무슨 까닭이오?"

현덕은 빙그레 웃으며 한마디 할 뿐이다.

"너희들이 알 바 아니다."

이후 두 사람은 더이상 묻지 않았다.

어느날이다. 관우와 장비는 각기 볼일을 보러 나가고 현덕 혼자 채소밭에 물을 주고 있었다. 그때 아무 예고도 없이 허저와 장요가 수십명의 부하들을 거느리고 들어왔다.

"사군을 모셔오라는 승상의 영을 받았소이다."

현덕이 놀라서 묻는다.

"대체 무슨 일로 나를 부르십디까?"

허저가 대답한다.

"그건 저희도 모르겠습니다. 그저 가서 모셔오라고만 하였소."

현덕은 하는 수 없이 두 사람을 따라 승상부로 갔다. 조조가 웃으며 말을 건넨다.

"요즈음 집에 들어앉아 큰일을 하신다 하더이다."

현덕은 순간 가슴이 덜컥 내려앉으며, 얼굴이 흙빛으로 변했다. 조조가 현덕의 손을 덥석 잡더니 후원으로 들어가며 한마디 한다.

"근자에 채소 키우는 데 재미를 붙이셨다구요?"

그제야 현덕은 다소 긴장을 풀며 대답한다.

"그저 소일거리올시다."

조조는 매화나무 가지에 달려 있는 푸른 빛 싱싱한 매실을 가리키며 말한다.

"내 저것을 보니 생각나는 게 있어서 오시라 했소. 지난해에 장수를 치러 갔을 때 도중에 물이 떨어져서 군사들이 목이 말라 애를 태웠지. 그래 내가 한 가지 꾀를 내었소. 채찍을 들어 무턱대고 앞을 가리키며 저곳에 매화나무가 많다고 했더니, 군사들이 시디신 매실 생각에 저마다 입안에 침이 가득 고였던 모양이오. 그래 목마르다는 소리가 쑥 들어가지 않았겠소. 지금 저 매화를 보니 문득 그때 생각이 나서 웃음도 나는군요. 때마침 담가둔 술도 잘 익었기에 우리집 작은 정자에서 한잔 하자고 사군을 청한 거요."

현덕은 내심 안도의 숨을 쉬었다. 조조를 따라 후원에 있는 정자에 이르니 벌써 술상이 차려져 있었다. 상 위에는 푸른 매실이 쟁반 가득히 담겨 있고 술주전자도 놓여 있었다. 현덕은 조조가 권하는 대로 술잔을 기울이며 이야기를 나누었다. 술이 거나하게 오를 즈음 난데없이 검은 구름이 온 하늘을 뒤덮더니 굵은 빗줄기가 쏟아져내리기 시작했다.

"저기 용이 하늘로 오릅니다."

시중을 들던 하인이 손을 들어 하늘을 가리켰다. 조조와 현덕이 난간에 기대어 바라보니 과연 구름 속에서 용이 움직이는 형상이었다. 조조가 문득 현덕에게 묻는다.

"사군은 용의 변화를 아시오?"

현덕이 대답한다.

"자세한 것은 모릅니다."

조조가 말한다.

"용은 본시 제맘대로 몸을 크게도 하고 작게도 하며, 높이 올랐다가 아래로 숨기도 하는 물건인데, 크게는 구름을 일으키고 안개를 토해내며 작게는 몸집을 숨겨 형상을 감춘다오. 높이 오를 때는 우주 사이를 날고 아래로 숨을 때는 파도 속에 깊이 숨어버리오. 바야흐로 봄이 무르익어 용이 저렇듯 때를 만난 것이나 사람이 큰 뜻을 세워 천하를 종횡하는 것이나 매한가지라, 용의 됨됨이는 천하의 영웅과 비길 만하오. 현덕께서는 오랫동안 천하를 두루 돌았으니 당대 영웅들을 잘 아실 것이오. 어디 한번 말씀 좀 해보시오."

"저의 눈으로 어찌 영웅을 알아보겠소이까."

"너무 겸손한 말씀이오."

"저는 그저 승상의 은혜를 입어 조정의 벼슬을 얻었을 뿐입니다.

천하의 영웅을 알아보기엔 부족한 게 많지요."

조조가 거듭 말한다.

"얼굴은 대한 적이 없다 하여도 이름쯤은 들어서 알 게 아니오?"

유현덕이 마지못해 말한다.

"글쎄요, 회남의 원술은 군사와 양식이 넉넉하니 가히 영웅이라 할 수 있겠지요."

조조가 웃는다.

"원술은 그저 무덤 속의 마른 뼈다귀 같은 인물이오. 조만간 내가 사로잡고 말 것이니 두고 보시오."

현덕이 말한다.

"하북의 원소는 4대째 삼공을 지낸 집안이라 문하에 관리들이 많고, 기주땅에 범처럼 웅거하며 수하에 유능한 부하들이 많다니, 가히 영웅이라 할 만하겠지요."

"원소는 겉으로 위엄있어 보이지만 본래 담이 작고, 일을 도모하기 좋아하나 결단성이 없어서, 큰일에는 몸을 아끼고 조그만 이익에는 목숨을 거니, 그를 어찌 영웅이라 하겠소."

"강하팔준(江夏八駿)이라 불리며 그 위엄이 구주(九州)에 떨쳐 있는 유경승은 어떻습니까. 가히 영웅이라 할 만하지 않겠습니까?"

"유표는 이름만 그럴 듯하고 실속이 없으니 영웅이랄 수 없소."

"혈기가 왕성한 강동의 손책은 어떻습니까?"

"손책은 그 아비 손견 덕택에 이름을 얻었으니, 그 또한 영웅이라 할 수는 없소이다."

"익주의 유계옥(劉季玉)은 영웅이라 할 수 있을까요?"

"유장은 비록 한실의 종친이나 주인을 위해 집을 지키는 개에 불과

조조는 유비에게 영웅론을 설파하다

하오. 어찌 영웅이라 하겠소?"

"그렇다면 장수·장로·한수 같은 사람들은 어떻습니까?"

조조가 손뼉을 치며 껄껄 웃는다.

"그렇듯 녹록한 소인배들이야 더 말할 것들도 못되오."

"그들 외에는 아는 사람이 없습니다."

"모름지기 영웅이란 가슴에는 큰 뜻을 품고, 뱃속에는 좋은 꾀를 숨기고, 우주를 끌어안는 기틀과 천지의 뜻을 삼킨 자여야 하오."

현덕이 묻는다.

"당대에 그런 사람이 대체 누구란 말씀입니까?"

조조가 빙그레 웃으며 손가락으로 유현덕을 가리키고 다시 자신을 가리킨다.

"지금 천하영웅은 사군과 이 조조뿐이외다!"

현덕은 그 말에 소스라치듯이 놀라서 손에 들고 있던 젓가락을 바닥에 떨어뜨렸다. 그때 마침 큰비가 쏟아지려는지 우레소리가 크게 울렸다. 현덕은 천연스레 몸을 숙여 떨어뜨린 젓가락을 집으며 혼잣말처럼 되뇌인다.

"무슨 천둥소리가 이리 대단한고······"

그 모양을 보고 조조가 웃으며 묻는다.

"아니 장부도 천둥을 무서워한단 말씀이오?"

"성인도 심한 천둥소리와 세찬 바람에 얼굴빛이 변하였다는데, 어찌 두렵지 않겠소이까?"

유현덕은 조조가 영웅이라 설파하는 데 놀라 젓가락을 떨어뜨린 것이나, 때마침 크게 울린 천둥소리를 빙자하여 적당히 얼버무려 넘겼다. 이에 조조도 현덕의 소심함에 실소를 머금으며 더는 그를 의심하려 하지 않았다.

후세 사람들이 시를 지어 현덕의 지혜를 기렸다.

마지못해 범의 굴에 발을 들였다가 　　　　　　勉從虎穴暫趨身
한바탕 영웅론에 간담이 서늘해져 　　　　　　說破英雄驚殺人
천둥소리 빌려 교묘하게 둘러댔으니 　　　　　巧借聞雷來掩飾
임기응변의 기막힌 말솜씨 귀신 같구나 　　　隨機應變信如神

비는 거세게 한바탕 쏟아지더니 이내 그쳤다. 그때 갑자기 두명의 사내가 손에 보검을 쥐고 후원으로 뛰어들어왔다. 좌우의 사람들 누구 하나 그들을 막아내지 못하고 허둥대는데 어느새 두 사람은 정자 앞에까지 당도했다. 다름아닌 관우와 장비다.

관우와 장비는 성밖으로 활을 쏘러 나갔다가 돌아와보니 현덕이 보이지 않았다. 허저와 장요가 조조의 명이라 하며 현덕을 데려갔다는 말을 듣고 황급히 승상부로 달려왔다. 어쩐지 불길한 생각에 막아서는 문지기들을 물리치고 이렇게 뛰어든 참이었다.

뜻밖에도 현덕은 조조와 마주앉아 술을 마시고 있지 않은가. 두 사람은 가쁜 숨을 몰아쉬며 쥐고 있던 칼을 짚고 정자 아래 시립하고 섰다. 조조가 묻는다.

"두 사람은 어째서 왔는가?"

관우가 대답한다.

"승상께서 형님과 술을 드신다기에 검무라도 추어 흥을 돋울까 하여 왔소이다."

조조가 빙그레 웃으며 말한다.

"여기가 홍문(鴻門)의 잔치가 아니건만 항장(項莊)과 항백(項伯)이 무슨 소용인가?"(진秦나라 말년 유방과 항우가 패권을 다툴 때 홍문에서 벌인 잔치에서 항장이 검무를 추며 유방을 죽이려 하자 항백이 나서서 유방을 엄호한 고사)

유현덕도 돌아보며 빙그레 웃는다. 조조가 좌우에게 명한다.

"저기 두 번쾌(樊噲, 한고조 유방의 수하로 수차례 유방을 위기에서 구함)에게 술을 올려라."

두 사람은 조조에게 사례하고 잔을 받는다.

얼마 후 술자리가 파하여 세 사람이 함께 공관으로 돌아오는 길에 관운장이 한마디 한다.

"저희는 형님께 무슨 변고라도 생긴 게 아닌가 하여 얼마나 놀랐는지 모릅니다."

현덕은 두 사람에게 조조와 나눈 이야기며 젓가락 떨어뜨린 일을 말해준다. 그러자 관운장과 장비가 묻는다.

"형님, 그게 무슨 말씀인지 모르겠소."

현덕이 대답한다.

"내가 요즘 후원에서 채소를 기르는 것은 바로 내게 큰 뜻이 없음을 조조에게 알리기 위함이었는데, 뜻밖에도 조조가 나를 가리켜 영웅이라 하기에 너무 놀라 젓가락을 떨어뜨리고 말았다. 그래서 조조가 의심할까 두려웠는데, 다행히 천둥이 울려 그 때문에 놀란 것처럼 꾸며서 겨우 조조의 의심을 피할 수 있었다."

"형님께서는 참으로 지혜가 출중하시오."

관운장과 장비는 몇번이나 고개를 끄덕인다.

이튿날 조조는 또다시 술자리를 마련하여 현덕을 불렀다. 현덕이 조조와 더불어 한창 술을 마시고 있는데 아랫사람이 들어와 전한다.

"원소를 탐문하러 갔던 만총이 지금 막 돌아왔습니다."

조조는 곧 불러들여 묻는다.

"원소가 공손찬하고 싸워서 승패가 어찌 났느냐?"

"공손찬이 원소에게 대패했습니다."

만총의 말에 현덕은 소스라치게 놀라며 그 상황을 자세히 설명해 줄 것을 청한다.

"공손찬은 전세가 불리해지자 성을 쌓고 성벽 위에는 높이가 수십 길이나 되는 누각을 세웠는데 다름아닌 역경루(易京樓)라 하옵더이다. 그곳에 곡식 30만석을 비축하여 지키며 군사들을 성밖으로 내보내 싸우게 했답니다. 군사들이 번갈아 성을 지키며 밖으로 나가 싸우던 중에, 원소의 군사들에게 포위당하여 구원을 요청하는 일이 생겼습니다. 그러자 공손찬은 '그런 일이 생길 때마다 매번 구해주면 다음에 싸우는 군사들 또한 자신들도 위험에 처하면 구해주겠거니 생각할 터인데, 그러면 어느 누가 죽을 각오로 싸움에 임하겠느냐'라며 외면하였다 합니다. 그러자 군사들 중에 원소에게 투항하는 자들이 속출하여 공손찬의 형세가 심히 불리하게 된 줄로 아룁니다."

"그래서 어찌 되었나? 좀더 자세히 말해보게."

현덕이 다그친다.

"공손찬은 도움을 청하고자 허도로 사람을 보냈는데, 그가 그만 중도에서 원소의 군사에게 붙잡히고 말았답니다. 다시 '횃불을 들어 군호로 삼고 서로 합세하여 싸우자'는 내용의 서신을 장연(張燕)에게 보내려 했으나, 이 또한 서신을 전하러 가던 자가 원소의 군사에게 사로잡히는 바람에 실패로 돌아가고 말았지요. 원소는 그 서신을 역으로 이용하여 성밖에 불을 놓아 신호를 보냈는데, 공손찬은 원소의 계략인 것은 모르고 자신의 청에 따라 장연의 원병이 온 줄로 알아 몸소 군사를 거느리고 적진으로 뛰어들었습니다. 지키고 있던 원소의 복병들이 사방에서 들고일어나 공손찬은 군사를 태반이나 잃고 성안으로 피해 달아나더니, 그후로는 그저 성을 굳게 지킬 뿐 다시는 싸우려 하지 않았습니다. 그러나 생각지도 못하게 원소의 군사가 성 밑으로 땅을 파서 군사를 들여보내 도처에 불을 지르며 싸움을 걸어왔지요. 공손찬은 마침내 도저히 대적할 수 없다 여겼는지 처자를 먼저 죽인 뒤 자신도 목을 매어 자결했다 전해집니다. 살던 집까지 모두 불타버렸답니다."

조조가 묻는다.

"이제는 원소의 기세가 대단하겠구먼?"

"그러하옵니다. 원소는 공손찬의 군사를 모두 손에 넣어 그 형세가 대단합니다. 원소의 아우 원술은 회남에서 교만과 사치가 극심하고, 군사와 백성 들을 돌보지 않아 인심을 크게 잃었습니다. 그래서인지 원술은 황제의 명호(名號)를 차라리 원소에게 주겠다 하고, 원소는 원술에게 옥새를 달라 하여 원술이 직접 가지고 가겠다고 약조했다 합니다. 아마도 원술은 회남을 버리고 하북으로 갈 듯합니다. 만약 이 두 사람이 세를 합하면 수습하기 어려울 것이니, 승상께서는 속히 대책을 세우시옵소서."

조조가 고개를 끄덕인다. 유현덕은 공손찬이 죽었다는 소식을 듣고 비통했다. 공손찬은 지난날 처음으로 자신을 천거해준 인물이 아니던가. 더불어 이 난리통에 조자룡의 행방조차 알 길이 없으니 답답한 마음 달랠 길이 없었다. 한편 그는 생각했다.

'바로 이때가 조조에게서 벗어날 수 있는 절호의 기회다. 이 순간

을 놓치면 다시는 기회가 없을지 모른다.'

마음을 정하자 현덕은 곧 자리에서 일어나 조조에게 말한다.

"만약 원술이 원소에게 간다고 하면 반드시 서주를 지나야 할 것이오. 승상께서 제게 군사를 주신다면 중도에서 길을 끊고 공격하여 원술을 사로잡아 바치리다."

조조가 웃으며 쾌히 응낙한다.

"내일 황제께 아뢰고 즉시 떠나도록 하오."

이튿날 현덕은 황제를 뵙고 일을 설명한 뒤 자신의 뜻을 고하였다. 조조가 현덕에게 군사 5만을 주고, 수하의 장수 주령(朱靈)과 노소(路昭) 두 사람을 동행하게 했다. 현덕이 다시 궁으로 들어가 황제께 하직인사를 올렸다. 황제는 차마 붙잡지는 못하고 눈물만 흘렸다.

현덕은 자신의 공관으로 돌아와 밤새 병마를 수습한 다음 장군인(將軍印)을 차고 급히 길을 떠났다. 동승이 10리 밖에까지 따라나오며 현덕을 전송했다. 현덕이 말한다.

"동국구는 좀더 참고 계십시오. 제가 이번 길에 반드시 좋은 소식을 전하겠소이다."

동승이 말한다.

"공은 부디 지난번 맹약을 기억하고, 황제 폐하의 뜻을 저버리지 마시오."

현덕은 동승과 작별하고 군사를 재촉했다. 관운장이 말을 달리며 묻는다.

"형님께서는 이번 출정을 왜 이리 서두르시오?"

"여태까지 내 신세는 새장 속의 새요 그물에 걸린 물고기와도 같았다. 이 길이 바로 그물 안 물고기가 바다로 나아가는 길이며, 새장 속새가 하늘로 날아오르는 기회인데, 어찌 마음이 급하지 않겠느냐."

현덕은 관우와 장비, 주령과 노소를 재촉해 더욱 빠르게 행군했다.

이때 곽가와 정욱은 전량(錢糧)을 두루 살피고 허도로 돌아왔는데, 조조가 현덕에게 군사를 내주어 서주로 보냈다는 소식을 듣고 황급히 들어와 말한다.

"승상께서는 어찌하여 유비에게 군사를 내주셨습니까?"

조조가 아무렇지도 않게 대답한다.

"원술이 원소에게 가는 길을 막으려고 그랬다."

정욱이 말한다.

"지난날 승상께서 유현덕을 예주목으로 삼으실 때, 저희들이 그를 없애라 말씀드렸건만 듣지 않으셨습니다. 헌데 이번에는 군사까지 내주셨으니, 이는 곧 용을 놓아 바다에 들게 하고 범을 놓아 산으로 돌아가게 하는 것이라, 후일 무슨 수로 그를 다시 잡으시렵니까?"

곽가도 거든다.

"승상께서 유비를 없애지는 않더라도 잡아두셨어야 합니다. 옛사람이 말하기를 한번 적을 놓치면 끝없는 화근을 몰고 온다 했거늘, 승상께서는 깊이 살피소서."

조조는 두 사람의 말을 듣고서야 자신이 경솔했다는 생각이 들었다. 그는 곧 허저에게 정병 5백을 주어 급히 뒤쫓아가서 현덕을 불러오라 일렀다. 허저는 명령을 받고 서둘러 출발했다.

유현덕이 군사를 거느리고 바삐 가는데 갑자기 뒤쪽에서 먼지가 자욱이 일어나며 한떼의 군마가 질풍같이 달려온다. 현덕이 두 아우를 돌아보며 말한다.

"필시 조조의 군사가 뒤쫓아오는 게 분명하다……"

현덕은 즉시 영을 내려 영채를 세우고 관우와 장비를 시켜 병장기를 잡고 좌우에 시립하게 했다. 그때 숨가쁘게 달려 뒤쫓아온 허저가 말에서 내려 영채 안으로 들어선다. 현덕이 묻는다.

"공은 무슨 일로 오셨소?"

허저가 말한다.

"명을 받들고 오는 중이오. 승상께서 상의하실 일이 있다고 즉시 돌아오시랍니다."

현덕이 정색을 하고 단호히 말한다.

"본시 장수가 군무로 밖에 있으면 때에 따라서는 임금의 명도 받지 않을 수 있소. 내 친히 황제께 말씀을 올렸고, 또한 승상의 분부를 받고 떠나온 터인데 새삼 또 무슨 의논할 말이 있단 말이오? 공은 돌아가 승상께 그대로 전하시오."

현덕의 대답에 허저는 할말을 잃고 생각한다.

'현덕을 억지로 끌고 갈 수는 없다. 승상은 평소 현덕과 친한 사이가 아니었던가. 더구나 현덕을 데려오라 했을 뿐 듣지 않을 경우 죽이라든가 하는 다른 말도 없었다. 그대로 돌아가서 현덕의 말을 전하고 다음 분부를 기다리는 수밖에 없다.'

마침내 허저는 현덕에게 하직을 고하고 허도로 돌아갔다. 허저가 유비의 말을 전하자 조조는 한동안 결단을 내리지 못한다. 곽가가 말한다.

"유비가 돌아오려 하지 않는 걸 보면 가히 그의 속셈을 짐작할 만합니다."

정욱도 말한다.

"지금이라도 장수를 보내 뒤를 쫓게 하시지요."

조조가 말한다.

"주령과 노소 두 장수를 딸려보냈으니 그리 쉽게 변심할 순 없을 게야. 이미 보내놓고서 이제 와서 후회한들 무슨 소용이 있겠느냐?"

그러고는 더이상 현덕을 뒤쫓으려 하지 않았다.

후세 사람들이 시를 지어 현덕의 민첩한 행동을 칭송했다.

병마를 수습하여 총총히 떠나갔으나	束兵秣馬去匆匆
생각은 온통 의대 속의 황제 말씀뿐	心念天言衣帶中
흡사 쇠우리 벗어난 범처럼 내달으니	撞破鐵籠逃虎豹
쇠사슬 끊고 달아난 한 마리 용이로다	頓開金鎖走蛟龍

한편, 서량 태수 마등은 유현덕이 떠나는 것을 본데다 변방의 정세가 위급하다는 보고도 있고 해서 즉시 서량으로 돌아갔다. 유현덕이 군사를 거느리고 서주에 이르자, 조조의 영을 받아 서주를 지키고 있던 거기장군 차주가 나와서 영접한다. 환영잔치가 끝나고 현덕이 부중으로 들어가니 손건과 미축 모두가 와서 인사한다. 현덕은 집으로 가서 잠깐 가족들을 만난 뒤에 사람을 보내 원술의 소식을 알아오게 했다. 정탐꾼이 돌아와서 전한다.

"원술은 지나친 사치로 백성들의 원망을 크게 산데다 근래에는 수하장수 뇌박과 진란의 무리가 군사를 이끌고 숭산으로 달아나버려서 형세가 말이 아닙니다. 원술은 원소에게 글을 보내 황제의 명호를 물려줄 뜻을 비친 모양인데, 이를 원소가 받아들였다 합니다. 원술은 병마를 수습하고 황제만이 사용할 수 있는 물건들을 챙겨서 머지 않아 이곳 서주를 지나게 될 것입니다."

현덕은 관우·장비·주령·노소와 함께 군사 5만을 거느리고 곧장 성밖으로 나갔다. 마침내 원술의 선봉장 기령이 군사를 이끌고 왔다. 장비는 불문곡직하고 내달아 기령을 공격했다. 싸움을 시작한 지 10합이 채 못 되어 장비는 벽력 같은 고함을 내지르며 기령을 한 창에 말 아래로 거꾸러뜨린다. 이에 놀란 원술의 군사들은 사방으로 달아나버렸다.

원술이 급히 뒤따라와 싸움에 가세했다. 현덕은 즉시 군사를 셋으로 나누어 주령과 노소는 왼편에, 관우와 장비는 오른편에 두고, 한가운데는 현덕 자신이 맡아 대적할 태세를 갖추었다. 드디어 적병이 가까이 다다랐다. 유현덕은 문기(門旗) 아래 나서서 원술을 향해 크게 꾸짖는다.

"이 대역무도한 역적놈아! 내 황제의 명을 받들고 너를 치러 온 터이니, 당장 두 손을 묶고 항복하여 죄를 면하라!"

"자리나 짜고 짚신이나 삼던 천한 놈이 그 무슨 망발이냐? 네깐놈이 감히 나를 업신여기다니, 도저히 참을 수가 없구나!"

원술이 크게 노하여 현덕을 꾸짖으며 급히 군사를 휘몰아 쳐들어온다. 유현덕이 군사를 슬쩍 뒤로 물리는 순간 좌우에 있던 주령·노소·관우·장비가 군사를 휘몰아 일시에 덮쳐들었다. 이때를 기다려 현덕도 다시 군사를 돌려 공격했다. 원술의 군사들이 흘린 피가 내를 이루고 쓰러진 시체가 들판을 뒤덮었으며, 가까스로 살아남은 군사들은 사방으로 뿔뿔이 흩어졌다.

원술이 구사일생으로 겨우 군사를 수습하여 달아나는데 산모퉁이에서 또다시 함성이 일더니 한떼의 군마가 내닫는다. 지난날 원술의 수하장수로서 지금은 숭산에 산채를 세운 뇌박과 진란의 무리였다. 원술은 또다시 무수한 돈과 양식을 빼앗기고 남은 군사의 태반을 잃었다. 급히 수춘으로 돌아가려던 원술은 도적떼의 습격으로 더 나아가지 못하고 강정(江亭)에 머물렀다.

남은 무리를 수습해보니, 1천여명 남짓의 노약자들뿐이다. 게다가 한창 더운 여름에 양식이 다 떨어져 남은 것이라고는 보리 30섬에 불과한데, 그나마도 군사들에게 나누어주고 보니 그 식구들은 먹을 양식이 없어 굶어죽는 사람이 많았다.

원술은 거친 밥이 목에 걸려 넘어가지 않자 한숨을 내쉬며 말했다.

"여봐라, 목이 마르니 꿀물이나 한 그릇 내오너라."

음식 시중을 들던 하인이 대답했다.

"꿀물이라니, 꿀물이 어디 있사옵니까? 있는 거라곤 오직 핏물뿐이외다."

울화가 치민 원술은 버럭 소리를 지르다가 침상 아래로 푹 거꾸러지더니 한말 가웃이나 되는 피를 토하고 그대로 죽어버렸다. 때는 건안 4년(199) 6월의 일이다.

후세 사람이 시를 지어 원술을 나무랐다.

한나라 말년 사방에서 영웅이 일어날 때	漢末刀兵起四方
분수 모르는 원술이 미친 듯 날뛰었구나	無端袁術太猖狂
대대로 높은 벼슬, 나라 은덕 생각 않고	不思累世爲公相
외람되이 스스로 제왕이라 일컫다니	便欲孤身作帝王
강포하다 외람스레 전국옥새 과시하며	强暴枉夸傳國璽
교만방자하여 천운을 받았다 떠들더니	驕奢妄說應天祥

| 갈증에 꿀물 한 그릇 얻을 길 없이 | 渴思蜜水無由得 |
| 홀로 침상에 누웠다가 피 쏟고 죽어갔네 | 獨臥空牀嘔血亡 |

원술이 죽은 뒤, 조카 원윤(袁胤)은 숙부의 영구와 가족을 거느리고 여강(廬江)으로 달아났으나 도중에 서구(徐璆)를 만나 온 가족이 몰살당하고 말았다. 행장을 뒤져 옥새를 찾아낸 서구는 그 길로 허도로 가서 조조에게 바쳤다. 은근히 탐내던 보배를 손에 넣게 된 조조는 기쁨을 감추지 못하고 즉시 서구를 고릉(高陵) 태수로 봉하였다. 이렇게 옥새는 조조의 손에 들어가게 되었다.

한편 원술이 죽었다는 사실을 알게 된 현덕은 곧 표문을 써서 헌제께 올리고, 조조에게도 편지를 써서 주령과 노소에게 주어 허도로 돌려보냈다. 그런 다음 조조가 준 5만 군사를 거느리고 서주를 지키는 한편, 몸소 성밖으로 나가 흩어진 백성들을 불러모으고 다시 가업에 종사하도록 독려했다.

주령과 노소 두 장수는 허도로 돌아가 조조에게 보고한다.

"유현덕이 군마를 거느리고 그대로 서주에 머무르며 우리에게 돌아가라 하여 저희 두 사람만 왔습니다."

조조는 진노했다. 당장 두 장수의 목을 베려 하는데, 곁에 있던 순욱이 간한다.

"유비에게 군권을 맡기셨으니 저 두 사람인들 별 도리가 없었을 것입니다."

그 말에 조조는 두 사람을 용서하고, 순욱이 다시 입을 연다.

"일이 이렇게 된 이상 어쩌겠습니까? 거기장군 차주에게 은밀히 서신을 보내어 유비를 도모하도록 하소서."

조조는 즉시 서주로 사람을 보내 차주에게 자신의 뜻을 전했다. 조조의 밀명을 받은 차주는 진등을 청하여 계교를 묻는다. 진등이 말한다.

"그야 어렵지 않은 일이외다. 지금 유비는 관우·장비와 더불어 흩어진 백성들을 안돈하느라 성밖에 나가 있지 않소이까. 며칠 있으면 돌아올 터이니 장군께서는 군사를 옹성 근처에 매복해두고 기다리다가, 유비가 돌아올 때 영접하는 체하며 가까이 다가가 한칼에 베시오. 이몸은 성 위에서 기다리고 있다가 활을 쏘아 후군을 막으면 만사가 깨끗이 해결될 게요."

차주는 진등의 계략에 따르기로 했다. 진등은 집으로 돌아가 아버지 진규에게 이 사실을 전했다. 진규는 진등의 말에 잠시 생각하는 얼굴이더니 이내 입을 연다.

"너는 즉시 이 일을 현덕에게 알려야 한다."

진등은 급히 말을 달려 현덕을 찾아가다가 때마침 성으로 돌아오던 관우와 장비를 만나 이 일에 관해 자세히 알려주었다. 원래 관우와 장비는 먼저 돌아오고 현덕은 뒤처져 오던 중이었다. 차주가 조조의 밀령을 받고 형님을 해치려 한다는 말을 듣고 장비는 불같이 화를 내며 곧장 달려가 차주를 없애려 했다. 관운장이 말린다.

"차주가 이미 옹성 부근에 군사를 매복시켜놓고 기다린다 하니 섣불리 성안에 들어갔다가는 낭패를 보겠다. 내게 계획이 있으니, 오늘밤 우리가 조조의 군사처럼 위장하여 서주로 가서 차주를 밖으로 끌어낸 다음 불시에 급습하여 없애면 되느니라."

장비는 관운장의 계책을 따르기로 했다. 다행히도 그들 휘하에는 남아 있는 조조의 군사들이 있어 깃발과 복색이 완벽하게 갖춰진 터였다.

그날밤 3경 무렵, 그들은 성밑에 이르러 성문을 열라고 외쳤다. 성위에서 묻는다.

"누군지 밝혀라!"

관운장이 수하군사를 시켜 대답하게 한다.

"조승상의 분부를 받고 온 장문원(張文遠, 장요) 휘하의 군사요. 어서 차장군께 고하시오!"

차주가 이 소식을 전해듣고 급히 진등을 불러 의논한다.

"나가서 영접하지 않으면 상대의 의심을 살 게 분명하고, 영접하자니 만에 하나 속임수가 있을까 두렵구려."

마음이 꺼림칙해진 차주는 몸소 성루 위로 올라가 밖을 향해 소리친다.

"어두운 밤에 분간하기 어려우니, 내일 밝은 뒤에 보기로 하세!"

성밑에서 군사들이 대답한다.

"유비가 알았다가는 큰일이니 어서 문을 열어주시오!"

차주가 마음을 정하지 못하고 머뭇거리는데, 성밑에서는 어서 문을 열라고 아우성이다. 차주는 마침내 갑옷과 투구를 갖추고 1천 군사를 거느리고 성문을 열고 나갔다. 차주가 말을 달려 조교를 건너며 큰소리로 묻는다.

"장문원은 어디 있는고?"

그때 불빛을 받으며 관운장이 청룡도를 손에 들고 달려들며 큰소리로 꾸짖는다.

"네 이놈, 어찌 감히 속임수를 써서 우리 형님을 해치려 하느냐!"

차주가 깜짝 놀라 맞서싸운 지 몇합. 도무지 관운장을 당해낼 수 없자 말머리를 돌려 달아나려 했다. 성위에서 이를 지켜보던 진등이 군사를 지휘하여 화살을 마구 쏘아댔다. 차주는 감히 성안에 들어갈 생각도 못하고 그대로 성을 끼고 달아났다. 관운장이 급히 뒤쫓아 마침내 단칼에 차주의 목을 베어들고 돌아와 성위를 향해 외쳤다.

"역적 차주를 죽였으니 남은 자들은 모두 항복하라. 그리하면 죽이지 않겠다!"

그 말에 차주의 부하들이 창을 거꾸로 잡고 앞다투어 투항했다. 관운장은 즉시 차주의 머리를 들고 현덕에게로 가서 전후 사정을 자세히 고하였다.

유현덕이 깜짝 놀라 소리친다.

"만약 조조가 대군을 거느리고 쳐들어오면 어쩌려고 그런 짓을 하였느냐?"

관운장이 대답한다

"제가 장비와 함께 나아가 맞서싸우겠습니다."

현덕은 마음이 놓이지 않았다. 현덕이 관우와 함께 서주성으로 들어가니 백성들이 나와 엎드리며 반갑게 맞이했다. 관부에 도착한 현덕은 우선 장비부터 찾았다. 어디로 갔는지 보이질 않더니, 얼마 후 장비는 차주의 가족을 남김없이 죽이고는 의기양양하여 돌아왔다. 현덕의 근심은 더더욱 커졌다.

"조조의 심복인 차주를 죽였으니 뒷일을 어찌 감당할꼬……"

곁에 있던 진등이 나서며 말한다.

"제게 조조를 물리칠 한 가지 묘책이 있소이다."

고단한 신세로 범의 굴 벗어났거니와
무슨 묘계를 써 위기를 모면하랴

진등의 계책이란 과연 무엇일까?

既把孤身離虎穴
還將妙計息狼煙

군사를 일으키는 원소

원소와 조조는 각기 군사를 일으키고
관우와 장비는 왕충과 유대 두 장수를 사로잡다

진등이 현덕에게 계책을 말한다.

"조조가 두려워하는 자는 바로 원소올시다. 원소는 지금 기주·청주·유주·병주 등지에 범처럼 웅거하고 있으며 무려 1백만에 이르는 군사와 문관·무장이 헤아릴 수 없이 많소이다. 어찌 원소에게 서신을 보내 구원을 청하지 않으십니까?"

"내 본래 원소와는 서로 왕래가 없던 터에 이번에 그의 아우 원술까지 죽게 했거늘, 원소가 행여 나를 도울 리가 있겠소?"

현덕의 대답에 진등이 다시 말한다.

"이곳 서주에 3대째 원소의 집안과 친분이 두터운 사람이 있습니다. 그분에게 도움을 청하여 서신 한통만 띄우면 원소는 반드시 우리를 도우러 올 것입니다."

"그 사람이 대체 누구요?"

"주공께서도 평소에 극진한 예로써 공경하던 어른이신데 어찌 잊으셨습니까?"

그제야 유현덕은 문득 깨닫는다.

"정강성(鄭康成) 선생 말씀이오?"

진등이 웃으며 대답한다.

"그렇습니다."

원래 정강성의 이름은 현(玄)으로, 학문을 좋아하고 재주가 많아 일찍이 마융(馬融)의 문하에서 학문을 배웠다. 마융이란 인물은 어지간한 괴짜로, 강의할 때면 으레 방 한가운데에 붉은 휘장을 드리우고 앞에 생도들을 앉힌 다음, 뒤에는 소리 잘하는 기생들을 불러앉히고 양옆에는 시녀들을 둘러앉히는 기이한 버릇이 있었다. 그럼에도 불구하고 정현은 마융에게서 글을 배우는 3년 동안 단 한번도 곁눈질을 한 적이 없어, 많은 제자들 가운데서 유독 마융의 마음을 사로잡았다. 시간이 흘러 정현이 학업을 마치고 돌아갈 때가 되자 마융은 길게 탄식하며 말했다.

"내 학문의 깊은 이치를 깨우친 자는 오직 정현뿐이로다."

주인이 그러하다 보니 정현의 집안 하녀들까지도 모두 『모시(毛詩, 『시경』의 주해서)』를 외울 줄 알았는데, 그에 얽힌 재미있는 일화가 있다. 하루는 한 하녀가 정현의 뜻을 거스른 일이 있어 섬돌 아래에 무릎을 꿇고 앉아 있게 했다. 다른 하녀가 이 꼴을 보고 "어쩌다 진흙

속에 빠졌는고[胡爲乎泥中]?" 하고 놀리니, 벌을 받던 하녀 또한 지지
않고 "하소연하러 갔다가 괜한 노여움 샀다네[薄言往愬 逢彼之怒]" 하
고 응수했다. 그 집안의 풍아(風雅)함이 이러하였다.

정현은 환제(桓帝) 때에 그 벼슬이 상서(尙書)에까지 이르렀다. 그
러나 훗날 십상시의 난을 만나 벼슬을 버리고 서주로 내려와 살고 있
었다. 유현덕은 일찍이 탁군에 있을 때 정현을 스승으로 섬겼거니와,
서주목이 된 후에도 자주 찾아가 그에게 가르침을 청하며 극진히 공
경해오던 터였다.

진등의 말에 비로소 정현을 떠올린 현덕은 몹시 기뻐하며 진등과
함께 그를 찾아갔다. 현덕이 찾아온 뜻을 밝히고 서신을 부탁하자 정
현은 쾌히 응낙하고 붓을 잡아 서신 한통을 써주었다. 유현덕은 그 서
신을 즉시 손건에게 주어 밤을 새워 달려가 원소에게 전할 것을 명했
다.

정현으로부터 뜻밖의 편지를 받은 원소는 심사가 복잡했다.

'현덕이 내 아우를 쳐서 죽였으니 군사를 일으켜 돕는다는 것은 당
치도 않은 일이다. 하지만 이렇게 정상서(鄭尙書)가 부탁을 해왔으니
그 뜻을 거절할 수도 없고, 가서 돕기는 해야겠는데……'

마침내 원소는 문관과 무관 들을 불러모아놓고 군사를 일으켜 조조
를 공격할 일을 의논했다. 먼저 모사 전풍(田豊)이 말한다.

"해마다 군사를 일으켜 백성들의 살림은 극도로 피폐하고 창고는
텅 비어 있는데 또다시 대군을 일으키는 것은 옳지 않은 일입니다. 먼
저 사람을 허도로 보내 우리가 공손찬을 꺾었다고 황제께 첩보를 올
리십시오. 만약 첩보가 제대로 올려지지 않거든, 조조가 임금과 신하
사이를 가로막는다고 상소하십시오. 그리고 급히 군사를 여양(黎陽)

에 주둔시키고, 다시 하내(河內)에 군선들을 결집하고 병기를 손질한 뒤 정병으로 하여금 변방을 지키게 한다면, 3년 안에 천하대세를 정할 수 있을 것입니다."

모사 심배(審配)의 견해는 달랐다.

"가당치 않은 말씀이오. 명공의 신무(神武)로 하북의 강성한 공손찬을 쳐부쉈으니, 이제 군사를 일으켜 도적 조조를 치기란 손바닥을 뒤집는 것보다 쉬운 일입니다. 부질없이 세월을 보낼 까닭이 어디 있사오리까."

이번에는 모사 저수(沮授)가 나선다.

"승리를 거두는 계책은 반드시 힘이 강성하다 해서 되는 게 아니와다. 조조는 이미 법령을 펴고 있으며, 잘 훈련된 군사들을 거느리고 있으니, 앉아서 꼼짝하지 못하고 당한 공손찬 무리와 비할 바가 아니오. 이제 첩보를 올리는 좋은 계책이 있는데 명분 없이 군사를 일으키는 것은 명공께서 취할 바가 아닙니다."

그러나 모사 곽도(郭圖)는 심배의 견해와 같았다.

"그건 옳지 않소이다. 조조를 치기 위해 군사를 일으키는 것이 어찌 명분 없는 일이겠소이까. 명공께서는 대업을 정하시되 정상서의 말씀대로 유비와 함께 대의를 세워 조조를 토벌해야 합니다. 그리 하는 것이 위로는 하늘의 뜻에 부응하고, 아래로는 백성의 뜻에 따르는 길이옵니다."

네 사람의 모사가 서로 뜻이 달라 쉽게 결론을 내리지 못하고 있었다. 그때 마침 허유(許攸)와 순심(荀諶)이 들어온다. 원소가 두 사람을 반가이 맞이하며 좌중을 향해 말한다.

"두 사람의 식견이 대단하니 한번 들어봅시다."

두 사람이 인사를 올리고 자리에 앉기를 기다려 묻는다.

"정상서께서 서신을 보내왔는데 우리더러 군사를 일으켜 유비를 도와 조조를 치라 했소. 군사를 일으키는 게 옳소, 일으키지 않는 게 옳소?"

두 사람이 일제히 답한다.

"명공께서 많은 무리로 적은 무리를 무찌르고, 강한 형세로 약한 형세를 치며, 역적을 멸하여 한나라 황실을 바로잡는 일이니, 군사를 일으키시는 게 옳소이다."

원소가 고개를 끄덕인다.

"두 사람의 소견이 내 마음과 같소."

마침내 군사를 일으키기로 결정한 원소는 먼저 손건에게 이 사실을 정현에게 알리고, 현덕과 약속하여 함께 싸울 준비를 하도록 일렀다. 그리고 한편으로는 심배와 봉기(逢紀)로 하여금 군사를 통솔케 하고, 전풍·순심·허유를 모사로 삼은 뒤 안량과 문추를 장군으로 하여 기병 15만명과 보병 15만명, 도합 30만군을 일으켜 여양을 향해 진군하기로 했다. 출발 직전에 곽도가 나서서 말한다.

"명공께서 크게 군사를 일으켜 조조를 치시려면 먼저 조조의 악덕을 낱낱이 적어 각 군에 격문을 띄워 성토하십시오. 그래야만 명분이 확실해집니다."

원소는 그 말대로 서기 진림(陳琳)에게 격문을 쓰게 했다. 진림의 자는 공장(孔璋)으로, 일찍부터 재주가 남달랐다. 영제 때 주부(主簿)에 오른 진림은 대장군 하진(何進)에게 간했지만 받아들여지지 않고, 다시 동탁의 난을 만나 기주로 피해 내려와 있는 것을 원소가 불러들여 서기로 삼았다. 원소의 명을 받은 진림이 붓을 들어 그 자리에서 격문을 지으니 그 내용은 다음과 같다.

　모름지기 현명한 임금은 위기를 헤아려 변란을 다스리고, 충신은
어려운 때를 근심하여 나라의 기강을 세운다 하였다. 따라서 비상
한 사람이 있어야 비상한 일이 있고, 비상한 일이 있어야 비상한 공
을 세울 수 있으니, 무릇 비상한 일은 진실로 비상한 사람에 의해서
비롯되는 것이리라.

　지난날 진(秦)나라는 강했으나 임금이 나약하여 간신 조고(趙高)
가 권력을 쥐고 제 마음대로 정사를 휘두르니, 사람들은 두려워 누
구 하나 감히 바른 말을 올리지 못하던 터에, 마침내 임금이 망이궁
(望夷宮)에서 조고의 손에 죽었다. 이에 진나라 조종(祖宗)이 이룩
한 업적은 물거품이 되고 궁궐은 불타 그 치욕스런 이름이 천추에
남아 세상의 교훈이 되고 있다.

　그후 여후(呂后, 한고조의 처) 말년에 여산(呂産)과 여록(呂祿)이 권
력을 잡아 안으로는 남북 이군(二軍)을 통솔하고 밖으로는 양나라
와 조나라를 다스렸다. 이는 황제의 궁중에서 제마음대로 일을 처리
하며 황실을 능멸한 것이라, 세상사람들이 모두 한심스럽게 여겼
다. 이때 비분강개한 강후(絳侯) 주발(周勃)과 주허후(朱虛侯) 유장
(劉璋)이 군사를 일으켜 역적의 무리를 주멸하고 태종(太宗, 한의 효
문제)을 높이 받들자, 왕도(王道)가 융성하고 세상이 광명을 되찾았
다. 이것은 곧 충신이 나라의 기강을 세운 본보기이다.

　사공(司空) 조조의 할아비 중상시(中常侍) 조등(曹騰)은 좌관(左
悺) 서황(徐璜)과 함께 사도(邪道)로 흘러서 온갖 요사한 짓을 다하
고 탐욕과 횡포를 일삼아 교화를 해치고 백성을 괴롭혔다. 그의 아

비 조숭(曹嵩)으로 말하자면, 본래 조등의 양자로 들어가 성장했으며 뇌물을 써서 벼슬길에 올랐다. 그는 황제께 아첨하고 황금과 벽옥을 수레로 권문에 바쳐 재상의 지위에 오른 뒤 나라의 법도를 어지럽힌 자였다. 조조는 더러운 환관의 후예로, 인덕이 없고 교활하며, 표독하고 난을 일으키길 좋아하니, 세상의 재앙을 즐기는 자이다.

내가 군무를 도맡아 황건적을 소탕하고 나니 동탁이 뒤를 이어 국법을 어기고 난을 일으켰다. 그리하여 나는 장수의 몸으로 병장기를 들고 북을 울려 동하(東夏, 발해)로 진군하여 천하의 영웅들을 등용하고 허물있는 자를 버렸다. 이 와중에 조조와 함께 일을 도모하고 군사를 내준 것은 그 응견지재(鷹犬之才)가 발톱과 이빨로 삼을 만하다고 여겼기 때문이다. 그러나 그는 경망되고 지모가 없는 위인인지라 경솔하게 진격하고 쉽게 후퇴하여 수많은 병마를 잃고 여러번 싸움에서 패하였다. 그럼에도 불구하고 나는 다시 조조에게 병마를 내주어 손실을 보충하게 하는 한편, 황제께 표문을 올려 동군 태수, 연주 자사에 임명하여 위세를 높여주고 권력을 세워주며 승전보가 울리기만을 기다렸다. 그런데 뜻밖에도 조조는 이를 기화로 발호(跋扈)하여 백성을 수탈하고 어진 사람들을 해쳤다.

구강(九江) 태수 변양(邊讓)은 인물이 준수하고 재주가 남달라 널리 이름이 알려진 사람으로, 바른 말을 잘하고 결코 남에게 아첨하는 법이 없었다. 결국 조조의 눈밖에 나서 머리가 잘리는 등 처참히 주륙당하고 처자까지도 몰살을 당하였다. 이때부터 선비들이 통분하고 백성들이 원망하는 소리가 드높아 필부 한 사람이 떨쳐일어서도 온 천하가 호응하기에 이르렀다. 결국 조조는 서주에서 도겸과 싸워 패하고 여포에게까지 패하여 기반을 잃고 동쪽 변방을 전전하게 되었다.

이때 나는 줄기를 강하게 하려면 가지를 쳐서 약하게 해야 한다고 여겨, 반역자 여포의 편을 들지 않고 다시 갑옷을 입고 깃발을 세워 떨쳐일어나니, 징과 북이 울리는 곳마다 여포의 무리는 흩어져 달아나고 말았다. 그리하여 조조는 몰락의 비운을 면하고 방백의 지위를 회복하게 되었으니, 이는 실로 연주의 백성들에게는 은덕을 베풀지 못한 채 조조에게만 큰 은혜를 베푼 꼴이 되고 말았다.

황제께서 환도하신 후, 동탁을 비롯한 도적들이 사방에서 들끓던 무렵 나는 공손찬의 공격을 막아내느라 기주 북쪽 변경을 떠날 겨를이 없었다. 그리하여 대신 종사중랑(從事中郞) 서훈(徐勛)으로 하여금 조조를 경사로 보내 종묘사직을 중수하고 어린 황제를 보좌할 것을 지시하였다.

그러나 방약무도한 조조는 황제를 협박하여 도읍을 옮긴 후 스스로 승상이 되었을 뿐만 아니라, 삼대(三臺)를 장악해 정사를 쥐고 흔들며 나라의 기강을 어지럽혔다. 이렇듯 왕실을 업신여긴 조조는 상벌도 제 마음대로 내렸으니, 마음에 드는 자는 오종(五宗)에 이르기까지 부귀영화를 누리게 하고 제 눈밖에 난 자는 삼족을 멸하였다. 뿐만 아니라 무리지어 담론하는 이는 드러내놓고 처형하며, 비밀리에 모여서 말하는 무리는 쥐도 새도 모르게 죽여버리니, 벼슬아치들은 모두 입을 다물고 길을 오가는 자들은 눈짓만으로 뜻을 전할 뿐 하나같이 말을 경계한다. 조정의 대신들 역시 모양 좋게 자리만 채우고 있을 뿐 허수아비나 다름없다.

태위 양표도 일찍이 이사(二司, 사공과 사도)의 높은 지위에 있었건만 하찮은 일로 조조의 미움을 사서 죄도 없이 억울하게 화를 입었다. 조조는 이처럼 한결같이 사사로움에 따라 움직일 뿐 국법 따위는 전혀 염두에 두지 아니했다. 또한 의랑(議郞) 조언(趙彦)은 언제나 직언하는 자로서, 황제께서도 얼굴빛을 고치고 그의 말에 귀를 기울이며 존중하여 높은 벼슬까지 내리셨건만, 조조는 언로(言路)를 막아 자신의 지위를 지키기 위해 황제께 아뢰지도 않고 그의 직책을 빼앗은 다음 사형에 처하였다.

양(梁) 효왕(孝王)은 선제(先帝, 경제)의 모후(母后)에게서 태어난 형제간이라, 그 능묘와 주위의 나무들마저도 마땅히 귀히 여겨야 하건만, 조조가 군사를 거느리고 가서 무덤을 파헤치고 관을 쪼개 시체를 드러낸 뒤 그 속에 들어 있는 보물을 약탈했으니 황제께서도 눈물을 흘리시고 모든 백성들이 슬퍼하였다. 또한 조조는 발구중랑장(發丘中郞將)이네 모금교위(摸金校尉)네 하는 따위들을 두었는데, 이들이 지나는 곳마다 무덤이 파헤쳐져 백골이 드러나지 않는 법이 없었다. 조조가 이제 몸은 삼공의 지위에 있으나 하는 짓은 도적과 다름이 없어 나라의 체통을 손상시키고 백성을 괴롭히며 그 해독이 귀신에게까지 이를 지경이 되었다. 정치는 혹독하고 법이 까다로워서 조금만 움직여도 누구나 법망에 걸리고 함정에 걸려들게 마련인지라, 연주와 예주에는 가난하여 의지할 곳 없는 백성이 생기고, 도읍에는 한숨과 원망의 소리가 드높았다. 고금의 역사서에 무도한 신하가 무수히 나와 있지만, 그 잔인하고 참혹하기가 조조보다 심한 자는 없었으리라.

나는 외부의 간적을 치느라 정리하거나 교훈할 겨를이 없었던 탓에, 제 스스로 은인자중하여 뉘우치기를 기대했건만, 조조는 승냥이와 이리 같은 야심을 키워 역적질할 음모만 꾸미고 충성되고 의로운 신하들을 제거하여 한실을 약화시키고 있었다. 지난해 내가 북을 울려 공손찬을 치려 했을 때 적은 포위당하고서도 1년 동안이나 항거하였다. 조조는 몰래 공손찬에게 서신을 보내어 내통하고, 겉으로는 나를 돕는 체하면서 실제로는 공손찬을 도와 나를 공격하려 했으나, 사자가 잡히는 바람에 이 사실이 드러났고 공손찬도 죽어 조조는 도모하던 바를 이루지 못하였다.

조조가 지금 오창에 군사를 주둔시켜 강건너를 지키고 있으니 이는 사마귀가 앞발을 들어 수레바퀴를 막으려 하는 것과 같도다. 이제 나는 한나라의 위령(威靈)을 받들어 천하의 대적 조조를 응징하려 하노라. 장창이 1백만이요, 뛰어난 장수가 1천을 넘고, 중황(中黃)·하육(夏育)·오획(烏獲)과 같은 용사가 굳센 활과 강한 쇠뇌로 무장했으며, 병주(幷州, 고간)는 태항산(太行山)을 넘고 청주(靑州, 원담)는 제수(濟水)와 탑하(潔河)를 건너며, 대군은 황하에 배를 띄워 앞서 나가고, 형주(荊州, 유표)는 완(宛)과 섭(葉) 고을의 배후를 쳐서 번개와 범처럼 적을 무찌르면, 타오르는 불로 쑥을 사르고 푸른 바다로 숯불을 끄는 듯하리니 그 누군들 멸하지 않겠는가.

조조의 장병 중에 싸울 만한 자는 모두 유주와 기주 출신이며, 그들은 조조를 원망하며 눈물을 흘려 북쪽 하늘을 바라보면서 고향을 그리워하고 있다. 그 나머지 연주·예주의 백성과 여포·장양의 옛 부하들도 싸움에 진 후 조조의 협박을 받아서 비록 한때 복종하고 있지만, 마음속에 상처가 깊어서 언제고 보복할 기회를 노리고 있다. 이제 나의 군대가 높은 언덕에 올라 북을 치고 나팔불며 흰기를 들어 항복할 길을 열어놓으면 칼에 피가 묻기를 기다릴 것도 없이 저절로 무너지고 말리라.

이제 한나라 황실은 쇠약하고 기강이 흐려졌다. 조정에 비록 충신이 있다 하여도 포악한 자의 위협 때문에 그 뜻을 펼치기 어렵도다. 도성 안의 충성스런 신하들도 모진 신하에게 눌려 있으니 어찌 그 절개를 펼 수 있으랴. 조조는 정예군사 7백을 두어 궁궐을 지키나니 이는 경호를 빙자하여 황제를 감금하는 것이라. 어느때 변고가 일어날지 예측할 수 없다. 반역의 싹이 여기로부터 비롯되었다. 지금은 바야흐로 충신들이 나랏일에 목숨을 바치고, 열사들이 모여 공을 세울 때이니 어느 누가 힘쓰지 않을 수 있으랴.

조조가 또한 황제의 명을 사칭하여 사자를 각지에 보내어 병력을 모을 것이니, 먼 변방에서 속임수에 넘어가 군사를 내주고 세상을 거역하여 모역에 가담할까 두려워하노라. 이름을 더럽히고 천하의 웃음거리가 되는 일은 밝은 선비의 취할 바 아니리라. 오늘로 유주·병주·청주·기주의 4주(四州) 군사가 함께 진격하리니, 이 글이 형주에 이르거든 군사를 일으켜 건충장군(建忠將軍) 장수(張繡)와 힘을 합쳐 성세를 드날리며, 주(州)와 군(郡)은 의병을 일으켜 경계로 진격해 위세를 높이리라. 아울러 종묘사직을 바로잡으면 비상한 공적이 드러나게 되리로다. 조조의 수급을 가져오는 자에게는 5천호후(五千戶侯)를 봉하고, 5천만금을 내릴 것이며, 조조의 사병·편장·비장·장교 및 아전들 중 항복하는 자에 대하여는 그 죄를 묻지 않을 것이다.

이렇듯 은혜와 신의를 베풀고 규정에 따라 시상함을 천하에 포고하나니, 황제께서 간적 조조에게 핍박당하고 있는 사실을 널리 알려 일제히 떨쳐일어나 시행토록 할지어다.

원소는 격문을 읽더니 기쁨을 감추지 못했다. 즉시 격문을 각 고을에 돌리고, 관문이나 나루터 등 사람들이 오가는 곳마다 붙이도록 명했다.

격문이 허도에 이르자, 두통 때문에 자리에 누워 있던 조조에게 부하들이 격문을 구해다가 바쳤다. 격문을 본 조조는 모골이 송연해지며 온몸에 식은땀이 줄줄 흘렀다. 갑자기 두통이 가시는 듯 자리를 박차고 일어나 곁에 있던 조홍에게 다그쳐 묻는다.

"이 격문은 누가 지었다더냐?"

"진림의 글이라 합니다."

그 말에 조조는 픽 웃더니 대수롭지 않다는 듯이 말한다.

"본디 글이란 반드시 무략(武略)이 따라야 효과를 거둘 수 있는 법, 진림의 문체가 제아무리 유려한들 원소의 무략이 부족한 것을 어찌하겠느냐."

조조는 모사들을 불러모아 앞으로의 일을 의논했다. 공융이 이 소식을 듣고 조조에게 와서 말한다.

"원소의 세력이 매우 크니, 싸우지 말고 화친하는 게 옳습니다."

순욱이 웃으며 한마디 한다.

"원소는 쓸모없는 인물인데 화친할 필요가 있겠습니까?"

공융이 다시 말한다.

"원소는 땅이 넓고 백성들도 요지부동이오. 게다가 수하에 있는 허유·곽도·심배·봉기 등은 모두 지략이 있는 인물이며, 전풍·저수 같은 인물은 충신이고, 안량과 문추는 용맹함이 삼군에서 으뜸이며, 그밖에 고람(高覽)·장합(張郃)·순우경(淳于瓊) 모두 천하의 명장이거

두통에 시달리던 조조가 진림의 격문을 읽다

늘, 어찌 원소를 쓸모없는 인물이라 하시오?"

순욱이 웃으며 대답한다.

"원소는 비록 군사가 많다 하나 질서가 없고, 전풍은 억세어서 윗사람에게 반항하며, 허유는 탐심이 많아 약지 못하고, 심배는 고집만 대단할 뿐 생각이 적고, 봉기는 과감하나 무능하오. 이 무리들이 서로 용납하지 못하는 판국이라 반드시 안에서 변고가 생길 것이오. 안량과 문추는 그저 필부의 용맹이니 한번만 싸워도 사로잡을 수 있을 것이고, 그밖의 녹록한 무리들이야 설사 1백만명이 있다 한들 입에 올릴 거리나 되오리까?"

공융이 대꾸를 하지 못하자 조조가 크게 웃으며 말한다.

"순욱의 예측에서 벗어날 수 있는 것은 없지."

조조는 즉시 전군(前軍)의 유대(劉岱), 후군(後軍)의 왕충(王忠)을 불러 군사 5만명에 승상의 기를 앞세우고 서주로 가서 유비를 치도록 명했다. 원래 유대는 연주 자사로서 조조가 연주를 취하자 항복하여 조조 수하의 편장이 된 사람이어서 왕충과 함께 군사를 거느리도록 한 것이다. 그리고 조조 자신은 몸소 대군 20만명을 영솔하고 여양으로 진군하기로 했다. 정욱이 말한다.

"유대와 왕충이 맡은바 임무를 다할 수 있을지 걱정입니다."

조조가 끄덕이며 말한다.

"나도 그 사람들이 유비의 적수가 아닌 줄은 알고 있네. 그저 허장성세를 써보는 게야. 그래서 두 사람에게는 함부로 공격하지 말고, 내가 원소를 치고 나서 유비를 치러 올 때까지 기다리라고 했소."

유대와 왕충은 군사를 이끌고 서주를 향해 떠났다. 조조 자신도 군사를 이끌고 여양으로 향했다. 그후 원소와 조조 양 진영은 여양에서 서로 80리 거리를 두고 영채를 세운 채, 각각 보루를 높이 쌓고 참호를 깊이 팠다. 그러고는 8월부터 10월에 이르기까지 단 한차례도 싸우지 않았다.

한편 원소의 수하장수 허유는 심배가 군사를 지휘하는 것에 불만이었으며, 저수 또한 원소가 자신의 계략을 채택해주지 않아 불평이 이만저만 아니었다. 이렇듯이 수하장수들은 서로 화합하지 못하여 나가 싸우려 하지 않았고, 원소는 이럴까 저럴까 의혹이 많아 주저하느라 쉽사리 공격에 나서지 못하고 있었다.

조조는 원소가 감히 싸움에 나서지 않자, 여포 수하에 있다가 항복해온 장수 장패를 불러 청주와 서주를 지키게 하고, 우금과 이전으로 하여금 하상(河上)에 주둔하게 했다. 또한 조인(曹仁)으로 하여금 대군을 총지휘하여 관도(官渡)에 주둔하도록 한 뒤, 자신은 나머지 군사를 거느리고 허도로 돌아가버렸다.

이무렵 유대와 왕충은 5만의 군사를 이끌고 서주성에서 1백여리 떨어진 곳에 영채를 세운 다음, 중군에 승상의 깃발을 세워놓고 기세만 올렸다. 경솔하게 움직이지 말라던 조조의 지시대로 감히 공격에 나서지 않고 오로지 하북의 소식만을 기다리고 있었다.

한편, 유현덕도 조조의 계략을 정확히 알 길이 없어 함부로 움직이지 않고 역시 사람을 하북으로 보내 적정을 탐문했다. 그런데 갑자기 조조가 사람을 보내 유대와 왕충에게 서주를 공격하라고 재촉했다. 유대와 왕충 두 장수는 진영에 앉아 이 일을 의논한다. 유대가 먼저 말한다.

"승상께서 성을 치라고 독촉하시니, 먼저 나서시오."

왕충이 대답한다.

"승상께서 공을 먼저 보내셨으니 공께서 먼저 나서야 하지 않겠소?"

"내가 주장(主將)인데 어찌 먼저 나서겠소."

"그렇다면 우리 두 사람이 함께 치기로 합시다."

"그럴 게 아니라 제비를 뽑아 정하는 게 좋겠소."

왕충은 제비뽑기에서 선(先)자를 뽑아서 군사의 절반을 거느리고 서주성을 먼저 공격하게 되었다.

유현덕은 조조의 군사가 쳐들어온다는 보고에 급히 진등을 불러 의논한다.

"원소가 비록 여양에 주둔하고 있다지만 수하장수들이 서로 화합하지 못하여 아직도 싸움에 나서질 않고 있소. 게다가 여양의 군중에는 조조의 기가 없고 이곳 군중에 조조의 기가 있다고 하던데, 도대체 조조가 지금 어디에 있는지 모르겠소."

진등이 말한다.

"조조는 워낙 계략이 뛰어난 자입니다. 반드시 하북을 중히 여겨서 몸소 지휘하면서도 일부러 여양에 기를 세우지 않고 오히려 눈속임을 하느라 이곳에 기를 세운 게 분명하오이다. 조조는 이곳에 없을 것입니다."

유현덕이 고개를 끄덕이고는 관우와 장비를 돌아보며 말한다.

"아우들 중에 누가 가서 내막을 알아오겠느냐?"

장비가 벌떡 일어나며 말한다.

"내가 갔다오겠수."

현덕이 말한다.

"너는 성미가 급하고 난폭하여 아니 되겠다."

장비가 말한다.

"만일 조조가 있으면 사로잡아오겠소!"

관운장이 나선다.

"제가 가서 동정을 살펴보고 오지요."

"운장이 간다면 마음을 놓을 수 있지."

관운장은 3천 군사를 거느리고 서주성을 나섰다. 때는 초겨울이라 음산한 구름이 하늘을 덮고 눈발이 휘날렸다. 군사들을 거느리고 눈보라 속에 진을 친 관운장은 청룡도를 높이 치켜들고 적진을 향해 말을 달리며 외친다.

"왕충은 나와서 답하라!"

왕충이 말을 몰아나오며 마주 외친다.

"승상께서 여기 오셨거늘 너는 어찌하여 항복하지 않느냐!"

"승상께서 오셨다면 진 앞으로 나오라 일러라. 내 친히 뵙고 드릴 말씀이 있다!"

"승상께서 어찌 너 따위와 경솔히 대면하겠느냐?"

관운장이 대로하여 말을 몰아 앞으로 내달린다. 왕충 역시 창을 쥐고 맞선다. 두 말이 한데 어우러지는가 싶더니, 관운장이 돌연 말머리를 돌려 달아나기 시작한다. 왕충은 재빨리 뒤를 쫓는다. 산허리를 막 돌아선 순간, 갑자기 관운장이 말을 돌려세우고 큰소리로 외치며 왕충을 향해 달려든다. 맹렬하게 돌진하는 관운장의 기세에 놀란 왕충이 당해낼 수 없음을 알고 얼른 말머리를 돌려 달아나려 한다. 그러나 관운장은 때를 놓치지 않고 청룡도를 왼손으로 바꿔잡더니 민첩하게 오른손을 놀려 왕충의 갑옷자락을 움켜쥔다. 한순간에 왕충을 사로잡아 말 위에 얹어 본진으로 돌아오니, 이를 지켜본 왕충의 군사들은 사방으로 흩어져 달아났다. 관운장은 왕충을 서주성으로 압송하여 현덕 앞으로 끌고 갔다. 현덕이 왕충에게 묻는다.

"너는 누군데 감히 조승상을 사칭하는고?"

왕충이 아뢴다.

"어찌 감히 승상을 사칭하오리까. 다만 승상의 분부대로 허장성세했을 뿐이오. 사실 승상은 이곳에 아니 계시외다."

유현덕은 왕충에게 옷과 음식을 주고 잠시 감금해두라 이른 뒤, 유대를 사로잡은 후에 다시 상의하기로 했다. 그제야 관운장이 말한다.

"형님께서 화해하실 뜻이 있는 듯싶어 왕충을 사로잡아왔지요."

유현덕이 고개를 끄덕이며 말한다.

"잘 보았다. 익덕은 워낙 성미가 급하고 사나워서 행여 왕충을 죽이지나 않을까 염려되어 보내지 않았다. 저런 자들이야 죽인다 해도 별로 득될 게 없고, 잡아두면 그나마 화해할 빌미가 될 수 있겠지."

장비가 나선다.

"둘째형님이 왕충을 잡아왔으니, 나는 가서 유대를 잡아오겠수."

현덕이 답한다.

"유대는 전에 연주 자사를 지낸 사람으로 호뢰관(虎牢關)에서 동탁을 칠 때에도 제후의 신분으로 참가했다. 지금 조조의 전군(前軍)으로 싸움에 나섰다고 경솔히 판단해서는 아니 된다."

"그깟놈이 뭐라고 그리 말씀하시우. 나도 둘째형님처럼 반드시 사로잡아올 테요."

"말은 그렇게 한다마는 까딱 잘못하여 죽이기라도 하면, 대사를 그르칠까 염려되어 못 보내겠다."

"만약에 내가 잘못하여 그놈을 죽인다면 대신 내 목숨을 바치리다."

유현덕은 마침내 장비에게 3천 군사를 내주었다.

한편, 유대는 왕충이 사로잡혔다는 소식을 듣고 영채를 굳게 지킬 뿐 좀처럼 나서려 하지 않았다. 장비는 매일 영채 앞으로 나가 욕설을 퍼붓고 싸움을 걸었다. 그러나 유대는 다른 장수도 아니고 바로 장비가 온 것을 알고는 더더욱 움직이려 들지 않았다.

며칠이 지나도록 유대가 나오지 않자 장비는 한 가지 계책을 생각해냈다. 오늘밤 2경에 유대의 영채를 급습한다고 군중에 영을 내렸다. 그러고는 낮부터 막사에서 술을 마시고 일부러 취한 척하며, 괜히 한 병사의 잘못을 트집잡아 호되게 매질한 다음 영채에 묶어놓고 호령을 했다.

"오늘밤 출병시에 이놈을 죽여서, 그 피로 기(旗)에 제사를 지낼 터이니 그리 알라."

그러고는 남몰래 뒤로 사람을 시켜 풀어주게 했다. 풀려난 병사는 영채를 빠져나가 그 길로 유대의 영채로 달아났다. 그리고 오늘밤 2경에 장비가 기습하려 한다고 고해바쳤다. 유대는 도망나온 병사의 온몸에 나 있는 상처가 예사롭지 않은 것을 보고는 그의 말을 곧이들었다. 그래서 즉시 영채를 비워놓은 다음 영채 양편에 군사들을 매복시켜두었다.

그날밤, 장비는 군사를 세 길로 나누었다. 먼저 중로군 30여명은 영채 안으로 쳐들어가 불을 지르게 한 뒤, 나머지 양로군은 영채에 불길이 오르는 것을 신호 삼아 협공하라 일렀다. 그런 다음 장비 자신은 정병을 거느리고 나가서 유대의 퇴로를 끊어두었다.

드디어 2경, 중로군 30여명은 유대의 영채를 급습하여 불을 놓았다. 순간 유대의 복병이 사방에서 아우성치며 영채를 에워싸고 공격하려 한다. 바로 그때, 뜻밖에도 장비의 군사가 두 길로 나뉘어 쳐들어왔다. 유대의 군사들은 적군이 얼마나 되는지도 모르고 겁에 질려 사방으로 달아나버렸다.

유대는 패잔병을 이끌고 어렵게 혈로를 뚫고 달아나다가 드디어 장비와 마주쳤다. 좁은 혈로에서 맞부딪혀 피할 도리가 없게 된 유대가 칼을 휘두르며 장비에게 달려든다. 장비는 유대의 칼을 번개같이 피하고는 와락 달려들더니 허리를 꺾어 단숨에 사로잡아버린다. 그러자 유대의 군사들은 앞다투어 투항했다.

장비는 먼저 사람을 보내어 서주성에 이 소식을 알렸다. 현덕은 장비가 유대를 사로잡은 이야기를 자세하게 듣고는 관운장을 돌아보며 말한다.

"익덕이 본래 성미가 급하고 거칠었는데, 이제 계략까지 쓰게 되었으니 내 근심을 하나 덜었구나."

유현덕은 운장과 함께 몸소 장비를 맞이하러 성곽을 나섰다. 군사를 거느리고 돌아온 장비가 현덕에게 보라는 듯이 말한다.

"형님! 밤낮 나더러 성미가 급하고 난폭하다 했는데, 오늘 보시니 어떻수?"

"내가 심한 말로 주의를 주지 않았으면 네가 그처럼 계략을 썼겠느냐?"

그러자 장비는 큰소리로 한바탕 웃고 말았다. 유현덕은 결박당해 온 유대를 보더니 얼른 말에서 뛰어내려 군사들을 꾸짖어 물리친 뒤, 몸소 결박을 풀어주면서 사죄한다.

"내 아우 장비가 장군의 위엄을 이렇듯 모독하였소이다. 부디 용서해주기 바라오."

현덕은 유대를 성안으로 맞아들여 부중으로 데리고 갔다. 그러고는 가두어두었던 왕충도 불러다가 연회를 베푼다.

"지난날 차주가 이몸을 없애려 하여 어쩔 수 없이 죽였거늘, 승상께서는 이몸이 무슨 모반이라도 한 줄 의심하시어 이렇게 두 분 장군을 보내셨나보외다. 나는 승상께 큰 은혜를 입어 항시 어찌 보답할까 생각하는 터인데 감히 모반할 리가 있으리가. 두 분 장군은 허도로 돌아가시어 좋은 말씀으로 이 뜻을 승상께 전해주신다면 천만다행으로 알겠소이다."

유대와 왕충이 답한다.

"귀공께서 우리의 목숨을 보존해주신 은혜를 무엇으로 보답하겠습니까. 돌아가는 길로 승상께 말씀을 올려, 우리 두 집안 식구들의 목숨을 걸고서라도 귀공을 위해 보증하오리다."

유현덕은 사례하고 이튿날 두 사람에게서 빼앗은 군마를 모두 되돌려준 다음 성밖에까지 나가 전송했다. 유대와 왕충이 미처 10리도 못 갔을 때였다. 갑자기 북소리가 크게 울리더니 장비가 군사를 거느리고 달려와 길을 막아선다.

"우리 형님은 도무지 생각이 없는 양반이다. 애써 잡은 적장을 어찌하여 풀어준단 말이냐. 이놈들, 꼼짝 말고 게 섰거라!"

유대와 왕충은 소스라치게 놀라 말 위에서 부들부들 떤다. 장비는 고리눈을 부릅뜨고 장팔사모를 굳게 쥐고는 사정없이 덤벼든다. 바로 그때, 뒤에서 한 사람이 나는 듯이 달려와 소리친다.

"장비야, 도대체 이게 무슨 무례한 짓이냐!"

장비가 돌아보니 바로 관운장이다. 그제서야 유대와 왕충은 마음을 놓았다. 관운장이 말한다.

"이미 형님께서 놓아보내셨거늘, 너는 어찌하여 그 뜻을 따르지 않느냐?"

"이번에 보내면 다음에 또 올 거요."

"다시 오거든 그때 죽여도 늦지 않다."

두 사람의 말을 듣고 있던 유대와 왕충이 황급히 나서며 말한다.

"승상께서 저희들 삼족을 멸한다 해도 다시는 오지 않을 거외다. 그러니 부디 마음 놓으시고, 너그러이 용서하시오."

장비가 두 사람을 번갈아 보며 말한다.

"조조가 직접 온다 해도 내 한놈도 절대로 살려보내지 않을 것이다. 이번만은 특별히 너희들의 머리를 붙여두는 것이니 그리 알고 가거라."

유대와 왕충은 목을 움츠리고 급히 떠나갔다. 관우와 장비가 돌아와 현덕에게 고한다.

"아무래도 조조가 다시 올 것 같습니다."

"그럼 어찌했으면 좋겠느냐?"

현덕이 근심스러워하자 곁에 있던 손건이 말한다.

"서주는 적의 공격을 받기 쉬운 곳이라 오래 있을 곳이 못 됩니다. 군사를 나누어 소패와 하비성에도 주둔시켜 서로 긴밀하게 오가면서 조조를 막는 게 좋을 듯합니다."

유현덕은 손건의 말대로 관운장에게 하비성을 지키도록 지시한 뒤, 감부인과 미부인을 함께 보내 그곳에 머물도록 했다. 감부인은 본래 소패사람이며 미부인은 미축의 누이다. 또한 손건·간옹·미축·미방

등에게는 남아서 서주를 지키게 하고, 현덕 자신은 장비와 함께 소패에 주둔하기로 했다.

한편 허도로 돌아간 유대와 왕충은 조조에게 말했다.

"유비는 결코 승상을 배반하지 않았습니다."

유현덕을 두둔하는 두 사람의 말에 조조는 진노했다.

"이놈들, 나라를 욕되게 하는 무리로다. 네까짓것들을 남겨두었다가 무엇에 쓴단 말이냐!"

불같이 화가 난 조조가 호령했다.

"이놈들을 끌어내 즉시 목을 베어라!"

이 일을 후세 사람들이 시로 읊었다.

개돼지가 어찌 범의 상대가 되랴   犬豕何堪共虎鬪
물고기와 새우가 용과 싸우는 격이로다   魚鰕空自與龍爭

두 사람의 목숨은 어찌 될 것인가?

23

三
國
志

재사 예형과 의인 길평

예형은 벌거벗고 역적을 꾸짖고
의원 길평은 독약을 쓰려다 형벌을 받다

조조가 유대와 왕충을 목을 베려 하자 공융이 나서며 간한다.

"두 사람이 본래 유비의 적수가 아닌데, 이들의 목을 벤다면 장졸들의 인심을 잃을까 걱정되옵니다."

조조는 고개를 끄덕이더니 참수형을 면해주는 대신 유대와 왕충을 파직해버렸다. 그러고는 스스로 군사를 일으켜 유현덕을 공격하려 한다. 이때 공융이 다시 간한다.

"지금은 한겨울 추위가 혹독하니 군사를 일으키는 것은 적절치 못합니다. 봄까지 기다렸다가 움직여도 늦지 않을 것이외다. 그러니 먼저 사람을 보내 장수와 유표를 회유한 다음 다시 서주성 공격을 도모하소서."

조조가 공융의 말을 받아들여 먼저 유엽(劉曄)을 양성(襄城)으로 보내 장수를 회유하게 했다. 유엽은 양성에 도착하자 모사 가후(賈詡)를 찾아가 조조의 공덕이 얼마나 높은지 칭송했다. 가후는 유엽을 자신의 집에 머무르게 했다. 이튿날 가후는 장수를 찾아가 이야기를 나눈다.

"허도에서 유엽이 왔소이다."

"무엇 때문에 왔다 합디까?"

"조조가 장군과 손을 잡고 싶은 모양이오."

그때 아랫사람이 들어와 원소가 사람을 보내왔다고 고한다. 장수는 즉시 불러들이라고 지시했다. 원소의 사자가 들어와 장수에게 서신을 올렸다. 받아보니 원소 역시 손을 잡자는 내용이다. 가후가 사자에게 묻는다.

"근래에 군사를 일으켜서 조조를 쳤다고 들었는데 승패가 어찌 되었는가?"

사자가 대답한다.

"지금은 한겨울 추운 때라 잠시 군사를 거두었습니다. 장수 장군과 형주의 유표 장군 모두 국사(國士)의 풍모가 있는 분들이어서 이렇듯 청하는 것입니다."

가후가 소리 높여 크게 웃는다.

"네 돌아가서 원소에게 일러라. '그래 아우 하나도 포용하지 못하는 자가 무슨 수로 천하의 국사들을 포용하겠다는 것이냐' 하더라고 말이다!"

가후는 손에 들고 있던 원소의 서신을 찢어버리고는 사자를 꾸짖어 내쫓았다. 장수가 은근히 불안하여 가후에게 묻는다.

"원소의 군세가 강하고 조조는 약한 터에 함부로 서신을 찢고 사자를 꾸짖어 보냈으니, 만약에 원소가 군사를 일으켜 쳐들어온다면 어쩌려고 그러시오?"

가후가 답한다.

"마침 조조가 사람을 보내어 손을 잡자 하니, 그리 하는 게 좋겠소이다."

"지난날 내가 조조와 원수가 되었거늘, 어찌 나를 용납하겠소?"

가후가 차근차근 설명한다.

"세 가지 면에서 조조를 따르는 게 옳소이다. 첫째, 조공은 황제의 명을 받들어 천하를 정벌하는 것이니 마땅히 그를 따르는 게 옳소. 둘째로, 원소는 지금 형세가 강성하니 우리가 적은 군사를 이끌고 저를 따른다 하여도 반드시 우리를 중히 여기지 않을 것이오. 그러나 조공은 형세가 약하니 우리를 얻으면 반드시 환영할 것입니다. 마지막으로, 조공은 오패(五覇)의 뜻을 품은 사람이라 반드시 사사로운 원한을 풀고 덕을 사해에 밝히려 할 것이니, 장군은 의심하지 마시고 조공을 따르는 게 마땅하오."

장수는 가후의 말을 듣고 유엽을 만나기로 했다. 유엽은 장수를 만나자 우선 조조의 덕을 칭송한 뒤 말한다.

"승상께서 만약 지난날의 원한을 잊지 않고 계시다면, 뭐하러 나를 장군께 보내셨겠습니까?"

장수가 크게 기뻐하며 즉시 가후와 함께 유엽을 따라 허도로 향했다. 조조를 만난 장수는 섬돌 아래서 공손히 절을 올렸다. 조조는 황급히 내려와 장수를 붙들어 일으키며 말한다.

"지난날 있었던 사소한 일들은 다 잊어버리도록 하오."

조조는 즉시 장수를 양무장군(揚武將軍)에 봉하고, 가후는 집금오사(執金吾使, 지금의 경찰청장)로 삼았다. 그리고 장수에게 서신을 보내어 유표를 회유하라 일렀다. 가후가 조조에게 진언한다.

"유경승(劉景升, 유표의 자)은 명사들과 사귀기를 좋아하니, 글 잘하기로 유명한 사람을 보내셔야 비로소 항복할 것입니다."

조조가 순유를 돌아보고 묻는다.

"누구를 보내는 게 좋겠소?"

순유가 대답한다.

"공문거(孔文擧, 공융의 자)가 적당하옵니다."

조조가 고개를 끄덕인다. 순유는 그 길로 공융을 찾아가 조조의 뜻을 전했다.

"승상께서 글 잘하기로 유명한 문사를 보내 유경승을 회유하려 하는데, 귀공께서 그 일을 맡아보면 어떻겠소이까?"

공융이 말한다.

"나의 절친한 친구 중에 예형(禰衡)이란 사람이 있소. 자는 정평(正平)이라고 하는데 그 재주가 나보다 열 배는 더 하오. 이 사람은 단지 그 소임을 다할 수 있을 뿐 아니라 가히 황제를 보필할 만한 인물이오. 내 이 사람을 황제께 천거하리다."

공융은 곧 헌제에게 표문을 올렸다.

신이 듣자오니, 옛날 요임금 때 홍수가 나자 이를 다스리기 위해 널리 인재를 구하였다 하고, 한무제는 황제의 위에 오르자 나라의 기강을 튼튼히 하기 위해 천하의 어진 인사를 구했는데, 사방에서 모여들었다고 합니다. 폐하께서 나라를 이어받으신 뒤로 변고가 뒤를 이어서 성심(聖心)이 하루도 편하신 날이 없었습니다. 그러한 때에 다행히 황천이 굽어살피시어 천고에 보기 드문 인물이 나왔사옵니다.

신이 보건대, 평원(平原)의 처사 예형은 나이 스물네살에 자는 정평이라 하옵는데, 자질이 맑고 곧으며 재주가 뛰어나서 처음 글을 익히자 곧 그 깊은 뜻을 깨우쳤습니다. 눈에 한번 스친 것을 입으로 외우고, 귀로 한번 들은 것을 마음에 잊지 않으며, 성품과 도(道)가 합치되고 생각은 신에 가까우니, 홍양(桑弘羊, 전한 때 상인의 아들로 암산에 능한 이재가)의 깊은 생각과 안세(張安世, 전한 때 재상으로 기억력이 뛰어남)의 기억력도 예형에 비추어보면 대수롭지 않다 할 것이옵니다. 뿐만 아니라 사람됨이 성실하고 정직하며 얼음과 눈 같은 지조가 있어서 남의 착한 일을 들으면 기뻐하고 악을 보면 미워하나니, 임좌(任座, 전국시대 위나라 신하로 직언을 잘해 상객이 됨)의 도타운 행실과 사어(史魚, 춘추시대 위나라 사람. 영공이 어진 거백옥을 두고 어질지 못한 미자하를 임용하자 죽음으로써 간함)의 곧은 절개도 그에 비할 바가 아닙니다. 뭇 잡새를 어찌 한 마리의 물수리에 비길 수 있겠사옵니까.

감히 청하옵건대, 예형을 조정에 등용하면 반드시 쓸모가 있을 것입니다. 사리에 밝고 변설에 능하여 조정의 기상이 새로워질 것이며, 지모가 심원하고 일을 과감히 결단하여 국난을 진정시키기에 족할 것입니다. 지난날 가의(賈誼, 전한의 문인이자 정론가)는 속국(흉노匈奴)의 고관에게 수작을 당했을 때 선우(單于, 흉노의 황제)를 귀순토록 만들었으며, 종군(終軍, 전한 사람으로 한과 남월의 화친을 위해 활약한 사자)은 긴 갓끈으로 강한 월(越)나라 임금을 결박지어오려 했으니, 약관의 나이로 이적(夷狄)을 견제하여 그 이름이 선대에까지 칭송되고 있습니다. 근래에는 노수(路粹)와 엄상(嚴象)이 남다른 재주로 대관에 발탁된 줄로 알고 있습니다만, 예형은 참으로 그들에 못지 않은 인물입니다. 만일 예형이 등용되어 날개를 활짝 펴고 용이 천상을 날아오르듯 자미성(紫微星)에 무지갯빛을 드리운다면, 많은 선비들의 존재를 확연히 비추어 사문(四門)이 화목해질 것이옵니다. 미묘한 천상의 음악에는 반드시 천하 장관이 있고 황실에는 귀한 보물이 쌓여 있게 마련이나, 기실 예형 같은 인재는 세상에 그리 많지 않은 줄로 아옵니다. 격초(橄楚) 양아(陽阿, 둘 다 고대의 악곡)는 그 가사와 곡이 매우 절묘해 기예인들이 탐내고, 비토(飛兎)와 요뇨(驥褭, 둘 다 고대의 명마)는 걸음이 빠르고 분방해서 왕량(王良)과 백락(伯樂)이 애타게 구하던 바이니, 신이 어찌 구구히 아뢰지 않을 수 있사오리까? 폐하께오서는 선비를 취하는 데 매우 신중하신 줄로 아오나 반드시 시험해보시기 바랍니다. 그리하여 예형을 불러들이실 때 갈의(葛衣, 아무 직분 없는 선비)로써 알현하게 하시어, 만일 취할 만한 점이 없다면 신에게 기망한 죄를 물으소서.

헌제가 표문을 읽고 이를 조조에게 주니, 조조는 곧 사람을 보내어 예형을 불러들였다. 부름을 받고 온 예형이 인사를 올렸으나 조조는 그에게 자리도 권하지 않는다. 예형은 문득 하늘을 우러러보며 크게 탄식한다.

"천지가 광활하나 사람은 하나도 없구나!"

조조가 묻는다.

"내 수하에 있는 수십명이 모두 당대의 영웅이거늘, 어찌 사람이 없다고 하는가?"

예형이 되묻는다.

"대체 누가 영웅이란 말씀이오?"

"순욱·순유·곽가·정욱은 생각이 깊고 지혜가 뛰어나니 비록 소하(蕭何)와 진평(陳平)이라도 따르지 못할 것이고, 장요·허저·악진·이전은 용맹이 뛰어나니 비록 잠팽(岑彭)·마무(馬武, 둘 다 한 광무제 때 명장)라도 따르지 못할 것이다. 뿐만 아니라 여건(呂虔)과 만총(滿寵)이 종사(從事)를 맡고 우금과 서황은 선봉을 맡았다. 또한 하후돈은 천하의 기이한 인재고 조인은 복이 많은 장수거늘, 어찌 사람이 없다 하는고?"

조조의 말에 예형이 껄껄 웃으며 대꾸한다.

"공의 말씀이 틀렸소이다. 지금 말씀하신 인물들은 이몸도 잘 알고 있는데, 순욱은 남의 집 문상이나 다니면 제격이고, 순유는 무덤이나 지키고, 정욱은 관문이나 여닫고, 곽가는 글이나 읊조리면 딱 맞을 위인입니다. 또한 장요는 북이나 치고, 허저는 마소나 먹이고, 악진은 조칙이나 읽고, 이전은 격문이나 띄우고, 여건은 칼이나 갈고 쇠나 두드려 창검을 만들라 하고, 만총은 술이나 거르며 지게미나 마시면 딱 알맞을 것이오. 우금은 등짐으로 흙을 날라 담이나 쌓고, 서황은 개돼지나 잡는 백정노릇을 시키면 제격일 것이오. 하후돈은 덩치만 큰 '완체장군(完體將軍)', 조인은 돈을 긁어모으는 데 이골이 난 '요전태수(要錢太守)'이니, 그 나머지들이야 모두 허우대만 멀쩡한 옷걸이 아니면 밥통, 술주머니, 고기부대일 뿐, 들어 말할 거나 있겠소이까?"

조조가 분노한다.

"그런 너는 무엇에 능하단 말이냐!"

"나로 말하자면 천문지리에 관하여 환하게 꿰뚫고 있으며, 삼교구류(三敎九流, 유·불·선 3교와 유가·도가·음양가·법가·명가·묵가·종횡가·잡가·농가의 아홉갈래 사상)에 대해 모르는 게 없소이다. 위로는 임금을 요(堯)·순(舜)임금처럼 만들고 아랫사람들은 공자(孔子)와 안연(顔淵) 같은 덕을 갖추게 할 수 있으니, 어찌 세간의 속된 무리와 더불어 논할 수 있겠소이까?"

곁에서 듣고 있던 장요가 발끈하여 칼을 빼들고 예형 앞으로 나서려 했다. 조조가 곁눈으로 제지하며 말한다.

"마침 북치는 자가 하나 부족했는데, 앞으로 아침조회 때나 잔치 때 예형에게 북을 치게 하여라!"

예형은 사양하지 않고 선뜻 대답하고 물러갔다. 장요가 묻는다.

"그놈의 말이 불손하기 짝이 없는데, 주공께서는 어찌하여 죽이지 않고 살려두십니까?"

조조가 대답한다.

"그자가 일찍이 허명(虛名)으로 천하에 알려져 있다. 그런 그를 내가 죽여버린다면 세상사람들이 모두 나를 가리켜 도량이 작다고 비웃을 것이다. 그래서 북치는 자로나 만들어 욕을 보일 셈이다."

이튿날 조조는 부중에 연회를 베풀어 여러 사람들을 청했다. 그리고 북치는 자에게 북을 울리라 명한다. 예형이 조조의 영을 받고 북을 치러 가려는데, 나이든 관리가 귀띔을 한다.

"북을 칠 때는 반드시 새옷으로 갈아입어야 한다우."

예형은 대꾸 없이 헌옷을 입은 채 들어가서 북채를 들고 어양삼과

(漁陽三撾)를 치는데, 그 음절이 지극히 묘하고 은은히 여운을 남기는 것이 마치 금석(金石)의 소리 같았다. 연회에 참석한 사람들은 예형의 북소리를 듣는 순간 저도 모르게 비분강개하여 하나같이 눈물을 흘린다. 조조의 좌우에 있던 사람들이 예형을 향해 큰소리로 꾸짖는다.

"어찌하여 옷을 갈아입지 않았느냐?"

그 말이 떨어지기 무섭게 예형은 입고 있던 헌옷을 서슴없이 훌훌 벗어던지고는 알몸으로 나섰다. 뜻하지 않은 상황에 놀란 손님들이 모두 눈을 가리고 차마 바로 보지 못한다. 잠시 후 예형은 얼굴빛 하나 변하지 않고 바지를 집어 천천히 입었다. 조조가 노하여 꾸짖는다.

"예가 어딘 줄 알고…… 묘당 위에서 이 무슨 무례한 짓인고!"

예형이 대답한다.

"임금을 속이는 짓이 바로 무례한 짓이오. 나는 부모님께서 물려주신 청백한 몸을 드러냈을 따름이외다."

조조가 다시 꾸짖는다.

"네가 청백하다니 그럼 누구는 더럽단 말이더냐!"

예형이 소리를 가다듬어 마주 꾸짖는다.

"네가 어진 사람과 어리석은 사람을 분간하지 못하는 것은 눈이 탁한 탓이요, 시서(詩書, 『시경』과 『서경』)를 읽지 않았으니 이는 네 입이 탁한 것이다. 또한 옳은 말을 받아들이지 않으니 이는 귀가 탁한 탓이요, 고금 역사에 정통하지 못하니 이는 네 몸이 탁한 탓이요, 제후를 용납하지 못하니 이는 네 배가 탁한 탓이요, 항시 찬역할 뜻을 품으니 이는 마음이 탁한 탓이다. 나는 천하의 명사인데 네가 나를 북이나 치게 하니, 이는 곧 양화(陽貨)가 공자를 업신여기고, 장창(臧倉)이 맹

예형은 벌거벗고 북을 쳐 조조를 꾸짖다

자를 욕하는 것과 다를 바 없느니라. 그래 천하를 얻으려는 자가 이렇
듯 사람을 우습게 안단 말이냐!"

조조의 낯빛이 변했다. 곁에 있던 공융은 혹시 조조가 예형을 죽일
까 두려워 조용히 일어나 한마디 한다.

"예형의 죄는 노역수에 처해 마땅하오이다. 이제 보니 명왕(明王)
의 꿈을 밝히기엔 부족함이 있을 듯합니다."

조조가 손가락으로 예형을 가리키며 말한다.

"너를 형주로 보낼 터이니, 가서 유표를 잘 타일러서 나에게 항복
하게 한다면 내 너를 대신으로 삼으마."

예형이 고개를 가로저었지만, 조조는 말 세 필에 안장을 지우라고
좌우를 향해 분부했다. 그러고는 종자 두명을 시켜서 억지로 예형을
말에 태우고 양쪽에서 끌고 가게 한 다음, 문무관원들에게 동문(東門)
밖에 나가서 술자리를 열어 그를 전송하라 명했다. 순욱이 사람들을
돌아보며 말한다.

"예형이 오거든 다들 앉은 채로 일어나지 맙시다."

얼마 후 예형이 말에서 내려 동문으로 나왔다. 그러나 아무도 본 체
도 않고 자리에 앉아서 움직이지도 않았다. 예형이 문득 목을 놓아 통
곡한다. 순욱이 묻는다.

"무엇 때문에 곡을 하는가?"

"송장이 들어 있는 관만 있으니 어찌 곡을 안할 수 있으리요."

사람들이 일제히 노기띤 음성으로 소리친다.

"우리가 모두 송장이라면, 그래 너는 머리도 없는 미친 귀신이다!"

예형이 태연히 대답한다.

"나는 한나라 조정의 신하요 조조의 무리가 아니거늘, 어찌 머리가

없겠느냐."

장요와 허저, 그밖에도 몇 사람이 크게 노하여 칼자루로 손을 가져갔다. 순욱은 손을 들어 이들을 막으며 말한다.

"쥐새끼 같은 놈 때문에 구태여 칼을 더럽힐 게 뭐 있겠느냐!"

예형이 다시 대꾸한다.

"비록 쥐새끼라 하지만 그래도 내게는 사람의 천성이 있거늘, 너희들이야말로 벌레 같은 무리로다."

사람들은 화를 내며 돌아가버렸다.

예형은 형주에 도착했다. 유표를 만난 그는 연신 그의 덕을 칭송했다. 그러나 사실은 모두 은근히 비꼬아 욕하는 수작이라 유표는 심히 불쾌했다. 유표는 곧바로 예형을 강하(江夏)로 보내어 황조(黃祖)를 만나게 했다. 아랫사람 하나가 유표에게 묻는다.

"예형이 무엄하게도 주공을 조롱했는데 어찌하여 그자를 그냥 두셨소이까?"

"예형이 여러 차례 면전에서 욕하였건만 조조는 그를 죽이지 않았다. 아마도 세상 인심을 잃을까 두려워서일 것이다. 그래 내 손을 빌려 예형을 죽이려고 나에게 보낸 것인데, 내가 뭐하러 조조의 속셈에 놀아나 어진 사람을 해쳤다는 소리를 듣겠느냐. 예형을 다시 황조에게 보낸 것은 내가 생각이 없는 사람이 아니라는 것을 조조에게 보이기 위함이다."

그 말에 모든 사람들이 고개를 끄덕이며 감탄해마지 않는다. 그때 원소 쪽에서도 사신을 보내왔다는 전갈이 올라왔다. 유표는 여러 장수들을 불러모아 의논한다.

"조조가 예형을 보냈는데, 또 원소에게서도 사자가 왔으니 누구를 따르는 게 옳겠소?"

종사중랑장(從事中郎將) 한숭(韓嵩)이 대답한다.

"조조와 원소 두 영웅이 서로 대결하고 있으니, 장군께서 만약 큰 뜻이 있으시다면 이 기회를 잡아서 적을 물리쳐야 하오이다. 만일 그게 아니라면 두 사람 중에서 좀더 나은 쪽을 택하여 투항하는 게 옳을 것입니다. 조조는 용병에 능한데다가 천하의 걸출한 장수들과 현명한 인물들이 휘하에 모여 있으니, 반드시 조조가 먼저 원소를 무찌를 것입니다. 그가 원소를 이기고 나면 다시 군사를 강동으로 움직일 것인데, 그리 되면 장군께서 막아 싸우기가 어렵게 됩니다. 제 소견으로는 차라리 형주를 조조에게 바치고 그 뒤를 따른다면 조조가 반드시 장군을 극진히 대접할 것이외다."

유표가 말한다.

"공은 우선 허도에 가서 동정을 살펴보고 오시오. 의논은 그뒤에 하기로 합시다."

한숭이 고개를 내저으며 말한다.

"임금과 신하는 자고로 의리가 있는 터라, 제가 지금은 장군을 섬기고 있어 비록 끓는 물 속이든 불 속이든 명령만 하시면 뛰어들 것입니다. 장군께서 만약 위로는 황제를 받들고 아래로는 조공에게 복종하실 생각이라면 저를 허도로 보내셔도 좋소이다. 하지만 아직도 의심이 많아 결단을 내리지 못하고 그저 동정이나 살피고 오라고 나를 보내신다면 이는 옳지 않소이다. 제가 허도로 갔다가 만일 황제께서 벼슬이라도 하나 내리시면, 저는 황제의 신하가 된 것이니 다시는 장군을 위하여 죽지 못하게 되오리다."

그럼에도 유표는 명한다.

"우선 내 말대로 허도에 가서 동정을 살펴보고 오시오. 내게 따로 생각이 있으니……"

한숭은 마침내 유표에게 하직을 고하고 허도로 향했다.

허도에 도착한 한숭은 조조를 찾아갔다. 조조는 한숭을 시중(侍中)으로 삼고 영릉(零陵) 태수에 봉하였다. 순욱이 의아하여 조조에게 묻는다.

"한숭은 우리의 동정을 살피러 왔을 뿐 아니라 공로가 조금도 없는데, 어이하여 이렇듯 중요한 벼슬을 내리십니까? 또 예형에게서 아무 소식도 없건만 그 일에 대해 조금도 묻지 않는 것은 어인 까닭이시오?"

조조가 간단히 답한다.

"예형이 내게 너무 심하게 욕을 하여 유표의 손을 빌려 죽이려 한 것인데, 다시 물을 게 뭐 있겠는가."

조조는 한숭에게 형주로 돌아가서 유표에게 귀순을 권유하라는 명을 내렸다. 조조의 명을 받고 돌아온 한숭은 먼저 황실의 성덕을 칭송하며, 유표에게 아들을 보내 황제를 받들게 하라고 권했다. 유표는 한숭의 말을 듣고 크게 노하여 꾸짖는다.

"네가 조조를 한번 보고 오더니 두 마음을 품는구나."

그러고는 한숭의 목을 베려고 한다. 그러자 한숭이 큰소리로 외친다.

"장군께서 저를 저버린 것이지 어찌 제가 장군을 저버린 것이오?"

괴량(蒯良)이 나서며 말한다.

"한숭이 허도로 가기 전에 주공께 여쭌 말씀이 있지 않습니까?"

그제서야 유표는 마음을 돌렸다. 이때, 사람이 들어와서 고하기를 황조가 예형을 죽였다고 한다. 유표가 어찌 된 일인가 물었더니 소상히 대답했다.

"황조가 예형을 맞아들여 더불어 술을 마시다 만취하자, 이렇게 물었다고 합니다. '그대가 보기에 허도에 인물이라고 할 만한 자가 누가 있더냐?' 하자, 예형이 답하기를 공문거(孔文擧, 공융)는 큰아이 노릇을 하고, 양덕조(楊德祖, 양표의 아들 양수)는 작은아이 노릇을 하니, 두 사람을 제하고는 별로 인물이라 할 사람이 없소' 하더랍니다. 그러자 황조가 다시 '그럼 나는 어떠한가?' 하니, 예형이 '그대는 사당 안의 귀신 같아서 비록 제삿밥은 얻어먹지만 아무런 영험도 없으니 민망하외다!' 했답니다. 황조가 발끈하여 '네가 나를 나무토막으로 만든 인형으로 아는구나!' 하더니 그 자리에서 칼을 빼들어 목을 베었는데, 목숨이 끊어질 때까지 예형의 입에서 욕설이 그치지 않았다 합니다."

유표는 예형의 죽음에 대해 자세히 들으며 그의 재주가 아까워 탄식을 금할 수 없었다. 그는 예형을 앵무주 가에다 후히 장사지내주었다.

후세 사람들이 예형의 죽음을 탄식한 시가 있다.

황조의 사람됨 후덕한 인물에 견줄 수 있으랴   黃祖才非長者儔
그 손에 예형은 이 강머리에서 죽음을 당했구나   禰衡珠碎此江頭
이제 앵무주 물가를 지나며 옛일 생각하니   今來鸚鵡洲邊過
오직 푸른 강물만 무정하게 흐르누나   惟有無情碧水流

조조는 예형이 황조의 손에 죽었다는 소식에 껄껄 웃는다.

"썩은 선비의 혓바닥이 칼날 되어 제 몸을 스스로 찌른 격이로다."

조조는 유표가 끝끝내 항복하려 하지 않자, 곧 군사를 일으켜서 형주를 치려 했다. 이를 보고 순욱이 간한다.

"원소를 아직 평정하지 못하고 유비를 멸하지 못하였는데, 강한(江漢)의 유표 때문에 군사를 일으키려 하시는 것은 심장은 돌보지 않고 팔다리에만 마음을 쓰시는 격입니다. 먼저 원소를 멸하고 다음에 유비를 무찌른다면 주공께선 강한지역을 일거에 평정하실 수 있사오리다."

조조는 그 말을 옳게 여겼다.

한편 동승은 유현덕이 떠난 후 왕자복 등과 은밀하게 조조를 없앨 의논을 했으나 도무지 묘책이 서질 않았다.

어느덧 해가 바뀌어 건안 5년(200) 정월 초하룻날이었다. 동승은 조복을 갖추어 입고 입궁했다가, 조정에서 하례 때 조조가 보인 교만방자한 태도에 울분을 삭이지 못하고 집으로 돌아와 병석에 눕고 말았다. 황제는 동국구가 병들어 누웠다는 소식을 듣고 즉시 태의(太醫)를 보내 병을 진찰하게 했다. 그런데 이 사람은 낙양사람으로 성명은 길태(吉太), 자는 칭평(稱平)인데, 사람들은 그를 길평(吉平)이라고 불렀고, 당대의 이름 높은 명의였다.

길평은 동승의 부중에서 밤낮으로 곁을 떠나지 않고 약을 쓰며 가만히 병자의 동정을 살펴보았다. 헌데 동승이 때때로 남몰래 한숨을 깊이 쉬는 게 아무래도 마음의 병이 깊어 보였으나, 감히 그 까닭을 물어보지 못하였다.

정월 대보름날이었다. 날이 저물어 길평이 하직을 고하고 돌아가려 하자 동승이 만류하며 함께 술을 마시자고 청한다. 길평과 밤늦도록 술잔을 기울이던 동승은 부지불식간에 취하여 옷을 입은 채 잠이 들고 말았다. 막 잠이 들었는가 싶은데 시종이 들어와 고한다.

"왕자복 일행이 오셨습니다."

동승이 황급히 일어나 왕자복 일행을 서재로 맞아들이니, 자리에 앉기도 전에 왕자복이 말한다.

"이제야 일을 이루었소이다!"

"일을 이루었다니, 무슨 말씀이오?"

동승이 급히 묻자, 왕자복은 희색이 만면하여 답한다.

"유표가 원소와 손을 잡고 50만 대군을 일으켜 열 길로 나누어 쳐들어오고, 마등은 한수(韓遂)와 합세하여 서량군 72만을 거느리고 북쪽으로 쳐들어와서, 조조가 허도에 있는 군마를 모조리 끌고 나가 막으라 한 까닭에 지금 성중이 텅 비었소이다. 우리 다섯 집의 부하들만 모아도 1천여명은 될 것이니, 이들을 거느리고 조조의 부중으로 쳐들어가 포위해버립시다. 마침 오늘 조조가 정월 대보름 잔치를 크게 연다고 하니, 필시 아무런 방비도 없을 거요. 이런 기회를 놓쳐서는 아니 되오."

동승은 몹시 기뻐 즉시 하인들을 불러 각기 병기를 몸에 지니도록 했다. 자신도 갑옷과 투구를 갖춰입은 뒤 창을 들고 말에 올라 모두 궐문에서 만나 한꺼번에 쳐들어가기로 했다. 밤이 되어 약속한 대로 다섯 집의 부하들이 모여들었다. 동승은 손에 보검을 들고 유유히 걸어들어가, 후당에서 연회를 베풀고 있는 조조의 무리를 향해 큰소리로 호령했다.

"역적 조조는 꼼짝 마라!"

칼을 번쩍 들어 한번 내려치니, 조조가 그 자리에서 쓰러진다. 순간 동승은 제 소리에 놀라 눈을 떴다. 남가일몽(南柯一夢, 꿈처럼 헛된 한때의 부귀영화를 뜻함)이었다. 그때까지도 동승은 조조를 꾸짖고 있었다.

길평이 그를 흔들어 깨우며 말한다.

"그대는 조공을 해치려는 것이오?"

깜짝 놀란 동승은 눈을 휘둥그렇게 뜨고 길평을 바라보며 감히 대답을 못한다. 길평이 조용히 말한다.

"동국구께서는 조금도 두려워 마시오. 소인이 비록 한낱 의원에 지나지 않으나, 일찍이 한나라를 잊은 적이 없소이다. 소인은 대감께서 날마다 탄식하는 것을 뵈면서도 감히 그 까닭을 묻지 못했는데, 이제 꿈속에서 하시는 말씀으로 대감의 뜻을 알게 되었소이다. 부디 감추려 마시고 소인을 쓸 데가 있으면 말씀해주시오. 설사 구족이 멸한다 할지라도 털끝만큼도 후회하지 않으리다."

길평의 말을 듣고 동승은 손으로 얼굴을 가리며 울었다.

"그대가 말은 비록 그렇게 하지만, 진심이 아닐까 두렵네."

길평이 손가락을 깨물어 피로써 맹세한다. 동승은 그제서야 길평을 데리고 서재로 들어갔다. 그러고는 말없이 황제께서 내리신 조서를 내보이니, 길평은 비분강개하여 한동안 흐느껴 울었다.

"지금까지 일을 도모하지 못한 것은 유현덕과 마등이 모두 멀리 떠나버린데다 도무지 이렇다 할 묘책이 없었기 때문이네. 그래서 내가 병이 들었구먼."

동승의 말에 길평이 대답한다.

"이제 대감들께서 그렇게 심려하지 않으셔도 됩니다. 조조의 목숨은 소인의 손에 달려 있소이다."

"그게 무슨 말인가?"

"조조는 평소 두풍(두통)을 앓고 있는데, 병세가 이미 골수까지 파고 들어 여간 괴로워하는 게 아닙니다. 그래서 병만 나면 소인을 불러다가 약을 쓰고 있는 터라, 수일 내에 다시 소인을 부를 것입니다. 그때 독약 한 첩만 쓰면 될 것을 가지고, 구태여 군사를 동원할 필요가 있겠소이까?"

동승이 무릎을 치며 말한다.

"옳거니! 만일 그리만 된다면야 그대의 공으로 한나라 사직을 구하는 일이니, 부디 힘써주오."

길평이 하직을 고하고 돌아간 뒤 동승은 은근히 기뻐해 마지않았다. 동승이 발길을 돌려 후당으로 향하는데, 으슥한 구석에서 인기척이 들렸다. 가만히 다가가서 살펴보니 뜻밖에도 하인 진경동(秦慶童)이 시첩 운영(雲英)과 한창 수작을 부리고 있었다.

동승은 몹시 화가 나서 시종들을 불러 그 자리에서 그들을 잡아죽이려 했다. 그러나 부인이 극구 만류하는 바람에 목숨은 붙여주기로 하고 각각 곤장 40대씩을 친 다음, 진경동만 냉방 안에다 쇠사슬로 묶어 가두어버렸다. 가슴 깊이 원한을 품은 진경동은 밤이 이슥해지길 기다려 쇠사슬을 끊고 담을 넘어 달아나버렸다. 그는 그 길로 조조의 부중으로 찾아가 고발했다. 조조는 진경동을 밀실로 불러들여 묻는다.

"다름이 아니오라, 오자란·왕자복·충집·오석·마등, 이렇게 다섯 사람이 들락거리며 우리 대감과 은밀히 의논하는 일이 있는데, 소인 요량으로는 아무래도 승상을 도모하려는 것 같사옵니다. 그리고 우리 대감께서 가끔 흰 비단 끝자락을 꺼내 보시는데, 뭐라 씌어 있는지는 모르겠습니다. 헌데, 또 오늘 저녁에는 병환을 보러 온 의원 길평이 대감 앞에서 손가락을 깨물어 맹세를 하는 걸 소인이 엿보았습니다."

조조는 진경동을 부중에 숨겨두었다. 한편 동승은 진경동이 쇠사슬을 끊고 달아났다는 사실을 알았지만, 어디론가 멀리 달아났으려니 하고 찾을 생각도 하지 않았다.

그 이튿날, 조조는 두풍을 앓는 체하며 부중으로 길평을 불러들였다.

'흥, 드디어 천하의 역적 조조의 운명이 다하는구나.'

길평은 이렇게 생각하며, 남몰래 독약을 감춰가지고 조조의 부중으로 들어갔다. 병상에 누워 있던 조조는 길평이 들어오는 것을 보더니, 즉시 약을 쓰라고 분부를 내린다.

"이 약 한 첩이면 쾌차하실 것입니다."

길평은 즉시 약탕관을 가져오라 하여 조조가 보는 앞에서 몸소 약을 달였다. 약이 반쯤 졸아들자 길평은 아무도 모르게 독약을 탔다. 그러고는 두 손으로 공손히 약그릇을 들고 조조에게 바쳤다. 이미 독이 들어 있는 줄 알고 있는 조조는 늑장을 부리며 좀체로 마시려 들지 않았다. 길평이 말한다.

"따뜻할 때 드시지요. 이 약을 드시고 땀을 내시면 곧 쾌차하실 것입니다."

조조가 자리에서 일어나 앉으며 말한다.

"너도 유서(儒書)를 읽었으니 예의를 알 것이다. 임금이 병들어 약을 먹을 때는 신하가 먼저 맛을 보고, 아비가 병들어 약을 먹을 때는 자식이 먼저 맛을 보는 법이다. 너는 내 심복부하거늘, 어째서 먼저 맛을 보지 않고 내게 권한단 말이냐?"

길평은 그제야 일이 탄로났음을 눈치챘다.

"약이란 병을 다스리느라 먹는 것이거늘, 구태여 다른 사람이 맛을 보아 무얼 합니까?"

길평이 대뜸 앞으로 나서며 한손으로 조조의 귀를 움켜쥐고, 우격다짐으로 귓속에 약을 들이부으려 했다. 조조는 재빨리 머리를 뒤로 젖히며 손으로 약그릇을 쳐낸다. 약그릇이 바닥에 나동그라지며 약물이 고스란히 쏟아져버렸다. 그러자 약물이 쏟아진 바닥의 전돌들이 갈라졌다. 조조가 미처 입을 열기도 전에 벌써 좌우 사람들이 와락 달려들어 길평을 뜰 아래로 끌어내렸다.

"내게 무슨 병이 있겠느냐. 단지 너를 시험해보려 한 것뿐인데, 과연 나를 해칠 마음을 품고 있었구나!"

조조는 즉시 건장한 옥졸 20명을 불러서 길평을 후원으로 끌고 가 고문준비를 하게 했다. 조조가 정자 위에 앉아 있고, 길평은 단단히 결박당한 채 땅바닥에 쓰러져 있으나 얼굴빛 하나 변하지 않고 털끝만큼도 두려워하는 빛이 없다. 조조가 웃으며 말한다.

"한낱 의원 주제에 어찌 감히 나를 해치려 들었더냐? 누군가 너를 사주한 게 틀림없으니, 그 이름만 대면 네 죄를 용서해주마."

길평은 얼굴을 똑바로 들고 조조를 보며 꾸짖는다.

"너야말로 임금을 속인 역적이라 세상사람들이 모두 너를 죽이려 하거늘, 어찌 나 한 사람뿐이겠느냐?"

조조가 거듭거듭 다그쳐 묻자, 길평이 버럭 화를 내며 말한다.

"남의 부탁이나 받고 한 일이 아니다. 내가 너를 죽이려다 이꼴이 되었으니 잔말 말고 어서 나를 죽여라!"

머리끝까지 화가 솟구친 조조가 옥졸들에게 분부한다.

"저놈을 매우 쳐라!"

옥졸들이 두 시간을 연달아 독하게 매질하니, 가죽이 터지고 살이 찢어져 땅바닥이 피로 흥건히 젖어들었다. 조조는 길평을 때려죽이면 대질할 길이 없을까 염려되어 곧 부하를 시켜 길평을 끌어내 잠시 쉬게 했다.

이튿날 조조는 연회를 베풀어 모든 대신을 불렀다. 동승만이 병을 핑계로 오지 않았을 뿐, 왕자복을 비롯한 네 사람은 혹시 조조가 의심할까 두려워서 모두 연회에 참석했다. 술이 두어 순배 돌아가자, 조조가 좌중을 둘러보며 말한다.

"별로 즐길 만한 놀이가 없으니, 내 한 사람을 불러다가 여러분의 술이 확 깨게 해드리겠소."

조조는 곧 20명의 옥졸에게 분부를 내린다.

"그놈을 이리로 끌고 오너라!"

잠시 후 옥졸들이 길평에게 큰칼을 씌운 채 끌고 와서 섬돌 아래 꿇린다. 조조가 말한다.

"여러분은 모르시겠지만, 바로 저놈이 악당과 결탁하여 조정을 배신하고 나를 해치려다 천벌이 내려서 저리 되었소이다. 저놈이 뭐라 하는지 한번 들어봅시다."

조조의 매우 치라는 분부에 따라 옥졸들이 곤장을 치기 시작했다. 얼마 안 가 길평은 그만 혼절하고 만다. 옥졸들이 찬물을 끼얹자 길평은 다시 깨어났다. 길평은 눈을 부릅뜨고 이를 갈며 조조를 꾸짖는다.

"이 역적 조조야! 뭣 때문에 아직도 나를 죽이지 않느냐?"

조조가 묻는다.

"이번 일을 공모한 놈들이 여섯이라 하던데, 그럼 네놈까지 일곱이더냐?"

길평은 그 말에는 대답도 않고 큰소리로 꾸짖기만 한다. 왕자복을 비롯한 네 사람은 바늘방석에 앉아 있는 기분으로 서로를 쳐다볼 뿐이다. 조조가 다시 옥졸을 시켜서 길평을 혹독하게 매질한 다음, 혼절하면 또다시 찬물을 들이붓고 정신을 차리면 매질을 거듭하여 기어코자백을 받아내려 했다. 그러나 길평은 조금도 굽힘이 없었다. 조조가옥졸을 시켜 길평을 끌어다 다시 가두라 일렀다.

연회가 끝나고 모든 사람들이 돌아가려는데, 조조가 유독 왕자복등 네 사람만 남게 했다. 네 사람은 혼이 빠져나가는 듯한 어지럼증을느꼈지만 꼼짝도 못하고 주질러앉는다

"그대들에게 묻고 싶은 말이 있어 남으라 했소. 도대체 네 사람은동승과 무슨 일을 의논했는가?"

조조의 물음에 왕자복이 대답한다.

"의논한 것이 없소이다."

"그럼 흰 비단조각에 씌어 있는 건 대체 무언가?"

왕자복을 위시하여 모두들 모른다고 답했다. 조조가 좌우를 돌아보며 진경동을 끌고 오라고 분부를 내렸다. 왕자복이 진경동에게 묻는다.

"네놈이 대체 어디서 무엇을 보았다고 그러느냐?"

"당신들이 아무도 안 보는 데서 수군거리며 의논을 나누고, 뭐라고글을 쓰고 하지 않았습니까?"

진경동이 이렇게 대꾸하자 왕자복이 조조에게 말한다.

"이놈은 국구의 시첩과 정을 통하다가 들켜서 벌을 받아 주인을 무고하는 것이니 승상은 믿지 마십시오."

조조가 말한다.

"길평이 나를 독살하려 한 짓이 동승이 시킨 일 아니라면 누구 짓

이란 말인가?"

왕자복 등은 끝까지 모른다고 하자, 조조가 말한다.

"지금 이 자리에서 사실대로 고하면 용서하겠으나, 일이 모두 드러난 다음에는 추호도 용서치 않을 것이다."

왕자복 등이 여전히 모르는 일이라 우기자, 조조는 소리 높여 부하를 불러 네 사람 모두 옥에 가두라 일렀다.

이튿날, 조조는 부하들을 거느리고 동승의 집으로 찾아갔다. 동승은 몸소 나와 조조를 맞아들였다. 함께 들어가 자리를 잡고 앉자, 조조가 먼저 입을 열어 묻는다.

"어제 연회에는 어찌하여 나오지 않으셨소?"

동승이 말한다.

"몸이 아직 낫지 않아 가지 못했소이다."

"국구의 병환은 내가 아오. 나라를 근심해서 생긴 병 아니오?"

동승이 깜짝 놀라 대꾸를 못하는데, 조조가 다시 묻는다.

"국구께서는 길평의 일을 아시오?"

"모르오."

"어허, 그 일을 국구께서 어찌 모른다 하시오?"

조조가 싸늘하게 웃으며 대꾸한 뒤, 좌우 사람들에게 분부한다.

"그놈을 끌고 와라. 놈을 보면 국구대감께서 금세 병환이 나으실 게다."

당황한 동승은 어찌할 바를 몰랐다. 잠시 후 20명의 옥졸들이 길평을 끌어다가 섬돌 아래 세웠다. 길평은 조조를 향해 욕설을 퍼부었다.

"이놈 역적 조조야!"

조조는 손을 들어 길평을 가리키며 동승에게 말한다.

"저놈이 왕자복을 비롯한 네 사람과 공모하여 조정을 배반하고 나를 죽이려 했소. 그래 내 이미 네 사람은 잡아서 정위(廷尉)에게 넘겼으나 아직 한 사람을 잡지 못하였소."

그러고는 길평에게 다시 묻는다.

"누가 너더러 나를 독살하라 하더냐? 어서 바른 대로 실토하지 못할까!"

길평은 굴하지 않고 눈을 부릅뜨며 호통을 친다.

"하늘이 나를 시켜 역적을 죽이려 하셨다!"

조조가 노하여 다시 매질하게 하니, 길평의 몸은 성한 곳이 없어 더이상 형벌을 가할 데가 없을 정도였다. 자리에 앉아 이 광경을 지켜볼 수밖에 없는 동승의 가슴은 칼로 에이는 듯했다. 조조가 길평에게 묻는다.

"본래 손가락이 열 개이거늘 네놈은 어찌하여 아홉 개밖에 남지 않았느냐?"

"내 손가락을 끊어 역적을 죽이기로 맹세했다!"

조조는 칼을 가져오라 하더니 댓돌 아래로 내려가 길평의 남은 손가락 아홉 개를 모조리 끊어버렸다.

"이제 남은 손가락을 모두 끊어내었으니, 어디 다시 한번 맹세해보아라!"

그래도 길평은 굴하지 않는다.

"아직 입이 남았으니 역적을 삼킬 수 있고, 혀가 붙어 있으니 역적을 욕할 수 있다!"

조조는 더욱 노하여 옥졸에게 분부한다.

"놈의 혀를 뽑아버려라!"

그 말을 듣고 길평이 황망히 말한다.

"잠시 멈춰라. 내 더는 견딜 수 없구나. 실토할 테니 잠시 결박을 풀어다오."

"좋다. 결박을 풀어주는 것쯤이야 어려울 것도 없지."

조조의 명에 따라 결박이 풀렸다. 길평은 간신히 몸을 일으켜 멀리 황제가 계시는 궁궐을 향해 절을 올렸다.

"신이 나라를 위하여 역적을 죽이지 못했으니, 이것도 하늘의 운수이옵니다."

그러고는 그대로 섬돌에다 머리를 부딪쳐 자결하고 말았다. 조조는 길평의 사지를 찢어 도성문에 내걸게 했다. 건안 5년(200) 정월의 일이었다.

사관(史官)이 시를 지어 길평의 충성을 찬양했다.

한나라 국운이 기울자	漢朝無起色
병든 나라 고치려는 의원 길평이 나왔도다	醫國有稱平
간악한 무리를 제거하기로 맹세하고	立誓除奸黨
몸 바쳐 황제에 보답할 뜻을 세웠으니	捐軀報聖明
형벌이 혹독할수록 그 말이 열렬하고	極刑詞愈烈
비록 참혹하게 죽었지만 그 기백 살아 있네	慘死氣如生
열 손가락 잘려나가 피 흐르는 곳에	十指淋漓處
그 이름 천추에 길이 빛나리라	千秋仰異名

길평이 죽자 조조는 진경동을 끌어오게 했다.

"국구는 이 사람을 알아보시겠소?"

동승이 크게 노한다.

"달아난 종놈이 여기 있구나. 내 당장에 쳐죽이리라!"

"이자는 이번 역모를 고발한 지대한 공이 있거늘, 뉘 감히 죽이겠다 하는가."

"승상은 어찌하여 도망간 종놈의 말만 들으려 하십니까?"

"왕자복의 무리를 모두 잡다가 자백을 받은 터에, 네가 그래도 아니라고 잡아뗄 셈이냐!"

조조는 즉시 부하들을 시켜 동승을 끌어내린 다음, 집안을 샅샅이 뒤지게 했다. 드디어 동승의 침실에서 황제께서 내리신 옥대와 조서, 그리고 연판장을 찾아냈다. 조조는 자세히 들여다보더니 싸늘하게 비웃으며 말한다.

"쥐새끼 같은 무리들이 어찌 감히 이럴 수 있단 말이냐."

그는 곧 동승의 식솔들을 모조리 잡아다 감금하라 명하였다. 부중으로 돌아간 조조는 모사들을 불러모아 조서와 옥대 등을 내보이며 황제를 폐위시키고, 새로 황제를 세울 일을 의논했다.

> 몇줄 붉은 밀조 물거품으로 돌아가고　　　　數行丹詔成虛望
> 한 장 맹약의 글이 재앙을 불렀도다　　　　一紙盟書惹禍殃

헌제의 운명은 어찌 될 것인가?

24

三
國
志

조조의 만행

조조는 귀비를 죽이는 만행을 저지르고
유비는 패하여 원소에게 가다

조조는 황제의 옷과 옥대, 비밀조서를 본 뒤 모사들을 모아놓고 헌
제를 폐하고 덕이 있는 황제를 새로 세울 것을 의논했다. 정욱이 간한
다.

"주공께서 위엄을 사방에 떨치고 능히 천하를 호령하실 수 있는 것
은 한나라 황실을 받들고 있기 때문입니다. 아직 지방의 제후들을 평
정하지 못했는데 갑자기 황제를 폐위한다면 반드시 난리가 일어날 것
입니다."

조조는 정욱의 말을 듣고 황제의 폐위를 단행하지 않았다. 그대신

동승의 무리 다섯 사람과 그집안 사람들을 압송하여 처형하니, 이때 죽은 사람의 수가 모두 7백여명이 넘었다. 그 참혹한 모습에 성안 사람들은 관원이나 일반 백성을 막론하고 눈물을 흘리지 않는 자가 없었다.

후세 사람들이 시를 지어 동승을 찬탄했다.

밀조를 옥대 속에 넣어서 전하니	密詔傳衣帶
황제의 말씀이 궁궐 밖으로 나왔도다	天言出禁門
지난날 일찍이 어가를 구하더니	當年曾救駕
이날 또다시 천은을 입었도다	此日更承恩
나라 근심으로 병석에 누우니	憂國成心疾
꿈속에서나마 간흉을 제거했네	除奸入夢魂
그 충정 천고에 전해지거늘	忠貞千古在
일의 성패야 논해 무엇하리	成敗復誰論

또 왕자복 등 네 사람의 죽음을 기린 시가 있다.

흰 비단폭에 이름 써 충의를 맹세하여	書名尺素矢忠謀
강개한 그 뜻 군은에 보답하려 했네	慷慨思將君父酬
나라 위한 충정에 온 식구가 죽었으나	赤膽可憐捐百口
그 일편단심 천추에 빛나도다	丹心自是足千秋

조조는 동승의 무리를 모조리 처형하고 나서도 화가 풀리지 않아 칼을 차고 궁궐 안으로 쳐들어갔다. 바로 동귀비(董貴妃)를 죽이기 위

해서다. 동귀비는 동승의 누이동생으로, 얼마 전 황제의 총애를 입어 회임한 지 다섯달째였다.

한편 헌제는 후궁에서 복황후와 마주앉아 동승에게서 아무 소식이 없는 것을 궁금해하던 참이었다. 그런데 갑자기 조조가 얼굴에 노기를 띠고 칼을 찬 채 들어서는 것을 보고 황제는 대경실색했다. 조조는 대뜸 입을 열었다.

"동승이 역모한 일을 폐하께서는 모르셨습니까?"

황제가 되묻는다.

"동탁은 이미 처형되지 않았소?"

순간 조조는 소리를 버럭 지른다.

"동탁이 아니라, 동승 말씀이오!"

황제는 온몸이 떨려 어찌할 바를 모른다.

"짐은 모르는 일이오."

"손가락을 깨물어 피로 쓴 조서를 벌써 잊었단 말이오?"

황제는 아무런 대꾸도 하지 못한다. 조조는 무사들에게 동귀비를 잡아오라고 호령했다. 황제가 간곡히 청한다.

"동비는 회임한 지 다섯달째이니, 부디 가엾게 여겨 목숨만은 살려주시오."

"하늘이 돕지 않았던들 나는 벌써 죽은 목숨이오. 어찌 이 계집을 남겨두어 후환을 키우리까."

복황후가 간절히 청한다.

"냉궁(冷宮)에 가둬두었다가 몸이나 풀고 나거든 죽이셔도 늦지 않을 것입니다."

조조가 싸늘하게 대답한다.

"역적의 종자를 남겨두었다가 훗날 제 어미의 원수를 갚게 하란 말이오?"

끌려 온 동귀비가 울며 고한다.

"승상, 나를 죽이되 시체나마 온전히 보존하게 해주오"

조조는 곧 흰 비단을 가져오게 했다. 황제가 동귀비의 손을 잡는다.

"부디 황천에 가더라도 짐을 너무 원망하지 말라."

겨우 이 말을 건넨 황제의 눈에서는 눈물이 비오듯 흘러내린다. 복황후도 목놓아 통곡한다. 조조가 노하여 말한다.

"아녀자처럼 이렇게 울기만 하시겠소."

조조는 더이상 지체하지 않고 동귀비를 궁문 밖으로 끌어내 목졸라 죽이게 했다.

후세 사람들이 동귀비의 죽음을 탄식한 시가 있다.

봄날 궁전에서 받은 은총 또한 황송한데　　　春殿承恩亦枉然
애통하다, 임금의 씨마저 함께 목숨 잃다니　　傷哉龍種并時捐
당당한 황제의 권위로도 구하지 못하고　　　　堂堂帝主難相救
소맷자락으로 가린 얼굴에 눈물만 샘솟듯　　　掩面徒看淚湧泉

조조는 궁문을 지키는 자를 불러 엄명을 내린다.

"지금부터는 황제의 종족이든 외척이든, 내 허락 없이 궁문을 드나드는 자가 있거든 즉시 참하라. 경비를 소홀히한 자도 마찬가지로 벌을 받을 것이다."

조조는 그러고도 마음이 놓이지 않아서 다시 심복부하만으로 3천명을 가려뽑아 어림군(御林軍)으로 삼고, 조홍(曹洪)으로 하여금 통솔하

조조는 동귀비를 목졸라 죽이다

게 했다.

조조가 모사 정욱을 불러 말한다.

"동승의 무리를 없앴지만 아직도 유비와 마등의 무리가 남아 있질 않은가? 이들까지 마저 없애야겠는데 어찌하면 좋겠는가?"

정욱이 말한다.

"마등은 서량에 주둔하고 있어서 쉽사리 공격하기 어렵습니다. 먼저 서신을 보내 그를 위무하여 의심하지 않게 한 후에 유인하여 잡는 게 좋겠습니다. 또 유비는 지금 서주에 있으면서 부하들을 세 곳으로 나누어 기각지세(掎角之勢)를 이루었으니 그 역시 가볍게 칠 수 없습니다. 더욱이 원소가 관도(官渡)에 군사를 주둔시키고는 항시 허도를 넘보고 있는 터라. 만약 우리가 동쪽으로 서주를 치러 나선다면 유비는 반드시 원소에게 구원을 청할 것이고, 원소는 우리의 빈 틈을 타서 허도를 습격할 테니 무슨 수로 당해내리까?"

조조가 말한다.

"그렇지 않네. 유비는 뛰어난 인물이라 지금 치지 않고 내버려두었다가 점점 세력이 커지면 참으로 도모하기 어려울 것이야. 원소는 비록 세력이 강하다고 하나, 원래 천성이 의심이 많아 제대로 결단을 내리지 못하는 위인이라 오히려 근심할 게 없지."

이렇게 한창 의논하고 있는데 곽가가 들어왔다. 조조가 다시 곽가에게 묻는다.

"동쪽으로 유비를 치려 하는데, 원소가 그 틈을 타서 허도를 급습할까 걱정일세. 그대 생각은 어떤가?"

곽가가 말한다.

"원소는 의심이 많아 결단이 늦고, 수하의 모사들은 서로 투기가 심하니 근심하실 게 없소이다. 또 유비로 말하면 새로 군사들을 모아들인 까닭에 중심이 서지 않은 터라, 승상께서 군사를 거느리고 가서 한번 북을 울리면 능히 이길 수 있을 것입니다."

"그대의 뜻이 내 뜻과 같도다!"

조조가 크게 기뻐하여, 즉시 20만대군을 일으켜 다섯 길로 나누어 서주를 향해 떠났다.

한편 조조 진영의 동정을 탐지한 정탐꾼은 곧장 서주에 이 사실을 알렸다. 손건이 먼저 하비성으로 가서 관운장에게 알리고, 다시 소패로 가서 현덕에게 보고했다. 현덕은 손건과 더불어 계책을 의논했다.

"이 일은 원소에게 구원을 청할 도리밖에 없소."

현덕은 즉시 서신을 써서 손건에게 주어 하북으로 가게 했다. 손건은 먼저 전풍(田豊)을 찾아가 돌아가는 상황을 자세히 전한 다음, 원소 뵙기를 청했다. 전풍은 즉시 손건을 데리고 가서 원소를 만나게 해주었다. 손건이 들고 온 유비의 서신을 올렸다. 그런데 원소는 초췌하게 여윈데다 의관조차 제대로 여미지 못하여 몹시 흐트러져 보인다. 전풍이 묻는다.

"주공께서는 무슨 일이 있으십니까?"

원소가 힘없이 대답한다.

"참으로 죽고만 싶은 심정이오."

"그게 무슨 말씀이오니까?"

"내 슬하에 다섯 아이를 두었으니, 그중 어린놈이 가장 총명하여 각별히 아껴온 터였소. 헌데 그애가 지금 옴이 올라서 목숨이 위태로우니, 내 다른 일을 의논할 경황이 있겠소?"

576

전풍이 고한다.

"지금 조조가 동쪽으로 유현덕을 치러 떠나 허도가 텅 비었으니, 이틈에 군사를 거느리고 가서 공격한다면, 위로는 황제를 보존하고 아래로는 도탄에 빠진 만백성을 구하는 일입니다. 이는 참으로 좋은 기회이니 명공께서는 어서 결단을 내리소서."

넋이 나간 원소가 답한다.

"나도 좋은 기회인 줄은 알지만, 내 마음이 산란하여 아무래도 군사를 일으켰다가는 이롭지 않을 듯싶소."

"무엇 때문에 그리 마음이 산란해하십니까?"

"다섯 아이 가운데 그애가 남달리 뛰어났는데, 만에 하나 잘못되기라도 하는 날에는 내 운명도 다한 것이나 같소."

원소는 전풍이 재차 권했으나 끝내 결단을 내리지 못하고 손건에게 말한다.

"그대는 돌아가서 유예주를 뵙거든 내 처지를 자세히 말씀드리고, 만약 조조와 대적하다 일이 잘못되거든 즉시 나를 찾아오시면 내 힘껏 돕겠다고 전하시오."

전풍은 들고 있던 지팡이로 땅을 내리치며 말한다.

"하늘이 내려준 기회를 한낱 어린아이 병 때문에 놓치고 말다니, 참으로 아깝도다!"

전풍은 발을 헛디뎌 넘어지며 탄식했다.

손건은 다시 밤을 새워 소패로 돌아왔다. 그러고는 유현덕에게 사정을 낱낱이 고하였다. 원소가 반드시 군사를 내주리라 믿고 있던 유현덕은 크게 놀라며 낙망한 기색이 역력하다.

"이 노릇을 대체 어찌한단 말이냐?"

장비가 나선다.

"형님, 염려 마시우. 조조의 군사는 먼 길을 달려와 피곤할 게요. 그러니 먼저 그들의 영채를 습격하면 틀림없이 조조를 쉽게 물리칠 수 있을 거유."

그 말을 듣고 유현덕이 말한다.

"내 평소에는 너를 그저 힘센 장수로만 알았거늘, 앞서 유대를 잡아들일 때 능히 계교를 쓰더니, 이제 또 이렇게 묘책을 내놓는데 그역시 병법에 맞는 말이구나."

유현덕은 마침내 장비의 계교대로 군사를 나누어 조조의 영채를 습격하기로 했다.

한편, 조조는 대군을 이끌고 소패를 향해 전진하고 있었다. 그런데 갑자기 광풍이 사납게 일더니, 아기(牙旗, 진두에 세우는 대장기)의 깃대 중간이 뚝 부러지는 것이 아닌가. 조조는 군사를 멈추게 한 후 급히 모사들을 불러 길흉을 물었다. 순욱이 되묻는다.

"바람이 어디에서 불어왔으며, 무슨 빛깔의 기가 부러졌습니까?"

조조가 말한다.

"바람은 동남쪽에서 불어왔고, 모퉁이에 있는 청홍 두 색깔의 아기일세."

"그럼 별다른 일은 아닙니다. 오늘밤 유비가 영채를 기습하러 올 조짐입니다."

조조가 말없이 머리를 끄덕이는데, 모개(毛玠)가 들어와서 묻는다.

"방금 동남풍이 불어와 청홍 아기가 부러졌는데 주공께서는 무슨 징조라고 생각하시는지요?"

조조가 되묻는다.

"공의 생각은 어떻소?"

"어리석은 소견일지 모릅니다만, 오늘밤에 누군가 우리 영채를 습격해올 것 같습니다."

후세 사람들은 이 일을 두고 이렇게 한탄했다.

아아, 황실의 후예가 형세 고단한지라　　　　吁嗟帝胄勢孤窮

군사를 나누어 적을 들이칠 계획 세웠는데　　全仗分兵劫寨功

하늘도 무심해라 아기는 왜 부러지는가　　　爭奈牙旗折有兆

하늘은 무슨 까닭에 간웅을 도우시는가　　　老天何故縱奸雄

조조가 말했다.

"하늘이 우리에게 징후를 보였으니, 마땅히 방비해야 할 것이다."

조조는 군사를 아홉 부대로 나누어, 한 부대만 전진하여 거짓으로 영채를 세우게 한 다음 나머지 여덟 부대는 매복시켜놓았다.

그날밤 달빛은 유난히 희미했다. 유현덕은 소패성에 손건을 남겨둔 채, 자신은 왼쪽에, 장비는 오른쪽에 군사를 두 패로 나누어 진군했다. 장비는 자신의 계책이 들어맞으리라 믿어 의심치 않았으므로 날쌘 기마병을 거느리고 자신만만하게 앞으로 나서서 조조의 영채 안으로 뛰어들었다. 그러나 뜻밖에도 영채 안은 쓸쓸한 기운이 감돌았다. 병마도 보이지 않더니, 갑자기 사방에서 불빛이 번쩍이며 함성이 터져나온다.

장비는 일순간 적의 계략에 휘말렸음을 깨닫고 황급히 밖으로 빠져나왔다. 나와 보니, 동쪽에서는 장요, 서쪽에서는 허저, 남쪽에서는 우금, 북쪽에서는 이전, 동남쪽에서는 서황, 서남쪽에서는 악진, 동북쪽에서는 하후돈, 서북쪽에서는 하후연 등이 일제히 함성을 올리며 달려든다.

장비는 좌충우돌하며 닥치는 대로 치고 베며 나아갔다. 그러나 휘하의 군사들이 본래 조조의 군사들이었던지라 사태가 다급해지자 모두들 앞다투어 항복해버린다.

장비는 정신없이 싸우다가 서황과 정면으로 마주쳐 한바탕 싸움을 벌였다. 그런데 문득 뒤를 보니 악진이 말을 몰고 무서운 기세로 달려오는 것이 아닌가. 장비는 혈로를 뚫고 간신히 빠져나왔다. 따르는 자는 겨우 수십기에 불과했다. 소패로 돌아가려 했으나 이미 길이 끊긴 뒤였고, 서주나 하비로 가려 해도 조조의 군사들이 가로막고 나설 게 틀림없었다. 그래서 장비는 망탕산을 향해 말을 달렸다.

유현덕도 조조의 영채를 공격하러 군사들을 거느리고 문 가까이 다다랐다가 홀연 천지를 진동하는 함성과 더불어 뒤쪽에서 한무리의 적군이 달려드는 바람에 군사 태반을 잃고 말았다. 그때 하후돈이 군사를 거느리고 거듭 공격해와 간신히 혈로를 뚫고 달아났다. 그런데 이번에는 하후연이 맹렬하게 추격해왔다. 현덕이 뒤를 돌아보니 수하에 따르는 군사는 겨우 30여기였다.

유현덕은 급히 말을 몰아 소패로 돌아가려 했다. 그러나 얼마 못 가서 바라보니 소패성에서 불길이 치솟고 있었다. 현덕은 길을 돌려 서주나 하비성으로 돌아가려 했으나, 조조의 군사들이 온 산과 들을 까맣게 뒤덮어 이미 길이 끊긴 터였다.

현덕은 아무리 궁리를 해보아도 갈 곳이 없었다. 그제서야 조조와의 싸움이 여의치 않거든 찾아오라고 했다는 원소의 말이 떠올랐다. 현덕은 당분간 원소에게 의탁하여 달리 방법을 찾는 도리밖에 없다고 판단하고 청주를 향했다.

그러나 얼마 못 가서 북소리가 울리더니 한떼의 군사들이 몰려와 길을 막았다. 바로 이전의 무리였다. 현덕은 맞서 대항할 엄두도 못내고 홀로 북쪽을 향해 달아났다. 이전의 무리는 유현덕의 군사들을 사로잡아 돌아갔다. 유현덕은 하루 3백리씩을 달려, 마침내 청주성에 이르렀다.

"성문을 열라!"

문지기가 성명을 묻고는 자사에게 고했다. 청주 자사는 바로 원소의 맏아들 원담(袁譚)이었다. 원담은 평소에 현덕을 공경하고 있던 터라, 곧 성문을 열게 하고 몸소 나와 영접했다.

현덕을 맞아들인 원담이 찾아온 까닭을 물으니, 현덕은 조조와 싸우다가 패하여 잠시 몸을 의탁하러 오는 길이라 답했다. 원담은 현덕을 역관으로 안내하여 편히 쉬게 했다. 이튿날 부친 원소에게 서신을 보내는 한편, 시중들 사람과 말을 골라 현덕을 호송하게 했다.

유현덕이 평원(平原) 경계에 이르렀을 때였다. 어느새 원소가 많은 사람들을 거느리고 업군(鄴郡) 30리 밖에까지 나와 현덕을 영접한다. 유현덕이 절하여 사례하니 원소는 황급히 답례한다.

"지난번에 어린 자식이 병을 얻은 탓에 공의 청을 수락하지 못하여 내내 마음이 편치 못했소이다. 그런데 이렇듯 공을 만나뵙게 되었으니 평생에 그리던 마음이 이제야 풀리는 듯싶소이다."

유현덕이 말한다.

"외롭고도 곤궁한 유비는 오래 전부터 문하에 오려 하였으나, 기회가 닿지 않아 이렇듯 늦어졌소이다. 이제 조조에게 패하여 적들의 손에 처자를 남겨두고 빠져나오고 보니, 장군께서 천하의 선비들을 도

조조는 서주의 유비를 공략하다

량 있게 받아주신다기에 부끄러움을 무릅쓰고 찾아왔습니다. 이 몸을
거두어주신다면 맹세코 그 은혜에 보답하겠습니다."

원소는 크게 기뻐하며 현덕을 후하게 대접하고, 기주성으로 돌아가
함께 지내기로 했다.

그날밤, 조조는 소패를 손에 넣고 연이어 서주를 공격했다. 미축과
간옹은 성을 지킬 도리가 없어 그대로 달아나버렸고, 진등이 뒤에 남
아 조조에게 서주성을 바쳤다.

조조는 대군을 거느리고 서주성으로 들어가 먼저 백성들을 위무하
는 한편, 모사들을 불러모아 하비성 공략할 일을 의논했다. 순욱이 나
서서 말한다.

"하비성은 지금 관운장이 유현덕의 처자를 보호하고 있어 죽음을 각오하고 지킬 터이니, 한시바삐 서두르지 않으면 원소에게 빼앗기고 말 것입니다."

조조가 말한다.

"관운장은 그 무예와 사람됨이 천하에 보기 드문 인걸이라, 내 평소 귀히 여겨오던 터이니 기어코 수하에 거두고 싶네. 그러니 사람을 보내 항복을 권하는 게 좋을 듯싶소."

그 말에 곽가가 나선다.

"관운장은 본래 의기를 중히 여기는 사람이라 결코 항복하지 않을 것입니다. 섣불리 사람을 보내 투항을 권했다가는 도리어 해를 입기 십상입니다."

이때, 아래쪽에서 한 사람이 나서며 말한다.

"일전에 관운장을 만난 교분이 있으니, 제가 한번 가서 항복을 권해보겠습니다."

그는 다름아닌 장요였다. 정욱이 만류한다.

"장문원이 비록 관운장과 교분이 있다고는 하지만, 제가 보기에는 관공을 몇마디 말로 설득하기는 어렵소이다. 한 가지 계책이 있으니, 관운장을 물러설 수도 나올 수도 없는 진퇴양난에 빠뜨린 후에 문원이 가서 달랜다면 반드시 승상에게 올 것입니다."

맹호를 겨누어 쇠뇌를 걸어놓고　　　　　　整備窩弓射猛虎
좋은 미끼 끼워 큰 자라 낚으려네　　　　安排香餌釣鼇魚

정욱의 계책이란 과연 무엇일까?

사로잡힌 관운장

토산에서 세 가지를 약속받고 항복한 관운장은
백마현에서 포위를 풀어 조조를 구해주다

정욱이 계책을 말한다.

"운장은 만인(萬人)을 대적할 인걸인 까닭에 지모(智謀)가 아니면
사로잡기 어렵습니다. 지금 유비 수하에서 항복해온 군사를 하비성으
로 들여보내 도망쳐왔노라고 고하게 한 다음, 성안에 들어가 우리와
내통하도록 하십시오. 그런 뒤에 관운장을 밖으로 유인하여 싸움을
거는 한편 정예군사들로 하여금 돌아갈 길을 끊게 하고 투항할 것을
권한다면 쉽사리 뜻을 이룰 수 있을 것입니다."

조조는 즉시 유비 수하에서 투항해온 군사 수십명에게, 하비성으로

들어가 관운장에게 싸움에 패하여 도망왔노라고 보고하게 했다. 관운장은 서주의 옛 병사들이라 아무런 의심 없이 성안에 받아들였다.

이튿날, 하후돈이 선봉에 서서 5천 군사를 거느리고 하비성 아래이르러 싸움을 청했다. 관운장은 성문을 굳게 닫고 좀처럼 응하지 않았다. 하후돈이 군사를 시켜 성 아래서 욕설을 퍼붓자, 관운장은 마침내 크게 노하여 3천 군사를 거느리고 성밖으로 나왔다.

두 사람이 어우러져 싸우기를 10여합, 하후돈이 갑자기 말머리를돌려 달아난다. 관운장이 그 뒤를 바싹 쫓는다. 하후돈은 달아나다가돌아서서 싸우고, 짐짓 싸우다가 달아나기를 거듭한다. 관운장은 어느새 하후돈의 뒤를 무려 20여리나 쫓았다. 문득 하비성이 잘못될까두려워진 운장이 군사를 돌려 성으로 돌아가려 했다.

바로 그때, 한 방의 포소리가 울리더니 왼쪽에서는 서황이, 오른쪽에서는 허저가 군사를 휘몰아나와 앞길을 가로막는다. 관운장이 혈로를 뚫고 나아가는데, 길 양편에서 복병이 갑자기 화살을 비오듯 퍼부어댄다. 관운장은 도저히 그곳을 지나갈 도리가 없어, 군사를 되돌리려 했다. 순간 서황과 허저가 함께 달려든다. 관운장은 있는 힘을 다하여 두 사람을 물리치고 다시 길을 찾아 하비성으로 돌아가려 했다. 하후돈이 다시 군사를 몰고 나와 길을 막는다. 관운장은 해가 저물도록 맞서싸웠으나, 도무지 하비성으로 돌아갈 길을 찾지 못하다가 겨우 토산을 발견하고는 산위에 군사를 주둔시켜놓고 잠시 휴식을 취하였다. 조조의 대군은 토산을 몇겹으로 에워쌌다.

관운장이 토산 위에서 멀리 하비성을 바라보니 성안에서 치솟는 불길이 하늘마저 태울 기세였다. 도망온 체하고 하비성에 들어간 군사들이 성문을 열어주어, 조조가 몸소 대군을 거느리고 성안으로 들어

가서는 불을 놓아 관운장의 마음을 어지럽힌 것이었다.

관운장은 경황이 없고 불안하여 밤중에 몇번이나 군사를 이끌고 산 아래로 내려가려 했다. 그러나 그때마다 조조의 군사들이 화살을 비오듯 쏘아대는 바람에 다시 산위로 피하는 수밖에 없었다.

노심초사하며 밤을 지새고 먼동이 틀 무렵, 관운장은 다시 군사를 정돈하여 산을 내려오려 했다. 그때 홀연히 한 장수가 말을 몰고 급히 산위로 올라왔다. 바로 장요였다. 관운장은 장요를 맞이하며 묻는다.

"문원(文遠, 장요의 자)은 나와 싸우러 온 거요?"

"아니오. 옛 정리를 생각하여 특별히 만나러 온 것이외다."

장요는 한마디 한 연후에 황망히 손에 들었던 칼을 버리고, 말에서 내려 관운장 앞으로 다가갔다. 두 사람은 예를 갖추어 인사를 나누고, 산등성이에 나란히 앉았다. 관운장이 묻는다.

"그럼 그대는 나에게 항복을 권하러 온 것이오?"

장요가 대답한다.

"그도 아니오. 지난날 형께서 아우를 구해주셨는데, 이제 아우가 어찌 형장을 구해드리지 않으리까."

"그렇다면 그대는 나를 도와 함께 싸우려고 온 거요?"

"그도 아니오."

"그러면 대체 무슨 일로 온 것이오?"

"이번 싸움으로 유현덕과 장비는 살았는지 죽었는지도 모르는 판국이고, 지난밤 조공께서는 이미 하비성을 손에 넣었소이다. 군사나 백성들은 단 한명도 상하지 않았으며, 사람을 보내서 현덕의 가족을 호위하여 놀라지 않게 했으니, 제가 형을 뵈러 온 연유는 오직 이 말씀을 전해드리기 위함이외다."

장요의 말을 듣고 관운장은 화를 낸다.

"그 말을 듣자하니 나에게 항복하라고 설득하는 것이 아니고 무엇인가! 내 비록 지금 궁지에 몰렸으나 죽음을 그저 고향으로 돌아가는 것 정도로밖에 여기지 않으니, 그대는 속히 돌아가라. 내 곧 산을 내려가 싸울 것이다."

장요가 웃으며 말한다.

"형께서 그리 말씀하시면 천하의 웃음거리가 될 뿐이오."

"내 충성과 의리를 위하여 죽는데 어찌 천하의 웃음거리가 되랴."

"형께서 지금 이곳에서 죽는다면 세 가지 죄를 면하기 어려울 것이외다."

관운장이 눈을 부릅뜬 채 묻는다.

"세 가지 죄라니, 무슨 말인가?"

"애초에 유사군(현덕)이 형과 도원에서 형제가 되기로 결의하던 날, 생사를 같이하기로 맹세했소. 이제 유사군은 싸움에 패하여 간 곳을 모르오. 형이 이곳에서 싸우다 죽는다면 유사군이 다시 와서 형의 힘을 빌리려고 해도 이루지 못할 터이니, 이 어찌 지난날의 맹세를 저버리는 일이 아니리까. 이것이 바로 한 가지 죄올시다. 또 유사군께서는 가족을 형께 부탁하셨거늘, 이제 형께서 속절없이 돌아가시고 나면 감부인과 미부인은 장차 의지할 곳이 없을 것이오. 이는 유사군의 부탁을 저버리는 일이니, 그것이 바로 두번째 죄올시다. 또한 형께서는 무예가 뛰어나고 널리 경사(經史)에 통달하거늘, 유사군과 더불어 한나라 종묘사직을 붙들어 일으킬 생각은 아니하고 부질없이 끓는 물과 불 속으로 뛰어들어 한낱 필부의 용기를 발휘한다면, 이 어찌 의리에 맞는 행동이리까. 바로 이것이 세번째 죄라 하겠소. 형이 이렇듯 세

가지 죄를 지으려 하시니 아우가 나서서 고하지 않을 수 없소이다."

관우가 한참동안 침묵하더니 입을 연다.

"나에게 세 가지 죄가 있다고 하니, 대체 나더러 어쩌라는 말씀이오?"

"지금 조공의 군사가 사방을 에워싸고 있소. 만일 형이 항복하지 않으신다면 목숨을 보전하기 어려울 것이오. 헛되이 죽으면 아무런 이익도 없소이다. 우선 조공에게 항복하셨다가 차차 유사군의 소식을 알아본 연후에 알게 되는 대로 즉시 유사군께로 돌아가신다면, 첫째 유사군의 두 부인을 온전히 모실 수 있으니 좋고, 둘째로 도원결의를 어기지 않으니 좋고, 셋째, 장차 의로운 일을 위하여 유용한 몸을 보전하니 좋을 것이오. 이렇듯 세 가지나 이로운 점이 있으니 형은 부디 깊이 생각해보시오."

묵묵히 듣고 있던 관운장이 다시 입을 연다.

"그대가 나에게 세 가지 이로운 점을 말했으니, 나도 세 가지 약조를 구할 것일세. 만일 승상께서 들어주신다면 지금 당장 갑옷을 벗고 항복하겠으나, 들어주지 않는다면 차라리 세 가지 죄를 범할지언정 죽음만이 있을 뿐이네."

"승상께서는 도량이 너그러우신데 어찌 받아들이지 않겠소이까. 세 가지 약조나 어서 말씀해보시오."

"첫째, 내가 유황숙과 함께 한나라 종묘사직을 바로 세우기로 맹세했으니, 이제 내가 항복하더라도 오직 한나라 황제께 하는 것이지 결코 조조에게 항복하는 것이 아니며, 둘째, 두 분 형수님께 유황숙의 봉록을 내려 부양하되 지위 고하를 막론하고 아무도 거처에 들이지 않을 것이며, 셋째, 유황숙이 어디 계신지 아는 날에는 천리라도 만리라도 가리지 않고 돌아갈 것이오. 이 세 가지 가운데 하나라도 승낙하지 않으면 맹세코 항복하지 않겠소. 그대는 어서 가서 승상의 회답을 받아오시오."

장요는 즉시 말을 타고 산을 내려와 조조에게 고했다.

"첫째 한나라 황제께 항복하는 것이지 승상께 항복하는 게 아니라고 했소이다."

조조는 웃으며 말한다.

"내가 한나라의 승상으로 있으니, 내가 곧 한나라다. 그러니 그것은 되었고."

장요가 다시 고한다.

"두번째는 두 부인에게 황숙의 봉록을 내리시고, 누구를 막론하고 그 처소에 함부로 드나들지 못하게 하시랍니다."

조조가 말한다.

"황숙의 봉록이야 내가 갑절을 주리라. 내외를 엄금하는 것은 본래 나의 가법(家法)이므로 그것도 어렵지 않은 일이다."

"마지막으로 현덕의 소식을 아는 날에는 천리, 만리라도 기어코 찾아가겠다고 하옵니다."

이번에는 조조가 고개를 가로젓는다.

"그렇다면 내가 뭐하러 관운장을 거두어 쓰겠느냐. 그것만은 들어주기 어렵겠다."

조조의 반응에 장요가 다시 간한다.

"승상께서는 평범한 사람에 대한 대접과 국가적 인물에 대한 예우가 다르다던 예양(豫讓)의 말을 못 들으셨습니까? 승상께서 유현덕보다 더 후하게 대해주어 관운장의 마음을 잡으시면 어찌 복종하지 않겠습니까?"

조조가 고개를 끄덕인다.

"문원의 말이 옳도다. 내 세 가지 조건을 모두 들어주겠다."

장요는 다시 말을 타고 토산으로 가서 관운장에게 조조의 말을 전했다. 관운장이 다시 이른다.

"알았소. 다만 한 가지 청할 게 있소. 승상께서 잠시만 군사를 거두어주시면, 성으로 들어가서 두 분 형수님께 여쭤본 다음 기꺼이 항복하겠소."

장요가 다시 돌아가서 조조에게 이 뜻을 고하니, 조조는 즉시 영을 내려 30리 밖으로 군사를 물렸다. 순욱이 말한다.

"안됩니다. 속임수인지도 모릅니다."

조조가 자신있게 말한다.

"관운장은 의리가 있는 사람이오. 반드시 신의를 저버리지 않을 것이오."

조조가 군사를 멀리 물리자, 관운장은 군사를 거느리고 하비성으로 돌아갔다. 성안 백성들이 모두 안정된 모습임을 확인한 그는 두 분 형수님을 뵈러 부중으로 들어갔다. 감부인과 미부인은 관운장이 돌아왔다는 소식을 듣고 급히 나와서 맞았다. 관운장은 섬돌 아래에서 절을 올린 다음 고한다.

"두 분 형수님을 놀라시게 한 것은 모두 저의 죄입니다."

두 부인이 묻는다.

"황숙께서는 지금 어디 계신가요?"

"어디로 가셨는지 알 길이 없습니다."

"아주버님께서는 이제 어찌하실 건가요?"

"제가 성밖으로 나가 죽기살기로 싸웠으나 토산에서 적들에게 포위되고 말았습니다. 장요가 와서 항복을 권하기에 제가 세 가지 약조를 내걸었는데 조조가 모두 허락했고, 특히 군사를 뒤로 물려주어 이렇게 성안에 들어오게 되었습니다. 그러나 아직 두 분 형수님의 의향을 몰라 함부로 결정하지 못하고 있습니다."

감부인과 미부인이 묻는다.

"세 가지 약조가 무엇입니까?"

관운장이 전후 사정을 자세히 설명해주었다. 다 듣고 나서 감부인이 말한다.

"어제 조조 군사가 성안에 들이닥쳐 우리는 모두 죽을 줄만 알았는데, 뜻밖에 털끝도 건드리지 않고, 적의 병사 한 사람도 얼씬거리지 못하게 하더이다. 아주버님께서 이미 응낙하셨다면 우리한테 다시 물으실 것도 없습니다. 한 가지 걱정이 있다면, 훗날 조조가 아주버님을 황숙께 보내주지 않을까 하는 것이지요."

"저에게 다 생각이 있으니 두 분 형수님은 마음을 놓으십시오."

"아주버님께서 모든 일을 알아서 처리하세요. 우리 같은 아낙에게 물어보실 필요 없습니다."

밖으로 나온 관운장은 기병 수십명을 거느리고 조조를 만나러 갔다. 조조가 몸소 원문 밖까지 나와 영접했다. 관운장이 말에서 내려 절을 올리자 조조 또한 황급히 답례했다. 운장이 말한다.

"패장을 죽이지 않으시니 그 은혜에 감사드리오."

조조가 말한다.

"내 일찍부터 운장의 충의를 사모하던 차에, 오늘 이렇게 보게 되니 평생 소원이 이루어진 듯하오."

관운장이 다짐을 두듯 말한다.

"문원을 통해 세 가지 약조를 받았습니다. 승상께서는 부디 신의를 저버리지 마소서."

"이미 승낙한 일이오. 내 어찌 신의를 지키지 않겠소?"

"이몸은 황숙이 계신 곳을 아는 날에는 물불을 가리지 않고 반드시 찾아 떠날 것이외다. 혹여 사정이 여의치 않아 승상께 하직을 고하지 못하더라도 깊이 책망치 마소서."

"유현덕이 살아 계시다면 당연히 공을 보내드리겠소. 허나 전란중에 이미 돌아가셨을지도 모르는 일이니, 천천히 수소문하여 알아보도록 합시다."

관운장은 다시 절을 올려 사례한다. 조조는 곧 잔치를 베풀어 대접했다.

이튿날 조조는 대군을 거느리고 허도를 향해 출발했다. 관운장은 두 형수를 수레에 태워 친히 호송한다. 그날밤, 운장 일행이 역관에 들었을 때였다. 조조는 짐짓 예법을 어지럽힐 속셈으로 관운장과 두 부인을 한방에 들게 했다. 관운장은 곧 등불을 밝혀들고 문밖에 서서 밤을 지새우는데, 피곤한 빛이라고는 조금도 찾아볼 수 없었다. 조조는 이 말을 전해듣고 더욱더 운장을 공경하게 되었다.

허도로 돌아온 조조는 집 한 채를 내주어 관운장 일행을 거처하게 했다. 운장은 그 집을 안채와 바깥채로 나누어, 늙은 병사 10명을 배치하여 안채를 지키게 하고 자신은 바깥채에 기거했다.

조조가 관운장을 데리고 입궐하여 헌제께 알현하니, 헌제는 운장을 편장군(偏將軍)으로 봉하였다. 관운장은 사은숙배(謝恩肅拜, 임금의 은혜에 감사해 절하는 것)하고 물러나왔다.

이튿날 조조는 부중에 성대한 잔치를 베풀어 수하의 모든 모사와 장수 들을 불러모으고, 관운장을 귀빈의 예우로 상좌에 앉혔다. 그리고 비단과 금은으로 만든 그릇을 선물했다. 운장은 이것들을 모두 두 형수들에게 보내 간수하게 했다.

허도에 돌아온 뒤 조조는 관운장을 극진히 대접했다. 사흘에 한번씩 작은 잔치를 베풀고 닷새에 한번씩은 성대한 잔치를 베풀었다. 또한 미인 10명을 뽑아 운장을 시중들게 했다. 하지만 운장은 그들을 모두 안채로 들여보내 두 형수를 모시게 했으며, 사흘에 한번씩은 꼭 안채 문밖에 서서 두 형수의 안부를 여쭈었다. 그때마다 두 형수는 운장에게 물었다.

"황숙의 소식은 좀 들으셨습니까?"

몇번이나 되묻고 나서, 두 형수는 다시 말한다.

"그럼 아주버님도 편히 쉬시지요."

그제야 관우는 밖으로 물러나오곤 했다. 조조는 이 말을 전해듣고 탄복을 금치 못했다.

하루는 조조가 관운장이 입고 있는 녹색 비단 전포가 너무 낡은 것을 보고 곧 몸의 치수를 재어 좋은 비단으로 전포를 한벌 지어 운장에게 선사했다. 운장은 새 전포를 받아입더니 그 위에 다시 낡은 전포를 걸치는 것이 아닌가. 조조가 빙그레 웃으며 말한다.

"운장께서는 참으로 검소하시구려."

관운장이 정색하고 대답한다.

"검소해서 그런 것이 아닙니다. 이 낡은 전포는 유황숙께서 내리신 것이라, 이 전포를 입으면 형님의 얼굴을 보는 듯합니다. 승상께서 새로 내리신 전포 때문에 형님께서 주신 것을 어찌 잊을 수 있겠습니까.

그래서 이렇듯 위에 걸쳤습니다."

"관공은 참으로 의리있는 사람이오."

조조는 운장을 칭찬해마지 않았다. 그러나 내심 그리 즐거울 수만은 없었다.

하루는 관운장이 바깥채에 있는데, 갑자기 안채를 지키는 늙은 군사가 달려와 아뢴다.

"두 부인께서 대성통곡하다 그만 쓰러지셨는데, 도무지 무슨 이유인지 모르겠습니다. 장군께서 어서 들어가보십시오."

관운장은 급히 의관을 정제하고 안채 문밖에 무릎 꿇고 앉아 여쭈었다.

"두 분 형수님께서는 어인 연유로 그리 애통해하십니까?"

감부인이 말한다.

"지난밤 꿈에 황숙께서 흙구덩이에 빠져 계시더이다. 잠에서 깨어나 미부인과 그 일을 얘기하다보니, 아무래도 황숙께서 구천지하(九泉地下)에 계신 것만 같아서 그럽니다."

그 말을 듣고 운장이 조용히 고한다.

"꿈속의 일을 어찌 믿으신단 말씀입니까. 이는 모두 형수님께서 형님 생각에만 골몰하신 까닭이겠지요. 그러니 그리 심려하지 마십시오."

이때 조조가 사람을 보내 관운장을 잔치에 초대했다. 운장은 두 형수에게 인사하고, 즉시 조조의 부중으로 들어갔다. 조조는 운장의 얼굴에 눈물자국이 번진 것을 보고 어찌 된 일이냐고 물었다. 관운장이 대답한다.

"두 분 형수님께서 형님 생각으로 통곡을 하시니, 저도 모르게 비감해진 모양입니다."

조조는 좋은 말로 위로하며 연이어 술을 권하였다. 취기가 제법 돌자 관운장은 손을 들어 수염을 쓰다듬으며 말한다.

"살아서 능히 나라에 보답하지 못하고, 형님마저 저버리고 말았으니, 이런 부질없는 인간이 또 있겠습니까?"

조조는 그 말에는 대꾸하지 않고 운장의 수염을 칭찬한다.

"운장의 수염이 장한데, 그 수가 얼마나 되겠소?"

"제 수염이 수백 가닥은 되는데 매년 가을철이 되면 몇개씩 빠집니다. 그리하여 겨울이 되면 수염이 상하지 않도록 비단주머니를 만들어 싸고 다니지요."

조조는 비단으로 수염주머니를 만들어 운장에게 주며 수염을 잘 보호하라고 일렀다. 이튿날 아침, 관운장이 입궐하여 조회 때 황제를 뵈었다. 황제는 관운장의 가슴에 길게 드리워진 비단주머니를 보고 묻는다.

"그게 무엇이오?"

운장이 아뢴다.

"신의 수염이 매우 길어, 승상이 비단주머니를 만들어주고 수염을 보호하라 했사옵니다."

헌제가 관운장에게 비단주머니를 열어 보이게 하니, 과연 운장의 수염이 배 아래까지 길게 늘어졌다.

"참으로 미염공(美髥公, 수염이 아름다운 사람)이로다."

황제가 감탄해마지 않으니, 이때부터 사람들은 모두 관운장을 미염공이라 불렀다.

어느날이었다. 잔치를 마치고 관운장이 승상의 부중을 나서는데,

그가 탄 말이 유달리 수척해 보였다. 조조가 한마디 묻는다.

"공의 말이 왜 이리 말랐는가?"

운장이 대답한다.

"천한 이몸이 육중하여 말이 견디지 못하고 이리 말랐나봅니다."

조조는 즉시 사람들에게 명하여 말 한 필을 끌어오라 일렀다. 잠시 후 끌려온 말은 온몸이 불덩어리처럼 붉은 빛이 돌며 매우 위엄있어 보이는 것이 보기 드문 준마였다. 조조가 말을 가리키며 묻는다.

"귀공께서는 이 말을 알아보겠소?"

"여포가 생전에 타던 적토마가 아니옵니까?"

"바로 그렇소."

조조는 안장과 고삐를 갖추어 운장에게 내주었다. 운장은 몹시 기뻐하며 두번 절하여 조조에게 사례했다. 조조가 별로 좋지 않은 얼굴로 한마디 한다.

"내가 일전에 미인들을 보내고, 또 금이며 비단을 보냈건만 한번도 공의 절을 받은 적이 없었는데, 한 필의 말을 받고 그리 기뻐서 두 번 절을 하니, 그래 사람은 천하고 말은 귀하단 말씀이오?"

관운장이 말한다.

"이 말은 하루에 천리를 간다고 하더이다. 다행히 이 말을 얻게 되었으니, 형님이 어디 계신지 알게 되면 하루 만에 달려갈 수 있지 않겠소이까?"

조조는 아연실색하며 적토마를 하사한 일을 후회했다. 관운장은 아랑곳없이 하직인사를 올리고 적토마를 타고 돌아갔다.

후세 사람들이 시를 지어 관운장을 찬양했다.

조조는 관운장에게 적토마를 하사하다

위엄이 삼국을 덮는 당세의 영웅이라   威傾三國著英豪
한방에 들자 문밖에서 밤 새운 그 의기 드높아라   一宅分居義氣高
간교한 승상 부질없는 예로 대접하나   奸相枉將虛禮待
관우 이 사람 조조에게 항복하지 않음을 어찌 알았으리   豈知關羽不降曹

조조가 장요를 불러 묻는다.

"내 운장을 그다지 박하게 대접하지 않았는데 그는 항상 떠날 생각만 품고 있으니, 대체 어찌하면 좋겠는가?"

장요가 말한다.

"제가 가서 운장의 속마음을 알아보고 오겠습니다."

이튿날, 장요가 관운장을 찾아가 예를 올리며 물었다.

"내가 형을 승상께 천거했는데, 혹시 승상께서 형을 섭섭히 대하신 일이라도 있는지요?"

관운장이 대답한다.

"나 역시 승상의 은덕에 깊이 감사하고 있소. 다만 내 비록 몸은 여기 있으나, 마음은 한시도 유황숙을 잊은 적이 없소."

"형의 말씀은 참으로 옳지 않은 것 같소이다. 처세함에 경중을 분간하지 못한다면 장부가 아니니, 현덕공이 형을 대접하기로 아마 승상보다 더하지는 못했을 것인데, 어찌하여 늘 떠날 생각만 하신단 말씀입니까?"

"승상께서 내게 내리신 크나큰 은혜를 알고 있으나, 이미 유황숙께 후은을 입었고 생사를 같이하기로 맹세까지 한 터라 그분을 저버릴 수는 없소. 언제까지나 이곳에 머물러 있지는 않을 것이오. 내 반드시 공을 세워 승상의 은혜를 갚은 다음에 이곳을 떠날 생각이오."

"만약에 현덕공이 이 세상 사람이 아니라면 그땐 형은 어디로 가실 생각이오?"

"그렇다면 땅속까지라도 형님을 따라가겠소."

장요는 운장이 끝내 머물러 있을 생각이 아님을 알고 돌아가서 그대로 조조에게 고했다. 조조는 듣고 나서 길게 한숨을 내쉰다.

"주인을 섬기되 그 근본을 잊지 않으니, 운장은 참으로 천하의 의사(義士)로다!"

순욱이 곁에서 한마디 한다.

"승상께 공을 세운 후에 떠나겠다 했으니, 공을 세울 기회를 주지 않는다면 떠나지 못할 것입니다."

조조는 말없이 고개를 끄덕였다.

한편, 원소에게 의탁하고 있는 유현덕은 밤낮으로 시름에 잠겨 있었다. 어느날 원소가 물었다.

"현덕공은 어찌하여 늘 시름에 잠겨 있는 거요?"

현덕이 말한다.

"두 아우의 소식을 알지 못하고, 처자마저 조조의 손에 잡혀 있소이다. 위로는 나라에 보답하지 못하고 아래로는 집을 보전하지 못하였는데, 어찌 근심하지 않겠습니까?"

"내 허도를 공격하리라 생각한 지 오래였는데, 이제 봄이 되어 날이 좋으니 군사를 일으킬 때가 왔소이다."

원소는 즉시 모사들을 모아놓고 조조를 쳐부술 계책을 상의했다. 모사 전풍(田豊)이 나서서 간한다.

"지난번 조조가 서주를 치러 나가 허도가 텅 비었을 때 공격했어야 합니다. 지금은 조조가 서주를 손에 넣어 그 위세가 강성하니 가볍게 대적할 수 없습니다. 좀더 돌아가는 사정을 살핀 뒤에 다시 기회를 보아 움직이는 게 좋을 듯합니다."

"그럼 내 다시 생각해보겠노라."

그러고 원소는 현덕에게 묻는다.

"전풍이 나더러 지키고만 있으라 하는데, 공의 생각은 어떠하오?"

"조조는 임금을 속인 역적이온데, 명공께서 그런 자를 토벌하지 않으면 천하에 대의명분을 잃으실까 두렵소이다."

원소는 고개를 끄덕인다.

"현덕공의 말씀이 옳소이다."

마침내 원소는 군사를 일으키기로 했다. 다시 전풍이 나서서 간했으나, 원소는 화를 내며 전풍을 꾸짖는다.

"그대들은 문(文)을 희롱하며 무(武)를 가볍게 여기니, 나로 하여금 대의를 잃게 하려는 겐가!"

전풍이 머리를 조아리며 거듭 간한다.

"만일 신의 충언을 귀담아듣지 않고 출정하신다면 이롭지 않을 것입니다."

원소가 격노하여 즉시 전풍의 목을 베려는 것을 곁에 있던 유현덕이 극구 만류했다. 전풍은 죽음을 면했으나 결국 옥에 갇히는 신세가 되고 말았다.

저수(沮授)는 전풍이 옥에 갇힌 것을 보고, 집으로 돌아가 일가친척들을 모두 불러모았다. 그러고는 가진 재산을 모조리 나누어준 다음, 하직인사를 고했다.

"내 이번 싸움에 출정하여 승리를 얻는다면 더없이 좋은 일이나,

만일 패한다면 반드시 목숨을 보존키 어려울 것이다."

모여 있던 사람들이 모두 눈물을 흘리며 저수를 떠나보냈다.

원소는 장수 안량(顔良)을 선봉으로 삼아 백마(白馬)땅을 공격하게 했다. 저수가 간한다.

"안량은 비록 용맹스러우나 성품이 편협하니, 그에게 모든 일을 맡겨서는 안됩니다."

그 말에 원소는 단호하게 대꾸한다.

"안량은 나의 상장(上將)이다. 네가 무얼 안다고 감히 그런 말을 하느냐!"

마침내 원소의 대군은 여양(黎陽)을 향해 진군했다.

동군 태수 유연(劉延)은 이 위급한 상황을 급히 허도에 알렸다. 조조는 즉시 군사를 일으켜 적을 맞이할 의논을 했다. 이 말을 전해들은 관운장이 조조의 부중으로 찾아왔다.

"승상께서 군사를 일으키신다는 이야기를 들었소이다. 저를 선봉으로 삼아주십시오."

조조가 말한다.

"장군의 수고까지 빌릴 만한 일이 아니오. 위급한 일이 생기면 그때 청하리다."

관운장은 하는 수 없이 물러나왔다.

조조는 군사 15만을 이끌고 세 부대로 나누어 출정했다. 도중에 유연의 급보를 연거푸 받게 되어 조조는 먼저 5만 군사를 거느리고 몸소 백마로 나아가 토산에 의지하여 진영을 세웠다. 멀리 앞을 바라보니, 산 아래 냇물이 흐르는 드넓은 벌판에 안량의 정병 10만이 진세를 벌였는데, 그 강성함에 놀라지 않을 수 없었다. 조조는 여포의 옛

부하장수 송헌(宋憲)을 돌아보며 물었다.

"듣자하니 너는 여포 수하에 있던 맹장이라 하던데, 한번 안량과 대적해보겠느냐?"

송헌이 응낙하고 즉시 창을 빼들고 말을 몰아 적진 앞으로 내달린다. 칼을 비껴들고 말을 문기(門旗) 아래 세우고 있던 안량도 고함을 지르며 말을 박차고 달려나왔다. 창과 칼이 만나 어울려 싸우기를 3합이 못되었는데, 어느새 안량은 송헌의 목을 베어 진영 앞에 떨구어버렸다. 조조가 깜짝 놀라며 감탄한다.

"참으로 용맹스런 장수로다!"

이번에는 위속(魏續)이 나선다.

"나의 오랜 친구를 죽였으니, 나가서 반드시 원수를 갚겠소이다."

조조가 허락하자, 위속은 창을 들고 말에 올라 진영 앞에 나서더니 안량을 큰소리로 꾸짖었다. 안량은 대답도 않고 내달아 단칼에 위속을 두 동강내어 거꾸러뜨리고 말았다. 조조가 낙망하여 말한다.

"이제 누가 안량을 대적하겠느냐?"

"이몸이 출정하겠소이다!"

한 장수가 내달아오니, 바로 서황이다. 서황이 말을 몰고 나가 안량과 맞서싸우기를 20합, 서황은 더 대적하지 못하고 패하여 본진으로 돌아왔다. 모든 장수들은 두려움에 떨며 감히 싸우겠다고 나서는 자가 없었다. 조조는 군사를 거두었다. 안량 또한 군사를 거느리고 물러갔다.

조조가 연달아 두 장수를 잃고 심란해하자 정욱이 나서며 말한다.

"안량을 당해낼 장수가 꼭 한 사람 있습니다."

"그가 대체 누구냐?"

"관운장이지요."

"나는 운장이 공을 세우고 떠나버릴까 두렵다."

"유비가 만약 죽지 않고 살았다면, 반드시 원소에게 의탁해 있을 것입니다. 이때 운장을 앞세워 원소의 군사를 물리치면, 틀림없이 원소가 유비를 의심하여 죽일 것이니, 유비가 죽고 나면 운장이 과연 어디로 가겠소이까?"

조조는 크게 기뻐하면서 곧 사람을 허도로 보내 관운장을 불렀다.

관운장은 안채로 들어가 두 형수에게 하직을 고했다. 두 형수가 말한다.

"이번에 가시거든 황숙의 소식을 꼭 좀 알아보세요."

두 형수의 허락을 받고 물러나온 관운장은 청룡도를 들고 적토마에 올라 종자 몇 사람만 데리고 곧바로 백마로 떠났다. 조조가 운장을 황급히 맞아들이며 말한다.

"안량이 연달아 두 장수를 죽였소. 도무지 안량을 당해낼 자가 없어서 이렇듯 공을 청했소."

"제가 나가보겠습니다."

조조가 관운장에게 술 한잔을 권하는데, 급하게 군사가 들어와 고한다.

"안량이 다시 와서 싸움을 청합니다."

조조가 관운장과 함께 토산에 올라가 자리잡고 앉았다. 하후돈·하후연·장요·서황·허저·이전·악진 등 조조 수하의 맹장들이 좌우에 둘러섰다. 조조는 산 아래 안량이 쳐놓은 진세를 가리켰다. 과연 기치(旗幟)가 선명하고 창검이 햇빛을 가리니, 그 모습이 당당하고 위엄이 넘친다.

"하북의 군사들이 저리도 웅장하니 걱정이오."

"제 눈에는 흙으로 만든 닭이나 개로밖에 안 보입니다."

관운장의 대답에 조조가 다시 손을 들어 가리킨다.

"저기 대장기와 일산 아래 수놓은 전포와 황금 갑옷을 입고 칼을 들고 말 위에 오른 자가 바로 안량이오."

관운장은 눈을 들어 흘낏 바라보았다.

"제 눈에는 안량이 흡사 푯대를 꽂아놓고 제 목을 팔러 나온 놈 같소이다."

"너무 가볍게 보아서는 안되오."

조조가 한마디 하자, 운장이 몸을 일으키며 말한다.

"제 비록 재주는 없으나, 수만 군사 속으로 쳐들어가 안량의 목을 베어 승상께 바치오리다."

곁에 있던 장요가 한마디 한다.

"원래 전장에서는 희롱하는 말이 없는 법이오. 관공은 적을 너무 쉽게 보지 마시오."

관운장은 분연히 적토마에 올라 청룡도를 손에 들고 산 아래로 달려내려갔다. 봉황 같은 눈을 부릅뜨고, 누에 같은 눈썹을 곧추세우며 적진으로 뛰어드니, 하북 군사는 운장이 휘두르는 청룡도의 기세에 놀라 물결치듯 양옆으로 갈라서며 길을 내준다.

이때 대장기 아래 서 있던 안량은 말을 몰고 달려오는 관운장에게 입을 열어 무언가 말하려 했다. 그러나 관운장이 탄 적토마가 워낙 빨라서 번개같이 달려들더니, 안량이 미처 손쓸 겨를도 없이 청룡도가 획 하고 번뜩였다. 안량은 그만 관운장의 단칼에 말 아래로 고꾸라지고 말았다.

관운장은 훌쩍 말에서 뛰어내려 안량의 머리를 베어 적토마의 목 아래 매달고, 다시 몸을 날려 말에 올라탔다. 그러고는 청룡도를 휘둘러 적군을 물리치며 적진을 뚫고 나온다. 그야말로 무인지경이었다. 하북 군사는 너무도 놀라 변변히 대항도 못하고 저절로 흩어져버리고 말았다.

그 틈을 이용하여 조조의 군사들이 달아나는 적들을 공격하니, 하북 군사 가운데 죽은 자의 수를 이루 헤아릴 수 없었고, 이때 빼앗은 말과 병기 역시 부지기수였다. 관운장이 말을 달려 토산 위에 오르자, 모든 장수들이 운장을 치하했다. 운장은 조조 앞으로 나아가 안량의 머리를 바쳤다. 조조가 찬탄하여 말한다.

"장군의 무예는 참으로 신의 경지요."

운장은 겸사한다.

"저의 재주야 그리 칭찬할 만한 게 못됩니다. 제 아우 장익덕은 백만의 적진에서도 적장의 목 취하기를 제 주머니 속의 물건 꺼내듯 합니다."

조조는 크게 놀라 좌우를 돌아보며 주의를 주었다.

"이 다음에 장익덕을 만나거든 가볍게 대적하지 말라."

그러고는 잊지 않도록 그 이름을 전포 깃에 적어두라고 했다.

한편, 싸움에 패하여 달아난 안량의 군사는 도중에 원소를 만나 그간의 일을 고했다.

"얼굴빛이 붉고 수염이 매우 긴 장수가 청룡도를 휘두르며 필마로 진중에 쳐들어와서 안장군의 목을 단칼에 베어가는 바람에 대패했습니다."

원소가 크게 놀라 묻는다.

"대체 그 장수가 누구란 말이냐?"

저수가 말한다.

"필시 유현덕의 아우 관운장일 것입니다."

화가 치민 원소는 손가락으로 현덕을 가리키며 호통친다.

"네 아우가 나의 아끼는 장수를 죽였으니, 이는 필시 사전에 내통한 것일 터이다. 너 같은 놈을 살려두어 무엇에 쓰겠느냐. 이놈을 당장 끌어내 목을 베어라!"

처음 만나서는 윗자리 손님으로 모시더니	初見方爲座上客
이제는 댓돌 아래 죄수가 되었구나	此日幾同階下囚

유현덕의 목숨은 어찌 될 것인가?

26 _

三
國
志
—

관운장의 충의

원소는 전투에 패해 장수를 잃고
관운장은 관인을 걸어두고 곳간을 봉하다

원소는 분을 이기지 못해 유현덕을 죽이려 한다. 현덕이 조용히 앞
으로 나서며 말한다.

"명공께서는 어찌하여 한쪽 말만 듣고 이제까지의 정을 끊으려 하
십니까? 저는 싸움에 패하여 서주를 잃고 난 다음에 운장이 살았는지
죽었는지도 모르고 있었습니다. 천하에 모습이 같은 자가 적지 않은
데, 얼굴빛이 붉고 수염이 길다고 하여 어찌 모두 관운장이라 할 수
있으리까. 명공께서는 깊이 통촉하소서."

본래 원소는 주관이 뚜렷하지 않은 터라, 현덕의 말을 듣고는 이내

저수를 꾸짖는다.

"네 말만 듣고 하마터면 좋은 사람을 죽일 뻔하였구나!"

원소는 다시 유현덕을 장막으로 청해 높이 앉힌 다음, 함께 안량의
원수를 어찌 갚을까 의논했다. 이때 장막 앞에 있던 한 장수가 나서며
말한다.

"안량은 나와 형제 같은 사이인데 역적 조조에게 죽임을 당했으니,
내 어찌 그 원한을 갚지 않을 수 있겠소이까!"

유현덕이 보니, 신장이 8척이요 얼굴은 해태와 흡사한 그는 바로
하북의 명장 문추(文丑)였다. 원소가 크게 기뻐하며 말한다.

"네가 아니면 안량의 원수를 갚지 못할 것이다. 10만 군사를 줄 터
이니 즉시 황하를 건너 역적 조조를 추살(追殺)하라."

저수가 만류한다.

"그건 안됩니다. 우리는 우선 연진(延津)에 주둔하고, 또 군사를 나
누어 관도를 지키는 것이 상책입니다. 경솔히 황하를 건넜다가 만일
큰 변이라도 생기면 모두들 돌아오지 못할 것입니다."

원소가 버럭 화를 낸다.

"너희 문신들은 매번 군사들의 사기를 떨어뜨리고, 맥없이 세월만
보내며 대사를 그르칠 작정이구나. 자고로 싸움은 신속하게 하는 것
이 제일이라는 말도 모르느냐?"

저수는 하늘을 우러러 깊이 탄식한다.

"윗사람은 자기 뜻만 앞세우고 아랫사람은 자신의 공만 앞세우려
하니, 과연 내가 유유히 흐르는 황하를 두번 다시 건널 수 있을지 의
문이로다."

저수는 그후로는 병을 핑계로 다시는 의논하러 나오지 않았다.

유현덕이 말한다.

"이몸은 명공께 큰 은혜를 입었으나 갚을 길이 없더니, 이번에 문추 장군과 함께 출정하여 첫째는 명공의 은덕을 갚고, 둘째는 그 사람이 진짜 운장인지 확실히 알아보고 오겠소이다."

원소가 기뻐하며 문추를 불러서 분부한다.

"현덕과 함께 전군(前軍)을 통솔하도록 하라."

문추가 말한다.

"유현덕은 여러 번 패한 장수라 군사들을 움직이는 데 이롭지 않습니다. 주공께서 기어이 그를 보내시겠다면, 소장은 3만 군사를 나누어주어 그로 하여금 후군을 맡도록 하겠습니다."

이렇게 해서 문추는 7만 군사를 거느리고 앞장섰고, 유현덕에게는 3만 군사를 이끌고 뒤를 따르게 했다.

한편 조조는 관운장이 안량의 목을 단칼에 베어오는 것을 보고는 전보다 더욱 흠모하고 공경하게 되었다. 그리하여 조정에 표문을 올려 운장을 한수정후(漢壽亭侯)에 봉하고, 관인(官印)까지 만들어주었다.

이때 파발꾼이 급히 달려와 보고한다.

"원소가 다시 맹장 문추로 하여금 황하를 건너 연진의 위쪽에 군사를 주둔시키게 했사옵니다."

조조는 먼저 사람을 보내 백성들을 서하(西河)로 옮기게 하고, 몸소 군사를 이끌고 진군했다.

"후군을 앞세워 전군으로 삼고, 전군으로 후군을 삼으라. 또한 군량과 마초를 앞세우고 군사들은 그 뒤를 따르도록 하라."

조조가 영을 내리자 여건(呂虔)이 묻는다.

"군량과 마초를 앞세우고 군사들더러 뒤따르라고 하시는 까닭이 무엇입니까?"

조조가 답한다.

"뒤에 군량과 마초를 두면 노략질을 당하지 않더냐. 그래 앞에 둔 것이다."

여건이 다시 묻는다.

"만약 적군이 앞에서 노략질을 하면 어찌시렵니까?"

"그건 그때가 되면 자연히 알게 될 것이다."

여건은 조조의 답을 듣고도 도무지 그 속뜻을 알지 못했다. 조조는 전군을 앞세워 군량이며 마초 같은 군수품을 싣고 연진으로 향하게 하고, 자신은 천천히 후군을 이끌고 나아갔다. 그때 갑자기 전군에서 함성이 일어난다. 조조가 급히 사람을 보내 어찌 된 상황인지 보고 오게 했다. 이윽고 파견했던 사람이 황급히 돌아와 전한다.

"하북의 맹장 문추가 쳐들어오자, 군사들이 모두 군량이며 마초를 내버리고 사방으로 흩어져 달아나고 있습니다. 헌데 후군은 이렇듯 멀리 있으니 참으로 큰일입니다."

조조는 채찍을 들어 남쪽 산 언덕을 가리키며 영을 내린다.

"잠시 저 위쪽으로 피하도록 하라."

군사들은 모두 언덕으로 올라갔다. 조조는 다시 영을 내린다.

"모두들 갑옷을 벗고 숨을 돌리도록 하라. 그리고 말들도 풀어주어 쉬게 하여라."

그때 함성이 크게 일며 문추의 군사들이 몰려온다. 수하 장수들이 조조에게 말한다.

"적군이 저렇듯 쳐들어오니, 급히 마필을 수습하여 백마로 피해가 도록 하십시오."

순유가 나서서 여러 장수들에게 급히 말한다.

"이것은 바로 적을 유인하는 계책이오. 백마로 피해가다니 그게 무슨 말인가."

조조가 순유를 돌아보며 빙그레 웃었다. 순유만은 조조의 속마음을 알아차렸던 것이다.

문추의 군사들은 군량과 마초를 얻고 나자, 이번에는 마필을 빼앗느라 대오를 이탈하여 제멋대로였다. 그제야 조조는 군사들에게 영을 내려 일제히 내려가 적을 포위하라 명한다. 제각기 말을 잡으려고 이리저리 날뛰던 문추의 군사들은 불의의 습격에 정신없이 저희끼리 밀고 밟히고 하는 것이 아닌가. 문추가 호령을 내렸으나 이미 때가 늦어수습할 도리가 없다. 문추 혼자 말을 몰고 달아나는데, 조조가 언덕위에서 문추를 가리키며 말한다.

"하북의 맹장 문추를 누가 가서 사로잡아오겠느냐?"

장요와 서황이 달려나가며 큰소리로 외친다.

"이놈 문추야, 어딜 달아나려는 게냐. 당장 멈췄거라!"

문추가 돌아보니 두 장수가 뒤따라오고 있었다. 문추는 잠시 철창을 안장에 수습해두고 활에 살을 메겨 장요를 겨누고 쏘았다.

"적장이 활을 쏜다!"

서황의 고함소리에 장요는 급히 고개를 숙여 화살을 피했는데, 날아든 화살은 장요의 투구를 맞추어 투구끈이 끊어지고 말았다. 장요가 다시 힘을 내어 뒤쫓는데 두번째 화살이 그가 타고 있던 말머리에 꽂힌다. 말이 앞굽을 꿇고 거꾸러지는 바람에 장요 또한 땅바닥에 나뒹굴었다. 문추는 돌아서며 장요를 치러 급히 달려들었다.

그때 서황이 큰도끼를 수레바퀴처럼 휘두르며 달려와 문추의 앞을 가로막는다. 문추와 서황이 맞서싸우는데 갑자기 함성과 함께 문추의 뒤에서 하북 군사들이 달려온다. 서황은 혼자 힘으로 더이상 대적할 수 없어 말머리를 돌려 달아났다. 문추가 급히 서황의 뒤를 추격해 황하 기슭에 이르니, 홀연히 10여기의 인마가 깃발을 펄럭이며 달려온다. 칼을 들고 앞장서 오는 장수를 보니, 바로 관운장이다.

"적장은 달아나지 마라!"

관운장은 호령하며 청룡도를 치켜들고 문추에게 달려들었다. 문추는 철창을 들어 운장의 청룡도를 몇번 막아보았으나 힘에 부쳐 당해낼 수가 없다. 겁에 질린 문추는 말머리를 돌려 황하를 따라 급히 달아난다. 운장은 적토마를 바삐 몰아 뒤를 쫓더니 문추의 등뒤에서 청룡도를 높이 들어 한번 번뜩였다. 말은 그대로 달려가는데 말 위에 탄 문추의 목이 피를 뿜으며 날아가 말 아래로 굴러떨어졌다.

조조는 언덕 위에서 관운장의 칼에 문추의 목이 떨어지는 것을 보고, 곧 군사를 휘몰아 적진으로 뛰어들었다. 혈로마저 찾을 수 없던 하북 군사의 태반은 황하에 빠져죽었다. 그리고 앞서 빼앗겼던 식량이며 마초와 말들은 고스란히 조조의 군사들이 되차지했다.

관운장이 수하 몇명만을 거느리고 동서를 넘나들며 싸우고 있을 때, 유현덕은 강 건너에서 3만 군사를 거느리고 오는 중이었다. 파발꾼이 달려와 보고한다.

"이번에도 얼굴이 붉고 수염 긴 장수가 문추 장군을 베었습니다."

유현덕이 황급히 말을 달려가 황하 건너편을 바라보니 한떼의 인마가 나는 듯이 오가는데, 깃발에 씌어진 글자는 바로 '한수정후 관운장(漢壽亭侯 關雲長)' 일곱 자가 분명하다. 현덕은 하늘을 우러러 마음속으로 천지신명께 감사를 올렸다.

'내 아우가 죽지 않고 조조에게 가 있었구나.'

현덕은 즉시 관운장을 불러 만나고 싶었으나, 조조의 대군이 몰려와 하는 수 없이 군사를 수습하여 돌아섰다.

이때 원소는 앞서 보낸 문추를 도우려고 관도에 이르러 막 영채를 세운 참이었다. 곽도(郭圖)와 심배(審配)가 와서 고한다.

"이번에도 문추를 죽인 장수가 운장이었건만, 유비는 짐짓 모르는 체하고 있습니다."

"그 귀 큰 도적놈이 어찌 감히 이럴 수가 있단 말이냐!"

원소가 분을 참지 못하고 있을 때, 유현덕이 돌아왔다. 원소는 즉시 좌우에 명한다.

"저놈을 끌어내 당장 참수하라!"

현덕이 다급히 말한다.

"제가 무슨 죄를 저질렀다고 이러십니까?"

원소가 다시 소리높여 말한다.

"네놈이 또다시 아우를 시켜 나의 아끼는 장수를 죽여놓고, 어찌 죄가 없다 하느냐!"

현덕이 조용히 말한다.

"죽기 전에 한마디만 아뢰도록 허락해주십시오. 조조는 본래 저를 몹시 싫어합니다. 이것은 모두 조조가, 제가 명공께 의탁하고 있으면서 명공을 도울까 두려워하여 특별히 운장으로 하여금 두 장수를 죽이게 한 것이니, 바로 명공의 손을 빌려 이 유비를 없애려는 계책이오니, 바라건대 명공께서는 깊이 헤아려주십시오."

원소가 현덕의 말을 듣고 보니 딴은 그럴 법한 일이었다.

"현덕의 말이 옳도다. 너희 때문에 하마터면 어진 사람을 해쳤다는 소리를 들을 뻔했구나."

원소는 좌우를 꾸짖어 물린 다음, 현덕을 장상(帳上)으로 청했다.
현덕이 원소에게 깊이 사례한다.

"명공의 관대하신 은혜를 또 입었으나 보답할 길이 없소이다. 부디
심복을 통해 운장에게 밀서를 전할 수 있도록 허락해주십시오. 운장
은 제 소식만 알면 기필코 밤낮을 가리지 않고 달려올 것이외다. 그리
하여 운장이 명공을 도와 함께 조조를 멸하고, 안량과 문추의 원수를
갚으면 어떠하오리까?"

그 말에 원소는 매우 기뻐한다.

"운장만 얻는다면야 안량과 문추보다 열 배는 나을 게요. 어서 글
을 써서 보내도록 하시오."

현덕은 운장에게 보낼 서신을 썼으나, 막상 들려보낼 사람이 마땅
치 않았다. 원소는 무양(武陽)으로 물러나 잇달아 수십리에 걸쳐 영
채를 세우고 군사를 움직이지 않았다.

한편 조조는 하후돈으로 하여금 군사를 거느리고 관도의 요충지를
지키게 하고, 자신은 대군을 거느리고 허도로 돌아갔다. 조조는 먼저
큰 잔치를 베풀고 모든 관원들을 모아놓고 관운장의 공로를 치하했
다. 이윽고 조조가 여건에게 말한다.

"지난번 전투에서 내가 군량과 마초를 앞세운 것은 바로 적을 유인
하고자 함이었느니라. 그러나 내 의중을 읽은 이는 오로지 순유 한 사
람뿐이었다."

좌중의 사람들이 탄복해마지 않는다. 한창 술잔이 오가는 중에 갑
자기 여남(汝南)에서 보고가 들어왔다.

"여남의 황건적 유벽(劉辟)과 공도(龔都)가 날뛰어서, 조홍이 여러

번 싸움에 나섰으나 이기지 못하여 원군을 청합니다."

이 말을 듣고 운장이 앞으로 나선다.

"이 관아무개가 견마지로(犬馬之勞)를 다하여 여남의 도적들을 무찌르고 돌아오겠소이다."

조조가 말한다.

"운장이 이미 큰공을 세워 그것도 아직 보답하지 못하고 있는 터에, 어찌 또다시 수고를 끼칠 수 있겠소?"

"저는 아무 일 않고 있으면 오히려 병이 납니다. 바라건대 다시 한번 출정하게 해주십시오."

조조는 관운장의 뜻을 장하게 여겨, 군사 5만을 내주고 우금과 악진을 부장으로 삼아 떠나게 했다. 그때, 순욱이 조조에게 은밀히 말한다.

"관운장은 항시 유현덕에게 돌아갈 마음을 품고 있습니다. 만약 유비의 소식을 아는 날에는 반드시 떠날 것이오니, 자주 출정시키지 않는 게 좋습니다."

조조가 대답했다.

"이번에 공을 이루고 돌아오면, 다시는 내보내지 않겠소."

관운장은 군사를 이끌고 여남 근처에 영채를 세웠다. 그날밤이었다. 영채 밖에서 두명의 염탐꾼을 붙잡아들였는데, 운장이 자세히 살펴보니 그 가운데 한 사람이 바로 손건(孫乾)이다. 관운장이 깜짝 놀라 즉시 좌우를 물리친 다음 다급히 묻는다.

"서주를 잃고 공과 헤어진 후 도무지 종적을 알 길이 없었는데, 어찌하여 여기에 와 있소?"

손건이 말한다.

"그때 서주에서 겨우 목숨을 건져 여기저기 떠돌다가 여남에 이르렀소이다. 천만다행으로 유벽이 거두어준 덕택에 지금까지 몸을 의탁하고 있었소. 그런데 장군께서는 어쩌다가 조조에게 붙어 계시오? 그리고 감부인과 미부인은 무고하신지요?"

관운장은 손건에게 그동안의 일을 자세히 이야기했다. 다 듣고 나서 손건이 말한다.

"요즈음 현덕공께서 원소에게 의탁하고 계시다는 소문을 들었소이다. 가서 찾아뵈려던 참인데 기회가 없었소. 그러다 이번에 유벽과 공도 두 사람이 원소에게 귀순하여 조조를 치기로 했는데, 마침 장군께서 이곳에 오셨다는 말을 듣고 내 일부러 염탐꾼이 되어 장군을 뵙고 소식을 전하러 온 것이외다. 내일 싸움에서 우리가 짐짓 패한 체하며 물러갈 것이니, 장군께서는 속히 두 부인을 모시고 원소에게로 가서 현덕공을 뵙도록 하십시오."

관운장은 놀랍고도 기쁜 마음에 당장이라도 달려갈 태세였으나, 이내 표정이 어두워진다.

"형님께서 원소에게 가 계시다니 밤을 새워서라도 달려가고 싶은 심정이나, 걱정이 앞서는구려. 내가 원소가 아끼는 장수를 둘이나 죽였으니, 혹시 무슨 변고나 생기지 않을까 염려되오."

"그렇다면 내가 저쪽에 가서 형편을 알아보고 오겠소. 그 다음에 장군께 알려드리리다."

"형님을 한번이라도 다시 뵐 수만 있다면 만번을 죽어도 후회하지 않을 것이오. 이번에 허도로 돌아가면 먼저 조조에게 하직을 고하겠소이다."

그날밤 관운장은 비밀리에 손건을 떠나보냈다.

다음날 관운장은 즉시 군사를 이끌고 나아갔다. 공도가 말을 타고 앞으로 나서자 운장이 말한다.

"네놈들은 어찌하여 조정에 반대하는고?"

공도가 말한다.

"주인을 배반한 주제에 무슨 낯으로 나를 욕하느냐!"

"내가 어째서 주인을 배반했다 하느냐?"

"유현덕이 원소에게 몸을 의탁하고 있거늘, 너는 조조를 섬기고 있으니 어인 까닭이냐?"

관운장은 더이상 아무 말도 하지 않고, 춤추듯 칼을 휘두르며 말을 몰아나간다. 공도는 맞서싸울 생각도 않고 그대로 말머리를 돌려 달아난다. 관운장이 급히 말을 몰아 추격하자, 갑자기 공도가 고개를 돌리며 말한다.

"옛주인의 은혜는 잊을 수 없는 법, 공은 속히 진군하십시오. 우리는 여남땅을 버리고 떠나겠소."

관운장이 공도의 뜻을 알고 군사를 휘몰고 나가니, 유벽과 공도 두 사람은 거짓으로 패한 체하며 사방으로 흩어져 달아나버렸다. 운장은 마침내 여남땅을 탈환하여 백성들을 안심시킨 후에, 다시 허도로 돌아갔다.

조조는 여남땅을 되찾았다는 소식을 듣고 관운장을 맞이하여 군사들에게 상을 내리고 잔치를 베풀어 그 공을 치하했다. 잔치가 끝나고 관운장은 거처로 돌아가 안채 문밖에서 두 부인에게 인사를 올렸다. 감부인이 묻는다.

"아주버님께서는 두번이나 출정하셨는데, 그래 유황숙의 소식은 알아오셨는지요?"

관운장은 평소와 같이 대답한다.

"황숙의 소식은 듣지 못했습니다."

관운장이 물러나자, 두 부인은 서로를 붙들고 목놓아 울었다. 두 부인의 곡성이 너무나 애절하여, 내문을 지키던 늙은 병사가 문밖에서 여쭈었다.

"어인 일로 그리 통곡하시옵니까?"

감부인이 말한다.

"관장군께서 황숙의 소식을 모른다고만 하시는데, 아마도 황숙께서 이미 이 세상 사람이 아닌 모양이다. 그래서 말씀을 안하시는 게 아니겠느냐."

그러고서 두 부인은 또다시 애절하게 운다. 관운장을 따라 출정했던 늙은 병사가 듣다못해 살며시 고한다.

"부인께서는 울음을 거두십시오. 황숙께서는 지금 하북의 원소에게 가 계시답니다."

두 부인이 깜짝 놀라 묻는다.

"그대가 어찌 아느냐?"

늙은 병사가 말한다.

"소인은 이번에 관장군님을 모시고 출정했는데, 어떤 장수가 진중에 와서 말하는 것을 들었사옵니다."

감부인은 급히 관운장을 불러 책망한다.

"황숙께서는 일찍이 아주버님께 섭섭히 대하신 일이 없거늘, 지금 조조의 은혜를 입었다 하여 지난날의 의리를 잊으셨단 말입니까? 도대체 황숙의 소식을 우리에게 감춘 연유가 무엇입니까?"

관운장이 머리를 조아리며 고한다.

"형님께서 지금 하북에 계신 것은 사실입니다. 하오나 두 분 형수님께 사실대로 아뢰지 않은 것은 만에 하나라도 이 말이 새나갈까 두려워서였습니다. 모름지기 이런 일은 천천히 도모해야지, 급히 서둘러서는 아니 됩니다."

감부인은 그제야 노여움을 풀고 말한다.

"그럼 아주버님께서 일을 서둘러주세요."

관운장은 물러나와 떠날 계책을 골몰히 생각하는데, 심사가 불안했다.

그때 조조의 부장 우금이 유비가 하북에 있다는 소문을 듣고 돌아와 조조에게 보고했다. 조조는 장요에게 관운장의 동정을 살펴오라는 분부를 내렸다. 관운장이 답답하고 초조한 마음으로 앉아 있는데, 문득 문지기가 장요가 찾아왔음을 알렸다. 장요는 들어와 자리에 앉자마자 운장에게 축하의 인사를 한다.

"형장께서 이번 여남길에 유황숙이 계신 곳을 아셨다니 이렇게 기쁘실 데가 어디 있겠소이까?"

관운장은 수심에 잠긴 얼굴로 대꾸한다.

"옛주인이 어디 계신지 알면서도 뵙지 못하고 있는 터에 무엇이 기쁘겠소?"

장요가 다시 묻는다.

"형과 유현덕의 관계를 저와의 관계와 비교해보면 어떻소이까?"

"그대와 나 사이는 붕우지간이지만, 나와 유현덕은 붕우이자 형제이며 형제이자 군신의 관계니, 어찌 비교할 수 있겠소?"

"현덕이 하북에 계신 줄 알았으니, 형께서는 그곳으로 가실 생각이시오?"

"지난날의 약속을 내 어찌 저버리겠소. 문원은 부디 나를 위하여 승상께 잘 여쭈어주시오."

장요가 돌아와서 조조에게 그대로 전했다. 조조는 한동안 잠잠히 있다가 한마디 한다.

"내게 운장을 붙들어둘 계교가 있다."

관운장은 장요를 돌려보내놓고, 또다시 떠날 계책을 생각하느라 앉으나 서나 편치가 않은데 시종이 전하기를, 옛친구가 찾아왔다고 한다. 찾아온 이를 청해들였으나 관운장으로서는 도무지 모르는 얼굴이다. 관운장이 묻는다.

"공은 대체 뉘시오?"

"저는 남양땅에 사는 원소의 부하 진진(陳震)입니다."

이 말을 듣고 운장은 깜짝 놀라 급히 좌우를 물리친다.

"선생께서 나를 찾아온 데는 필시 깊은 까닭이 있겠지요?"

진진은 말없이 품속에서 서신 한통을 꺼내어 운장에게 내민다. 펼쳐보니 바로 현덕의 필체가 아닌가.

유비는 그대와 더불어 도원에서 결의하여 함께 죽기를 맹세했건만, 이렇게 중도에서 서로 헤어져 은혜도 잊고 의리도 끊게 될 줄뉘 알았으리오. 그대가 참으로 공명을 얻고 부귀영화를 누릴 생각이라면, 기꺼이 그대에게 내 목을 바칠 터이니 온전히 공을 세우라. 글로 말을 다하지 못하고, 오직 죽을 날만을 기다릴 뿐이로다.

관운장은 유비의 글을 읽고 목놓아 울었다.

"내가 형님을 찾지 않은 것이 아니라 다만 계신 곳을 몰랐을 뿐이거늘, 어찌하여 부귀영화를 위해 옛 맹세를 저버린다 하십니까?"

진진이 말한다.

"유황숙께서는 그대를 생각하는 정이 심히 간절하시오. 옛 맹세를 저버리지 아니했다면 어서 가서 뵙도록 하시지요."

관운장이 말한다.

"사람이 천지간에 태어나서 시작과 끝이 없다면 이는 군자가 아니오. 나는 이곳에 올 때 입장을 분명히 했으니 떠날 때에도 분명히 하고 가야 하오. 편지를 써드릴 터이니 먼저 형님께 올려주시오. 조조에게 하직을 고한 다음 두 분 형수님을 모시고 갈 터이니 그때까지 기다려달라 전해주시오."

진진이 묻는다.

"만약 조조가 보내주지 않는다면 어쩔 생각이오?"

"차라리 죽을지언정 이곳에 머물러 있지는 않겠소."

"그러시다면 공께서는 빨리 답신을 쓰셔서 현덕공의 마음을 풀어드리십시오."

관운장이 곧 붓을 들어 답신을 쓰니, 그 뜻은 대강 다음과 같다.

일찍이 듣자니, 의리는 마음을 저버리지 않고 충성은 죽음을 돌보지 않는다 하더이다. 관우도 어릴 때부터 글을 읽어 조금쯤은 예(禮)와 의(義)를 배운 터라, 양각애(羊角哀)와 좌백도(左伯桃)의 옛일(전국시대 막역지간의 벗으로, 좌백도가 양각애를 위해 죽은 일을 가리킴)을 읽을 때마다 세 번 탄식하고 눈물을 흘렸나이다. 지난번 하비성을 지킬 때, 안에는 양식이 떨어지고 밖에는 원병이 없어 죽으려 했사오나,

두 분 형수님이 계신 까닭에 감히 목숨을 버리지 못하고 잠시 조공에게 의탁하여 후일을 기약한 것이옵니다. 근래에 여남에 갔다가 비로소 형님 소식을 들었으니, 이제 조조를 하직하고 두 분 형수님을 모시고 돌아가려 하옵니다. 만일 관우가 딴마음을 품는다면 천지신명과 사람이 결코 용서치 않을 것입니다. 가슴을 쪼개어 속마음을 보이려 하여도 필설로 전할 수 없습니다. 형님을 뵐 날이 그리 멀지 않았으니, 바라옵건대 이 아우를 굽어살피소서.

관운장은 진진에게 답신을 주어 보낸 다음, 안채로 들어가 두 형수에게 정황을 알렸다. 그러고는 즉시 조조의 부중으로 들어가 조조에게 하직인사를 올리려 했다. 조조는 관운장이 무슨 일로 왔는지 아는 까닭에, 문에다 면회를 사절한다는 회피패(廻避牌)를 걸어놓았다. 관운장은 답답한 심사를 안고 돌아와 자신이 데리고 왔던 부하들에게 분부한다.

"수레와 말을 대령하도록 하여라. 그리고 그동안 승상께서 내리신 물건은 그대로 두고, 티끌 하나라도 가져가서는 안될 것이다."

이튿날 관운장은 또다시 조조의 부중으로 찾아갔다. 하지만 여전히 문에는 회피패가 걸린 채, 조조는 운장을 보려 하지 않았다. 관운장은 생각다 못해 장요를 찾아갔다. 그러나 장요 역시 병을 핑계로 운장을 만나려 하지 않았다. 운장은 생각했다.

'필시 조승상이 나를 보내려 하지 않는 게 틀림없다. 그러나 나는 이미 떠나기로 결정했거늘, 한시라도 여기에 머물러 있을 까닭이 무엇인가.'

관운장은 마침내 붓을 들어 조조에게 하직의 글을 썼다.

관우는 일찍이 유황숙을 섬겨 생사를 같이하기로 맹세했으니, 황천후토(皇天后土, 하늘과 땅의 신)께서도 들어서 아는 일입니다. 지난번 하비성을 잃었을 때 관우가 청한 세 가지 약조를 승상께서는 이미 응낙하셨습니다. 이제 옛주인이 원소의 군중에 계신 것을 알았으니, 옛 맹세를 돌이켜 생각할 때 어찌 저버릴 수 있겠습니까. 비록 승상의 은혜가 두터우나, 옛 의리를 잊기 어려워 이렇듯 글로써 하직인사를 올리오니, 승상께서는 부디 굽어살피소서. 아직 갚지 못한 남은 은혜는 반드시 뒷날에 보답하겠소이다.

관운장은 사람을 시켜 조조의 부중에 서신을 전하게 했다. 조조에게서 받은 금이며 은 등을 모조리 곳간에 넣고 문을 봉한 뒤 한수정후의 인(印)은 당상 높이 걸어두었다. 감부인과 미부인을 수레에 태우고, 자신은 적토마에 올라 청룡도를 들고서, 처음에 데리고 왔던 부하 20여명으로 하여금 두 부인을 태운 수레를 호송케 하여 북문을 향해 길을 나섰다.

북문에 이르자 그곳을 지키고 있던 장수가 길을 가로막았다. 관운장이 칼을 쳐들고 눈을 부릅뜬 채 큰소리로 꾸짖으니 북문을 지키던 군사들이 모두 피해 달아난다. 관운장은 북문을 나선 뒤 종자(從者)를 돌아보고 분부했다.

"너희들은 수레를 모시고 앞서 가도록 하라. 뒤를 쫓는 자가 있으면 내가 물리칠 터이니, 행여 두 분 부인이 놀라시지 않게 하여라."

운장의 분부를 받은 종자들은 수레를 모시고 하북을 향해 걸음을 재촉했다.

관우는 관인을 들어 곳간을 봉하고 두 형수와 유비를 찾아 떠나다 한편, 조조는 수하의 문무관원들을 불러모아놓고 관운장의 일을 의논하고 있었다. 이때 사람 하나가 와서 관운장의 서신을 전한다. 조조는 운장의 글을 읽고 소스라치게 놀랐다.

"관운장이 드디어 떠났구나!"

조조가 망연해하는데 이번에는 북문을 지키는 수문장이 급히 달려와 고한다.

"관운장이 수레를 호송하는 20여명의 군사를 데리고 북쪽을 향해 떠났사옵니다."

또한 관운장의 거처에서 일하던 사람도 와서 알린다.

"관장군이 승상께서 내리신 금이며 은 등을 모두 곳간에 봉해놓고, 10명의 미인은 따로 내실에 두었으며, 한수정후의 인은 당상에 걸어놓았습니다. 승상께서 보내신 사람들은 다 남겨놓고 처음에 데리고 왔던 종자들과 쓰던 물건들만 수습하여 북문으로 나갔습니다."

조조가 또다시 한숨을 토하는데, 장수 한 사람이 썩 나서며 큰소리로 외친다.

"철기 3천만 내주시면 즉시 가서 관운장을 사로잡아와 승상께 대령하겠소이다."

사람들이 바라보니, 그는 바로 장군 채양(蔡陽)이었다.

만길의 교룡굴을 빠져나오려　　　　　　　　　欲離萬丈蛟龍穴
3천명 범 같은 군사를 만나도다　　　　　　　又遇三千狼虎兵

채양이 관운장을 추격하려 하니 결과가 어찌 될 것인가?

홀로 천릿길을 달리다

미염공은 필마단기로 천릿길을 달리고
한수정후는 다섯 관문에서 여섯 장수를 베다

조조의 장수들 가운데 관운장과 특히 교분이 두터운 이는 장요말고도 서황이 있었다. 나머지 장수들도 대개 관운장을 마음속으로부터 존경하고 복종했으나, 유독 채양만은 운장을 못마땅하게 생각했다. 때문에 운장이 떠나갔다는 말을 듣자 그를 추격하겠다고 나선 것이다. 조조는 채양의 말에 고개를 저었다.

"관공이 옛주인을 잊지 않고 이렇듯 오고 가는 것이 분명하니, 진정한 장부가 아니냐? 마땅히 너희들도 본받을 일이다."

오히려 채양을 꾸짖어 물리치니 모사 정욱이 한마디 한다.

"승상께서는 관우를 극진히 대접해주셨는데, 제대로 하직인사조차 올리지 않고 보잘것없는 글 한장으로 승상의 위엄을 모독했으니, 그 죄는 실로 적지 않습니다. 게다가 이대로 원소 진영으로 가게 내버려 두시는 것은 그야말로 범에게 날개를 붙여주는 격이올시다. 역시 뒤쫓아가서 관우를 죽여 후환을 없애는 것이 좋을 듯합니다."

그 말에도 조조의 마음은 흔들리지 않는다.

"이미 지난번에 관공에게 약조한 일이다. 이제 와서 어찌 신의를 저버리겠는가? 그도 제 주인을 위한 일이니 내버려두라."

조조는 장요를 돌아보며 탄식하듯 말한다.

"운장은 내게 받은 보물들을 모두 곳간에 넣어 봉해버리고 한수정후의 인도 걸어놓고 떠났으니, 이것은 재물로도 그 마음을 움직이지 못하고 봉록으로도 그 뜻을 바꿀 수 없음이라. 참으로 깊이 공경받아 마땅한 인물이로다. 제가 가도 아직 멀리는 못 갔을 터이니, 문원은 곧 뒤쫓아가서 운장더러 잠시 기다리라고 하라. 내 그에게 노자(路資)와 전포를 주어 후일의 기념으로 삼을까 한다."

장요는 조조의 분부를 받고 혼자 먼저 달려가고, 곧이어 조조가 수십기를 거느리고 뒤따랐다.

본래 관운장이 탄 적토마는 하루에 천리도 달릴 수 있었지만, 두 형수를 태운 수레를 호송하느라 빨리 달리지 못했다. 관운장이 적토마의 고삐를 늦춰잡고 천천히 가고 있을 때였다. 갑자기 등뒤에서 고함소리가 들렸다.

"운장은 잠시 멈추시오!"

관운장이 고개를 돌려 바라보니, 장요가 말을 타고 급히 쫓아오고 있었다. 운장은 수레를 모는 종자에게 분부한다.

"너는 큰길만을 바라고 곧장 가거라."

그러고는 말을 멈추고 장요를 향해 묻는다.

"그대는 나더러 다시 돌아가자고 온 것인가?"

장요는 가까이 다가와 말을 멈춘 다음 대답한다.

"아니올시다. 형장이 먼길을 가신다는 소식을 듣고 승상께서 특별히 배웅하시겠다고 나를 먼저 보내 잠시 멈추게 하신 것이오. 다른 뜻은 없으니 걱정 마오."

"승상께서 철기를 거느리고 오신다 해도 나는 죽기로써 싸울밖에."

관운장은 말을 다리 위에 세운 다음 청룡도를 치켜들고 남쪽을 바라보았다. 아니나다를까, 티끌이 자욱하게 이는데 조조가 앞장을 서고, 그 뒤에 허저·서황·우금·이전 등의 무리 수십명이 급히 말을 몰아 달려오고 있다. 조조는 관운장이 청룡도를 치켜들고 다리 위에 말을 세우고 있는 것을 보자, 장수들에게 명하여 말을 멈추고 좌우로 늘어서게 했다. 관운장은 사람들 손에 병기가 없는 것을 보고서야 비로소 마음을 놓았다. 조조가 묻는다.

"운장은 어이하여 이렇게 급히 떠나시는가?"

관운장이 말 위에서 허리를 굽혀 인사하고 대답한다.

"일찍이 말씀드렸거니와, 옛주인이 하북에 계시다는 소식을 들어 급히 떠나지 않을 수 없었습니다. 승상께 하직인사를 올리고자 누차 승상의 부중을 찾아갔으나 결국 뵙지 못하여 하는 수 없이 대신 글월을 올렸습니다. 황금을 곳간에 넣어 봉하고 관인은 걸어놓았습니다. 승상께서는 부디 지난날에 약조하신 일을 저버리지 마십시오."

조조가 말한다.

"내가 천하의 신의를 얻으려 하는 터에 어찌 입밖에 낸 말을 저버릴 수 있겠소. 그저 장군께서 먼길을 가시는데 행여 노자라도 부족하면 어쩌나 염려되어, 작별인사도 드릴 겸 달려온 것이오."

조조가 말을 맺자, 한 장수가 말 위에서 황금을 담은 쟁반을 받쳐들고 왔다. 관운장은 받으려 하지 않는다.

"그동안 승상께서 누차 내리신 것이 아직도 많이 남았소이다. 이 황금은 가지고 계셨다가 군사들의 상금으로 쓰시지요."

조조가 말한다.

"이 약소한 예물로는 장군이 세운 크나큰 공의 만분의 일도 갚지 못하오. 굳이 사양할 것이 무엇이오?"

"변변치 못한 수고를 가지고 뭘 그러십니까?"

조조가 호방하게 웃으며 말한다.

"운장은 천하의 의사(義士)건만 내가 박복하여 붙잡아두지 못하는구려. 비단 전포 한벌로 약소하게 나의 마음을 표할까 하오!"

한 장수가 말에서 내려 두 손으로 비단 전포를 받들어 운장에게 바친다. 관운장도 마땅히 말에서 내린 다음 전포를 받아들었어야 하나 혹시 무슨 변고라도 생길까 염려하여 내리지 못하고, 청룡도 끝으로 비단 전폿자락을 걸쳐올려 몸에 둘렀다.

"승상께서 내리신 전포를 잊지 않겠소이다. 그럼, 뒤에 다시 뵈올 날이 있으리이다."

다시 한번 몸을 굽혀 예를 올린 다음, 말머리를 돌려 마침내 다리를 건너 북쪽을 향해 떠났다. 곁에서 줄곧 지켜보던 허저가 마땅치 않은 어조로 말한다.

"저렇듯 무례한 자를 어찌하여 그냥 보내십니까?"

"저는 일인일기(一人一騎)요, 우리는 수십인이니 어찌 의심이 없겠는가. 내 이미 그를 보냈거늘 추격할 수는 없는 일이다."

조조는 말머리를 돌려 성으로 돌아오면서도 관운장에 대한 미련이 남아 연신 탄식소리가 새어나왔다.

조조와 작별한 관운장은 적토마를 급히 몰아갔다. 하지만 어찌 된 일인지 30리를 가도록 앞서 보낸 수레를 찾을 수가 없다. 관운장이 몹시 당황하여 사방으로 찾아다니는데, 갑자기 산위에서 큰소리로 부르는 사람이 있었다.

"관운장, 잠시 멈추시오."

관운장이 고개를 들어 바라보니, 비단옷을 입고 머리에 황건을 쓴 한 소년이 1백여명의 군사를 거느리고 산에서 내려오고 있었다. 그의 손에는 창 한 자루가 들려 있고 말 목에는 사람 머리가 매달려 있다.

"그대는 누군가?"

소년은 말을 달려 운장의 앞에 다다르자, 급히 손에 들었던 창을 내던지고 말에서 뛰어내리더니 땅바닥에 엎드려 절을 올린다. 관운장은 혹시 무슨 속임수가 아닌가 하여 청룡도를 고쳐잡으며 다시 묻는다.

"장사는 성명을 말하라."

소년이 공손히 아뢴다.

"저는 본래 양양사람으로 요화(廖化)라고 하며, 자는 원검(元儉)입니다. 세상이 어지러워 5백여명의 무리를 이끌고 강호를 떠돌아다니며 약탈을 하여 살아가고 있었습니다. 일찍부터 두원(杜遠)이라는 자와 함께 떠돌아다녔는데, 오늘 두원이 산밑을 순시하다 두 부인을 잡아왔습니다. 제가 종자에게 물었더니, 두 분께서는 바로 유황숙의 부인들로, 관장군께서 호송한다 하더이다. 그래서 제가 즉시 풀어주자

고 했으나 도무지 두원이 말을 듣지 않아 할수없이 두원을 베어죽이
고 산을 내려와 이렇듯 죄를 청하고, 두원의 머리를 바치려 하옵니
다."

관운장이 급히 묻는다.

"두 부인께서는 지금 어디 계신고?"

"산채에 계십니다."

관운장이 급히 모셔오라 명하니, 요화는 곧 졸개를 산으로 올려보
냈다. 얼마 후 1백여명의 무리가 두 부인의 수레를 앞뒤로 호위하고
내려왔다. 관운장은 말에서 내려 청룡도를 종자에게 맡긴 다음, 두 손
을 맞잡고 수레 앞으로 다가서서 문안을 올렸다.

"두 분 형수님께서는 얼마나 놀라셨습니까?"

두 부인이 말한다.

"요장군이 아니었더라면 두원이놈에게 욕을 당할 뻔하였소."

운장이 좌우를 돌아보며 묻는다.

"요화가 어떻게 두 형수님을 구했는가?"

종자들이 대답한다.

"두원은 수레를 빼앗아 산위로 끌고 올라가 요화에게 한 부인씩 나
누어 데리고 살자고 했습니다. 요화가 저희에게 두 부인의 근본을 묻
고는 다시 산 아래로 모셔다드리려 했으나, 도무지 두원이 듣지를 않
아 그만 요화가 두원을 죽이기에 이른 것입니다."

관운장은 요화에게 사례했다. 요화는 운장에게 부하들과 함께 자신
을 거두어달라고 청했다. 하지만 운장은 요화가 본래 황건적의 잔당
인 것이 마음에 걸려 좋은 말로 물리친 다음, 그가 내미는 황금과 비
단도 완곡하게 거절했다. 요화는 하는 수 없이 관공에게 하직인사를

올리고 수하의 무리를 수습하여 산속으로 사라져버렸다.

운장은 두 부인에게 조조가 전포를 내린 일을 고한 다음, 다시 길을 재촉하여 나아갔다. 어느덧 날이 저물었다. 관운장 일행은 한 촌장을 찾아가 하룻밤 쉬어가기를 청했다. 머리와 수염이 하얗게 센 노인이 나오더니 묻는다.

"장군은 뉘시오?"

관운장이 공손하게 대답한다.

"유현덕의 아우 관운장이올시다."

"바로 안량과 문추를 베어버린 관장군 아니시오?"

"그러하오."

노인은 크게 놀라 안으로 청한다.

"아이구, 관공이시구려. 어서 안으로 드시지요."

"수레에 두 분 형수님이 계십니다."

노인은 곧 처자를 불러내서 두 부인을 영접하게 하고 운장과 더불어 초당으로 들어갔다. 관운장은 두 부인의 곁에 손을 모아잡고 공손히 서 있었다. 노인이 말한다.

"관공께서도 이리 앉으시지요."

"두 분 형수님이 계신데 어딜 감히 앉으리까?"

노인은 처자들에게 두 부인을 내실로 모셔들이게 한 다음, 몸소 초당에서 운장을 대접했다.

"주인장 성씨는 어찌 되십니까?"

운장의 물음에 노인이 대답한다.

"이 사람의 성은 호(胡)요 이름은 화(華)외다. 환제 때 의랑으로 있다가 그만두고 이렇게 여기 내려와 지내고 있소이다. 집의 아이 호반

(胡班)이 지금 형양(滎陽) 태수 왕식(王植) 밑에 종사로 있는데, 황송하오나 장군께서 혹시 그곳을 지나시거든 이 사람의 글을 좀 전해주실 수 있겠소?"

"그리하리다."

운장은 쾌히 응낙했다. 이튿날, 조반을 일찍 마친 관운장은 전날 호화 노인이 전해달라 청한 서신을 챙긴 다음, 두 부인을 모시고 낙양을 향해 떠났다.

관운장 일행은 낙양을 향해 가는 중에, 관문 하나를 지나게 되었다. 바로 동령관(東嶺關)이다. 동령관을 지키는 장수는 공수(孔秀)라는 자인데, 군사 5백명을 거느리고 있었다. 공수는 관운장이 수레를 호위하고 당도했다는 보고를 받고 맞이하러 나왔다. 관운장은 말에서 내려 공수와 인사를 나누었다.

"관장군께서는 어디로 가시오?"

"승상께 하직을 고하고 하북으로 형님을 뵈러 가는 길이외다."

"하북의 원소는 승상의 적이오. 장군께서 그리로 가신다면 승상의 증명서는 가지셨겠지요?"

"갈길이 바빠서 미처 얻지 못하였소."

"증명서가 없다면, 사람을 허도로 보내서 승상께 알아본 뒤에야 보내드릴 수 있소. 그동안 이곳에서 기다리고 계셔야 하오."

"갈길이 바쁜데 언제 그러고 있겠나?"

"허나 법도가 그러하니 어찌할 수 없소."

"그럼 기어이 나를 보내줄 수 없다는 말인가?"

"꼭 가야 한다면 나머지 사람들을 인질로 두고 가시오!"

관운장은 공수의 무례한 말을 듣고 노하여 청룡도를 높이 들어 단칼에 베어죽이려 했다. 공수는 재빨리 말을 몰고 관문 안으로 달아나 버렸다. 관문으로 들어간 공수는 북을 울려 군사들을 모은 다음, 말 타고 갑옷 입고 다시 운장을 향해 쳐나왔다.

"네가 감히 이곳을 지날 수 있을 것 같으냐?"

공수의 호령소리에 관운장은 수레를 한쪽으로 물리게 했다. 그런 다음, 청룡도를 번쩍 쳐들고 아무 말 없이 말을 몰아간다. 공수는 창으로 응전한다. 공수와 운장이 맞붙어 싸운 지 단 1합에 청룡도가 공중에서 바람 가르는 소리를 내더니, 공수의 목이 말 아래로 툭 떨어 져버렸다. 그것을 본 군사들은 혼비백산하여 내빼기 바빴다. 운장은 어지러이 달아나는 군사들을 향해 말한다.

"내 부득이 공수를 죽였으나 너희들과는 아무 상관 없는 일이다. 부디 조승상께 공수가 너무 무례하게 굴어 어쩔 수 없었노라고 전해 다오."

군사들은 일제히 돌아와 운장의 말 앞에 엎드려 절을 올렸다. 관운장은 즉시 두 부인의 수레를 호위하여 관문을 벗어나 낙양을 향해 떠났다.

낙양 태수 한복(韓福)은 이 소식을 전해듣고 크게 놀랐다. 급히 여러 장수들을 모아놓고 의논하는데, 아장(牙將) 맹탄(孟坦)이 나서며 말한다.

"관운장이 승상의 증명서도 없이 하북으로 간다 하면 틀림없이 사사로이 달아나는 것이라, 만약 막지 않는다면 반드시 위로부터 문책이 따를 것이외다."

한복이 걱정스러운 듯이 말한다.

"관공은 본디 천하의 맹장이라, 안량과 문추도 모두 그의 손에 죽었다. 그러니 우리가 무슨 수로 막아낸단 말인가? 그를 잡으려면 계략을 써야 한다."

맹탄이 말한다.

"제게 좋은 계책이 있습니다. 먼저 녹각(鹿角, 사슴뿔 모양의 방책)을 만들어 관문 입구를 둘러막읍시다. 그런 다음 운장이 나타나면 소장이 군사를 이끌고 맞서싸우다가 거짓으로 패한 체하고 돌아오겠소. 그때 운장이 반드시 저를 뒤쫓을 테니 장군께서는 관문 안에 숨어 있다가 활을 쏘아 맞히십시오. 운장이 화살을 맞고 말에서 떨어지면 곧바로 생포하여 허도로 보내시오. 승상께서 반드시 후한 상을 내리실 것이외다."

이렇게 계책을 정할 즈음, 관운장 일행이 이미 관문 앞에 이르렀다는 소식이 전해졌다. 한복은 급히 활에 화살을 메긴 채 1천명의 군사를 이끌고 나가 관문 앞에 벌여세운 다음, 운장 일행을 맞으며 묻는다.

"그대는 누구요?"

관운장이 말 위에서 몸을 굽혀 인사한다.

"한수정후 관운장이오. 어서 문을 여시오."

한복이 다시 묻는다.

"승상의 증명서는 가지고 있겠지요?"

"급히 떠나오느라 미처 받지 못하였소."

"나는 승상의 명을 받들어 혹시 첩자들이 오가지 않는지 지키고 있소이다. 만약 증명서가 없다면 이는 몰래 도망치는 것이 틀림없으니, 이곳을 지날 생각은 아예 하지 마시오."

관운장은 노하여 두 눈을 부릅떴다.

"동령관의 공수도 이미 내 손에 죽었거늘, 한복 너도 그렇게 죽고 싶으냐!"

한복이 좌우를 돌아보며 소리쳤다.

"누가 나서서 저놈을 잡겠느냐!"

말이 떨어지기 무섭게 맹탄이 쌍검을 휘두르며 앞으로 나섰다. 운장은 수레를 뒤로 물러나게 한 다음, 맹탄에게 달려들었다. 서로 어우러져 싸운 지 3합이 못 되어 맹탄이 문득 말머리를 돌려서 달아났다. 관운장을 유인하려는 계책이었다. 하지만 누가 알았으랴. 적토마가 그렇게 빠를 줄이야.

관운장의 적토마가 순식간에 맹탄을 따라붙더니 청룡도가 번쩍 치켜올려졌다. 눈 깜짝할 사이에 맹탄은 운장이 내려친 청룡도에 벌써 몸이 두 쪽으로 갈라져 땅바닥으로 고꾸라지고 말았다.

한편 관문 안에서 화살을 메겨들고 서 있던 한복이 말머리를 돌리는 관운장을 향해 힘껏 화살을 쏘았다. 시위를 떠난 화살이 관운장의 왼쪽 팔에 깊이 박히자, 운장은 입으로 화살을 물어 뽑았다. 팔에서 피가 샘솟듯 흘러나온다.

관운장은 그대로 말을 몰아 한복에게로 달려든다. 낙양관의 군사들은 모두 간담이 서늘하여 짓쳐들어오는 관운장의 위세에 눌린 채 대적할 꿈도 못 꾸고 사방으로 갈라지며 길을 터준다. 관운장은 미처 한복이 손을 놀릴 새도 없이 청룡도를 번쩍 들어 단칼에 베어버렸다.

관운장이 수레를 호위하고 관문을 나서니, 누구 하나 막아서는 자가 없었다. 관운장은 비단을 찢어 상처를 동여맨 다음, 혹시 뒤쫓는 무리가 있지 않을까 하여 밤낮없이 사수관(汜水關)을 향해 걸음을 재촉했다.

사수관을 지키는 장수는 병주(幷州) 태생 변희(卞喜)라는 자였다.

그는 본래 황건적의 잔당으로 조조에게 항복하여 이곳을 지키고 있었다. 그는 유성추(流星鎚, 두 개의 추를 사슬로 이어 한쪽 추는 방어하는 데, 다른 한쪽은 공격하는 데 씀)라는 병기를 썼는데, 무거운 철추를 날려 상대를 공격하는 재주가 있었다.

변희는 동령관과 낙양에서 있었던 일을 전해듣고 한 가지 계책을 꾸몄다. 관문 앞에 진국사(鎭國寺)라는 절이 있었는데, 그 안에다 도부수 2백여명을 미리 매복시켜놓고, 운장을 절로 청해들여 술잔 던지는 것을 군호로 삼아서 죽여없앨 계획이었다.

만반의 준비를 갖추고 나니, 관운장 일행이 도착했다. 변희는 급히 관문 밖으로 나가 공손히 운장을 영접했다. 변희가 이렇듯 예를 갖추어 맞이하자, 관운장도 말에서 내려 인사를 했다. 변희가 말한다.

"장군께서는 이름을 천하에 떨치셨으니, 어찌 우러러보지 않을 수 있겠습니까? 이제 유황숙께로 돌아가신다고 하니 그 충의가 참으로 대단하외다."

관운장은 변희에게 부득이 공수와 한복을 죽일 수밖에 없었던 연유를 이야기했다. 그러자 변희가 말한다.

"장군께서 그 두 사람을 죽인 것은 옳은 일이었소. 제가 승상을 뵙고 장군을 대신하여 경위를 말씀드릴 터이니 심려 마십시오."

관운장은 크게 기뻐하며 두 부인을 모시고 사수관을 지나 진국사에 이르렀다.

"장군, 잠시 여기서 쉬었다 가시지요?"

진국사에 이르자 변희가 청하였다. 관운장은 의심없이 말에서 내렸고, 절간의 모든 승려들은 종을 울리며 운장 일행을 맞아들였다. 진국사는 본래 한나라 명제(明帝)의 어전향화원(御前香火院, 황실의 제를 올리던 곳)으로, 승려는 모두 30여명이었다. 그 가운데 운장과 한고향 사람인 보정(普淨)이라는 승려가 있었다. 보정은 관운장을 해치려는 변회의 속셈을 알고서 어떻게든 이 일을 알릴 생각으로 운장에게 말을 걸었다.

"장군께서 포동(蒲東) 땅을 떠나신 지 몇해나 되셨습니까?"

관운장이 말한다.

"벌써 20년이 되었구려."

보정이 다시 묻는다.

"장군께서는 소승을 알아보시겠지요?"

"고향을 떠난 지 너무 오래되어 기억이 나질 않소이다."

"소승의 집은 장군댁과 바로 개천 하나를 사이에 두고 마주보고 있었습니다."

변회는 보정이 관운장과 고향 얘기를 주고받는 것을 보고, 혹시 계략이 누설될까 두려워 물리치려 했다.

"관장군을 연석으로 모시려는데 중놈이 무슨 잔소리가 이리도 많으냐!"

관운장이 말린다.

"한고향 사람을 만났는데 어찌 옛이야기가 없겠소."

보정은 얼른 이 틈을 잡아, 운장에게 청한다.

"차를 한잔 대접해드릴 테니 잠시 제 방으로 가시지요."

관운장이 말한다.

"두 분 형수님께서 수레에 계시니 그분들 먼저 드리도록 하시오."

보정은 얼른 상좌에게 명하여 두 부인에게 먼저 차를 올리게 했다. 그런 다음 운장과 방으로 들어서면서 보정은 은근슬쩍 자신의 허리에 차고 있는 계도(戒刀, 마장魔障을 막기 위해 승려들이 지니는 칼)를 들어 보이며 운장에게 가만히 눈짓을 했다. 관운장은 보정의 뜻을 금방 알아채고 따르는 종자에게 단단히 일렀다.

"청룡도를 들고 바짝 뒤를 따르라."

변희는 관운장을 법당에 차려놓은 연석으로 청했다. 관운장이 변희에게 한마디 한다.

"그대가 나를 이 자리에 청한 것은 호의에서요, 아니면 다른 뜻이 있소?"

당황한 변희가 미처 대답을 하지 못하는데, 운장은 법당에 늘어져 있는 휘장 속에 도부수들이 숨어 있는 것을 발견했다.

"네 이놈, 내 너를 호인이라 여겼는데, 어찌 감히 이럴 수가 있느냐!"

변희는 자신의 계략이 이미 드러난 것을 알고는 좌우를 돌아보며 큰소리로 외쳤다.

"이놈을 죽여라!"

그순간 휘장 속의 도부수들이며 좌우에 늘어서 있던 변희의 군사들이 한꺼번에 관운장에게 달려들었다. 허나 그가 누구인가. 바로 천하의 맹장 관운장이 아닌가. 운장은 번개같이 칼을 빼들고 휘두르며 닥치는 대로 베어버렸다.

변희는 급히 법당에서 빠져나와 복도로 달아난다. 관운장은 칼을 버리고 종자에게서 청룡도를 받아들고는 변희를 뒤쫓는다. 달아나던 변희가 몰래 운장의 얼굴을 향해 유성추를 던졌다. 운장은 청룡도를 들어 날아오는 유성추를 받아치면서 동시에 한칼에 변희의 허리를 베어 두 동강을 내버렸다.

관운장은 급히 몸을 돌려 두 부인이 있는 곳으로 달려갔다. 수레를 에워싸고 있던 수많은 군사들이 운장이 달려오는 것을 보고는 한꺼번에 사방으로 흩어져버렸다. 무사히 위기를 면한 관운장은 보정에게 사례한다.

"스님이 아니었더라면 그놈들에게 해를 입을 뻔했소이다."

보정이 대답한다.

"소승도 여기 머물 수 없게 되었으니 아무래도 옷과 바리때를 수습하여 떠날까 하옵니다. 후일 다시 뵐 날이 있을 터이니, 장군께서는 부디 몸조심하십시오."

관운장은 보정에게 재차 사례한 다음, 수레를 호위하고 형양땅을 향해 나아갔다.

형양 태수 왕식은 낙양 태수 한복과 집안끼리 절친한 사이였다. 왕식은 한복이 관운장의 손에 죽었다는 소식을 전해듣고는, 수하의 무리들과 더불어 그를 없앨 계책을 세우고 군사들에게 관문을 굳게 지키라 일렀다. 이윽고 관운장 일행이 당도했다. 관운장은 왕식에게 인사한 다음, 유황숙을 뵈러 하북으로 가는 길이라고 이야기하자 왕식이 말한다.

"장군께서 말을 타고 오느라 힘드셨을 테고 두 분 부인들께서도 수레 위에 흔들리며 오셔서 피로할 터이니, 우선 성으로 들어가 역관에서 하룻밤 푹 쉬고 내일 아침에 떠나도록 하시지요."

관운장은 왕식의 환대가 극진하여 두 형수에게 성으로 들어가길 청했다. 역관 안에는 모든 준비가 갖추어져 있었다. 왕식은 잔치를 열어 청했으나, 운장은 사양했다. 그러자 왕식은 사람을 시켜 술과 음식을 역관으로 보내왔다.

관운장은 그간 오는 길마다 어려움이 많았으므로 두 부인에게 저녁 식사를 마치고는 편히 쉬시도록 했다. 종자들에게도 휴식을 취하게 하고, 말들에게도 충분히 먹이를 주라 일렀다. 관운장 역시 오랜만에 갑옷을 벗고 편히 쉴 생각이었다.

한편, 왕식은 은밀히 종사 호반을 불러 분부를 내렸다. 호반은 바로 관운장이 일전에 만난 촌장 노인 호화의 아들이다.

"관우는 승상을 배신하고 몰래 허도를 빠져나와 여기까지 오는 동안 태수들과 수하장수들을 죽였으니 그 죄가 몹시 크다. 그러나 무예가 출중하여 당해내기 어려우니, 오늘밤 너는 군사 1천명을 거느리고 역관을 포위하라. 군사들에게 횃불을 들게 하여 3경(밤 12시)에 일제히 불을 놓아, 운장의 일행을 모조리 태워죽여야 한다. 내가 군사를 거느리고 너를 도울 것이다."

호반은 왕식의 분부를 받고 물러나와 가만히 군사를 점검하는 한편, 불이 쉽게 붙도록 마른 나무와 관솔기름 따위를 역관 문밖에 쌓아두게 한 후, 때가 오기를 기다렸다. 밤이 깊어지기를 기다리던 호반은 문득 생각했다.

'관운장의 이름은 오래 전부터 들어왔는데 어떻게 생긴 사람인지 알지 못하니, 한번 들어가서 보고 나와야겠다.'

호반은 역관으로 들어가 역리에게 물었다.

"관장군은 어디 계시냐?"

"대청 위에서 책을 읽고 계시는 이가 바로 관장군이오."

호반은 발소리를 죽이고 대청 가까이 다가갔다. 가만히 살펴보니 관운장은 당상에 등불을 밝히고 앉아서 왼손으로 수염을 쓰다듬으며 책을 보고 있었다. 호반은 자기도 모르는 사이에 찬사가 입밖으로 흘

관운장은 깊은 밤 등불을 밝히고 수염을 쓰다듬으며 책을 읽다러나왔다.

"과연 하늘이 내린 인물이로다!"

이때 관운장이 어둠속을 향해 묻는다.

"거기 누구냐?"

호반은 모습을 드러내고 운장에게 절하여 고한다.

"형양 태수 밑에 종사로 있는 호반이올시다."

"종사 호반이라……"

혼잣말로 되뇌어보던 운장이 다시 묻는다.

"그러면 그대가 바로 허도 성밖에 사는 호화 노인의 아들인가?"

"그러하옵니다."

관운장은 즉시 종자를 불러 짐 속에 든 서찰을 가져오라 일렀다. 운장에게서 건네받은 서찰을 읽고 나서 호반은 탄식했다.

'아아, 하마터면 충의지사를 죽일 뻔했구나!'

호반이 운장에게 가만히 고한다.

"왕식은 지금 관장군을 해치려고 만반의 준비를 해놓았습니다. 이미 군사를 풀어 역관 주위를 포위하고 있는데, 3경이 되면 일제히 불을 놓을 것이오. 장군께서는 한시바삐 행장을 수습하여 떠나도록 하십시오. 성문은 소인이 먼저 가서 열어놓겠습니다."

관운장은 크게 놀라 황급히 갑옷을 들쳐입고 청룡도를 챙겨 적토마에 올라탔다. 그리고 두 부인을 수레에 태워 역관을 빠져나갔다. 어둠속을 가만히 살펴보니, 과연 역관을 포위한 군사들이 저마다 횃불을 든 채 경비를 서고 있었다. 관운장은 수레를 재촉하여 성문에 다다랐다. 때마침 호반이 성문을 열어놓고 기다리고 있었다. 운장은 두 부인을 호위하고 급히 그곳을 빠져나갔다. 그 길로 호반은 불을 놓으러 역관으로 돌아갔다.

관운장 일행이 한마장쯤 갔을 때였다. 갑자기 등뒤에서 말발굽소리가 요란하여 돌아보니, 수많은 군사가 횃불을 들고 뒤쫓아온다. 앞서 달려오던 왕식이 호령한다.

"관운장은 게 섰거라!"

관운장은 말고삐를 늦춰잡으며 돌아서서 크게 꾸짖었다.

"이 조무래기 같은 놈아! 내 일찍이 너와 원수진 일이 없거늘, 어찌하여 불을 놓아 죽이려 했느냐?"

왕식은 운장의 말을 콧등으로 듣고 창을 치켜올리며 급히 말을 몰아 달려오더니 곧장 운장의 가슴을 향해 창을 내지른다. 운장은 번개처럼 몸을 비틀어 피하면서 단칼에 왕식의 허리를 베어 두 동강을 내버린다. 이 광경을 본 왕식의 수하군사들은 앞다투어 달아나버렸다. 관운장은 다시 수레를 재촉하여 전진했다. 운장은 마음속으로 호반에게 깊이 감사했다.

관운장 일행은 활주(滑州) 경계에 이르렀다. 활주 태수 유연(劉延)은 관운장이 온다는 소식을 듣고 기병 수십기를 이끌고 나와 영접했다. 운장은 말 위에서 허리를 숙여 인사한다.

"태수께서는 그동안 별일 없으셨소?"

유연이 묻는다.

"관공께서는 지금 어디로 가시는 길인지요?"

"승상께 하직하고 형님을 뵈러 가는 길이오."

"유현덕은 원소에게 가 있는데, 원소는 바로 승상의 원수 아니오? 그런데도 승상께서 공을 가게 내버려두셨단 말씀이오?"

"지난날 이미 나와 약조한 일이었소이다."

유연이 걱정하는 어조로 말한다.

"지금 황하를 건너는 관문을 하후돈의 부장인 진기(秦琪)가 지키고 있는데, 아마도 장군을 보내지 않을 것이외다."

"그렇다면 태수께서 배 한 척을 내주시오."

"배가 없는 것은 아니지만 내가 어찌 내드릴 수 있겠소?"

"지난번 소장이 안량과 문추를 베어 태수를 구해드렸거늘, 배 한 척도 못 내어준단 말씀이오?"

"하후돈이 알면 틀림없이 문책할 것입니다."

관운장은 유연이 아무짝에도 쓸모없는 인물임을 알고는 그대로 수레를 재촉하여 황하를 건너는 관문을 향해 나아갔다. 과연 진기가 군사를 거느리고 와서 물었다.

"거기 누군가?"

관운장이 대답한다.

"한수정후 관아무개요."

"지금 어디로 가는 길이오?"

"형님 유현덕을 만나러 하북으로 가는 길이니 강을 건너게 해주시오."

"승상의 증명서를 가졌소?"

"내 승상의 지시를 받지 않는 몸인데, 증명서는 무슨 증명서요?"

"나는 하후돈 장군의 영을 받들고 이곳을 지키고 있소이다. 증명서가 없다면 겨드랑이 밑에 날개가 돋쳤다 해도 절대로 이 강을 건널 수 없소이다."

관운장은 크게 노했다.

"그대는 내 갈 길을 막았던 자들이 모조리 내 손에 죽었다는 사실을 알고 있는가?"

"네가 죽인 것은 모두 이름없는 장수들뿐, 내 아무렴 네 손에 죽을 것 같으냐?"

"그래 네놈이 안량이나 문추보다 낫다는 말이냐?"

진기가 대로하여 칼을 휘두르며 달려든다. 관운장이 맞서 달려나가 서로 어우러진다. 그러나 진기는 번개같이 내리친 운장의 칼을 맞고 그대로 머리가 떨어져나간다. 수하군사들이 모조리 달아나려 하자, 운장이 호령한다.

"나를 거역한 자는 이미 죽었으니, 구태여 달아날 필요 없다. 속히 배를 내어 우리가 강을 건너게 하라!"

대장을 잃은 군사들은 연신 굽신거리며 배를 끌어다 언덕에 대었다. 관운장이 두 부인을 모시고 무사히 황하를 건너니, 이제 그곳은 원소의 영토였다. 불현듯 생각해보니, 허도를 떠나 이곳까지 오는 동안 다섯 관문을 지나오면서 여섯 장수를 베었다. 후세 사람들이 이 일을 시로 전했다.

관인 걸어두고 황금 봉해두고 조승상을 떠나서	挂印封金辭漢相
형님 찾아 아득히 먼길 돌아가네	尋兄遙望遠途還
적토마에 올라 천릿길을 달리는데	馬騎赤兔行千里
청룡언월도의 서슬로 다섯 관문 지났도다	刀偃青龍出五關
장하도다 그 충의는 우주에 가득 차서	忠義慨然冲宇宙
그 영웅 이로부터 강산을 뒤흔들리	英雄從此震江山
홀로 가며 오관참장, 참으로 무적이라	獨行斬將應無敵

적토마에 올라앉은 관운장은 스스로 탄식했다.

'내가 도중에 사람들을 죽일 뜻이 없었으나, 일의 형세가 부득이하여 저지른 노릇. 그러나 조공이 알게 되면 반드시 나를 은혜 모르는 사람이라 할 것이다.'

관운장이 다시 두 부인을 모신 수레를 호위하며 길을 재촉하는데, 문득 저편에서 한 사람이 말을 타고 달려오며 소리높여 부른다.

"관공께서는 잠시 멈추시오."

관운장이 말을 세우고 보니, 그 사람은 다름아닌 손건이었다. 관운장이 묻는다.

"지난번 여남에서 작별한 후로 다른 소식이 있소?"

손건이 대답한다.

"그때 장군께서 회군하신 뒤, 다시 여남땅을 탈환한 유벽과 공도는 나를 하북으로 보내 원소와 결탁하고, 현덕공을 청하여 함께 조조 칠 계교를 의논하려 했습니다. 그런데 뜻밖에도 상황이 어지러웠습니다. 하북의 장수들은 서로 시기가 심하지요. 전풍은 여전히 옥에 갇혀 있고, 저수는 내쫓겨서 뜻을 펴지 못하고 있으며, 심배와 곽도는 서로 권세만 다투는데, 원소는 의심이 많고 주견이 없소. 유황숙과 상의하여 그곳을 빠져나와, 지금 황숙께서는 여남땅으로 유벽을 만나러 가셨소이다. 주공께서는 혹시 장군이 원소에게 가셨다가 해를 입지나 않을까 염려하여, 나로 하여금 이렇게 영접을 보내셨소이다. 속히 여남으로 가시지요."

관운장은 손건에게 두 부인을 뵙도록 했다. 두 부인이 손건에게 유황숙의 동정을 물으니, 손건이 대답한다.

"그간 원소가 두번이나 황숙을 죽이려 했으나 다행히 지금은 몸을 피하여 여남땅에 계십니다. 두 부인께서도 어서 가셔서 황숙을 만나십시오."

이 말을 듣고 두 부인은 얼굴을 가리고 눈물을 흘렸다. 관운장은 손건의 말을 듣고 방향을 돌려 여남을 향해 두 부인을 모시고 가는데, 갑자기 뒤에서 말발굽소리가 어지럽게 들려왔다.

"관운장은 달아나지 말라!"

놀라 뒤를 돌아보니 뜻밖에도 조조의 장수 하후돈이었다.

관문 지키던 여섯 장수 속절없이 죽었거늘	六將阻關徒受死
일군이 길을 막아 또다시 싸울 판이로다	一軍攔路復爭鋒

관운장은 과연 이 위기를 어떻게 벗어날 것인가?

삼형제의 재회

채양을 베어 형제가 의심을 풀고

고성에서 군신이 다시 대의를 위해 모이다

관운장이 손건과 함께 두 부인을 모시고 여남땅으로 가는데, 뜻밖에도 하후돈이 3백여기를 거느리고 뒤쫓아왔다. 관운장은 손건에게 당부한다.

"공은 수레를 호위하고 부지런히 가시오."

그러고는 청룡도를 고쳐잡고 하후돈을 향해 큰소리로 말한다.

"조승상께서 넓은 도량으로 나를 보내셨건만, 너는 어찌하여 나를 쫓는가?"

하후돈이 대꾸한다.

"승상께서 아무런 공문도 전해오지 않았는데, 그대는 도중에 우리 장수들을 죽이고 나의 부장마저 베었으니 참으로 무례하기 짝이 없구나. 내 반드시 너를 사로잡아 승상께 바치리라."

하후돈이 말을 마치더니 창을 쥐고 달려드는 바로 그때, 뒤에서 한 사람이 말을 타고 나는 듯이 달려온다.

"장군은 운장과 싸우지 마시오."

관운장은 말고삐를 쥐고 움직이지 않고 있는데, 사자가 와서 품에서 공문을 내보이며 하후돈에게 말한다.

"승상께서 관운장의 충의를 사랑하시는 터라, 혹시 도중에 길을 막는 자가 있을까 염려되어 특별히 나에게 공문을 주시어 각처로 돌아다니게 하셨소이다."

"저자가 도중에 우리 장수들을 죽였다는 사실을 승상께서는 알고 계신가?"

"아직 모르고 계십니다."

"그렇다면 내가 저자를 사로잡아 승상께 바친 후 다시 그 분부를 기다리겠다."

"내가 너를 두려워할 줄 아느냐!"

관운장은 화가 나서 청룡도를 번쩍 치켜들고 말을 몰아 하후돈을 공격했다. 하후돈도 창을 고쳐쥐고 대적한다. 두 사람이 채 10합을 싸우기 전에 또다른 사람이 나는 듯이 말을 달려와 소리친다.

"두 분 장군은 잠시 멈추시오!"

하후돈이 창을 내리고 사자에게 묻는다.

"승상께서 관운장을 사로잡아오라 하시더냐?"

"아니오. 승상께서는 혹시나 관문을 지키는 장수들이 관장군을 막

고 못 가게 할까 염려되어 저를 시켜 각처에 공문을 돌리도록 하셨
소."

하후돈이 다시 묻는다.

"저자가 가는 길목에서마다 장수들을 죽였다는 사실을 승상께서는
아시는가?"

"그건 모르고 계시오."

"그렇다면 놓아보낼 수 없다!"

하후돈은 즉시 군사들을 지휘하여 관운장을 포위했다. 관운장이 크
게 노하여 다시 칼을 들고 싸우려 하는데, 문득 또 한명의 장수가 말
을 타고 달려온다.

"운장과 원양(元讓, 하후돈의 자)은 싸우지 마시오!"

모든 사람들이 소리나는 곳을 바라보니, 다름아닌 장요였다. 관운
장과 하후돈이 말을 세우고 기다리니, 장요가 와서 말한다.

"승상의 지엄한 분부를 받들고 왔소이다. 승상께서는 운장이 관문
을 지키는 장수를 죽인 것을 아시고, 혹시 도중에 막는 사람이 있을까
걱정하여, 나를 보내 각처 관문에 포고하여 운장을 그대로 보내라 명
하셨소."

하후돈이 말한다.

"진기는 채양의 조카로, 채양이 특별히 나에게 맡겼는데 운장의 손
에 죽었소. 어찌 그냥 두란 말씀이오?"

장요가 말한다.

"돌아가서 내가 채장군에게 잘 말씀드리리다. 승상께서 이미 운장
을 보내주셨는데, 공들은 함부로 승상의 뜻을 어기지 마시오."

하후돈은 그제야 말머리를 돌려 군사들을 거두고 물러갔다. 장요가

관운장을 보고 묻는다.

"이제 운장께서는 어디로 가시려오?"

관운장이 대답한다.

"형님께서는 원소에게 의탁해 있지 않다고 들었소. 이제부터 천하를 두루 돌아다녀서라도 형님을 찾아뵐 작정이외다."

"현덕이 어디 있는지 모른다면, 운장께서는 다시 승상께 돌아가시는 게 어떠실지……"

장요가 은근히 권하는 말에 운장이 빙그레 웃으며 답한다.

"그럴 수야 있겠소. 문원은 돌아가시거든 부디 승상을 뵙고 내가 사죄하더라 전해주시오."

운장은 장요와 손을 맞잡고 작별인사를 나누었다. 장요는 하후돈과 함께 돌아갔다.

관운장은 수레를 뒤쫓아가 손건에게 방금 있었던 일을 전했다. 관운장과 손건이 말머리를 나란히하고 관도를 따라 달린 지 며칠이 지났다. 갑자기 하늘에서 큰비가 내려 관운장 일행의 행장이 흠뻑 젖었다. 멀리 바라보니 산기슭에 장원(莊園) 한채가 서 있었다. 관운장은 수레를 재촉하여 장원을 찾아갔다. 한 노인이 나와 일행을 맞으니, 관운장이 성명을 밝히고 하룻밤 묵어가기를 청했다. 노인이 말한다.

"저의 성은 곽(郭)이요 이름은 상(常)이올시다. 대대로 이곳에 살면서 장군의 큰 이름을 들은 지 오래였는데, 천행으로 오늘 이렇게 뵙게 되었구려."

노인은 즉시 두 부인을 후당으로 모신 다음, 양을 잡고 술을 걸러 초당에서 관공과 손건을 대접했다. 일행은 비에 젖은 행장도 말리고,

말들에게도 마초를 먹였다.

　황혼 무렵이었다. 한 소년이 또래 서넛과 함께 밖에서 들어와 초당으로 올라왔다. 곽상이 소년을 불러들인다.

　"이리 와서 장군님께 절을 올려라."

　그러고는 관운장에게 말한다.

　"이놈이 제 자식이올시다."

　관운장이 한마디 묻는다.

　"어디서 오는 길인가?"

　그러자 곽상이 대신 대답한다.

　"사냥 나갔다가 돌아온 모양이올시다."

　소년은 관운장에게 절을 올리고는 다시 밖으로 나가버렸다. 곽상이 눈물을 지으며 말한다.

　"우리는 대대로 낮에는 밭을 갈고 밤에는 글을 읽는 집안이온데, 유독 하나밖에 없는 자식이 본업에 힘쓰지 않고 그저 사냥질만 일삼으니, 그야말로 가문의 불행이외다."

　관운장이 좋은 말로 위로했다.

　"이 난세에는 무예라도 갈고닦으면 공명을 얻을 수 있는데, 어찌 불행이라 하시오?"

　장원의 주인은 고개를 내젓는다.

　"저놈이 무예라도 제대로 익힌다면 사람노릇을 하겠지만, 그저 돌아다니며 방탕을 일삼으니 참으로 근심거리올시다."

　관운장은 다시 위로할 말이 없어 함께 장탄식만 하였다.

　어느덧 밤이 깊어 곽상은 처소로 물러가고, 관운장은 손건과 함께 자리에 들려는 참이었다. 갑자기 후원에서 말 울음소리와 사람들 소리가 떠들썩하게 들려왔다. 운장이 자리에서 일어나 종자를 불렀으나 대답하는 자가 없었다. 괴이하게 생각한 운장이 손건과 함께 칼을 들고 나가보니, 주인 곽상의 아들은 바닥에 쓰러져 소리를 지르고, 종자들은 건달패와 치고받으며 야단법석이었다.

"대체 무슨 일이냐?"

관운장이 묻자, 종자가 곽상의 아들을 가리키며 고한다.

"이자가 적토마를 훔치러 왔다가 말발굽에 채여 쓰러져 있었습니다. 떠들썩한 소리를 듣고 무슨 일인가 하고 달려왔더니 건달패들이 오히려 소인들에게 덤벼들지 뭡니까?"

"쥐새끼 같은 놈이 어딜 감히 내 말에 손을 댄단 말이냐?"

운장이 노기띤 음성으로 꾸짖었다. 안에서 노인이 뛰어나와 운장 앞에 무릎을 꿇고 고한다.

"불초한 자식이 이따위 짓을 하였으니, 그 죄 실로 만번 죽어 마땅하옵니다. 허나 늙은 어미가 저것도 자식이라고 애지중지하는지라, 부디 너그럽게 용서해주십시오."

"과연 불초한 자식이구려. 주인장 말씀대로 참으로 자식을 아는 이는 부모밖에 없는 듯하오. 내 주인 영감의 얼굴을 봐서 용서하겠소이다."

관운장은 마침내 건달패를 꾸짖어 물러가게 하고, 종자들에게 말을 잘 지키라 이른 뒤 손건과 함께 초당으로 돌아와 쉬었다.

이튿날 아침, 곽상은 아내와 함께 초당으로 나와서 절을 올리고 사례했다.

"불초한 자식이 죽을 죄를 지었건만 살려주셨으니 그 은혜를 무엇으로 갚겠소이까?"

관운장이 말한다.

"그 아이를 이리 데려오시오. 내 좋은 말로 타일러보리다."

노인은 난색을 표한다.

"이놈이 또 4경(새벽 2시) 무렵에 몇명의 건달패들과 함께 나가버리고 없지 뭡니까?"

관운장은 주인에게 하룻밤 신세진 것을 사례한 다음, 두 부인을 수레에 모시고 장원을 나섰다. 관운장이 손건과 말머리를 나란히하고 산길을 접어들어 한 30리쯤 갔을 때였다. 갑자기 산등성이 뒤에서 시끌벅적한 소리가 들리더니 손에 병장기를 든 1백여명의 무리들이 몰려나왔다. 무리들 앞의 말을 탄 두 사람이 우두머리인 모양이었다. 그중 한놈은 머리에 황건을 두르고 전포를 입었으며, 또다른 한놈은 바로 곽상의 아들이었다. 머리에 황건을 두른 자가 앞으로 나서며 큰소리로 외친다.

"이몸은 천공장군 장각의 부장이다. 즉시 적토마를 내놓고 간다면 그대로 보내주겠다!"

관운장은 큰소리로 웃음을 터뜨렸다.

"이 미친 도적놈아. 네놈이 장각을 좇아다녔다니, 유비·관우·장비 세 형제의 이름은 들어서 알고 있겠구나."

다시 황건을 두른 자가 말한다.

"나는 얼굴이 붉고 수염 긴 자가 관운장이라는 말만 들었을 뿐, 아직 본 적은 없다. 헌데 네놈은 누군데 그리 묻느냐?"

관운장은 청룡도를 내려세우더니, 비단주머니를 열어 긴 수염을 드러냈다. 황건을 두른 자가 허둥지둥 말에서 뛰어내려 즉시 곽가 아들놈의 덜미를 잡아 말에서 끌어내려 꿇어앉히더니, 관운장의 말 앞에 넙죽 절을 올렸다. 관운장이 묻는다.

"네놈은 누구냐?"

"소인의 성은 배(裵)요, 이름은 원소(元紹)올시다. 장각이 죽은 뒤로 의지할 곳이 없어, 무리들을 모아 산속에 들어와 웅거해왔는데, 오늘 새벽에 이놈이 찾아와서 자기 집에 천리마를 몰고 온 과객이 들었으니 가서 그 말을 약탈하자고 했습지요. 그런데 이렇게 장군을 뵙게 될 줄은 천만뜻밖이옵니다."

배원소의 말이 끝나자 곽가의 아들도 연신 절을 올리며 관공에게 애원한다. 관운장이 엄하게 꾸짖는다.

"특별히 네 아비의 낯을 보아 용서하는 것이니, 다시는 내 눈앞에 나타나지 말라."

곽상의 아들은 머리를 감싸쥐고 줄행랑을 놓았다. 관운장이 다시 배원소에게 묻는다.

"나를 본 일이 없다면서 어찌 내 이름은 알았더냐?"

배원소가 아뢴다.

"여기서 20리쯤 떨어진 곳에 와우산(臥牛山)이 있습죠. 그 산속에 주창(周倉)이라는 관서(關西) 사람이 살고 있는데, 두 팔로 천근 무게를 들 정도로 힘센 장사입니다. 기골이 장대하며 메기 같은 수염을 길렀는데 그야말로 풍채가 당당하지요. 원래 황건적 장보 수하의 장수였는데, 장보가 죽은 뒤에 그 사람 역시 무리를 모아 산속에 웅거하고 있습니다. 그 사람이 항시 관장군 말씀을 하여 소인도 우러러뵐 기회가 없는 것을 한스럽게 여기던 터에, 이렇듯 뵙게 되니 감개가 무량하옵니다."

배원소의 이야기를 다 듣고 나서 관운장이 정색을 하고 타이른다.

"녹림은 호걸들이 의탁할 곳이 못되니, 그대들은 앞으로 각기 사악함을 버리고 올바른 길로 돌아가 다시는 그런 곳에 몸 담지 말도록 하라."

배원소가 황공하여 절을 올리는데, 저편 숲속에서 한떼의 인마가 몰려왔다.

"저기 앞서 오는 자가 필시 주창일 것입니다."

관운장은 말을 세우고 기다렸다. 과연 얼굴이 검고 키가 큰 사람이 창을 들고 졸개들을 거느리고 오다가 문득 관운장을 보더니, 놀라는 한편 기뻐해마지 않는다.

"이분이 바로 관장군님이시다!"

주창은 황급히 말에서 뛰어내려 운장의 말 앞에 엎드렸다.

"주창이 배례(拜禮)드립니다."

관운장이 묻는다.

"그대가 어찌 한눈에 나를 알아보는가?"

"일전에 황건적 장보를 따라다닐 때 뵌 적이 있사옵니다. 도적의 몸으로 감히 장군을 모실 수 없어 한스러워하던 터에, 오늘 이렇게 천행으로 장군을 뵙게 되었으니 더 바랄 것이 없습니다. 장군께서는 부디 저를 내치지 마시고, 수하에 거두어 보졸이라도 삼아주신다면, 죽어도 여한이 없겠습니다."

관운장이 듣자니 그의 말이 진심인 듯하여 한마디 묻는다.

"그대가 만일 나를 따르겠다면 부하들은 어찌할 것인가?"

"따르겠다는 자는 데려갈 것이고, 원치 않는 자는 제 갈 데로 보내겠습니다."

주창의 말이 떨어지자, 수하의 무리들이 이구동성으로 외친다.

"원하지 않을 놈이 어디 있습니까? 저희도 따르겠습니다!"

관운장은 잠시 생각해보다가 말에서 내려 두 부인이 타고 있는 수레 앞으로 다가가 여쭈었다. 감부인이 말한다.

"아주버님께서는 허도를 떠나신 후 여기까지 오는 동안 줄곧 허다한 간난을 겪으셨습니다. 허나 군사를 따르게 한 일이 없었고, 지난번 요화가 따르겠다고 할 때에도 들어주지 않으셨거늘, 어인 일로 주창의 무리를 받아들이려 하시는지요? 저희 여자들의 좁은 소견으로는 짐작하기 어려우니, 아주버님께서 알아서 하시지요."

"형수님 말씀이 옳으십니다."

관운장은 이렇게 말하고, 수레 앞에서 물러나왔다. 그리고 나서 주창에게 말한다.

"내가 박정해서가 아니다. 내 두 분 형수님 말씀을 따르지 않을 수 없으니, 너희들은 산속에 들어가 때를 기다리도록 하라. 내가 먼저 형님을 만난 다음에 반드시 너희들을 부를 것이다."

주창이 머리를 조아리며 간곡히 청한다.

"제가 생각이 짧아 길을 잘못 들어 도적이 되었으나, 이렇게 장군을 뵌 것은 하늘의 해를 본 것이나 진배 없습니다. 그런데 어찌 그냥 산으로 들어가라 하십니까? 만약에 여럿이 따르는 게 불편하시다면, 다른 무리들은 모두 배원소에게 맡기고 저 혼자 걸어서라도 장군님을 따르겠습니다. 천길 만길이라도 두렵지 않습니다."

관운장은 주창의 뜻을 다시 두 부인에게 고했다. 그러자 감부인이 말한다.

"한두 사람이라면 무방할 듯합니다."

관운장이 주창에게 이 뜻을 전하자, 주창은 기뻐 어쩔 줄 모르며 부하들을 모조리 배원소더러 맡으라 했다. 그러자 배원소가 시무룩하여 말한다.

"소인도 관장군님을 따라가겠소!"

주창이 좋은 말로 달랜다.

"자네마저 따라나서고 보면 저 사람들은 모두 뿔뿔이 흩어질 게 아닌가. 그러니 자네가 통솔하고 있게나. 내 관장군님을 모시고 갔다가 있을 곳만 정해지면 그 길로 자네들을 데리러 오겠네."

배원소는 썩 내키지 않는 낯빛으로 무리들을 거느리고 산속으로 들어갔다.

관운장은 주창을 수하에 거두고, 다시 수레를 호위하여 여남을 향해 떠났다. 또다시 관우 일행이 길을 따라가기를 며칠이 지났는데, 멀리 산성 하나가 보였다. 관운장이 농부를 불러 묻는다.

"저기가 어디냐?"

"고성(古城)이라는 곳인데, 두어 달 전에 장비(張飛)라는 장수가 수십명의 말 탄 군사를 거느리고 와서 이 고을 관리들을 모조리 내쫓고 성을 차지했습니다. 군사를 모으고 말을 사들이는 한편, 식량과 마초를 쌓기 시작했는데, 이제는 세력이 커져서 4, 5천의 군사가 있다 합니다. 어찌나 사나운지 일대에 그를 대적할 자가 없다 하더이다."

관운장은 이 말을 듣고 크게 기뻐했다.

"서주를 잃고 헤어진 다음 도무지 아우가 어디로 갔는지 몰랐는데, 누가 여기 와 있으리라고 생각이나 했겠는가?"

관운장은 즉시 손건에게 성으로 들어가서 장비에게 두 분 형수님을 영접하도록 하라고 일렀다.

본래 장비는 망탕산에서 한달 남짓 지내다가, 유현덕의 소식이 궁금해 산을 내려와 알아보던 중에 우연히 이곳 고성을 지나게 되었다. 장비는 식량이 없어 무턱대고 관가에 들어가 군량을 빌려달라고 했다. 그러나 고을 관리가 도무지 말을 들어주지 않자, 화가 난 장비는 관리를 내쫓아버리고 관인마저 빼앗은 다음 마침내 고성을 점령했던 것이다.

이날 손건은 관운장의 영을 받고 먼저 성으로 들어가 장비에게 예를 올린 다음, 현덕이 원소에게 있다가 여남으로 간 일이며, 관운장이 허도에서 두 분 형수님을 모시고 온 일 등을 낱낱이 고했다.

"지금 운장이 두 분 형수님을 모시고 북문에 와 계시니, 장군께서는 어서 가서 맞아들이시오."

장비는 한마디 대꾸도 없이, 즉시 갑옷에 투구를 쓰고 장팔사모를 손에 쥐고는 말에 뛰어올랐다. 그러고는 군사 1천여 명을 거느리고 북문을 향해 달려가는 것이 아닌가. 손건은 놀라는 한편, 심상치 않은 장비의 서슬에 감히 묻지도 못한 채 그를 따라 북문으로 달려갔다.

관운장이 바라보니 꿈에도 그리던 아우 장비가 달려오고 있었다. 이에 관운장은 기쁨을 이기지 못한 나머지 청룡도를 주창에게 맡기고 마주 달려나갔다. 그런데 어찌 된 일인가. 장비는 반가워하기는커녕 고리눈을 부릅뜨고 범 같은 수염을 곤추세우고는 잡아먹을 기세로 으르렁거리는데, 그 소리는 마치 마른 하늘을 울리는 벼락소리와도 같았다.

"이 역적놈아!"

장비는 관운장이 미처 숨을 고를 새도 없이 장팔사모를 휘둘러댄다. 깜짝 놀란 관운장이 피하면서 장비에게 말한다.

"아우, 이게 무슨 짓인가, 도원결의를 잊었는가!"

장비도 맞고함을 지른다.

"이 의리없는 놈아, 네가 무슨 낯으로 나를 보러 왔느냐?"

"어찌하여 나에게 의리가 없다고 하느냐?"

"형님을 배반하고 조조에게 항복하여 벼슬을 받은 놈이 무슨 염치로 나를 보러 왔단 말이냐? 내 오늘 너와 사생결단을 하고 말겠다!"

"그것은 네가 모르고 하는 소리다. 내 입으로는 다 말하기 어려우니, 두 분 형수님께 직접 여쭈어보아라."

수레 안에서 관우와 장비가 주고받는 수작을 들은 두 부인은 주렴을 걷어올리고 장비를 불렀다.

"셋째 아주버님, 왜 이러십니까?"

장비가 말한다.

"형수님들은 잠시만 기다리시우. 내 저 의리없는 놈을 쳐죽인 뒤에 두 분을 성안으로 모시겠수."

감부인이 말한다.

"둘째 아주버님은 두 형제분들이 계신 곳을 몰라 부득이 조조에게 잠시 의탁하고 계시다가, 이번에 황숙께서 여남에 계시다는 말씀을 듣고 온갖 고생을 겪으시며 우리를 여기까지 호위해주셨습니다. 제발 오해를 푸세요."

미부인도 한마디 거든다.

"둘째 아주버님이 허도에 머물러 계셨던 것은 참으로 부득이한 일이었습니다."

장비는 귀담아들으려 하지 않는다.

"형수님들이 저놈한테 속아서 그런 말씀을 하시는 거요. 충신은 차라리 죽을지언정 욕을 보지 않는 법이니, 대장부가 어찌 두 주인을 섬길 수 있겠소!"

보다못한 손건이 곁에서 한마디 한다.

"운장께서는 특별히 장군을 찾아오신 길이오. 이 무슨 무례한 짓입니까?"

장비는 오히려 손건에게 고함을 지른다.

"무슨 어림도 없는 수작이냐? 좋은 마음으로 날 찾아왔을 리 없다. 필경 나를 잡으러 온 것이다."

잠자코 있던 관운장이 한마디 한다.

"만일 너를 잡으러 왔다면 어찌하여 군사를 거느리지 않고 그냥 왔겠느냐?"

장비는 손을 들어 관운장의 등뒤를 가리키며 말한다.

"저기 오는 게 군사가 아니고 무엇이냐!"

관운장이 바라보니, 과연 먼지를 자욱하게 일으키며 한떼의 인마가 달려온다. 바람에 나부끼는 깃발을 보니 조조의 군사가 틀림없다.

"네가 이래도 할말이 있느냐?"

장비는 장팔사모를 고쳐잡고 관운장에게 덤벼들었다. 관운장이 황급히 손으로 막으며 한마디 한다.

"잠시만 기다려라. 내 저기 오는 장수를 베어서 너에게 진심을 보여주마."

"그렇다면 내가 북을 세 번 울릴 테니, 그동안에 적장의 목을 가져오너라."

관운장은 쾌히 응낙하고 주창에게서 청룡도를 받아들었다. 어느새 조조의 군사가 관운장의 앞에 이르렀다. 선봉에 선 장수는 바로 채양이었다. 채양이 관운장을 보고 칼을 빼든 채 말을 몰아나오면서 큰소리로 말한다.

"네놈이 내 조카 진기를 죽이고 이곳으로 도망쳐왔구나. 내 승상의 분부를 받들어 네놈을 사로잡으러 왔느니라!"

관운장은 두말 않고 청룡도를 번쩍 쳐들고 달려나갔다. 때마침 장비가 몸소 북채를 쥐고 북을 울렸다. 첫 북소리가 채 끝나기도 전에 관운장의 청룡도가 번뜩이더니 채양의 목을 쳐 떨어뜨렸다. 순간 채양의 수하군사들은 사방으로 흩어져 달아난다. 관운장은 급히 적토마를 몰아 기수를 사로잡고는 묻는다.

"너희들은 어찌하여 나를 쫓아 여기까지 왔느냐?"

잔뜩 겁에 질린 기수가 입을 연다.

"채양이 관장군께서 조카를 죽였단 말을 전해듣고 분노한 나머지, 당장 하북으로 가서 장군과 싸우려 했습니다. 허나 승상께서 허락하지 않으시고, 대신 군사를 내주면서 여남땅으로 가서 유벽을 치라 명하여 그리로 가는 중이었지요. 소인은 이곳에서 장군을 뵈올 줄은 미처 몰랐습니다."

관운장이 기수를 장비 앞으로 끌고 가 사실대로 말하게 했다. 장비는 기수에게 관운장이 허도에서 어찌 지냈는지 세세히 캐물었다. 기수가 처음부터 끝까지 하나도 빼놓지 않고 낱낱이 고하니, 그제야 장비는 관운장을 믿게 되었다.

바로 그때였다. 성안에서 군사 한명이 급히 달려와 아뢴다.

"남문 밖에 말탄 사람 10여명이 달려오는데, 어떤 사람들인지 알 수가 없습니다."

장비는 의심이 생겨 급히 남문으로 가보았다. 과연 성문 밖으로 장병 10여명이 말을 달려오는데, 모두들 가벼운 활과 짧은 전통을 메고

장비의 첫 북소리가 끝나기 전에 관운장은 채양의 목을 베다 있을 뿐이었다. 그들은 장비를 보고는 서둘러 말에서 뛰어내리며 반가워했다. 바로 미축과 미방 형제였다. 장비 역시 말에서 뛰어내려 그들을 반겨 맞이했다. 미축이 말한다.

"서주성을 잃고 난 다음 우리 형제는 고향으로 달아났소이다. 그곳에서 사람을 시켜 사방으로 소식을 알아보았더니, 운장은 조조에게 항복했다 하고, 주공은 하북에 계시다 하며, 간옹도 하북으로 갔다고 하더이다. 하지만 장군이 계신 곳만은 몰랐소이다. 그러던 참에 어제 길에서 우연히 과객을 만났소. 그 사람 말이 지금 고성에 장씨 성을 가진 장군이 들었는데, 그 모습이 이러저러하다고 하더이다. 그래 우리 생각에 장군일 게 틀림없다고 짐작하고 이렇게 찾아왔는데, 천만다행으로 만나뵙게 되었소이다그려."

장비가 말한다.

"방금 전에 운장 형님께서 손건과 함께 두 분 형수님을 모시고 오셨소. 그리고 큰형님 계신 곳도 알았다오."

장비의 말을 듣고 미축과 미방은 크게 기뻐했다. 그들은 장비와 더불어 관운장을 만나본 뒤에, 두 부인께 문안인사를 올렸다.

장비는 두 부인을 영접하여 성으로 들어갔다. 관아에 들어가 자리에 앉자, 두 부인은 그동안 관운장이 지내온 일을 낱낱이 고했다. 그 얘기를 듣자 장비는 가슴이 에이는 듯 통곡을 했다.

"형님, 아우의 절을 받으시우!"

장비가 관운장에게 절을 올리는 것을 곁에서 보고 있던 미축과 미방도 감격에 겨워 눈물을 흘렸다. 장비도 그동안 지내온 일을 털어놓은 다음, 곧 잔치를 크게 베풀었다. 오랜만에 이들은 밤이 이슥하도록 즐거이 술을 마셨다.

다음날, 관운장이 여남으로 유현덕을 찾아가려 하니, 장비도 따라나서겠다고 서둘렀다. 관운장이 말한다.

"너는 두 분 형수님을 모시고 여길 지켜라. 내 먼저 손건과 함께 가서 형님이 어찌 지내시는지 보고 오겠다."

장비가 잠시 생각해보더니 그러마고 흔쾌히 응낙하여, 관운장은 손건과 함께 기병 4, 5명만을 거느리고 여남땅으로 출발했다. 여남에 도착하니, 유벽과 공도가 나와서 맞이했다. 관운장이 급히 묻는다.

"황숙께서는 어디 계시오?"

유벽이 대답한다.

"황숙께서는 며칠 지내시다가 이곳에 군사가 적은 것을 보시고는, 다시 원소와 상의해야겠다고 하북으로 가셨소이다."

관운장은 맥이 풀린 듯 낙망했다. 손건이 말한다.

"낙망할 게 뭐가 있습니까? 일이 이렇게 되었으니 우리가 하북으로 가면 되지 않겠소?"

관운장은 손건의 말을 듣고 그 자리에서 유벽·공도와 작별한 다음 먼저 고성으로 돌아왔다. 장비에게 사정을 말하니, 또다시 장비가 하북으로 함께 가겠다고 한다. 관운장이 고개를 젓는다.

"이곳은 우리들이 몸을 둘 유일한 근거지인데, 어찌 소홀히 하겠느냐. 내가 손건과 함께 원소에게로 가서 형님을 모셔올 테니, 너는 여기 남아서 성을 지켜야 한다."

장비가 걱정스레 말한다.

"형님은 원소의 장수 안량과 문추를 죽이질 않았소? 혹시 무슨 변이라도 생기면 어쩝니까?"

"그건 상관없다. 거기 가서 형편껏 처신할 생각이다."

관운장은 주창을 불러들여 묻는다.

"와우산의 배원소에게 있는 인마가 얼마냐?"

"4,5백은 족히 될 것입니다."

"그럼 나는 가까운 길로 유황숙을 찾아뵈러 갈 터이니, 너는 와우산으로 가서 배원소와 그 무리들을 거느리고 큰길로 나와 나를 기다려라."

주창은 관운장의 분부를 받고 급히 떠났다. 관운장은 손건과 함께 20여기만을 거느리고 하북으로 떠났다. 하북의 경계에 다다르자 손건이 말한다.

"장군께서 섣불리 들어가실 게 아닙니다. 이곳에서 잠시 쉬고 계십시오. 내가 먼저 가서 황숙을 뵙고 따로 상의하겠소이다."

"그럼 그리 하시오."

관운장은 손건을 먼저 보내고, 마을에 있는 한 장원으로 부하들을 거느리고 찾아들었다. 관운장이 쉬어갈 것을 청하자, 한 노인이 지팡이를 짚고 나왔다. 관운장이 인사를 올린 후 이곳에 오게 된 사정을 이야기하자 노인이 말한다.

"이 사람도 성이 관씨요, 이름은 정(定)이외다. 오래 전부터 장군의 높은 이름을 들어왔는데 이렇듯 뵙게 되니 참으로 천행이올시다!"

노인은 두 아들을 불러내 관운장에게 인사를 시키고, 관운장의 일행을 편히 쉬게 해주었다.

한편, 손건은 혼자 기주로 가서 유현덕을 만나 그동안의 일들을 자세히 설명했다. 현덕이 말한다.

"간옹도 여기 있으니 불러다 함께 의논하세."

그러고는 가만히 사람을 보내서 간옹을 불러들였다. 간옹과 인사를 나누고 나서 손건은 어떻게 하면 이곳을 무사히 빠져나갈 수 있을지 의논했다. 간옹이 말한다.

"내게 좋은 생각이 있습니다. 주공께서 내일 원소를 찾아가 형주의 유표를 설득하여 함께 조조를 치겠다고 하십시오. 그러면 반드시 원소가 응할 터이니, 그 틈에 떠나시면 조금도 어려울 게 없을 것입니다."

"참으로 좋은 계책이구려. 헌데 공은 나를 따라 떠날 수 없지 않겠소?"

"제게는 따로 빠져나갈 방법이 있으니 염려하지 마소서."

이튿날 유현덕은 원소를 찾아가 말했다.

"유경승(劉景升, 유표)이 형주와 양양의 아홉 군(郡)을 다스리는데 군량도 넉넉하고 군사들도 잘 훈련되었다 합니다. 그와 함께 조조를 칠 일을 의논하면 좋을 듯싶습니다."

원소가 말한다.

"지난번에도 내가 사람을 보냈는데 응하려 하지 않더이다."

"유경승은 저와 같은 종씨이니, 가서 간곡히 설득하면 반드시 거절하지 않을 것입니다."

"그렇지. 유표를 얻는 게 유벽보다야 훨씬 낫지. 그럼 귀공이 수고해주시구려."

원소는 선선히 유현덕의 청을 응낙했다. 그러고는 덧붙이기를 잊지 않는다.

"근래에 듣자니 관운장이 조조를 떠나 이쪽으로 오고 있다던데, 오거든 내 반드시 안량과 문추의 원수를 갚을 생각이오."

"명공께서 일전에 운장을 쓰겠다 하셨기에 제가 사람을 보내 부른 것인데, 이제 무슨 까닭으로 죽이겠다 하십니까? 더구나 안량과 문추가 두 마리 사슴이라면 운장은 한 마리 호랑이거늘, 사슴 두 마리를 잃고 호랑이 한 마리를 얻었는데 무얼 더 바랄 게 있겠소이까."

현덕의 말에 원소가 껄껄 웃는다.

"내 운장을 아끼는 터라 농담으로 한 말이오. 귀공은 부디 사람을 보내 속히 오게 하시오."

"마침 손건이 여기 왔는데, 그를 보내기로 하지요."

"그게 좋겠소."

원소가 기뻐하며 선선히 허락했다. 유현덕이 물러난 뒤, 간옹이 나서서 말한다.

"현덕이 이번에 가면 되돌아오지 않을지도 모릅니다. 제가 따라가서 첫째는 유표를 함께 설득하고, 둘째는 현덕을 감시하겠습니다."

"좋은 생각이오."

원소는 두말 없이 간옹에게 현덕과 함께 떠나라고 허락했다. 이것을 본 곽도가 간한다.

"지난번에 유비가 유벽을 설득하러 갔으나 일을 이루지 못하고 돌아왔습니다. 헌데 또 간옹과 함께 형주로 보내십니까? 그들은 반드시 돌아오지 않을 것입니다."

원소는 곽도의 말을 듣지 않았다.

"공연한 의심이다. 그래서 간옹을 함께 보내지 않느냐."

곽도는 한숨을 짓고 물러났다.

유현덕은 손건에게 먼저 성을 나가서 관운장에게 알리도록 했다.

그리고 자신은 간옹과 함께 원소에게 하직인사를 올린 다음 말을 타고 성을 나섰다. 부지런히 말을 달려 기주성에 이르니, 손건이 나와서 관운장이 머물고 있는 곳으로 안내했다. 일찌감치 문밖에 서서 기다리던 관운장은 유현덕이 다가오자 엎드려 절을 했다. 현덕과 운장이 손을 마주잡고 우는데, 흐르는 눈물이 그칠 줄을 모른다.

유현덕과 관운장 등이 초당에 올라가 자리를 잡고 앉자, 노인은 아들 형제를 데리고 나와 뵙도록 했다. 유현덕이 주인의 성명을 묻자, 관운장이 대신 대답한다.

"이 사람은 저와 같은 성씨요, 맏아들 관녕(關寧)은 학문을 하고, 둘째아들 관평(關平)은 무예를 배운다고 합니다."

관운장의 말이 끝나자 관정이 현덕에게 말한다.

"어리석은 소견으로는 둘째아들놈을 관장군께 딸려보냈으면 하는데, 어떠하올지요?"

유현덕이 묻는다.

"그 아이가 올해 몇살입니까?"

"열여덟입니다."

현덕이 잠시 생각해보더니 대답한다.

"어르신네의 뜻이 그러하시다면, 아드님을 아우의 아들로 삼게 하면 어떻겠소이까? 그렇잖아도 아우에게 여태 아들이 없소이다."

관정은 크게 기뻐하며, 곧 관평에게 관운장을 아버지로 받들고, 유현덕을 큰아버지로 섬기라 일렀다. 유현덕은 원소가 뒤쫓아올 것이 두려워 급히 행장을 수습하여 떠나려 했다. 그러자 관평도 관운장을 따라서 함께 나섰다. 관정은 5리 밖에까지 나와서 배웅하고 돌아갔다.

관운장은 주창과 이미 약조한 일이 있는 까닭에 와우산 쪽으로 길을 재촉했다. 한참 달려가던 중에 수십명을 이끌고 오던 주창과 마주쳤다. 주창은 여러 군데 상처를 입어 제대로 몸을 가누지 못했다. 관운장은 주창을 데리고 가서 먼저 현덕에게 인사를 올리게 한 다음 물었다.

"도대체 어찌 된 일이냐? 왜 이 사람들만 데리고 오느냐?"

주창이 울상을 지으며 답한다.

"제가 와우산에 채 당도하기도 전에 한 장수가 필마단기로 달려와서 한창에 배원소를 찔러죽인 다음 부하들에게 모조리 항복을 받아내고 산채를 빼앗아 점거하고 있지 뭡니까? 제가 가서 불러내니, 겨우 이 아이들만 따라나서고, 다른 놈들은 무서워 벌벌 떨고 있는 겁니다. 너무 분하여 그 장수와 싸움을 벌였는데, 여러 차례 싸웠건만 이기질 못하고 이렇게 세 군데나 창에 맞았사옵니다."

현덕이 묻는다.

"그 사람이 어떻게 생겼고, 이름은 뭐라 하던가?"

"생김새는 거구에다 풍채가 좋고 용맹스러운데, 이름은 모르겠습니다."

관운장이 앞장서고, 현덕이 뒤를 따라 와우산으로 몰려갔다. 산밑에 이르자, 주창더러 나서서 온갖 욕설을 퍼부어 상대방을 자극하도록 일렀다. 머지않아 한 장수가 갑옷차림에 투구를 쓰고 창을 거머쥔 채 무리들을 거느리고 산밑으로 내려온다. 유현덕이 앞으로 말을 몰고 나아가며 큰소리로 물었다.

"혹시 조자룡(趙子龍)이 아닌가?"

그 장수가 눈을 들어 현덕을 보고는 얼른 말에서 뛰어내려 엎드려 절한다. 그는 과연 상산 조자룡이었다. 유현덕과 관운장도 말에서 내려 서로 부둥켜안으며 어떻게 이곳에 오게 되었는지 물었다. 조운이 대답한다.

"제가 사군(使君)과 헤어진 뒤로 공손찬의 수하로 돌아갔는데, 공손찬은 사람들의 말을 듣지 않고 싸우다가 원소에게 패하여 불타 죽었습니다. 그뒤 원소가 몇번이나 사람을 보내 부르더이다. 하지만 원소는 사람을 쓸 줄 아는 위인이 아니기에 가지 않았고, 서주로 사군을 찾아가려고도 생각했습니다. 그런데 소문을 듣자니 이미 서주도 결딴이 나서 운장은 조조에게로 가고, 또 사군은 원소에게 의탁하시고 있다 하더이다. 저는 그동안 수차례 사군을 찾아갈까 마음먹었다가도 원소가 나를 어찌 대할지 몰라, 몸둘 곳을 찾아 헤매다가 우연히 이곳을 지나게 되었는데, 그때 배원소가 무리를 거느리고 산에서 내려와 저의 말을 빼앗으려 했습니다. 그래서 배원소를 찔러죽이고 내친 김에 산채를 빼앗아 근거로 삼았던 것입니다. 그리고 며칠 전에 장비 장군이 고성에 있다는 말을 듣고 찾아가려 했으나 참말인지 알 수가 없어 주저하던 중에 오늘 이렇게 사군을 만나게 되었습니다."

유현덕이 크게 기뻐하며 그간의 크고작은 일들을 다 이야기하자, 관운장도 그간의 일을 이야기했다. 현덕이 말한다.

"내 처음에 자룡을 만났을 때부터 그리운 정이 많았는데, 이렇듯 만났으니 참으로 천행이 따로 없구나."

"이몸이 천하를 떠돌며 여러 주인을 섬겨보았으나, 일찍이 사군 같은 어른이 없었습니다. 오늘 이렇게 모시게 되었으니 평생의 원이 이루어졌습니다. 제 비록 오장육부를 꺼내어 땅에 뿌리고 죽는 한이 있다 해도 아무 여한이 없겠습니다."

조자룡은 곧바로 산채를 불살라버린 다음 무리들을 이끌고 유현덕을 따라 고성으로 향했다.

한편 모든 소식을 전해들은 장비는 미축·미방과 함께 미리 나와 있다가 유현덕과 관운장 일행을 맞아들였다. 모두들 서로 절을 하며 예를 차린 다음 그간의 일을 털어놓았다. 또한 두 부인이 관운장이 겪은 일들을 이야기하니, 유현덕이 감탄해마지 않았고, 소를 잡고 말을 잡아 하늘과 땅에 감사의 절을 올린 후 군사들을 위로했다.

유현덕은 이렇게 삼형제가 다시 모이고, 또 좌우에 빠진 사람이 없는데다 새로 조자룡까지 얻고 보니 필생의 기쁨을 누리는 듯했다. 뿐만 아니라 관운장 역시 아들 관평을 얻고 수하에 주창을 얻었으니 그 기쁨 비할 데가 없었다. 그리하여 며칠 동안 주연을 베풀어 군신이 모두 즐기며 취하도록 술을 마셨다.

후세 사람이 이 일을 찬탄하여 읊은 시가 있다.

전날 형제들이 산지사방 갈라져   當時手足似瓜分
소식마저 끊긴 채 감감히 지내다가   信斷音稀杳不聞
오늘날 의리로 다시 모두 뭉치니   今日君臣重聚義
이 곧 용이 구름을 만나고 범이 바람을 만난 듯   正如龍虎會風雲

이리하여 현덕·관우·장비·조운·손건·간옹·미축·미방·관평·주창이 거느리는 군사가 모두 4, 5천명에 이르렀다. 현덕이 고성을 버리고 여남으로 떠나려 하는데, 마침 유벽과 공도가 사람을 보내 그곳으로 오기를 청한다. 현덕은 즉시 군사를 거느리고 여남으로 가서, 그곳에서 새로 군사를 모으고 마필을 사들이며 점차 천하를 도모할 뜻을 세웠다.

한편, 원소는 현덕이 형주의 유표를 핑계 삼아 달아난 것을 알고 진노했다.

"내 당장 군사를 일으켜 놈을 응징하리라!"

곽도가 만류한다.

"유비 따위야 걱정할 것 없습니다만, 조조가 문제입니다. 조조는 워낙 강적인지라 제거하지 않으면 후환이 두렵습니다. 유표 역시 비록 형주땅을 차지하고 있다 해도 우리의 적수는 되지 못합니다. 강동의 손책이 그 위세가 삼강(三江)을 뒤흔들고 여섯 고을이나 되는 땅과 많은 장수와 무사들을 휘하에 거두었으니, 그와 결탁하여 조조를 치는 것이 시급한 일인 줄로 아룁니다."

원소는 곽도의 진언을 받아들였다. 곧 글을 써서 진진에게 주어 강동의 손책에게로 보냈다.

하북에서 영웅이 사라지려니　　　　　　　　　祗因河北英雄去
강동에서 호걸이 나타나는구나　　　　　　　　引出江東豪傑來

사태는 어떻게 전개될 것인가?

손권의 등장

소패왕 손책이 노하여 우길을 죽이고
푸른눈의 손권은 앉아서 강동을 거느리다

강동에서 패권을 쥐고 있던 손책(孫策)은 풍족한 양식에 강한 군사
들을 거느리고 안정된 나날을 보내고 있었다. 건안(建安) 4년(199), 손
책은 유훈(劉勳)을 쳐서 여강(廬江)을 취하고, 다시 우번(虞翻)을 시
켜 예장(豫章) 태수 화흠(華歆)에게 격문을 띄워 항복을 받아내니, 이
로써 그는 명성과 위세를 크게 떨쳤다.

손책은 장굉(張紘)을 허창(許昌, 허도)으로 보내 황제께 승리의 소식
을 알리는 표문을 올렸다. 조조는 손책의 강성함에 은근히 탄식했다.

"사자새끼와 싸우게 되었으니 힘들게 되었구나!"

그는 대책을 강구한 끝에 조인의 딸을 손책의 어린 아우 손광(孫匡)에게 보내 혼인을 시킨 후, 손책의 사자인 장굉은 허도에 붙잡아두었다. 이때 손책은 대사마(大司馬) 벼슬을 내려줄 것을 청했으나 조조는 이를 거절했다. 이에 원망하는 마음을 품은 손책이 호시탐탐 허도를 칠 기회를 엿보는데, 이를 눈치챈 오군(吳郡) 태수 허공(許貢)이 조조에게 밀서를 보냈다.

손책으로 말하면 그 효용(驍勇)함이 항우와도 같으니 조정에서는 그에게 큰 벼슬을 내리시어 허도로 불러들이십시오. 그러지 아니하고 이대로 변방에 방치해둔다면 장차 큰 화근이 될 것입니다.

사자는 밀서를 가지고 강을 건너려다가 그만 강변을 지키던 병사들에게 붙잡히고 말았다. 사자는 곧 손책의 부중으로 압송되었다. 서신을 읽고 격분한 손책은 그 자리에서 사자의 목을 벤 뒤 허공에게 사람을 보내 짐짓 의논할 일이 있다며 청하였다.

멋모르고 달려온 허공이 예를 차리기가 무섭게 손책은 서신을 내보이며 꾸짖었다.

"네 이놈, 나를 죽을 곳으로 보낼 생각이었더냐!"

그러고는 무사에게 명하여 당장 끌어내 목매달게 했다. 이 소식을 전해들은 허공의 가솔들은 그 화가 자신들에게도 미칠세라 일제히 집을 버리고 종적을 감추었고, 문객들 중 세 사람만 허공의 원수를 갚지 못해 한스러워하고 있었다. 하루는 손책이 군사를 거느리고 단도현(丹徒縣) 서산(西山)에서 사냥한다는 말을 듣고 숲속으로 들어가서 기회를 엿보았다.

손책은 큰 사슴 한 마리를 발견하고는 말을 달려 산위로 올라갔다. 한창 사슴의 뒤를 쫓던 중에 그는 숲속에서 창과 활을 들고 서 있는 세 사람을 목격하고 말을 멈추며 물었다.

"너희들은 누구냐?"

"한당(韓當)의 군사로, 여기서 사슴을 잡고 있었습니다."

손책은 말머리를 돌렸다. 그가 막 지나치려는 순간 세 사람 중 하나가 번개같이 창을 들어 그의 왼편 넓적다리를 찔렀다. 손책은 깜짝 놀라 차고 있던 칼을 빼어 급히 내리쳤다. 그러나 칼날이 쑥 빠지며 손에 칼자루만 남는 것이 아닌가.

이때를 놓치지 않고 또 한 사람이 활을 쏘았다. 화살은 곧장 날아가 손책의 뺨에 꽂힌다. 손책은 뺨에 꽂힌 화살을 뽑아 자기 활에 메겨서는 재빨리 상대방을 향해 되쏘았다. 활을 쏘았던 자가 외마디 비명을 지르며 가슴을 안고 쓰러진다. 남은 두 사람은 손책의 좌우에서 달려들더니 거칠게 창을 휘두르며 큰소리로 외친다.

"우리는 허태수댁 문객으로, 주인의 원수를 갚으러 왔다!"

손책은 사냥을 나온 터라 몸에 지닌 병장기가 없어 활로 겨우 막아내며 달아나는데, 두 사람은 악착같이 달라붙으며 공격을 멈추지 않았다. 손책의 몸은 온통 창에 찔려 피투성이가 되었다. 타고 있는 말 또한 상처를 입어 위태로운 지경에 놓였는데, 마침 정보가 군사들을 거느리고 나타났다. 손책이 소리 높여 외친다.

"어서 이놈들을 죽여라!"

정보는 부하들을 이끌고 일제히 달려들어 허공의 문객들을 난도질하여 죽였다. 손책은 간신히 위기를 벗어났다. 그러나 얼굴은 온통 피투성이요 상처가 깊어 위급한 상황이었다. 정보는 칼로 전폿자락을

허공의 세 문객이 사냥중인 손책을 습격하다

찢어 상처를 싸맨 다음 손책을 떠메고 오회(吳會)로 돌아와 치료받게
했다.

후세 사람이 허공의 세 문객을 칭송한 시가 있다.

손책의 지혜와 용기 강동에 떨치더니	孫郎智勇冠江湄
산속으로 사냥갔다가 공격을 받았더라	射獵山中受困危
허씨집 세 문객이 의리로써 죽으니	許客三人能死義
주인 위해 몸을 바친 예양도 못 미치리라	殺身豫讓未爲奇

중상을 입고 돌아온 손책은 치료를 받고자 사람을 보내 명의 화타
(華佗)를 청해오도록 했다. 그러나 화타는 이미 중원으로 가버린 지
오래여서 그의 제자가 대신 왔다. 화타의 제자가 손책의 상처를 살펴
보고는 단단히 주의를 준다.

"활촉의 독이 이미 뼛속까지 침투한 터이니 백일 동안 꼬박 정양하
셔야만 뒤탈이 없습니다. 만일 화를 내시거나 하여 충격을 받는다면
상처를 치료하기가 매우 어려울 것입니다."

손책은 워낙 성정이 급한 위인인지라 그날로 당장 치료하지 못하는
것만 한탄하며 그럭저럭 20여일을 보냈다. 그러던 어느날 허도에 머
물고 있던 장굉에게서 사람이 왔다. 손책은 당장 사자를 불러들여 그
간의 소식을 물었다. 사자가 말한다.

"조승상이 심히 주공을 두려워하고, 그 수하의 모사들도 다들 두려
워하는데, 유독 곽가만이 예외입니다."

"곽가가 무슨 말을 하더냐?"

손책의 물음에 사자가 머뭇머뭇하며 얼른 말을 잇지 못한다.

"곽가란 놈이 무어라 하더냐고 묻질 않느냐?"

성미 급한 손책이 노기를 띠고 재차 다그쳐 묻자 사자는 마지못해 고한다.

"곽가가 조승상께 말하기를, 주공을 두려워할 것이 없다고 했답니다. 주공은 위인이 경솔하여 방비가 없을 뿐만 아니라, 천성이 급하고 꾀가 적어 한낱 필부(匹夫)의 용맹을 지닌 것뿐이니, 훗날 반드시 소인배들의 손에 죽고 말리라고 했답니다."

이 말을 듣고 손책은 크게 노했다.

"그런 하찮은 놈이 어찌 감히 나를 요량할 수 있단 말이냐! 내 맹세코 허도를 쳐서 본때를 보여주리라."

상처가 낫기를 기다리지 못하고 손책은 곧 장수와 모사들을 불러 출병할 일을 의논했다. 장소가 간한다.

"의원의 말을 잊으셨습니까? 백일 동안은 정양하셔야 비로소 뒤탈이 없으리라 했는데, 어찌하여 한때의 분노를 참지 못하고 이렇듯 귀한 몸을 함부로 하십니까?"

이때 원소의 사자 진진이 도착했다는 보고가 들어왔다. 손책이 사자를 불러들여 온 이유를 물으니, 서로 힘을 합해 조조를 치자는 원소의 뜻을 전하러 왔다 한다.

손책은 크게 기뻐하며 그날로 모든 장수들을 성루로 불러모으고 잔치를 베풀어 진진을 융숭히 대접했다. 술이 몇 순배 돌았는데 갑자기 모든 장수들이 수군대며 서로 말을 주고받더니 분분히 일어나 아래로 내려가는 게 아닌가. 손책이 이상한 생각이 들어 물으니, 곁에 섰던 자가 아뢴다.

"우신선(于神仙)이라 하는 사람이 지금 막 성루 밑을 지나던 참인데, 이를 본 장수들이 모두 절을 하러 내려간 것입니다."

손책은 자리에서 일어나 난간을 의지하여 아래를 내려다보았다. 학창의(鶴氅衣) 차림의 한 도인이 명아주 지팡이를 짚고 길 한복판에 서 있는 모습이 눈에 들어왔다. 그 주위에는 몰려나온 백성들이 일제히 향을 피우고 다투어 절을 하느라 여념이 없었다. 손책은 화가 나서 호통을 친다.

"저런 요망한 놈을 봤나? 당장 내려가 저놈을 잡아오너라!"

사람들이 아뢴다.

"고정하십시오. 저 어른의 성명은 우길(于吉)이라 하는데 동방(東方)에 거처하며, 이곳 오회땅을 왕래한 지 오래입니다. 그동안 부적을 태운 물로 수많은 백성들의 병을 고쳐왔는데, 그 영험이 어찌나 놀라운지 칭송이 자자한 터입니다. 사람들이 그를 신선이라 부르는 것도 그런 연유이니, 주공께서는 함부로 욕보이려 하지 마십시오."

손책은 더욱 노한다.

"무슨 말이 그리 많으냐? 잔말 말고 냉큼 잡아들이렷다. 만일 내 영을 어기는 자가 있으면 즉시 목을 베리라!"

부하들은 마지못해 누각을 내려가 우길을 옹위해 올라왔다.

"보아하니 미친놈 같은데, 너는 어찌 감히 인심을 현혹하려 하느냐?"

손책의 꾸짖음에 우길은 담담히 대답한다.

"빈도(貧道)는 낭야궁(琅琊宮)의 도인(道人)이외다. 순제(順帝) 때 산에 들어가 약초를 캐다가 양곡천(陽曲泉)가에서 『태평청령도(太平青領道)』라는 신서(神書)를 얻었는데, 무려 백여 권에 달하는 이 책에는 놀랍게도 수많은 질병을 치료할 수 있는 방술(方術)이 적혀 있었소이다. 이 책을 얻은 후 빈도는 오직 하늘을 대신하여 선화(宣化)하기를 힘써 널리 만인을 구제했을 뿐 이제껏 털끝만치도 남의 재물을 취한 적이 없거늘, 어찌하여 인심을 현혹한다 하시오?"

손책이 다시 꾸짖는다.

"네가 추호도 남의 것을 취한 적이 없다 하면, 의복과 음식은 어디서 얻은 것이냐? 그러고 보니 네놈은 황건적 장각의 무리가 아닌가. 내 오늘 너를 죽이지 않았다가는 반드시 후환이 될 것이다."

그러고는 곧 좌우를 꾸짖어 죽이라 명하니, 장소가 나서며 간한다.

"우도인이 강동에서 살아온 수십년 동안 한번도 죄를 범한 적이 없는데 무슨 까닭으로 죽이려 하십니까? 이는 정녕 법도에 맞지 않는 처사입니다."

손책이 말한다.

"저 따위 요망한 자를 죽이는 일이 개, 돼지를 잡는 것과 무엇이 다르겠는가?"

주위의 여러 관원들이 애써 만류하고 진진 또한 손책의 마음을 돌려보려 간곡히 간하였다. 그러나 손책은 좀처럼 노여움을 풀려 하지 않고 끝내 우길을 옥에 가두고 말았다. 이로써 잔치는 깨어지고 관원들은 모두 뿔뿔이 흩어져 돌아갔다. 진진 역시 쉬어야겠다고 하며 역관으로 돌아가고, 손책도 부중으로 돌아왔다.

이 일은 내시들에 의해 손책의 모친 오태부인(吳太夫人)에게 전해졌다. 부인은 깜짝 놀라 손책을 후당으로 불러들여 타일렀다.

"네가 우신선을 옥에 가두었다는 얘기를 들었다. 우신선은 많은 백성들의 병을 고쳐주어 군사와 백성의 존경과 추앙을 받는 분이니, 결코 해쳐서는 아니 된다."

손책이 대답한다.

"그 요망한 놈이 요술을 부려 사람을 현혹하려 하니 반드시 없애 버려야 합니다."

오태부인은 재삼 좋은 말로 우길을 풀어줄 것을 권했지만 손책은 들으려 하지 않았다.

"어머님은 바깥 사람들의 근거 없는 말을 믿지 마십시오. 제가 알아서 처리하겠습니다."

그러고는 밖으로 나와 옥리에게 우길을 데려오도록 명했다. 손책의 명이 떨어지자, 옥리는 허둥지둥 달려가 옥에 갇힌 우길에게 그제야 족쇄를 채우랴 목에 칼을 씌우랴 정신이 없다. 우길을 신선으로 받들며 공경해오던 터라, 손책의 엄명에 마지못해 그를 옥안에 가두면서도 차마 몸에 형구를 갖추지는 않았던 것이다.

이를 눈치챈 손책은 크게 화가 나서 옥리를 무섭게 꾸짖고는 우길의 몸에 더욱 큰 칼과 족쇄를 채워 다시 가두도록 했다. 그러자 장소 등 수십명이 연명(連名)으로 글을 올려 우신선의 구명을 청했다. 손책이 그들을 불러들여 크게 꾸짖는다.

"공들은 모두 학문을 한 사람들인데, 어찌 이다지도 사리판단을 할 줄 모르는가? 옛날에 교주(交州) 자사 장진(張津)이 사교(邪敎)에 빠져 북 치고 거문고 타고 분향하면서 늘 붉은 두건으로 머리를 싸매고 출병할 때마다 신의 도움을 받아 위력을 떨친다고 큰소리 치더니, 결국은 적군의 손에 죽고 말았다. 이러한 일이란 아무짝에도 쓸모없이 백해무익한 일임을 그대들은 어찌하여 아직도 깨닫지 못하는가? 내가 우길을 죽이고자 하는 것은 사교를 금하여 백성들로 하여금 헛된 망상에서 깨어나게 하려는 것이다."

여범(呂範)이 나서서 아뢴다.

"제가 듣기로 우도인은 능히 기도로써 바람을 부르고 비를 내리게 할 수 있는 위인이라 합니다. 때마침 극심한 가뭄으로 백성들이 고초를 겪고 있는 터인데, 우길에게 비를 내리게 하여 속죄토록 하심이 어떨는지요?"

"좋다. 그 요사스런 자가 하는 꼴을 구경이나 해보자."

손책은 우길을 끌어내 칼과 족쇄를 벗겨주고, 단(壇)에 올라 비를 빌도록 명했다. 우길은 즉시 목욕하고 옷을 갈아입고 나서 스스로 자신의 몸을 결박하더니 햇볕이 쨍쨍 내리쬐는 단 위에 올라섰다. 백성들이 소문을 듣고 이를 구경하기 위해 몰려와 인산인해를 이루었다. 우길이 사람들을 향해 말한다.

"내가 비를 빌어 세 길이나 되는 단비를 내리게 하여 만백성을 구한다 할지라도 결국 죽음을 면치는 못하리라."

사람들이 이구동성으로 말한다.

"영험을 보이신다면 주공께서도 감복하여 반드시 목숨을 살려주실 것입니다."

우길은 고개를 흔들며 조용히 탄식할 뿐이다.

"이미 내 운수가 다하여 피할 수 없으니 어찌하리오!"

이때 손책이 몸소 단 앞으로 나와서 영을 내린다.

"만약에 오시(午時, 오후 12시)까지 비가 내리지 않으면 즉시 우길을 화형에 처하도록 하라."

그러고는 군사들을 시켜 장작을 쌓아놓고 때가 되기를 기다렸다. 시간이 흘러 어느덧 오시가 가까워올 무렵이었다. 난데없이 광풍이 일어나더니 바람이 휩쓰는 곳마다 시커먼 구름이 모여들었다. 손책이 소리친다.

"이미 오시가 다 되었건만 하늘에 구름만 끼었을 뿐, 비는 결국 내리지 않으니 참으로 요사스런 놈이 아니냐!"

손책은 더이상 기다리려 하지 않고 좌우를 꾸짖어 우길을 장작더미 위에다 올려놓고 불을 지르게 했다. 시뻘건 불꽃이 바람을 따라 빠른 속도로 번지기 시작했다. 그런데 이게 웬일인가. 문득 한 줄기 검은 연기가 하늘을 찌르며 번개가 일더니, 천둥소리가 천지를 진동하며 장대비가 퍼붓듯이 쏟아져내려 삽시간에 주변은 온통 물바다를 이루었다. 족히 세 길이 넘는 단비였다.

이때였다. 장작더미 위에 누워 있던 우길이 느닷없이 하늘을 우러러 한소리 크게 외쳤다. 순간 놀랍게도 구름이 씻은 듯이 걷히며 비가 멎더니 다시 해가 나온다.

이를 지켜보던 모든 관원들과 백성들은 서로 앞을 다투어 우길에게로 달려들어 그를 부축하여 땅에 내려서게 했다. 그들은 우길의 결박을 풀어준 다음 연달아 절을 하며 칭송을 아끼지 않는다. 관원들은 물론 모든 백성들이 하나같이 옷이 젖는 것도 아랑곳하지 않고 물속에 엎드려 우길에게 절하는 것을 보자 손책은 참을 수 없이 화가 났다.

"날이 개고 비가 오는 것은 천지의 정한 이치이다. 이 요사스러운 놈이 공교롭게도 때를 만나 위기를 모면한 것에 지나지 않거늘, 너희들은 어찌하여 이렇듯 혹해서 날뛰는 게냐?"

손책은 곧 보검을 빼들고 좌우에게 속히 우길을 참하라 명했다. 그의 추상같은 호령에도 불구하고 여러 관원이 나서며 힘써 만류했다. 그럴수록 손책의 노기는 더욱더 하늘을 찌를 듯했다.

"너희들이 우길을 도와 나에게 모반할 작정이구나!"

삽시간에 주위는 얼어붙은 듯 조용해졌다. 무서운 한마디에 일제히 입을 다물어버린 것이다. 손책은 무사들을 꾸짖어 단칼에 우길의 목을 치게 했다. 베어진 머리가 툭 떨어졌다. 그런데 끊어진 우길의 목에서 한 줄기 푸른 기운이 치솟더니 동북쪽으로 사라지는 것이었다. 손책은 곧 우길의 시체를 저잣거리에 전시하여 그의 요망한 죄를 다스린 본보기로 삼게 했다.

그날밤, 놀라운 일이 벌어졌다. 난데없는 비바람이 크게 일어 밤이 다하도록 그치질 않더니, 날이 훤히 밝을 무렵 우길의 시체와 머리가 사라져버렸다. 시체를 지키던 군사는 깜짝 놀라 손책에게 이 사실을 고했다. 손책이 노하여 그 군사를 죽이려 하는데, 홀연 한 사람이 당 앞으로 천천히 걸어나온다. 가만히 바라보던 손책은 소스라치게 놀랐다. 그는 다름아닌 우길이 아닌가.

더욱 노한 손책은 장검을 빼들어 곧 우길을 찍으려 했다. 그러나 미처 손을 놀릴 사이도 없이 손책은 뒤로 나자빠지며 그대로 혼절해버렸다. 좌우 사람들이 급히 안아다 침상에 눕혔다. 손책은 한참 만에 깨어났다. 급히 달려온 손책의 어머니 오태부인은 아들이 깨어난 것을 보고 말한다.

"네가 죄 없는 신선을 죽이더니 이렇듯 화를 당하는구나."

손책은 어처구니가 없다는 듯 웃으며 대꾸한다.

"저는 어렸을 때부터 아버님을 모시고 출정하여 사람 죽이기를 삼 베듯 했지만 그로 인해 화를 입은 적은 단 한번도 없었습니다. 이제 그 요사스러운 놈을 죽여 큰 화근을 제거한 터에, 제가 화를 당한다니 무슨 말씀입니까?"

"그렇지가 않아. 네가 도무지 신선을 믿지 못하고 일을 이 지경에 이르게 했으니 지금부터라도 좋은 일을 하여 살풀이를 해야겠다."

"인명은 재천이라 했거늘 제아무리 요망한 놈이라도 저를 어쩌겠습니까? 그러니 어머님도 제 걱정은 마시고 살풀이 따위를 하잔 말씀은 마십시오."

오태부인은 아무리 권해보았자 소용없음을 알고 가만히 사람을 시켜 치성을 드리게 했다.

그날밤 2경(밤 10시)쯤 되었을까. 손책이 내당에 누워 있는데, 갑자기 한 줄기 음산한 바람이 일면서 등불이 꺼질 듯하다가 밝아지고 다시 꺼질 듯 가물거리더니 돌연 확 밝아졌다. 그러고는 언제 나타났는지 검은 그림자가 손책의 머리맡에 다가와 서 있었다. 손책이 애써 마음을 진정시키며 그림자를 올려다보자, 그는 다름아닌 우길이었다. 손책이 소리를 버럭 질러 꾸짖는다.

"내 평생 요망한 무리를 죽이고 천하를 편안케 하겠노라 맹세했다. 이미 저승 귀신이 된 네가 어찌 감히 내게 범접하느냐?"

손책은 머리맡에 놓인 칼을 잽싸게 집어던졌다. 순간 우길의 모습은 온데간데 없이 사라졌다.

오태부인이 이 말을 듣고 더더욱 걱정하자, 손책은 어머니를 안심시키기 위해 아픈 몸을 이끌고 문안을 갔다. 오태부인이 아들에게 말한다.

"성인께서도 말씀하시기를 '귀신의 덕이 성(盛)하다' 하였고, 또한 '상하(上下)의 신에게 자신을 빌라' 하셨으니, 귀신의 일을 무시할 수는 없다. 네가 우도인을 까닭없이 죽이고도 어찌 앙갚음이 없기를 바라겠느냐? 내 이미 사람을 옥청관(玉淸觀)으로 보내 치성을 드리게 했으니, 네가 직접 가서 절하고 빌면 자연 편안해질 게다."

손책은 감히 어머니의 분부를 거역할 수 없어서 마지못해 가마를 타고 옥청관으로 갔다. 도사가 나서서 맞아들이며 손책에게 분향재배하기를 청했다. 손책은 여전히 내키지 않는 마음으로 향만 사르고 절은 하지 않았다. 그런데 문득 향로에서 피어오르던 연기가 흩어지지 않고 엉기면서 무슨 덮개 모양을 이루더니, 그 위에 우길이 단정히 올라앉아 있는 게 아닌가. 화가 난 손책이 우길을 향해 침을 뱉고 저주하며 급히 전각을 나오려는데, 이번에는 우길이 앞질러 문앞에 서서 눈을 부릅뜨고 그를 노려본다. 손책이 좌우를 돌아보며 묻는다.

"너희들은 저 요귀가 보이지 않느냐?"

시종들이 한소리로 대답한다.

"요귀라니요? 아무것도 보이지 않습니다."

손책은 더욱 노했다. 그는 황급히 허리에 찬 칼을 빼어 우길을 향해 던졌다. 그순간 누군가가 칼에 맞아 푹 거꾸러지니, 그는 엉뚱하게도 이전에 우길의 머리를 벤 군졸이었다. 그는 칼끝이 머리에 정통으로 꽂힌 채 눈·코·입·귀 일곱 구멍으로 피를 흘리며 죽고 말았다.

손책이 시체를 끌어내 장사지내게 하고 옥청관을 나오려는데, 다시 우길이 관문 밖에서 안을 향해 달려들어온다.

"이 옥청관은 요귀들이 들끓는 곳이구나!"

손책은 당장 명을 내려, 자신이 지켜보는 앞에서 무사 5백명을 동원해 전각을 헐어버리게 했다. 무사들이 지붕에 올라 기와를 벗기려 하자, 우길이 지붕 위에서 기와를 벗겨 아래를 향해 어지러이 내던진다. 손책은 길길이 날뛰며 격분하여 소리쳤다.

"본관 도사를 끌어내고 전각을 불살라버려라!"

불길이 활활 이는데, 이번에는 그 속에 우뚝 서 있는 우길의 모습이 다시 역력히 보인다.

손책은 끓어오르는 분노를 안은 채 부중으로 돌아왔다. 우길의 형상은 잠시도 손책을 떠나려 하지 않았다. 어느새 부중 문앞에 버티고 선 우길을 발견한 손책은 안으로 들어가지 않고 곧 군사를 일으켜 성밖으로 나가 영채를 세웠다. 그러고는 수하장수들을 불러 원소를 도와 조조를 협공할 일을 의논하게 했다. 장수들이 입을 모아 간한다.

"주공의 옥체가 그리 평안치 못한 터에 가볍게 움직이는 것은 옳지 않습니다. 몸이 완쾌되기를 기다렸다가 출병하더라도 늦지 않을 것입니다."

그날밤 손책은 영채 안에서 잠자리에 들었다. 그런데 우길이 산발을 하고 그의 앞에 다시 나타났다. 밤새도록 영채 안에서는 손책이 우길을 꾸짖는 소리가 끊이지 않고 흘러나왔다.

다음날 아침 오태부인은 사람을 보내 아들을 부중으로 불러들였다. 손책이 들어가 어머니를 뵙자, 오태부인은 그 안색이 초췌한 것을 보고 울며 말한다.

"네 하룻밤 사이에 어쩌면 얼굴이 그 꼴이 되었단 말이냐?"

손책이 거울을 가져오라 하여 들여다보니 과연 자신의 몰골이 말이 아니었다.

"내 얼굴이 왜 이 모양이 되었는가!"

그 말이 끝나기도 전에 거울 속에 우길이 서 있었다. 손책은 주먹으로 거울을 치며 버럭 고함을 질렀다. 순간 온몸의 상처가 일제히 터지며 그는 그대로 혼절해버렸다. 오태부인이 손책을 안으로 들여다 침상에 눕히게 했다. 한참 후 가까스로 깨어난 손책은 탄식조로 중얼거렸다.

"내 이제 더는 살기 어려울 것 같구나……"

그러더니 장소 등 여러 사람과 동생 손권(孫權)을 곁으로 불렀다.

"천하가 크게 어지러운 이때, 우리 오월(吳越)땅은 삼강(三江)의 험한 요새를 끼고 있어 가히 큰 뜻을 펼 수 있을 것이오. 그대들은 부디 내 아우를 보필하여 대업을 이루기 바라오."

손책은 인수를 가져오라 하여 손권에게 건네며 말을 잇는다.

"강동의 무리를 일으켜 양진영 사이에서 기회를 잡아 천하를 다투는 일은 네가 나보다 힘에 부칠 것이다. 그러나 어진이를 쓰고 유능한 사람에게 책임을 맡겨 각자 힘을 발휘하도록 하여 강동을 지키는 데는 네가 나보다 나으리라. 너는 부디 오늘이 있기까지 아버님과 내가 감당했던 창업시절의 어려움과 고통을 잊지 말고 그 뜻을 기려 스스로 도모하도록 하여라."

손권이 울음을 터뜨리며 절을 하고 공손히 인수를 받는다. 손책은 이어서 어머니 오태부인에게 고한다.

"저는 이미 천수가 다하여 어머님을 모시지 못하겠기로, 이제 인수를 아우에게 넘겼습니다. 원컨대 어머님께서는 조석으로 아우를 훈육하시어 부형(父兄)이 쓰던 사람들을 잘 받들도록 일깨워주십시오."

오태부인이 울며 말한다.

"네 아우는 아직 어려서 대사를 감당하지 못할 터인데, 이 노릇을 어찌한단 말이냐?"

"아닙니다. 권(權)은 저보다 열 배나 나으니 족히 대임을 감당할 수 있을 것입니다. 그러나 만약 안으로 어려운 일이 있거든 장소에게 묻게 하시고, 밖으로 결단하기 어려운 일이 있거든 주유(周瑜)에게 묻도록 하십시오. 주유가 이 자리에 없어서 직접 당부하지 못하는 것이 한입니다."

손책은 다시 여러 아우들을 불러서 일일이 부탁한다.

"내가 죽은 뒤에 너희들은 부디 중모(仲謀, 손권의 자)를 열심히 돕도록 하여라. 또한 문중에서 딴마음을 먹는 자가 있으면 가차없이 주살하고, 형제간에 반역하는 자가 있거든 결코 조상의 분묘에 안장시키지 못하도록 해야 한다."

아우들이 울며 삼가 명을 받든다. 손책은 마지막으로 아내 교(喬)씨를 불러 당부한다.

"내가 중도에 부인과 이렇듯 헤어지게 된 것이 무엇보다 한스럽소. 부디 부인은 어머님을 효로써 봉양하오. 일간 처제가 올 것이니, 남편인 주유에게 내 대신 말을 전해주도록 당신이 잘 이르시오. 그동안 나를 대했던 것처럼 마음을 다하여 내 아우를 보필해달라고 말해주오. 그리하여 평생지기의 의리를 저버림이 없도록 당부하더라고 전해주시오."

말을 마치자 눈을 감고 세상을 떠나니, 그때 손책의 나이 겨우 26세였다.

후세 사람이 시를 지어 이렇게 찬탄했다.

홀로 동남땅에서 용맹을 떨치니	獨戰東南地
사람들은 소패왕이라 일컬었네	人稱小霸王
계략을 세울 적엔 범이 움츠려 있는 듯	運籌如虎踞
결단을 내리면 매가 날아오르는 것 같아	決策似鷹揚
위엄은 뻗쳐 삼강을 진정시키고	威鎮三江靖
명성은 울려 사해에 날리더니	名聞四海香

임종에 이르러 대사를 유언하는데   臨終遺大事

그의 뜻 오로지 주유에게 부탁했다네   專意屬周郎

손책이 숨을 거두자 손권은 그대로 쓰러져서 통곡하며 떠날 줄을 몰랐다. 장소가 말한다.

"지금은 장군께서 울고만 있을 때가 아닙니다. 장례를 치르는 한편 나라의 큰일을 다스려야 합니다."

손권은 비로소 눈물을 거두었다. 장소는 손권의 숙부 손정(孫靜)으로 하여금 장례를 맡아 치르게 하는 한편, 손권을 당(堂)으로 모시어 문무백관의 하례를 받게 했다.

손권은 타고나기를 턱이 모나고 입이 크며, 눈이 푸르고 수염이 붉은 편이었다. 일찍이 한나라 사신으로 오군에 왔던 유완(劉琬)이란 사람이 손씨 집안의 형제들을 보고 나서 이렇게 말한 바 있었다.

"내가 두루 살피건대 손씨 형제들이 각기 재주는 비상하나 다들 불행하게도 복록과 수명을 길이 누릴 팔자는 아니다. 그러나 유독 중모만은 생김새가 뛰어나고 골격이 비범하며 귀하게 되어 장수할 상이라. 다른 형제들은 모두 그만 못하리라."

그의 예언대로 손책이 젊은 나이에 명을 달리하자 이제 손권은 형의 대권을 위임받아 강동을 다스리게 되었다. 그러나 손권이 아직 무엇을 어찌해야 할지 방침을 세우지 못하고 있는 중에, 문득 사람이 들어와 주유가 파구(巴丘)에서 군사를 거느리고 돌아왔다고 고했다. 손권이 한시름 놓은 듯 말했다.

"공근(公瑾, 주유의 자)이 돌아왔으니 이제 걱정 없구나."

원래 주유는 군사를 거느리고 파구를 지키고 있다가 손책이 화살을 맞아 중상을 입었다는 소식을 들었다. 급히 문병하러 오던 길에 오군에 이르러서는 급기야 부음을 받으니 길을 재촉하여 밤낮으로 달려온 것이다.

도착하자마자 주유는 손책의 영구 앞에 절하며 통곡한다. 오태부인이 나와서 고인의 유언을 전하니 주유는 땅에 엎드려 아뢴다.

"삼가 견마지로를 다하여 죽기로써 위업을 잇겠나이다."

이때 손권이 들어왔다. 주유가 절하여 예를 갖추자 손권이 말한다.

"공은 부디 형님의 유언을 잊지 마시오."

주유가 머리를 조아린다.

"간과 뇌수를 땅에 뿌릴지라도 저를 알아주신 그 은혜에 보답하오리다."

"내가 이제 아버님과 형님의 유업을 잇게 되었으니, 장차 어떠한 계책으로 강동을 지켰으면 좋겠소?"

"자고로 사람을 얻는 자는 창성하고 사람을 잃는 자는 망하게 마련입니다. 우선 하실 일은, 고명하고 멀리 내다볼 수 있는 인재를 구하여 보필을 받으셔야 합니다. 그러면 가히 강동을 안정시켜 번영을 누릴 수 있습니다."

"돌아가신 형님께서 유언하시기를, 안의 일은 장소에게, 바깥의 일은 그대에게 물으라 하시었소."

"장소는 어질고 통달한 선비이니 능히 대임을 감당할 만하지만, 이 몸은 재주가 미흡하여 맡기신 중임을 감당치 못할까 두렵습니다. 그러니 제가 한 사람을 천거하여 장군을 보필토록 하면 어떨는지요?"

"그게 누구요?"

"성은 노(魯)이고 이름은 숙(肅), 자는 자경(子敬)으로, 임회군(臨淮

郡) 동천(東川) 사람입니다. 이 사람은 가슴에는 도략(韜略)을 품고 뱃속에는 기모(機謀)를 감추고 있는데, 속이 깊고 무엇보다도 앞을 내다보는 지혜가 출중합니다. 일찍이 아버지를 여의고 어머니만 모시고 사는데 그 효성이 지극함은 말할 것도 없거니와, 집안이 부유한 편인데 노상 재물을 흩어 가난한 사람들을 도우니 사람들의 칭송이 자자합니다. 제가 소장(巢長)땅을 다스리던 때의 일입니다. 수백명을 데리고 임회땅을 지나게 되었는데 마침 양식이 떨어졌지요. 그런데 들리는 소문에 노숙의 집 두 곳간에 각각 3천섬이나 되는 쌀이 쌓여 있다질 않겠습니까? 당장 찾아가 도움을 청하였지요. 그랬더니 노숙은 곳간 하나를 가리키며 마음대로 내다쓰라는 겁니다. 이 점만 보아도 그의 인품이 어떠한지 가히 짐작할 수 있는데다, 또한 평생을 칼 쓰고 말 달리며 활 쏘기를 즐겨해서 강건함도 따를 자가 없습니다. 그는 곡아땅에 살고 있는데, 지금은 할머님의 장례를 치르기 위해 동성(東城)땅에 가 있습니다. 일전에 그의 친구 유자양(劉子揚)이 함께 소호(巢湖)로 가서 정보(鄭寶)에게 의탁하자고 권했으나 주저하며 가지 않고 있다니, 주공께서는 속히 그를 부르도록 하십시오."

손권이 매우 기뻐하며 당장 가서 노숙을 청해오라 한다. 주유는 명을 받고 즉시 노숙을 찾아갔다. 깍듯이 예를 갖추고, 손권이 그를 청해오기를 간절히 원하고 있음을 전했다. 노숙이 말한다.

"근자에 친구 유자양과 소호에 가기로 약속한 터라 그곳으로 갈까 합니다."

주유가 노숙을 설득한다.

"옛날에 마원(馬援)은 광무제(光武帝)에게, '세상에서 군주가 신하를 선택하는 것은 당연한 이치이나 신하도 임금을 골라 섬겨야 한다'

고 말했습니다. 지금 우리 손장군께서는 어진 선비들을 공경하며 예로써 대접하고 그들의 재주를 귀히 여기시는, 세상에 다시 없는 분입니다. 그러니 공께서는 다른 생각 마시고 나와 함께 동오로 가도록 하십시다."

노숙은 마침내 그 말을 좇아 주유와 함께 동오로 와서 손권을 만났다. 손권은 노숙을 매우 공경하여 하루종일 담론을 하면서도 지루한 줄을 몰랐다.

하루는 문무관원이 모두 흩어진 뒤 손권이 노숙을 붙들어 함께 술을 마시다가 밤이 깊자 한 침상에 나란히 누웠다. 잠자리에서 손권이 문득 묻는다.

"한실(漢室)이 기울어 위태롭고 천하가 어지러운 이때, 나는 기왕에 부형의 유업을 이어받은 이상, 제(齊)나라의 환공(桓公)이나 진(晉)나라 문공(文公)처럼 패업을 이루고자 하는데, 공은 앞으로 어떻게 나를 가르치려 하오?"

노숙이 대답한다.

"옛날에 한고조가 의제(義帝)를 받들어 섬기려 했지만 못한 것은 항우가 방해했기 때문입니다. 지금의 조조가 마치 항우와 같사온데 장군께서 무슨 수로 환공이나 문공이 될 수 있으리까. 제 요량으로는 한실의 부흥은 있을 수 없고, 조조를 갑자기 없앤다는 것 또한 거의 불가능한 일입니다. 제가 장군께 말씀드리고 싶은 것은, 우리는 오직 강동에 기반을 두고 세를 정립하여 천하를 관망하면서 틈을 노려야 한다는 점입니다. 지금 북방이 소란스러운 틈을 타서 우선 황조부터 쳐없애고, 나아가 유표를 친 후 장강 전역을 차지하여 지키고 있다가, 황제를 칭하고 연호를 정하여 천하를 도모하신다면, 이는 곧 한고조가 대업을 이룬 것과 다를 바 없습니다."

손권은 크게 기뻐하며 잠자리에서 벌떡 일어나 옷깃을 여미고 노숙에게 깊은 감사의 예를 표했다. 다음날 아침 손권은 노숙에게 후한 상을 내리고, 노숙의 어머니에게도 따로 의복과 휘장 같은 여러가지 물건들을 보내도록 했다.

노숙이 또 한 사람을 손권에게 천거했다. 그는 학문과 재주가 뛰어날 뿐만 아니라 어머니에 대한 효성 또한 지극한 사람으로, 성은 제갈(諸葛)이요 이름은 근(瑾), 자는 자유(子瑜)로, 낭야군(琅琊郡) 남양(南陽)땅 출신이었다.

손권은 제갈근을 초빙하여 귀한 손님으로 대접했다. 제갈근은 손권에게 원소와의 관계를 끊고 조조에게 환심을 보인 다음에, 기회를 보아 일을 도모하라고 권유했다. 손권은 제갈근의 조언에 따라 사신으로 왔던 진진에게 거절하는 서신을 들려보냄으로써 원소와의 관계를 끊어버렸다.

한편 조조는 손책이 이미 죽었다는 소문을 듣고 군사를 일으켜 강남을 치려 했다. 이때 시어사(侍御史) 장굉(張紘)이 간한다.

"남이 상을 당했을 때 그것을 기회 삼아 치는 것은 의롭지 못합니다. 만일 공격했다가 이기지 못하면 부질없이 원한만 사게 될 터이니, 차라리 이런 때일수록 친선함이 좋을 것입니다."

조조는 장굉의 말이 옳다고 여겼다. 그래서 황제께 아뢰어 손권을 장군 겸 회계(會稽) 태수에 봉하고, 장굉은 회계 도위로 발령하여 인(印)을 주어 강동으로 돌려보냈다.

손권은 장굉이 돌아온 것을 보고 크게 기뻐하여 장소와 함께 정사를 돌보도록 했다. 그 답례로써 장굉도 손권에게 사람을 천거했다. 그는 고옹(顧雍)이란 인물로, 자는 원탄(元嘆)이며, 중랑장 채옹(蔡邕)의 문하생이었다. 고옹은 말이 적고 술도 마시지 않았으며 매사에 엄하고 공명정대하기로 정평이 나 있었다. 손권은 고옹을 승(丞)으로 삼아 태수직을 맡아보게 했다. 이로부터 손권은 강동에 위엄을 떨치기 시작했으며, 두터운 민심을 얻기에 이른다.

한편 진진은 원소에게 돌아가 그간의 일들을 소상히 아뢰었다.

"손책은 죽고 그 아우 손권이 뒤를 계승했으며, 조조가 그에게 벼슬을 내리고 외세의 침략이 있을 경우 서로 돕기로 했답니다."

원소는 끓어오르는 분노를 참을 수가 없었다. 그는 즉시 기주·청주·유주·병주 등의 군사 70여만명을 일으켜 허도를 치기 위해 출발했다.

강남의 싸움이 겨우 잠잠한가 했더니   江南兵革方休息
이번엔 기주 북쪽에서 전란이 일어난다   冀北干戈又復興

이들의 승부는 장차 어찌 될 것인가?

30

관도대전

원소는 관도싸움에서 패하고

조조는 오소를 습격해 군량을 불태우다

　원소가 군사를 일으켜 관도(官渡)를 향해 나아가니, 하후돈이 파발을 띄워 이 사실을 급히 허도에 알렸다. 급보를 받은 조조는 곧 순욱에게 허도를 지키도록 지시하고, 몸소 군사 7만을 거느리고 원소와 맞서기 위해 출발했다.

　한편 원소가 관도를 향해 출병하기에 앞서, 옥중의 전풍(田豊)은 글을 올려 간했다.

　"지금은 조용히 지키면서 하늘이 기회를 줄 때까지 기다려야 하거늘, 함부로 대군을 일으킴은 이롭지 않습니다."

이때 사이가 좋지 않은 봉기(逢紀)가 전풍을 헐뜯고 나섰다.

"주공께서 인의의 군사를 일으키려 하시는데, 전풍이 어찌하여 이렇듯 상서롭지 못한 말을 하는지 모르겠습니다."

그 말은 곧 원소의 심기를 건드렸다. 원소가 크게 노해 당장 전풍을 참하려 하자 모든 관원이 만류하고 나섰다. 원소는 마지못해 노여움이 가득한 어조로 말했다.

"내 조조를 쳐부수고 돌아와 반드시 전풍의 죄를 묻겠다!"

드디어 군사를 재촉해 나아가니, 깃발은 들판을 덮고 창검은 숲을 이루어 그 위엄이 하늘을 찌르는 듯했다. 원소의 대군은 그 선봉대가 양무(陽武)에 이르러 일단 영채를 세우고 방책을 논했다. 모사 저수(沮授)가 의견을 내놓는다.

"아군이 비록 수효는 많으나 조조 군사의 용맹스러움을 당해내기는 쉽지 않습니다. 그러나 조조의 군사가 아무리 정예하다 해도 군량과 마초가 우리에 비해 부족하니, 그들의 입장에서는 급히 싸우는 것이 이롭고, 우리는 싸움을 오래 끌면 끌수록 유리합니다. 그러다 보면 적군은 군량이 부족한 탓에 제풀에 지쳐 패하고 말 것입니다."

그러나 대군의 위세만 믿고 자만심에 빠져 있던 원소의 귀에 그런 말이 들릴 리가 없다.

"떠나올 때 전풍이 쓸데없는 소리로 군심(軍心)을 어지럽혀 내가 돌아가는 즉시 참하려는 터에, 이제는 네놈까지 함부로 입을 놀려 죽음을 자청하느냐?"

원소는 진노하여 좌우에 명했다.

"저수를 당장 쇠고랑을 채워 감금하라. 내 조조를 격파한 뒤에 전풍과 함께 같은 죄로 다스릴 것이다."

원소가 70만대군에 명을 내려 동서남북으로 진영을 둘러세우니, 과연 90여리에 달하는 엄청난 형국을 이루었다. 조조의 첩자가 급히 이 사실을 알리니 막 관도땅에 도착한 조조의 군사들은 하나같이 두려움에 떨었다. 조조는 즉시 모사들과 더불어 대책을 의논했다. 순유가 말한다.

"원소의 군사가 비록 많다고는 하나, 우리 군사는 훈련이 잘된 정예군이므로 한 사람이 능히 열명의 적을 상대할 수 있는데, 무엇을 두려워하겠습니까? 그러나 속전속결만이 능사이며, 부득이 시일을 끌게 되면 군량과 마초가 부족한지라 형세가 크게 불리해질 것입니다."

"나도 같은 생각이오."

조조는 더 지체하지 않고 요란하게 북을 울리며 군사를 거느리고 앞으로 나아갔다. 그에 맞서 원소의 군사들도 몰려나와 진을 치고 맞섰다.

원소의 장수 심배(審配)는 1만명의 발노수(發弩手, 쇠뇌를 쏘는 궁수)를 양쪽 날개 삼아 벌여세우고, 또한 궁전수(弓箭手, 작은 활을 쏘는 궁수) 5천을 문기(門旗) 안에 매복시켜놓은 다음 포소리가 나면 일제히 공격하도록 해두었다.

이윽고 북소리가 크게 세 번 울리자 원소가 말을 타고 진 앞에 나와 선다. 황금빛 투구와 갑옷에 비단 전포, 옥띠를 두른 모습이 눈이 부실 지경이다. 좌우에는 장합(張郃) · 고람(高覽) · 한맹(韓猛) · 순우경(淳于瓊) 등이 절도 있게 늘어서고, 나부끼는 깃발이며 손에 들고 있는 무기들이 엄정하다.

이윽고 조조의 진영에서도 문기가 열리며 조조가 말을 타고 나온다. 허저 · 장요 · 서황 · 이전 등이 무기를 세워들고 앞뒤에서 조조를 호위한다. 조조는 채찍을 들어 원소를 가리키며 말한다.

"내가 황제께 아뢰어 너를 대장군에 봉하게 했거늘, 너는 어찌하여 모반하는 게냐!"

화가 난 원소가 맞받아친다.

"당치 않은 소리 집어치워라! 네가 한나라의 승상이라 자처하나 실은 한나라의 도적이요, 네놈이 저지른 죄는 하늘까지 뻗쳐 왕망(王莽)이나 동탁보다 심한 터에, 나같이 무고한 사람을 반역자로 몰려 하다니 하늘이 무섭지도 않으냐?"

조조가 대꾸한다.

"내 이제 조칙을 받들어 너를 치러 온 것이다."

원소가 지지 않고 응수한다.

"흥, 나는 황제로부터 받은 의대조(衣帶詔, 옥대에 감춘 비밀 조서)를 받들어 도적을 토벌하려는 것이다."

조조는 화가 머리끝까지 치밀어 당장 장요를 시켜 나가 싸우게 했다. 원소 진영에서는 장합이 나와 맞선다. 두 장수가 서로 어우러져 4, 50합 가량을 싸웠으나 승부가 나지 않는다.

두 사람이 싸우는 모습을 지켜보던 조조는 내심 감탄하지 않을 수 없었다. 이때 허저가 장요를 돕기 위해 칼을 휘두르며 말을 달려나갔다. 원소의 진영에서는 고람이 창을 꼬나잡고 마주 나와 허저를 가로막는다. 네 장수는 각각 두 패로 나뉘어 어지러이 찌르고 베기를 거듭한다.

조조는 하후돈과 조홍에게 각기 3천군을 거느리고 일제히 적진을 공격하도록 명했다. 심배는 조조의 군사가 몰려오는 것을 보고 깃발을 들어 포를 쏘라는 신호를 보냈다. 요란하게 터지는 포성에 따라 양쪽 날개처럼 벌여선 1만여명의 발노수가 일제히 쇠뇌(여러개의 화살을 연달아 쏘게 되어 있는 화살의 일종)를 퍼붓는다. 동시에 매복해 있던 궁전수들 역시 진 앞으로 쏟아져나와 화살을 날린다.

이쯤 되자 조조군이 제아무리 정예하다고 하나 당해낼 도리가 없었다. 마침내 남쪽을 향해 달아나기 시작하니, 원소가 군사를 휘몰아 추격했다. 결국 조조 군사는 크게 패하여 관도로 물러가버렸다.

원소는 그 뒤를 바싹 쫓아 관도 가까이에 영채를 세웠다. 심배가 계책을 간한다.

"이제 군사 10만을 내어 이곳 관도를 지키게 하고, 조조의 진영 앞에 토산을 쌓아 그위에서 적진을 굽어보며 활을 쏘게 하십시오. 그러면 조조가 견디지 못해 이곳을 버리고 물러갈 테니, 우리가 이 요충지를 손에 넣을 수만 있다면 허도까지도 손쉽게 함락시킬 수 있을 것입니다."

원소는 그 말을 좇아 각 영채에서 힘깨나 쓰는 장사들을 뽑아 삽과 삼태기로 흙을 퍼다가 조조의 영채 가까이에 산처럼 쌓아올리게 했다. 이 광경을 목격한 조조의 군사들이 이를 막아보려 했으나 심배가 궁노수(弓弩手, 궁수와 노수)를 거느리고 중요한 길목을 막고 있어 속수무책이었다.

열흘도 못되어 50여개의 토산이 만들어졌다. 심배가 토산 위에 구름다리(雲梯, 성을 공격할 때 썼던 높은 사다리)를 세우고 궁노수들을 배치해 화살을 쏘아대니, 조조의 군사들은 허둥지둥 차전패(遮箭牌, 화살을 막는 방패)를 찾아쓰기 바빴다. 토산 위에서 울리는 신호소리와 함께 화살이 비오듯 하면 조조군들은 몇번이고 화살을 피하기 위해 일제히 방패를 쓰고 납작 엎드려야 했다. 그 모양새가 어찌나 볼썽사나운지 토산 위에서 내려다보던 원소의 군사들은 고함을 지르며 연신 큰소리로 웃어댔다. 조조는 군사들이 당황하여 어쩔 줄 모르는 모습에 모사들을 불러 대책을 논했다. 유엽(劉曄)이 아뢴다.

"무엇보다도 발석거(發石車, 돌덩이를 쏘는 무기)를 만들어 토산을 격파해야 합니다."

조조는 즉시 발석거 설계도를 만들 것을 명했다. 유엽은 밤잠도 자지 않고 서둘러서 며칠 안되어 수백대의 발석거를 만들었다. 완성된 발석거는 곧장 각 영채의 담장 안에 배치되어 토산의 구름다리를 향했다.

만반의 준비를 마친 조조 진영에서는 원소의 궁노수들이 활쏘기를 기다렸다가 일제히 돌을 날려 응수했다. 포석이 하늘을 날아 토산 위 구름다리에 명중하자, 궁노수들은 날아온 돌을 피할 수 없어 무수히 떨어져죽었다. 원소의 군사들은 어찌나 혼이 났던지 하늘에서 떨어지는 벼락과 같다 하여 조조군의 발석거를 벽력거(霹靂車)라 불렀고, 그 후에는 감히 토산 위 구름다리에 올라가서 활을 쏘지 못했다.

심배는 궁리 끝에 새로운 계책을 내었다. 굴자군(掘子軍)이라는 두더지부대를 만들어 땅밑으로 굴을 파고 조조의 영채 안으로 뚫고 들어가자는 것이다.

조조의 군사들은 원소의 군사들이 토산 뒤편에서 분주히 땅굴을 파는 것을 목격하고 즉시 이 사실을 조조에게 고했다. 조조는 유엽을 불러 적의 의도가 무엇인지 물었다. 유엽이 대답한다.

"원소의 군사가 아무래도 정면대결이 어려워지니까 땅굴을 이용해서 우리 영채를 엄습하려는 수작인 듯합니다."

"그렇다면 어떻게 이를 막을 수 있겠소?"

"우리 쪽에서 선수를 쳐야지요. 영채 주위에 빙 둘러 참호를 파놓으면 저희가 무슨 수로 뚫고 들어오겠습니까?"

조조는 즉시 군사를 동원하여 밤마다 영채 주위에 참호를 파게 했다. 결국 원소의 군사들은 땅굴을 파다가 참호에 이르면 번번이 낭패를 보았고, 공연히 군력만 낭비하는 결과가 되었다.

이런 가운데 조조가 관도땅에 영채를 세우고 싸움을 시작한 지 두 달 가까이 흘러 어느덧 8월에서 9월 하순으로 접어들었다. 조조는 차츰 근심이 되었다. 날씨는 추워지는데다 군량이 모자라 더이상 버티기가 어려웠다. 차라리 관도를 버리고 허도로 돌아갈까도 생각해보았지만 선뜻 결단을 내릴 수가 없었다. 허도를 지키고 있는 순욱에게 전황을 알리는 편지를 써서 어찌해야 좋을지 대책을 물었다. 순욱이 즉각 답서를 보내왔다.

주공께서 군사의 진퇴 여부를 물으셨기에 소견을 올립니다. 저의 어리석은 생각으로는 원소는 모든 군사력을 동원하여 관도땅을 취함으로써 명공과 승부를 내고자 하는 것 같습니다. 공께서는 약한 군사로 강한 군사와 맞서게 되셨으며, 만약에 저들을 제압하지 못하면 상대방에게 결정적인 기회를 주게 될 것이니, 이는 천하의 대사라고 해야 할 것입니다. 그러나 원소의 군사가 제아무리 많다 해도 대개 쓸모없는 것들이니 주공의 명철한 신무(神武)로써 어찌 제어하지 못하겠습니까? 우리 군사가 비록 적다고 하나 옛날 초(楚)와 한(漢)이 형양(滎陽)과 성고(成皐)에서 싸우던 때보다는 낫습니다. 그러니 주공께서는 적당한 지점에서 선을 긋고 숨통이 되는 길

목을 막아 굳게 지키시며 물러서지 마십시오. 그러면 저쪽에서도 함부로 진격해들어오지 못하고 형세가 다할 때 반드시 변화가 있을 것이니, 이때 적절히 대응하시되 결코 때를 놓쳐서는 아니 될 것입니다. 바라옵건대 명공의 깊은 양찰이 있으시길 비옵니다.

순욱의 편지는 조조에게 한껏 용기를 북돋워주었다. 조조는 크게 기뻐하며 관도를 사수하라고 군사들에게 영을 내렸다. 그런 차에 원소군이 30여 리 밖으로 물러나자, 조조는 긴장을 늦추지 않고 장수들을 시켜 영채 밖으로 나가 적의 동향을 면밀히 살피도록 지시했다.

어느날 서황의 부장 사환(史渙)이 순시를 돌다가 원소의 염탐꾼을 사로잡아 끌고 왔다. 서황이 염탐꾼을 문초하자 이실직고한다.

"조만간에 대장 한맹이 군량을 가지고 오기로 되어 있어서, 저희들이 먼저 길을 살펴보러 나온 참이었습니다."

서황은 이 사실을 즉시 조조에게 보고했다. 곁에 있던 순유가 한마디 한다.

"한맹은 한낱 필부에 지나지 않습니다. 장수 한 사람이 기병 수천 명을 거느리고 나가 그들을 쳐서 보급로를 끊으면 원소의 군사는 저절로 혼란에 빠질 것입니다."

조조가 묻는다.

"누굴 내보내면 좋겠소?"

순유가 대답한다.

"서황을 보내시지요."

조조는 즉시 서황으로 하여금 부장 사환과 군사들을 거느리고 먼저 출발하게 하고, 다시 장요와 허저를 보내 그를 돕게 했다.

그날밤, 한맹은 군량과 마초를 가득 실은 수천대의 수레를 호송하고 원소의 진영으로 가던 중에 산골짜기에서 서황과 사환의 군사와 맞닥뜨렸다. 한맹은 즉시 말을 달려 서황에게 덤벼들었다. 서황이 한맹을 맞아 싸우는 동안, 사환은 재빨리 군사들을 지휘하여 수레를 몰아온 군사들을 물리치고 군량과 마초에 불을 질렀다. 한맹은 결국 당해내지 못하고 불타고 있는 수레를 뒤에 남긴 채 달아나버렸다. 서황은 구태여 그 뒤를 쫓으려 하지 않고 군사를 재촉해 수레에 실린 양곡들을 남김없이 태워버렸다.

점점 거세진 불길은 밤하늘을 찌를 듯 솟구쳤다. 군중에 있던 원소는 멀리 서북쪽에서 불길이 치솟는 것을 목격하고 두 눈이 휘둥그레졌다. 그때 군사 하나가 숨을 헐떡이며 달려와 아뢴다.

"군량과 마초를 운반하던 수레가 모두 약탈당해 불타버렸습니다."

몹시 화가 난 원소는 즉시 장합과 고람을 내보냈다. 두 사람은 바삐 큰길로 나가다가 군량과 마초를 불태우고 돌아오는 서황과 마주쳐 한바탕 접전이 벌어졌다. 이때 뒤에서 허저와 장요가 군사를 거느리고 달려왔다. 장합과 고람은 사방에서 달려드는 맹장들의 공격을 당해내지 못하고 말고삐를 돌려 달아났다.

서황·사환·장요·허저 네 장수는 달아나는 원소군을 더 쫓지 않고 군사를 한데 모아 관도로 돌아갔다. 조조는 크게 기뻐하며 그들에게 후히 상을 내리고, 다시 군사를 나누어 본영 앞에 영채를 세워 더욱 방비를 굳건히 했다.

한편 한맹은 패군을 수습하여 진영으로 돌아갔다. 원소는 크게 화가 나서 한맹을 참형에 처하려 했다. 곁에 있던 여러 사람들이 강력히 만류하여 한맹은 간신히 죽음을 면했다. 심배가 원소에게 말한다.

"군사가 움직이는 데는 군량미 이상 중요한 것이 없습니다. 오소 (烏巢)땅은 우리의 양곡이 쌓여 있는 가장 중요한 곳이니 특별히 군사들을 동원해 엄중하게 지켜야 합니다."

원소가 말한다.

"내게 이미 계책이 섰으니, 그대는 업군(鄴郡)으로 돌아가 양곡과 마초를 잘 지켜 다시 빼앗기는 일이 없도록 하라."

심배가 영을 받고 떠났다. 원소는 순우경을 시켜 부장 휴원진(睢元進)·한거자(韓莒子)·여위황(呂威璜)·조예(趙睿) 등과 함께 2만여명의 군사들을 거느리고 오소를 지키게 했다.

순우경이란 자는 본래 성미가 괴팍하고 술을 좋아하여 군사들이 하나같이 그를 두려워하고 멀리했다. 오소에 당도하자 그는 날마다 수하장수들을 모아놓고 술타령만 일삼았다.

한편 조조는 마침내 군량이 바닥났다는 보고를 받고 급히 허도에 있는 순욱에게 곡식과 마초의 조달을 재촉하는 서신을 보냈다. 그런데 조조가 보낸 사자는 30리도 채 못 가서 원소의 군사에게 붙잡히고 말았다. 그는 사지가 결박당한 채 허유 앞으로 끌려갔다. 허유의 자는 자원(子遠)으로, 조조와는 일찍이 친구간이었는데, 지금은 원소에게 의탁해 모사 노릇을 하고 있었다. 사자의 몸을 뒤져서 군량을 재촉하는 조조의 편지를 발견한 허유는 곧 원소에게 글을 내보이며 말했다.

"조조가 관도에 군사를 주둔하고 우리와 대치한 지 이미 오래라 허도는 지금 방비가 허술할 것입니다. 이때를 틈타 군사를 나누어서 밤새 기습한다면, 쉽사리 허도를 수중에 넣는 것은 물론이요 조조까지도 사로잡을 수 있습니다. 더욱이 이제 군량미가 바닥난 눈치이니 이 기회에 양쪽을 동시에 공격하도록 하시지요."

원소는 고개를 젓는다.

"조조는 원래 꾀가 많은 인물이라 이 서신은 우리를 속이기 위한 계책임에 틀림없네."

허유는 재차 간곡히 권유한다.

"만약 이때 치지 않으면 뒤에 도리어 큰 해를 입게 될 것입니다."

한참을 설득하고 있는데, 갑자기 업군의 심배가 보낸 서신이 도착했다. 심배의 편지에는 먼저 군량 운반에 관한 내용과, 허유가 기주에 있을 때 백성들의 재물을 수탈하고 세금으로 거둬들인 양곡을 아들과 조카를 시켜 빼돌렸기에 그들을 옥에 가두었다는 등의 사연이 적혀 있었다. 편지를 훑어본 원소는 대로하여 벼락 같은 소리로 허유를 꾸짖는다.

"이런 발칙한 놈을 봤나! 너 같은 놈이 무슨 낯짝으로 내 앞에서 버젓이 고개를 들고 계책을 내놓는단 말이냐. 그러고 보니 네놈은 본래 조조와 친구지간이 아니더냐. 네놈이 필시 조조에게 뇌물을 받아먹고 나를 속여 놈을 이롭게 하려는 수작이렷다. 내 당장에 네놈의 목을 베어버리고 싶으나 잠시 뒤로 미루는 것이니, 썩 물러나 다시는 내 눈앞에 나타나지 말라!"

밖으로 나와 허유는 하늘을 우러러 탄식했다.

"충언이 도리어 귀에 거슬린다니 저런 속좁은 인간과는 대사를 꾀할 수 없겠구나! 그나저나 아들과 조카가 심배에게 해를 입었으니 내 무슨 낯으로 기주 사람들을 대한단 말인가!"

그러고는 칼을 빼 목을 찔러 자결하려 했다. 마침 측근들이 이를 발견하고 칼을 빼앗으며 말린다.

"공은 어찌하여 목숨을 가볍게 버리려 하십니까? 원소가 직언을 받아들이지 않으니 뒤에 반드시 조조에게 사로잡히고 말 것입니다. 그보다도 공께서는 일찍이 조조와 친분이 있다 들었는데, 어찌하여 어리석은 주인을 버리고 현명한 사람에게로 가려 하지 않으십니까?"

이 한마디 말에 허유는 크게 깨달았다. 그날밤 허유는 몰래 영채를 빠져나와 곧장 조조에게로 향했다.

후세 사람이 이 일을 두고 시를 지어 탄식했다.

원소의 장한 기상 중화를 덮었거늘   本初豪氣蓋中華
관도의 오랜 대치, 일을 그르쳤네   官渡相持枉嘆嗟
허유의 계책을 받아들였던들   若使許攸謀見用
산하가 어찌 조조의 것이 되었으랴   山河爭得屬曹家

허유가 몰래 원소의 진영을 벗어나 밤을 새워 조조의 군중에 잠입하는데, 매복해 있던 군사들이 막아섰다.

"웬놈이냐?"

"나는 조승상의 옛 친구다. 속히 가서 남양의 허유가 승상을 만나러 왔다고 전하여라."

군사들이 황급히 영채로 들어가 보고했다. 조조는 옷을 벗고 막 잠자리에 들려던 참이었다. 부하로부터 허유가 찾아왔다는 말을 들은 조조는 너무도 기쁜 나머지 옷도 제대로 갖춰입지 못하고 맨발로 달려나가 옛벗을 맞아들였다. 조조는 반가운 기색을 감추지 못한 채 크게 웃으며 허유의 손을 덥석 잡고 장막 안으로 들이더니, 먼저 넙죽 엎드려 절을 했다. 허유가 황망히 조조를 붙들어 일으키며 말한다.

"공은 한나라의 승상이요 나는 미천한 선비에 지나지 않는데, 어찌하여 이토록 겸양한단 말이오!"

조조가 다시 웃는다.

"공은 나의 오랜 벗인데 어찌 벼슬로 위아래를 따지겠소?"

허유가 부끄럽다는 듯 말한다.

"내가 주인을 잘못 택하여 원소에게 몸을 굽혔으나, 그에게 아무리 진언을 하고 계책을 말해주어도 들으려 하지 않아 옛 친구를 찾아온 것이오. 부디 거두어주시오."

"자원(子遠, 허유의 자)이 이렇게 와주었으니 나는 이제 아무런 걱정이 없소이다. 바라건대 원소를 쳐부술 계교나 좀 일러주오."

허유가 말한다.

"나는 원소에게 경기병(輕騎兵, 가볍게 무장한 날쌘 기병)을 이끌고 허도를 기습하되 머리와 꼬리처럼 동시에 공격하라 일러주었소."

조조가 깜짝 놀란다.

"만약에 원소가 공의 계책을 따랐더라면 나는 크게 낭패를 볼 뻔했소그려!"

허유가 묻는다.

"지금 군량이 얼마나 되오?"

"1년쯤 지탱할 정도는 되오."

허유는 웃는다.

"허허, 설마요. 그렇지 못한 걸로 알고 있는데요."

조조가 다시 대답한다.

"그저 한 반년치는 되는 모양이오."

허유는 갑자기 소매를 떨치며 벌떡 일어난다.

"내 성심으로 찾아왔건만 공의 속임수가 이같으니 내가 어찌 믿고 의탁하겠소?"

조조는 밖으로 나서려는 허유의 소매를 황망히 붙들며 말한다.

"너무 노여워 마오. 내 바른대로 말하리다. 실상 군중의 양식이 겨우 석달치뿐이오."

허유가 껄껄 웃는다.

"세상사람들이 모두 맹덕을 간웅이라 하더니 과연 빈말이 아니구려!"

조조도 따라 웃는다.

"병불염사(兵不厭詐, 병법에는 속임수를 꺼리지 않는다)라는 말도 못 들었소?"

그러고는 허유의 귀에다 바짝 입을 대고 소곤거린다.

"솔직히 군중에는 이달 먹을 양식밖에는 남아 있지 않다오."

말이 끝나기도 전에 허유가 소리를 버럭 지른다.

"그만 좀 속이시오! 군량은 이미 바닥이 나지 않았소?"

조조는 깜짝 놀란다.

"그걸 어떻게 알았는가?"

허유는 품속에서 조조가 순욱에게 보낸 서신을 꺼내 보였다.

"이 글은 누가 쓴 것이오?"

조조는 여전히 놀란 얼굴로 묻는다.

"이거 어디서 났소?"

허유는 조조의 편지를 입수하게 된 경위를 자세히 설명했다. 조조는 허유의 손을 덥석 잡으며 말한다.

"자원이 이렇듯 옛 우정을 생각하여 나를 찾아왔으니, 부디 내게 좋은 계교를 일러주구려."

"명공이 적은 군사를 거느리고 원소의 대군과 맞서면서 속전속결의 방도를 찾지 않고 있으니 이는 패배를 자초하는 짓이나 다름없소. 내게 한 가지 계책이 있긴 하오만, 내 말대로 하겠다고 약조할 수 있겠소? 그러면 사흘 안에 원소의 백만대군을 싸우지 않고 패퇴시킬 수 있을 거외다."

조조는 몹시 기뻐한다.

"어서 그 계책을 말해주오."

"원소의 군량과 치중(輜重, 군수품)은 지금 모두 오소에 있는데, 순우경이 지키고 있다고는 하나 워낙 술을 좋아하는지라 방비가 소홀할 것이오. 그러니 공께서는 정예병을 뽑아 원소의 장수 장기(蔣奇)가 군사를 이끌고 군량을 지키러 가는 것처럼 속임수를 써서 일단 그곳에 잠입하시오. 그런 뒤 틈을 노려 쌓여 있는 군량과 치중을 불살라버리면 원소의 군사는 사흘도 못 가서 크게 흔들릴 것이외다."

조조는 매우 흡족해하며 허유를 후히 대접하고 영채에 머물도록 당부한 후, 이튿날 기병과 보병 5천명을 뽑아 몸소 오소로 떠날 준비를 했다. 이를 보고 장요가 말한다.

"원소가 군량미를 쌓아둔 곳에 어찌 방비를 하지 않았겠습니까? 승상은 가벼이 움직이지 마십시오. 혹시 허유의 간계에 빠지는 일이 아닌지 염려됩니다."

"그렇지 않다. 허유가 여기에 온 것은 원소를 패하게 하려는 하늘의 뜻이다. 어차피 우리는 군량미가 떨어졌으니 더이상 버티기도 어려운 처지다. 아무런 대책도 없이 허유의 계교를 쓰지 않는다면 이는 앉아서 화를 기다리는 것이나 다름없지 않은가? 또 만약 허유가 나를 속이려 한다면, 어찌 내 진영에 저렇듯 머물러 있으려 하겠느냐? 나 역시 오래 전부터 적의 진영을 기습하려 계획하고 있었다. 허유의 권유는 실행해볼 만한 일이니 너무 염려 말게나."

"그러시더라도 원소가 허실을 틈타 습격해올지도 모르니 방비를 단단히 해두어야 할 것입니다."

장요가 끝내 마음을 놓지 못하자 조조가 웃는다.

"그건 나도 이미 생각하고 있는 바일세."

조조는 즉시 순유·가후·조홍으로 하여금 허유와 함께 남아서 대채를 지키도록 지시한 뒤, 하후돈과 하후연은 일군을 거느리고 왼쪽에 매복하게 하고, 조인과 이전은 오른쪽에 매복하여 만일의 사태에 대비하게 했다. 만반의 준비를 끝내고 조조는 장요와 허저를 선봉으로 삼고, 서황과 우금을 뒤따르게 하고 자신은 몸소 중군을 거느려 나아갔다.

모두 5천명에 달하는 군사들이 원소의 군기(軍旗)로 위장하고 오소를 향해 걸음을 재촉했다. 저마다 짚단을 짊어진 채 함매(銜枚, 진군할 때 소리내지 못하게 입에 물리던 젓가락 같은 도구)를 하고 말에는 재갈을 물려 조용히 걸음을 옮기노라니 어느덧 날이 저물었다. 그날 따라 밤하늘에 별들이 수를 놓은 듯 총총했다.

한편, 진중에 구금되어 있던 저수는 그날밤 우연히 하늘의 별자리가 심상치 않은 것을 보고 옥졸에게 청했다.

"나를 잠시만 뜰에 나가게 해주게."

저수가 뜰로 나가 하늘을 우러러 천문을 살피니, 문득 태백(太白, 금성)이 역행하여 견우성과 북두성 사이로 끼여들고 있었다. 저수는 깜짝 놀랐다.

'큰 화가 닥칠 징조로다!'

그러고는 즉시 원소에게 뵙기를 청했다. 원소는 술에 취해 자리에 누워 있다가, 저수가 비밀리에 급히 아뢸 말이 있다는 말을 전해듣고 즉시 불러들였다.

"무슨 일이냐?"

"오늘밤 우연히 천문을 살펴보니 태백이 거꾸로 흘러 유성(柳星)과 귀성(鬼星) 사이를 지나 그 빛이 견우성과 북두성 사이를 침범하고 있습니다. 아무래도 적병의 습격으로 해를 입을 징조인 듯싶으니, 군량이 있는 오소를 특별히 방비해야 할 것입니다. 속히 정병과 맹장을 보내 산길을 순찰하여 조조의 계교에 빠지는 일이 없도록 하십시오."

저수의 말에 원소는 버럭 소리를 질렀다.

"네 이놈, 너는 죄인의 몸으로 어찌 함부로 혓바닥을 놀려 군심을 어지럽히려 드느냐?"

그러고는 감시하던 군사를 꾸짖었다.

"내 너에게 죄인을 잘 가두어두라 했거늘 어찌하여 함부로 밖에 내놓았단 말이냐?"

원소는 그 자리에서 군사를 베어죽이고 다른 사람을 시켜 다시 저수를 감금한 뒤 더욱 엄격히 감시하도록 했다. 밖으로 쫓겨나온 저수는 눈물을 흘리며 한숨을 지었다.

"우리 군사가 망하는 것이 조석간에 달렸으니 내 시체가 장차 어느 곳에 뒹굴지 모르겠구나!"

후세 사람이 시로써 이를 탄식했다.

충언이 귀에 거슬려 원수로 여기다니   逆耳忠言反見讎

혼자 잘난 원소의 꾀 없음이여 　　　　　　　　獨夫袁紹少機謀

오소의 군량을 잃고 보니 기초가 무너졌거늘 　　　烏巢糧盡根基拔

그러고도 구구하게 기주를 지키려 하네 　　　　猶欲區區守冀州

어느덧 조조는 군사를 거느리고 밤길을 재촉하여 원소의 별채(別寨) 앞을 지나게 되었다. 별채를 지키던 군사가 묻는다.

"어느 소속 군사들이오?"

조조의 군사가 대답한다.

"우리들은 장기 장군의 명을 받고 오소로 군량을 지키러 가오."

원소의 군사들은 그들이 자기네 군기를 들고 있는 것을 보고 조금도 의심하지 않았다. 조조의 군사들은 이렇듯 장기의 군사를 사칭하여 몇군데의 별채를 무사히 통과했다. 별탈없이 오소땅에 당도했을 때는 어느덧 4경이 지나고 있었다. 조조군은 가지고 온 짚단들을 주변에 깔고 일제히 불을 질렀다. 그리고 북을 울리고 함성을 지르며 진영 안으로 쳐들어갔다.

순우경은 여러 장수들과 더불어 술을 마시고 만취하여 장막 안에서 곯아떨어져 있다가, 천지를 뒤흔드는 듯한 조조군의 함성에 소스라쳐 일어났다.

"왜 이리 시끄러우냐?"

그 말이 채 끝나기도 전에 갈고리가 날아들며 조조의 군사들이 몰려들어와 순식간에 순우경의 사지를 묶어버렸다.

이때 휴원진과 조예는 한창 군량미를 운반하고 돌아오던 중이었다. 진영에 다다르니 군량미를 쌓아둔 저장소 주위가 온통 불길에 휩싸여 있다. 그들은 뭔가 심상치 않은 일이 벌어졌음을 깨닫고 급히 구원하

조조는 오소를 습격해 원소의 군량을 불태우다

러 달려왔다. 조조의 군사가 나는 듯이 달려가 이 사실을 고한다.

"뒤에 적병이 나타났습니다. 군사를 나누어 막도록 하십시오!"

조조가 소리친다.

"너희들은 아무 생각 말고 사력을 다해 진격하라. 적병이 등뒤에 이르거든 그때 돌아서서 싸우라!"

조조의 이 한마디에 군사들은 서로 앞을 다투어가며 돌진했다. 삽시간에 불길이 번지며 사방이 온통 자욱한 연기에 휩싸였다. 휴원진과 조예가 군사를 몰아 구원하러 달려들었으나 조조가 곧 군사를 돌이켜 맞서싸우게 하니 그 형세를 당해낼 도리가 없었다. 그들은 결국 제대로 손 한번 써보지 못한 채 모두 죽고, 산더미 같던 군량은 깡그리 잿더미가 되고 말았다.

군사들이 순우경을 결박지어 조조 앞으로 끌고 왔다. 조조는 즉시 순우경의 귀와 코와 손가락을 잘라버린 다음, 말 위에 붙들어매고 원소의 진영으로 놓아보냈다.

이때 원소는 장막 안에 있다가 북쪽에서 불길이 하늘을 찌를 듯 솟구친다는 보고를 받고, 그제야 오소에 변이 있음을 직감했다. 그는 급히 장막을 나와 문무백관을 불러모으고 상의했다. 장합이 말한다.

"제가 고람과 함께 구원하러 가겠습니다."

곽도가 반대한다.

"안될 말씀이오. 오소가 공격당했다면 필시 조조가 몸소 군사를 지휘해 움직였을 테니 그 영채는 비어 있을 것입니다. 그러니 우리는 오소로 갈 게 아니라 조조의 진영을 급습해야 합니다. 자기의 본진이 공격당한 것을 알면 조조는 당장 오소를 떠나지 않을 수 없을 것입니다. 바로 손빈(孫臏)이 위(魏)나라를 포위해 조(趙)나라를 구한 계책을 쓰자는 말씀입니다."

장합의 의견은 달랐다.

"천만의 말씀이오. 조조는 꾀가 많은 위인이라. 자기가 밖으로 나갈 경우엔 반드시 안으로도 방비를 단단히 해두었을 것이오. 그런데 우리가 조조의 영채를 치러 갔다가 실패하고, 오소에서 순우경마저 사로잡히고 만다면 그 일을 어찌하겠습니까? 여차하면 우리 모두 조조의 손에 풍비박산나고 말 게 아니겠소?"

"조조는 오소의 군량미를 빼앗는 데만 혈안이 되어 있었을 터인데 자기 진영에 군사를 남겨두고 갈 정신이 있었겠소?"

곽도는 끝까지 고집을 꺾지 않고 원소에게 몇번이고 조조의 본영을 공격할 것을 주장했다. 원소는 마침내 그 말을 좇아, 장합과 고람으로 하여금 군사 5천을 이끌고 관도로 가서 조조의 영채를 치게 하고, 장기에게는 군사 1만을 거느리고 오소로 가서 순우경을 구하게 했다.

한편 조조는 순우경이 거느리던 군사들을 죽이고 옷과 갑옷을 벗겨 자기 군사들에게 입히고는 싸움에 패하여 돌아가는 패잔병처럼 위장해 오소를 벗어났다. 어느 산골짜기에 접어들었을 무렵, 조조는 저만치 앞에서 달려오는 원소의 장수 장기의 군마와 마주쳤다. 장기의 군사가 묻는다.

"어디 군사요?"

"오소에서 패하여 돌아가는 길이오."

조조의 군사들이 태연히 대답하자 장기는 아무런 의심 없이 그대로 군사를 몰아 지나쳤다. 오소땅을 향해 앞만 바라고 급히 달려가는데 갑자기 조조의 장수 장요와 허저가 뒤쫓아오며 소리친다.

"이놈 장기야, 게 섰거라!"

장기는 미처 손을 놀려볼 사이도 없이 장요의 번뜩이는 칼날에 목이 잘려 말발굽 아래로 나뒹굴었다. 두 사람은 군사를 휘몰아 장기의 군졸들을 단숨에 물리친 뒤에 군사 하나를 적군으로 위장하여 원소에게 보내 거짓 보고를 하게 했다.

"장기가 오소를 습격해온 조조의 군사들을 모조리 물리쳤습니다."

원소는 이 말을 곧이듣고 오소에는 더이상 군사를 파견하지 않은 채 오직 관도에만 군사를 더 보내어 싸움을 돕게 했다.

이무렵, 조조의 진영을 공격하러 갔던 장합과 고람은 왼쪽에 하후돈, 오른쪽에 조인, 중앙에 조홍이 삼면으로 에워싸고 어지러이 치며 맞서는 바람에 결국 크게 패하고 말았다. 뒤늦게 구원병이 달려왔으나, 미처 전열을 가다듬기도 전에 이번에는 오소를 함락시키고 돌아오는 조조의 군사가 배후를 덮쳤다. 군사들이 사방으로 살길을 찾아 흩어지는 가운데 장합과 고람도 간신히 혈로를 뚫고 달아났다.

한편 원소의 본영에서는 오소의 패잔병들이 속속 본채로 돌아오기 시작했다. 순우경도 코와 귀가 잘리고 수족도 모두 떨어져나간 처참한 모습으로 말에 묶인 채 군사들 틈에 섞여 돌아왔다. 그 모습을 본 원소는 기가 차서 물었다.

"도대체 어쩌다가 오소를 잃었단 말이냐?"

순우경 대신 군졸 하나가 대답한다.

"장군이 술에 취해 자다가 갑자기 조조군의 습격을 받아 이 지경이 되었습니다."

원소는 분을 참지 못하고 그 자리에서 순우경의 목을 베어 죽였다. 이를 지켜보던 곽도는 마음이 여간 불안하지 않았다. 장합과 고람이 돌아와 자기의 계책 때문에 조조에게 패했다고 시비를 따지려들 게

관도대전

뻔했기 때문이다. 어리석은 군주에게는 간사한 신하가 있게 마련이라, 그는 두 사람을 모함하여 위기를 모면하기로 작정했다.

"장합과 고람은 이번에 주공께서 조조에게 패하신 것을 내심 기뻐하고 있을 것입니다."

원소가 발끈하여 묻는다.

"그게 무슨 말이냐?"

"두 사람은 평소 조조에게 투항할 생각을 품고 있던 터였습니다. 그래서 이번에 관도땅을 습격해서도 사력을 다해 싸우지 않아 그렇듯 많은 군사를 잃은 것입니다."

원소는 불같이 노하여 깊이 생각지도 않고 즉시 사자를 보내 장합과 고람을 불러오게 했다.

"두놈을 문책하여 사실이 밝혀지면 내 그냥 두지 않을 테다!"

곽도는 두 사람이 올 경우 자신의 처지가 더욱 난감해질 것을 염려해 한편으로 장합과 고람에게 앞질러 사람을 보내 이 사실을 알렸다.

"주공께서 두 장군을 죽이려 합니다."

두 사람이 뜻밖의 기별을 받고 영문을 몰라 당황하고 있는데 마침 원소의 사자가 도착했다.

"주공께서 두 분을 속히 돌아오라 하십니다."

고람이 한마디 묻는다.

"주공께서 우리들을 왜 부르신다던가?"

"무슨 연고인지는 알 수 없습니다."

사자의 말이 떨어지기가 무섭게 고람은 벌써 칼을 빼어 한칼에 그의 목을 베어버렸다. 뜻밖의 일에 소스라쳐 놀란 것은 장합이었다.

"아니, 이게 무슨 짓이오!"

고람이 말한다.

"원소가 남의 참소하는 말만 믿으니 머지않아 조조에게 반드시 사로잡히고 말 것이오. 이런 판에 우리가 앉아서 죽을 때를 기다리느니 차라리 조조에게 투항하는 편이 나을 것 같소."

그제야 장합도 속내를 털어놓는다.

"솔직히 나도 그런 생각을 한 지 오래요."

두 사람은 곧 군사들을 이끌고 조조에게로 가서 투항했다. 하후돈이 아무래도 석연찮다는 듯 말한다.

"장합과 고람이 군사를 이끌고 투항해왔으나 그 진의를 알 수 없는 일 아닙니까?"

조조가 대답한다.

"내가 저들을 은혜로써 대하면 다른 마음을 품었다가도 자연 변하게 될 것이다."

조조가 마침내 문을 열어 두 사람을 맞아들이니, 장합과 고람은 창을 버리고 갑옷을 벗고서 땅에 엎드려 절을 한다. 조조가 말한다.

"만약에 원소가 두 장군의 말씀대로만 했다면 이렇듯 참패하지는 않았을 것이오. 이제 두 장군이 나를 찾아왔으니 이는 마치 미자(微子)가 은(殷)나라를 떠나고(은나라 주왕의 형 미자가 주왕의 포악함을 간했으나 듣지 않자 나라를 떠난 일), 한신(韓信)이 한(漢)나라로 돌아온 것(항우 수하에 있던 한신이 한고조의 공신이 된 일)과 같다 하겠소."

조조는 두 사람을 좋은 말로 위로하고 각각 벼슬을 내려, 장합은 편장군(偏將軍) 도정후(都亭侯)로, 고람은 편장군 동래후(東萊侯)로 봉하니, 두 사람의 기쁨은 말할 수 없이 컸다.

이리하여 원소는 앞서 모사 허유를 잃더니, 이번에는 맹장 장합과 고람을 잃었다. 게다가 오소의 군량마저 몽땅 잃고 말았으니 군심이 크게 동요하여 하나같이 전의를 상실하고 말았다.

허유는 다시 조조에게 때를 놓치지 말고 속히 진군할 것을 권유했다. 장합과 고람이 선봉이 되겠다고 나서니, 조조는 이를 받아들여 즉각 두 사람에게 군사를 주고 원소의 영채를 습격하게 했다.

그날밤 3경쯤에 조조는 군사를 세 길로 나누어 일시에 원소의 진영을 들이쳤다. 밤이 새도록 혼전을 거듭한 끝에 날이 훤히 밝을 무렵에야 군사를 거두니, 이 싸움에서 원소는 또 군사를 태반이나 잃었다. 순유가 조조에게 계책을 간한다.

"이제 헛소문을 퍼뜨릴 차례입니다. 한무리의 군사로는 산조(酸棗)

땅을 취하는 동시에 업군을 공략한다 하고, 또 한편으로는 여양(黎陽) 땅을 취해 원소의 퇴로를 끊으려 한다고 소문을 내는 겁니다. 그러면 원소는 필경 당황하여 무조건 군사를 나누어 우리를 막으려 할 것이니, 우리는 그때를 기다렸다가 일제히 군사를 움직여 공략한다면 원소를 완전히 섬멸할 수 있을 것입니다.”

“그 참 좋은 계교요!”

조조는 순유의 말을 좇아 모든 군사들에게 널리 유언비어를 퍼뜨리게 했다. 원소의 군사가 이 소식을 듣고 급히 달려가 보고한다.

“조조가 군사를 두 길로 나누어 한 길은 업군을 취하고, 한 길은 여양을 취하려 한답니다.”

원소는 크게 놀라 아들 원담(袁譚)에게 군사 5만을 주어 급히 업군으로 보내고, 신명(辛明)에게도 역시 군사 5만을 주어 여양을 향해 출발시켰다. 원소의 움직임을 예의주시하던 조조는 드디어 군사를 여덟 길로 나누어 일시에 원소의 영채를 습격했다.

조조의 군사들이 물밀듯이 들이닥치자 가뜩이나 사기가 떨어져 있던 원소의 군사들은 아예 싸우려고도 하지 않고 사방으로 흩어져 달아나기 바빴다. 원소는 미처 황금갑옷을 입을 새도 없이 홑옷바람에 복건만 쓴 채로 무조건 말에 뛰어올랐다. 어린아들 원상(袁尙)이 그 뒤를 따른다. 장요·허저·서황·우금 등 네 장수가 군사를 거느리고 맹렬히 추격하자 다급해진 원소는 서둘러 강을 건너느라 문서와 의장 도구, 금은보화 따위를 모두 내팽개치고 다만 8백여기만 거느리고 달아났다.

조조의 군사들은 끝내 원소를 놓치고 전리품을 거두어 본영으로 돌아왔다. 이 싸움에서 죽은 원소의 군사는 무려 8만여명이나 되었으니, 그들이 흘린 피는 내를 이루었고 달아나다 물에 빠져죽은 자의 수는 헤아릴 수가 없었다.

크게 승리를 거둔 조조는 노획한 금은보화와 비단 등을 모두 장수와 군사들에게 상으로 나누어주었다. 그러던 중 원소의 문서 가운데서 서신 한 묶음을 찾아냈는데, 그것은 뜻밖에도 허도에 있는 조조의 부하들과 현재 군중에 있는 몇몇 사람들이 원소와 내통하여 주고받은 밀서였다. 이를 보고 좌우 사람이 아뢴다.

"내통한 놈들은 한놈도 빠짐없이 죄상을 밝혀내 엄중히 처단해야 합니다."

조조는 고개를 젓는다.

"원소의 형세가 워낙 강성했던지라 나도 이겨낼 수 있을지 확신이 없었거늘, 하물며 다른 사람들이야 오죽했겠느냐?"

그러고는 밀서를 전부 불태워버리게 하고 일체를 불문에 부쳤다.

한편 원소가 패하여 달아난 뒤 옥에 갇힌 채 도망치지 못한 저수만이 군사들에게 붙들려 조조에게 끌려왔다. 조조는 본래 저수를 잘 알고 있었다. 저수는 고개를 빳빳이 쳐들고 큰소리로 외쳤다.

"나는 절대 항복하지 않을 것이다!"

"원소가 어리석어 그대의 충언을 듣지 않았거늘 그대는 어찌하여 아직도 미련을 버리지 못하고 있는가? 내가 일찍이 그대를 얻었더라면 천하에 근심할 것이 없었을 터인데, 이제라도 이렇게 만났으니 내 곁에 머물게나."

조조는 저수를 후하게 대접하며 군중에 머물도록 배려해주었다. 그러나 그날밤 저수는 조조의 호의를 저버리고 몰래 말을 훔쳐 원소에게 돌아가려다가 다시 붙잡히고 말았다. 조조는 진노하여 당장 그를 죽이라고 했다. 저수는 죽음을 맞으면서도 얼굴빛 하나 변하지 않았다. 조조는 뒤늦게야 홧김에 그를 죽여버린 것을 후회했다.

"내가 잘못하여 은혜와 의리를 아는 훌륭한 선비를 죽였구나!"

그러고는 저수의 장례를 성대히 치러주고, 황하 나루터 어귀에 안장한 후 무덤에 묘비를 세워 '충렬저군지묘(忠烈沮君之墓)'라 새겨넣게 했다.

이 사실을 두고 후세 사람이 시를 지어 찬탄했다.

하북땅 명사가 많다지만	河北多名士
충정한 인물로는 저수를 꼽는다지	忠貞推沮君
눈으로 직시하면 진법을 꿰뚫고	凝眸知陣法
하늘을 우러러 천문에도 밝았네	仰面識天文
죽기에 이르러도 마음은 철석 같아	至死心如鐵
위기에 처하여도 구름 같은 기상이여	臨危氣似雲
조조도 그 의열 흠모하여	曹公欽義烈
특별히 무덤에 비석 세워주었네	特與建孤墳

조조는 드디어 기주땅 공격을 명했다.

형세 약해도 계책이 좋으면 이기고	勢弱祇因多算勝
군사 강성해도 계략 없으면 망하더라	兵强却爲寡謀亡

이들의 승부는 과연 어떻게 날 것인가?

726

31

원소의 좌절

조조는 창정에서 원소를 격파하고
유비는 형주의 유표에게 의탁하다

원소와의 싸움에서 크게 이긴 조조는 다시 군마를 정돈하여 달아난 원소의 뒤를 쫓기 시작했다. 갑옷과 투구도 갖추지 못한 채 겨우 8백 여기를 거느리고 황하를 건너간 원소는 구사일생으로 여양땅 북쪽 기슭에 당도했다. 대장 장의거(蔣義渠)가 영채를 나와 영접한다.

원소가 지난 일을 하소연하며 패전을 만회할 일을 의논하니, 장의거는 곧 흩어진 군사들을 불러모았다. 뿔뿔이 흩어졌던 군사들은 원소가 여양땅에 와 있다는 소문을 듣고 개미처럼 하나둘씩 모여들기 시작했다. 어느정도 세력이 회복되자 원소는 일단 기주로 돌아가 뒷날을 기약하기로 했다.

가는 중에 해가 저물어 산속에서 야영을 하게 되었다. 원소는 장막
안에 누워서 좀처럼 잠을 이룰 수가 없었다. 문득 멀리서 울음소리가
들려온다. 원소는 저도 모르게 자리에서 일어나 가만히 밖으로 나갔
다. 울음소리를 따라가보니 패잔병들이 모여앉아 이번 싸움에 누구는
형을 잃고 누구는 아우가 죽었다 하며, 아내를 고향땅에 남겨두고 늙
으신 부모님을 여읜 가슴아픈 사정과 서러운 심정들을 하소연하며,
원소를 원망하고 있었다.

"주공께서 전풍의 말만 들었어도 우리가 이런 화를 입지는 않았을
게다."

숨어서 이 광경을 지켜보던 원소의 가슴속에 회한이 사무쳤다.

'아아, 내가 전풍의 말을 듣지 않고 군사를 일으켰다가 이 지경이
되었으니, 이제 돌아가 무슨 낯으로 그를 대한단 말인가.'

다음날 다시 행군이 시작되었다. 군사를 이끌고 돌아가던 원소는
중도에서 마중나온 봉기의 무리와 만났다. 원소는 봉기를 붙들고 탄
식한다.

"내가 전풍의 말을 듣지 않았다가 이렇듯 무참히 패했으니, 이제
돌아가 무슨 면목으로 그를 대한단 말이오?"

평소 전풍과 뜻이 맞지 않던 봉기는 은근히 그를 모략한다.

"그런 말씀 마십시오. 전풍이 옥중에서 주공께서 조조에게 크게 패
했다는 말을 전해듣고는 손뼉을 치면서, '내 말을 듣지 않더니 그리
될 줄 알았다'고 웃었답니다."

원소는 크게 노했다.

"보잘것없는 선비놈 주제에 감히 나를 비웃었단 말이지? 내 결코

놈을 살려두지 않을 테다."

그러고는 곧 사자에게 보검을 주어, 먼저 가서 전풍의 목을 벨 것을 명했다.

그무렵 기주에서는, 옥에 갇혀 있는 전풍에게 옥리가 말한다.

"별가(別駕) 어른께 삼가 축하말씀 올립니다. 기쁜 소식입니다."

전풍이 반문한다.

"기쁜 일이라니, 무얼 축하한다는 말이냐?"

"원소 장군께서 이번 싸움에 크게 패하셨다고 합니다. 그러니 장군께서 돌아오시면 이제 별가 어른을 중히 쓰실 게 아닙니까?"

전풍은 허허 웃으며 말한다.

"내가 이제 죽게 되었구나."

옥리가 묻는다.

"모두들 별가 어른께 잘된 일이라고 기뻐하는데 어찌 그런 말씀을 하십니까?"

"몰라서들 그러는 게지. 원소 장군은 겉으로는 너그럽지만 속은 그렇지가 않다. 바른 말을 꺼려하니 충심을 알아보실 리가 없지. 이번 싸움에 승리했으면 기쁜 마음에 오히려 나를 용서하시겠지만, 싸움에 크게 패했으니 부끄러워서라도 나를 다시 보고 싶겠느냐? 그러니 내가 어찌 살기를 바라겠느냐?"

"그럴 리가 있겠습니까?"

옥리는 도무지 알 수 없는 일이라는 듯 고개를 갸웃거린다. 그때였다. 갑자기 밖이 소란스럽더니 원소의 보검을 든 사자가 들이닥쳤다.

"원장군의 명을 받들어 전풍의 목을 치러 왔다!"

깜짝 놀라는 옥리와는 달리 전풍은 눈을 감으며 담담한 어조로 말한다.

"나는 반드시 죽을 것을 알고 있었노라."

곁에 있던 옥리들이 모두 눈물을 흘리며 슬퍼하는데 전풍은 다시 말한다.

"대장부가 천지간에 태어나서 주인을 제대로 알아보지 못하고 잘못 섬겼으니, 이는 무지한 탓이로다. 내가 오늘 죽는다 한들 무엇을 애석해하랴."

이리하여 보검을 받아 자결하니, 후세 사람이 전풍의 죽음을 탄식하는 시를 남겼다.

어제 아침엔 저수가 군중에서 죽더니	昨朝沮授軍中失
오늘 낮엔 전풍이 옥중에서 죽는구나	今日田豊獄內亡
하북의 동량이 모두 이같이 꺾이니	河北棟梁皆折斷
원소 어찌 제 나라를 잃지 않으랴	本初焉不喪家邦

전풍이 죽었다는 소문이 번지자 사람들은 하나같이 그의 죽음을 애석해했다.

기주로 돌아온 원소는 마음이 심란하고 갈피가 잡히지 않아 정사도 돌보지 않고 있었다. 보다 못한 그의 처 유(劉)씨는 그에게 하루 바삐 후사를 정할 것을 권했다.

원소에게는 아들 3형제가 있었는데, 맏아들 원담(袁譚)은 자가 현사(顯思)로 청주를 지키고 있었고, 둘째아들 원희(袁熙)는 자가 현혁(顯奕)으로 유주(幽州)를 지키고 있었다. 셋째아들 원상(袁尙)은 자가 현보(顯甫)인데, 그가 바로 후처 유씨의 소생이다. 원상은 타고난 생

원소 일가는 세력다툼을 벌이다

김새가 준수하고 듬직하여 원소가 남달리 사랑하며 늘 곁에 두고 지내오던 터였다. 그런 형편이니 이번에 관도에서 크게 패하고 돌아온 원소에게 유씨는 자기 소생인 원상을 후사로 삼으라고 졸라대는 것이었다.

원소는 곧 심배·봉기·신평·곽도 등을 불러서 이 일을 의논했다. 그런데 심배와 봉기는 원상의 편이요, 신평과 곽도는 원담을 받들고 있어 제각기 정해둔 앞날의 주인이 달랐다. 원소가 말한다.

"지금 밖으로 근심이 끊이질 않으니 불가불 안의 일을 속히 정해두는 것이 좋을 것 같아 그대들을 부른 것이오. 내가 보기에 첫째 담(譚)은 성미가 지나치게 강포하여 죽이기를 좋아하고, 둘째 희(熙)는 반대로 너무 유약한 게 탈이라. 그들 중 영웅의 기개가 있고 어진 선비를 알아보고 예로써 대접할 줄 아는 셋째 상(尙)을 후계자로 삼을 까 하는데, 그대들의 생각은 어떠하오?"

잠자코 듣고 있던 곽도가 먼저 입을 연다.

"세 아드님 중에 담이 가장 손위인데 지금 외방에 나가 있으니, 만일 주공께서 장자를 폐하시고 가장 어린 아들을 후사로 세우신다면 이는 분란의 씨앗이 될 것입니다. 지금 우리 군사들은 크게 사기가 꺾인데다 적병이 호시탐탐 경계를 위협하고 있는 터에, 부자형제간의 세력다툼에 휩쓸려서야 되겠습니까? 주공께서는 잠시 이 일을 접어두시고 우선 적을 막아 물리칠 계책을 세우셔야 할 줄로 압니다. 후사를 세우는 일은 차차 의논하도록 하시지요."

원소는 주저하며 결정을 내리지 못했다. 그때였다. 둘째아들 원희가 군사 6만을 거느리고 유주에서 오고, 맏아들 원담도 군사 5만을 이끌고 청주에서 왔으며, 외조카 고간(高干)도 군사 5만을 이끌고 병주에서 원소를 도우러 왔다는 보고가 들어왔다. 원소는 매우 기뻐하며 후사문제는 다음으로 미루고 조조와의 결전을 위해 군사들을 재정비했다.

한편 조조는 승리의 기쁨으로 사기가 하늘을 찌를 듯한 군사들을 거느리고 하상(河上)에 진영을 구축했다. 그러자 인근 백성들이 음식 광주리를 이고 나와 조조의 군사들을 환영했다. 백성들 가운데 머리가 하얗게 센 노인들이 눈에 띄자 조조는 그들을 장막 안으로 청해들였다.

"노인장들께서는 춘추가 어떻게 되십니까?"

일제히 대답한다.

"다들 백살에 가깝소이다."

"내 군사들이 이 고장에 와서 소란을 피워 폐가 되는 것이나 아닌지 심히 불안합니다그려."

한 노인이 말한다.

"환제 때 황성(黃星)이 초(楚)와 송(宋) 사이에 나타난 적이 있었습지요. 그때 마침 요동(遼東) 사람으로 천문을 잘 보는 은규(殷旭)라는 자가 우리 고을에서 하룻밤 유숙하게 되었습니다. 그자가 소인들을 보고 말하기를, 하늘에 황성이 나타나 이 지방을 비추는 것으로 보아 향후 50년 뒤에는 반드시 양주(梁州)와 패주(沛州) 사이에서 진인(眞人)이 나올 것이라 하더이다. 햇수를 따져보니 금년이 바로 그 50년이 되는 해입니다. 원소는 평소 지나치게 가렴주구하여 백성들이 모두 원망하던 터에, 승상께서 인의의 군사를 일으켜 백성들을 위로하고 죄인들을 토벌하시고자 관도전투에서 원소의 백만대군을 격파하셨으니, 그 옛날 은규가 한 말이 적중한 게 아니겠습니까? 이제야 백성들이 승상의 보살핌으로 태평성대를 누리려나봅니다."

조조는 내심 기분이 좋아 절로 웃음이 나왔다.

"천부당 만부당한 말씀이외다. 노인장들께서 그리 말씀하시니 내가 몸둘 바를 모르겠습니다."

조조는 노인들에게 술과 음식을 대접하고 값비싼 비단까지 나눠주어 보낸 후, 전군에 영을 내려 누구든 마을사람들의 닭이나 개를 잡는 자가 있으면 살인죄로 다스리겠노라 엄포를 놓았다. 조조의 명령 한마디에 군사들은 두려워하고 백성들은 모두 감동하여 조조의 덕을 칭송해마지 않았다. 조조로서도 여러모로 흡족한 일이 아닐 수 없었다.

바로 이러한 때에 원소가 기주·청주·유주·병주 네 고을의 군사 2,30만을 모아 거느리고 창정(倉亭)에 와서 영채를 세웠다는 보고가 들어왔다. 조조는 곧 군사를 정비하여 이끌고 나가 원소의 진영 맞은 편에 영채를 세웠다.

이튿날 양군은 서로 대치해 각기 진세를 벌여세웠다. 조조가 수하 장수들을 데리고 진 앞으로 나선다. 원소 또한 아들 3형제와 조카며 문관·무장을 거느리고 진 앞에 나와 선다. 조조가 큰소리로 외친다.

"본초(원소의 자)는 이제 계책도 궁하고 힘도 다했을 터인데 어째서 아직도 항복할 생각을 않는가. 목에 칼이 들어오길 기다리는 겐가?"

원소는 대로하여 수하장수들을 돌아보며 말한다.

"누가 먼저 나가 싸우겠느냐?"

셋째아들 원상이 아버지 앞에서 무예를 자랑하고 싶어 춤추듯이 쌍 검을 휘두르며 달려나왔다. 조조가 손으로 그를 가리키며 장수들에게 묻는다.

"저자는 누구냐?"

"원소의 셋째아들 원상입니다."

그 말이 채 끝나기도 전에 한 장수가 창을 꼬나잡고 말을 달려나갔다. 서황의 부장 사환(史渙)이다. 두 장수가 서로 어우러져 싸운 지 3합이 채 못되어, 원상이 갑자기 말머리를 돌려 달아나기 시작한다. 사환이 바짝 뒤를 쫓았다. 원상은 얼마 안 가 활에 화살을 메겨들고는 몸을 돌려 힘껏 쏘았다. 화살은 곧장 날아와 사환의 왼쪽 눈을 뚫었다. 사환은 외마디 비명을 지르며 말 아래로 떨어져죽었다.

원소는 아들이 이기는 것을 보고 채찍을 들어 총공격을 명했다. 순간 양군이 어우러져 일대 혼전이 벌어졌다. 죽고 죽이며 한바탕 싸우고 나서 각자의 진영에서는 징을 울려 군사를 거두었다.

조조는 장수들을 모아놓고 원소를 물리칠 계책을 의논했다. 정욱이

'십면매복지계(十面埋伏之計)'를 간한다.

"우리 군사를 강변 상류로 물려서 10대로 나누어 매복시켜놓고 퇴각하는 것처럼 꾸며 원소를 유인하면, 아군은 퇴로가 없어 필사적으로 싸울 것이니 틀림없이 원소를 이길 것입니다."

조조는 정욱의 계책을 받아들여 군사를 좌우 각 5대로 나누었다. 좌측의 1대는 하후돈, 2대는 장요, 3대는 이전, 4대는 악진, 5대는 하후연이 각각 군사를 거느리게 하고, 우측의 1대는 조홍, 2대는 장합, 3대는 서황, 4대는 우금, 5대는 고람이 각각 군사를 거느리게 했다. 그런 뒤 마지막으로 허저를 중군의 선봉으로 삼아 대오를 점검했다.

이튿날 조조는 10개 부대로 하여금 먼저 나가 좌우에 매복하게 했다. 그리고 밤이 되기를 기다렸다가 선봉장 허저를 시켜 군사를 이끌고 짐짓 습격하는 체하면서 원소군을 유인했다.

원소의 다섯 영채에서는 일제히 응전해왔다. 순간 허저는 군사를 돌려 달아났다. 원소는 몸소 대군을 거느리고 허저군의 뒤를 추격했다. 쫓고 쫓기며 날이 훤히 밝을 무렵에야 비로소 이들 군사는 강변에 이르렀다. 조조의 군사들은 이제 한발짝도 물러날 곳이 없었다. 드디어 조조가 전군에 호령한다.

"더는 물러설 곳이 없다. 모든 군사들은 사력을 다해 싸우라!"

호령 한마디에 달아나던 군사들이 창끝을 돌렸다. 허저가 날 듯이 말을 달려 앞으로 나서더니 순식간에 적장 10여명을 쓰러뜨렸다. 원소의 군사들은 일대 혼란에 빠졌다.

원소는 급히 군사를 휘몰아 후퇴하기 시작했다. 등뒤로 조조의 군사가 급히 쫓는다. 원소가 더욱 말을 재촉하는데 요란한 북소리와 함께 왼쪽에서 하후연이, 오른쪽에서 고람의 군사가 불쑥 나타난다. 원소는 세 아들과 조카 고간과 함께 죽음을 무릅쓰고 혈로를 뚫고 달아났다. 그러나 10리도 못 가서 이번에는 왼쪽에서 악진이, 오른쪽에서 우금의 군사가 나타나 협공하니, 들에는 원소 군사들의 시체가 즐비하고 피가 흘러 내를 이루었다.

원소가 간신히 빠져나와 몇리쯤 가노라니 또다시 왼쪽에서 이전이, 오른쪽에서 서황이 내달아와 앞뒤를 끊고 친다. 원소 부자는 혼비백산하여 허둥지둥 영채로 도망갔다. 가까스로 위기를 넘긴 원소는 지치고 배가 고파 군사들에게 급히 밥을 짓게 했다. 숨을 돌리고 막 식사를 하려는 참에, 이번에는 왼쪽에서 장요가, 오른쪽에서 장합이 군사를 이끌고 영채를 급습했다.

원소는 황급히 말에 올라 창정땅을 향해 달아나기 시작했다. 얼마쯤 갔을까. 사람과 말이 지칠 대로 지쳐 더는 움직일 수 없을 지경이었다. 그러나 뒤에서 조조의 군사들이 물밀듯 추격해오니 쉬어갈 수도 없었다. 이러지도 저러지도 못하고 죽을 힘을 다해 걸음을 떼어놓는데 언제 따라왔는지 왼쪽에서 하후돈이, 오른쪽에서 조홍이 군사들을 이끌고 불쑥 내달아와 길을 막는다. 원소는 이제 끝장이라 생각하고 군사들을 향해 크게 부르짖었다.

"죽기로써 싸우라. 그렇지 않으면 우리 모두 적들에게 사로잡히고 말 것이다!"

원소는 죽을 힘을 다해 싸워 간신히 포위망을 벗어났다. 그러나 원희와 고간이 활에 맞아 크게 다쳤고, 많은 병마를 한꺼번에 잃는 참담한 패배를 맛보았다.

원소는 세 아들을 부둥켜안고 통곡하다가 그대로 혼절해버렸다. 사람들이 급히 달려들어 구하니 정신은 이내 돌아왔지만, 입에서는 선혈이 그치지 않고 꾸역꾸역 쏟아져나왔다. 원소가 피를 토하며 탄식한다.

"내가 지금까지 수십번을 싸웠으나 오늘처럼 낭패한 적은 단 한번도 없었다. 이는 하늘이 나를 버리는 것이니, 너희들은 각기 본주(本州)로 돌아가 힘을 길러서, 가까운 시일 내에 기필코 역적 조조와 더불어 자웅을 겨루어 사생결단을 내도록 하여라."

원소는 신평과 곽도에게 조조가 경계를 넘어 쳐들어올지 모르니 급히 원담을 수행하여 청주로 가서 군마를 정비하라 명하고, 원희와 고간에게는 각기 유주와 병주로 돌아가 군마를 수습해 만일의 사태에 대비하라 이른 후, 원소 자신은 셋째아들 원상 등을 데리고 급히 기주로 돌아갔다. 기주에 돌아와 원소가 정양하는 동안 원상은 심배·봉기와 함께 군무를 관장하게 되었다.

한편 창정 싸움에서 크게 이긴 조조는 전군에 후하게 상을 내리고 사람을 놓아 기주의 동태를 살피도록 했다. 얼마 후 정탐꾼이 돌아와 보고한다.

"원소는 병으로 자리에 누워 있고, 원상과 심배가 성을 굳게 지키고 있으며, 원담과 원희와 고간은 각기 자기 고을로 돌아갔습니다."

그러자 모두들 이때를 이용하여 숨돌릴 틈을 주지 말고 속히 원소를 공격하자고 권했다. 그러나 조조는 고개를 젓는다.

"기주는 저장해둔 양곡이 산더미처럼 쌓여 있는데다가 심배 또한 책략에 능한 인물이라 그리 녹록지 않다. 더욱이 지금은 한창 곡식이 무르익어가는 중인데, 백성들의 농사를 망쳐서는 안된다. 잠시 기다렸다가 추수가 끝난 뒤 원소를 쳐도 늦지 않다."

한창 상의하는 중에 허도의 순욱에게서 서신이 왔다.

　유비가 여남에서 유벽과 공도의 군사 수만명을 거느리게 되었습
니다. 승상께서 하북으로 출정했다는 소문을 들은 유비는 유벽에게
여남을 맡기고, 직접 군사를 거느리고 우리의 허술한 틈을 타서 허
도를 공격하러 오는 중이라 합니다. 하오니 승상께서는 즉시 회군
하여 이를 막으소서.

　조조는 뜻하지 않은 소식을 접하고 매우 놀랐다. 조홍으로 하여금
강변에 군사를 주둔시켜 허장성세하게 하고, 자신은 몸소 대군을 이
끌고 여남으로 떠났다.
　한편 현덕은 관우·장비·조자룡 등과 함께 군사를 이끌고 허도를
치기 위해 여남을 떠났다. 양산(穰山)에 이르렀을 즈음 진격해오는
조조의 군사와 맞닥뜨렸다. 현덕은 즉시 양산 아래에다 영채를 세우
고 군사를 3대로 나누었다. 관운장이 이끄는 군사는 동남쪽에 주둔시
키고, 장비는 서남쪽에, 현덕 자신은 조자룡과 더불어 정남쪽에 영채
를 세웠다.
　조조의 군사가 가까이 다가오자 현덕은 북을 치며 나아갔다. 조조
또한 진세를 벌이고 유비를 향해 소리친다.
　"유비는 앞으로 나서라!"
　현덕이 말에 박차를 가해 문기 아래로 나섰다. 조조가 채찍을 들어
현덕을 가리키며 욕을 퍼붓는다.
　"내 너를 상빈(上賓)으로 대접했거늘, 네 어찌하여 이처럼 배은망
덕한 게냐?"

"네가 비록 한나라 승상의 이름을 빌려 행세하고 있으나 실상은 한나라의 도적이라, 내 한실 종친으로서 황제의 밀조를 받들어 반역자를 치러 왔다!"

현덕은 이렇게 대꾸하고, 말 위에서 낭랑한 음성으로 황제께서 옥대 속에 넣어 내렸던 밀조(密詔)를 읊었다. 조조는 더이상 참지 못하고 허저를 시켜 나가 싸우게 했다. 그때 현덕의 등뒤에 서 있던 조자룡이 창을 꼬나잡고 달려나가 이에 맞선다. 두 장수가 서로 어우러져 싸우기를 30여합에 이르도록 승부가 나지 않는데, 홀연 함성이 크게 일며 동남쪽으로부터 관운장이 달려나오고 서남쪽에서 장비가 달려나와 삼군이 일제히 휘몰아친다. 조조의 군사들은 원소의 군사와 싸운 뒤 피로도 풀리지 않은데다 먼길을 달려와 몹시 지쳐 있던 터라, 현덕군을 당해내지 못하고 크게 패하여 달아났다. 현덕은 조조군과의 한바탕 싸움에서 크게 이기고 군사를 거두어 영채로 돌아왔다.

이튿날 현덕은 다시 조자룡을 내보내 싸움을 청했다. 그러나 조조의 군사는 응하지 않았으며, 그 이후 열흘 동안을 움직이지 않았다. 이번에는 장비를 시켜 싸움을 청하게 했다. 그래도 조조군은 움직일 기미를 보이지 않았다.

현덕은 뭔가 의심스러운 생각이 들었다. 그런 중에 군량미를 운반해오던 공도가 조조 군사에게 포위되었다는 보고가 들어왔다. 유현덕은 급히 장비를 보내 구하게 했다.

이때 또다시 급보가 들어왔다. 하후돈이 군사를 이끌고 배후에서 여남을 공격하고 있다는 것이다. 현덕은 깜짝 놀랐다.

"이렇게 되면 나는 앞뒤로 적을 맞아 돌아갈 곳이 없겠구나!"

그러고는 즉시 관운장을 여남으로 파견했다. 관우와 장비가 각기 군사를 거느리고 떠난 지 하루가 못되어 또다시 급보가 날아들었다. 하후돈의 군세를 당할 길이 없어 유벽은 이미 여남성을 버리고 달아났으며, 관운장은 지금 조조군의 포위망에 갇혔다는 것이다.

크게 놀란 현덕에게 또다시 좋지 않은 보고가 날아들었다. 설상가상으로 공도를 구하러 갔던 장비마저 조조의 군사들에게 포위되었다는 것이다. 현덕은 마침내 회군하기로 뜻을 정했다. 그러나 급히 군사를 돌렸다가 조조가 추격할 것이 두려워 섣불리 움직이지도 못하는데, 허저가 와서 싸움을 청한다. 현덕은 응하지 않고 날이 어둡기를 기다리며 군사들을 배불리 먹였다. 그런 다음 마침내 보병을 앞세우고 기병은 뒤를 따르게 하여 그곳을 떠났다. 적을 속이기 위해 영채 안에는 북을 쳐 시간을 알리는 군사 몇명만 남겨두었다.

현덕 일행이 영채를 떠나 몇리쯤 가서 어느 산밑을 막 지나려는데, 갑자기 여기저기서 일제히 햇불이 오르면서 크게 외치는 소리가 들려왔다.

"유비는 게 섰거라. 승상이 예서 기다리신 지 오래다!"

현덕이 급히 달아날 길을 찾는데, 조자룡이 앞으로 나서며 말한다.

"주공은 염려 마시고 제 뒤를 따르십시오."

그러고는 냉큼 앞장서서 철창을 치켜들고 말을 달려 길을 뚫고 나가니, 현덕은 쌍고검을 빼어들고 그 뒤를 따랐다. 한창 혈로를 뚫고 달리는데 언제부터인지 허저가 뒤를 쫓고 있었다. 조자룡이 허저를 맞아 싸우는데 뒤에서 우금과 이전이 달려든다. 위기감을 느낀 현덕은 조자룡을 따르지 않고 몸을 빼어 달아났다. 추격하는 함성이 점점 멀어지는 것을 느끼며 현덕은 깊은 산속 가파른 길을 한필 말에 의지해 필사적으로 내달렸다.

어느새 날이 훤히 밝아왔다. 한창 달리고 있는 현덕을 향해 갑자기 한떼의 군사가 들이닥친다. 현덕이 깜짝 놀라 살펴보니, 다름아닌 유벽이 패잔병 1천여명을 거느리고 현덕의 가솔들을 호위하며 오고 있었다. 손건과 간옹, 미방도 눈에 띄었다. 산속에서 뜻밖에 현덕을 만난 유벽 일행은 반가움과 서러움에 그간의 일들을 울음 섞인 소리로 늘어놓는다.

"하후돈의 군세가 어찌나 사나운지 할수없이 성을 버리고 달아났는데, 조조 군사가 계속 뒤를 쫓아와 참으로 위급한 지경에 빠졌습니다. 바로 그때 관운장이 나타나 간신히 고비를 넘기고 이렇게 여기까지 오게 됐습니다."

"그래, 운장은 지금 어디 있소?"

현덕의 물음에 유벽은 대답하지 않고 재촉한다.

"그보다는 어서 이곳을 벗어나야 합니다. 적병이 언제 다다를지 모르니 운장 소식은 이곳을 벗어난 연후에 차차 알아보기로 하지요."

그러나 현덕 일행은 미처 몇리를 못 가서 다시 조조군과 맞닥뜨렸다. 갑자기 전방에서 북소리가 크게 울리더니 한떼의 군사들이 몰려오는데, 앞장선 장수는 원소를 떠나 조조에게 의탁한 장합이었다.

"유비는 어서 말에서 내려 항복하라!"

현덕은 급히 말머리를 돌려 달아나려 했다. 그런데 이게 웬일인가. 이번에는 산꼭대기에서 붉은 깃발이 펄럭이는가 싶더니 산골짜기로 한떼의 군사가 달려내려온다. 앞선 장수는 고람이다. 말 그대로 진퇴양난이다. 현덕은 하늘을 우러러 탄식했다.

"하늘도 무심하구나. 어찌하여 나를 이 지경으로 궁지에 몰아넣는단 말인가? 형세가 이러하니 스스로 죽느니만 못하다."

곧 칼을 빼들고 스스로 목을 찌르려 했다. 유벽이 급히 팔을 잡으며 만류한다.

"제가 이 한 목숨을 걸고 장군을 구하겠습니다."

이렇게 말하고는 이내 창을 꼬나잡고 앞으로 내달았다. 유벽이 어찌 고람의 적수가 되랴. 서로 어우러져 싸운 지 3합도 못되어 고람의 칼이 한번 번뜩이더니, 유벽은 외마디소리를 지르며 말 아래로 떨어져 죽었다.

이를 지켜보던 현덕이 정신을 가다듬고 몸소 일전을 벌일 각오로 나서는데, 갑자기 고람의 후군이 극심한 동요를 일으킨다. 뒤로부터 한 장수가 적진을 뚫고 나오는데, 창날이 햇빛에 한번 번뜩이는가 싶더니 고람이 몸을 뒤집으며 말에서 떨어진다. 그 장수는 다름아닌 조자룡이었다. 현덕은 몹시 기뻐하며 비로소 안도의 한숨을 내쉬었다.

조자룡은 기세 좋게 창을 휘두르며 말을 몰아 고람의 군사들을 한바탕 휘저어 물리쳤다. 그러고는 곧장 말을 돌려 장합과 맞섰다. 서로 어우러져 싸우기를 30여합에 장합이 마침내 패하여 달아났다.

조자룡이 승세를 몰아 뒤를 쫓다가 좁은 산골짜기에 접어들었는데 장합의 군사가 골짜기 어귀를 막아버려 진퇴유곡에 빠졌다. 한창 퇴로를 찾아 사투를 벌이고 있는데 때마침 관운장과 관평, 주창이 3백여명의 군사를 이끌고 달려왔다. 협공하여 장합을 물리치고 마침내 골짜기를 빠져나온 일행은 산 아래에 영채를 세웠다.

그제야 현덕은 장비의 생사 여부에 다시 생각이 미쳤다. 당장 관운장을 시켜 장비를 찾아보게 했다. 알다시피 장비는 군량미를 운반하던 공도를 구하기 위해 길을 떠났다. 그러나 장비가 도착했을 때 공도는 이미 하후연의 손에 죽은 뒤였다. 장비는 사력을 다해 하후연을 물리쳤으나 분이 풀리지 않아 사생결단을 내려고 악착같이 뒤를 쫓았다. 한창 뒤를 쫓다가 뜻밖에도 악진이 군사를 거느리고 밀어닥치는 바람에 조조군의 포위망에 갇히고 말았던 것이다.

장비를 찾기 위해 헤매다니던 관운장은 길에서 만난 패잔병들에게서 장비의 소식을 듣고는 전속력으로 달려갔다. 운장이 악진을 물리치고 마침내 장비를 구출해 함께 현덕에게 돌아왔다.

그런데 이때 조조가 대군을 거느리고 다시 쳐들어온다는 보고가 들어왔다. 현덕은 즉시 손건에게 명하여 가솔들을 보호해 먼저 떠나게 했다. 그리고 자신은 관우·장비·조자룡과 더불어 뒤에 남아 조조의 군사와 맞서면서 싸우다가 달아나기를 되풀이했다. 이렇게 하여 현덕이 멀리 달아나자 조조는 더 쫓으려 하지 않고 군사를 거두어들였다.

현덕은 허겁지겁 쫓겨 어느 강가에 이르러 비로소 말을 세우고 숨을 돌렸다. 뒤를 따르는 군사들을 헤아려보니 1천명도 남지 않았다. 현덕은 참담한 심정으로 눈앞에 펼쳐진 물줄기를 바라보았다.

"이 강이 무슨 강인가?"

그곳 백성에게 물으니 한강(漢江)이라 한다. 현덕은 강변에 영채를 세우고 쉬어가기로 했다. 마을사람들은 그들이 유현덕 일행임을 알고는 얼른 양을 잡고 술을 가져다 바쳤다. 현덕은 군사들과 더불어 모래사장에 둘러앉아 술을 마셨다. 현덕의 입에서 탄식이 흘러나왔다.

"그대들은 모두 임금을 보필할 만한 재주를 가졌거늘 불행히도 나를 따르다가 이런 처지가 되었구나. 내가 복이 없어 그대들에게 누를 끼치게 되었네. 이제 내게 송곳 하나 세울 만한 땅조차 없어 그대들 신세가 잘못될까 두려우니, 그대들은 나를 버리고 현명한 주인을 찾아 부디 공명을 떨치도록 하게."

현덕의 말에 모두 얼굴을 가리고 눈물을 흘렸다. 관운장이 나서서 한마디 한다.

"형님의 말씀은 옳지 않습니다. 옛날 한고조께서는 항우와 더불어 천하를 다투실 때 여러 차례 패하셨어도 뒤에 구리산(九里山) 대전에서 승리하여 마침내 4백년 이어온 이 나라를 열지 않았습니까? 승패는 병가지상사(兵家之常事)라 했거늘, 어찌하여 스스로 큰 뜻을 저버리려 하십니까?"

손건도 말한다.

"이기고 지는 것은 다 때가 있는 법이니 뜻을 잃지 마십시오. 또한 여기서 형주가 멀지 않은데 우선 그곳으로 가서 잠시 몸을 의탁하심이 어떨는지요? 유경승(劉景升, 유표)은 아홉 고을을 장악하고 있어 군사가 강하고 양식도 넉넉한데다. 무엇보다도 주공과는 같은 한실 종친이 아니십니까?"

"좋은 말이오만, 과연 받아줄는지 걱정이오."

"그렇다면 제가 먼저 가서 유경승을 만나 설득하여 고을의 경계 밖으로 나와서 주공을 영접해 모시도록 하겠습니다."

현덕은 크게 기뻐하며 당장 손건을 형주로 보냈다. 손건은 밤새도록 말을 달려 형주로 가서 유표를 만났다. 손건이 예를 갖추자 유표가 말한다.

"공은 유현덕을 따르는 사람인데, 예까지 어쩐 일이시오?"

손건은 유표를 설득하기 시작한다.

"유사군(劉使君, 유비)은 천하영웅이십니다. 비록 수하에 군사가 많지 않고 장수도 적으나, 한시도 한나라 종묘사직을 바로잡고자 하는 뜻을 꺾어본 적이 없는 분이지요. 여남의 유벽과 공도가 아무런 친인

척 관계도 아니고 연고가 없었음에도 불구하고 유사군을 위해 목숨을 바친 까닭 또한 바로 거기에 있습니다. 그런데 명공께서는 유사군과 한나라 종친이 아니십니까? 사실 유사군께서는 얼마 전 조조와의 싸움에서 패하여 강동의 손권에게 의탁하려 하셨습니다. 그런데 제가 가까운 친척을 버리고 잘 알지 못하는 사람에게 가는 것은 옳지 않다고 간했지요. 형주의 유장군은 어진 사람과 선비를 예로써 대하시니 마치 물이 동쪽으로 흐르듯이 당대의 유능한 인물들이 다 형주로 모여드는데, 더욱이 같은 한실 종친이신 터에 어찌 유장군에게 의탁하려 하지 않습니까, 하고 말씀을 올렸더니, 사군께서 특별히 저를 먼저 보내시며 장군께 뜻을 전하라 하셨습니다."

유표는 크게 기뻐한다.

"현덕은 내 아우뻘이오. 오래 전부터 만나고 싶었으나 지금까지 그럴 기회가 없더니 오늘 그쪽에서 먼저 뜻을 전해와 나로서는 기쁘기 한량없소이다."

곁에서 채모(蔡瑁)가 간한다.

"그렇지 않습니다. 유비는 처음엔 여포를 따르다가 뒤에는 조조를 섬겼고, 근자에는 또 원소에게로 갔다가 다시 그를 배반하고 나온 터입니다. 한 주인을 섬겨 번번이 끝을 보지 못한 걸로 봐서 그 사람됨을 알 만하지 않습니까? 그러한 사람을 공연히 받아들였다가는 조조의 공격을 받아 쓸데없이 병란을 치러야 할 것입니다. 차라리 손건의 머리를 베어 조조에게 바치면 조조는 반드시 그만한 대우를 해줄 것입니다."

손건은 정색을 하며 반박한다.

"나 손건은 결코 죽음을 두려워하는 사람이 아니니 어찌 되든 상관

없소. 그러나 유사군께서 나라를 생각하는 충성심은 조조나 원소, 여포 따위에게 견줄 바가 아니오. 전에 그들을 따른 것은 형편상 어쩔 수 없었을 뿐 진심에서 우러난 것은 아니었소. 지난 일은 그렇다 치고, 이제 유장군께서 한나라 황실의 후예로서 같은 종친이시기에 천리길을 마다 않고 달려와 투신하려는 터에, 어찌하여 그대는 그토록 어진 사람을 투기하여 함부로 헐뜯을 수가 있단 말이오?"

잠자코 듣고 있던 유표가 채모를 꾸짖는다.

"내 뜻이 이미 정해졌으니 그대는 여러 말 말라."

채모는 무안하여 입을 다물고 앙심을 품은 채 물러났다. 유표는 마침내 손건에게 명하여 먼저 가서 현덕에게 자신의 뜻을 전하게 하고, 형주성 30리 밖까지 나가서 유현덕을 친히 맞아들였다. 현덕이 깍듯이 예를 갖춰 대하자 유표 또한 극진히 맞이한다. 현덕이 관우와 장비를 유표에게 소개하며 절을 올리게 했다. 유표는 더할 나위 없이 흡족한 마음으로 그들을 데리고 성안으로 들어가 각기 거처할 집을 주어 머무르게 했다.

한편 조조는 현덕이 형주로 가서 유표에게 몸을 의탁했다는 소식을 탐지하고 다시 군사를 일으켜 공격하려 했다. 이에 정욱이 간한다.

"아직 원소를 제거하지 못한 터에 갑자기 형주를 치셨다가 만약에 원소가 다시 북쪽에서 일어나기라도 한다면 어찌하려고 그러십니까? 차라리 군사를 이끌고 허도로 돌아가 힘을 축적한 후 내년 봄에 날이 풀리거든 그때 다시 군사를 일으키십시오. 그리하여 먼저 원소부터 격파한 다음 형주를 치신다면, 일거에 남북을 얻을 수 있을 것입니다."

유비는 조조에게 패하고 유표에게 몸을 의탁하다

조조는 정욱의 진언에 따라 즉시 군사를 돌려 허도로 돌아갔다.

어느덧 해가 바뀌어 건안 7년(202) 정월이 되었다. 조조는 다시 휘하 장수와 참모들을 모아놓고 의논하여 군사를 일으켰다. 먼저 하후돈과 만총을 여남으로 보내 유표를 막게 하고, 조인과 순욱에게는 허도를 지키게 하는 한편, 몸소 대군을 거느리고 관도로 진군하여 영채를 세웠다.

한편 원소는 지난해 싸움에서 참패한 후로 생긴 토혈증이 어느정도 차도가 있자, 참모들을 불러 다시 허도를 치려고 상의했다. 모사 심배가 간한다.

"지난해에 관도와 창정의 싸움에서 패한 뒤로 군사들의 사기가 위축되어 있으니 아직은 경솔히 움직여서는 안됩니다. 지금은 해자를 깊이 파고 보루를 높여서 당분간 좀더 힘을 기르는 것이 좋습니다."

이때였다. 한창 이야기를 나누고 있는 중에 조조의 군사가 관도로 진군하여 기주로 쳐들어온다는 보고가 들어왔다. 원소가 말한다.

"만약 조조의 군사가 성 아래까지 당도하면 이미 때는 늦다. 내가 직접 대군을 거느리고 나가 대적할 것이다."

원소의 말이 떨어지자 원상이 나서며 아뢴다.

"아버님께선 아직 몸도 성치 못하신데 원정길에 나서는 것은 무리입니다. 소자가 군사를 이끌고 나가서 적을 막겠습니다."

원소는 이를 허락하고 청주의 원담, 유주의 원희, 병주의 고간에게 사자를 보내 일제히 군사를 일으켜 네 지역의 군사가 동시에 조조를 협공하라고 영을 내렸다.

여남땅에서 전쟁의 북소리 사라지기도 전에   繼嚮汝南鳴戰鼓
또 기주 북쪽에서 출정의 북소리 울리도다   又從冀北動征鼙

이 싸움의 승부는 어떻게 날 것인가?

골육상쟁

원담과 원상은 기주를 놓고 싸우고

허유는 장하의 물길 트는 계책을 바치다

　원소의 셋째아들 원상은 조조의 장수 사환(史渙)을 죽인 뒤부터 자
만심에 빠져 자신의 용맹스러움을 자랑삼았다. 이날도 형 원담의 군
사들이 합세해오기를 기다리지 않고 혼자 군사 수만명을 거느리고 여
양(黎陽)으로 나가 조조의 군사와 맞섰다.

　장요가 말을 타고 달려나오자 원상도 창을 꼬나잡고 맞선다. 서로
어울려 싸운 지 3합이 못되어서 원상이 크게 패하여 달아나자 장요는
그대로 군사를 휘몰아 급히 뒤를 친다. 원상이 자신의 실책을 깨달았
을 때는 이미 군사를 태반이나 잃은 뒤였다. 원상은 더이상 당해내지

못하고 패군을 이끌고 기주로 도망갔다.

병상에 누워 있던 원소는 원상이 패하여 돌아왔다는 말에 놀란 나머지 지병이 재발하여 피를 두어 말이나 토하다가 그대로 혼절해버렸다. 유부인이 부축하여 내실로 옮겨다 뉘었으나, 병세는 점점 악화되어갔다. 원소가 다시 일어날 수 없다고 여긴 유부인은 급히 심배와 봉기를 불러들여 후사를 의논했다. 원소는 말 한마디 못하고 자꾸만 손짓을 한다. 유부인이 애가 타서 묻는다.

"상에게 후사를 잇도록 하리까?"

원소가 간신히 고개를 끄덕인다.

심배는 병상 앞에서 원소의 유언을 받아썼다. 그러나 미처 다 끝내기도 전에 원소의 얼굴이 고통으로 일그러지더니 허억, 하는 외마디 소리와 함께 한 말 남짓 피를 토하고 다시는 돌아오지 못할 길을 떠나고 말았다.

훗날 누군가가 시를 지어 원소의 죽음을 탄식했다.

여러 대 공경으로 큰 이름 떨쳤으니	累世公卿立大名
젊은 시절 의기로 천하를 종횡했다네	少年意氣自縱橫
삼천준걸 모았어도 헛일이요	空招俊傑三千客
백만대군이 있어도 쓸 줄 몰라	漫有英雄百萬兵
양가죽 바탕에 범의 털, 공 세우기 어렵고	羊質虎皮功不就
봉황 깃에 닭의 담력, 일을 어이 이루리오	鳳毛鷄膽事難成
가련타, 더욱 마음 아픈 것은	更憐一種傷心處
집안 우환, 아들 형제에 미친 일이네	家難徒延兩弟兄

원소가 숨을 거두자 심배 등이 주관하여 장례를 치렀다. 유부인은 가장 먼저 원소가 평소에 총애하던 첩 다섯명을 죽이고, 그것으로도 모자라서 죽은 사람의 머리털을 몽땅 잘라내고 얼굴마다 칼집을 내는 등 차마 눈 뜨고는 볼 수 없을 정도로 시체를 찢어발겨놓았다. 혼백이 구천에서라도 원소를 다시 만나 사랑을 받게 될까 염려해서였으니, 참으로 끔찍하고 무서운 질투심이 아닐 수 없다. 어머니의 못된 행실에 이어, 아들 원상은 행여라도 다섯 첩들의 유족이 복수하지 않을까 두려운 나머지 그들의 가족까지 모조리 죽여버렸다.

심배와 봉기는 곧 원상을 받들어 대사마장군(大司馬將軍)으로 삼아, 기주·청주·유주·병주의 4주목(四州牧) 일을 맡아보도록 하는 한편 사방에 원소의 부고를 띄웠다.

원담은 이미 군사를 이끌고 청주를 떠나 조조의 군사와 싸우러 오던 중에 아버지 원소의 부음을 받았다. 곽도와 신평을 불러 앞일을 의논하니, 곽도가 말한다.

"주공께서 기주에 계시지 않은 것을 기화로 심배와 봉기 무리가 필연코 현보(顯甫, 원상의 자)를 주인으로 세울 것이니, 속히 가보셔야 합니다."

신평이 말한다.

"심배와 봉기는 이미 만일의 경우에 대비해 대책을 세워두었을 터이니, 우리가 이대로 기주성에 들어갔다가는 반드시 큰 변을 당하게 될 것입니다."

원담이 묻는다.

"그렇다면 어찌하는 게 좋겠소?"

곽도가 대답한다.

"성밖에 군사를 주둔시켜놓고 우선 동정을 살피는 것이 좋을 듯합니다. 제가 가서 살펴보고 오겠습니다."

원담이 응낙한다. 곽도는 곧바로 기주성 안으로 들어가 원상을 만났다. 곽도가 절을 올리자, 원상이 묻는다.

"큰형은 어째서 오지 않았는가?"

곽도가 대답한다.

"병이 나서 군중에 누워 계시느라 오지 못했습니다."

"나는 이제 아버지의 유명(遺命)을 받들어 하북의 주인이 되었으니, 형을 거기장군(車騎將軍)으로 봉하려 한다. 알다시피 지금은 조조의 군사가 우리 경계를 범하려 하는 터이니, 어서 가서 형에게 전하여라. 형이 선봉에 서면 나도 곧 군사를 수습해 뒤따르겠노라고 말이다."

곽도가 꾀를 내어 청한다.

"하오나 지금 청주 군중에는 계책을 상의할 만한 지략 있는 사람이 없습니다. 심배와 봉기 두 사람을 보내주시면 큰 도움이 되겠습니다."

"나 역시 그 두 사람과 의논하여 계책을 세워야 하는데, 보내버리고 나면 나는 어쩌란 말이냐?"

"그러시다면 두 사람 중에 한 사람만 보내주셔도 좋겠습니다."

원상은 썩 내키지는 않았으나 그것마저 거절할 수는 없었다. 마침내 심배와 봉기 두 사람에게 제비를 뽑게 하여 봉기를 보내기로 결정을 내렸다. 원상은 즉시 봉기로 하여금 거기장군의 인수를 받들고 곽도를 따라 원담에게로 갈 것을 명했다. 그런데 봉기가 곽도를 따라 가보니, 누워 있다던 원담이 병색이라고는 찾아볼 수 없는 얼굴로 군무를 보고 있는 게 아닌가. 어쩐지 함정에 빠졌다는 생각에 불안해진 그는 떨리는 손으로 원담에게 인수를 바쳤다. 인수를 본 원담은 크게 노하여 당장 봉기의 목을 치려 했다. 곽도가 만류하며 은밀히 간한다.

"참으십시오. 지금은 조조의 군사가 국경을 넘보고 있는 형편이니 우선 봉기를 살려두어 원상을 안심시켜야 합니다. 조조를 무찌르고 나서 기주를 생각하셔도 늦지 않을 것입니다."

원담은 그 말을 좇아 즉시 출진하여 여양땅으로 나아가 조조군과 대치했다.

원담이 대장 왕소(王昭)를 시켜 나가 싸우게 하니 조조의 진영에서는 서황이 말을 달려나온다. 두 장수가 어우러져 싸우기 두어 합만에 서황이 왕소를 베어 말 아래로 떨어뜨렸다. 조조는 그 기세를 타고 군사를 휘몰아 들이쳤다. 크게 패한 원담은 군사를 거두어 여양성 안으로 철수하고, 즉시 사람을 기주로 보내 원상에게 원병을 청했다.

원상은 심배와 의논해 겨우 군사 5천여명을 보냈다. 조조는 기주에서 구원병이 온다는 정보에, 곧 악진과 이전을 내보냈다. 두 사람은 군사를 이끌고 나아가 중도에서 에워싸고 구원병을 모조리 죽여버렸다.

원담은 아우 원상이 구원병이랍시고 겨우 군사 5천을 보냈으며, 그나마 중도에서 조조군에 의해 전멸했다는 사실을 알고 크게 노하여 즉시 봉기를 불러다가 꾸짖었다. 봉기는 그저 목숨만이라도 건지고 싶은 마음이었다.

"장군은 부디 고정하십시오. 제가 기주로 서신을 띄워 주공께서 친히 구원병을 이끌고 오시도록 청하겠습니다."

원담은 즉시 봉기에게 글을 쓰게 하여, 사람을 시켜 원상에게 전했다. 봉기의 서신을 받은 원상은 다시 심배를 불러 의논했다. 심배가 말한다.

"곽도는 본래 꾀가 많은 인물입니다. 일찍이 그가 기주를 치지 않은 것은 조조의 대군이 침략해왔기 때문으로, 조조의 군사들을 물리친 연후에는 반드시 이곳 기주성을 차지하려 할 것입니다. 그러므로 구원병을 보낼 게 아니라 이참에 조조의 힘을 빌려서 저들을 없애는 것이 어떨는지요."

심배의 진언에 따라 원상은 한 사람의 군사도 내주지 않고 사자를 그대로 돌려보냈다. 사자가 돌아와 그대로 고하자 원담은 크게 노하여 그 자리에서 봉기를 죽여버렸다.

"괘씸한 놈이로다! 내 차라리 조조에게 항복하여 원상 이놈의 못된 버릇을 고쳐주리라."

복수심에 사로잡힌 원담은 부하들과 더불어 조조에게 투항할 일을 의논했다. 이 사실은 염탐꾼에 의해 곧 기주의 원상에게 전해졌다. 궁지에 몰린 원상은 다시금 심배와 의논한다.

"만약에 원담이 조조에게 투항하여 둘이 힘을 합쳐 공격해온다면 기주가 위험해진다."

원상은 심배와 대장 소유(蘇由)를 기주성에 남겨두어 굳게 지키게 하고, 몸소 대군을 이끌고 여양으로 떠났다. 행군하던 중에 원상이 물었다.

"누가 선봉에 서겠느냐?"

대장 여광(呂曠)과 여상(呂翔) 형제가 자원해나섰다. 원상은 그들에게 군사 3만을 주고 선봉에 서서 먼저 여양으로 가게 했다. 원담은 원상이 몸소 구원병을 거느리고 온다는 말에 크게 기뻐하며, 조조에게 투항하려던 계획을 일시에 거두어버렸다.

이리하여 원담은 여양성 안에 주둔하고, 원상은 성밖에 진을 쳐서 기각지세(掎角之勢)를 이루었다. 거기에 다시 하루도 못되어 유주의 원희와 병주의 고간이 군사를 거느리고 당도하여 성밖 세 곳에 진을 쳤다. 싸움은 날마다 계속되었지만 조조는 번번이 이기고 원상의 무리는 번번이 패했다.

건안 8년(203) 2월에 조조는 군사를 나누어 각 진영을 일시에 급습했다. 원담·원희·원상·고간이 모두 크게 패하여 여양성을 버리고 달아난다. 조조가 군사를 이끌고 뒤를 쫓아 기주에 이르니, 원담과 원상은 성으로 들어가 수비태세를 갖추고, 원희와 고간은 성밖 30여 리쯤 되는 곳에 영채를 세우고 허장성세했다. 조조가 군사들을 독려하며 며칠간 계속 기주성을 공략했으나 쉽사리 함락되지 않았다. 모사 곽가가 간한다.

"원(袁)씨가 큰아들을 폐하고 막내아들을 후사로 내세워서 저들은 각기 세력을 형성해 형제간에 권력싸움을 하고 있습니다. 그러면서도 위급하면 서로 돕고 상황이 나아지면 다시 싸웁니다. 그러니 승상께서는 일단 군사를 거두어 먼저 남쪽의 형주를 쳐서 유표를 정벌한 다음에 저들의 변화에 적절히 대응한다면 힘들이지 않고 일제히 평정할 수 있을 것입니다."

"그럴 듯한 계책이다."

조조는 곽가의 계책에 따라 가후를 태수로 삼아 여양을 지키게 하고, 조홍으로 하여금 군사를 거느리고 가서 관도를 지키게 했다. 그러고는 몸소 대군을 이끌고 형주를 향해 진군했다.

원담과 원상은 조조의 군사가 스스로 물러났음을 알고 서로 경하해 마지 않았다. 원희와 고간도 각기 군사를 거두어 돌아가버렸다. 원담이 수하의 모사 곽도와 신평을 불러 가만히 의논한다.

"나는 큰아들이면서도 아버지의 자리를 이어받지 못하고, 계모의 소생인 원상이 잇게 되었으니, 세상에 이런 법이 어디 있단 말이냐?"

곽도가 말한다.

"제게 좋은 방도가 있소이다. 주공께서는 일단 군사를 이끌고 성밖에 나가 주둔한 다음, 원상과 심배를 청하여 술자리를 마련하십시오. 제가 미리 도부수를 매복시켜두었다가 두 사람을 죽여버릴 터이니, 대사는 간단하게 결정될 것입니다."

원담은 곽도의 말에 따라 군사를 성밖에 주둔시켰다. 그런 때에 마침 청주에서 별가(別駕) 왕수(王修)가 왔다. 원담이 그에게 이번 거사에 대해 말하니 왕수의 안색이 굳어졌다.

"당치 않은 말씀입니다. 형제란 양손과도 같은 것인데, 지금 다른 사람과 싸우는 마당에 오른손을 잘라버리고도 과연 싸움에서 이길 수 있겠습니까? 더구나 자기 형제를 배반하고 원수지간이 된다면 천하에 누굴 믿고 의지할 수 있겠습니까? 이는 참소하는 무리가 골육을 이간하여 한때의 영화를 구하려는 것이니, 주공은 부디 귀를 막으시고, 그러한 말씀은 아예 들은 척도 마십시오."

이 충언에 도리어 화가 난 원담은 왕수를 큰소리로 꾸짖어 물리쳤다. 그런 다음, 곽도의 계책대로 사람을 성안으로 보내 원상과 심배를 청했다. 원상이 심배를 불러 상의하니, 심배가 말한다.

"이는 필시 곽도의 계략일 것입니다. 주공께서 만약 저들의 청에 응하신다면 간계에 빠질 것이 분명하니, 이쪽에서 먼저 선수를 치는 것이 옳을 줄로 아옵니다."

원상은 그 말을 옳게 여겨 즉시 갑옷과 투구를 갖춰입고 말에 올라 군사 5만명을 거느리고 성을 나섰다. 원담은 원상이 군사를 거느리고 나오는 것을 보자, 계교가 누설되었음을 짐작하고 자기도 즉시 갑옷과 투구를 갖춰입고 말에 올라 원상과 맞섰다. 원상이 원담을 향해 욕설을 퍼부어대자 원담도 지지 않고 목청을 높여 꾸짖는다.

"이 천하에 의리없는 놈아, 네가 아버지를 독살하고 작위를 찬탈한 것도 부족해서, 이제는 이 형까지 죽이려 하느냐?"

두 형제는 달려들어 싸우기 시작했다. 그러나 이내 원담이 패하여 달아난다. 원상은 날아드는 돌과 화살을 무릅쓰고 여세를 몰아 달아나는 원담의 뒤를 친다. 원담은 패군을 수습하여 평원땅으로 도망쳤고 원상은 더는 뒤쫓지 않고 일단 군사를 거두어 성으로 돌아갔다.

한번 싸워 크게 졌으나 원담은 도저히 그대로 있을 수 없었다. 그는 곽도와 더불어 계책을 논한 뒤에, 잠벽(岑璧)을 대장으로 삼아 다시 진군했다. 첩보를 받은 원상 또한 몸소 군사를 거느리고 기주성에서 나왔다.

두 진영이 대치하여 깃발이 나부끼고 북소리가 울리는 가운데, 드디어 원담의 진영에서는 잠벽이 말에 올라 병기를 휘두르며 나왔다. 잠벽이 욕설을 퍼부어대자 원상이 노하여 직접 대적하려 하는데, 그보다 앞서 대장 여광이 말에 박차를 가하여 춤추듯 칼을 휘두르며 내닫는다. 두 장수가 몇합 싸우지도 않았는데 여광이 휘두른 칼날에 잠벽의 목이 두 동강나며 말에서 굴러떨어졌다. 원담은 다시 대패하여 평원으로 달아난다. 심배가 여세를 몰아 추격할 것을 권유했다. 그 말에 따라 원상은 군사를 휘몰아 끝까지 뒤를 쫓는다. 그 형세가 어찌나 대단한지 원담은 감히 대적할 엄두를 못내고 평원성 안으로 군사를 철수시켜 문을 굳게 닫아걸었다. 원상이 삼면으로 성을 에워싸고 연일 싸움을 걸어도 도무지 응전할 기미를 보이지 않는다.

한편 성안에서는 금방이라도 함락될 것만 같은 위급함에 처한 원담이 곽도와 더불어 상의했다. 곽도가 말한다.

"지금 성안에는 양식이 부족한데다, 저들의 군세가 워낙 날카로운지라 대적해 싸울 형편이 못됩니다. 저의 어리석은 생각으로는 조조에게 사람을 보내 투항한 다음, 조조를 시켜 기주를 치게 하는 것이 좋을 듯합니다. 그러면 원상은 황급히 기주를 지키러 돌아갈 테고, 이때 장군께서 조조와 함께 협공한다면 원상을 쉽게 사로잡을 수 있습니다. 만일 조조가 먼저 원상의 군사를 격파한다면 그때는 기주 군사들을 거두어 조조에게 대항하면 됩니다. 조조의 군사들은 먼길을 온 데다 군량과 마초를 제때에 대기 어려우니, 양식이 떨어지면 반드시 제풀에 퇴각할 것입니다. 그때를 놓치지 않고 기주성을 차지하고 들어앉은 연후에 다음 계책을 세우심이 어떨는지요."

원담은 듣고 나서 고개를 끄덕이며 다시 한마디 물었다.

"조조에게는 누구를 보내는 게 좋겠소?"

"신평에게 아우가 하나 있습니다. 성명이 신비(辛毗)이며 자는 좌치(佐治)로, 지금 평원령(平原令)으로 있는데, 언변 좋기로 소문난 사람이니 그를 보내는 게 좋을 듯합니다."

원담이 즉시 부르자 신비가 흔쾌히 찾아왔다. 원담은 조조에게 보낼 편지를 다듬어 신비에게 주고 군사 3천을 내어 무사히 경계를 넘도록 조처했다. 신비는 원담의 글을 가지고 밤새 곧장 조조에게로 갔다.

이때 조조는 유표를 치기 위해 서평(西平)에 군사를 주둔하고 있었다. 급보를 받은 유표는 현덕을 선봉으로 삼아서 나아가 대적하게 했다. 양쪽 군사가 싸움을 시작하려는 바로 그때, 원담의 사자 신비가 도착했다.

신비가 예를 올렸다. 조조가 온 경위를 묻자 신비는 원담이 투항하고자 한다는 뜻을 밝히며 그의 서신을 조조에게 올렸다. 조조는 서신을 다 읽고 나더니 신비를 영채 안에 머물게 하고는 수하의 문관과 무관들을 모아 상의했다. 정욱이 나서며 말한다.

"원담이 원상의 공격을 받아 사태가 위급해져서 부득이 항복하려는 것이니 함부로 믿을 게 못됩니다."

여건과 만총 또한 말한다.

"그도 그러려니와, 지금 승상께서 기왕에 군사를 거느리고 예까지 오셨는데 어찌 유표를 눈앞에 두고 그대로 돌아가 원담을 도울 수 있겠습니까?"

그러나 순유의 생각은 달랐다. 순유는 정색하고 말한다.

"세 분의 말씀은 옳지 않소이다. 이 사람의 소견으로는, 천하가 이처럼 시끄러운 때에 유표가 장강과 한수 일대만 보존하고 앉아서 더는 손을 뻗어보려 하지 않는 것은 그에게 큰 뜻이 없기 때문입니다. 그러나 원씨로 말하면 기주·청주·유주·병주 네 고을을 점거하고 있을 뿐만 아니라 군사를 수십만이나 거느리고 있으니, 만약 원담과 원상이 서로 화목하여 함께 제 아비의 유업을 지키고자 작심한다면 실로 천하사는 가늠키 어렵게 될 것입니다. 형제끼리 서로 다투다가 우리에게 투항하는 이때를 타서, 먼저 원상을 없애고 뒤에 다시 기회를 보아 원담마저 멸한다면 곧 천하를 바로잡을 수 있을 것이니, 이 기회를 놓쳐서는 안됩니다."

순유의 말에 조조는 매우 흡족해하며 당장 신비를 불러들여 술을 권하며 물었다.

"대체 원담이 내게 항복하려는 것이 진심이요, 아니면 거짓이오? 그리고 원상의 군사를 치면 이길 수 있겠소?"

신비가 대답한다.

"명공께서는 그 진위 여부를 따지지 마시고 대세를 살펴보시는 게 옳을 줄로 압니다. 원씨는 몇해 동안 전쟁에 패해 밖으로는 군사들이 지치고 안으로는 모사들이 죽임을 당했으며, 이간질에 형제들이 갈라져 나라가 두쪽 난 형편입니다. 설상가상으로 흉년까지 들어 백성들은 기근에 허덕이고 하늘의 재앙으로 인재가 곤핍하니, 어리석은 자나 지혜로운 자를 막론하고 나라가 망해가는 것을 모르는 이는 아무도 없습니다. 하늘 또한 원씨를 버린 지 오래라, 이제 명공께서 군사를 일으켜 업군(鄴郡)을 치면 원상은 즉시 돌아와 제 소굴을 잃지 않으려 대항할 것이요, 그러면 원담이 그 뒤를 쫓아 형제끼리 싸우게 될 것이니, 승상의 위엄으로 싸움에 지친 무리들을 치신다면 마치 가을 바람에 낙엽 쓸리듯 일시에 쓸어버릴 수 있을 것입니다. 이런 좋은 기회를 버리고 형주를 치시겠습니까? 형주는 땅이 비옥하고 넓어서 물자가 풍부하기 때문에 나라가 평화롭고 백성들이 순하여 쉽사리 동요하지 않을 것입니다. 지금의 상황으로는 천하의 우환이 모두 하북에 있으니 하북만 평정하시면 패업을 이루실 수 있습니다. 바라건대 승상께서는 깊이 살피십시오."

그 말에 조조는 기뻐 어쩔 줄 모른다.

"내 신좌치와 이제야 만난 것이 한이로다."

그러고는 당일로 군사를 정비해 기주로 향했다. 현덕은 조조가 급히 군사를 철수시키자, 혹시 함정이 아닌가 하여 뒤를 쫓지 않고 군사

조조는 원담·원상의 대립을 이용해 업군을 평정하다

를 거두어 형주로 돌아가버렸다.

한편 원상은 조조 군사가 강을 건너 업군을 공략하려 한다는 정보
에 급히 군사를 이끌고 기주로 돌아갔다. 회군하면서 여광과 여상에
게 원담의 추격을 막도록 명하였다. 원담은 원상의 군사가 물러가는
것을 보고 즉시 평원의 군마를 크게 일으켜 뒤를 쫓았다. 그렇게 수십
리 가량 갔을 때였다. 갑자기 포소리가 한번 크게 울리더니 좌우에서
일제히 군사들이 뛰쳐나왔다. 바로 여광과 여상의 군사들이었다. 원
담은 말을 멈추고 두 장수를 향해 말한다.

"아버님께서 살아 계실 적에 내가 두 장군을 섭섭히 대접한 일이
없는데, 오늘날 어찌하여 내 아우를 따르며 이다지도 나를 핍박한단

말이오?"

원담의 말에 두 장군은 즉시 말에서 내려 원담에게 항복했다. 원담이 말한다.

"두 장군은 내게 항복할 게 아니라, 조승상께 항복하도록 하오."

원담은 두 장수를 거느리고 진영으로 돌아갔다. 이윽고 조조의 군사가 도착했다. 원담이 두 장수를 데리고 조조를 뵙자, 조조는 무척 기뻐하며 여광과 여상을 중매인으로 세워 자기의 딸과 원담의 혼사를 추진하게 했다. 머지않아 장인이 될 조조에게 원담이 속히 기주를 공략할 것을 청했다. 조조가 말한다.

"지금 군량과 마초의 보급이 원활하지 못한 것은 운반하기가 어렵기 때문이니, 내 제하(濟河) 쪽으로부터 기수(淇水)를 막아 물줄기를 백구(白溝)로 돌려 수로를 이용한 보급로를 튼 다음에 기주로 진병할까 하네."

조조는 일단 원담을 평원으로 돌아가 있게 했다. 그리고 자신은 군사를 물려 여양에 주둔하고, 여광과 여상은 열후(列侯)로 봉해 휘하에 두었다. 곽도가 원담에게 간한다.

"조조가 자기 딸을 주어 주공을 사위로 삼겠다는 말은 진심이 아닐 것입니다. 또한 여광과 여상을 데려다가 높은 벼슬을 내린 것은 하북의 인심을 얻자는 수작으로, 뒤에 반드시 큰 화근이 될 것입니다. 주공은 곧 장군인(將軍印) 두 개를 새겨서, 사람을 시켜 가만히 여광과 여상에게 보내 내응하도록 하고, 조조가 원상을 격파하기를 기다렸다가 기회를 보아 도모하셔야 합니다."

원담은 곽도의 말을 좇아 장군인 두 개를 새긴 뒤 사람을 시켜 가만히 여광과 여상에게로 보냈다. 그러나 두 사람은 이것을 받은 즉시 조조에게 알렸다. 조조가 껄껄 웃는다.

"원담이 이렇듯 몰래 장군인을 보낸 뜻은 너희 두 사람으로 하여금 내응하여 내가 원상을 격파하기를 기다렸다가 나를 치자는 속셈이다. 내게도 생각이 있으니 너희들은 그저 모르는 척하고 일단은 받아두도록 하라."

이로부터 조조는 원담을 죽여없앨 마음을 품게 되었다.

한편 원상은 심배와 더불어 상의한다.

"지금 조조가 백구로 물길을 돌려 군량미를 운반하는 것으로 보아 기주를 공격하려는 게 틀림없는데, 이 일을 어찌하면 좋겠는가?"

심배가 말한다.

"주공께서는 즉시 격문을 보내어, 무안(武安)의 장령인 윤해(尹楷)로 하여금 모성(毛城)땅에 주둔하여 상당(上黨)에서 오는 군량 보급로를 열어두게 하고, 저수의 아들 저곡(沮鵠)에게는 한단(邯鄲)을 지키면서 먼 지방에서 성원케 한 다음, 주공은 곧 평원으로 진군해 급히 원담을 치도록 하십시오. 먼저 원담을 없앤 다음 조조를 치는 것이 상책이외다."

원상은 기뻐하며 심배와 진림(陳琳)을 남겨두어 기주를 지키게 했다. 그리고 마연(馬延)과 장의(張顗) 두 장수를 선봉으로 삼아 그날밤으로 군사를 일으켜 평원을 치러 떠났다. 원상의 군사가 가까이 이르렀음을 전해들은 원담은 곧 사람을 보내어 조조에게 급히 알렸다. 보고를 받은 조조가 중얼거린다.

"내 이번에야말로 기주를 얻게 되었군."

마침 허도에서 도착한 허유가 원상이 원담을 치러 평원으로 갔다는 말을 듣고 나서, 조조를 대면해 묻는다.

"승상께서는 지금 가만히 이곳을 지키고 앉아 무얼 하십니까? 하늘에서 벼락이라도 떨어져 원담 형제가 저절로 죽기만을 기다리고 있는 것이옵니까?"

조조가 빙긋이 웃으며 대답한다.

"내게 다 생각이 있느니."

조조는 곧 조홍을 시켜 업성을 치도록 명한 후 자신은 일군을 거느리고 윤해를 치러 갔다. 조조의 군사가 경계에 이르자 윤해가 곧 군사를 이끌고 말을 달려 싸우러 나왔다. 조조가 소리친다.

"허중강(仲康, 허저의 자)은 어디에 있는가?"

그 말이 떨어지기 무섭게 허저가 말을 몰고 달려나가 한칼에 윤해를 취하니, 윤해는 미처 손도 놀려보지 못하고 몸이 두 동강이 나서 말 아래로 떨어진다. 이를 지켜보던 윤해의 군사들은 일시에 어지러이 흩어졌다. 조조는 남은 군사들의 항복을 받아들이고 다시 군사를 지휘하여 한단땅으로 진격했다. 저곡이 군사를 거느리고 나와 대적한다. 장요가 달려나가 저곡과 맞서니, 불과 3합이 못되어 저곡이 크게 패하여 달아난다. 장요가 그 뒤를 추격하여 가까워지자 활을 쏘니 짧은 시윗소리와 함께 저곡이 말에서 뚝 떨어진다. 조조가 승세를 타고 군마를 휘몰아 달아나는 적들의 뒤를 급히 치니, 주인을 잃은 무리들이 어지러이 흩어져 달아난다.

조조는 대군을 거느리고 드디어 기주 경계에 들어섰다. 조홍이 이미 성밑 가까이에 이르러 적과 대치하고 있었다. 조조는 전군에 영을 내려 기주성을 에워싸고 주위에다 토산을 쌓는 한편, 땅굴을 파서 성을 공략할 차비를 하였다.

기주성 안에서는 심배가 엄한 군령으로 성을 굳게 지키고 있었다.

하루는 동문(東門)을 지키는 장수 풍례(馮禮)가 술에 취해 순시를 소홀히 한 탓으로 모질게 문책당했다. 이에 원한을 품은 풍례는 그날밤 몰래 성을 빠져나가 조조에게 항복해버렸다. 조조가 성을 함락시킬 방법을 묻자 풍례가 상세히 설명한다.

"돌문(突門, 수비군이 돌격하기 위해 뚫어놓은 문) 안쪽이 흙이 두터워 땅굴을 파고 들어가기에 적당합니다."

조조는 곧 풍례에게 명하여 장사 3백명을 거느리고 어두운 밤을 타서 땅굴을 파게 했다.

한편 풍례가 성문을 빠져나가 조조에게 항복한 뒤로 심배는 밤마다 몸소 성위에 올라 순시를 돌며 군마를 점검하곤 했다. 하루는 밤에 돌문의 누각 위에서 바라보니, 성밖 조조의 진영에 불빛 한점 보이지 않는다. 수상쩍은 생각에 심배가 말한다.

"풍례 그놈이 땅굴을 파 군사를 이끌고 올 모양이다."

심배는 날랜 군사를 뽑아 바위를 날라놓고 기다렸다가 구멍이 뚫리는 순간 바위로 갑문(閘門)을 쳐서 무너져내리게 하여 땅굴을 막아버렸다. 땅굴을 파오던 풍례와 3백 장사는 그 안에 갇힌 채 흙더미 속에서 떼죽음을 당하고 말았다.

조조는 땅굴계획이 수포로 돌아가자 일단 원수(洹水) 상류로 후퇴하여 지키며 원상의 군사가 돌아오기를 기다리기로 했다. 조조가 예측한 대로, 평원을 공격하러 갔던 원상은 조조가 이미 윤해와 저곡을 격파하고 기주성을 함락시키려 한다는 소식을 듣고는 서둘러 돌아오는 중이었다. 원상의 부장 마연이 말한다.

"큰길로 갔다가는 반드시 조조의 복병을 만날 터이니, 샛길로 해서 서산(西山)을 거쳐 부수(滏水) 어귀로 나가 조조의 영채를 급습하면 포위망을 뚫을 수 있을 것입니다."

원상은 그 말을 좇아 몸소 대군을 거느리고 앞서 떠나고, 마연과 장의 두 장수를 시켜 뒤를 끊어 원담의 추격을 막게 했다. 이 사실은 정탐꾼에 의해 일찌감치 조조에게 보고되었다. 조조가 말한다.

"제가 만약 큰길로 온다면 내 마땅히 이를 피해야겠지만, 만약 서산 샛길로 온다면 한번 싸움에 그를 사로잡을 수 있다. 내 생각에는 원상이 반드시 횃불을 군호 삼아 성내 군사들과 접응하려 할 것이니, 군사를 나누어 함께 치는 것이 좋겠다."

조조는 즉시 군사를 나누어 배치했다.

이때 원상은 부수 어귀로 나와 동쪽으로 양평에 이르러 양평정(陽平亭)에 군사를 주둔시켰다. 양평정은 기주성과 17리 떨어져 있으며, 한쪽으로는 부수가 흐르고 있었다. 원상은 군사들을 시켜 마른풀을 쌓아두었다가 밤이 되면 불을 질러 군호를 삼게 하고 주부(主簿, 서기의 우두머리) 이부(李孚)를 기주성으로 보냈다. 이부는 조조 군사의 도독처럼 차려입고 기주성 아래 이르러 크게 외쳤다.

"문 열어라!"

심배가 마침 성위에 있다가 이부의 음성을 알아듣고 곧 문을 열어주었다. 성안으로 들어간 이부가 심배에게 말한다.

"주공께서 이미 양평정에 진을 치고 내응을 기다리고 계십니다. 성에서 군사를 내보낼 때에는 미리 불을 놓아 신호를 보내십시오."

심배는 곧 마른풀을 쌓게 하고 불을 질러 신호하도록 조처했다. 이부가 다시 말한다.

"성안에 양식이 없어 항복하는 것처럼 꾸미고, 노약자와 아녀자들을 앞세워 내보내시오. 그러면 저들이 안심하고 아무런 방비도 하지 않을 테니, 그때 우리가 뒤따라나가 공격하기로 합시다."

다음날 성위에는 백기가 높이 내걸려 바람에 나부꼈다. 기폭에는 '기주백성투항(冀州百姓投降)'이라는 여섯 글자가 씌어 있다. 조조가 좌우 사람들에게 말한다.

"성안에 양식이 떨어져서 늙고 약한 백성들을 내보내 투항시키는 것처럼 보이나, 그 뒤로 군사들이 따라나와 우리를 앞뒤에서 공격할 계략임에 틀림없다."

조조는 곧 장요와 서황에게 각기 3천군을 주어 양편에 매복하게 한 다음, 몸소 말에 올라 일산을 받쳐들게 하고 성 아래로 갔다. 과연 성문이 크게 열리더니 백성들이 어린이를 안고 이끌고 늙은이는 부축하여 저마다 흰기를 흔들며 나온다. 백성들의 행렬이 거의 끝나간다 싶더니, 아니나다를까 완전무장한 군사들이 뒤를 이어 일시에 몰려나오는 게 아닌가.

조조는 미리 짐작했던 바라 좌우 군사들에게 홍기를 흔들어 신호를 보내게 했다. 매복해 있던 장요와 서황의 군사들이 양쪽에서 일제히 아우성치며 내달아 닥치는 대로 죽이니, 기주 군사들은 밀고 밀리며 다시 성안으로 쫓겨들어갈 수밖에 없었다.

조조가 몸소 말을 달려 급히 뒤를 쫓는다. 조교 가까이 이르렀을 때 성위에서 화살이 빗발치듯 쏟아져내리며 그중 한대가 조조의 투구에 꽂혔다. 하마터면 화살촉이 투구를 뚫고 정수리에 박힐 뻔했다. 장수들이 급히 달려가 조조를 구하여 진중으로 돌아왔다.

진중으로 돌아오기가 무섭게 조조는 투구와 갑옷을 바꿔입더니 말을 갈아탔다. 그러고는 다시 장수들을 거느리고 군사를 돌려 원상의 진영으로 달려가 공격한다. 원상은 몸소 나와서 조조와 맞섰다. 그때 사방에서 기다리고 있던 조조의 군사들이 일제히 내달아오니, 원상의 군사들과 일대 혈전이 벌어졌다. 원상은 크게 패하여 남은 군사들을 이끌고 서산 기슭으로 달아났다. 겨우 정신을 수습한 원상은 영채를 세운 뒤 급히 평원으로 사람을 보내 마연과 장의에게 원병을 청했다.

그러나 이보다 앞서 조조가 여광과 여상을 시켜 마연과 장의를 항복시킨 사실을 누가 알았으랴. 마연과 장의는 여씨 형제를 따라와 항복했고, 조조는 즉시 그들을 열후로 봉했다. 그리고 원상에게서 투항해온 여광·여상·마연·장의 네 장수를 먼저 보내 원상의 보급로를 차단케 한 다음에, 자신도 비로소 군사를 이끌고 서산으로 진군한 것이었다.

원상은 도저히 버틸 수 없음을 깨닫고 밤을 틈타 남구(濫口)로 달아났다. 그러나 미처 영채도 세우기 전에 사방에서 불길이 치솟으며 조조의 복병이 일제히 쏟아져나왔다. 기습을 당한 원상의 군사들은 갑옷도 챙겨입지 못하고 말에 안장을 얹을 새도 없이 크게 져서 50리 밖으로 달아났다.

형세가 궁하고 군사력이 극도로 약해진 원상은 예주 자사 음기(陰夔)를 조조의 영채로 보내어 항복을 청하기에 이른다. 조조는 항복을 받아주는 척하면서 그날밤 장요와 서황에게 원상의 진지를 급습하게 했다. 원상은 인수(印綬)·절월(節鉞)·의갑(衣甲)·치중(輜重) 등을 모조리 버려두고 가까스로 몸만 빠져나와 중산(中山)을 향해 달아났다. 조조는 더 쫓지 않고 군사를 돌려 다시 기주성을 공략했다. 허유가 계책을 올린다.

"승상께서는 어째서 장하(漳河)의 물을 터서 기주성을 물바다로 만들지 않으십니까?"

조조는 허유의 계책에 따라 먼저 군사를 차출하여 기주성 주위를 40여 리 가량이나 빙 둘러 물길을 파게 했다. 심배는 성위에서 조조 군사가 물길을 파고 있는 것을 유심히 지켜보다가 웃음을 터뜨렸다.

"어떤 놈의 계책인지 장하의 물길을 이용하여 우리 성을 휩쓸어버 릴 작정인 모양인데, 저렇듯 얕게 파서야 무슨 수로 이 성을 물바다로 만들겠나……"

심배는 아무런 방비도 하지 않은 채 대수롭지 않게 넘겨버렸다. 밤 이 되자 조조는 군사를 열배로 늘려 할 수 있는 한 깊게 물길을 파게 했다. 날이 밝을 즈음에는 장하의 물이 성으로 흘러들기 시작하는데, 물길의 폭과 깊이가 모두 두 길이 넘었다. 성안에는 어느덧 물이 몇 길이나 고이고, 설상가상으로 군량미까지 바닥이 나서 군사들은 꼼짝 못하고 갇힌 채 모두 굶어죽을 판이었다.

이때 조조에게 투항한 신비가 성밖에서 원상이 버리고 간 인수와 의복을 창끝에 꿰어들고 흔들며 성내의 군사와 백성들로 하여금 항복 할 것을 권유했다. 분을 이기지 못한 심배는 신비의 가족 80여 명을 늙은이 어린아이 할 것 없이 잡아다가 차례로 목을 베어 그 머리를 성 밖으로 하나씩 내던졌다. 신비가 이 광경을 보고 목을 놓아 통곡한다.

심배의 조카 심영(審榮)은 본래 신비와 교분이 두터운 사이였다. 그는 신비의 가솔이 그렇듯 참혹하게 죽음을 당하는 것을 보고 격분 한 나머지, 성문을 열어 호응하겠다는 내용의 밀서를 써서 화살 끝에 매어 성밖으로 몰래 쏘아보냈다. 조조의 군사가 밀서를 주워 신비에 게 전하니, 신비는 다시 이를 조조에게 바쳤다. 조조는 밀서를 읽고 난 후 영을 내렸다.

"기주성에 들면 누구든 원씨 가족들은 노인이든 어린이든 일체 죽

심배는 분을 이기지 못해 신비의 가족 80여명의 목을 베다

이지 말고, 투항하는 군사나 백성들도 살려주어라."

다음날 날이 밝자 심영이 서쪽 성문을 크게 열어 조조 군사를 맞아들였다. 신비가 말을 달려 먼저 성안으로 뛰어드니, 군사들도 아우성치며 일제히 뒤를 따른다.

심배는 이때 동남쪽 성루에 있다가 조조의 군사가 성내로 침입하는 것을 목격하고 급히 군사 몇명과 함께 죽기로써 싸웠다. 그러나 조조의 맹장 서황에게 몇합 겨뤄보지도 못하고 맥없이 사로잡히고 말았다. 결박을 당해 성밖으로 끌려나가는 중에 마주달려오는 신비를 만났다. 신비가 이를 갈며 채찍을 들어 심배의 머리를 후려갈기며 호통을 친다.

"내 가족을 죽인 이 불한당 같은 놈아, 내 손으로 네놈의 멱을 따고 말리라."

심배도 지지 않고 눈을 부릅뜨며 욕을 퍼붓는다.

"이 역적놈아, 네놈이 조조에게 투항하여 기주성을 망쳤다. 내 손으로 너를 죽이지 못하는 것이 원통할 뿐이다!"

서황은 조조에게 심배를 끌고 갔다. 조조가 묻는다.

"누가 성문을 열어 우리 군사를 맞아들였는지 아느냐?"

"모른다!"

조조가 빙그레 웃으며 말한다.

"다른 사람도 아닌 네 조카 심영이니라."

뜻밖의 말에 심배는 노기가 충천했다.

"그 철없는 놈이 일을 이 지경으로 만들다니……"

조조가 다시 묻는다.

"그건 그렇고, 어제 내가 성 아래 갔을 때 화살을 빗발치듯 쏘아대던데, 성안에 화살이 그리도 많았던 모양이지?"

"많은 것이 아니라 너무 적었던 게 한이다!"

조조는 어조를 바꾸어 달래듯 부드럽게 말한다.

"그대의 원씨에 대한 충성심은 내 충분히 이해하고, 마땅히 그래야
겠지만, 이제 그만 내게 항복하는 것이 어떤가?"

심배는 굴하지 않고 고래고래 소리친다.

"당치 않은 소리 마라. 내 이 자리에서 죽는 한이 있어도 그리는 못
하겠다!"

이때 마침 신비가 통곡하며 들어와 조조 앞에 엎드려 말한다.

"저의 가속 80여명이 모두 이 도적놈의 손에 죽었으니, 원컨대 승
상께서는 이놈을 능지처참하시어 저의 한을 풀어주십시오."

심배는 태연히 말한다.

"내 살아서는 원씨의 신하요, 죽어서는 원씨의 귀신이라. 너처럼
아무에게나 붙어 남을 참소하고 아첨하며 역적질하는 놈들과는 다르
다. 어서 나를 죽여라."

끝내 뜻을 굽히려 하지 않자 조조는 마침내 심배를 끌고 나가라고
명했다. 형을 집행하는 자리에서 심배는 도부수에게 말했다.

"우리 주인께서 북쪽에 계시는데 내 어찌 남쪽을 보고 죽을 수 있
겠느냐."

그러고는 방향을 바꿔 북쪽을 향해 꿇어엎드려 목을 내밀었다.

후세 사람이 시로써 그의 죽음을 애도했다.

| 하북땅에 명사가 많다지만 | 河北多名士 |
| 심배만한 인물이 누구 있으랴 | 誰如審正南 |

우매한 주인 잘못 만나 죽음 당해도	命因昏主喪
충성된 마음 옛사람과 견줄 만하다	心與古人參
충직한 그의 말 감춤이 없고	忠直言無隱
청렴한 지조, 탐냄이 없어라	廉能志不貪
죽음에 임해서도 북쪽을 향하니	臨亡猶北面
항복한 무리들 낯을 들지 못했네	降者盡羞慚

심배가 죽자, 조조는 그의 충의를 가상히 여겨 기주성 북쪽에다 장사지내주도록 했다.

여러 장수들이 조조에게 입성하기를 청하여 조조가 일어나려 하는데, 도부수들이 사람 하나를 끌고 온다. 가만 바라보니 진림이다. 진림이 가까이 다가오자 조조는 빈정대듯 한마디 했다.

"네가 지난날 원소를 위하여 격문을 지을 때, 나의 죄상만 밝히면 그만이지, 내 아버지와 할아버지까지 욕할 것은 없지 않았느냐?"

진림이 대답한다.

"화살이 시위에 얹힌 이상 나아가지 않을 도리가 있겠소이까?"

좌우에서 아우성치며 당장 죽이라고 권했으나 조조는 진림의 재주를 아깝게 여겨 죄를 용서하고 종사로 삼았다.

조조의 큰아들 조비(曹丕)의 자는 자환(子桓)으로, 이때 나이 열여덟살이었다. 조비가 처음 세상에 태어나던 날엔 푸르고도 붉은 빛을 내는 한조각 구름이 산실(産室) 위를 일산처럼 종일토록 덮고 있었다. 이를 보고 누군가가 조조에게 말했다.

"이 구름의 기운은 천자가 태어날 조짐으로 소위 천자기(天子氣)라 하는데, 더없이 귀한 후사를 보실 징조입니다."

조비는 재주가 뛰어나 여덟살에 능히 글을 짓고, 널리 고금의 서적에 통달했을 뿐만 아니라 말을 잘 탔으며 활 다루는 솜씨와 칼 쓰는 법 또한 매우 탁월했다. 조비는 아버지를 따라 군중에 있다가 기주성이 격파되자 군사들을 거느리고 곧장 성안 원소의 부중으로 향했다. 조비가 말에서 내려 칼을 빼들고 안으로 들어가려 하는데 한 장수가 앞을 막아섰다.

"승상께서 아무도 함부로 들이지 말라 명하셨습니다."

"썩 비켜서지 못할까!"

조비는 한마디로 꾸짖어 물리친 다음, 칼을 들고 성큼성큼 후당으로 들어갔다. 안으로 들어가니 두 부인이 서로 부둥켜안고 울고 있었다. 이를 본 조비는 지체없이 다가가 당장 죽일 태세였다.

4대 공후의 가문 이미 꿈으로 돌아가니	四世公侯已成夢
일가친척 모두 재앙을 만나누나	一家骨肉又遭殃

두 부인의 목숨은 어찌 될 것인가?

33

요동 평정

조비는 난리통에 견씨를 아내로 맞고
곽가는 계책을 남겨 요동을 평정하다

울고 있는 두 여인을 단칼에 베어죽이려던 조비는 문득 붉은 빛이
눈을 어지럽혀서 멈칫하다가 칼을 거두며 묻는다.

"너희들은 누구냐?"

나이 든 부인이 고한다.

"첩은 원장군의 처 유씨입니다."

조비가 다시 묻는다.

"그러면 이 여인은 누구요?"

유씨가 대답한다.

"둘째아들 원희(袁熙)의 처 견(甄)씨입니다. 남편이 유주로 나가 지키고 있는데 멀리 따라가지 않겠다 하여 여기 남아 있었습니다."

조비는 가까이 다가가 견씨의 얼굴을 젖혀보았다. 숯검정이 묻고 흐트러진 머리칼에 가려져 자세히 볼 수가 없다. 조비는 곧 소맷자락으로 여인의 얼굴을 닦아내고 머리칼을 쓸어넘겼다. 순간 조비의 입에서는 저도 모르게 낮은 탄성이 새어나왔다. 백옥 같은 피부에 꽃 같은 얼굴, 경국지색(傾國之色)이었다. 조비는 젊은 여인에게서 눈길을 떼지 못하며 말한다.

"나는 조승상의 아들이오. 당신네 집안을 보호해줄 터이니 아무 걱정 마오."

그러고는 칼을 들고 당상에 올라가 버티고 앉았다.

한편 조조는 장수들을 거느리고 성문을 막 들어서려는 참이었다. 허유가 말을 달려 가까이 다가오더니 채찍을 들어 성문을 가리키며 소리친다.

"아만(阿瞞, 조조의 아명)아, 네 나를 얻지 못했다면 어찌 이 성문을 들어설 수나 있었겠느냐!"

조조는 소리 높여 웃을 뿐 전혀 개의치 않고 그대로 입성했다. 그러나 곁을 따르던 장수들은 허유의 방자한 말에 은근히 부아가 치밀었다. 원소의 저택 문앞에 다다랐을 때 조조가 묻는다.

"아무도 이 안에 들이지 않았으렸다?"

조조의 물음에 수문장의 얼굴은 금방 사색이 되었다.

"아드님께서 안에 계시옵니다."

조조가 당장 조비를 불러 꾸짖는데, 원소의 아내 유씨가 분주히 나와 절하며 고한다.

—
조비는 원희의 처 견씨를 아내로 맞다

"아드님이 아니었다면 저희 집안은 목숨을 보전하지 못했을 것입니다. 견씨를 바칠 터이니 아드님의 처로 삼아주신다면 더 바랄 게 없겠습니다."

조조가 견씨를 부르니, 견씨가 나와 엎드려 절한다. 여인의 아름다운 자태에 반한 듯 한참동안이나 물끄러미 바라보던 조조가 마침내 고개를 끄덕이며 중얼거렸다.

"과연 내 며느릿감이로다."

마침내 조비에게 견씨를 아내로 맞게 했다.

기주를 평정한 조조는 어느날 몸소 원소의 무덤을 찾았다. 제물을 차려놓고 분향재배한 다음, 한차례 섧게 곡을 하더니 좌우를 둘러보며 말한다.

"옛날에 내가 본초(원소의 자)와 더불어 군사를 일으켰을 때, 본초가 나를 보고 '만약에 일이 뜻대로 되지 않을 때에는 어찌하려오?' 하고 물은 적이 있네. 내가 '귀공의 뜻은 어떠하오?' 하고 되물었더니 본초는 '나는 하북 남쪽에 웅거하여 북쪽 연(燕)과 대(代)를 비롯한 사막의 오랑캐들을 막고, 남쪽 중원을 향하여 천하를 겨룬다면 능히 뜻을 이룰 수 있지 않을까 하오' 하는 것이야. 그래서 내가 '천하의 지혜와 힘을 모아 도(道)로써 다스린다면 안될 일이 뭐가 있겠소' 했던 게 바로 엊그젯일 같은데, 그런 그가 죽고 없으니 내 어찌 울지 않을 수 있겠는가."

조조의 말에 사람들이 모두 탄식했다. 조조는 황금과 비단, 양식 등을 원소의 처 유씨에게 내리고, 다시 명한다.

"하북 백성들이 모두 이번 난리로 어려움을 겪고 있으니 올해에는 일체의 세금과 부역을 면제하도록 하라."

그런 한편, 황제께 표문을 올려 기주를 함락시킨 사실을 아뢰고, 조조는 스스로 기주목(冀州牧)이 되어 그곳을 다스렸다. 그러던 어느날 허저가 말을 달려 동문으로 들어가던 중에 마주 달려오던 허유와 마주쳤다. 허유는 허저를 소리쳐 부르더니 또다시 공치사를 한다.

"내가 아니었다면 너희들이 어찌 이 문을 드나들 수 있었겠느냐?"

그렇지 않아도 한번 혼내주고 싶던 차인지라 허저도 지지 않고 대거리를 했다.

"우리가 하나같이 죽음을 무릅쓰고 혈전을 벌인 끝에 이 성을 얻었거늘, 어째서 네 혼자 공인 양 돼먹지 않은 소리를 지껄이는 게냐!"

허유 또한 화가 나서 소리친다.

"너희 모두 별볼일없는 놈들이거늘, 내 어찌 더불어 말을 나누랴."

허저는 더이상 분을 이기지 못하고 번개같이 칼을 빼어 단번에 허유의 목을 베어버렸다. 죽어서야 입을 다문 허유의 머리를 집어들고 허저는 겁도 없이 곧장 조조에게로 가서 아뢰었다.

"허유 이놈이 하도 무례하게 굴기에 홧김에 죽여버렸소이다."

조조는 화를 내며 한탄했다.

"이런! 자원(子遠, 허유의 자)이 나와는 옛 친구라 허물없이 농담을 한 것인데, 그걸 가지고 사람을 죽이기까지 한단 말이냐? 어허, 이런 기막힐 일이 있나!"

조조는 허저를 심하게 꾸짖고, 허유를 후히 장사지내주었다. 이어 조조는 기주의 어진 선비들을 널리 구했다. 기주 백성 하나가 고한다.

"기도위(騎都尉) 최염(崔琰)이란 이가 있는데, 자는 계규(季珪)로 청하군(清河郡) 동무성(東武城) 사람입니다. 일찍이 몇번이나 좋은 계책을 일러주었건만 원소가 듣지 않아, 지금은 병을 핑계로 은거하고 있습니다."

조조는 곧 최염을 불러 기주의 별가종사(別駕從事)로 삼은 다음 말했다.

"내 어제 기주의 호적을 살펴보니 인구가 30만이나 되는 것이 가히 큰 고을이더군."

최염이 정색을 하고 말한다.

"천하가 어지러운 이때, 구주(九州, 중국 전역을 가리킴)가 갈가리 찢기고 두 원씨 형제의 골육상쟁에 휘말려 많은 기주 백성들이 백골이 되어 들판에 나뒹굴고 있습니다. 그런데 승상께서는 풍속을 살펴 백성들을 도탄에서 구하려 하시기보다 먼저 호적부터 살피시니, 이 어찌 기주 백성들이 바라는 바이겠습니까?"

조조는 이 말에 크게 깨달은 바가 있어 얼른 자신의 잘못을 인정하고 이때부터 최염을 상빈(上賓)으로 대접했다.

그후 조조는 사람을 보내 원담의 근황을 알아오게 했다. 그때 원담은 군사를 이끌고 감릉(甘陵)·안평(安平)·발해(渤海)·하간(河間) 등지를 돌아다니며 노략질을 일삼다가, 아우 원상이 조조에게 패하여 중산(中山)으로 달아났다는 소식에 군사를 몰아 쳐들어갔다. 그러나 원상은 이미 전의를 상실하여 유주(幽州)로 달아나 둘째형 원희에게 의탁했다. 이에 원담은 원상의 군사들을 항복시켜 기주를 되찾고자 했다. 이와같은 보고를 받은 조조는 사람을 보내 원담을 불렀다. 그러나 원담은 오지 않았다. 조조는 크게 노하여 딸을 주겠다던 약조를 파기하는 내용의 서신을 띄우고, 몸소 대군을 거느리고 평원으로 나아갔다. 원담은 조조가 대군을 거느리고 쳐들어온다는 보고를 받고, 즉시 형주로 사람을 보내 유표에게 도움을 청했다. 유표가 현덕을 불러

상의하자, 현덕이 말한다.

"지금 조조는 이미 기주를 평정하여 군사들의 사기가 왕성한 터이니, 원씨 형제들의 운명도 결국엔 조조의 손아귀에 놓이고야 말 것입니다. 이러한 때 군사를 내어 돕는 것은 아무런 이득이 없습니다. 더욱이 조조가 호시탐탐 형주와 양양을 엿보고 있는 터이니, 군사를 길러 스스로를 지키며 함부로 움직여서는 아니 될 것입니다."

유표가 말한다.

"그렇다면 무어라 거절하면 좋겠소?"

"원씨 형제들에게 각각 서신을 보내, 화해하라는 명분을 내세워 완곡히 거절하도록 하시지요."

유표는 현덕의 말을 좇아, 먼저 원담에게 서신을 띄웠다.

군자는 난리를 피해도 원수의 나라로는 가지 않는 법이거늘, 일전에 그대가 무릎을 꿇어 조조에게 항복했다 하니, 이는 곧 고인이 된 부친의 원수를 망각한 것이고, 수족 같은 형제의 의를 저버린 처사이며, 동맹을 맺은 사람들에게 수치를 남긴 것이다. 기주의 원상이 아우의 도리를 지키지 못했다 하더라도 마땅히 참고 기다려야 했으며, 서로 도와 사태가 안정된 연후에 천하로 하여금 그 시비곡직(是非曲直)을 가리게 했더라면, 이 또한 의기를 높이는 일이 아니었겠는가.

유표는 원상에게도 글을 보냈다. 그 내용은 대강 다음과 같았다.

청주의 형은 천성이 조급하여 옳고 그름을 잘 가리지 못하였소.

그대는 마땅히 조조를 먼저 제거하여 돌아가신 부친의 한을 풀고 대사를 결정했어야 했네. 그런 뒤에 옳고 그름을 따졌더라면 그보다 좋은 일이 어디 있겠는가? 만약에 여전히 사리분별을 못 가리고 바른길로 돌아오지 않는다면 훌륭한 사냥개 한로(韓盧)와 빠른 토끼 동곽(東郭)처럼 쫓고 쫓기다가 결국에는 둘다 농부에게 잡아먹히는 꼴이 되고 말 것일세.

원담은 유표의 서신을 받고 자기를 도와줄 의사가 없음을 알았다. 혼자 힘으로는 조조를 대적할 길이 없어서 마침내 평원을 버리고 남피(南皮)로 달아났다. 조조는 원담의 뒤를 쫓아 남피로 진격했다. 그러나 때는 엄동설한으로, 날이 매섭게 춥고 물길이 모두 얼어붙어 군량 보급선은 오도가도 못하게 되었다. 조조는 그곳 백성들에게 얼음을 깨고 배를 끌라고 명했다. 그러나 조조의 명을 들은 백성들은 모두 달아나 숨어버렸다. 조조가 크게 노해 소리쳤다.

"달아나는 자는 모두 잡아 참형에 처하라."

백성들은 할수없이 조조의 진영으로 찾아와 용서를 빌었다. 조조가 말한다.

"한번 영을 내린 이상, 내가 너희들을 죽이지 않으면 군령이 바로 서지 못하고, 그렇다고 너희들을 죽이자니 이 또한 차마 못할 짓이다. 그러니 너희들은 이 길로 빨리 산속으로 깊이 들어가 숨어서 내 군사들에게 붙잡히지 않도록 하여라."

조조의 말에 백성들은 모두 감격의 눈물을 흘리며 돌아갔다.

한편 원담은 더이상 달아날 길이 없었다. 어떻게든 승패를 결정지어야겠다는 생각에 군사를 거느리고 남피성 밖으로 나왔다. 양쪽 군사가 마주보고 둥그렇게 진을 치고 나자 조조가 말을 타고 앞으로 나오며 채찍을 들어 꾸짖는다.

"내 너를 후히 대접했건만, 어찌하여 나를 배반한단 말이냐!"

원담이 대꾸한다.

"허튼소리 말아라! 네가 경계를 침범하여 내 성지를 빼앗고 내 처자까지 가로챈 주제에 도리어 무슨 큰소리냐?"

조조가 크게 노하여 서황으로 하여금 나가 싸우게 하니, 원담은 팽안(彭安)을 내보내 맞서게 한다. 두 장수가 서로 어우러져 싸운 지 불과 몇합에 팽안의 목이 맥없이 말 아래로 굴러떨어진다. 조조군이 승세를 타고 대번에 몰아치자 원담군은 크게 패하여 성안으로 쫓겨들어갔다. 조조는 군사를 나누어 남피성을 겹겹이 에워싸고 맹렬히 공격했다. 사태는 점점 불리해졌다. 원담은 황급히 신평을 보내 조조에게 항복할 뜻을 전했다. 조조가 고개를 젓는다.

"원담이 아직 철이 없어 신의를 지킬 줄 모르니 그자의 말을 내가 어찌 믿겠는가? 그대의 아우 신비는 이미 내가 중용했으니 그대도 내 곁에 머물도록 하게."

신평이 정색하고 말한다.

"승상의 말씀은 옳지 않습니다. '주인이 귀하게 되면 신하도 영화롭고, 주인에게 근심스러운 일이 생기면 신하에게도 욕이라'고 들었소이다. 제가 이미 오래 전부터 원씨를 섬겨왔는데, 어찌 이제 와서 배반할 수 있겠소이까?"

조조는 신평을 붙들어둘 수 없음을 알고 그대로 돌려보냈다. 신평이 돌아가, 조조가 항복하는 것도 받아들이지 않더라고 전하자 원담은 불같이 화를 낸다.

"네 아우가 조조를 섬기고 있다고 너도 두 마음을 품는구나!"

참으로 기막힐 노릇이었다. 신평은 억장이 무너져서 멍하니 주인을 바라보다가 그대로 혼절해버렸다. 원담이 좌우에 명하여 부축해 일으키게 했으나 신평은 결국 숨을 거두고 말았다. 그제야 원담은 크게 뉘우치며 신평을 잃은 것을 아쉬워했다. 이때 곽도가 나서며 간한다.

"일이 이 지경에 이르렀으니 내일은 모든 백성들을 동원하여 앞장세우고, 군사들이 뒤를 따르게 하여 조조와 죽기로써 싸워보는 게 어떨는지요."

달리 방도가 없다고 여긴 원담은 곽도의 말에 따르기로 했다. 그날 밤 백성들을 억지로 끌어내 늙은이 젊은이 가리지 않고 칼과 창을 나누어주었다. 그러고는 이튿날 날이 밝아오는 대로 동서남북의 네 성문을 활짝 열어젖히고 백성들을 내몰았다. 백성들을 앞세우고 뒤따라 몰려나온 군사들이 일제히 고함치며 곧장 조조의 영채를 향해 덮쳐들었다. 양군이 어울려 일대 혼전이 벌어졌는데, 진시(辰時, 오전 8시)부터 오시(午時, 오후 12시)에 이르도록 싸웠으나 좀처럼 승부가 나지 않았다. 피비린내나는 살육전이 계속되며 시체만 쌓여갔다.

조조는 싸움만 길어질 뿐 전세가 호전되지 않자 군사들을 독려하기 위해 말을 버리고 산위로 올라가 몸소 북을 쳤다. 북소리가 힘차게 산골짜기를 울렸다. 조조의 군사들이 북소리에 고무되어 사력을 다해 싸우니, 마침내 원담의 군사들은 크게 패하고 죄없는 백성들만 무수히 죽어갔다.

조조의 군사들이 위세를 떨치는 속에 조홍(曹洪)은 용맹을 과시하며 적진을 뚫고 들어갔다. 조홍이 휘두르는 칼날에 원담을 에워싸고 있던 군사들은 일시에 맥없이 쓰러졌다. 원담은 급히 조홍에게 덤벼들었으나 그의 적수가 못되었다. 조홍이 옆으로 비켜나며 원담의 목을 칼로 내리치니 원담은 말에서 떨어져 죽고 말았다.

곽도는 형세가 불리해지자 급히 말을 돌려 성안으로 들어가려 했다. 이를 발견한 악진(樂進)이 활을 쏘아 곽도의 등판을 꿰뚫으니, 말까지도 놀라 발을 헛디디며 사람과 말이 한꺼번에 성밑 해자 속에 처박혀버렸다.

조조는 마침내 군사를 거느리고 남피성으로 들어갔다. 몸소 백성들을 안정시키고 있는데, 난데없이 한떼의 군사가 성밖에 이르렀다는 보고가 들어왔다. 조조가 군사를 거느리고 밖으로 나오자, 두 장수는 무기를 버리고 갑옷을 벗어던지며 말에서 내려 항복한다. 그들은 다름아닌 원희의 부장 초촉(焦觸)과 장남(張南)이었다. 조조는 그들을 열후에 봉했다. 이어서 흑산(黑山)의 산적 괴수 장연(張燕)이 군사 10만을 거느리고 와서 항복했다. 조조는 그를 봉하여 평북장군(平北將軍)으로 삼았다.

조조는 원담의 머리를 북문 밖에 내다걸게 하고, 감히 곡하는 자가 있으면 즉시 목을 베라는 명을 내렸다. 그런데 이게 웬일인가. 조조의 엄명에도 불구하고 한 사람이 굴건(屈巾)에 상복차림으로 원담의 머리 밑에 엎드려 슬피 곡을 하는 게 아닌가. 사람들은 곧 그를 잡아서 조조 앞으로 끌고 갔다. 그 사람은 청주에서 별가(別駕)를 지낸 왕수(王修)였다. 지난날 원담에게 누차 바른 말로 간하다가 쫓겨난 자로, 원담이 죽었다는 소문을 듣고 찾아왔던 것이다. 조조가 묻는다.

"너는 내가 내린 영을 알지 못했느냐?"

"알고 있었소이다."

"그렇다면 죽는 게 두렵지 않단 말이냐?"

왕수가 의연히 대답한다.

"내 일찍이 그분의 녹을 먹었거늘, 그 죽음에 곡조차 아니하면 이는 의리가 아니오. 죽음이 두려워 의리를 저버린다면 무엇으로 세상에 나서겠소? 내 그분의 시신을 거두어 장사지낼 수만 있다면 당장 죽게 된다 하여도 여한이 없겠소이다."

조조의 입에서 절로 탄식이 흘러나온다.

"하북에는 어찌 이다지 의사(義士)가 많단 말인가! 원씨가 이들을 제대로 쓰지 못한 것이 아깝구나! 만약에 원씨가 이들을 등용하여 올바로 썼더라면, 내 어찌 감히 이땅을 넘볼 수 있었으랴!"

조조는 관용을 베풀어 원담의 시신을 거두어 장사지내게 하고, 왕수를 상빈으로 대접하여 사금중랑장(司金中郎將)으로 삼았다. 그런 뒤에 다시 은근히 물었다.

"지금 원상이 원희에게로 가서 의탁하고 있음은 그대도 잘 알고 있을 게요. 그들을 쳐야겠는데 좋은 계책이 없겠소?"

왕수는 입을 봉한 채 끝내 대답이 없다.

"진정 충신이로다!"

조조는 찬탄해마지 않았다. 그러고는 여느 때처럼 곽가에게 계교를 묻는다. 곽가가 말한다.

"원씨에게서 투항해온 초촉과 장남 등을 보내 공격하는 게 어떨까 합니다."

조조는 즉시 초촉·장남·여광·여상·마연·장의로 하여금 각기 군사를 이끌고 세 길로 나누어 유주를 공격하게 했다. 그렇게 하는 한편, 따로 이전과 악진으로 하여금 장연의 10만 대군과 연합하여 병주로 가서 고간을 칠 것을 명했다.

한편 원상과 원희는 조조의 군사가 쳐들어온다는 보고에 대적할 수 없다고 판단했다. 곧 군사를 수습하여 밤을 새워 요서(遼西)의 오환(烏桓)에게로 달아났다. 유주 자사 오환촉(烏桓觸)은 곧 성안의 모든 관원들을 모아놓고, 원씨를 배반하고 조조에게 투항할 것을 제의하며 자신이 먼저 삽혈(歃血, 희생의 피를 마시거나 입술에 바르고 서약하는 일)로써 맹세했다. 그러고는 무리들을 둘러보며 엄숙하게 입을 연다.

"내가 알기로 조승상은 당대의 영웅이오. 우리가 이렇듯 조승상에게 투항하기로 한 이상, 뜻을 같이하지 않는 사람이 있다면 즉시 목을 벨 것이오."

그러자 그 자리에 모인 사람들이 한 사람씩 입술에 피를 바르며 맹세했다. 별가 한형(韓珩)의 차례가 되었다. 그때 한형이 분연히 칼을 땅에 내던지며 소리친다.

"나는 원공 부자의 두터운 은혜를 입은 사람이오. 이제 주인이 패망한 마당에 지모(智謀)로 그들을 구하지 못하고 용기로써 함께 죽지도 못한다면 이는 의리에 크게 어긋나는 일이오. 그런데 북면(北面, 신하가 됨)하여 조조에게 항복해야 한다니, 그게 될 말이오? 나는 죽으면 죽었지 그리는 못하겠소!"

사람들의 낯빛이 일시에 변했다. 잠자코 듣고 있던 오환촉이 입을 연다.

"대체로 큰일을 하려면 대의명분부터 세워야 하는 것은 당연한 일이다. 일이 성사되고 안되는 것이 한 사람에게 달려 있는 것도 아닌지라, 그대의 뜻이 정 그러하다면 스스로 좋을 대로 하라."

오환촉은 한형을 내치고 무리들과 함께 성밖으로 나가 세 길로 오는 군대를 맞이한 후, 그 길로 조조에게 투항했다. 조조는 크게 기뻐

하며 오환촉을 진북장군(鎭北將軍)으로 삼았다. 이때 파발꾼이 달려
와 고한다.

"악진·이전·장연이 연일 병주를 공격하고 있으나 고간이 호관(壺
關) 어귀를 철통같이 지키고 있어 악전고투하고 있습니다."

조조는 서둘러 군사를 지휘하여 병주로 향했다. 세 장수가 조조를
맞이하며 어려움을 호소한다. 조조가 즉시 부하들을 모아 계책을 의
논하니, 순유가 나서서 말한다.

"고간을 격파하려면 사항계(詐降計, 속임수를 써서 항복하는 체함)를 쓰는
것이 옳을 듯합니다."

"그래, 그게 좋겠군."

조조는 순유의 제안에 머리를 끄덕이며, 곧 투항해온 여광과 여상
형제를 불렀다. 그러고는 귓속말로 뭔가를 은밀히 지시한다. 영을 받
은 여광과 여상은 군사 수십명을 거느리고 곧장 호관 어귀로 달려가
크게 외친다.

"우리는 원래 원씨의 수하장수였소. 부득이한 사정으로 조조에게
항복했으나, 조조가 속임수를 잘 쓰는 위인인데다가 우리를 너무도
박대하여 이렇듯 옛주인을 찾아왔으니 빨리 관문을 열어주오!"

고간은 그들을 믿을 수가 없었다. 그래서 직접 관문 위로 올라와 설
명하도록 했다. 여광과 여상은 갑옷을 벗고 말에서 내려 호관으로 걸
어들어가서 고간에게 말했다.

"조조의 군사는 지금 막 도착하여 군심이 안정되지 않은 터입니다.
그러니 오늘밤 이쪽에서 먼저 급습한다면 쉽게 저들을 격파할 수 있
습니다. 저희가 앞장서겠소이다."

드디어 고간의 마음도 움직였다. 그날밤 고간은 여광과 여상을 선

봉으로 삼아 군사 1만여명을 거느리고 야습을 감행했다. 조조의 진영에 다다랐을 때 갑자기 뒤에서 함성이 크게 울리며 사방에서 복병이 쏟아져나온다. 그제야 고간은 계책에 말려들었음을 깨닫고 급히 말머리를 돌린다. 그러나 그때는 이미 악진과 이전에 의해 호관이 점령당한 뒤였다.

고간은 혈로를 뚫고 가까스로 적진을 빠져나와 흉노의 선우(單于)에게로 말을 재촉했다. 조조는 군사를 거느리고 호관을 점령한 다음 고간의 뒤를 쫓게 했다. 선우의 경계에 다다른 고간은 북번(北番) 좌현왕(左賢王, 선우의 왕자)을 만났다. 그는 말에서 내려 절하며 말한다.

"조조가 내 강토를 집어삼키고 이제 다시 왕자의 영토까지 침범하려 하고 있습니다. 엎드려 바라건대 속히 군사를 일으켜 함께 조조를 토벌하여 잃은 땅을 회복하고 북방을 보전하게 해주십시오."

그러나 좌현왕은 냉담하다.

"내가 본래 조조와 원수진 일이 없는데, 그가 내 땅을 침범할 까닭이 어디 있겠소이까? 그대가 공연히 나를 충동질하여 조조와 원수로 만들려는 게지."

좌현왕의 냉대를 받은 고간의 신세는 처량하기만 했다. 눈앞이 캄캄할 뿐 아무리 생각해도 갈 곳이 없었다.

'유표에게나 가서 몸을 의탁해볼까……'

이렇듯 마음을 정하고 말을 달려 상락(上洛)까지 갔으나, 고간은 중도에 도위(都尉) 왕염(王琰)에게 잡혀 죽었다. 왕염이 고간의 머리를 들고 조조에게로 가서 바치니, 조조는 그 또한 열후로 봉했다.

병주까지 수중에 거둔 조조는 다시 무리들을 모아놓고 서쪽의 오환을 공략할 계책을 논했다. 조홍이 말한다.

"크게 패하여 사기가 떨어진 원희와 원상이 멀리 사막으로 도망한 지금, 우리가 서쪽으로 진격했다가 만약에 유비와 유표가 빈틈을 타고 허도를 기습하면 어쩌시렵니까? 그리 되면 군사를 돌려 구하려 해도 때를 놓쳐 큰 화를 부르고야 말 것입니다. 청컨대 더 나아가지 말고 즉시 회군하시는 것이 상책일까 합니다."

모두들 찬성의 뜻을 표하는데 곽가가 반대한다.

"여러분들께선 잘못 생각하고 있소이다. 지금 주공의 위엄은 그 어느 때보다도 널리 천하에 떨쳐 있습니다. 하오나 사막에 사는 무리들은 거리가 먼 것만 믿고 아무런 방비가 없을 터이니, 갑자기 공격한다면 쉽게 무찌를 수 있을 게요. 또한 지난날에 오환이 원소로부터 많은 은혜를 입은데다, 원상과 원희 형제가 저렇듯 살아 있으니 그대로 방치해두어서는 안됩니다. 유표로 말하자면 그저 앉아서 객담이나 즐기는 위인에 불과한지라 말만 앞세울 뿐 재주가 유비만 못하오. 그런 점을 그 자신이 누구보다도 잘 알고 있습니다. 유표는 유비를 쓰지 않고는 아무 일도 못할 것이고, 그렇다고 유비에게 중임을 맡겼다가는 제어하기 어려울 것이니 견제하려 함은 당연한 이치입니다. 그런 형편이니 우리가 허도를 비워두고 원정을 나선다 해도 유비가 무슨 수로 기운을 펴보겠소? 그 점에 대해서는 큰 염려 안하셔도 될 줄로 압니다."

조조는 고개를 끄덕였다.

"봉효(奉孝, 곽가의 자)의 말이 옳소."

드디어 조조는 군사를 일으켜 크고작은 수레 수천여 채를 거느리고 진군을 서둘렀다. 그러나 끝도 없이 이어져 있는 사막에 들어서자 사방에서 누런 모래바람이 일어나고, 길이 험준하여 인마가 한결같이 고생이 막심했다. 조조가 회군할 뜻을 비추려 했을 때 곽가는 이미 물과 토질이 맞지 않은 탓으로 병을 얻어 수레에 실려가는 형편이었다. 조조는 곽가의 수레 곁으로 가서 울며 말한다.

"사막을 평정하려는 내 욕심이 지나쳤던 모양이오. 그대가 이 먼곳까지 와서 고생 끝에 몸져 누우니 내 마음인들 어찌 편안하리오!"

곽가도 눈물을 머금으며 대답한다.

"이몸이 승상의 크나큰 은혜를 입은 터에, 그 은혜의 만분의 일도 갚지 못하고 죽게 될까 그것이 염려될 뿐이옵니다."

"북쪽땅이 이렇게까지 험준할 줄은 참으로 생각지도 못하였소. 내 그만 회군할까 하는데 공의 생각은 어떻소?"

곽가는 조용히 고개를 저으며 대답한다.

"군사를 움직이는 데는 신속함이 최선입니다. 천리 원정길에 군수품이 너무 많아 행군이 어려우니, 장비를 가볍게 하여 속히 이 길을 빠져나가도록 하십시오. 무방비상태에 있는 적병을 한시라도 빨리 무찌르기 위해서는 길을 잘 아는 자를 구해 앞세우고 계속하여 지체없이 진군해야 합니다."

조조는 곽가를 역주(易州)에 남겨두어 몸을 조리하도록 하고, 곽가의 말에 따라 길을 인도할 향도관(嚮導官)을 구했다. 누군가가 원소의 장수였던 전주(田疇)를 천거한다.

"이곳 지리에 밝아 길잡이로는 그만한 이가 없습니다."

조조가 당장 불러 물으니, 전주가 아뢴다.

"이 길은 여름과 가을 사이에는 물이 들어 수레나 말이 가기에는 곤란하고, 그렇다고 배를 띄우기에는 깊지 않아서 움직이기에 가장 어렵습니다. 길을 바꾸어 노룡(盧龍) 어귀로 나가심이 옳을 줄로 압니다. 그런 다음 백단(白檀)의 험한 고개를 넘어 허허벌판을 가로지르면 유성(柳城)에 이르게 될 것이니, 당도하는 즉시 아무 방비도 없는 적을 기습하면 한번 싸움에 답돈(蹋頓, 오환의 족장)을 사로잡을 수 있을 것입니다."

조조는 전주의 말에 따르기로 하고 전주를 정북장군(靖北將軍)에 봉하여 길을 인도하도록 했다. 장요가 그 뒤를 따르고, 자신도 몸소 후군을 거느리고 평소보다 두 배나 빠른 속도로 행진을 재촉했다.

전주가 장요를 이끌고 백랑산(白狼山)에 다다랐을 때 원희와 원상이 답돈과 함께 기병 수만명을 거느리고 다가왔다. 장요가 나는 듯이 달려가 조조에게 고했다. 조조는 말을 달려 높은 곳에 올라가 살펴보았다. 답돈의 군사들은 비록 수는 많으나 대오도 갖춰지지 않았고 도무지 무질서하기 짝이 없었다. 조조가 영을 내렸다.

"적병이 저렇듯 질서가 없는 것을 보니 단숨에 무찌를 수 있겠다. 당장 공격하라."

그러고는 장요에게 지휘권을 일임했다. 장요는 허저·우금·서황을 거느리고 네 길로 나뉘어 산 아래로 달려내려가 적을 급습했다. 그 질풍 같은 기세에 답돈의 군사는 제대로 싸워보지도 못하고 이내 혼란에 빠진다. 장요가 말을 몰아 적군 속으로 뛰어들며 한칼에 답돈의 머리를 베어 말 아래 떨어뜨렸다. 주장을 잃은 답돈의 군사들은 모두 항복했고, 원희와 원상은 수천기를 이끌고 다시 요동으로 달아났다. 조조는 군사를 거두어 유성으로 들어가 전주를 유정후(柳亭侯)에 봉한 뒤 유성을 지킬 것을 명했다. 전주가 눈물을 뿌리며 아뢴다.

"저는 원소의 장수였으나 의리를 저버리고 도망한 사람입니다. 승상의 두터운 은혜로 죽지 않고 살아남은 것만도 다행이라 하겠는데, 어찌 노룡으로 오는 샛길을 팔아 벼슬까지 살 수 있겠소이까? 설사 죽는다 하더라도 작위는 받지 못하겠소이다.”

조조는 그 말을 의롭게 여겨 전주를 의랑(議郞)으로 삼았다. 그러고는 선우의 백성들을 위로하고, 준마 1만필을 거두어들여 곧바로 회군했다. 또다시 고생길이 시작되었다. 날씨가 몹시 춥고 가물어 2백리를 가도록 물 구경을 할 수가 없었다. 뿐만아니라 군량미마저 떨어졌다. 하는 수 없이 말을 잡아서 요기하고 땅을 3, 40길이나 파서 겨우 물을 얻었다.

갖은 고초 끝에 겨우 역주에 도착한 조조는 먼저 요서 정벌을 만류했던 몇몇 장수들에게 후히 상을 내리고 입을 열었다.

“내가 이번에 위험을 무릅쓰고 원정을 해서 요행히 이긴 것은 모두 하늘의 도우심이나, 참으로 무모하기 짝이 없는 짓이었음을 뼈저리게 깨달았노라. 앞서 나에게 간했던 그대들의 혜안을 높이 사는 뜻에서 상을 내리는 것이니, 앞으로도 주저하지 말고 진언토록 하라.”

한편 조조가 역주로 돌아왔을 때 곽가는 이미 죽은 지 여러 날이 되어 영구를 관아에 안치해둔 상태였다. 조조는 직접 제사를 지내며 큰소리로 곡을 한다.

“봉효가 죽다니, 이는 하늘이 나를 버리심이로다!”

그러고는 여러 장수들을 향해 말한다.

“그대들의 나이는 대개 나와 비슷하나 그중 봉효가 가장 젊어서 내 은근히 후사를 부탁할까 했는데, 뜻밖에도 이렇듯 한창 나이에 요절해버리니 참으로 내 마음이 무너지고 오장육부가 찢어지는 것만 같도다!”

슬픔에 잠겨 있는 조조에게 곽가 수하의 장수들이 곽가의 유서를 갖다 바치며 아뢴다.

"곽공께서 임종시에 친필로 서신을 작성하신 후 당부하시기를, 승상께서 만약 이 글대로만 하신다면 요동은 저절로 평정될 것이라고 하셨습니다."

조조는 봉서(封書)를 받아서 펼쳐보더니 몇번이나 머리를 끄덕이며 찬탄해 마지않는다. 조조 외에 곽가의 유서 내용을 아는 사람은 아무도 없었다.

이튿날 하후돈이 여러 장수들을 거느리고 와서 조조에게 아뢴다.

"요동 태수 공손강(公孫康)이 오랫동안 승상께 불복하고 있는데다가 원희·원상 형제가 그리로 갔으니, 이대로 두었다가는 반드시 큰 우환거리가 될 것입니다. 저들이 움직이지 않는 틈을 타서 속히 공격한다면 쉽게 요동을 얻을 수 있을 것 같습니다."

조조가 태연히 웃으며 말한다.

"공연히 그대들의 범 같은 위용을 낭비할 필요가 없다. 며칠 안에 공손강이 두 원씨의 머리를 베어다 바칠 터이니 두고보아라."

무엇을 믿고 하는 말인지 조조는 그렇듯 장담을 했다. 그러나 모든 장수들은 한결같이 곧이듣지 않았다.

한편 원희·원상 형제가 수천기를 거느리고 요동을 향해 달아나고 있을 때, 이 소식은 곧 요동 태수 공손강에게 보고되었다. 공손강은 원래 양평(襄平) 사람으로 무위장군(武威將軍) 공손도(公孫度)의 아들이다. 공손강은 원희와 원상이 요동으로 온다는 소식을 듣고는 모든 관리들을 모아놓고 대책을 의논했다. 공손공(公孫恭)이 말한다.

"원소가 생전에 틈만 나면 우리 요동땅을 삼키려 했던 것은 누구나

다 아는 사실입니다. 그런데 이제 와서 원희·원상 형제가 싸움에 패하고 장수들을 잃은 처지에 갈 곳이 없어지니 어쩔 수 없이 우리에게 의탁하려 하는 것은 비둘기가 까치집을 뺏자는 격입니다. 만약 받아들인다면 이들은 뒤에 반드시 우리를 도모하려 할 것입니다. 그러니 일단 반기는 척하며 성안으로 들인 다음, 목을 베어 저들의 머리를 조조에게 바친다면 조조는 반드시 우리를 후대할 것입니다."

공손강이 말한다.

"그도 그럴 듯한 말이다만, 만일 조조가 군사를 거느리고 요동을 공격해온다면 두 원씨를 받아들여 우리를 돕도록 하는 것이 좋지 않겠는가?"

"그렇다면 곧 사람을 보내 알아보도록 하시지요. 그래서 만약 조조가 이리로 쳐들어올 기미를 보이면 두 원씨를 받아들여 머물게 하고, 그렇지 않을 경우에는 곧 저들을 죽여서 조조에게 보내면 될 일이 아닙니까?"

공손강은 마침내 공손공의 말을 좇기로 하고, 곧 조조의 동정을 살피러 정탐꾼을 보냈다.

그무렵 요동에 다다른 원희와 원상은 앞으로의 일을 의논한다.

"요동에는 군사가 수만이나 되니 그만하면 조조와 한번 싸워볼 만하다. 잠시 의탁했다가 기회를 보아 공손강을 죽이고, 땅을 빼앗아 힘을 기른 다음 중원으로 밀고 나가면 가히 하북 일대를 회복할 수 있을 것이다."

두 사람은 이렇게 뜻을 모으고 성안으로 들어가 공손강과 만나기를 청하였다. 공손강은 그들을 역관에 머물게 하고는 병을 핑계로 선뜻 만나주지 않는다. 그러던 중 조조의 동정을 살피러 갔던 정탐꾼이 돌

원희 · 원상은 요동까지 달아나 최후를 맞이하다

아와 보고한다.

"조조군은 지금 역주에 주둔하고 있는데, 좀처럼 움직이려 하지 않습니다. 요동을 치러 올 낌새는 전혀 보이지 않았습니다."

공손강은 크게 기뻐하며 미리 도부수를 벽 뒤에 숨겨두고 두 원씨를 맞아들였다. 인사를 마친 뒤 주인이 손님에게 자리를 권했다. 그날따라 날씨가 유독 추웠다. 의자에 아무것도 깔리지 않은 것을 본 원상이 주인에게 청한다.

"깔고 앉을 것을 마련해주시면 좋겠소이다."

공손강이 대뜸 눈을 부라리며 꾸짖는다.

"너희 두놈의 머리가 장차 만릿길을 갈 터인데 자리는 깔아 뭐하겠느냐?"

두 형제가 소스라쳐 놀라 멀뚱하니 서로의 얼굴만 바라보는데, 공손강이 다시금 소리친다.

"뭣들 하느냐!"

말이 떨어지기가 무섭게 도부수들이 일제히 달려나와 그 자리에서 두 사람의 목을 베어버렸다. 공손강은 즉시 원씨 형제의 머리를 상자에 담아 역주에 있는 조조에게로 보냈다.

한편 조조가 역주에 머물며 좀처럼 군사를 움직이려 하지 않자 하후돈과 장요가 간한다.

"승상께서 요동을 칠 생각이 없으시다면 하루 속히 허도로 돌아가시지요. 행여라도 유표가 딴마음을 먹지 않을까 염려됩니다."

조조가 대답한다.

"원씨 형제의 머리가 오는 대로 곧 회군하기로 하세."

조조의 말에 모든 장수들이 속으로 코웃음을 치는데, 문득 군사가 들어와 고하기를, 요동 태수 공손강이 사람을 시켜서 원희·원상의 머리를 보내왔다고 한다. 이 소식에 모든 장수들이 하나같이 놀랐다. 요동에서 온 사자가 서신을 바치자 조조는 기뻐하며 중얼거린다.

"봉효가 예측한 대로구먼."

조조는 사자에게 후히 상을 내리고, 공손강을 양평후(襄平侯) 좌장군(左將軍)으로 삼았다. 사람들이 도무지 납득이 가지 않아 한입으로 묻는다.

"봉효가 예측했던 대로라니, 무슨 말씀이십니까?"

조조는 그제야 곽가의 유서를 꺼내어 사람들에게 공개했다.

지금 소문에 의하면 원희와 원상이 요동을 바라고 달아났다 하오니, 명공께서는 절대로 군사를 움직여서는 아니 됩니다. 공손강은 오래 전부터 원소가 요동땅을 침범할까 두려워해왔습니다. 그런데 두 원씨가 그리로 갔으니 의심없이 선뜻 받아들이려 하지 않을 것은 자명한 일입니다. 이런 때에 공께서 군사를 일으켜 그들을 친다면 공손강은 반드시 두 사람과 힘을 합해 대항하려 할 것입니다. 그러나 마음을 느긋하게 가지고 기다린다면 공손강은 반드시 원씨를 도모하려 할 것이니, 승상께서는 저절로 원하시는 바를 얻게 될 것입니다.

모두들 크게 감복하며 곽가의 지모를 찬탄해 마지않았다. 조조는 여러 관리들을 거느리고 다시 곽가의 영전에 제사를 지냈다. 이때 곽가의 나이 38세, 조조를 따라 종군한 11년 세월 동안 참으로 많은 공을 세웠다.

후세 사람들이 시를 지어 그를 기렸다.

하늘이 내신 인물 곽봉효	天生郭奉孝
뭇 영웅 중의 호걸이었도다	豪傑冠羣英
뱃속에 경사의 지식 감추고	腹內藏經史
가슴속에 병법의 슬기 숨겼네	胸中隱甲兵
지모를 운용하기는 범여와 같고	運謀如范蠡
책략을 결정함은 진평과 같더라	決策似陳平
애석하다, 몸이 먼저 죽으니	可惜身先喪
중원의 대들보가 기우누나	中原梁棟傾

군사를 거느리고 기주로 돌아온 조조는 사람을 시켜 제일 먼저 곽가의 영구를 허도로 옮겨 안장하게 했다. 정욱 등이 청한다.

"북방은 이미 평정하셨으니 이제는 허도로 돌아가 속히 강남으로 밀고 내려갈 계책을 세우시지요."

조조가 웃으며 답한다.

"나 또한 그런 생각을 한 지 오래일세. 그대들의 말이 바로 내 마음과 같도다."

그날밤 기주에서 묵게 된 조조는 기주성 동쪽 누각에 올라 난간에 기대어 천문을 보았다. 곁에는 순유가 서 있었다. 조조가 손을 들어 남쪽 하늘을 가리키며 말한다.

"남방의 왕성한 기운이 저렇듯 찬연하니 강남을 도모하기가 쉬울 것 같지 않소."

순유가 아뢴다.

"승상의 하늘 같은 위엄으로 무엇인들 복종시키지 못하겠습니까?"

바로 이때였다. 한가닥 찬란한 빛이 땅속으로부터 솟아오르는 것이 보였다. 순유가 다시 말한다.

"저 땅속에 필시 귀한 물건이 있을 것입니다."

조조는 곧 누각에서 내려가 군사들에게 그 자리를 파보게 했다.

별빛은 바야흐로 남방을 가리키는데　　　　　　星文方嚮南中指
황금 보배 오히려 북쪽땅에서 빛이 나네　　　　金寶旋從北地生

조조가 얻게 될 물건은 과연 무엇일까?

단계를 건너뛰다

채부인은 병풍 뒤에서 밀담을 엿듣고
유황숙은 말을 타고 단계를 건너뛰다

찬란한 황금빛 광채가 솟아나온 지점을 파보니, 구리로 만든 참새 형상을 한 물건이 나왔다. 이른바 동작(銅雀)이다. 조조가 순유를 돌아보며 묻는다.

"이것은 무슨 조짐인가?"

"옛날에 순(舜)임금의 어머니가 꿈에 옥으로 만든 참새가 품으로 날아드는 것을 보고 순임금을 낳았다 하니, 오늘 동작을 얻은 것 또한 길조가 아닌가 싶습니다."

조조는 크게 기뻐하며 높은 대를 쌓아 이를 경축하도록 명했다. 그

날로 흙을 파고 나무를 자르고 기와를 굽고 벽돌을 다듬는 작업이 시
작되어 장하(漳河)의 물가에 동작대(銅雀臺)를 건축하는데, 완성되기
까지 무려 1년 동안이나 공사가 계속되었다. 작은아들 조식(曹植)이
조조에게 아뢴다.

"어차피 대를 세우시려면 세 개를 세우시는 게 어떨는지요. 가운데
가장 높은 것은 동작대라 하고 왼쪽 것은 옥룡(玉龍), 오른쪽 것은 금
봉(金鳳)이라 이름하여 서로 오갈 수 있게 구름다리로 연결하면 가히
장관일 듯싶습니다."

"참으로 좋은 생각이다. 대가 완성되면 노후를 즐기기에 이만한 곳
이 또 어디 있겠느냐?"

조조는 매우 만족해하며 연신 고개를 끄덕였다. 조조에게는 아들
다섯이 있었는데, 그중에서도 조식이 가장 영민하고 지혜로울 뿐 아
니라 문장에도 뛰어나 평소에 조조가 가장 총애하는 터였다.

조조는 조식과 조비를 업군(鄴郡)에 남겨두어 동작대 건립을 보살
피게 하고, 장연으로 하여금 북쪽 영채를 지키게 했다. 그런 다음 자
신은 투항한 원소의 군사들을 거두어 허도로 돌아가니, 군세가 5, 60
만에 이르러 그 힘이 더욱 강성해졌다.

허도에 돌아온 조조는 즉시 공신들에게 벼슬을 내리고 그 노고를
높이 치하했다. 또한 죽은 곽가에게는 시호(諡號)로 정후(貞侯)를 내
려 그 공을 기리는 한편, 곽가의 아들 혁(奕)을 거두어 부중에서 친아
들처럼 돌보았다.

이제 조조에게 남은 일은 남방의 유표를 쳐서 천하를 평정하는 일
이었다. 다시 여러 모사들을 모아놓고 계책을 논하는데 순욱이 나서
며 간한다.

유비가 의탁할 당시 유표의 세력범위

"모든 군사들이 방금 북정길에서 돌아왔는데 숨돌릴 틈도 없이 다시 군사를 움직이는 것은 옳지 않습니다. 앞으로 반년 동안만이라도 쉬면서 정신을 가다듬고 기량을 쌓는다면, 유표와 손권쯤이야 출정하여 북 한번 울리는 것으로도 사로잡을 수 있습니다."

조조는 순욱의 진언에 따라 군사를 나누어 주둔시키고 당분간 훈련에만 힘쓸 것을 명했다.

한편 유현덕은 형주에 있는 유표에게 의탁한 뒤로 융숭한 대접을 받으며 편안한 나날을 보내고 있었다. 하루는 유표와 현덕이 마주앉아 술잔을 기울이고 있는데 뜻하지 않은 급보가 날아들었다. 항복해 온 장수 장무(張武)와 진손(陳孫)이 강하(江夏)땅에서 백성들을 노략질하며 함께 반란을 일으키려 한다는 것이다.

"두 도적이 모반한다면 그 화가 적지 않겠구나."

유표가 놀라는 기색을 보이자 현덕이 조용히 말한다.

"형님께서는 아무 근심 마십시오. 제가 가서 그 도적들을 토벌하겠습니다."

유표는 크게 기뻐하여 즉시 군사 3만을 내주어 떠나도록 했다. 현덕은 군사들을 거느리고 지체없이 형주를 떠났다. 하루가 지나기 전에 현덕 일행은 강하에 이르렀다. 장무와 진손이 군사를 거느리고 나와 맞선다. 관우와 장비, 조자룡과 함께 문기 아래에 나가선 현덕은 장무가 타고 있는 준마를 보고 자기도 모르게 중얼거렸다.

"저것은 필시 천리마로다!"

그 말이 채 끝나기도 전에 조자룡이 창을 치켜들고 적진을 향해 쏜살같이 내닫는다. 장무가 곧 말을 달려나와 맞섰으나, 조자룡의 적수가 아니었다. 3합도 못되어 한창에 장무의 배를 찔러 말 아래 거꾸러뜨린 조자룡은 잽싸게 팔을 뻗어 말고삐를 움켜잡고 돌아왔다.

진손이 빼앗긴 말을 되찾기 위해 추격해왔다. 이에 맞서 장비가 우렁찬 소리로 고함을 지르더니 장팔사모를 휘두르며 달려나가 한창에 찔러죽인다. 주인을 잃은 무리들은 감히 싸워볼 엄두도 내지 못하고 그대로 흩어져 달아나버렸다.

현덕은 이렇게 강하 일대를 평정하고 적의 잔당과 백성들을 위로한 후 형주로 돌아왔다. 유표는 멀리 성밖까지 나와서 현덕 일행을 맞아들였다. 크게 잔치를 베풀어 전승을 축하하는 자리에서 술이 웬만큼 올랐을 때 유표가 말한다.

"아우님이 이처럼 영웅호걸이니 우리 형주땅은 아무 염려가 없소.

허나 남월(南越)이 언제 쳐들어올지 모르고, 장로(張魯)와 손권 또한 만만치 않은 상대인지라 마냥 안심하고 있을 순 없으니 어찌하면 좋겠소?"

현덕이 말한다.

"이 아우에게 세 장수가 있어 족히 쓸 만하니, 장비로 하여금 남월 경계를 순찰하게 하고, 관우는 고자성(固子城)에 보내 장로를 진압하게 하며, 조자룡에게는 삼강(三江)에 있는 손권을 견제토록 한다면, 달리 근심할 일이 또 무엇이겠습니까?"

유표는 몹시 흡족해하며 당장 실행에 옮길 것을 명했다. 채모가 이 사실을 누이 채부인에게 고했다.

"유비가 세 장수는 밖에 나가 있게 하고 자신은 형주에 남아 있으려 하니, 그리 되면 반드시 후환이 있을 것입니다."

밤이 되어 채부인은 유표가 잠자리에 들기를 기다렸다가 가만히 말한다.

"소문을 들으니 근자에 유비의 처소에 많은 형주사람들의 발걸음이 잦다고 합니다. 이는 예사롭게 보아넘길 일이 아닙니다. 유비를 계속해서 성안에 머물게 했다가는 이로울 것이 없으니 다른 곳으로 보내도록 하세요."

유표가 말한다.

"괜한 걱정 마시오. 현덕은 어진 사람이야."

유표의 말에 채부인은 쏘아붙인다.

"그렇게만 믿고 계시구려. 사람 마음이 다 당신 같은 줄 아시우?"

유표는 더이상 대꾸하지 않고 입을 다물었다.

다음날 유표는 성밖에 나갔다가 현덕과 마주쳤다. 현덕이 타고 있는 말을 보고 묻는다.

"전에 타고 다니던 말이 아닌 것 같은데, 어디서 그런 좋은 말을 구했소?"

"저번 강하 싸움에서 조자룡이 적을 치고 빼앗은 것으로, 장무가 타던 말입니다."

"허어, 그것 참 보기 드문 명마로군."

유표가 탐나는 듯 몇번이나 말을 칭찬하자 현덕은 선뜻 내준다.

"마음에 드신다면 형님께 드리겠습니다."

유표는 크게 기뻐하며 사양하지 않고 그 말을 받았다. 유표가 말을 타고 성안으로 돌아오는데, 이를 본 괴월(蒯越)이 다가와 묻는다.

"못 보던 말인데, 어디서 난 것입니까?"

"현덕이 내게 주었네."

유표의 대답에 괴월은 다시금 말을 찬찬히 살펴보더니 입을 연다.

"말의 상(相)을 보는 데는 돌아가신 저의 괴량(蒯良) 형님만한 분이 없지만, 저도 웬만큼은 볼 줄 압니다. 눈 아래가 움푹 패어 눈물이 고일 정도이고 이마에 흰점이 있는 것으로 보아, 이는 적로마(的盧馬)임에 틀림없습니다. 적로마는 반드시 주인을 해치는 말이라, 장무도 이 말 때문에 죽은 것입니다. 주공께서는 이 말을 타지 않으시는 게 좋겠습니다."

이 말을 들은 유표는 이튿날 현덕을 청하여 함께 술을 마시다가 넌지시 입을 연다.

"어제는 말이 탐나 받기는 하였지만, 생각해보니 아우님은 언제 또 싸움터에 나가야 할지 모르는 몸이라, 도로 돌려드리는 게 좋겠소."

현덕이 일어나 감사의 뜻을 표했다. 유표는 다시 말을 잇는다.

"아우님이 이곳에 너무 오래 머무르면 무예가 녹슬지 않을까 염려스러워 제안하는 것인데, 양양(襄陽)의 신야현(新野縣)에 가 있으면 어떨까 싶소. 그곳은 물자와 식량이 넉넉한 편이라 군사를 거느리고 가서 주둔하며 심신을 단련하기에 맞춤한 곳이오."

현덕은 유표의 제안을 쾌히 받아들였다.

다음날 현덕이 유표에게 하직인사를 올린 뒤 군사를 이끌고 성문을 나서는데, 웬 사람이 다가와 정중히 절하고 말한다.

"공은 부디 그 말을 타지 마십시오."

그 사람은 형주의 막빈(幕賓)으로 있는 이적(伊籍)으로, 자는 기백(機伯)이며, 산양(山陽) 출신이다. 현덕이 재빨리 말에서 뛰어내려 까닭을 물으니 이적이 대답한다.

"어제 괴월이 유형주(劉荊州, 유표)께 고하는 것을 들으니, 이 말은 적로마라 반드시 그 주인을 해친다고 합니다. 그래서 공에게 돌려주신 것이니 부디 다시는 타지 마십시오."

현덕이 말한다.

"저를 아끼시는 말씀에 참으로 감사드립니다. 그러나 사람이 죽고 사는 것은 하늘의 뜻인 것을, 어찌 한필 말에 달렸다 할 수 있겠소이까?"

이적은 유현덕의 대답에 탄복하여 이때부터 현덕을 공경하며 따르게 되었다.

현덕이 신야현에 도착하니 군사와 백성들이 한결같이 기뻐했고, 정치도 새로워졌다.

세월이 흘러 어느덧 건안 12년(207) 봄, 감부인이 유비 평생의 일점혈육인 유선(劉禪)을 낳았다. 그날밤 백학 한쌍이 관아 지붕 위에 날아와 마흔 번 가량을 높이 울다가 서쪽으로 날아가더니, 분만시에는 기이한 향기가 방안에 가득했다. 감부인은 태몽으로 북두칠성을 삼키는 꿈을 꾸고 유선을 잉태한지라, 그의 아명을 '아두(阿斗)'라 불렀다.

이때는 조조가 군사를 거느리고 북정길에 올랐을 무렵이다. 현덕은 형주로 유표를 찾아가 말했다.

"지금 조조가 군사를 있는 대로 동원하여 북방정벌에 나섰으니 허도는 빈 것이나 다름없습니다. 이런 때를 틈타 형주와 양양의 군사를 일으켜 기습한다면 가히 대사를 이룰 수 있을 것입니다."

유표는 듣지 않는다.

"나는 지금 아홉 고을을 차지하고 있는 것만으로도 족한데 무엇을 더 도모하겠소?"

현덕은 모처럼의 기회를 놓치는 것이 안타까웠으나 더이상 아무 말도 하지 않았다. 유표는 현덕을 후당으로 청하여 술자리를 벌였다. 술이 서너 순배 돌았을 때 유표는 길게 한숨을 내쉰다. 현덕이 놀라서 묻는다.

"형님께서는 어인 한숨이십니까?"

"근심거리가 하나 있는데 털어놓을 수도 없고 답답할 뿐이오."

"근심되는 일이라니요?"

이때였다. 갑자기 병풍 뒤에서 채부인이 불쑥 나와 유표를 노려보는 게 아닌가. 유표는 더는 말하지 못하고 고개를 숙인 채 입을 다물어버렸다. 술자리가 파한 뒤 현덕은 곧장 신야로 돌아왔다.

그해 겨울, 조조가 북정을 마치고 유성에서 허도로 돌아왔다는 소문이 들려왔다. 현덕은 유표가 자기 말을 듣지 않아 두번 다시 얻기 힘든 기회를 놓치고 만 것이 생각할수록 한스러웠다.

그즈음 유표가 사람을 보내 현덕을 청했다. 현덕은 곧 사자를 따라서 형주로 갔다. 유표는 늘 그랬듯이 후당에 술자리를 마련하여 현덕과 마주앉았다. 이번에도 웬만큼 취기가 오르자 비로소 입을 연다.

"근자에 들으니, 조조가 군사를 거느리고 허도로 돌아가 그 위세가 날로 강성해져서 머지않아 우리 형주와 양양까지 아우를 작정이라니, 여간 걱정이 아니오. 지금 생각하니 일전에 아우님 말씀을 듣지 않아 그 좋은 기회를 잃고 만 것이 후회스럽소."

현덕이 위로한다.

"지금 천하가 분열되어 하루가 멀다 하고 싸움이 일어나는 판에 어찌 또 기회가 없겠습니까? 앞으로 때를 기다려서 잘 대처하신다면 후회하실 일만은 아닐 겁니다."

"그렇지, 그래. 아우님 말씀이 옳소이다."

두 사람은 권커니 잣거니하며 계속해서 술잔을 기울였다. 한창 마시다가 어지간히 취했는지 돌연 유표의 두 눈에서 눈물이 주르륵 흘러내린다.

"형님, 왜 그러십니까?"

현덕이 놀라서 묻자 유표가 대답한다.

"전에도 사정이 있어 말씀드리려다가 못했소만, 요사이 내 마음이 여간 괴로운 게 아니외다."

"무슨 어려운 일이 있으십니까? 제가 도울 수 있는 일이라면 목숨을 걸고서라도 돕겠습니다."

"다른 게 아니라 집안 문제요. 내 전처 진(陳)씨의 소생인 맏아들 기(琦)는 어질기는 하지만 너무 나약해서 일을 맡길 수가 없고, 후처 채(蔡)씨 소생 종(琮)은 매우 총명하여 후사로 정하기에 손색이 없으나, 장자를 폐하고 작은아들을 세운다면 예법에 어긋나지 않겠소이까? 예법에 따라 장자를 세우려 해도 채씨 문중이 모든 병권을 장악하고 있으니 후에 난을 일으킬 게 뻔하고, 이럴 수도 저럴 수도 없어 여간 근심이 아니라오."

유표의 말을 듣고 나서 현덕이 정색하고 말한다.

"자고로 장자를 폐하고 작은아들을 후사로 세우면 시끄러워지는 것은 자명한 일입니다. 만약 채씨의 권세가 지나치다면 서서히 억제해나가십시오. 정에 이끌려 어린 자식을 세우시는 것은 결코 옳지 않습니다."

유표는 묵묵히 침묵을 지킬 뿐 말이 없다. 실상 현덕은 자신이 얼마나 경솔한 행동을 했는지 미처 깨닫지 못하고 있었다. 본래부터 채부인은 유현덕을 경계하던 터라 남편이 그와 이야기를 할 때면 반드시 숨어서 엿듣곤 했는데, 이때도 어김없이 병풍 뒤에 숨어 현덕의 말을 엿듣고 이를 갈고 있었다. 침묵 속에서 한참을 앉아 있던 현덕은 아무래도 공연한 소리를 했다는 생각이 들어 변소에 가는 척하며 자리에서 일어났다.

밖으로 나온 현덕은 무심코 자신의 넓적다리를 보고 자기도 모르게 주르르 눈물을 흘렸다. 넓적다리에 두둑하니 살이 오른 게 너무도 한심스럽게 여겨진 탓이다. 다시 자리로 돌아온 현덕의 얼굴에 눈물자국이 있는 것을 보고 이상히 여겨 유표가 묻는다.

"무슨 일이오?"

현덕이 길게 탄식하며 대답한다.

"전에는 하루도 몸이 말안장을 떠나지 않아 허벅지에 살이라곤 없었는데, 근자에 오랫동안 말을 타지 않았더니 살이 많이 올랐습니다.

이렇다 할 공적도 세우지 못한 채 세월만 덧없이 흘러 벌써 장년기에 접어들었으니 참으로 서러운 생각이 듭니다."

유표가 말한다.

"내가 들은 바로는 아우님께서 허도에 있을 때, 조조와 더불어 푸른 매실을 안주삼아 술을 마시며 함께 영웅을 논한 일이 있다지요? 그때 아우가 당세의 명사를 다 열거했으나 조조는 받아들이지 않고 천하의 영웅은 오직 아우님과 조조 자신뿐이라 했다고 들었소. 그렇듯 권력을 가진 조조마저도 아우님을 만만히 보지 못하는데 어찌 공적을 세우지 못할까 근심을 하오?"

술탓인지, 현덕은 이번에도 그만 실언을 하고 말았다.

"사실 저에게 기반이 될 힘만 있다면 천하의 녹록한 무리들쯤이야 무어 두려울 게 있겠습니까?"

유표는 다시 입을 다물어버렸다. 현덕은 비로소 자신이 실언했음을 깨닫고 취했다는 핑계로 서둘러 역관으로 돌아왔다.

후에 어떤 사람이 시를 지어 찬탄했다.

조조가 첫 손가락 꼽으며 말했다네	曹公屈指從頭數
천하영웅은 오직 그대라고	天下英雄獨使君
허벅지에 살 오른다고 탄식을 하니	髀肉復生猶感嘆
어찌 천하삼분으로 나아가지 않으랴	爭教寰宇不三分

현덕의 말에 유표는 내색하지는 않았으나 심사가 좋지 않았다. 유비를 보내고 안채로 들어가니 채부인이 입을 연다.

"내가 아까 병풍 뒤에서 가만히 엿듣자니, 유비가 남을 아주 업신여기는 투가 조만간 우리 형주를 집어삼키려는 뜻이 역력합디다. 속히 그를 없애지 않으면 반드시 후환이 될 테니 두고보세요."

유표는 그 말에 아무런 대꾸 없이 다만 머리를 흔들 뿐이다. 조바심이 난 채부인이 은밀히 채모를 불러들여 상의했다. 채모가 말한다.

"다른 방도가 없습니다. 지금 역관에서 쉬고 있으니 일단 죽여없애고 나중에 주공께 고하기로 하지요."

채부인은 채모의 뜻에 따르기로 한다. 밖으로 나온 채모는 곧 군사를 점검하기 시작했다.

이때 현덕은 역관으로 돌아와 등불을 밝히고 앉아 이 생각 저 생각에 잠겨 있었다. 3경이 지나서야 비로소 잠자리에 들려 하는데, 문득 누군가 문을 두드리더니 황급히 안으로 들어온다. 바로 이적이었다. 그는 채모가 현덕을 해치려는 낌새를 눈치채고 급히 알리러 온 것이다. 이적은 채모가 곧 군사를 거느리고 들이닥칠 것이니 속히 떠나라고 재촉이다. 그러나 현덕은 말한다.

"형님께 하직인사도 여쭙지 않고서 어떻게 그냥 간단 말이오?"

"공이 만약 하직인사를 하러 가신다면 반드시 채모의 손에 화를 입고야 말 것입니다. 어서 서두르셔야 합니다."

이적의 다급한 말에 현덕은 깊은 감사의 뜻을 표하고 작별한 뒤 종자를 깨웠다. 현덕 일행은 급히 말에 올라 날이 밝기 전에 곧장 신야로 향했다.

채모가 군사를 거느리고 역관에 도착했을 때는 현덕이 이미 멀리 떠나간 뒤였다. 채모는 발을 구르며 몹시 분해했다. 생각 끝에 채모는 현덕을 모함할 생각으로 벽에 시를 한수 써놓고 곧장 유표에게로 갔다.

"유비에게 모반할 뜻이 있었던 게 틀림없습니다. 역관 벽에 반역시를 써놓고 하직인사도 하지 않은 채 달아나버렸는데, 시 내용이 심상치 않습니다."

"현덕이 가버렸다구?"

유표는 믿어지지 않아 직접 역관으로 가서 보니 과연 시구 네 구절이 눈에 띄었다.

몇해를 속절없이 곤궁하게 지냈던고?	數年徒守困
옛 산천을 바라보며 허송세월하였느니	空對舊山川
용이 어찌 못 속에 갇혀 있으랴	龍豈池中物
우레를 타고 하늘로 오르려는도다	乘雷欲上天

유표는 시를 보고 크게 노했다. 저도 모르게 허리에 찬 칼을 빼어들며 중얼거렸다.

"내 맹세코 이런 의리없는 놈은 죽이고야 말 테다!"

몇 걸음 옮기다 말고 유표는 문득 깨닫는 바가 있었다.

'내가 현덕과 오랫동안 함께 지냈어도 일찍이 시를 짓는 것을 본 일이 없거늘, 이는 분명 누군가가 우리 두 사람 사이를 이간하려고 꾸민 짓이야.'

생각이 여기에 미치자 유표는 역관으로 다시 들어가 칼끝으로 벽에 씌어진 시를 긁어버린 후 칼을 내던지고 말에 올랐다. 채모가 앞으로 나서며 청한다.

"군사들은 이미 점검해두었습니다. 당장이라도 신야로 가서 유비를 사로잡아오겠습니다."

유표가 답한다.

"그리 서두를 것 없네. 천천히 보아가며 하세나."

채모는 유표가 쉽게 결단하지 못하는 것을 보고, 다시 몰래 채부인을 찾아가 상의했다.

"시일을 끄는 것은 좋지 않으니 당장 모든 관리들을 양양에 모이게 하여 유비를 도모할까 합니다."

채부인은 무조건 고개를 끄덕였다.

"일이 되도록만 하게."

뜻이 정해지자 채모는 다음날 유표에게 찾아가 말한다.

"근년에 풍년이 들어 농사가 잘되었으니 각지의 관원들을 양양에 모아 위무하고 격려하는 자리를 마련할까 합니다. 주공께서도 친히 참석해주십시오."

유표가 말한다.

"내 요사이 몸이 불편해서 가지 못하겠네. 두 아들놈으로 대신하여 손님들을 대접하도록 하게나."

"두 공자가 나이 어려 실례를 범하지나 않을까 우려됩니다."

"그렇다면 신야로 사람을 보내 현덕을 청하여 대신케 하면 어떻겠는가?"

"그럼, 그리하겠습니다."

채모는 일이 자기 계책대로 들어맞아 속으로 쾌재를 불렀다. 그는 곧 사람을 보내어 현덕을 양양으로 청했다.

한편 도망치듯 신야로 돌아온 현덕은 순간적인 말실수로 뜻밖의 화를 자초하게 된 것을 후회하며 그 사실을 아무에게도 말하지 않고 있었다. 그런 중에 형주에서 양양으로 오라는 전갈이 왔다. 줄곧 현덕을 지켜보던 손건이 말한다.

"주공께서 어제 황급히 돌아오신 후로 줄곧 언짢은 표정이신데 어인 연유이십니까? 저의 어리석은 생각으론 형주에서 좋지 않은 일이 있었던 것으로 짐작되는데, 오늘 갑자기 사자가 와서 양양 잔치에 나오라 청하니 뭔가 석연치가 않습니다."

현덕은 그제야 여러 사람에게 형주에서의 일을 털어놓았다. 관운장이 말한다.

"형님께서는 스스로 실언하셨다 생각하지만 유표는 실상 책망할 뜻이 없는 듯합니다. 그러니 자기 대신 공사를 맡아달라는 것이 아니겠습니까? 또한 남의 말은 함부로 믿을 것이 못되는데다, 양양은 예서 멀지 않은데, 만약 가시지 않았다가는 도리어 유표의 의혹을 살 것입니다."

현덕은 고개를 끄덕인다.

"그래, 듣고 보니 그렇구먼."

장비는 반대였다.

"잔치에 좋은 잔치 없고 모임에 좋은 모임 없답디다. 가서 좋을 일이란 콩알만큼도 없는 터에 구태여 갈 것이 무엇이우?"

조자룡이 입을 연다.

"제가 기병과 보병 3백명을 이끌고 가서 주공을 모시겠습니다."

현덕은 쾌히 응낙한다.

"그래 그래. 그렇게 하면 좋겠구먼."

현덕은 마침내 조자룡과 함께 양양으로 향했다. 채모가 성밖까지 나와 겸손하게 맞이한다. 유기와 유종 두 공자도 문무관료들을 데리고 나와서 영접한다. 현덕은 유표의 두 아들까지 나와서 자기를 맞는 것을 보고 내심 안심했다.

현덕은 잠시 쉬기 위해 역관에 들어갔다. 조자룡은 3백명의 군사들로 하여금 역관 안팎을 둘러 경호하게 하며 자신도 갑옷차림으로 칼을 차고서 한시도 유현덕의 곁을 떠나려 하지 않았다. 유기가 현덕에게 말한다.

"아버님께서는 몸이 좋지 않으셔서 나오시지 못하고, 특별히 숙부님을 청하여 각처 관리들을 위로하고 격려하도록 부탁하셨습니다."

현덕이 대답한다.

"내가 그렇듯 중한 소임을 어찌 감당하겠나마는, 형님의 분부이시니 따를 수밖에 없네."

이튿날 인근의 9군(郡) 42개 주(州) 관원들이 모두 모였다는 보고가 들어왔다. 채모는 가만히 괴월을 불러 의논한다.

"유비는 천하영웅 중의 영웅이니 이곳에 오래 머물게 되면 반드시 후환이 있을 것이오. 아무래도 오늘 안으로 없애버려야만 하겠소."

괴월이 말한다.

"현덕으로 말하면 이곳 선비들과 백성들 사이에 인망이 높은 사람인데, 그랬다가 민심을 잃게 될까 두렵소이다."

"내 이미 주공의 지시를 받았소."

"그렇다면 준비를 해야지요."

"준비는 이미 되어 있소. 동문 밖 현산(峴山)으로 통하는 큰길에 내 아우 채화(蔡和)가 군사를 거느리고 지켜서 있고, 남문 밖에는 채중(蔡中)이, 북문 밖은 채훈(蔡勳)이 지키고 있소. 서문 쪽은 지킬 필요가 없는 것이, 그곳은 깊은 단계(檀溪)가 앞을 가로막고 있으니 비록 수만 군사라 할지라도 건너기 어렵소."

"그렇긴 하지만 조자룡이 잠시도 현덕의 곁을 떠나지 않으니 손을 쓰기가 쉽지 않겠습디다."

"내 이미 군사 5백명을 성안에 매복시켜두었소."

"그래도 내 생각 같아서는 문빙(文聘)과 왕위(王威)로 하여금 외청 (外廳)에다 따로 자리를 만들어 무장들을 대접하게 하되, 먼저 조자 룡을 청해 들인 후 일을 시작하는 것이 좋겠습니다."

"좋은 생각이오."

채모는 괴월의 말에 따라 당장 소와 말을 잡아 연석을 크게 베풀었 다. 이런 흉계를 알 리 없는 유현덕은 관아에 들어 적로마를 후원에 매어두게 한 다음 각처 관원들이 모여 있는 당 안으로 들어갔다. 유현 덕이 상석에 앉고 유표의 두 아들이 좌우로 앉았다. 다른 사람들도 모 두 직위에 따라 차례로 자리를 잡고 앉았다. 조자룡이 칼을 차고 현덕 을 호위하는데, 문빙과 왕위 두 장수가 들어와 외청으로 나가기를 청 했다. 조자룡이 사양하며 가려 하지 않자 현덕이 말한다.

"외청에 무장들의 연석을 마련한 모양이니 여기 걱정은 말고 나가 보아라."

유현덕이 거듭 권하여 조자룡은 하는 수 없이 문빙과 왕위를 따라 밖으로 나갔다. 이때 채모는 철통 같은 방비를 해놓았다. 현덕이 이끌 고 온 3백명 군사들에게도 술을 주어 모조리 역관으로 보내고, 만반 의 준비를 갖춘 채 때만 기다리고 있었다.

술이 세 순배쯤 돌았을 때다. 이적이 술잔을 들고 현덕의 곁으로 오 더니 슬쩍 눈짓을 하며 낮게 속삭인다.

"변소에 가시지요."

유현덕은 그 뜻을 짐작하고 얼른 일어나 변소에 가는 척하며 밖으로 나왔다. 현덕이 일어선 뒤 이적도 사람들에게 술잔을 한 차례 돌리고는 이내 후원으로 뒤쫓아왔다.

"어서 피하십시오. 채모가 계략을 꾸며 공을 해치려고 합니다. 이미 성밖에도 동·남·북 세 곳에 모두 군사를 풀어 지키고 있으니 서문으로 나가셔야 합니다."

유현덕은 깜짝 놀라 급히 적로마의 고삐를 잡았다. 그리고 후원 문을 나서기가 무섭게 몸을 날려 적로마에 올라타고 번개처럼 서문을 향해 달렸다. 서문 문지기가 앞을 막는다.

"어디를 가십니까?"

유현덕은 대꾸하지 않고 말에 더욱 채찍을 가하며 쏜살같이 문을 나섰다. 그 기세에 옆으로 밀리며 나동그라진 문지기는 그가 현덕임을 알아채고 급히 채모에게 고했다. 채모는 곧 말에 올라 5백명의 군사를 거느리고 급히 현덕의 뒤를 쫓았다.

한편 서문을 뚫고 나온 현덕은 불과 몇리 못 가서 앞을 가로막는 큰 계곡을 만났다. 이 계곡은 단계로 폭이 몇길이나 되는데다 바로 양강(襄江)으로 흘러드는 하구라서 수심이 깊고 물살이 거칠기 짝이 없었다. 유현덕이 말을 세우고 보니 도저히 건널 엄두가 나질 않는다. 하는 수 없이 말머리를 돌리려는데 저만치 앞쪽에 먼지가 자욱하게 일며 한떼의 군마가 달려온다.

"내 오늘 꼼짝없이 죽게 되나보다."

유현덕은 다시 말머리를 돌려 계곡으로 갔다. 뒤를 돌아보니 추격하는 군사들이 무서운 속도로 육박해온다. 현덕은 앞뒤 생각 없이 무작정 물속으로 말을 몰았다. 불과 몇 걸음 못 가서 말의 앞발이 물속

으로 깊이 빠져들며 현덕은 순식간에 물에 잠기는 듯했다. 유현덕은
채찍을 휘두르며 소리쳤다.

"적로야, 적로야, 네 정녕 주인을 해치려느냐!"

그순간이었다. 적로마가 갑자기 몸을 꿈틀하더니 물 위로 몸을 솟
구쳐 발끝으로 가볍게 수면을 걷어찼다. 세길이나 되는 거리를 단숨
에 건너뛰어 순식간에 서쪽 기슭으로 나는 듯이 올라섰다. 물보라가
온통 하늘을 뒤덮어 사면이 안개낀 듯 자욱했다. 유현덕은 마치 구름
과 안개 속을 지나온 듯한 황홀경에 빠져 한동안 정신을 차릴 수가 없
었다.

훗날 소학사(蘇學士, 소동파)는 단계를 뛰어넘은 유현덕의 고사를 시
로 읊었다.

꽃은 늙어 시들고 봄날도 저무는데	老去花殘春日暮
벼슬살이 떠돌다가 단계 앞에 이르렀노라	宦遊偶至檀溪路
말 세워 바라보며 홀로 서성이노라니	停驂遙望獨徘徊
눈앞에 떨어진 꽃잎 버들솜 흩날리네	眼前零落飄紅絮
한나라 국운이 쇠하던 때를 생각하니	暗想咸陽火德衰
용이 싸우고 호랑이 다투어 서로 버티던 시절	龍爭虎鬪交相持
양양의 연회석에서 왕손이 술을 마시다	襄陽會上王孫飮
좌중의 유현덕 몸이 위태롭게 되었네	坐中玄德身將危
목숨 건지려 홀로 서문 빠져나갔으나	逃生獨出西門道
뒤로 추격하는 병사들 가까워오고	背後追兵復將到

현덕은 적로마를 타고 물살 험한 단계를 건너뛰어 위기를 모면하다

| 앞에 세찬 물살 단계가 가로막으니 | 一川煙水漲檀溪 |
| 급히 말을 몰아 물속으로 뛰어든다 | 急叱征騎往前跳 |

말발굽에 푸른 유리 같은 물결 부서지고	馬蹄踏碎靑玻璃
바람소리 울리는 곳에 금채찍 날리도다	天風響處金鞭揮
귓전에는 무수한 기병들 말발굽소리	耳畔但聞千騎走
물결 속에서 홀연 쌍룡이 날아오른다	波中忽見雙龍飛
서천을 혼자 차지하게 될 진정한 영주	西川獨覇眞英主
타고 앉은 용마와 잘도 만났다네	坐下龍駒兩相遇

단계의 물 여전히 동쪽으로 흐르는데	檀溪溪水自東流
용마와 영주는 지금 어디로 갔는가	龍駒英主今何處
물가에서 몇번이나 탄식하자니 마음 쓰라리고	臨流三嘆心欲酸
저물녘의 햇살은 쓸쓸히 빈 산을 비추네	斜陽寂寂照空山
천하삼분 계획도 이제는 한낱 꿈이런가	三分鼎足渾如夢
발자취만 헛되이 세상에 남았구나	踪迹空流在世間

단계를 건넌 현덕이 맞은편 언덕에 올라 정신을 가다듬고 뒤를 돌아보니, 채모가 군사를 거느리고 어느덧 물가에 이르렀다. 채모가 외쳤다.

"사군께서는 어찌하여 자리를 떠나 달아나시는 겁니까?"

유현덕이 엄중하게 꾸짖는다.

"내 너와 원수진 일이 없는데 어찌하여 나를 해치려 드느냐?"

"제가 사군을 해치려 하다니 그게 무슨 말씀입니까? 남의 말만 듣고 오해하지 마십시오."

말은 그렇게 하면서도, 채모는 활에 화살을 메기고 있었다. 현덕은 급히 말을 몰아 서남쪽을 향해 달리기 시작했다. 채모는 좌우의 군사들에게 말한다.

"이 물을 건너다니 참으로 알 수 없는 조홧속이로다."

채모는 군사들을 돌려 성으로 향했다. 얼마 안 가 맞은편에서 말발굽소리가 요란히 일어나며 한떼의 군사가 몰려왔다. 조자룡이 3백명의 군사를 거느리고 추격해온 것이다.

용마는 높이 뛰어 능히 주인을 구하고   躍去龍駒能救主
범 같은 장수 따라와서 원수를 베려 하누나   追來虎將欲誅讎

채모의 목숨은 어찌 될 것인가?

35

수경선생

유비는 남장에서 은사를 만나고
단복은 신야에서 영걸스런 주인을 만나다

채모가 성으로 돌아가는데, 조자룡이 군사를 거느리고 달려나왔다. 원래 조자룡은 다른 자리에서 여러 장수들과 어울려 술잔을 기울이고 있었다. 한창 술을 마시는데 갑자기 바깥이 어수선해지며 군사와 말들이 움직이는 소란스러움이 전해져왔다. 조자룡은 불길한 예감에 술자리를 박차고 뛰어나와 급히 당 안으로 달려갔다. 현덕의 모습이 보이지 않는다. 깜짝 놀라 역관으로 달려갔으나 그곳에도 현덕이 있을 리 없다. 누군가가 말한다.

"채모가 군사들을 거느리고 서문 쪽으로 급하게 갑디다."

사태의 위급함을 느낀 조자룡은 급히 무기를 갖추고 데려온 3백명 군사들을 점검하여 말에 올랐다. 채모는 서문 밖으로 먼지를 일으키며 쏟아져나오는 조자룡의 군사들을 보는 순간 그만 가슴이 덜컥 내려앉았다. 조자룡은 채모와 맞닥뜨리자 눈을 부라리며 묻는다.

"우리 주공께서는 어디 계시오?"

채모가 능청스레 받아넘긴다.

"유사군이 자리를 피해 나가셨는데, 어디로 가셨는지는 나도 모르겠구려."

조자룡은 원래 신중한 성격이었다. 채모에 대한 판단은 일단 미뤄두고 곧장 말을 달려 앞으로 나가보았다. 그러나 저만치 앞에는 큰 계곡이 가로놓여 있을 뿐 달리 길이 없다. 조자룡은 돌아와서 채모를 추궁했다.

"그대는 나의 주공을 청하여 잔치에 모셔놓고 무슨 이유로 군사를 몰아 뒤를 쫓았는가?"

채모가 정색하고 대답한다.

"9군 42주 관원들이 모두 이곳에 모인 터에, 내가 상장(上將)으로서 어찌 방비하고 보호하지 않을 수 있단 말이오?"

"대체 우리 주공을 어디로 가시게 했는지 바른 대로 말하라!"

"공께서 말을 타고 서문을 나가셨단 말을 듣고 곧 뒤를 쫓아왔는데, 어디로 가셨는지는 나도 도무지 모르겠다니까 그러는구만."

채모의 그럴듯하게 꾸며대는 말을 들으며 조자룡은 속이 끓는 듯했다. 그러나 아무리 의심스러워도 명확한 증거가 없으니 그를 어찌해볼 도리가 없었다. 조자룡은 놀란 가슴을 진정하려 애쓰며 다시 물가로 가서 여기저기 살펴보았다. 자세히 보니 건너편 언덕 일대에 물자국이 보인다. 조자룡은 고개를 저으며 생각했다.

'이렇듯 물살이 세고 넓은 계곡을 뛰어넘기는 어려워.'

조자룡은 군사 3백명을 풀어 사방으로 흩어져 살펴보게 했으나 도무지 현덕의 종적을 찾을 길이 없었다.

조자룡이 다시 말머리를 돌렸을 때 채모는 이미 성안으로 들어가버린 뒤였다. 수문장을 붙잡고 문초하니, 유현덕이 말을 달려 서쪽으로 가는 것만 봤다고 한다. 조자룡은 다시 성안으로 들어가려다가 혹시 채모가 안에서 군사를 매복시켜두고 기다리고 있지나 않을까 하여 일단 군사를 이끌고 신야로 향했다.

그즈음 현덕은 말을 타고 단계를 뛰어넘은 것이 도무지 믿기지 않아, 꿈결인 듯 말을 달려 남장(南漳) 쪽으로 가고 있었다.

'그 넓은 계곡을 뛰어넘다니, 하늘이 돕지 않고서야 어찌 가능한 일인가?'

아무리 생각해도 신기한 일이었다. 어느덧 해는 서쪽으로 기울어 날이 저물어가는데 사방을 둘러보아도 인가라고는 보이지 않는다. 때마침 맞은편에서 한 목동이 소 등에 앉아 피리를 불며 오고 있다. 현덕은 자신도 모르게 탄식한다.

"내 신세가 너만도 못하구나!"

말을 세우고 물끄러미 바라보고 있는데, 목동도 가던 길을 멈추고 현덕을 유심히 마주본다.

"장군은 지난날 황건적을 쳐부순 유현덕 공이 아니십니까?"

뜻하지 않은 목동의 물음에 현덕은 깜짝 놀란다.

"이렇듯 궁벽한 촌에 사는 아이가 어떻게 내 이름을 아나?"

목동이 대답한다.

"저야 본래 아는 것이 없지만, 저의 사부님께서 손님이 오면 늘 그러셨거든요. 유현덕이라는 분은 키가 7척 5촌이요, 팔이 길어 무릎까지 내려오고 귀가 커서 자기 눈으로 자기 귀를 볼 수 있는 당대의 영웅이시라고요. 지금 장군을 뵈오니 저의 사부님께 듣던 대로라 혹시나 하고 여쭤본 겁니다."

"너의 사부님이 누구시냐?"

"제 사부님은 사마(司馬)라는 복성(複姓)에 함자는 휘(徽)요 자는 덕조(德操)이신데, 영천(潁川) 태생으로, 도호(道號)를 수경선생(水鏡先生)이라고도 합니다."

"너의 사부께서는 어떤 사람들과 벗하고 지내시느냐?"

"양양의 방덕공(龐德公)과 방통(龐統)이란 어르신들과 각별한 사이십니다."

현덕은 계속해서 묻는다.

"방덕공과 방통은 어떤 분들인지 궁금하구나."

"두 분은 숙질간으로, 방덕공의 자는 산민(山民)이며 우리 사부님보다 10년이 위고, 방통의 자는 사원(士元)이며 우리 사부님보다 5년이 아래입니다. 언젠가는 우리 사부님께서 나무에 올라가 뽕잎을 따고 계셨는데 방통 어른께서 찾아오셨지요. 그날 두 분은 뽕나무 밑에 앉아 하루종일 담소를 즐기셨는데, 서로 조금도 싫증을 느끼시지 않는 것 같았어요. 저의 사부님께서는 방통 어른을 어찌나 좋아하시는지 꼭 아우님이라고 부른답니다."

"사부님은 지금 어디 계시냐?"

목동이 한쪽을 가리키며 대답한다.

"저어기 수풀이 뵈지 않습니까? 그 가운데 바로 사부님의 장원이 있습니다."

"네 말대로 내가 바로 유현덕이다. 너의 사부님을 한번 만나뵙고 싶은데, 안내해줄 수 있겠느냐?"

동자가 선뜻 앞장섰다. 과연 한마장쯤 가니 숲속에 조용한 장원이 나타났다. 말에서 내려 동자를 따라 중문(中門)으로 들어가니 안에서 거문고 타는 소리가 들린다. 동자가 먼저 안으로 들어가 알리려 하자 현덕이 얼른 붙잡았다.

"잠깐 기다려라."

그러고는 잠시 거문고 소리에 귀를 기울이는데, 갑자기 소리가 뚝 멎더니 한 사람이 웃으며 나온다.

"허허, 거문고의 맑고 유현한 가락이 갑자기 흩어지며 소리가 높아지는 것이, 아마도 영웅호걸이 엿듣고 있는 게로구나."

혼잣말로 중얼거리며 나오는 그를 가리키며 동자가 말한다.

"저 어른이 바로 사부님인 수경선생이십니다."

그를 보니 소나무에 백학이 앉은 듯한 의연한 자태와 표표한 기상이 한눈에 봐도 범상치 않았다. 현덕이 황급히 앞으로 나가 예를 차리는데, 물에 젖은 도폿자락이 아직도 축축하여 몰골이 후줄근하기 짝이 없다. 수경선생이 답례하고 한마디 한다.

"얼마나 놀라셨소? 그래도 화를 면하셨으니 다행입니다."

현덕은 그가 어떻게 자신의 환난을 알고 있는지 너무도 놀라 말문이 막혔다. 옆에 섰던 동자가 스승에게 소개한다.

"이 어른은 유현덕이십니다."

수경선생은 현덕을 초당으로 청해들였다. 안으로 들어가니 서가에

책이 가득 쌓여 있고, 창밖에는 소나무 대나무가 울창하며, 석상(石牀)에 거문고가 놓여 있어, 실로 맑고 표연한 기운이 방안 가득 감돌았다. 주인과 객이 자리를 나누어 앉자 수경선생이 먼저 입을 열었다.

"공께서는 여기까지 어찌 오셨습니까?"

유현덕이 대답한다.

"우연히 이곳을 지나다가 동자를 만나서 선생 말씀을 듣게 되었는데, 이렇게 뵙게 되니 여간 기쁘지가 않습니다."

수경선생이 웃는다.

"구태여 숨기실 필요 없소이다. 공께서는 지금 곤경을 피해서 예까지 오셨을 것이오."

유현덕은 마침내 양양에서의 일을 자세히 이야기했다.

"공의 기색을 보고 이미 짐작하고 있었소."

수경선생은 이렇게 말하더니 이어서 묻는다.

"내 일찍부터 공의 명성을 들어 잘 알고 있는데, 어째서 아직까지도 이렇듯 기를 펴지 못하고 계시오?"

"팔자가 박복하여 운이 따라주질 않는 모양입니다."

"아니지요. 장군이 좌우에 사람을 얻지 못하였기 때문입니다."

"제가 비록 재주는 없으나 문사로는 손건을 비롯하여 미축과 간옹 등이 있고, 무사로는 관우와 장비, 조자룡 등이 있어 서로를 보완하고 충심으로 도우니, 저들에게 힘입는 바가 실로 적지 않소이다."

"관운장과 장비, 조자룡은 가히 1만명을 당해낼 사람들이지만, 애석하게도 그들을 잘 쓸 줄 아는 사람이 없다는 게 문젭니다. 손건이나 미축, 간옹 같은 인물들이야 한낱 백면서생에 불과하니, 세상을 움직일 만한 경륜을 가진 인재는 못되지요."

"저도 늘 산속에 숨어 있는 뛰어난 인물을 구하려 애썼으나 불행히도 아직은 만나지 못했습니다."

"공자께서 말씀하시길, '십실지읍(十室之邑)에 필유충신(必有忠信)'이라, 즉 열 집이 사는 작은 마을에도 반드시 충성스럽고 미더운 사람이 있다 했거늘, 어찌 사람이 없다 하시오?"

"제가 어리석고 아는 것이 없으니, 부디 선생께서 많은 것을 가르쳐주십시오."

수경선생이 한마디 묻는다.

"공은 형주와 양양 일대에서 어린아이들이 즐겨 부르는 이런 노래를 들은 적이 있으신지요?"

수경선생은 소리내어 노랫말을 읊조리기 시작한다.

8, 9년 사이로 쇠하기 시작해서	八九年間始欲衰
13년이 되고 보면 남아 있는 무리 없으리	至十三年無孑遺
장차 천명이 돌아가는 곳 있으리라	到頭天命有所歸
진흙 속에 숨은 용 하늘로 날아오르네	泥中蟠龍嚮天飛

"이 노래는 건안(建安) 초에 시작되었소. 건안 8년에 형주의 유표가 전처를 잃고 집안이 어지럽게 되었으니 이른바 쇠하기 시작한 것이요, 남는 자가 없다 함은 머지 않아 유표마저 세상을 떠나고 수하의 문무관리들이 다 몰락하여 남는 사람이 없으리라는 것이며, 진흙 속에 숨은 용이 하늘로 날아오른다는 대목은 바로 장군을 일컫는 말이외다."

유현덕은 놀라며 겸손하게 사양한다.

"제가 어찌 감당할 수 있겠습니까?"

"지금 천하의 기재(奇才)들이 모두 이 고을에 모여 있으니, 공은 어서 찾아보도록 하시구려."

유현덕이 급히 묻는다.

"천하 기재가 어디 있으며, 대체 누굽니까?"

"복룡(伏龍)과 봉추(鳳雛) 두 사람 가운데 하나만 얻어도 가히 천하를 바로잡을 수 있을 것이오."

"복룡과 봉추란 어떤 사람들입니까?"

유현덕의 물음에 수경선생은 크게 웃으며 손뼉을 친다.

"좋지요. 좋다 할밖에!"

유현덕이 궁금하여 다시 물으려 하는데 수경선생이 말한다.

"날이 이미 저물었으니 장군은 예서 하룻밤 쉬시지요. 내일 다시 이야기하기로 하십시다."

그러고는 동자를 불러 저녁상을 들이게 하고, 말도 후원으로 끌어다 여물을 먹이게 한다.

저녁식사를 마친 현덕은 초당 옆방에 마련해준 잠자리에 들었다. 그러나 수경선생의 말이 머릿속을 떠나지 않아 도무지 잠을 이룰 수가 없었다. 어느덧 밤이 깊었다. 한참을 잠을 이루지 못하고 뒤척이고 있는데 문득 옆방에서 문 두드리는 소리가 났다. 이어서 누군가가 수경선생과 말을 주고받는 소리가 들린다.

"원직(元直)이 이 밤중에 어인 일인가?"

현덕은 자리에서 일어나 귀를 기울였다. 원직이란 사람이 대답한다.

"오래 전부터 유표가 선한 것을 좋아하고 악한 것을 미워한다기에

찾아가보았더니, 한낱 허명인 것을 알았소이다. 선한 것을 좋아한다
지만 능히 쓰지를 못하고, 악한 것을 미워한다지만 능히 물리치지를
못하는데, 그래 가지고서야 무슨 일을 할 수 있겠습니까? 그래서 글
을 써서 작별을 고하고 이리로 온 길입니다."

수경선생이 말한다.

"공은 왕을 보좌할 만한 재주를 품었으되 마땅히 주인을 가려 섬겨
야 하거늘, 어찌 경솔하게 유표 같은 이를 찾아갔단 말인가? 진정한
영웅호걸이 바로 눈앞에 있는데 그대가 몰라보았구려."

"선생 말씀이 옳소이다."

두 사람이 말하는 소리를 듣던 유현덕은 몹시 기뻤다.

'아마도 저 사람이 아까 선생이 말하던 복룡이나 봉추일 게야.'

마음 같아서는 당장이라도 나가 만나보고 싶었으나, 워낙 늦은 밤
인지라 꾹 참으며 날이 밝기만을 기다렸다. 거의 뜬눈으로 새다시피
한 유현덕은 새벽빛이 밝아오자 부리나케 일어나 수경선생을 찾아갔
다. 그러고는 문안을 드리기가 무섭게 묻는다.

"간밤에 찾아온 사람이 누굽니까?"

"내 벗이외다."

유현덕이 한번 뵙기를 청하니 수경선생이 남의 일처럼 대답한다.

"그 사람은 밝은 주군을 찾아본다고 벌써 가버린걸요."

유현덕의 얼굴에 낭패한 빛이 역력하다.

"그럼 그분의 함자라도 알고 싶습니다."

수경선생은 다시 소리내어 웃으며 좋다는 소리만 연발한다.

"허허, 좋아, 좋구먼……!"

유현덕이 다시 묻는다.

"복룡과 봉추는 과연 어떤 인물입니까?"

그래도 수경선생은 여전히 웃으면서 같은 말만 되풀이한다.

"좋지, 좋아!"

몇번이나 거듭 물어도 수경선생이 딴청만 부리자 유현덕은 벌떡 일어나 큰절을 올리고는 청해본다.

"저와 함께 이 산속을 떠나 한나라 황실을 바로잡는 데 도움이 돼주십시오."

수경선생이 빙그레 웃으며 대답한다.

"나처럼 산야에서 한가롭게 세월이나 보내는 사람은 쓸모가 없소. 앞으로 나보다 열 배는 나은 사람이 와서 공을 도울 것이니, 공도 잘 찾아보시오."

이때였다. 갑자기 장원 밖이 사람들의 떠드는 소리와 말 우는 소리로 어수선해지더니 동자가 급히 뛰어들어왔다.

"한 장군이 군사 수백명을 거느리고 들이닥쳤습니다."

유현덕이 깜짝 놀라 급히 나가보니 다름아닌 조자룡이 와 있다.

"오, 조운이 왔구나!"

유현덕은 기뻐 어쩔 줄 몰랐다. 조자룡이 말에서 내려 안으로 들어와 말한다.

"주공께서 사라지고 나서 제가 즉시 신야로 가보았으나 그곳에도 계시지 않기에 밤새도록 찾아헤매다가 여기까지 오게 되었습니다. 이렇게 만났으니 저와 함께 속히 돌아가시는 게 좋겠습니다. 우리가 없는 동안 채모가 신야를 습격하기라도 하면 큰일 아닙니까?"

유현덕은 곧 수경선생에게 하직을 고하고 조자룡과 함께 말에 올라 신야를 향해 길을 재촉했다. 그렇게 몇리쯤 가노라니 저만치 앞에서 한떼의 군사가 먼지를 일으키며 달려온다. 가까이 가서 보니 관우와 장비였다. 두 사람 모두 현덕이 무사한 것을 보고 말할 수 없이 기뻐한다. 그들은 현덕이 말을 타고 단계를 뛰어넘은 이야기를 하자 하나같이 찬탄하며 더더욱 큰 재회의 기쁨을 나누었다.

유현덕은 신야로 돌아와서 사람들을 불러모았다. 채모의 일에 대해 상의하기 위해서였다. 전후 사정을 듣고 나서 손건이 말한다.

"먼저 이 사실을 유공께 자세히 알려야 할 것 같습니다. 유공께서는 전혀 모르는 일이고 채모 무리가 꾸민 짓이 틀림없습니다."

유현덕은 손건의 말을 따르기로 했다. 그는 즉시 손건에게 서신을 써주고 형주로 보냈다. 손건이 형주에 이르자, 유표가 불러들여서 먼저 묻는다.

"내 현덕에게 나 대신 양양성 대회를 주관해달라 청했거늘, 어찌하여 도중에 돌아가버렸다던가?"

손건은 유표에게 현덕의 서신을 올리고, 채모가 흉계를 꾸며 해치려 한 까닭에 부득이 자리를 피해 달아날 수밖에 없었으며, 천행으로 단계를 건너뛰어 화를 면했음을 낱낱이 고했다. 유표는 크게 노해 당장 채모를 불러들였다.

"네놈은 어찌하여 내 아우를 해치려 했느냐!"

무슨 영문인지도 모르고 끌려나온 채모는 손건이 와 있는 것을 보고서야 모든 일이 탄로났음을 깨닫고 고개를 조아렸다.

"이놈을 당장 끌어내 목을 베어라!"

유표의 얼음장 같은 호령이 떨어졌다. 채부인이 울며 달려나왔다.

"저를 봐서 부디 동생의 목숨만은 살려주옵소서!"

"듣기 싫소. 부인도 한통속으로 일을 저지르지 않았소? 부인의 목숨이나마 붙어 있는 것을 다행으로 아시오!"

유표의 노여움은 좀체 풀릴 것 같지 않았다. 곁에서 지켜보던 손건이 조용히 아뢴다.

"만일 채모의 목을 베신다면 유황숙께서 어찌 이곳에 편히 계실 수 있겠습니까?"

유표는 잠시 생각에 잠겨 있다가 마음을 돌린 듯, 채모를 크게 꾸짖고 물리쳤다.

"이번만은 아우의 낯을 보아 방면하니 또 한번 잔악한 음모를 꾀하다가는 목숨을 보전하기 어려울 줄 알아라!"

그러고는 즉시 큰아들 유기로 하여금 손건을 따라가서 유현덕에게 사죄하고 오라 일렀다. 유기는 아버지의 명을 받들고 신야에 당도했다. 유현덕은 곧 잔치를 베풀어 유기를 대접했다. 술이 몇 순배 돌았을 무렵이다. 갑자기 유기의 뺨 위로 눈물이 주르르 흘러내린다. 현덕이 놀라서 무슨 일인지 물었다. 유기가 대답한다.

"계모 채씨가 항시 저를 해치려는 마음을 품고 있으니, 저로서는 벗어날 도리가 없습니다. 부디 숙부님께서 제게 좋은 방도를 가르쳐주십시오."

"조카의 처지를 모르는 바 아니나, 삼가 조심하며 효성을 다한다면 자연 화가 없어질 것이네."

다음날 유기는 눈물을 흘리며 작별인사를 올렸다. 유현덕은 말에 올라 성밖까지 나가 유기를 배웅하며 위로했다. 그리고 자신이 타고 있는 말을 가리키며 이렇게 말한다.

"만약 이 말이 아니었더라면 나는 지금쯤 황천에 가 있을 걸세."

"그것은 말의 힘이 아니라 숙부님의 복이십니다."

유기가 눈물로 하직하며 떠났다. 현덕은 측은한 마음이 가득한 채 서운한 발길을 돌려 성으로 향했다.

현덕이 저잣거리를 지나려 할 때였다. 문득 한 사나이가 머리에 갈건(葛巾)을 쓰고 베로 지은 도포를 걸쳐입고, 허리에 검은 띠를 두르고 발에는 검은 신을 신고서, 큰소리로 노래를 부르며 다가온다. 현덕이 귀기울여 들어보니, 그 뜻이 의미심장하다.

천지가 뒤집힌다 불의 덕이 삭는지고　　　　　　天地反覆兮 火欲殂
큰 집 무너지는데 나무 하나로 버틸 수 있으랴　　大厦將崩兮 一木難扶

산중에 현자가 있도다 밝은 주인 찾아가려니　　　山谷有賢兮 欲投明主
밝은 주인은 현자를 구하면서 나를 못 알아보누나　明主求賢兮 却不知吾

유현덕은 이 노래를 듣고 문득 생각했다.

'혹시 이 사람이 수경선생이 말하던 복룡이나 봉추가 아닐까?'

그리하여 말에서 내려 사내와 인사를 나눈 후 관아로 데려왔다.

"존함이 어찌 되시오?"

현덕의 물음에 사내가 대답한다.

"저는 영상(潁上) 사람으로, 성은 단(單)이요 이름은 복(福)이라 합니다. 이미 오래 전에 사군께서 어진 선비를 널리 구하신다는 말씀을 듣고 몸을 의탁하려 했으나, 도무지 아는 연줄이 없어 이렇게 저잣거리를 돌며 노래라도 부르면 행여 사군의 귀에 들어갈까 싶어 헤매고 다녔소이다."

유현덕은 크게 놀라며 극진히 예를 올려 대접했다. 단복이 말한다.

현덕은 저자에서 단복과 마주치다

"아까 사군께서 타고 오신 말을 한번 보여주시지요."

유현덕은 급히 사람을 시켜 안장을 내리고 말을 대청 앞으로 끌고 오라 일렀다. 단복이 말을 찬찬히 살펴보더니 말한다.

"이것은 적로마가 아닙니까?"

"그렇소이다."

"이놈은 비록 천리마이지만 결국에는 주인을 해치고 말 것이니 부디 타지 마십시오."

유현덕은 일전에 이적에게서도 같은 말을 들은 터라 빙그레 웃으며 말한다.

"이미 시험해보았는데 그렇지 않소이다."

그러고는 단계를 뛰어넘어 목숨을 구한 일을 얘기해주었다.

유현덕의 이야기를 듣고 나서 단복이 말한다.

"그야 주인을 구한 일이지, 주인을 해친 일은 아니지 않습니까? 이 말은 결국에는 한 주인을 해치고 말 것입니다. 저에게 좋은 예방법이 있으니 한번 그대로 해보시지요."

"그래 어찌하면 되겠소?"

"공이 마음속에 원수처럼 여기는 사람이 있거든 그 사람에게 이 말을 보내십시오. 먼저 그를 해치기를 기다렸다가 다시 거두어 타시면 무사할 것이오."

유현덕은 그 말을 듣고 낯빛이 변했다.

"선생은 이곳에 오자마자 내게 바른 길을 가르치려 하지 않고, 어찌하여 내 몸을 살리기 위해 남을 해치는 법을 가르치는 것이오? 나는 결단코 선생의 말을 따를 수 없소."

단복이 빙그레 웃으며 사죄한다.

"일찍이 사군의 인덕(仁德)을 들어왔기에 감히 한 말씀 시험삼아 올렸소이다. 그러니 사군은 과히 허물치 마십시오."

유현덕도 그제야 낯빛을 고치고 사례한다.

"내게 무슨 인덕이 있으리까. 그저 선생의 가르침만 바랄 뿐이오."

단복이 말한다.

"제가 영상에서 처음으로 이곳에 와서 신야 사람들이 노래하는 것을 들었소이다. '신야목 유황숙이 이곳에 오신 후로, 백성들이 태평을 누린다'는 내용이었지요. 이것만으로도 사군의 인덕이 온 백성들에게 미치고 있음을 잘 알 수 있습지요."

현덕은 마침내 단복을 군사(軍師)로 삼아 본부의 군사들을 조련하게 했다.

한편 조조는 기주에서 허도로 돌아온 뒤로 항상 형주를 손에 넣을 궁리만 하고 있었다. 그는 조인·이전을 비롯하여 원(袁)씨 휘하에서 항복해온 여광·여상 등에게 군사 3만을 주고, 번성(樊城)에 주둔하여 호시탐탐 양양땅을 넘겨다보며 그 허실을 살필 것을 지시했다. 그때 여광과 여상이 조인에게 아뢴다.

"지금 유비는 신야에 주둔하여 군사를 모집하고 말을 사들이며 군량과 마초를 비축하고 있다 합니다. 그 세력이 더 커지기 전에 하루속히 도모하지 않으면 큰 화를 입게 될 것입니다. 지금까지 우리 두 사람은 승상께 투항해와서 이렇다 할 만한 공을 세운 게 없습니다. 정병 5천만 내주신다면 유비의 머리를 승상께 바치겠습니다."

조인은 크게 기뻐하며 두 사람에게 군사 5천을 주고 신야를 치게 했다. 이때 그들의 동태를 파악한 정탐꾼이 나는 듯이 달려와 이 사실을 현덕에게 고했다. 유현덕이 급히 계책을 묻자 단복이 답한다.

"기왕에 적병이 쳐들어오고 있다면 단 한걸음도 안에 들여놓게 해서는 안됩니다. 먼저 관운장에게 군사를 거느리고 왼편으로 나아가서 적의 중간 허리를 치게 하고, 장비에게는 오른편으로 나아가 적의 후방을 치게 하십시오. 그런 뒤, 주공께서는 몸소 조자룡과 함께 적을 전면에서 맞아 싸우십시오. 그러면 쉽게 적을 격파할 수 있을 것입니다."

유현덕은 단복의 말에 따랐다. 먼저 관우와 장비를 떠나보낸 후 자신은 단복, 조자룡과 함께 군사 2천을 거느리고 관문을 나섰다. 유현덕 일행이 채 5리를 못 갔을 때다. 갑자기 산등성이 너머로 먼지가 크게 일더니 여광과 여상이 군사를 거느리고 진군해온다. 양쪽은 화살이 닿을 만한 거리를 두고 진을 벌여세웠다. 유현덕은 문기(門旗) 아래로 말을 몰고 나가 큰소리로 외친다.

"너희들은 누구이기에 감히 나의 경계를 침범하느냐?"

여광도 말을 몰고 나와 맞고함을 친다.

"나는 대장 여광이다. 조승상의 명령을 받들어 특별히 너를 사로잡으러 왔다!"

크게 노한 유현덕은 조자룡으로 하여금 나가서 싸우게 했다. 여광과 조자룡이 어울려 몇합 싸우지 않아서 여광은 조자룡의 창에 찔려 말 아래 거꾸러지고 말았다. 유현덕이 그 기세를 타고 군사를 휘몰아 적진으로 뛰어들었다. 여상은 급박한 형세를 당해낼 도리가 없는지라 그대로 군사를 거느리고 달아나기 시작했다. 하지만 잠시 후 또 한떼의 군사가 길가에서 쏟아져나왔다. 바로 관운장이 이끄는 군사들이었다. 한바탕 싸움이 벌어지고, 여상은 군사를 절반이나 잃고 가까스로 살길을 찾아 내달렸다. 하지만 채 10리를 못 가서 이번에도 한때의 군사가 길을 막고 나선다. 선봉에 선 대장이 장팔사모를 번쩍 치켜들며 벽력같이 소리친다.

"장익덕이 예 있다!"

장비는 곧바로 여상에게로 달려들었다. 여상은 미처 손 한번 놀려보지 못한 채 장비의 창에 찔려 그대로 말에서 떨어져 죽고 말았다. 장수를 잃은 군사들이 갈팡질팡 퇴로를 찾아 내달리기에 급급한 가운데, 유현덕의 군사가 이를 추격하여 살아남은 자들을 모조리 사로잡았다. 싸움에 크게 이기고 신야로 돌아온 유현덕은 단복을 극진히 대접하고, 전군에게 잔치를 베푸는 한편 크게 포상했다.

한편 겨우 목숨을 보전하여 번성으로 돌아간 군사 하나가 조인에게 보고했다.

"여광과 여상 두 장수는 죽고, 많은 군사가 포로가 되었습니다."

크게 놀란 조인은 즉시 이전을 불러 대책을 의논했다. 이전이 말한다.

"여광과 여상은 적을 가벼이 여기다가 그리 되었소이다. 섣불리 군사를 일으켜선 안됩니다. 즉시 승상께 전하고 대군을 일으켜 단번에 무찌르는 게 상책일 듯하오."

조인은 이전의 말이 영 마땅치 않은 듯 고개를 내젓는다.

"그렇지 않소. 장수 둘과 숱한 군사를 잃었으니 속히 원수를 갚아야겠소. 신야 같은 작은 고을 하나 치는 데 번거롭게 승상께 알려 대군까지 일으킬 게 뭐 있겠소?"

"아닙니다. 유비는 영웅이라 얕잡아보아서는 안됩니다."

"공은 어찌 그리 겁이 많으시오?"

이전은 자신의 뜻을 굽히지 않는다.

"병법에도 지피지기(知彼知己)면 백전백승(百戰百勝)이라 했소이다. 싸움이 두려워 그러는 것이 아니라, 싸워서 이기지 못할까봐 그러는 것이오!"

조인은 드디어 참지 못하고 벌컥 성을 낸다.

"공은 딴마음을 품고 있는 게 분명하오. 내 반드시 유비를 사로잡고야 말겠소."

"장군께서 기어이 그리 하시겠다면 저는 남아서 번성을 지키겠소이다."

조인은 노기등등하여 소리를 버럭 지른다.

"만약 그대가 함께 가지 않는다면 정말로 딴마음을 품고 있는 것이오!"

이전은 도무지 조인을 따르지 않을 도리가 없었다. 마침내 조인과 이전은 군사 2만 5천을 거느리고, 강을 건너 신야를 향해 떠났다.

| 부장들이 시체가 되어 실려오니 | 偏神旣有輿屍辱 |
| 주장은 치욕을 씻고자 다시 군사를 일으키누나 | 主將重興雪恥兵 |

이들의 승부는 어찌 판가름 날 것인가?

36

三
國
志

떠나는 서서

유비는 계책을 써서 번성을 급습하고
서서는 떠나면서 제갈량을 추천하다

분노한 조인이 한밤중에 군사를 거느리고 강을 건너 신야를 향해 진격할 무렵, 싸움에서 이기고 돌아온 단복이 유현덕에게 말한다.

"번성에 주둔하고 있는 조인은 여광과 여상이 죽은 사실을 알면 반드시 대군을 일으켜 싸우러 올 것입니다."

현덕이 묻는다.

"그렇다면 어떻게 맞서싸워야겠소?"

단복이 웃으며 말한다.

"조인이 군사를 모조리 몰고 오면 자연히 번성은 텅 비게 될 것입니다. 그 틈을 타서 번성을 취하십시오."

유현덕이 또 묻는다.

"어떤 계책을 쓸 작정이오?"

단복은 유현덕의 귀에다 대고 가만히 계책을 말한다. 유현덕은 크게 기뻐하며 단복의 말을 좇아 만반의 준비를 하고 기다렸다. 얼마후, 정탐꾼이 달려와서 전한다.

"조인이 대군을 거느리고 강을 건너오고 있습니다."

단복이 고개를 끄덕이며 말한다.

"과연 일이 예측대로 돼가는 모양입니다."

단복은 즉시 현덕에게 출군하도록 청했다. 양군이 서로 진을 벌이고 마주 대하자 조자룡이 앞으로 말을 몰고 나섰다.

"적장은 나와서 내 말을 들으라!"

조인은 먼저 이전으로 하여금 맞서싸우게 했다. 그러나 이전은 결코 조자룡의 적수가 아니었다. 이전이 호기롭게 말을 몰아나오자 조자룡은 여유있게 맞서싸우기 시작했다. 그러기를 10여합, 마침내 이전은 조자룡을 당해내지 못하고 말머리를 돌려 자기 진영으로 달아나기 시작한다. 조자룡은 창을 휘두르며 급히 달아나는 이전을 뒤쫓았으나, 좌우에서 적의 화살이 어지럽게 날아들었다. 그리하여 양군은 각기 군사를 거두어 영채로 돌아갔다. 이전이 돌아와 조인에게 말한다.

"적의 기세가 날카로워 가벼이 대적하지 못하겠소. 차라리 번성으로 돌아가는 게 낫겠소이다."

조인은 또다시 격노한다.

"출군하기 전부터 힘을 빼고 군심을 어지럽히더니, 일부러 싸움에

지고 와서 그 무슨 해괴한 소리인가? 그대의 죄는 참형을 받아 마땅할 것이다!"

그 말에 이전은 대꾸가 없다.

"도부수들은 뭐하고 있느냐? 저놈을 끌어내어 즉시 목을 베어라!"

조인이 도부수에게 호령하자 수하장수 여럿이 조인을 만류했다. 이전은 겨우 죽음을 면했다. 조인은 곧바로 이전을 후군으로 물러나게 하고 자신이 전군을 지휘하기로 했다. 그리고 군사를 재정비하여 만반의 준비를 갖추었다.

이튿날, 조인은 좌우에 장수들을 거느리고 몸소 선봉에 서서 북을 울리며 위풍당당하게 진군했다. 진법을 구사하여 진을 벌여세우더니 군사를 시켜 큰소리로 외치게 했다.

"현덕은 보라! 이게 무슨 진법인지 알겠느냐?"

유현덕이 단복을 바라보며 말한다.

"저들이 진세를 벌여놓고 우릴 시험해볼 요량이구려."

단복은 곧바로 말을 달려 높은 곳으로 올라가 두루 살펴보고 나서 현덕에게 돌아와 말한다.

"팔문금쇄진(八門金鎖陣)이올시다. 팔문이라는 것은 휴문(休門) · 생문(生門) · 상문(傷門) · 두문(杜門) · 경문(景門) · 사문(死門) · 경문(驚門) · 개문(開門)을 말합니다. 생문 · 경문(景門) · 개문으로 들어가면 길(吉)하고, 상문 · 경문(驚門) · 휴문으로 들어가면 피해를 입고, 두문과 사문으로 들어가면 완전히 망합니다. 비록 조인이 팔문을 제대로 벌이긴 했으나 중간 부분이 허술해 보이니, 만약 우리가 동남쪽 생문으로 쳐들어가서 서쪽 경문(景門)으로 나온다면 반드시 팔문금쇄진이 무너져버릴 것입니다."

유현덕은 즉시 진을 굳게 지키도록 한 다음, 조자룡에게 영을 내린다.

"군사 5백명을 이끌고 동남쪽으로 쳐들어가서, 서쪽으로 무찔러 나오라."

조자룡은 곧 말에 올라 장창을 쥐고 군사 5백을 거느리고 적진의 동남쪽으로 과감히 뛰어들어 일제히 함성을 지르며 중군을 공격했다. 그러자 조인은 북쪽을 향해 달아나기 시작한다. 조자룡은 조인을 뒤쫓지 않고 그대로 서문으로 뚫고 나갔다가 다시 동남쪽으로 돌아 들어왔다. 마침내 조인의 팔문금쇄진은 어지럽게 무너지기 시작했다. 조인의 군사는 대혼란에 빠져 뒤죽박죽 엉켜 있다가 사분오열하여 달아나기에 바빴다. 그 틈에 현덕의 군사들이 닥치는 대로 적병을 치고 베고 찌르니, 마침내 조인의 군사는 대패하고 말았다. 단복은 도망가는 적을 뒤쫓지 말라고 명했고, 현덕의 군사들은 모두 진영으로 돌아왔다.

조인은 싸움에서 크게 패하고서야 이전의 말이 옳았다는 것을 깨달았다. 조인은 즉시 이전을 청하여 앞날을 의논한다.

"필시 유비의 군중에 놀라운 자가 있는 것 같소. 그렇지 않고서야 팔문금쇄진을 어찌 그리 쉽게 무너뜨릴 수 있겠소?"

이전이 말한다.

"그보다는 비어 있는 번성이 걱정입니다."

"오늘밤 적의 영채를 쳐서 이기거든 다시 작전을 짜고, 만약 지거든 그때는 번성으로 돌아가기로 합시다."

"공격해봤자 소용없습니다. 유비는 우리 공격에 대비해 벌써 방책을 세워두었을 것이오."

조인은 또다시 이전의 말을 묵살했다.

"그렇게 의심이 많아서야 어찌 용병을 하겠소? 내가 직접 군사를 이끌고 선봉을 맡을 테니 그대는 후군을 이끌고 오늘밤 2경에 적의 영채를 급습하도록 합시다."

이전은 더이상 할말을 잃은 듯 입을 다물어버렸다.

조인의 군사가 한창 진군해오고 있을 무렵, 단복은 현덕과 더불어 다음 계책을 논하고 있었다. 갑자기 회오리바람이 불어와 영채를 휘감고 돈다. 단복이 현덕에게 말한다.

"오늘밤 조인이 우리 영채를 치러 올 것입니다."

유현덕이 놀라서 묻는다.

"그러면 어떻게 대적해야 하오?"

"이미 계책을 세워두었습니다."

단복은 즉시 군사들에게 은밀하게 전령을 보냈다.

밤이 깊어 드디어 2경이 되었다. 조인의 군사가 유현덕의 영채 가까이 다가들고 있었다. 그런데 이게 웬일인가? 갑자기 영채 안에서 봉화가 오르더니 졸지에 사방으로 불길이 번지듯 영채 안이 온통 횃불로 가득하며 에둘러놓았던 방책에 일제히 불이 붙었다. 조인은 급히 퇴각명령을 내렸다. 유비가 만반의 준비를 하고 기다리고 있었다는 사실을 그제야 깨달은 것이다. 말머리를 돌리려는 순간 난데없이 조자룡이 군사를 휘몰아 달려든다.

조인은 군사를 거두지도 못하고 북하(北河)를 향해 내닫기 시작했다. 가까스로 강가에 이르러 배를 구하기 위해 우왕좌왕하고 있는데, 또다시 한떼의 군사들이 몰려온다. 이번에는 고리눈의 장비가 선두에 섰다.

조인은 이에 맞서 죽기살기로 싸웠다. 그러다가 때마침 이전이 군사를 이끌고 달려와준 덕분에 간신히 위기에서 벗어나 배를 타고 강을 건넜다. 하지만 미처 배에 오르지 못한 대부분의 군사들은 물에 빠져죽거나 장비의 군사들 손에 죽고 말았다. 강을 건넌 조인은 남은 군사를 수습하여 번성으로 향했다. 조인이 성문 앞에 이르러 소리쳤다.

"성문을 열어라!"

순간 성루 위에서 북소리가 크게 한번 울리더니 장수 한명이 군사를 거느리고 나와 호통친다.

"이미 내가 번성을 손에 넣은 지 오래건만 뉘 감히 문을 열라 명하느냐!"

조인의 무리들이 깜짝 놀라 바라보니 문루에 턱 버티고 선 사람은 다름아닌 관운장이다. 조인은 크게 놀라 얼른 말머리를 돌렸다. 관운장이 놓칠세라 조인의 무리를 뒤쫓아 청룡도를 휘두르니, 조인은 또다시 적지 않은 인마를 잃고 밤을 새워 허도를 향해 달아났다. 패잔병을 이끌고 퇴각하던 조인은, 단복이라는 사람이 유비의 군사로 있으면서 모든 계책을 꾸미고 행한다는 사실을 뒤늦게 알아냈다.

한편 크게 승리를 거둔 유현덕은 군사를 거느리고 번성에 입성했다. 번성 현령 유필(劉泌)이 나와서 일행을 맞아들였다. 유현덕은 성안으로 들어가 먼저 백성들을 위로하고 안정시켰다. 유필은 본래 장사(長沙) 사람으로 그 또한 황실의 종친이었다. 그는 크게 잔치를 베풀어 현덕을 대접했다.

잔치가 열리는 동안 유필의 옆에는 줄곧 한 젊은이가 손을 모으고 서 있었는데, 자못 풍채가 좋고 의기가 당당해 보였다. 그 젊은이를 눈여겨보던 현덕이 묻는다.

"저 젊은이는 누구입니까?"

유필이 대답한다.

"조카 구봉(寇封)입니다. 원래 나후(羅侯) 구(寇)씨의 아들인데, 양친을 모두 여의고 근자에 내게 와서 지내고 있습니다."

"참으로 그 기상이 훌륭해 보입니다. 내가 양자로 삼고 싶은데 어떻겠습니까?"

"유황숙께서 그리 생각하신다면야 봉을 위해 그보다 더 좋은 일이 어디 있겠습니까?"

유필은 흔연히 응낙했다. 그날부터 구봉은 성을 고쳐 유봉(劉封)이 되었다. 유현덕은 유봉을 데리고 나와 관운장과 장비에게 차례로 절을 올리게 했다.

"두 분 숙부님께 절을 올려라."

절을 올리고 유봉이 물러나자, 관운장이 한마디 한다.

"형님께서는 이미 아들이 있으신데 구태여 양자를 들이시는 까닭이 뭡니까? 훗날 화근이 될까 두렵습니다."

유현덕이 말한다.

"내 저를 친자식처럼 대하면 저도 반드시 나를 친아비로 섬길 터인데, 무슨 화가 있겠느냐?"

관운장은 영 탐탁지가 않았다. 유현덕은 단복과 상의한 다음, 조자룡에게 1천명의 군사를 주어 번성을 지키도록 하고, 관우와 장비 등 나머지 군사를 이끌고 신야로 돌아왔다.

그무렵, 이전과 더불어 겨우 목숨을 구해 허도로 돌아온 조인은 조조에게 가서 땅에 엎드려 울며 그간의 사정을 고하고 죄를 청하였다.

그러나 조조는 뜻밖에도 너그럽게 위로하며 묻는다.

"싸우다 보면 이길 수도 있고 질 수도 있는 법이니 너무 자책하지 말라. 그나저나 대체 유비를 보필하는 자가 누구던가?"

조인이 아뢴다.

"단복이라는 자가 유비의 군사로 있다 합니다."

조조가 좌우를 돌아보며 묻는다.

"단복이란 자가 대체 누구냐?"

조조의 물음에 정욱이 웃으며 대답한다.

"사실 그의 이름은 단복이 아닙니다. 그는 어려서부터 학문을 좋아하고 칼 쓰기를 즐겼는데, 중평(中平) 말년에 다른 사람의 원수를 갚아준다고 사람을 죽이게 되었지요. 그래서 사람들의 눈을 피하기 위해 머리를 풀고 얼굴에 숯검정을 칠하고 도망치다가 관리에게 붙잡혔답니다. 관리가 이름을 물었으나 좀처럼 신분을 밝히려 하지 않아, 그를 묶어 수레에 태우고 북을 울리며 사람들에게 그의 이름을 묻고 다녔지요. 그런데 어찌 된 일인지 그를 아는 사람이 있어도 누구 하나 입을 열려 하지 않더랍니다. 그러다가 그의 친구들이 몰래 빼내어 구해주자, 그때부터 이름을 바꾸고 오로지 학문에만 뜻을 두고 이름난 스승을 찾아다니다가 수경선생 사마휘와 가까워졌지요. 본래 영천 사람인 그의 본명은 서서(徐庶)요 자는 원직(元直)으로, 단복은 도망다닐 때 쓰던 가명입니다."

조조가 또다시 묻는다.

"서서의 재주가 그대에 비하면 어떤가?"

정욱이 대답한다.

"저보다야 열배는 뛰어난 인물이지요."

그 말을 듣고 조조의 입에서는 저절로 한숨이 새어나온다.

"그렇듯 어진 선비가 유비에게 가서 마침내 오른쪽 날개가 되었으니, 장차 어찌하면 좋을꼬?"

"서서가 지금 비록 유비에게 있기는 하나, 만일 승상께서 꼭 쓰시려 한다면 불러오기는 그리 어렵지 않습니다."

정욱의 말에 조조의 귀가 번쩍 띄었다.

"대체 어떻게 불러온단 말인가?"

"서서는 본래 효성이 지극한 사람입니다. 어려서 아비를 여의고 지금은 늙은 어머니 한 분만 계신데, 얼마 전에 그의 아우 서강(徐康)이 죽어서 어머니를 모실 사람이 없는 처지입니다. 하오니 승상께서 사람을 보내 그 어머니를 달래어 이곳에 데려다놓고, 어머니더러 아들을 부르는 편지를 쓰게 한다면 서서는 반드시 이쪽으로 오지 않을 수 없을 것입니다."

조조는 크게 기뻐하며 그날밤으로 사람을 보내 서서의 어머니를 모셔오게 했다. 하루가 안되어 서서의 어머니가 허도에 당도했다. 조조는 극진한 예를 갖추어 대접하고 좋은 말로 달래었다.

"듣자하니 아들 서원직은 가히 천하의 기재라 합디다. 헌데 지금 역적 유비를 도와 조정을 배반하고 있으니, 아름다운 옥이 진흙탕 속에 묻혀 있는 격이라, 참으로 애석한 일이 아닐 수 없습니다. 그러니 지금 노모께서 번거로우시더라도 편지를 써서 아들을 허도로 불러오신다면, 내가 황제께 잘 말씀을 올려 큰 상을 내리도록 하리다."

조조는 좌우에 명하여 지필묵을 가져오게 했다. 서서의 어머니가 조용히 묻는다.

"대체 유비는 어떤 사람입니까?"

조조가 웃는 낯으로 답한다.

"유비는 탁군(涿郡) 출신의 미천한 자로서, 외람되게도 스스로 황숙(皇叔)이라 칭하고 다니는데, 신의라고는 조금도 없으며, 겉으로는 군자인 척하나 그 속은 영락없는 소인배에 지나지 않습니다."

조조의 말이 채 끝나기도 전에 서서의 어머니는 버럭 화를 냈다.

"그따위 허황한 소리로 누구를 속이려 드느냐! 듣자하니 현덕은 중산정왕(中山靖王)의 후손이요 효경황제(孝景皇帝)의 현손으로, 몸을 낮추어 선비를 맞이하고 공손한 태도로 사람을 대하므로 덕망이 높아서 세상의 황동백수(黃童白叟, 두서너살짜리 아이와 백발의 노인)나 목동과 나무꾼에 이르기까지 그 이름을 모르는 자 없을 정도로 당대의 영웅이라니, 내 자식이 가서 그를 섬긴다면 이는 주인을 바로 얻었다고 할 일이다. 너는 비록 한나라의 승상이라고 하나 실상 역적이나 다름없거늘, 오히려 현덕을 역적이라 하면서 내 아들로 하여금 명군을 버리고 역적에게 투신하게 만들려 하다니, 그러고도 부끄러움을 모른단 말이냐!"

서서의 어머니는 한바탕 직언을 퍼붓고는 벼루를 집어들어 그대로 조조에게 내던졌다. 조조는 뜻밖의 봉변에 크게 노하여 소리쳤다.

"무사들은 뭣을 하느냐, 냉큼 저 늙은이를 끌어내 죽여버려라!"

바로 그때 정욱이 황급히 나서며 간한다.

"서서의 어미가 승상을 모욕한 것은 스스로 죽음을 자처하기 위한 것입니다. 만일 승상께서 죽인다면 의롭지 못한 일을 하셨다는 공론만 듣게 되고, 서서 어미의 덕만 높여주는 꼴이 될 것입니다. 게다가 그 어미가 죽고 나면, 서서는 죽을 힘을 다해 유비를 도와 원수를 갚으려 할 게 아닙니까? 그러니 일단은 살려서 이곳에 붙들어두는 것이 좋습니다. 그러면 서서가 몸은 비록 유비에게 있다 해도 항상 제 어미 생각에 마음이 분산되어 유비를 돕는 데 한계가 있을 것입니다. 그때 가서 제가 다른 계책을 꾸며 반드시 서서를 불러다가 승상을 모시도록 할 터이니, 제 말대로만 하십시오."

조조는 정욱의 말대로 서서의 어미를 죽이지 않고 별실(別室)로 보내 지키게 했다. 정욱은 날마다 서서의 늙은 어미를 찾아가서 문안을 올리며, 서서와는 일찍이 형제의 의를 맺은 일이 있노라고 거짓말을 했다. 그러고는 마치 친어머니를 대하듯 공경하는 한편, 틈틈이 값진 물건을 보내면서 그때마다 편지를 꼭 동봉했다. 무서운 계책이 숨어 있으리라고는 꿈에도 모르는 서서의 노모는 번번이 정욱의 편지에 사례의 답신을 보냈다.

이렇게 서서 모친의 필적을 얻은 정욱은 그 필체를 본떠서 한통의 편지를 위조한 뒤, 심복으로 하여금 신야에 있는 서서에게 전하게 했다. 정욱의 심복은 밤을 틈타 단복을 찾아갔다. 군사들이 그를 단복에게로 데려갔다. 단복은 어머니의 편지를 가지고 왔다는 소리를 듣고 급히 불러들여 자초지종을 묻는다.

"대체 어찌 된 일인가?"

정욱의 심복이 엎드려 절하며 고한다.

"소인은 관사의 하인인데, 노부인의 분부로 서신을 가지고 왔습니다요."

서서는 편지를 건네받아 급히 펼쳐보았다. 내용은 대강 다음과 같았다.

근자에 네 아우 강(康)이 죽은 뒤로 사고무친이 되어 슬프고 외로운 나날을 보내고 있던 중에, 뜻밖에 조승상이 사람을 보내 나를 허도로 불러놓고, 네가 조정을 배반했다고 나를 옥에 가두려 하더구나. 다행히 정욱 등이 간하여 겨우 목숨은 구했으나, 네가 항복해야만 비로소 내 목숨이 온전할 듯싶다. 편지를 읽고서 이 어미의 은 공을 생각한다면 밤을 새워서라도 달려와 효심을 보여다오. 그럼 장차 우리는 고향으로 돌아가 밭이나 갈면서 지내며 큰 화는 면할 수 있을 게다. 지금은 내 목숨이 실낱 같아서 오직 구원을 바랄 뿐 더이상 여러 말 하지 않겠다.

편지를 읽고 난 서서의 눈에서는 눈물이 비오듯 흘러내렸다. 그는 편지를 들고 유현덕에게 가서 자신의 사연을 고했다.

"저는 본래 영천 태생의 서서로, 자는 원직입니다. 사정이 있어 고향에서 도망쳐나와 단복이라 이름을 바꾸었지요. 일전에 형주의 유표가 어진 선비를 공경한다는 말을 듣고 찾아가서 만나보았는데, 서로 이야기를 나누다 보니 실로 쓸모없는 인물이더이다. 그래 글을 써두고 떠나서 그날밤으로 수경선생의 장원으로 찾아가 그동안의 일을 하소연했더니, 선생은 내게 어찌하여 주인을 알아보지 못하는가 심하게 책망했습니다. 유황숙께서 여기 와 계신데 왜 섬기려 하지 않느냐는 말을 듣고, 그때부터 짐짓 미친 척하고 저잣거리를 돌아다니며 노래를 불러 사군의 귀에 들어가도록 했습니다. 다행히 사군께서 그냥 지나치지 않으시고 제게 큰 책임을 맡겨주셔서 오늘에 이르게 되었습니다. 헌데 이제 늙은 어미가 조조의 간계에 빠져 허도에 잡혀가서 이렇게 목숨이 위태로운 지경에 이르러 편지를 보내 부르시니, 제가 어찌 가지 않을 수 있겠습니까?"

서서가 눈물로 하소연하니, 유현덕은 그저 한숨만 내쉴 뿐이다. 서서는 다시 말을 잇는다.

"견마지로(犬馬之勞)를 다하여 사군께 보답하려 했으나, 저렇게 모친이 붙들려 계시니 사군을 더 모시지 못하고 이제 작별인사를 드리려 합니다. 후일에 다시 만나뵐 날이 있기를 바랄 뿐입니다."

서서의 말을 듣고 유현덕은 울음부터 터져나왔다.

"어머니와 아들은 천륜이오. 그대는 부디 내 생각 말고 어서 가서 어머니를 만나뵈시오. 혹시 나중에라도 인연이 닿으면 그때 다시 만나도록 합시다."

서서는 한시가 바빴다. 급히 사례의 절을 올리고 떠나려 했으나, 유현덕은 부디 하룻밤만 더 묵고 가라고 소매를 잡았다. 이때 손건이 현덕에게 은밀히 말한다.

"서서는 천하의 기재입니다. 그동안 함께 있으면서 이곳 군중의 허실을 모조리 아는 터인데, 이제 조조에게 가도록 두신다면 반드시 조조가 그에게 큰 책임을 맡겨 우리를 위태롭게 할 것입니다. 주공께서는 꼭 붙들어두시고 절대 보내지 마십시오. 만일 서서가 허도에 가지 않으면 조조는 반드시 그의 어머니를 죽이고 말 터이니, 그렇게 되면 서서는 어머니의 원수를 갚으려고 사력을 다해 조조를 치지 않겠습니까?"

"그것은 옳지 않소. 남의 손을 빌려서 그 어미를 죽이고 내가 그 자식을 쓴다면 이는 어질지 못한 일이오. 그를 못 가게 붙잡아 모자의 도리를 끊는 것 또한 의롭지 못한 일이니, 내 차라리 죽으면 죽었지 인의에 어긋나는 일은 못하겠소."

유현덕의 말을 듣고 모든 사람들은 감복했다. 유현덕은 곧 잔치를 베풀어 서서를 청했다. 유현덕이 송별주를 권하자, 서서가 말한다.

"어머니께서 지금 조조에게 갇혀 계신 것을 생각하니, 천상의 술이라도 목구멍으로 넘기지 못하겠습니다."

유현덕도 자신의 슬픔을 토로한다.

"공이 이제 나를 떠난다고 생각하니 마치 수족을 잃은 듯싶고, 용의 간과 봉황의 골수로 만든 진미라도 맛을 모르겠구려."

두 사람은 마주 대하여 그 밤을 눈물로 지새웠다. 날이 밝자 모든 장수들이 성밖에다 연석을 마련해놓고 서서를 전송했다. 현덕은 서서와 함께 말을 나란히하고 성을 나섰다. 장정(長亭)에 이르러 말에서 내린 다음, 서로 작별주를 권하였다. 유현덕이 말한다.

"이몸이 연분이 박하여 그대와 함께 오래도록 지내지 못하게 되었구려. 바라건대 부디 새 주인을 잘 섬겨 공명을 이루도록 하오."

서서가 울며 답한다.

"재주도 없고 지혜도 모자란 이 사람을 사군께서 중용하여 큰일을 맡기셨건만, 이렇게 불행히도 도중에 떠나게 됨은 오로지 연로하신 어머니 때문입니다. 설사 조조가 제아무리 핍박한다 하더라도 절대로 그를 위해 계책을 꾸미지는 않을 것이니 염려 마십시오."

유현덕이 한숨을 내쉬며 말한다.

"선생께서 떠나고 나면 이몸도 세상을 버리고 깊은 산중으로 들어갈까 하오."

"그건 사군께서 하실 말씀이 아닙니다. 제가 유황숙을 모시고 함께 대업을 도모한 것은 신념이 있었기 때문입니다. 허나 이제 어머니 때문에 마음이 산란하여 여기에 남아 있는다 해도 큰 도움이 되지 못할 것입니다. 그러니 사군께서는 따로 뛰어난 인물을 구하셔서 계속 대

장정에서 유현덕과 서서는 눈물로 작별하다

업을 도모하십시오. 마음을 약하게 잡수셔서는 아니 됩니다."

"제아무리 천하에 뛰어난 인물이라도 어디 선생의 오른편에나 설 수 있겠소?"

"너무나 과분한 말씀이시라 보잘것없는 몸으로는 감당하기 어렵습니다."

서서는 일행과 작별하기에 앞서 모든 장수들을 돌아보고 간절히 당부한다.

"바라건대 공들은 부디 사군을 잘 섬겨, 이름을 후세에 전하고 업적이 청사(靑史)에 빛나도록 하십시오. 행여 저처럼 중동무이하지는 마시오."

모두들 비감하여 눈물을 뿌린다. 현덕은 차마 그대로 보내지 못하여 다시 말에 올라 그를 멀리까지 배웅했다. 한 마장을 따라가고, 또 한 마장을 따라가며 못내 헤어지지 못했다. 마침내 서서가 말한다.

"이제 그만 돌아가시지요. 이곳에서 하직을 고하겠습니다."

유현덕은 말 위에서 서서의 손을 잡고 비오듯 눈물을 흘린다.

"선생이 이번에 가시면 같은 하늘 아래 살면서도 따로 있어야 하니, 다시 만날 날이 대체 언제란 말씀이오!"

서서도 또한 울면서 떠났다. 현덕은 숲가에 말을 세우고, 종자 하나를 거느리고 떠나가는 서서의 뒷모습을 바라보며 통곡한다.

"서서가 떠났으니, 장차 어찌한단 말인가!"

탄식하며 바라보니, 어느새 멀어진 서서의 모습이 숲에 가려서 더이상 보이지 않았다. 현덕은 채찍을 들어 그 숲을 가리키며 말한다.

"내 저 숲의 나무를 모조리 베어버리고 싶구나!"

좌우 사람들이 의아해하며 묻는다.

"사군께서 무슨 뜻으로 하신 말씀이신지요?"

"서서가 가는 것을 더 보려 해도 나무들이 저렇게 가리고 있구나!"

유현덕이 이렇게 되뇌며 자리를 떠나지 못하고 있는데, 갑자기 서서가 말을 돌려 되돌아오는 것이 아닌가.

"서서가 돌아오는 것을 보니, 떠날 생각이 없는 게 아닐까?"

유현덕은 분주히 말을 몰고 마주 달려나갔다.

"가다 말고 다시 돌아오시니 무슨 깊은 뜻이 있으신 거요?"

서서가 말을 세우고 대답한다.

"제가 마음이 하도 산란하여 드릴 말씀을 깜빡 잊었습니다. 양양성 20리 밖 융중(隆中)에 재주가 비상한 선비 한분이 있는데, 사군께서는 부디 찾아가보십시오."

유현덕이 말한다.

"그렇다면 번거롭겠지만 원직이 나를 위해 그 사람을 불러 만나게 해주시오."

서서가 고개를 내젓는다.

"그 사람은 함부로 불러올 사람이 아닙니다. 사군께서 몸소 가셔서 청하십시오. 만약 이 사람만 얻는다면 주나라가 여망(呂望, 강태공을 말함)을 얻고, 한나라가 장량(張良, 한나라의 건국공신)을 얻은 것과 다를 바 없습니다."

"그 사람을 선생과 비교하면 재덕(才德)이 어떻습니까?"

"어찌 저를 그런 분과 비하겠습니까? 제가 노둔한 말이라면 그는 기린이요, 제가 보잘것없는 까마귀라면 그는 봉황입니다. 그분은 항상 자기를 관중(管仲, 춘추시대 제나라의 정치가로 제환공을 도와 천하패업을 이루게 함)과 악의(樂毅, 전국시대 연나라의 장군으로 제나라를 크게 쳐서 이김)

에 비하곤 하지만, 제가 보기에는 관중이나 악의도 그를 따르지는 못할 것입니다. 그는 참으로 경천위지(經天緯地, 천하를 경륜해 다스림)하는 재주가 있으니, 천하에 오직 하나밖에 없는 인물입니다."

유현덕이 기뻐하며 급히 묻는다.

"대체 그 사람이 누굽니까?"

"그 사람은 낭야(琅琊)의 양도(陽都) 사람으로, 성은 제갈(諸葛)이요 이름은 양(亮)에 자는 공명(孔明)이니, 한나라 사예교위(司隷校尉) 제갈풍(諸葛豊)의 후손입니다. 부친의 이름은 규(珪)요 자는 자공(子貢)인데, 태산군의 군승(郡丞)을 지내고 일찍 돌아가셨지요. 그래 제갈량은 숙부인 제갈현(諸葛玄)의 집에서 자랐는데, 제갈현은 형주의 유표와 각별한 사이여서 함께 양양에 가서 살았습니다. 그뒤에 제갈현이 죽자, 아우 제갈균(諸葛均)과 더불어 몸소 남양(南陽)에서 밭을 갈며, 양보음(梁父吟, 악부의 곡명으로 일종의 만가)을 지어서 즐겨 읊었지요. 그가 사는 곳에 언덕이 하나 있는데 그 이름이 와룡강(臥龍岡)이라서, 자기 호를 와룡선생이라 지었답니다. 이 사람은 그야말로 세상에 둘도 없는 인물이니, 사군께서는 한시바삐 찾아가 만나보도록 하십시오. 만일에 이 사람이 사군을 도와준다면야 천하를 바로잡는 데 무슨 근심이 있겠습니까?"

서서의 말을 듣고 유현덕이 말한다.

"지난번에 수경선생께서 복룡과 봉추 두 사람 가운데 하나만 얻어도 가히 천하를 평정한다 하셨는데, 그럼 지금 말씀하신 분이 혹시 그 복룡이나 봉추가 아닌지요?"

"맞습니다. 봉추는 바로 양양의 방통(龐統)이고, 복룡은 제갈공명이지요."

현덕은 그 말을 듣고 뛸 듯이 기뻐한다.

"오늘에야 비로소 복룡과 봉추가 누군지 알았소이다. 그렇게 어진 분이 바로 눈앞에 있을 줄이야 어찌 생각이나 했겠소. 선생께서 일깨워주시지 않았더라면 유비는 눈뜬 장님이 될 뻔했습니다그려."

후일에 사람들은 서서가 유비에게 제갈량을 천거한 일을 두고 이렇게 시를 지어 칭송했다.

어진 인재 언제 만나나, 이별을 통한하니 　　　　痛恨高賢不再逢
갈림길에 서서 눈물 젖은 두 마음 같아라 　　　　臨岐泣別兩情濃
마지막 들려준 말 한마디 우렛소리 같아서 　　　　片言却似春雷震
남양땅의 와룡을 불러일으켰구나 　　　　　　　能使南陽起臥龍

서서는 제갈공명을 천거한 뒤에 다시 현덕과 작별하고 말에 채찍질하여 떠나갔다. 유현덕은 서서의 말을 듣고 나서야 지난날 수경선생 사마휘가 했던 이야기를 깨달을 수 있었다. 현덕은 한동안 마치 술에 취했다가 깨어난 듯, 아니면 꿈에서라도 깨어난 듯 기쁨에 젖어 있었다. 장수들과 함께 서서를 배웅하고 신야로 돌아온 현덕은 예물을 장만하여 관우·장비와 함께 남양에 있는 제갈공명을 찾아갈 채비를 서둘렀다.

한편 서서는 허도로 길을 재촉해가다 생각해보니, 현덕의 그 연연해하던 마음이 새삼 안타깝게 느껴졌다. 게다가 유비가 아무리 간곡하게 청해도 혹시 제갈공명이 거절하지나 않을까 은근히 염려되었다.

'아무래도 가는 길에 공명을 찾아가 내가 미리 당부의 말이나마 해두는 게 좋겠다.'

서서는 그 길로 와룡강으로 가서, 초려(草廬, 풀로 지은 오두막집)에 사는 제갈공명을 찾아갔다. 제갈공명이 서서를 반겨맞으며 묻는다.

"예까지 웬일이신가?"

서서가 말한다.

"나는 끝까지 힘닿는 대로 유예주를 섬기려 했으나, 어머니께서 조조에게 잡혀 부르시는 까닭에 하는 수 없이 하직을 고하고 가는 길이오. 나는 떠나는 자리에서 현덕에게 공을 천거했소. 아마도 현덕이 곧 공을 찾아뵈러 올 터인즉, 부디 내치지 마시고 평생의 큰 재주를 펴시어 현덕을 도와드리기를 간청하오."

제갈공명은 서서의 말을 듣고 낯빛이 변했다.

"그대가 나를 희생의 제물로 바칠 작정이오?"

"아니 내 뜻은 그게 아니라……"

"듣기 싫소이다!"

공명은 날카롭게 소리를 지르더니, 그대로 소매를 뿌리치고 안으로 들어가버렸다. 서서는 그만 낯을 붉히고 물러나와, 다시 말에 올라 허도를 향해 떠났다. 모든 일은 하늘에 맡기고 한시바삐 어머니를 만나야겠다는 일념뿐이었다.

> 벗을 만나 한마디 부탁한 것은 주군을 사랑하는 뜻이요 囑友一言因愛主
> 천릿길 달리는 마음 어머니 생각뿐이로다 赴家千里爲思親

과연 뒷일은 어찌 될 것인가?

37

삼고초려

사마휘는 다시 명사를 천거하고

유비는 초려를 세번 찾아가다

드디어 서서가 허도에 이르렀다. 조조는 순욱과 정욱 등 모사들을 보내 그를 영접하게 했다. 서서는 그들이 이끄는 대로 승상부로 따라 들어가 조조에게 인사를 올렸다. 조조가 말한다.

"귀공은 고명한 선비로 어찌하여 몸을 굽혀서 유비 같은 무리를 섬 겼소?"

서서가 대답한다.

"어려서부터 부득이 난을 피해 강호를 떠돌아다니다가 우연히 신 야에서 현덕과 두텁게 사귀었소이다. 그런데 어머니께서 이곳에 계시다니 자식된 자로서 부끄럽고 감사할 따름이오."

"자당께서 이곳에 계시고, 귀공도 이제 여기에 있으니, 아침저녁으로 정성껏 어머니를 모시도록 하오. 나도 공에게 이런저런 가르침을 받겠소이다."

조조의 말에 서서는 절을 올려 사례하고, 어머니를 뵙기 위해 즉시 물러나왔다. 마침내 어머니를 뵙게 된 서서가 섬돌 아래 엎드려 울며 절하니, 서서의 어머니는 깜짝 놀란다.

"네가 여기는 어떻게 왔느냐?"

"신야에서 유예주를 모시고 있다가 뜻밖에 어머님의 편지를 받고 밤새 달려온 길입니다."

서서의 말을 듣고 어머니는 벌컥 화를 내며 손을 들어 책상을 내려쳤다.

"네가 강호를 떠돌아다닌 지 벌써 여러 해라, 그동안 나는 너의 학문이 많이 높아졌으리라 믿었느니라. 그런데 도대체 이게 어인 일이냐. 어째서 예전만도 못해졌느냐. 네 이미 글을 배웠으면서 충과 효를 동시에 온전히할 수 없다는 것을 몰랐더냐? 조조는 임금을 속이는 도적이요, 현덕은 인의를 천하에 펼치는 한나라 황실의 자손이 아니더냐. 너는 모처럼 옳게 얻은 주인을 버리고, 그까짓 거짓편지 한장에 속아서 옳은 길을 버리고 음험한 자에게로 와서 누명을 쓰게 되었으니, 참으로 어리석은 놈이구나. 조상을 욕되게 하는 못난 자식은 더 보고 싶지 않다. 썩 물러가거라!"

서서의 어머니는 한바탕 호되게 꾸짖고 나서 몸을 일으켜 병풍 뒤로 들어가버렸다. 서서는 한동안 땅에 엎드린 채 감히 고개도 들지 못했다. 조금 있으니 시종이 달려나와 고한다.

"노마님께서 대들보에 목을 매셨습니다."

서서가 소스라치게 놀라 안으로 뛰어들어갔으나, 어머니는 이미 숨이 끊어진 뒤였다.

후세 사람이 서서의 어머니를 칭송하는 시를 지었다.

어질도다, 서서의 어머님이여	賢哉徐母
천고에 꽃다운 이름을 남겼도다	流芳千古
절개 지켜 어그러짐 없었으니	守節無虧
집안을 바로 다스렸도다	於家有補
자식을 지극한 도리로 가르치니	教子多方
자신의 몸은 괴로웠도다	處身自苦
그 기개 큰 뫼와 같은데	氣若丘山
그 의리 가슴속에서 우러났네	義出肺腑
유예주를 찬미하고	贊美豫州
조조는 몹시 꾸짖도다	毀觸魏武
가마솥에 삶겨 죽는 벌도 두려워 않고	不畏鼎鑊
칼날에 목이 잘리는 것도 겁내지 않았으되	不懼刀斧
오직 두려워한 일 사랑하는 아들이	唯恐後嗣
선조를 욕되게 함이었다네	玷辱先祖
칼로 자진하여 죽음과 같고	伏劍同流
맹자 어머님 짜던 베 자르던 일과 한가지일세	斷機堪伍
살아서는 그 이름을 얻었고	生得其名
죽어서는 올바른 곳을 얻었네	死得其所
어질도다, 서서의 어머님이여	賢哉徐母

서서는 어머니의 죽음에 목놓아 울다가 마침내 혼절하여 한동안 깨어나지 못했다. 조조는 사람을 시켜 제물(祭物)을 보내 조문하고 몸소 장례식에 참례했다. 서서는 어머니를 허도의 남쪽 언덕에 안장(安葬)하고 묘소를 지키며, 조조가 보내온 물건은 무엇이건 받지 않고 돌려보냈다.

그무렵 조조는 남쪽을 정벌하고자 사람들과 의논하였다. 순욱이 간한다.

"아직 날이 차서 용병하기 어렵습니다. 따뜻한 봄이 되기를 기다렸다가 크게 군사를 일으켜 진군하는 게 좋을 듯합니다."

조조는 순욱의 말을 따르기로 했다. 장하(漳河)의 물을 끌어다 못을 만들어 현무지(玄武池)라 이름짓고 그곳에서 수군(水軍)을 조련하며 남쪽을 정벌할 준비를 했다.

한편, 유현덕은 예물을 갖추어 융중으로 제갈량을 찾아 떠나려 했다. 그때 아랫사람이 들어와 말한다.

"문밖에 높은 관을 쓰고 넓은 띠를 두른, 모습이 비상해 보이는 사람이 찾아와 뵙기를 청합니다."

유현덕은 반색을 하며 혼잣말로 중얼거렸다.

"그렇다면 혹시 제갈공명이 찾아온 건 아닐까?"

현덕이 의관을 갖추고 영접하러 나가보니, 그는 뜻밖에도 수경선생 사마휘였다. 현덕은 크게 기뻐하며 후당으로 모시고 들어가 자리를 권하고 절하며 인사했다.

"그렇지 않아도 선생을 작별하고 나서 군무가 바빠 그동안 찾아뵙지 못했는데, 이렇게 친히 찾아주셨으니 우러러 사모하던 마음에 적이 위로가 됩니다."

사마휘가 말한다.

"서서가 여기 와 있다기에 만나러 온 길입니다."

유현덕이 안타까운 어조로 말한다.

"근자에 조조가 서서의 모친을 잡아가두어 모친께서 편지를 보내신 터라, 지금은 서서가 허도로 떠나고 없습니다."

"허허, 저런! 서서가 조조의 꾀에 속고 말았구려. 내 일찍이 서서의 어머니는 매우 현명한 분이라 들었소이다. 설령 조조에게 잡혀가 있다 해도 절대로 아들에게 편지를 보내 부를 분이 아니니, 그것은 거짓 편지임이 분명합니다. 서서가 그곳에 가지 않았다면 그 어머님이 살아 계실 테지만, 이제 갔으니 반드시 돌아가실 것이오."

유현덕은 깜짝 놀라 묻는다.

"아니 그게 무슨 말씀입니까?"

"서서의 어머니는 참으로 의기가 높은 분이라 필시 그 아들 보기를 부끄러워했을 것이오."

유현덕은 잠시 생각에 잠겼다가 다른 이야기를 꺼낸다.

"서서가 떠나면서 남양의 제갈량을 천거했는데, 그는 어떤 사람인지요?"

사마휘가 빙그레 미소지으며 대답한다.

"서서가 가려면 저나 갈 일이지, 공연히 다른 사람은 왜 끌어들여 고생을 시키려는고."

"선생께서는 어째서 그리 말씀하십니까?"

"본시 공명은 박릉(博陵)의 최주평(崔州平), 영천(穎川)의 석광원

(石廣元), 여남(汝南)의 맹공위(孟公威), 그리고 서원직(徐元直, 서서), 이렇게 네 사람과 아주 가까이 지내던 사이요. 이들 네 사람은 모두 순수한 마음으로 학문에 정진했는데, 오직 공명만이 홀로 천하의 이치를 꿰뚫어보았소이다. 그가 일찍이 책상다리를 하고 시를 읊다가 네 사람을 가리켜 말하기를 '공들은 벼슬길에 나가면 자사(刺史)나 군수(郡守) 정도는 하리라' 하니, 그래 다른 이들이 공명에게 '그래, 그대가 뜻하는 바는 뭐요?' 하고 물었소. 공명은 그저 웃기만 할 뿐 아무 대답도 없었다고 합디다. 그 사람은 항시 자신을 관중이나 악의에 견주는데, 가히 그 재주를 헤아릴 길이 없소이다."

"영천에는 어찌 그리 어진이들이 많습니까?"

"예전에 은규(殷旭)라는 사람이 천문을 잘 보았는데, 별들이 무리지어 영천의 경계에 모두 모여 있으니, 그곳에서 반드시 어진 선비가 많이 나오리라 했습니다."

이때 관운장이 곁에 있다가 한마디 한다.

"관중과 악의는 모두 춘추전국시대의 유명한 인물로 그 공과 업적이 천하를 덮을 만한데, 공명이 자신을 그 두 사람에게 견주는 것은 지나치지 않은지요?"

사마휘는 도리어 웃는다.

"지나친 게 아니라 오히려 부족하다 생각되오. 나는 그 두 사람이 아니라 다른 사람과 견주는 게 나을 성싶은데……"

"다른 사람이라면 누구 말씀이십니까?"

관운장이 되묻자 사마휘가 대답한다.

"주나라 8백년을 일으킨 강자아(姜子牙, 강상姜尙 즉 강태공을 가리킴)와 한나라 4백년을 일으킨 장자방(張子房, 장량) 말이오."

사마휘의 말을 듣고 있던 모든 사람들은 너무 놀라 입을 다물지 못했다. 사마휘가 섬돌을 내려와 하직인사를 나누고 떠나려 하자 현덕이 만류했지만 그는 듣지 않았다. 문을 나서던 사마휘는 문득 하늘을 우러러보며 큰 웃음을 터뜨렸다.

"와룡이 비록 주인은 얻었으나 애석하게도 아직 때는 얻지 못하였구나!"

그러고는 표연히 떠나버렸다. 그 뒷모습을 보며 유현덕이 탄식했다.

"참으로 숨어 사는 현사(賢士)로다."

이튿날 유현덕은 관우·장비와 함께 수하 몇몇을 거느리고 융중으로 떠났다. 멀리서 바라보니 산 아래에서 농부 두어명이 밭을 갈며 노래를 부른다.

높은 하늘 일산처럼 펼쳤는데	蒼天如圓蓋
넓은 땅은 바둑판 같구나	陸地似棋局
세상사람들 흑백으로 나뉘어	世人黑白分
오가며 영욕을 다투는데	往來爭榮辱
영화로운 자 스스로 평안하고	榮者自安安
치욕스러운 자 필경 바쁘도다	辱者定碌碌
남양땅에 은자가 있으니	南陽有隱居
베개를 높이고 잠들어 있구나	高眠臥不足

현덕은 말을 세우고 농부를 불러 물었다.

"누가 지은 노래요?"

농부가 대답한다.

"와룡선생께서 지으신 노래입니다."

"와룡선생은 어디 사시오?"

"이 산 남쪽에 있는 높은 언덕이 바로 와룡강(岡)인데, 와룡강 앞의 성근 숲속에 초려(草廬) 한 채가 있으니, 거기가 바로 와룡선생이 계신 곳입니다."

유현덕은 농부에게 고맙다 인사하고 말을 채찍질하여 걸음을 재촉했다. 불과 한마장도 못 가서 멀리 와룡강이 바라보이는데, 과연 맑은 경치가 범상치 않았다.

후세 사람들이 고풍(古風)의 시 한 수로 와룡의 거처를 읊었다.

양양성 서쪽으로 20리에	襄陽城西二十里
한자락 높은 언덕 물가에 누워 있네	一帶高岡枕流水
높은 언덕 굽이굽이 구름을 누르고	高岡屈曲壓雲根
흐르는 물 잔잔히 돌밑에 감도누나	流水潺湲飛石髓
이 형세 괴로운 용이 바위 위에 서려 있는 듯	勢若困龍石上蟠
외로운 봉황 노송 그늘에 깃든 듯	形如單鳳松陰裏
사립짝 반쯤 닫힌 초려 안에	柴門半掩閉茅廬
고결한 사람 누워 일어나질 않네	中有高人臥不起
대나무 어울려 푸른 병풍 이루었고	修竹交加列翠屛
철따라 울밑에 들꽃이 향기로워	四時籬落野花馨
책상머리에 쌓인 것이 모두 책이요	床頭堆積皆黃卷
이곳에 오가는 이들 속인은 찾을 수 없네	座上往來無白丁
때로는 잔나비 문 두드려 과일을 디밀고	叩戶蒼猿時獻果

방문 앞의 늙은 학이 글읽는 소리 듣는다지 　　　　守門老鶴夜聽經

갑 속의 거문고는 옛 비단에 싸여 있고 　　　　　囊裏名琴藏古錦

벽상에는 칠성보검 걸려 있구나 　　　　　　　　壁間寶劍挂七星

초려의 선생 홀로 그윽하고 단아하여 　　　　　廬中先生獨幽雅

한가로이 몸소 밭 갈고 농사 짓네 　　　　　　　閑來親自勤耕稼

다만 기다리노니 우레에 꿈 깨어 　　　　　　　專待春雷驚夢回

한 소리 크게 외쳐 천하를 평정하리 　　　　　一聲長嘯安天下

마침내 유현덕은 장원 앞에 이르자 말에서 내리더니 몸소 사립문을 두드렸다. 동자 하나가 나와서 묻는다.

"어디서 오셨습니까?"

유현덕이 대답한다.

"한나라 좌장군(左將軍) 의성정후(宜城亭侯) 예주목(豫州牧) 황숙 유비가 선생을 뵙고자 찾아왔다고 여쭈어라."

동자가 말한다.

"제가 어찌 그렇게 긴 이름을 다 외우겠습니까?"

"그러면 그냥 유비가 찾아왔노라고 여쭈어라."

"선생님께서는 조금 전에 나가시고 안 계십니다."

"어디를 가셨느냐?"

"종적을 정하지 않고 다니시는 터라 어디로 가셨는지 모릅니다."

"그럼 언제쯤이나 돌아오시느냐?"

"그것도 일정치 않아서 한번 나가시면 3, 4일 만에 돌아오실 때도 있고 10여일이 걸리는 때도 있습니다."

현덕은 못내 섭섭한 기색을 감추지 못했다. 장비가 볼멘소리로 말한다.

"없다니 그냥 돌아갑시다."

"아니다. 좀 기다려보자."

현덕의 말에 이번에는 곁에 있던 관운장이 한마디 한다.

"지금은 그냥 돌아가시고 사람을 보내 소식을 알아본 후에 다시 오는 게 좋을 듯합니다."

그 말을 따르기로 한 현덕은 동자에게 당부했다.

"만약 선생께서 돌아오시거든 유비가 찾아뵈러 왔다가 그냥 돌아갔다고 여쭈어다오."

유현덕이 말에 올라 몇리쯤 가다 다시 한번 융중의 경치를 돌아보니, 과연 산은 높지 않으나 수려하고 물은 깊지 않으나 맑으며 땅은 넓지 않으나 평탄하고 숲은 크지 않으나 무성했다. 원숭이와 두루미가 서로 벗하고 소나무와 대나무가 함께 어우러져 푸르니, 완연한 별천지요 인간세계가 아니다.

그렇게 현덕이 홀린 듯 풍광에 젖어 있는데, 문득 용모가 훤칠하고 기상이 빼어난 사람이 머리에는 소요건(逍遙巾)을 쓰고, 검은베 도포 차림으로 손에 청려장(靑藜杖)을 짚고 산모퉁이 오솔길을 내려오고 있다. 현덕이 관우와 장비를 돌아보며 말한다.

"저분이 필시 와룡선생이리라."

그러고는 급히 말에서 내려, 앞으로 마주 달려가 예를 갖추고 여쭈었다.

"혹시 와룡선생이 아니신지요?"

그 사람이 되묻는다.

"장군은 뉘시오?"

"저는 유비라고 합니다."

"으음, 나는 공명이 아니고 그의 벗으로, 박릉의 최주평이라 하오."

유현덕이 반가운 어조로 말한다.

"일찍부터 크신 이름을 들어오다가 다행히 이렇게 만나뵙게 되었습니다. 편치는 않으나 청컨대 여기 잠시 앉아 제게 한말씀 가르쳐주시지요."

두 사람은 숲속 바위 위에 마주 대하여 앉았다. 관우와 장비가 그 곁에 모시고 섰다. 최주평이 먼저 입을 연다.

"장군은 무슨 일로 공명을 만나려 하시오?"

현덕이 대답한다.

"지금 천하는 크게 어지럽고 사방이 소란스러운 때를 당하니, 공명 선생을 만나뵙고 천하를 안정시킬 방책을 구하려 합니다."

최주평이 입가에 웃음을 머금고 말한다.

"공이 어지러운 천하를 바로잡으려는 것은 어진 마음에서 비롯된 것이나, 자고로 난리를 평정한다는 것은 참으로 무상하다 하겠소. 한 고조가 뱀을 죽이고 의로운 군사를 일으켜 무도(無道)한 진(秦)나라를 주멸했으니 이는 어지러움을 다스린 것이요, 그후 애제(哀帝)·평제(平帝)에 이르기까지 2백년을 태평하다가 왕망(王莽)이 반역을 했으니 이는 다시 평화로움에서 어지러움으로 옮긴 것이요, 광무제(光武帝)가 중흥하여 왕업을 바로 세웠으니 이는 다시 어지러움에서 평정으로 들어간 것이지요. 그뒤 오늘날까지 2백년 동안 백성이 평화를 누려왔는데, 또다시 사방에서 난리가 일어나니 이는 바로 평화로움에서 다시 어지러움으로 들어가는 때라, 이를 일시에 바로잡기란 참으로 어려운 노릇이오. 장군이 공명으로 하여금 천지를 바로잡고 세상사를 바로세우게 하려 하십니다만, 결코 쉽게 이루어질 일이 아니니, 부질없이 몸과 마음만 허비할까 두렵소이다. 장군도 아시겠지만 예로부터 하늘을 따르는 자는 편안하고 하늘을 거스르는 자는 수고롭다 하지 않았습니까? 하늘의 운수는 이치로 뒤집을 수 없으며, 운명의 정한 바는 사람이 억지로 하지 못한다 했습니다."

유현덕이 말한다.

"참으로 고견(高見)이십니다. 다만 제가 한나라 황실의 후손으로 마땅히 천하를 바로잡아야 할 몸이고 보니, 어찌 하늘의 운수와 운명에만 맡겨두겠습니까."

"나 같은 촌부가 어찌 천하의 일을 두고 논하겠습니까마는, 장군께서 물으시기에 망령되이 한말씀 올렸을 따름이오."

최주평의 말에 현덕이 다시 말한다.

"선생의 가르침은 고맙게 들었습니다만, 혹 공명선생이 어디 가셨는지 모르십니까?"

"나 역시 그를 찾아오는 길이라, 어디를 갔는지 알 수 없소이다."

"청컨대 선생께서 저와 함께 신야로 가셨으면 하는데, 의향이 어떠신지요?"

최주평이 말한다.

"내 본래 천성이 한가한 것을 좋아하고 공명(功名)에 뜻이 없으니, 뒷날 다시 뵙지요."

최주평은 이렇게 말하고 길게 읍하고 돌아섰다. 유현덕은 관우·장비와 더불어 다시 말에 올랐다. 장비가 못마땅하여 투덜거린다.

"찾는 공명은 만나지도 못하고, 그까짓 시시한 선비를 붙들고 뭐하러 한나절이나 쓸데없는 한담을 나누시우?"

현덕이 말한다.

"아니다. 은자(隱者)로서 할 만한 말을 한 것인데, 네가 알아듣지 못한 게지."

세 사람이 신야로 돌아온 지 며칠이 지나서였다. 유현덕은 융중으로 사람을 보내 공명의 소식을 알아보게 했다. 융중으로 갔던 사람이 돌아와 현덕에게 전한다.

"와룡선생은 이미 댁에 돌아와 계십니다."

유현덕은 다시 말에 안장을 얹고 융중으로 떠날 채비를 했다. 장비가 여전히 마땅찮아하며 한마디 한다.

"그까짓 촌부를 뭐하러 형님께서 몸소 찾아보려 하시는 거요? 사람을 시켜 불러오면 될 걸 가지고."

현덕이 꾸짖는다.

"너는 맹자께서 하신 말씀도 못 들었느냐? '어진 사람을 찾아뵙는데 바른 도리로써 하지 않으면 방에 들어가려 하면서 문을 닫는 것이나 같다'고 했다. 공명은 당대의 큰 현사인데 불러들이라니, 될 법이나 한 소리냐?"

현덕이 말에 올라 다시 공명을 찾아가니, 관우와 장비도 말을 타고 뒤를 따랐다. 때는 바야흐로 한겨울이었다. 날은 매섭게 추운데다 붉은 구름이 하늘을 뒤덮더니, 얼마 못 가서 홀연히 삭풍이 거세게 불어오며 서설(瑞雪)이 휘날렸다. 잠깐 사이에 산은 마치 옥을 깎아세운 듯하고, 숲은 흡사 은으로 장식한 듯하였다. 장비가 말한다.

"날은 차고 땅은 얼어붙어 군사도 움직이지 못하는 때에, 뭐하러 한낱 쓸모없는 사람을 만나러 그 먼길을 간단 말이우? 어서 신야로 돌아가 풍설이나 피하고 봅시다."

현덕은 들은 척도 하지 않는다.

"공명에게 나의 은근한 성의를 보이고 싶어서 하는 일이니, 너희들은 추위가 무섭거든 먼저들 돌아가거라."

장비가 말한다.

"죽음도 두려워하지 않았는데 추위쯤이야 뭐가 두렵겠수? 그저 형님께서 부질없는 일로 고생하고 마음 쓰는 게 싫어서 하는 소리지."

현덕이 말한다.

"여러 말 말고 어서 서둘러 가자."

세 사람이 눈보라를 무릅쓰고 공명의 초려 가까이 이르렀을 때, 길가 주점에서 문득 노랫소리가 들려왔다. 현덕은 말을 세우고 서서 귀를 기울였다.

대장부가 공명을 아직 이루지 못했거늘	壯士功名尙未成
아아, 언제나 새봄을 만나려는지	嗚呼久不遇陽春
그대는 못 보았나	君不見
동해의 늙은이 숨어 살던 숲을 하직하고	東海老叟辭荊榛
수레 뒤에 같이 타고 문왕과 나섰던 일	後車逐與文王親
8백 제후가 기약 없이도 모이고	八百諸侯不期會
흰 고기 뱃전에 드니 맹진을 건넜구나	白魚入舟涉孟津
목야 한판 싸움에 피 흘러 내를 이루니	牧野一戰血流杵
매처럼 날랜 위훈 무신 중에 으뜸이었네	鷹揚偉烈冠武臣
그대 또 보지 못했는가	又不見

고양 술꾼 역이기(酈食其)는 초야에서 일어나 高陽酒徒起草中
망탕산의 한고조에게 읍하고 만난 일을 長揖芒碭隆準公
패업의 높은 담론에 귀가 번쩍 띄어 高談王覇驚人耳
발 씻다 멈추고 자리에 모셔 그 위풍 흠모했네 輟洗延坐欽英風
동쪽으로 제나라 72성 얻었으니 東下齊城七十二
천하에 아무도 그를 따를 사람 없었네 天下無人能繼踪
강태공 역이기 이 두 사람 공적 이러하니 二人功迹尙如此
이제 누가 쉽사리 영웅을 논하리 至今誰肯論英雄

노래가 끝나자, 곧 다른 사람이 손으로 탁자를 치면서 이어 불렀다.
그 노래는 이러했다.

우리 고황제 칼 뽑아 천하 평정해 吾皇提劍清寰海
창업하고 터 닦은 지 4백년 되었네 創業垂基四百載
환제·영제에 이르러 화덕이 쇠해지매 桓靈季業火德衰
간신과 적자들이 들끓게 되었네 奸臣賊子調鼎鼐
푸른 구렁이 옥좌 위로 떨어지고 青蛇飛下御座傍
요기어린 무지개가 대궐로 뻗쳤네 又見妖虹降玉堂
도적들은 사방에서 개미떼처럼 일어나고 群盗四方如蟻聚
간웅의 무리 저 잘났다 뽐내네 奸雄百輩皆鷹揚
우리야 노래 부르며 손장단이나 치고 吾儕長嘯空拍手
답답하면 주점 찾아 술이나 마시네 悶來村店飲村酒
이 한몸 고결히 지키면 하루종일 편안한 걸 獨善其身盡日安
천추에 이름 전하여 무엇하리 何須千古名不朽

두 사람은 노래가 끝나자 박수를 치고 큰소리로 웃었다. 현덕이 반 갑게 말한다.

"필시 와룡이 이 안에 있을 게야."

얼른 말에서 내려 주점으로 들어갔다. 주점 안에는 두 사람이 탁자 를 의지하고 마주 앉아서 술을 마시고 있는데, 윗자리에 앉은 사람은 얼굴이 희고 수염이 길었고, 아랫자리에 앉은 사람은 맑아 보였으나 용모가 기괴했다. 현덕은 그들 앞에 공손히 읍하고 물었다.

"두 분 가운데 어느 분이 와룡선생이십니까?"

수염 긴 사람이 되묻는다.

"공은 뉘시며, 와룡은 무슨 일로 찾으시오?"

현덕이 조용히 답한다.

"저는 유비라는 사람인데, 와룡선생을 찾아뵙고 세상을 건지고 백 성을 편안케 할 방도를 구하려 합니다."

수염 긴 사나이는 그제야 빙그레 웃으며 말한다.

"우리는 와룡이 아니고 와룡의 친구요. 나는 영천의 석광원이고, 저 사람은 여남의 맹공위라 합니다."

현덕은 기뻐하며 환하게 웃는다.

"두 분의 크신 이름을 들은 지 오래인데, 다행히 이곳에서 뵙게 되 었습니다. 마침 가지고 온 말이 있으니, 청컨대 두 분께서는 저와 함 께 와룡선생 댁으로 가셔서 좋은 말씀을 들려주시지요."

석광원이 사양한다.

"우리는 모두 산야의 게으른 무리라 나라를 다스리고 백성을 편안 케 하는 일은 도무지 모르는 터이니, 물어본다 해도 드릴 말씀이 없구려. 귀공은 와룡을 찾아가보시지요."

별수없이 현덕은 두 사람과 작별인사를 나누고 다시 말에 올라 와룡강으로 향했다. 와룡의 집앞에 이르러서는 말에서 내려 문을 두드리면서 동자를 불렀다.

"선생께서 오늘은 댁에 계시냐?"

동자가 대답한다.

"지금 초당에서 글을 읽고 계십니다."

현덕은 크게 기뻐하며 동자를 따라 안으로 들어갔다. 중문에 이르러 바라보니 문 위에 큼직한 글씨로 써붙인 대련(對聯)이 있었다.

마음이 담박하니 뜻이 밝아지고	淡泊以明志
차분하고 고요하니 생각이 멀리 미치도다	寧靜以致遠

유현덕이 잠시 서서 그 글을 음미하는데, 문득 안에서 낭랑한 음성으로 시 읊는 소리가 들려온다. 현덕이 문틈으로 엿보니, 한 젊은이가 화로 앞에서 책상다리를 하고 앉아 시를 읊고 있다.

봉황은 천길을 날아오르는데도	鳳翱翔於千仞兮
오동이 아니면 깃들지 않고	非梧不棲非梧不
선비는 한구석에 숨어 지낼지라도	士伏處於一方兮
주인이 아니면 섬기지 않는도다	非主不依非梧不
즐거워라, 밭이랑 몸소 갈고	樂躬耕於隴畝兮
나는 나의 초려를 사랑하노라	吾愛吾廬非梧不
거문고와 독서에 마음을 붙임이여	聊寄傲於琴書兮

一
유비·관우·장비는 눈보라를 무릅쓰고 공명의 초려를 찾다

현덕은 시 읊는 것이 끝나기를 기다렸다가 곧 초당으로 올라가서 예를 올리고 말한다.

"유비는 오랫동안 선생을 흠모해왔으나 연분이 닿지 못하다가 이제야 뵙게 되었습니다. 지난번에 서원직(서서)이 선생을 천거하여 이곳에 찾아뵈러 왔다가 뵙지 못하고 돌아갔는데, 오늘 눈보라를 무릅쓰고 다시 와서 이렇게 존안을 뵙게 되었으니 실로 크나큰 행운입니다."

젊은이가 황망히 자리에서 일어나 답례하며 말한다.

"장군께서는 유예주이시고, 우리 작은형님을 만나러 오신 게 아니십니까?"

유현덕이 놀라는 한편 의아해하며 묻는다.

"와룡선생이 아니시오?"

젊은이가 대답한다.

"저는 와룡의 아우 제갈균(諸葛均)입니다. 본래 저희는 3형제인데 맏형 제갈근(諸葛瑾)은 강동의 손권에게 가서 모사로 있고, 공명은 작은형님입니다."

"와룡선생은 지금 댁에 안 계시오?"

"어제 최주평과 약속이 있어서 나가셨습니다."

"어디로 가셨는지요?"

"배를 타고 강호(江湖)에서 노닐기도 하고, 고승을 찾아 산에 오르기도 하며, 마을로 내려가 친한 벗들을 만나기도 하고, 또 동부(洞府)에서 거문고를 타거나 바둑을 두기도 합니다. 매양 이렇게 다니는 곳이 정해져 있지 않은 까닭에 어디 계신지 알 길이 없습니다."

유현덕은 저도 모르게 한숨을 짓는다.

"유비는 어찌하여 이리 연분이 없는지. 두번을 와도 도무지 선생을 만나뵙지 못하는군요."

"잠깐만 계시지요. 제가 차를 올리겠습니다."

장비가 가만히 있지 못하고 한마디 한다.

"선생께서 안 계시다니 이제 그만 돌아가십시다."

"여기까지 왔는데 어찌 이대로 돌아간단 말이냐?"

유현덕은 다시 제갈균에게 묻는다.

"형님 되시는 와룡선생께서는 도략에 밝아 날마다 병서(兵書)를 보신다고 하던데, 과연 그러하오?"

제갈균이 대답한다.

"잘 모르는 일입니다."

장비가 또 가만히 있지 못하고 말한다.

"그 사람에게 물어서 뭐하겠수? 눈보라가 저리 심한데 서둘러 돌아갑시다."

유현덕이 장비를 꾸짖는데, 제갈균이 말한다.

"형님께서 집에 안 계시니 오래 머무르시라고 할 수도 없고 그저 송구스럽기만 합니다. 형님께서 오시면 곧 찾아가뵙도록 말씀드리겠습니다."

"어찌 감히 선생께서 왕림하시기를 바라겠소. 며칠 뒤에 다시 와서 뵐 터이니, 바라건대 종이와 붓을 빌려주시면 우선 몇자 적어 나의 간절한 마음을 편지로나마 전할까 하오."

제갈균이 문방사보(文房四寶, 종이·붓·먹·벼루)를 내주었다. 유현덕은 얼어붙은 붓을 입김으로 녹여 종이를 펼쳐놓고 자신의 간곡한 뜻을 적기 시작했다.

유비가 오래 전부터 선생의 높은 이름을 사모하여 두번이나 찾아뵈러 왔으나 만나지 못하고 돌아가니, 그 서운함을 어찌 말로 다하겠습니까. 생각해보건대 유비는 한나라 황실의 자손으로 외람되게도 이름과 벼슬을 얻었으나, 엎드려 바라보니 조정은 힘이 없고 기강이 무너져 군웅(群雄)이 나라를 어지럽히고, 악한 무리가 임금을 속이고 있어 실로 마음과 몸이 찢겨나가는 듯합니다. 이 유비에게 비록 나라를 바로잡고자 하는 마음은 있으나 경륜이 없으니, 바라건대 선생께서 인자하고 충의로운 마음으로 분연히 일어나, 강태공과 같은 큰 재주를 펴시고 장자방 같은 큰 계책을 베푸시면, 천하와 사직을 위해 참으로 다행한 일이겠습니다. 우선 이렇게 글을 올리고, 다시 목욕재계하고 찾아와 존안을 뵙고 저의 작은 정성을 기울이려 하니 널리 살펴주시기 바랍니다.

유현덕은 편지를 써서 제갈균에게 건넨 다음 하직인사를 했다. 제갈균은 문밖까지 나와서 현덕 일행을 전송했다. 현덕이 거듭 은근한 뜻을 전하고 말에 올라 떠나려 하는데, 갑자기 동자가 손을 들어 저편을 가리키며 외친다.

"노선생께서 오십니다!"

유현덕이 바라보니, 사람 하나가 조그만 다리 서쪽에서 가까이 오고 있는 것이 보였다. 그 사람은 방한모에 여우가죽옷을 걸치고 나귀 잔등에 앉았는데, 푸른 옷을 입은 동자 하나가 호리병을 들고 뒤따르고 있었다. 그 사람은 눈을 밟고 다리를 건너며 시를 읊었다.

밤새 북풍이 차갑더니 　　　　　　　　　　　　一夜北風寒
만리에 구름이 덮였구나 　　　　　　　　　　　　萬里彤雲厚
하늘에 눈이 휘날리더니 　　　　　　　　　　　　長空雪亂飄
강산의 옛모습 온통 바뀌었구나 　　　　　　　　　改盡江山舊

머리 들어 허공을 쳐다보니 　　　　　　　　　　仰面觀太虛
옥룡이 서로 다투는가 　　　　　　　　　　　　疑是玉龍鬪
비늘들이 어지러이 날아서 　　　　　　　　　　紛紛鱗甲飛
금세 온 세상 뒤덮고 말았네 　　　　　　　　　頃刻遍宇宙

나귀 타고 작은 다리 건너다가 　　　　　　　　騎驢過小橋
홀로 매화꽃 시듦을 탄식하네 　　　　　　　　獨嘆梅花瘦

현덕은 시 읊는 소리를 들으며, 속으로 와룡이 틀림없다고 생각했다. 분주히 말에서 내려 예를 갖추며 말한다.

"이렇게 추운 날 어디를 다녀오십니까? 유비가 기다린 지 오래입니다."

나귀에 올라앉아 있던 사람이 황망히 내려서 답례를 했다. 그때 등 뒤에서 제갈균이 일러준다.

"그 어른은 와룡이 아니라, 형님의 장인인 황승언(黃承彦) 어른이십니다."

현덕이 말한다.

"방금 읊으신 시가 지극히 고상하고 절묘합니다."

황승언이 답한다.

"이 사람이 사위 집에서 「양보음(梁父吟)」(제갈량의 시)을 보고 그중 한 편을 외웠는데, 방금 다리를 건너오다가 우연히 울타리 사이의 매화를 보고 감회가 새로워 읊었더니, 뜻밖의 손님이 들으셨군요."

현덕이 묻는다.

"사위 되시는 분은 만나보셨는지요?"

"이 사람도 지금 사위를 만나러 오는 길이외다."

유현덕은 황승언과 작별하고 말에 올랐다. 휘몰아치는 눈보라를 뚫고 신야로 돌아가는데, 못내 아쉬워 고개를 돌려 와룡강을 바라보니 울적한 심사를 이길 도리가 없다.

후세 사람들이 눈보라 속에 공명을 찾아간 현덕을 두고 이렇게 시를 지어 읊었다.

바람 불고 눈오는 날 현자를 찾아갔으나	一天風雪訪賢良
만나지 못하고 돌아서는 길 서글픈 마음뿐이네	不遇空回意感傷
계곡과 다리는 얼어붙어 산길 미끄러운데	凍合溪橋山石滑
말안장에 스며드는 찬바람 갈 길은 멀기도 해라	寒侵鞍馬路途長
머리 위로 배꽃처럼 눈송이 나부끼고	當頭片片梨花落
얼굴에는 버들솜 분분히 부딪네	撲面紛紛柳絮狂
말고삐 잡고 고개 돌려 아득히 바라보니	回首停鞭遙望處
와룡강 온통 은빛으로 쌓였구나	爛銀堆滿臥龍岡

흐르는 세월은 물과 같아서, 유현덕이 신야로 돌아온 뒤 어느덧 겨

울이 지나고 봄이 되었다. 현덕은 점치는 사람에게 명해 길일을 택한 다음, 사흘 동안 목욕재계하고 새옷으로 갈아입고서 다시 와룡강으로 공명을 찾아갈 준비를 했다. 그러나 장비는 말할 것도 없고 관우까지 도 도무지 탐탁지 않게 생각하여 이를 막으려고 현덕을 찾는다.

숨은 현자 끝내 영웅의 뜻에 감복하지 않아　　　　　高賢未服英雄志
지나치게 몸을 굽히는데 호걸은 의아해하네　　　　　屈節偏生傑士疑

관우와 장비는 과연 무슨 말로 현덕을 만류하려는 것일까?

와룡 일어나다

공명은 융중에서 천하삼분의 계책을 정하고

손권은 장강전투에서 원수를 갚다

두번이나 찾아가고도 만나지 못했는데, 현덕이 다시 공명을 찾아가려 하자 평소에는 말이 없던 관운장까지도 말리고 나섰다.

"형님은 몸소 두번씩이나 찾아가셨습니다. 예의가 지나칠 정도입니다. 생각건대 제갈량은 허명만 높을 뿐 실제로는 별로 배운 것이 없는 사람일지도 모르며, 그래서 번번이 피하고 형님을 만나려 하지 않는 듯합니다. 어째서 형님은 그런 사람에게 혹하셨습니까?"

현덕이 말한다.

"그렇지 않다. 옛날 제(齊)나라의 환공(桓公)은 동곽(東郭)의 야인을 만나기 위해 다섯 번이나 찾아가 겨우 만났다 하는데, 하물며 내가 공명 같은 현자를 찾아보는 데 그만한 예도 없이 되겠느냐?"

이번에는 장비가 참지 못하고 나선다.

"그건 형님이 잘못 아셨수. 그까짓 촌놈이 현자는 무슨 놈의 현자요? 이번에는 구태여 형님이 가실 게 아니라 사람을 보내서 불러들입시다. 만약 안 오면 내가 오랏줄로 묶어서 끌고라도 오겠수."

장비의 말을 듣고 유현덕이 큰소리로 꾸짖는다.

"너는 그래 주(周)의 문왕(文王)께서 강자아를 찾아갔을 때의 일도 모르느냐! 문왕 같은 분도 현자를 그리 공경했는데, 네가 어찌 이렇듯 무례하게 군단 말이냐. 너는 이번에는 따라오지 말아라. 내 관운장하고만 갔다오겠다."

장비가 변죽 좋게 웃으며 말한다.

"두 분 형님이 가시는데 왜 나만 빠지라구 하우."

현덕이 장비에게 당부의 말을 한다.

"네가 꼭 함께 갈 작정이라면 데리고야 가겠다만, 행여 실례를 범해서는 안되느니라. 알겠느냐?"

"형님, 염려 놓으시우."

유비와 관우, 장비 세 사람은 다시 길을 떠났다. 시종 몇명을 거느리고 떠난 유비 일행이 마침내 공명의 초려에서 반 리쯤 떨어진 곳에 이르렀을 때였다. 현덕이 말에서 내려 걸어가는데, 마침 반대편에서 공명의 아우 제갈균이 오고 있었다. 유현덕은 황망히 예를 차리고 묻는다.

"형장께서는 지금 댁에 계십니까?"

"엊저녁에 돌아왔으니 오늘은 틀림없이 만나실 수 있을 겝니다."

제갈균은 이렇게 한마디 대답하고는 표연히 걸음을 재촉하여 제 갈 길로 가버렸다.

　"참으로 다행이구나. 이번에는 선생을 만나뵙게 되었으니……"

　유현덕은 기쁨을 누르지 못하는데, 장비가 제갈균의 뒷모습을 바라보다가 마뜩지 않은 듯 한마디 한다.

　"거 참 무례하기 짝이 없는 놈이로군. 우리를 안내해 저희 집으로 갈 일이지, 말 한마디 던져놓고는 제 갈길을 그냥 가버리다니."

　현덕이 말한다.

　"그만둬라. 사람은 다 저마다 볼일이 있는 법인데, 탓할 것이 아니다."

　세 사람은 마침내 공명의 초려 앞에 이르러 문을 두드렸다. 동자가 문을 열고 나오자 현덕이 말한다.

　"들어가서 유비가 선생을 뵙고자 한다고 여쭈어라."

　동자가 말한다.

　"오늘은 선생님께서 계시기는 하지만, 지금 초당에서 낮잠을 주무시고 계십니다."

　"그렇다면 아직 여쭈지 말아라."

　유현덕은 동자에게 이렇게 이른 다음 관우와 장비에게는 문밖에서 기다리고 있으라 분부하고, 혼자서 천천히 안으로 들어갔다. 과연 와룡은 초당 평상 위에 번듯이 누워 깊이 잠들어 있었다. 유현덕은 손을 맞잡고 섬돌 아래 서서 기다렸다. 반나절이 지나도 공명은 깨어나지 않았다.

　한편 관우와 장비는 밖에서 한참동안 기다려도 아무 소식이 없자 안으로 들어갔다. 그런데 현덕이 아직까지도 섬돌 아래 서 있는 것이 아닌가. 장비가 잔뜩 화가 나서 관운장을 향해 말한다.

"세상에 저 선생이 어찌 저리 거만하단 말이우? 우리 형님을 섬돌 아래 반나절이나 세워놓고, 자기는 누워서 자는 체하고 일어나지 않다니! 당장 집 뒤로 돌아가서 불을 싸질러놓아야지 안되겠수. 어디 제가 일어나지 않고 견디나 한번 봐야지."

관운장이 장비를 거듭 말렸다. 유현덕은 관운장에게 냉큼 장비를 데리고 밖으로 나가라고 분부하고 다시 초당 위를 바라보았다. 마침 공명은 자리에서 일어날 듯 몸을 돌이키더니 도로 벽쪽으로 돌아누워 버린다. 동자가 공명을 깨우려고 나서는데 현덕이 말린다.

"놀라시게 하지 말아라."

그리고 다시 현덕은 한 시각이나 더 서서 기다렸다. 마침내 공명은 잠에서 깨어나더니 시를 한 수 읊는다.

큰 꿈을 뉘 먼저 깨는고	大夢誰先覺
평소 내 스스로 아노라	平生我自知
초당에 봄잠이 넉넉하니	草堂春睡足
창밖에 해는 길기도 하구나	窓外日遲遲

제갈공명은 시를 읊고 나서, 몸을 돌려 동자를 보고 묻는다.

"손님이 찾아오시지 않았더냐?"

동자가 대답한다.

"유황숙께서 오셔서 벌써부터 기다리고 계십니다."

"왜 진작 나를 깨우지 않았느냐? 내 잠깐 들어가서 옷을 갈아입고 나오마."

이렇게 이른 뒤 공명은 후당으로 들어갔다.

한참이 지나서야 의관을 정제하고 나온 공명은 손님을 맞았다. 유현덕이 제갈공명을 바라보니, 신장이 8척이요 얼굴은 관옥(冠玉) 같다. 머리에 윤건(綸巾)을 쓰고 몸에는 학창의(鶴氅衣)를 입었는데, 표연한 기상이 마치 신선의 풍모다. 유현덕은 절을 올리고 입을 연다.

"저는 한나라 황실의 후손이요 탁군에 사는 어리석은 필부로서, 오래 전부터 선생의 높은 이름을 천둥같이 들었습니다. 일전에 두번을 찾아뵈러 왔다가 뵙지 못하고 천한 이름으로 몇자 적어놓고 갔는데, 선생께서 보셨는지 모르겠소이다."

공명이 답례하고 말한다.

"남양에 사는 야인(野人)이 천성이 게을러서 여러 차례나 장군을 오시게 했으니 부끄러울 뿐입니다."

서로 깍듯이 인사를 나누고 손님과 주인이 자리를 나누어 앉으니, 동자가 차를 올렸다. 차를 마시고 나서 공명이 말한다.

"두고 가신 글을 보고, 나라와 백성을 걱정하는 장군의 마음을 족히 알 듯했습니다. 다만 제가 아직 어리고 재주가 없어 장군께서 청하신 일을 제대로 감당할 수 없으니 그저 답답할 뿐입니다."

유현덕이 말한다.

"사마휘 선생과 서서의 말씀이 어찌 헛되겠습니까. 바라건대 선생은 이몸을 비천하다 버리지 마시고 부디 가르침을 주십시오."

"사마휘 선생과 서서는 천하의 높은 선비요 저는 한낱 밭이나 가는 필부에 지나지 않는데, 어찌 감히 천하의 일을 논하겠습니까. 두 분께서 잘못 천거하신 게지요. 장군께서는 어찌하여 아름다운 옥을 버리고 보잘것없는 돌을 구하려 하십니까?"

"대장부가 세상을 구할 큰 재주를 품고도 어찌 산속에 파묻혀 부질없이 늙으시려 합니까? 부디 선생은 천하창생(天下蒼生)을 생각하셔서 우둔한 유비에게 가르침을 주십시오."

공명은 마침내 입가에 웃음을 띠고 말한다.

"먼저 장군의 뜻을 듣고 싶습니다."

유현덕은 앞으로 다가앉으며 말한다.

"한나라의 사직이 기울고 간신의 무리가 농간을 부리고 있는 이때에, 앉아서 보고만 있을 수는 없습니다. 이 유비가 힘을 헤아리지 않고 대의를 천하에 펴고자 하나, 지혜와 학식이 부족하여 뜻을 이루지 못하고 있습니다. 부디 선생께서 제 어리석음을 깨우쳐 나라를 구해주시면 진실로 천만다행이겠습니다."

공명이 옷깃을 바로잡고서 조용히 입을 연다.

"동탁이 모반한 뒤로 천하호걸이 벌떼처럼 일어난 중에, 조조가 그 형세가 원소만 못했으면서도 마침내 원소를 쳐 이긴 것은 오로지 하늘의 도움〔天時〕만이 아니라 사람의 힘이 있어서라 하겠지요. 이제 조조가 백만의 무리를 거느리고 황제를 앞세워 제후를 호령하니, 그와는 함부로 힘을 다툴 수 없게 되었습니다. 손권은 강동을 손에 넣고 이미 3대를 이었으며, 지형이 험하고 백성들이 따르니, 그와 화친하여 힘은 빌리더라도 함께 도모할 수는 없는 형세입니다. 형주는 북쪽으로 한수(漢水)·면수(沔水)를 의지해 남해(南海)까지 모두 이로우며, 동쪽으로는 오회(吳會, 오군吳郡과 회계會稽)와 닿고 서쪽으로는 파촉(巴蜀, 파군巴郡과 촉군蜀郡)과 통했으니, 이야말로 군사를 일으키고 천하를 다스릴 만한 땅입니다. 이곳은 참주인이 아니면 능히 지키지 못할 것이니, 이는 곧 하늘이 장군께 내리신 곳이거늘, 장군께서는 어

공명은 유비에게 천하삼분의 계책을 일러주다

찌하여 버려두고 계신지요. 또 익주(益州)는 천하에 드문 험준한 요새이나, 기름진 땅이 천리에 뻗어 있고, 천부지토(天府之土, 자연적 요새)라 하여 한고조께서도 이 땅을 의지하시어 제업(帝業)을 이루었습니다. 오늘날 유장(劉璋)은 사리에 어둡고 나약해서 백성이 많고 나라가 부유한데도 백성을 돌볼 줄 모르기 때문에, 지혜롭고 현명한 선비들은 은근히 명군(明君)을 기다리고 있습니다. 장군께서는 한실 종친으로 신의를 사해에 드날리고 천하의 영웅호걸들을 얻으셨으며 어진 이를 갈구하시니, 이제 만약 형주와 익주를 발판으로 그 험준한 지형을 요새 삼아 서쪽 오랑캐 융족(戎族)들의 마음을 사는 한편, 남쪽 오랑캐 이족(彝族)과 월족(越族)을 위로하고, 밖으로는 손권과 굳게 맺으시되 안으로 백성을 잘 다스리시면서, 천하에 변고가 있기를 기다렸다가, 한 장수에게는 형주 군사를 거느리고 완성과 낙양으로 가게 하시고, 장군께서는 몸소 익주의 무리를 거느리고 진천(秦川)으로 나가신다면, 어느 백성이 뛰어나와 장군을 맞이하지 않겠습니까? 진실로 이와같이 한다면 가히 대업을 이룰 수 있을 것이요 한나라 황실을 다시 일으킬 수 있을 것입니다. 이것이 바로 제가 장군을 위해 생각해낸 계책이니, 장군께서는 힘껏 도모하십시오."

공명은 잠시 말을 끊고 동자에게 명해 그림 한폭을 내다가 중당에 걸게 한 다음 말을 잇는다.

"이것은 서천(西川) 54주의 지도입니다. 장군께서 패업(霸業)을 이루시려거든 북쪽은 천시(天時)를 얻은 조조에게 양보하고, 남쪽은 지리(地利)를 손에 넣은 손권에게 양보한 다음, 인화(人和)를 얻으십시오. 먼저 형주를 손에 넣어 근거로 삼고 나서 바로 서천을 취해 기반을 세우고, 조조·손권과 더불어 정족지세(鼎足之勢, 솥발처럼 셋이 맞서

초려에서 제갈량이 꿈꾼 천하통일의 계책

대립한 형세)를 이루십시오. 그런 뒤에라야 중원(中原)을 도모할 수 있을 것입니다."

현덕은 다 듣고 나자 자리에서 일어나 손을 맞잡고 사례한다.

"선생의 말씀을 들으니 답답하던 가슴이 활짝 열려 마치 운무(雲霧)를 헤치고 푸른 하늘을 보는 듯합니다. 허나 형주의 유표와 익주의 유장은 모두 한실 종친이니, 어찌 차마 그 땅을 빼앗겠습니까?"

공명이 말한다.

"내가 지난 밤에 천문을 보니 유표는 오래지 않아 세상을 떠날 것이요, 유장은 결코 대업을 세울 사람이 아닙니다. 나중에는 형주와 익주 모두 장군에게로 돌아오고야 말 것입니다."

유현덕은 이 말을 듣고 머리를 깊이 조아려 사례했다.

이 자리에서 공명이 한 이야기는 실로 그가 초려를 떠나기 전에 이미 천하가 셋으로 나뉠 것을 미리 안 것이니, 참으로 공명은 만고에 길이 남을 걸출한 인물이었다.

후세 사람들이 이 일을 찬탄하여 시를 지었다.

현덕이 당시 곤궁함을 탄식하더니	豫州當日嘆孤窮
천행으로 남양에 와룡 있었구나	何幸南陽有臥龍
뒷날 천하삼분이 된 것을 알려거든	欲識他年分鼎處
선생이 웃으며 가리킨 지도를 보게	先生笑指畫圖中

유현덕이 공명에게 절하고 청한다.

"내 비록 이름없고 덕이 부족하지만, 원컨대 선생은 나를 비천하다 버리지 마시고 산에서 나와 도와주십시오. 이 유비는 마땅히 가르침을 따르겠습니다."

공명이 대답한다.

"이몸은 오랫동안 밭 가는 것을 낙으로 살아왔을 뿐 세상사에 게으른 터라, 장군의 명을 받들 수가 없습니다."

현덕은 울면서 거듭 청한다.

"선생께서 세상에 나오시지 않으면 억조창생은 장차 어찌하면 좋겠습니까."

말을 하는데, 흐르는 눈물이 옷깃과 도포자락을 적신다. 현덕이 어찌나 간절히 청하는지 지켜보던 공명은 자기도 모르게 마음이 움직였다. 비로소 공명이 입을 연다.

"장군께서 저를 물리치지 않으신다면 삼가 견마(犬馬)의 수고를 아끼지 않겠습니다."

유현덕은 크게 기뻐했다. 당장 관우와 장비를 불러들여 공명에게 절을 올리게 한 뒤, 시종을 불러서 가지고 온 예물을 바치게 했다. 공명이 굳이 사양하며 받으려 하지 않자 현덕이 말한다.

"이는 결코 어진 분을 맞아들이는 예로서 드리는 것이 아니요, 그저 유비의 작은 마음을 표할 뿐입니다."

공명은 그제서야 예물을 받았다.

이리하여 현덕과 관우, 장비는 그날 밤을 공명의 집에서 묵었다. 이튿날, 아우 제갈균이 돌아오자 공명은 조용히 당부했다.

"유황숙께서 이처럼 세번이나 찾아주신 뜻을 저버릴 수 없어, 나는 이제 집을 떠나려 한다. 비록 내가 없더라도 너는 남아서 논밭을 잘 거두어 황폐하지 않게 하여라. 내 공을 이루어 유황숙의 은혜를 갚는 대로 다시 돌아와 이곳에 은거할 것이다."

후세 사람들이 이 일을 두고 시를 지어 찬탄했다.

높이 날아오르기 전에 돌아올 일 생각했으니 　身未升騰思退步
공을 이루었다면 응당 떠날 때 이 말 기억하리 　功成應憶去時言
다만 선주의 정녕한 부탁으로 인해 　祇因先主丁寧後
가을바람 부는 오장원에 큰 별이 떨어지누나 　星落秋風五丈原

또한 고풍의 시 한 수가 있다.

고황제 뽑아든 삼척검 칼날에 　高皇手提三尺雪
망탕산의 백사 피흘리고 죽었네 　芒碭白蛇夜流血

진나라 평정하고 초나라 이기고 올라선 한나라　　　　平秦滅楚入咸陽

이백년 만에 대가 거의 끊어졌거늘　　　　二百年前幾斷絶

위대하다, 광무제 낙양서 나라 다시 일으켰도다　　　　大哉光武興洛陽

대대로 전해진 나라 환제·영제 때 다시 붕괴하여　　　　傳至桓靈又崩裂

헌제는 도읍을 허창으로 옮기고　　　　獻帝遷都幸許昌

천하에 어지러이 호걸들 일어나네　　　　紛紛四海生豪傑

조조는 천시를 얻어 권력을 잡고　　　　曹操專權得天時

강동의 손씨는 큰 기반 이루었네　　　　江東孫氏開鴻業

고단할손 현덕이여, 천하를 떠돌다가　　　　孤窮玄德走天下

홀로 신야에 몸 붙이니 악운이 그지없어라　　　　獨居新野愁民厄

남양의 와룡선생 큰 뜻을 품고　　　　南陽臥龍有大志

흉중엔 웅병 거느려 전략을 다 꾸미네　　　　腹內雄兵分正奇

서서가 떠날 때 천거한 말로 인해　　　　祇因徐庶臨行語

초려를 세번이나 찾아 마음 서로 통했으니　　　　茅廬三顧心相知

이때 선생의 나이 겨우 27세　　　　先生爾時年三九

거문고와 서책 치우고 정든 땅 떠나네　　　　收拾琴書離隴畝

먼저 형주를 얻고 다음에 서천을 취하니　　　　先取荊州後取川

크게 편 경륜 천하를 바로잡을 솜씨　　　　大展經綸補天手

종횡으로 움직이는 혀끝 천둥이 일어나는데　　　　縱橫舌上鼓風雷

담소 중에도 가슴속엔 별자리를 바꾸도다　　　　談笑胸中換星斗

용의 신묘, 범의 용맹으로 천하를 편안케 하니　　　　龍驤虎視安乾坤

천추만고에 그 이름 썩지 않고 전하리　　　　萬古千秋名不朽

이리하여 유현덕 등 세 사람은 제갈균과 작별하고 공명과 함께 신야로 돌아왔다.

유현덕은 제갈공명을 스승의 예로써 대하였다. 먹는 것도 한 탁자에서 같이 먹었으며, 자는 것도 같은 침상에서 자면서 하루종일 마주앉아 천하의 일을 담론했다. 어느날 공명이 말한다.

"조조가 지금 기주에다 현무지(玄武池)라는 호수를 파고 수군을 조련하는 모양이, 반드시 강남을 칠 생각이겠지요. 은밀히 사람을 강동으로 보내서 그곳 허실을 염탐해오게 하십시오."

현덕은 공명의 말대로 곧 강동으로 사람을 보냈다.

한편 손권은 그의 형 손책이 죽은 뒤로 강동에 터를 잡고, 아버지와 형의 유업을 이어받아 널리 천하의 어진 선비들을 모아들였다. 그는 오회땅에다 빈관(賓館)을 세우고, 고옹(顧雍)과 장굉(張紘)에게 사방에서 모여드는 빈객들을 영접하도록 했다. 사람들이 다투어 인재들을 천거한 까닭에 몇해 동안 손권 휘하로 모여든 인재들은 한둘이 아니었다.

회계(會稽) 사람 감택(闞澤)은 자가 덕윤(德潤)이요, 팽성(彭城) 사람 엄준(嚴畯)은 자가 만재(曼才)요, 패현(沛縣) 사람 설종(薛綜)은 자가 경문(敬文)이요, 여양 사람 정병(程秉)은 자가 덕추(德樞)요, 오군(吳郡) 사람 주환(朱桓)은 자가 휴목(休穆)이요, 육적(陸績)은 자가 공기(公紀)이다. 또한 오인(吳人) 장온(張溫)의 자는 혜서(惠恕)요, 오상(烏傷) 사람 낙통(駱統)은 자가 공서(公緒)요, 오정(烏程) 사람 오찬(吾餐)은 자가 공휴(孔休)이니, 이들이 강동에 왔을 때 손권은 모두 정성껏 맞이하고 예를 다해 대우했다.

이밖에 좋은 장수도 몇 사람 얻었는데, 여남(汝南) 사람 여몽(呂蒙)은 자가 자명(子明)이요. 오군 사람 육손(陸遜)은 자가 백언(伯言)이요, 낭야(琅琊) 사람 서성(徐盛)은 자가 문향(文嚮)이요, 동군 사람 반장(潘璋)은 자가 문규(文珪)요, 여강 사람 정봉(丁奉)은 자가 승연(承淵)이다. 이렇듯 문무에 능한 사람들이 한결같이 마음을 모아 손권을 보좌하니, 이때부터 강동에는 많은 인재가 있다고 소문이 났다.

건안 7년(202)이었다. 조조는 원소를 물리치고 나서 강동으로 사신을 보내서, 손권에게 그의 아들을 허도로 보내 조정에서 황제를 모시게 하라고 명했다. 손권은 좀처럼 판단을 내리지 못하고 차일피일 미루며 날짜를 끌었다. 보다 못한 오태부인(吳太夫人)이 주유(周瑜)와 장소(張昭)를 불러들여 의견을 물었다. 장소가 고한다.

"조조가 이렇게 주공의 아들을 불러들이는 것은 바로 제후들을 견제하기 위한 책략입니다. 만일 우리가 조조의 말을 따르지 않는다면 십중팔구 군사를 일으켜 강동으로 쳐들어올 텐데, 그리 되면 형세가 자못 위태로워지지 않을까 걱정입니다."

주유의 생각은 장소와 달랐다.

"장군께서는 아버지와 형님이 마련해놓은 유업을 이어받아 이제 여섯 군(郡)을 거느리고 계십니다. 군사들은 정예하고 식량은 넉넉하며 모든 장수들은 명을 받들어 충성을 다하고 있는 이때, 남의 강권에 못이겨 구태여 아드님을 볼모로 보낼 까닭이 어디 있습니까? 한번 아드님을 볼모로 보내고 나면 부득불 조조와 화친해야 할 것이고, 또한 그들이 부르면 어쩔 수 없이 가야만 하니, 이렇게 되면 늘 압제를 받을 수밖에 없습니다. 그러니 일단 거절의 뜻을 전한 뒤 서서히 동정을 살피다가 좋은 계책을 써서 방어하는 게 나을 줄로 아뢉니다."

"옳은 말일세."

오태부인은 주유의 의견에 찬동했다. 손권은 그 말에 따라 사자를 돌려보내고 아들을 허도로 보내지 않았다. 이때부터 조조는 강남의 손권을 치려는 뜻을 품었으나 때마침 북쪽 변방이 편안치 않아 남정(南征)할 겨를이 없었다.

건안 8년(203) 11월이었다. 손권은 군사를 일으켜 황조(黃祖)와 대강(大江, 즉 장강長江)에서 싸웠다. 황조의 군사가 패해 달아나기 시작했다. 손권의 부장 능조(凌操)는 쾌선(快船)을 타고 앞장서서 이들을 하구(夏口)로 추격해들어가다가, 황조의 부장 감녕(甘寧)의 화살에 맞아 죽고 말았다. 죽은 능조의 아들 능통(凌統)은 그때 겨우 열다섯 살이었으나, 죽기를 무릅쓰고 앞으로 나아가 끝내 아버지의 시신을 빼앗아 돌아왔다. 손권은 형세가 불리해지자 군사를 거두어 동오로 돌아왔다.

그무렵 손권의 아우 손익(孫翊)은 단양(丹陽) 태수로 있었다. 손익은 본래 천성이 사나운데다 술을 좋아하여, 취한 뒤에는 으레 군사들에게 매질을 퍼붓기 일쑤였다. 이에 단양의 독장(督將) 규람(嬀覽)과 군승(郡丞) 대원(戴員)은 오래 전부터 손익을 죽일 뜻을 품고 있다가, 마침내 손익의 시종 변홍(邊洪)과 결탁해 은근히 기회를 노리고 있었다.

그때 고을의 현령과 장수 들이 모두 단양에 모였다. 손익은 크게 연회를 베풀어 이들을 대접하려 했다.

손익의 부인 서씨(徐氏)는 재색을 겸비한데다 주역에 통달해 점을 쳐서 길흉화복을 볼 줄 알았다. 그날도 점괘를 보았는데, 크게 흉한 괘가 나왔다. 서씨는 남편에게 연회에 참석하지 말라고 권했지만, 손익은 서씨의 말을 귀담아듣지 않고 연회에 나가 술을 마음껏 마셨다.

연회는 날이 저물어서야 파했다. 사람들이 모두 흩어질 무렵, 손익은 변홍을 대동하고 문을 나섰다. 바로 그때 뒤따르던 변홍이 차고 있던 칼을 빼어 단칼에 손익을 찔러죽여버렸다.

애초에는 규람과 대원의 사주로 변홍이 저지른 짓이었다. 그런데 막상 일을 치르고 나니 규람과 대원은 모든 죄를 변홍에게 뒤집어씌워서는 저잣거리로 끌고 나가 참수해버렸다.

규람과 대원은 제 세상을 만난 듯 태수 부중으로 쳐들어가 손익의 재산을 몰수하고, 그의 시첩들까지 서로 나누어 차지했다. 나아가 규람은 남편을 잃은 손익의 부인 서씨의 미모에 더럭 욕심이 나서 서씨를 불러 이른다.

"나로 말할 것 같으면 네 남편의 원수를 갚아준 사람이다. 그러니 그대는 마땅히 나를 따라야 한다. 만일 나를 따르지 않으면 목숨을 구하기 어려울 것이야!"

서씨가 조용히 대답한다.

"남편을 잃은 지 얼마 안되어 다른 이를 섬기는 것은 도리가 아닙니다. 그믐날까지 기다려 제사를 지내고 상복을 벗은 다음 따르더라도 늦지 않을 것입니다."

규람은 서씨의 말을 듣고 더이상 다그치지 않고 돌아갔다. 서씨는 규람이 떠나자 은밀히 손고(孫高)와 부영(傅嬰)을 부중으로 불렀다. 두 사람 모두 손익의 심복 장수였다. 손고와 부영이 들어오자 서씨는 울며 말한다.

"남편이 살아 계실 때 항시 두 분의 충의(忠義)를 칭찬하셨지요. 지금 규람과 대원 두 도적놈이 남편을 죽여 그 죄를 모조리 변홍에게 뒤집어씌우고는, 가산과 시종들을 노략질하고 그것도 모자라 규람이란 놈은 내 몸까지 더럽히려 하고 있소. 내 거짓으로 허락한 체하여 우선 그자의 마음을 늦추어놓았으니, 부디 두 분 장군께서는 속히 사람을 보내 오후(吳侯, 손권)께 이 사실을 알려주십시오. 또 한편으로 은밀하게 계략을 꾸며 두 역적놈을 죽여 원수를 갚아주신다면 내 죽어서도 두 분 장군의 은혜를 잊지 않겠소."

서씨는 말을 마치고 몸을 일으켜 두번 절을 올렸다. 손고와 부영은 비감하여 눈물을 흘리며 말한다.

"저희 두 사람이 평소 손익 장군의 은혜를 입었는데, 이 난리 속에서도 차마 죽지 않고 있는 것은 바로 장군의 원수를 갚기 위해서였소이다. 우리가 어찌 부인께서 명하시는 바를 털끝만치라도 소홀히하겠습니까?"

두 사람은 밖으로 나온 즉시 심복부하를 은밀히 손권에게 보내 모든 일을 알렸다.

드디어 그믐날이 되었다. 서씨는 손고와 부영을 불러들여 밀실의 장막 뒤에 숨겨놓고는 당상에 제물을 갖추어 지아비의 제사를 지냈다. 제사를 끝내고 상복을 벗어버린 서씨는 향을 달인 물로 목욕을 한 다음, 짙게 화장을 하고 얼굴에 미소를 지으며 요염한 태도를 가장했다. 규람은 이 소식을 전해듣고 매우 기뻐했다.

이윽고 밤이 되자 서씨는 시비를 보내 규람을 부중으로 청했다. 규람이 와서 보니 술상이 차려져 있었다. 규람은 서씨가 권하는 대로 술잔을 기울이다가 마침내 크게 취했다. 서씨가 술에 취한 규람을 부축해 밀실로 들어가니, 규람은 기뻐 어쩔 줄 몰랐다. 밀실에 들어선 서씨가 큰소리로 외친다.

"손고와 부영 장군은 어디 계시오!"

서씨의 말이 떨어지기가 무섭게 장막 뒤에서 손고와 부영이 일제히 칼을 들고 뛰어나왔다. 규람은 미처 손 한번 놀려볼 새도 없이 먼저 부영의 칼을 받고 고꾸라졌다. 이어 손고의 칼이 그 뱃속으로 쑤시고 들어갔다.

서씨는 이번에는 대원에게 사람을 보내 술자리에 청했다. 시종을 따라 부중에 발을 들여놓던 대원은 미처 당상에 오르기도 전에 좌우에서 기다리고 있던 손고와 부영이 동시에 내리친 칼에 맞아 그 자리에서 죽고 말았다. 손고와 부영은 즉시 사람을 보내 규람과 대원의 식구들과 그 일당을 모조리 잡아죽였다. 서씨는 그제야 다시 상복으로 갈아입고, 규람과 대원 두 원수의 머리를 손익의 영전에 두고 제사를 올렸다.

하루가 지나지 않아 손권은 아우의 소식을 듣고 몸소 군사를 거느리고 단양에 이르렀는데, 와서 보니 서씨가 이미 두 역적놈을 죽인 뒤였다. 손권은 손고와 부영 두 장수를 아문장(牙門將)으로 삼아 단양을 지키게 하고, 서씨는 집으로 돌아가 편안히 살게 하였다. 이 이야기가 전해지자, 강동사람들 중에 서씨의 덕을 칭송하지 않는 자가 없었다.

후세 사람들이 시를 지어 서씨를 찬탄했다.

재색과 절개 함께 갖춘 이 또 어디 있으리	才節雙全世所無
간악한 무리 하루아침에 죽임을 당하였네	奸回一旦受摧鋤
용렬한 신하 역적을 따르고 충신은 목숨 바치는 게 전부라	庸臣從賊忠臣死
모두 동오의 여장부에는 미치지 못하더라	不及東吳女丈夫

한편 동오 각처에서 날뛰던 산적들을 모두 평정한 손권은 장강에

전선 7천여 척을 정박시켜놓고 그 웅장함을 자랑하고 있었다. 손권은 주유를 대도독(大都督)으로 삼아 강동의 수륙군마(水陸軍馬)를 총지휘하게 했다.

건안 12년(207) 10월, 손권의 어머니 오태부인의 병세가 위중해졌다. 다시 일어나지 못하리라는 것을 깨달은 오태부인은 곧 주유와 장소를 불러들여 간곡하게 뒷일을 당부한다.

"나는 본래 오(吳)땅 사람으로, 어려서 부모를 여의고 아우 오경(吳景)과 함께 월(越)땅에 와서 살다가 손씨 집안으로 시집을 왔소. 아들 4형제를 낳았는데, 맏아들 책(策)을 낳을 때는 달이 품안으로 들어오는 태몽을 꾸었고, 둘째아들 권(權)을 낳을 때는 해가 품안에 들어오는 꿈을 꾸었소. 점쟁이가 말하더군. 꿈에 해와 달이 품안에 드는 것을 보고 자식을 낳으면 그 자식은 귀하고 큰 인물이 된다고 말이오. 하지만 불행히도 책은 일찍 죽었고, 이제 강동의 기업(基業)은 모두 권에게 달려 있소. 바라건대 공들은 한마음으로 권을 도와주오. 그러면 내 죽어서도 은혜를 잊지 않으리다."

마지막으로 손권에게 말한다.

"너는 자포(子布, 장소의 자)와 공근(公瑾, 주유의 자)을 스승 모시듯 섬기되 절대로 태만해서는 아니 된다. 또한 내 친정 여동생은 나와 함께 네 아버지에게 시집온 터이니, 그 역시 네 어머니다. 내가 죽은 뒤에도 내 동생을 나를 섬기듯 섬겨야 한다. 그리고 네 누이동생을 정성껏 돌보아 마땅한 혼처를 가려서 시집보내주어라."

말을 마친 오태부인은 결국 숨을 거두었다. 손권이 슬피 울며 예를 갖추어 더할나위 없이 성대히 장례를 치렀음은 길게 말할 것도 없다.

이듬해 봄이었다. 손권이 군사를 일으켜 황조를 칠 방도를 의논하자 장소가 나서서 간한다.

"모친 상중에 군사를 일으키는 것은 옳지 않습니다."

주유의 생각은 달랐다.

"원수를 갚고자 하는데 어떻게 탈상을 기다린단 말이오?"

두 사람의 생각이 맞서자 손권은 얼른 결정을 내리지 못하는데, 평북도위(平北都尉) 여몽(呂蒙)이 들어와 아뢴다.

"제가 용추(龍湫)의 수구(水口)를 지키고 있는데, 강 건너 황조의 부장 감녕이 항복해왔습니다. 그래서 주공의 명을 받고자 왔습니다."

손권이 어찌 된 일인가 궁금해하자 여몽이 자세하게 설명한다.

"본래 감녕의 자는 홍패(興霸)로 파군(巴郡) 임강(臨江) 사람이온데, 서사(書史)에 능통하고 기력(氣力)도 뛰어났다 합니다. 협객을 좋아하여 일찍이 망명객들을 모아 강호를 떠돌아다녔는데, 언제나 허리에 구리방울을 달고 다녀 그 방울소리만 들어도 사람들은 두려움에 떨며 몸을 피했고, 또 서천 비단으로 만든 돛을 단 배를 타고 다녀 사람들이 그를 '금범적(錦帆賊)'이라 불렀답니다. 그러다가 감녕은 그동안의 잘못을 뉘우치고 행실을 바로잡아, 무리를 거느리고 유표에게로 갔습니다. 그러나 유표 역시 큰그릇이 아님을 알고 즉시 동오로 와서 주공을 찾아뵐 작정이었는데, 일이 공교롭게 되어 중도에 황조를 만나 잠시 그에게 의탁하여 하구에 머물러 있었답니다. 황조 역시 용렬한 자라, 지난번 우리가 공격했을 때 감녕 덕분에 하구를 지킬 수 있었음에도 황조는 그를 박대했다지 뭡니까? 황조의 도독 소비(蘇飛)가 몇번이나 감녕을 천거했으나, 황조는 '지난날 떠돌아다니던 도적에 불과하다'고 하며 끝내 감녕을 대접해주지 않았답니다. 감녕은 내심 황조에게 한을 품고 있었는데, 소비가 자기 집으로 청해 술을 대접하면서, '내가 공을 여러 차례 천거했는데도 주공이 들은 척도 않으니 어쩔 도리가 없구려. 세월은 덧없이 흐르고 인생은 길지 않으니, 아무래도 앞일을 다시 생각해야겠소. 내 주공께 말씀드려 공을 주현(邾縣)의 현장(縣長)으로 보내줄 터이니, 거기 있든지 떠나든지 잘 생각해보고 거취를 정하시오' 하고 은근히 말하더랍니다. 일이 이렇게 되어 하구를 벗어난 감녕은 강동에 투항할 마음을 먹게 되었으나, 지난번에 황조를 위해 싸우다가 강동의 장수 능조를 쏘아죽인 일 때문에 선뜻 올 수가 없더랍니다. 그래서 제가 감녕에게 말했습니다. '우리 주공께서는 어진 인재를 구하시기를 목마른 사람이 샘물 찾듯이 하시니, 지난날의 원한 같은 것은 마음에 두지 않으시오. 게다가 그때는 피차 주인을 위해서 한 노릇인데 그것을 가지고 어찌 원한을 삼겠소이까.' 그 말에 감녕은 흔쾌히 수하 무리를 이끌고 강을 건너와 주공을 뵈려 합니다. 부디 내치지 말고 받아주십사 간청드리는 바입니다."

이야기를 듣고 난 손권은 크게 기뻐했다.

"이제 감흥패(興覇, 감녕의 자)를 얻었으니, 황조는 이미 물리친 것이나 다름없소."

손권은 여몽에게 명해 감녕을 데려오게 했다. 감녕이 들어와 손권 앞에 엎드려 절하고 나자, 손권이 말한다.

"감흥패가 이렇듯 와주니 그 기쁨을 표현할 길이 없소. 내 어찌 지난 일을 두고 다시 말하겠소? 그런 것은 아예 근심도 말고, 황조를 칠 좋은 계책이나 알려주오."

감녕이 말한다.

"이제 한나라 사직이 날로 위태로워, 마침내 조조가 황제의 자리를 차지할 형세입니다. 형주 남쪽은 조조가 항상 엿보던 곳으로, 유표는 백년대계를 생각지 못하고 자식들 또한 용렬하여 능히 대업을 이을 인물이 못됩니다. 명공(明公)께서는 한시바삐 도모하셔야 합니다. 만약 때를 놓치면 조조가 먼저 도모할 터이니, 우선 황조부터 치도록 하십시오. 황조는 이제 한낱 늙고 혼미한 필부일 뿐, 재물에 욕심 많아 토색질이 심한 까닭에 관리와 백성 들의 원성이 높고, 전쟁장비조차 제대로 정비하지 못한데다 군율이 바로 서지 않아, 명공께서 지금 공격하시면 단번에 쳐부술 수 있습니다. 황조를 쳐부순 뒤에 다시 서쪽으로 초관(楚關)을 손에 넣고 파(巴)·촉(蜀)을 도모하시면 가히 패업을 이룰 수 있을 것입니다."

듣고 나서 손권이 말한다.

"참으로 금옥(金玉) 같은 말씀이오."

손권은 즉시 주유를 대도독으로 삼아 수륙 양군을 지휘하게 하고, 여몽을 전군의 선봉으로, 동습과 감녕을 부장으로 삼았다. 그리고 자신은 10만 대군을 거느리고 황조를 치러 출병했다.

이 소식을 들은 정탐꾼이 급히 하구로 가서 황조에게 알렸다. 황조는 몹시 놀라 급히 수하 문무 장수들을 불러모아 대책을 세웠다. 소비를 대장으로 삼고 진취(陳就)와 등룡(鄧龍)을 선봉으로 하여 강하(江夏)의 모든 군사를 일으켜 동오 군사를 막기로 했다.

진취와 등룡은 각기 전선을 거느리고 면구(沔口)에 이르러 수중진지를 세웠다. 전선에는 각각 강궁(强弓)과 경노(硬弩) 1천여개를 설치하고 굵은 밧줄로 전선들을 서로 얽어 일렬로 벌여놓았다.

마침내 동오의 군사가 배를 몰고 당도했다. 순간 황조 진영의 전선에서 일제히 북소리가 울리며 활과 쇠뇌가 빗발치듯 쏟아졌다. 동오 군사는 그 기세에 움찔하여 감히 앞으로 나가지 못하고 한마장쯤 후 퇴했다. 보다 못한 감녕이 동습을 돌아보며 분연히 말한다.

"이대로 있을 수는 없소. 앞으로 전진하겠소!"

감녕은 작은 배 1백여척을 고른 다음, 배마다 날쌘 병사 50명씩을 태웠다. 그중에서 20명은 오로지 노만 젓게 하고, 30명은 모두 갑옷 차림에 손에는 강철로 만든 칼을 들게 하고서 적군의 화살과 돌을 맞받으며 적선을 향해 전진했다.

드디어 적진 깊숙이 돌진한 감녕의 군사들은 고함을 지르며 적선을 매놓은 굵은 밧줄을 칼로 끊어버렸다. 그와 함께 감녕은 몸을 날려 적선으로 뛰어올라 한칼에 등룡을 찍어 거꾸러뜨렸다.

이때 진취가 배를 버리고 달아났다. 이번에는 여몽이 작은 배에 뛰어내려 몸소 노를 저으며 적선 한가운데로 쳐들어가 불을 놓았다. 다시 진취는 황급히 언덕을 향해 달아났다. 여몽이 날쌔게 그 뒤를 쫓아 단칼에 찔러죽였다.

전세가 위급해지자 소비는 급히 군사를 이끌고 언덕 위로 맞서싸우러 나왔다. 하지만 이미 동오의 장수들이 모두 상륙한 뒤인지라, 도무지 그 기세를 당해낼 수 없었다.

황조의 군사는 대패했다. 소비는 퇴로를 찾아 허겁지겁 달아나다가 손권의 장수 반장과 맞부딪치고 말았다. 소비는 반장을 맞아 두어 합 싸웠지만 이내 사로잡혀버렸다. 반장이 소비를 손권 앞으로 끌고 갔다. 손권이 좌우에 명하였다.

"소비를 함거(檻車)에 가두어두어라. 황조를 붙잡으면 그때 함께 처단하겠다."

이어 삼군을 독려해 주야를 가리지 않고 하구를 공격했다.

단지 금범적을 쓰지 않은 연유로   祇因不用錦帆賊

드디어 함대가 여지없이 패하였네   至令衝開大索船

손권과의 싸움에서 황조의 운명은 과연 어찌 될 것인가?

박망파 싸움

형주성 유기는 세번이나 계책을 묻고
공명은 박망파에서 처음으로 군사를 지휘하다

손권은 삼군을 독려해 하구를 총공략했다. 황조는 이미 군사들이
패한데다 장수들마저 죽은 터여서 더이상 버텨낼 수 없음을 깨닫고
마침내 강하를 버리고 형주로 달아났다.

감녕은 황조가 틀림없이 형주로 달아나리라 짐작하고, 미리 군사를
동문 밖에 매복시키고 기다리고 있었다. 아무것도 모르는 황조는 기
병 수십명을 이끌고 동문을 빠져나가 한참 말을 몰고 달아났다. 그때
갑자기 함성이 크게 일더니 감녕이 한떼의 군사를 거느리고 달려와
길을 막는다. 황조가 감녕에게 한마디 건넨다.

"지난날 내가 너를 과히 박대하지 않았건만, 어떻게 이렇게 나를 핍박할 수 있단 말이냐?"

감녕이 목청을 높여 큰소리로 꾸짖는다.

"내가 강하에 있을 때 세운 공이 많았건만, 너는 끝내 나를 수적(水賊)으로만 취급하지 않았더냐. 그러던 네가 이제 와서 무슨 할말이 있느냐!"

감녕의 태도로 보아 도무지 빠져나갈 구멍이 없다고 판단한 황조는 그대로 말을 돌려 달아나기 시작했다. 감녕이 급히 군졸들을 제치고 앞서 나가 황조의 뒤를 쫓는데, 갑자기 뒤쪽에서 함성이 일며 말발굽 소리가 요란하게 들려왔다.

뒤돌아보니 장수 정보가 기병 5,6명을 거느리고 쫓아오고 있었다. 감녕은 행여 정보에게 공을 빼앗길까 두려워 다급하게 황조를 향해 활시위를 당겼다. 날카로운 시윗소리가 울린 것과 거의 동시에 황조의 등 한복판에 화살이 꽂혔다. 황조는 몸을 뒤채더니 그대로 말에서 떨어지고 말았다. 감녕이 달려들어 황조의 목을 벴다. 감녕은 정보와 함께 군사를 수습해 돌아와 손권에게 황조의 머리를 바쳤다. 손권이 수하에게 분부한다.

"그 머리를 나무상자에 넣어두도록 하라. 내 강동으로 돌아가는 날 아버님 영전에 바치고 제를 올릴 것이다."

손권은 삼군에 후한 상을 내리고 감녕의 벼슬을 높여 도위로 삼았다. 그러고는 일부 군사를 남겨 강하를 지킬 일을 의논했다. 장소가 나서서 말한다.

"강하는 외따로 떨어져 있어 방비하기가 어렵습니다. 지금은 모두 강동으로 돌아가는 게 좋겠습니다. 우리가 황조를 쳐없앤 것을 알면 유표가 필시 원수를 갚으러 올 터이니, 우리는 편안히 기다리고 있다가 먼길을 행군해 지친 유표와 맞서싸운다면 쉽게 물리칠 수 있을 것입니다. 뿐만 아니라, 그 기세를 몰아 공격하면 형주와 양양을 모두 수중에 넣을 수 있습니다."

손권은 장소의 말대로 강하를 버리고 군사를 거두어 강동으로 돌아갔다.

한편 함거에 갇혀 있던 소비는 가만히 사람을 시켜 감녕에게 구원을 요청했다. 감녕이 답했다.

"말하지 않더라도 내 어찌 그 은혜를 잊었겠는가?"

이윽고 대군은 오회(吳會)에 이르렀다. 손권이 좌우 사람들에게 명한다.

"어서 소비의 목을 베어 황조의 머리와 함께 바치고 제사지낼 채비를 하여라."

그때 감녕이 들어와 손권을 보고 울며 고한다.

"지난날 소비가 아니었더라면 이몸은 흙구덩이에 뼈마디가 묻혀 있을 터이니, 무슨 수로 지금 이렇게 장군을 모실 수 있었겠습니까? 비록 소비가 죽어 마땅한 죄를 지었으나, 지난날 그에게 입은 은혜를 저버릴 수가 없으니, 바라옵건대 저의 관직을 모두 내놓더라도 소비의 죄를 용서해주시기를 간청드립니다."

손권이 가만히 듣고 나서 대답한다.

"그대가 소비에게 은혜를 입었다면 내 그대를 위해 그를 용서하리다. 하지만 만일 도망이라도 치는 날에는 어쩌겠소?"

감녕이 아뢴다.

"소비가 목숨을 구한다면 그 은혜에 감복할 따름일 텐데, 어찌 달아날 생각을 하겠습니까? 만약 그래도 소비가 달아나는 날에는 대신 제 목숨을 장군께 바치겠습니다."

손권은 마침내 소비의 죄를 사하여, 황조의 머리만 놓고 제사를 지냈다. 그러고는 군사들을 위해 크게 잔치를 베풀었다.

문무 장수들이 모두 모여 그 공을 치하하며 술을 마시는데, 갑자기 한 사람이 통곡을 하며 일어나 급히 칼을 빼들고 감녕을 베려 했다. 감녕은 황망히 일어나 앉았던 의자를 집어들어 칼을 막았다. 손권이 깜짝 놀라 보니, 그 사람은 바로 능통이다.

일찍이 감녕이 강하에 있을 때 능통의 아버지 능조를 활로 쏘아죽였으니, 능통은 오늘 이렇게 자리를 같이하게 되자 아버지의 원수를 갚아야겠다는 생각이 든 것이다. 손권은 황망히 자리에서 일어나 손을 내저어 능통을 만류한다.

"감녕이 그대의 아비를 죽였지만 그때는 서로 주인을 위해 힘을 다해 싸우지 않을 수 없었으니, 어찌하겠는가. 이제 두 사람 모두 한집안 사람이 된 마당에 지난날의 원수를 따져 무엇하겠나. 그러니 내 얼굴을 봐서라도 참아주기 바라네."

능통은 머리를 조아리며 더욱 서럽게 목놓아 운다.

"같은 하늘 아래 살 수 없는 원수를 어찌 그냥 두라 하십니까?"

손권과 다른 장수들이 거듭 좋은 말로 만류했으나, 능통은 노기에 차서 감녕을 노려볼 뿐이다.

손권은 즉시 감녕에게 군사 5천과 전선 1백척을 거느리고 하구로 가서 그곳을 지키라 명하여 능통을 피하도록 했다. 감녕은 손권에게 사례하고 군사를 거느리고 그날로 하구를 향해 떠났다. 손권은 또 능통에게 승렬도위(丞烈都尉)를 봉해 위로하였다. 능통은 가슴속에 한이 가득했으나 참는 도리밖에 없었다.

그후로 동오는 더 많은 전선을 건조하고 군사를 나누어 장강 연안을 지켰으며, 손정(孫靜)에게는 군사를 거느리고 가서 오회를 지키게 하였다. 그리고 손권은 몸소 대군을 거느리고 시상(柴桑)에 주둔했다. 또한 주유로 하여금 날마다 파양호(鄱陽湖)에서 수군을 조련하며 공격에 대비하도록 했다.

이제 이야기는 둘로 갈라진다.

유현덕이 사람을 보내 강동의 상황을 살펴보게 했더니 정탐꾼이 돌아와서 보고한다.

"손권은 이미 황조를 쳐없애고 지금은 시상에 머물러 있습니다."

유현덕은 다시 공명을 청해 앞으로의 일을 의논했다. 그때 갑자기 유표가 사람을 보내왔다. 상의할 일이 있으니 현덕에게 형주로 와달라는 것이었다. 공명이 현덕에게 말한다.

"이는 분명 손권이 황조를 물리쳤으니, 유표가 주공을 청해다가 함께 원수 갚을 계책을 의논하자는 것입니다. 제가 주공을 모시고 가서 돌아가는 상황을 보아 대책을 궁리하는 게 좋겠습니다."

유현덕은 공명의 말대로 관운장에게 신야를 지키라 이르고, 장비와 군사 5백명을 거느리고 공명과 함께 형주로 향했다. 길을 가다가 현덕이 말 위에서 묻는다.

"이제 경승(景升, 유표의 자)을 만나면 어떻게 대답해야 좋겠소?"

공명이 대답한다.

"먼저 양양의 모임에서 자리 비운 일을 사죄하시고, 경승이 만약 주공더러 강동을 공격하라 하거든 절대 승낙하지 마십시오. 그저 우선 신야로 돌아가 군마를 정돈해보겠다고만 말씀하십시오."

현덕은 고개를 끄덕였다.

드디어 현덕 일행은 형주에 도착해 먼저 역관에 들어가 여장을 풀었다. 그리고 장비에게는 군사를 거느리고 성밖에 머물러 있으라 하고, 현덕은 공명과 더불어 성으로 들어가 유표를 만났다.

유표 앞에 이르러 절을 마친 현덕이 댓돌 아래 엎드려 양양에서의 일을 사죄하자 유표가 말한다.

"내 이미 지난번 양양에서 아우님이 크게 욕을 당한 일을 자세히 알고 있소. 그래서 즉시 채모의 머리를 베어다가 아우님에게 보내려 했으나, 주위에서 하도 만류하여 용서한 것이니, 아우님은 조금도 사죄할 것이 없소."

현덕이 말한다.

"채장군이 저지른 일이 아니라 필시 아랫사람이 한 짓일 겝니다."

유표가 비로소 의중을 밝힌다.

"이번에 황조가 죽고 장강 하구를 손권에게 빼앗겼기에 아우님과 함께 보복할 계책을 생각하고자 하오."

현덕이 조용히 말한다.

"본래 황조가 천성이 사납고 급할 뿐 아니라 제대로 사람을 쓰지 못하여 그렇게 화를 당한 것이요. 원수를 갚는 것도 좋지만, 지금 군사를 일으켜 강동을 치다가 만에 하나 그 틈을 타서 조조가 북쪽에서 쳐들어오기라도 하면 어찌하시겠습니까?"

유표가 한숨을 내쉬며 말한다.

"이제 나도 늙고 병치레가 잦아 만사를 제대로 돌보기 어려운 처지라오. 부디 아우님이 와서 나를 돕다가 내가 죽은 다음에는 형주의 주인이 되어주면 좋겠소."

현덕이 말한다.

"형님께서는 무슨 말씀을 그리 하십니까. 저 같은 위인이 어찌 그 막중한 소임을 맡을 수 있겠습니까?"

곁에 있던 공명이 가만히 현덕에게 눈짓을 보냈다. 그제야 현덕은 이렇게 덧붙여 말하고 일어섰다.

"그 일에 대해서는 천천히 좋은 방도를 생각해보지요."

유표에게서 물러나와 역관으로 돌아와서였다. 공명이 현덕에게 묻는다.

"유경승이 모처럼 형주를 주공께 드리려 하는데, 어찌 사양하셨습니까?"

유현덕이 대답한다.

"유경승이 나에게 은혜와 예로써 대하는데 어찌 내가 그의 불행을 기회로 삼아 형주를 탈취할 수 있겠소?"

공명이 찬탄한다.

"주공께서는 참으로 어진 분이십니다!"

두 사람이 이런저런 의논을 하고 있는 중에 유표의 맏아들 유기(劉琦)가 현덕을 찾아왔다는 전갈이 왔다. 유현덕이 유기를 맞아들이니, 유기는 현덕을 보자마자 바닥에 엎드려 울면서 호소한다.

"지난번에도 말씀드렸거니와 계모 채씨가 저를 미워하니 저는 언제 죽을지 모릅니다. 부디 숙부님께서는 저를 불쌍히 여기시어 구해주십시오."

유현덕이 말한다.

"그것은 조카의 집안일이니, 나더러 어찌하란 말인가?"

공명이 곁에서 빙그레 웃는다. 현덕이 공명에게 계책을 묻자 공명은 짐짓 딴청을 부린다.

"사사로운 남의 집안일에 관여하고 싶지 않습니다."

얼마 있다가 유현덕은 하직인사를 올리고 돌아가는 유기의 귀에 대고 가만히 일러주었다.

"내일 내가 공명을 인사하러 보낼 테니, 조카는 내가 이르는 대로 해보게. 공명이 좋은 계책을 일러줄 걸세."

유기는 감사하고 돌아갔다.

다음날 유현덕은 복통이 났다고 핑계를 대고는 공명에게 자기 대신 유기에게 가서 회배(回拜, 찾아준 상대를 답례로 방문하는 일)를 하도록 했다.

공명이 유기의 집 앞에 이르러 말에서 내리니, 유기가 나와 공명을 후당으로 맞아들였다. 차를 대접하고 나서 유기가 먼저 입을 연다.

"저는 지금 계모에게 미움을 받아 목숨이 경각에 달려 있습니다. 부디 선생께서는 좋은 계책을 일러주십시오."

"나는 여기에 손님으로 와서 잠시 머무르는 처지인데, 어찌 남의 집안일에 함부로 입을 놀리겠소? 게다가 만에 하나 말이 새나가기라도 하면 그 화를 어찌 감당하란 말이오?"

말을 마치자 공명은 일어나 돌아가려 한다. 유기가 황망히 공명을 붙잡는다.

"모처럼 오신 터인데 이렇듯 섭섭하게 가실 수야 있습니까?"

유기는 공명을 이끌고 밀실로 들어가 술을 권했다. 술이 몇 순배 돌고 나서 유기가 또다시 말을 꺼낸다.

"계모가 나를 미워하니 선생께서는 부디 저를 구해주십시오."

공명은 단호하게 말한다.

"그것은 내가 간섭할 일이 아니오."

짧게 대구하고 공명은 다시 몸을 일으켜 돌아가려 한다. 유기가 애원하듯 붙잡는다.

"말씀하시지 않으면 그만이지 돌아가실 것까지야 있습니까?"

공명은 마지못해 다시 자리에 앉았다.

"제게 고서(古書)가 한 권 있는데, 선생께서 한번 봐주시지요."

유기는 공명을 이끌고 조그만 누각 위로 안내했다. 누각에 오르자 공명이 묻는다.

"고서가 어디 있소이까?"

유기는 공명 앞에 울며 절하고 또다시 간청한다.

"계모의 미움을 받아 목숨이 조석에 있거늘, 선생께서는 끝까지 저를 모른 체하실 생각이십니까?"

공명은 불쾌한 듯 낯색이 달라져 벌떡 몸을 일으켜 누각을 내려가려 한다. 그런데 어찌 된 일인지 방금 딛고 올라왔던 사다리가 사라지고 없다. 유기는 그대로 꿇어엎드려 애원한다.

"제가 좋은 계책을 구하는데도 선생께서는 혹시 말이 새나갈까 두려워 말씀하시지 않으나, 이곳에서는 말이 하늘로 오를 수도 없고 땅으로 내려갈 수도 없습니다. 선생의 입에서 나오는 말씀은 오직 제 귀로만 들어올 뿐입니다. 부디 좋은 방도를 일러주십시오."

그래도 공명은 흔들리지 않는다.

"사람이 남의 친족끼리의 일에 참견하여 이간질하지 말라 했는데, 어찌 내가 공자를 위해 계책을 말할 수 있겠소?"

"선생께선 끝끝내 저를 못본 체하실 작정입니까? 어차피 지키지 못할 목숨이라면 차라리 선생 앞에서 죽고 말겠습니다."

유기는 허리에 찬 칼을 빼들어 자신의 목을 찌르려 했다. 공명이 황망히 만류하며 말한다.

"좋은 계책이 있소이다."

유기가 일어나 절하며 청한다.

"부디 일러주십시오."

공명이 천천히 입을 연다.

"공자는 신생(申生)과 중이(重耳)의 이야기를 아시지요? 신생은 안에 있다가 죽고, 중이는 밖에 나가 있어서 화를 면하였습니다. 지금 황조가 죽어 강하를 지킬 사람이 없으니, 공자는 아버님께 말씀드려 군사를 거느리고 나아가 강하를 지키겠다고 하면 화를 면할 수 있을 것이오."

유기는 두번 절하여 공명에게 사례하고, 즉시 사람을 시켜 사다리를 가져와 공명이 누각에서 내려갈 수 있게 해주었다. 유기와 헤어져 역관으로 돌아온 공명이 현덕에게 있었던 일을 이야기하자 현덕은 매우 기뻐했다. 이튿날, 유기는 아버지에게 글을 올려 군사를 거느리고 나아가 강하를 지키겠노라 청했다. 유표가 선뜻 결정을 내리지 못하고 현덕을 불러 의논하자 유현덕이 말한다.

"강하는 중요한 곳이니 아무에게나 맡길 수 없습니다. 공자가 스스로 지키겠다고 하니, 그보다 좋은 경우가 어디 있겠습니까? 동쪽과 남쪽은 형님 부자분이 맡아주시지요. 서쪽과 북쪽은 이 유비가 맡겠소이다."

유표가 말한다.

"최근에 들으니 조조가 업군에다 현무지를 파놓고 수군을 조련한

다고 하오. 이는 필시 남쪽으로 쳐들어올 뜻이 있는 것이니 우리도 그
에 대한 방책을 세워야 할 것이오."

"저도 이미 알고 있는 일이니 형님은 너무 심려 마십시오."

현덕은 유표와 작별하고 공명과 더불어 신야로 돌아왔다. 유표는
아들 유기에게 군사 3천을 내주고 강하로 나아가 지키게 했다.

한편 조조는 삼공(三公)의 직책을 없애고 승상인 자신이 모두 겸하
기로 하였다. 그리고 아래로는 모개(毛玠)를 동조연(東曹掾)으로 삼
고, 최염(崔琰)을 서조연(西曹掾)으로 삼는 한편, 사마의(司馬懿)를 문
학연(文學掾)으로 삼았다. 사마의는 자가 중달(仲達)이며, 하내군(河
內郡) 온현(溫縣) 사람이다. 영천 태수 사마준(司馬儁)의 손자며, 경조
윤(京兆尹) 사마방(司馬防)의 아들이자 주부 사마랑(司馬朗)의 아우이
다.

조조는 이렇게 문관들을 갖추어놓은 다음, 무장들을 불러 남쪽을
정벌할 일을 의논했다. 하후돈이 나서서 아뢴다.

"들자하니 유비가 신야에서 매일 군사들을 조련하고 있다 합니다.
틀림없이 후환이 있을 것이니 일찌감치 무찔러버리는 게 좋을 듯싶습
니다."

조조는 즉시 영을 내려 하후돈을 도독으로 삼고 우금(于禁)·이전
(李典)·하후란(夏侯蘭)·한호(韓浩)를 부장으로 삼아, 10만 군사를 거
느리고 박망성(博望城)으로 가서 신야를 엿보라 했다. 순욱이 간한다.

"유비는 당대의 영웅이고, 게다가 제갈량을 군사로 삼았으니 결코
가볍게 보아서는 안됩니다."

그러나 하후돈은 코웃음친다.

"유비는 쥐새끼 같은 무리라, 내 반드시 그를 사로잡겠소."

곁에서 보고 있던 서서가 한마디 한다.

"장군은 유현덕을 너무 경시하지 마시오. 더구나 이제 제갈량을 얻었으니, 범이 날개를 단 것이나 마찬가지요."

서서의 말을 듣고 조조가 묻는다.

"제갈량은 대체 어떤 사람이오?"

서서가 대답한다.

"제갈량의 자는 공명이요 도호(道號)는 와룡선생이라 하는데, 하늘을 움직이고 땅을 주름잡는 재주와 신출귀몰하는 계책을 가진 당대의 드문 인재입니다. 그러니 결코 우습게 보아서는 안됩니다."

"공과 비교하면 어떻소?"

"저같은 위인이 어찌 감히 제갈량과 견줄 수 있겠습니까? 제가 반딧불이라면, 공명은 바로 하늘에 떠 있는 달빛과 같습니다."

하후돈이 비웃듯 말한다.

"서원직의 말씀이 그릇되었소. 나는 제갈량이란 자를 지푸라기 따위로 보는데 두려울 게 뭐가 있겠소. 만일 이번에 싸워서 유비와 제갈량을 사로잡아오지 못한다면, 대신 제 머리를 베어 승상께 바치겠습니다."

조조가 마침내 허락했다.

"그럼 하루바삐 승전보를 올려 내 마음을 위로하도록 하라."

하후돈은 조조와 작별하고 분연히 군사를 거느리고 출병했다.

한편 유현덕은 공명을 얻은 뒤로 줄곧 스승에 대한 예로써 그를 대했다. 관우와 장비는 이런 현덕의 태도가 도무지 마땅치 않아 현덕에게 한마디 한다.

"공명은 아직 나이도 어린데다 재주나 학식이 대단한 것 같지도 않은데, 형님은 대접이 지나치십니다. 또 아직 진실로 솜씨를 보여준 바도 없지 않습니까?"

현덕이 답한다.

"내가 공명을 얻은 것은 그야말로 고기가 물을 만난 격이다. 앞으로 너희들은 다시 여러 말 말아라."

관우와 장비는 그 말을 듣고 더이상 말하지 않고 그대로 물러나왔다.

어느날이었다. 누군가 검정소의 꼬리(원문 이우犛牛. 서남이西南夷의 산물이라 하니 지금의 티벳 지방 야크류로 생각됨)를 보내온 게 있어서 현덕은 그것을 몸소 엮어 모자를 만들고 있었다. 이때 공명이 들어와 보고는 정색을 하며 한마디 한다.

"주공께서는 어찌 큰 뜻을 품을 생각은 않고 이런 일이나 하고 계십니까?"

현덕은 곧 모자를 땅에 내던지며 사죄한다.

"소일거리 삼아 만지면서 잠시 시름이나 잊어볼까 했소이다."

공명이 묻는다.

"주공께서 스스로 생각하시기에 조조와 비교해보면 어떠십니까?"

"내가 당해낼 수 없지요."

"주공께서 거느린 군사는 수천 명에 지나지 않는데, 만일 조조가 쳐들어오면 어찌 대적할 생각이시오?"

"안 그래도 그 일이 제일 큰 걱정인데, 도무지 좋은 방도가 서질 않는구려."

공명이 말한다.

"한시바삐 민병(民兵)을 모집하십시오. 제가 직접 그들을 조련하면 대적할 수 있을 것입니다."

유현덕이 신야 백성들 가운데 새로 민병을 뽑아 3천 군사를 얻었다. 공명은 그들에게 아침저녁으로 진법(陣法)을 가르치기 시작했다.

그러던 어느날 하후돈이 10만 대군을 거느리고 신야를 향해 출병했다는 급보가 전해졌다. 장비가 이 소식을 듣고는 관운장에게 투덜거린다.

"어디 한번 공명더러 나가서 막아보라지."

관우와 장비가 이렇게 이야기하는 중에 유현덕이 두 사람을 불러들였다.

"하후돈이 대군을 거느리고 쳐들어온다는데 너희들 생각엔 어떻게 대적하면 좋겠느냐?"

장비가 비꼬아 말한다.

"형님은 고기가 물을 만났다 했으니, 그 물더러 나가서 막으라면 될 거 아니우?"

유현덕이 좋은 말로 타이른다.

"지혜는 공명을 믿고 용맹스러움은 너희 둘을 믿고 있는 터인데, 어찌하여 아우들의 일을 남에게 미루느냐?"

두 사람이 물러갔다. 유현덕은 곧 공명을 청해 의논했다. 공명이 말한다.

"관우와 장비가 제 말을 잘 따르지 않을까 걱정입니다. 제가 군사를 지휘하기를 원하신다면 제게 주공의 칼과 인(印)을 빌려주십시오."

유현덕은 선뜻 칼과 인장을 공명에게 내주었다. 공명이 영을 내리기 위해 모든 장수들을 불러들였다. 장비가 관운장에게 한마디 한다.

"공명이 어찌하는가 꼴이나 봅시다."

장수들이 모두 모이자 공명은 마침내 영을 내린다.

"박망 왼쪽에 산이 하나 있으니 예산(豫山)이요, 오른쪽에 울창한 숲이 있으니 안림(安林)으로, 가히 군사를 매복할 만한 곳이다. 관운장은 군사 1천명을 거느리고 예산으로 가서 매복해 있다가 조조군이 오거든 그대로 지나가게 내버려두라. 그 뒤쪽에 반드시 적의 수레며 군량과 마초가 따라올 터이니, 남쪽 하늘에 불이 일어나면 즉시 군사들을 몰아쳐 군량과 마초를 일제히 불살라버리라. 그리고 익덕은 군사 1천명을 거느리고 안림 뒤쪽 산골에 매복해 있다가, 역시 남쪽 하늘에 불이 일어나는 대로 박망성으로 가서 적들이 군량이며 마초를 쌓아두는 곳을 찾아 불을 놓으라. 다음으로 관평(關平)과 유봉(劉封) 두 장수는 군사 5백명을 거느리고, 불이 붙을 만한 물건을 미리 준비해둔 다음 박망파(博望坡) 뒤 양쪽에서 기다리고 있다가 초경(밤 8시) 무렵 적병이 오거든 즉시 불을 놓도록 하라!"

공명은 번성에서 급히 불러온 조자룡에게 선봉에 서라고 영을 내리고는 당부한다.

"앞서 나아가 싸우되 절대로 이길 생각 말고 방어만 하라."

공명은 현덕을 돌아보며 말한다.

"주공께서는 한무리의 군사를 거느리고 그들을 후원하십시오."

그러고 나서 다시 말한다.

"모든 장수들은 각각 내 명령에 따라 실수 없이 거행하도록 하라."

듣고 있던 관우가 묻는다.

유비의 칼과 인을 받아 공명은 처음으로 군사를 일으키다

"우리가 모두 나가서 적군과 맞서싸울 때 군사(軍師)는 무엇을 하시려오?"

"나는 여기서 성을 지키고 있으리다."

공명의 대답이 떨어지자마자 장비가 너털웃음을 터뜨린다.

"그래, 우리는 모두 나가서 목숨 걸고 싸우는 동안, 그대는 집안에 편히 들어앉아 있겠단 말씀이구려."

공명이 단호하게 말한다.

"주공의 칼과 인이 여기 있소. 명령을 어기는 자는 누구라도 목을 벨 것이오!"

옆에 있던 현덕도 한마디 거든다.

"너는 장막 안에서 계책을 세워 천리 밖에서 승리를 거둔다는 말도 못 들었느냐? 두 아우는 기꺼이 영에 따르도록 하라."

장비가 냉소를 머금고 물러나오고, 관운장도 뒤따라 나오며 중얼거린다.

"어디 그 계략이 제대로 들어맞나 안 맞나 두고보자. 그때 가서 따져도 늦지 않으리니."

두 사람은 각기 떠났다. 다른 장수들도 공명의 도략(韜略)을 제대로 알지 못하는 까닭에, 비록 명을 받기는 했으나 의혹을 금치 못했다. 공명은 장수들이 물러간 뒤 현덕에게 말한다.

"주공께서는 오늘 바로 군사를 거느리고 박망산 아래에 진을 치십시오. 내일 황혼 무렵에 반드시 적병이 당도할 것입니다. 적병을 보거든 주공께서는 즉시 영채를 버리고 달아나셨다가 불길이 이는 것을 보는 대로 되돌아와서 적병을 공격하십시오. 저는 미축·미방과 함께 군사 5백을 거느리고 성을 지키는 한편, 손건과 간옹에게 승전을 경축하는 연회를 준비하게 하고, 공로부(功勞簿)를 만들어 기다리고 있 겠습니다."

유현덕도 공명의 말에 따라 채비를 갖추었으나, 내심으로는 걱정스 럽기 짝이 없었다.

한편 하후돈은 우금 등과 더불어 군사를 이끌고 박망파에 이르렀 다. 하후돈은 군사를 크게 둘로 나누어 반은 전위부대로 삼고, 나머지 절반은 군량과 마초를 호위하며 전진하게 했다.

때는 바야흐로 가을이라 소슬한 바람이 불어온다. 한창 전진하는 중에 문득 앞을 바라보니 먼지가 뽀얗게 일고 있는 게 아닌가. 하후돈 은 군사를 멈추게 하고 길잡이에게 묻는다.

"여기가 어디냐?"

길잡이가 아뢴다.

"저 앞이 바로 박망파요, 뒤는 나천(羅川) 어귀입니다."

하후돈은 우금과 이전더러 뒤를 호위하게 하고, 몸소 말을 몰고 앞 으로 나서서 멀리 바라보았다. 저만치 앞에 한떼의 군사들이 오고 있 었다. 하후돈은 한동안 살펴보다가 갑자기 큰 웃음을 터뜨렸다. 수하 장수들이 묻는다.

"장군께서는 무엇 때문에 그리 웃으십니까?"

"서원직이 승상 면전에서 제갈량을 천인(天人)이나 되는 듯이 추켜 세우더니, 지금 그 용병하는 꼴을 보니 참으로 어이가 없어 웃는 것이 다. 저따위 군마로 선봉을 삼아 우리와 대적하려 하다니, 이는 마치 개와 양떼를 몰아 호랑이와 싸우겠다는 격이 아니고 뭐란 말이냐? 내 가 승상 앞에서 유비와 제갈량을 산 채로 잡아오겠다고 장담했는데,

이제 내 말대로 될 게 틀림없구나."

하후돈이 좌우를 돌아보며 말을 마치더니 그대로 말을 몰고 앞으로 달려나갔다. 순간 반대편에서도 조자룡이 마주 달려나온다. 하후돈은 조자룡에게 호통을 쳤다.

"너희가 유비를 따르는 것은 죽은 귀신을 섬기는 것과 같도다!"

조자룡은 진노하여 말을 몰아 덤벼들었다. 그렇게 두어 합 가량 싸우더니 패한 체하고 갑자기 몸을 빼어 달아난다. 하후돈은 급히 조자룡을 뒤쫓았다. 조자룡은 10여리쯤 달아나더니 다시 말머리를 돌려 하후돈과 맞서싸운다. 이렇게 싸우기를 두어 합, 조자룡이 또다시 달아난다. 부장 한호가 급히 말을 몰아 하후돈을 뒤쫓아가 간한다.

"조자룡이 저렇게 유인하는 걸 보니 필시 복병이 있을 듯합니다. 장군께서는 뒤쫓지 마십시오."

그러나 하후돈은 듣지 않는다.

"적의 군사가 저꼴인데 설혹 사면팔방에 복병이 있다 한들 뭐가 두렵겠느냐!"

하후돈은 계속 조자룡을 뒤쫓아 박망파에 이르렀다. 이때 포소리가 울리더니 유현덕이 몸소 군사를 거느리고 와서 접전을 벌였다. 하후돈이 껄껄 웃으며 한호에게 말한다.

"저게 바로 그대가 말하던 복병이라는 것들이다. 내 오늘밤 안으로 신야로 쳐들어가지 못하면 절대로 군사를 거두지 않겠다!"

하후돈이 다시 군사를 재촉해 급히 전진하니, 유현덕과 조자룡은 다시 말머리를 돌려 달아난다.

날은 이미 저물었고, 하늘의 짙은 구름에 달빛마저 가려 사위가 어두웠다. 또한 낮부터 불어오던 바람은 밤이 되자 더욱 거세어졌다. 하후돈은 쉬지 않고 군사를 몰고 전진했다. 그 뒤를 따르던 우금과 이전은 좁은 산골짜기로 들어섰는데 양편이 모두 갈대밭이다. 이전이 나란히 가고 있던 우금에게 말한다.

"자고로 적을 업신여기는 자는 반드시 패한다 했소. 남쪽으로 가는 길이 이렇게 좁아지고 산과 내로 가로막힌데다 수목이 빽빽한데, 만일 적군이 화공(火攻)이라도 쓰면 어찌한단 말이오?"

이전의 말을 듣고 우금은 새삼스레 사방을 둘러본다.

"참으로 옳은 말이오. 내가 달려가서 도독께 말씀드릴 터이니, 그대는 뒤에서 후군을 정지시키시오."

이전은 즉시 말머리를 돌려 큰소리로 외친다.

"후군은 천천히 전진을 멈추고 그 자리에 서라!"

앞다투어 내처 달리던 중이라 그 말 한마디로 전군을 멈추기는 어려웠다. 우금은 또한 급히 말을 몰아 하후돈의 뒤를 쫓으며 소리높여 외친다.

"장군께서는 잠시 멈추십시오!"

하후돈은 우금이 뒤를 쫓아오며 여러 차례 부른 뒤에야 비로소 알아듣고 말을 멈춘다.

"무슨 일이냐?"

우금이 급히 말한다.

"남쪽으로 가는 길은 몹시 좁은데 산천이 막고 있고 수목이 울창하니 적의 화공에 대비해야 할 것 같습니다."

하후돈은 그제야 깨닫고 즉시 영을 내린다.

"멈춰라!"

그 말이 채 떨어지기도 전에, 갑자기 등뒤에서 함성이 일며 한줄기 불길이 치솟았다. 불길은 이내 양쪽 갈대밭에 옮겨붙어 삽시간에 사면팔방이 그대로 불바다를 이루었다. 때마침 기세 좋게 부는 바람이 불길을 더욱 맹렬하게 부추겼다. 불길 속에 조조의 군사는 서로 밟고 밟히면서 헤아릴 수 없이 많은 자가 죽어갔다.

조자룡은 이때를 놓치지 않고 군사를 돌이켜 하후돈을 급습했다. 하후돈은 미처 군사들을 돌볼 새도 없이, 그대로 불길 속을 헤집고 달아나기에 바빴다.

한편 후군에 남아 있던 이전은 형세가 크게 불리해지자, 급히 박망성을 향해 달려갔다. 하지만 얼마 못 가 불길 속에서 한떼의 군사가 길을 막고 나서는데, 앞선 대장은 바로 관운장이다. 이전은 맞붙어 싸워보려 하다가 당해낼 재간이 없음을 깨닫고 간신히 혈로를 뚫고 달아났다. 우금 또한 군량이며 마초에 불이 붙는 것을 보고는 그대로 샛길을 찾아 달아나버렸다.

하후란과 한호는 군량과 마초에 붙은 불길을 잡으러 달려왔다가 그대로 장비와 맞닥뜨리고 말았다. 불과 4, 5합도 겨루지 못하고 장비가 장팔사모를 번쩍 들어 단창에 하후란을 찔러 거꾸러뜨리자, 한호는 그대로 달아나버렸다.

날이 밝을 때까지 싸우고 나니, 조조 군사의 시체가 골짜기를 뒤덮고 피가 흘러 내를 이루었다.

후세 사람이 시를 지어 이 일을 읊었다.

박망파전투에서 화공을 쓰니 博望相持用火攻
공명의 지휘 담소 가운데 이루어졌다네 指揮如意笑談中
조조의 간담은 놀라 찢어졌으리니 直須驚破曹公膽

하후돈은 남은 군사를 수습해 허도로 돌아갔다. 군사를 태반이나 잃은데다, 수많은 군량과 마초마저 다 타버리고 남은 것이라곤 하나도 없었다.

한편 공명은 군사를 거두었다. 관우와 장비는 돌아가면서 이구동성으로 감탄한다.

"공명이 참으로 영걸(英傑)이오!"

두 사람이 몇리를 못 가서였다. 문득 앞을 바라보니 미축과 미방이 군사를 거느리고 작은 수레 한 채를 옹위하고 온다. 수레 위에 한 사람이 단정히 앉아 있는데, 바로 와룡선생 제갈공명이다. 관우와 장비는 급히 말에서 내려 수레 앞에 엎드려 절하였다. 얼마 후 현덕을 비롯해 조자룡·유봉·관평 등이 모두 군사들을 거느리고 모여들었다. 적군에게서 빼앗은 군량과 마초, 군기 등은 모두에게 상으로 나누어 주었다.

이윽고 군사를 정비해 신야로 돌아오니, 남녀노소 할것없이 모든 백성들이 성밖까지 몰려와 엎드려 절하며 말한다.

"이렇게 저희들이 목숨을 보전할 수 있게 된 것은 모두 주공께서 어진이를 얻은 덕이십니다."

신야로 돌아온 다음 공명이 현덕에게 말한다.

"하후돈이 크게 패하고 돌아갔으니, 반드시 조조가 몸소 대군을 이끌고 쳐들어올 것입니다."

현덕이 놀라며 묻는다.

"그럼 어찌하면 좋겠소?"

공명이 태연하게 대꾸한다.

"제게 조조의 군사를 넉넉히 대적할 방책이 있습니다."

| 적을 깨뜨리고 미처 전마가 쉴 새도 없이 | 破敵未堪息戰馬 |
| 적을 피하려면 또 좋은 계책 내어야 하리 | 避兵又必賴良謀 |

공명이 말하는 계책이란 과연 어떤 것일까?

불로 싸우고 물로 싸우다

채부인은 형주를 조조에게 바치기로 의논하고
제갈량은 신야를 불태우다

유현덕이 공명에게 조조의 군사를 막아낼 방법을 묻자, 공명이 대답한다.

"신야는 너무 작은 고을이라 오래 머무를 곳이 못 됩니다. 최근에 듣자니 경승(景升, 유표의 자)의 병세가 매우 위독하다는데, 이번 기회에 형주를 빼앗아 근거로 삼는다면 조조가 온다 해도 두려울 게 없습니다."

유현덕이 말한다.

"공의 말씀이 옳기는 하나, 그동안 나는 경승의 은혜를 입은 터인데 차마 어떻게 그 땅을 차지할 수 있겠소?"

"만약 지금 형주를 손에 넣지 않는다면 나중에 후회해도 그때는 이미 늦습니다."

"내 차라리 죽으면 죽었지 의리를 저버리지는 못하겠소."

무슨 말을 해도 현덕은 들을 성싶지 않자, 공명이 말한다.

"그 일은 나중에 다시 의논하도록 하지요."

한편 하후돈은 군사들을 수습해 허도로 돌아가서 스스로 제 몸을 결박하고 조조 앞에 나아가 땅에 엎드려 죽기를 청했다. 조조는 사람들에게 결박을 풀어주라 명한 다음 하후돈에게 패인(敗因)을 물었다. 하후돈이 아뢴다.

"제갈량의 계략에 속아 그만 화공을 당하는 바람에 패했습니다."

"그렇게 오래도록 군사를 부려온 사람이 어찌하여 좁고 막다른 길에서는 화공을 쓸 수 있다는 걸 생각지 못했단 말인가?"

"이전과 우금이 그 사실을 일깨워주었으나 이미 때를 놓친 뒤라 어쩔 수 없었습니다. 참으로 후회막급입니다."

조조는 곧 이전과 우금 두 장수에게 후하게 상을 내렸다. 하후돈이 다시 말한다.

"유비가 저렇게 세력이 강성해졌으니 큰 걱정거리입니다. 한시바삐 화근을 없애야 합니다."

조조가 말한다.

"내가 항상 근심해온 자가 바로 유비와 손권이다. 다른 무리들이야 모두 걱정할 것도 못 된다. 아예 이때를 타서 강남을 평정해버려야겠다."

조조는 즉시 영을 내려 50만 대군을 일으켰다. 조인(曹仁)과 조홍(曹洪)을 제1대로, 장요(張遼)와 장합(張郃)을 제2대로, 하후돈과 하후연(夏侯淵)을 제3대로, 우금과 이전을 제4대로 하고, 조조 자신은 여러 장수들을 거느리고 제5대가 되었다. 각 대마다 군사 10만씩을 거느리고, 또한 허저를 절충장군(折衝將軍)으로 삼아 3천 군사를 이끌고 선봉에 서게 했다. 마침내 건안 13년(208) 7월 병오일(丙午日)로 출병 날짜를 정했다. 태중대부(太中大夫, 천자의 고문관) 공융(孔融)이 간한다.

"유비와 유표는 모두 한실 종친이라 함부로 쳐서는 아니 되며, 손권은 범처럼 여섯 군(郡)에 웅거하고 있는데다 큰 강을 끼고 있어 형세가 험난하니 공격하기가 쉽지 않을 것입니다. 더구나 승상께서 이렇듯 대의명분도 없는 군사를 일으키다가는 천하의 인망을 잃을까 두렵습니다."

조조는 진노하여 말한다.

"유표와 유비, 손권은 모두 황제를 거스르는 역적인데 어찌 내버려두겠느냐!"

조조는 공융을 꾸짖어 물리치고는 엄명을 내렸다.

"만약 또다시 간하는 자가 있으면 반드시 목을 베리라!"

공융은 부중을 나서며 하늘을 우러러 탄식했다.

"지극히 어질지 않은 이가 지극히 어진 이를 치니 어찌 패하지 않을꼬……"

이때 어사대부(御史大夫, 오늘날의 검찰총장) 치려(郗慮)의 문객이 이 말을 듣고 즉시 치려에게 가서 고했다. 치려는 항상 공융에게 멸시를 받아와 마음에 한을 품고 있던 터라, 즉시 부중으로 조조를 찾아가 이 말을 그대로 전하며 한마디 덧붙인다.

"공융은 평소 승상을 업신여겨왔고, 또 예형(禰衡)과 절친한 사이여서, 예형은 공융에게 '중니(仲尼, 공자)가 아직 죽지 않았다' 하고, 공융은 또 예형더러 '안회(顔回, 공자의 수제자)가 다시 살아났도다' 하면서 서로 추켜올렸다 합니다. 지난번에 예형이 승상께 무엄한 말씀을 올린 것도, 사실은 모두 공융이 시켜서 한 일입니다."

이 말을 듣고 조조는 크게 화가 나서 정위(廷尉, 형벌을 집행하는 관리)에게 공융을 잡아들이라 명했다.

공융에게 아직 나이어린 아들 형제가 있었다. 형제가 집에서 마주앉아 바둑을 두고 있는데, 갑자기 사람들이 급히 알린다.

"존군(尊君, 아버지)께서 정위에게 붙잡혀 가셨습니다. 장차 참수형을 당하실 터인데, 두 분 공자는 어째서 피하지 않고 계십니까?"

형제가 담담하게 말한다.

"둥지가 깨어졌는데 알인들 어찌 온전하길 바라겠소."

말을 채 마치기도 전에 다시 정위가 들이닥쳐 공융의 식솔과 아들 형제를 모조리 잡아다가 죽였다. 조조는 공융의 시신을 저잣거리에 내다걸어 뭇사람들이 보도록 했다.

공융의 시체가 거리에 전시되자 경조(京兆) 지습(脂習)이 시신을 부여잡고 통곡했다. 이것을 본 한 군사가 조조에게 고하자, 조조는 크게 노해 지습을 잡아들여 죽이려 했다. 순욱이 나서서 말한다.

"제가 전에 들으니, 지습은 항상 공융에게 '공은 너무 강직하니 그대로 가다가는 큰 화를 당할 것이오' 하고 걱정했다 합니다. 이제 공융이 죽었다는 소식을 듣고 와서 우는 것을 보면 그는 틀림없이 의리가 있는 사람이니 죽이지 마십시오."

조조가 순욱의 말을 듣고 지습을 살려두니, 지습은 공융 부자의 시신을 거두어 장사를 지내주었다.

후세 사람들이 공융을 칭송하는 시를 지어 읊었다.

공융이 북해 태수로 있을 적에	孔融居北海
호협한 기상 무지개를 꿰뚫었네	豪氣貫長虹
자리에는 항상 손님이 가득하고	坐上客長滿
술 항아리엔 술이 비지 않았네	樽中酒不空
문장은 빼어나 세상을 놀라게 했고	文章驚世俗
웃고 말하는 중에 왕공을 비웃더라	談笑侮王公
사관의 붓 그를 충직한 사람으로 찬양하리니	史筆褒忠直
벼슬은 태중대부로 적혔구나	存官紀太中

조조는 공융을 죽이고 나서 다섯 부대의 군마에 영을 내려 차례로 출정하게 했다. 순욱을 허도에 남겨 지키게 했다.

이무렵, 형주의 유표는 병세가 위중해지자 사람을 보내 신야에 있는 유현덕을 청하였다. 유현덕은 관우·장비와 더불어 형주에 이르러 유표를 찾아뵈었다. 유표가 말한다.

"나는 이미 병이 골수에까지 들어 죽을 날이 얼마 남지 않았소. 어진 아우님에게 내 자식들을 부탁하오. 내 자식들은 용렬하여 아비의 업을 이어나가지 못할 것이니, 내가 죽은 뒤에는 부디 아우님이 형주를 맡아 다스려주시오."

유현덕은 울며 말한다.

조조는 형주의 유표와 유비를 공략하다

　"그게 무슨 말씀이십니까. 이 유비는 있는 힘을 다해 조카를 도울 뿐, 어찌 다른 뜻을 품겠습니까?"

　이야기를 나누는 중에 사람이 들어와 알리기를, 조조가 몸소 대군을 거느리고 오고 있다 한다. 유현덕은 즉시 하직인사를 올리고 밤을 새워 신야로 돌아갔다.

　이 소식을 들은 유표는 병세가 더욱 악화되었다. 의논 끝에 유서를 작성하여 자기가 죽은 뒤에는 큰아들 유기를 형주의 주인으로 하고, 현덕으로 하여금 유기를 보좌해 형주를 다스려달라는 뜻을 남겼다.

　이를 들은 채부인은 크게 노하였다. 채부인은 즉시 궁으로 통하는 내문(內門)을 닫아걸고, 채모와 장윤(張允) 두 장수에게 외문(外門)을 지키게 하고는 어느 누구의 출입도 금하였다.

한편 강하에 나가 있던 유기는 아버지의 병세가 위급하다는 소식을 듣고 급히 형주로 돌아왔다. 그러나 채모가 문밖에서 유기를 막고는 들어가지 못하게 한다.

"공자는 부친의 명을 받들어 강하를 지키는 막중한 소임을 받았거늘, 이렇게 함부로 떠나왔으니 이 틈에 동오의 군사가 쳐들어오기라도 하면 대체 어쩔 작정이오? 공연히 주공을 뵈었다가 주공께서 크게 역정이라도 내셔서 병세가 더 위중해지면 도리어 불효막심한 죄를 짓게 될 터이니, 공자는 지체하지 말고 어서 강하로 돌아가시오."

유기는 잠깐이라도 아버님을 뵙고 가겠다고 간청했으나, 채모는 끝내 문을 열어주지 않았다. 유기는 문밖에서 한바탕 통곡을 하고 말에 올라 강하로 돌아갔다.

이런 사정을 알 리가 없는 유표는 장자 유기가 오기만 기다리다가 끝내 보지 못한 채, 8월 무신일(戊申日) 크게 외마디소리를 지르고는 세상을 떠나고 말았다.

후세 사람이 유표를 탄식하는 시를 지었다.

옛날에 들으니 원씨는 하북에 웅거하고	昔聞袁氏居河朔
이제 보니 유표는 한양에서 형세를 떨치더니	又見劉君霸漢陽
모두 암탉이 울어 누를 끼치니	總爲牝晨致家累
가엾다. 오래지 않아 모두 멸망하였네	可憐不久盡銷亡

유표가 세상을 떠나자 채부인은 채모·장윤과 의논해 거짓유서를 작성하고 자기 소생인 둘째아들 유종(劉琮)을 형주의 주인으로 삼았다. 그러고 나서야 비로소 슬피 통곡하며 초상 치를 준비를 하였다.

이때 유종은 나이 14세로, 비록 어렸지만 지극히 총명했다. 유종은 모든 사람을 모아놓고 말한다.

"아버님께서 세상을 뜨셨으나, 형님이 지금 강하에 계시고 또 숙부 현덕공도 신야에 계신 터에 그대들이 나를 주인으로 삼았소. 만약 형님과 숙부가 함께 군사를 일으켜 내 죄를 묻는다면 대체 무어라고 해명해야 하나요?"

아무도 입을 열지 못하고 있을 때 한 사람이 나서니, 그는 막관(幕官, 정식 관위를 갖지 않은 채 보좌하는 사람) 이규(李珪)였다.

"지당하신 말씀입니다. 지금 당장 애서(哀書)를 강하로 보내 형님을 청해다가 형주의 주인으로 삼으시고, 현덕공에게 함께 정사를 돌보라고 명하신다면, 북쪽으로 조조를 대적할 수 있고 남쪽으로 손권도 막을 수 있을 것이니, 이야말로 만전지책(萬全之策)입니다."

이규의 말이 떨어지기가 무섭게 채모가 큰소리로 꾸짖는다.

"네가 무엇이기에 감히 어지러운 말로 주공의 유지를 거역하려 드느냐!"

이규도 마주 꾸짖는다.

"너희들이 안팎으로 짜고서 거짓유서를 꾸며 큰아들을 폐하고 둘째아들을 세워 형주와 양양의 아홉 군을 모두 채씨 수중에 넣으려는 속셈 아니냐! 만일 돌아가신 주공의 혼령이 계시다면, 반드시 너희를 그냥 두지 않을 것이다."

크게 노한 채모는 즉시 사람을 시켜 이규를 끌어내 죽이게 했다. 이규는 목숨이 끊어지는 순간까지 그들을 저주했다.

채모는 즉시 유종을 세워서 형주의 주인으로 삼고, 채씨 일족이 군사들을 나누어 거느리게 했다. 또한 치중(治中, 주자사 보좌관) 등의(鄧

義)와 별가(別駕, 주자사 보좌관) 유선(劉先)에게 형주를 지키게 하고, 채
부인은 유종을 데리고 양양으로 가서 유기와 유비를 방비하기로 하였
다. 유표의 영구는 양양성 동쪽 한양(漢陽) 들녘에 안장했는데, 끝끝
내 유기와 유현덕에게는 부고도 보내지 않았다.

유종이 양양으로 옮겨온 지 얼마 되지 않았을 때다. 갑자기 사람들
이 들어와 조조가 대군을 이끌고 양양을 향해 진격해오고 있다고 보
고했다. 유종은 크게 놀라 즉시 괴월(蒯越)과 채모 등을 불러 상의했
다. 동조연(東曹掾) 부손(傅巽)이 말한다.

"문제는 지금 조조의 공격만이 아닙니다. 큰 공자께서 강하에 계시
고 현덕공이 신야에 계신데, 우리는 아직 주공의 부음조차 알리지 않
았으니, 만일 두 분이 군사를 일으켜 죄를 묻는다면 형주와 양양이 모
두 위태로울 것입니다. 제게 한 가지 계책이 있으니, 그렇게만 하시면
주공의 자리를 온전히 지킬 뿐 아니라 형주와 양양의 백성들을 태산
처럼 평안하게 다스릴 수 있을 것입니다."

유종이 묻는다.

"그 계책이란 뭐요?"

부손이 답한다.

"형주와 양양 아홉 군을 모두 조조에게 바치는 것입니다. 그리하면
조조는 반드시 주공을 후하게 대접할 것입니다."

부손의 말을 듣고 유종이 언성을 높인다.

"그게 무슨 소리요! 아버님의 업을 이어받은 지 얼마 안되어 아직
자리도 편치 않은데, 모든 걸 남에게 내주란 말이오?"

이번에는 괴월이 나서서 말한다.

"공제(公悌, 부손의 자)의 말씀이 옳소이다. 무릇 거역하고 순종함이

모두 때를 봐야 하고, 강하고 약함은 인간으로선 어쩔 수 없는 대세입니다. 이제 조조는 남정북벌(南征北伐)을 모두 조정의 명이라고 할 터인데, 만약 주공께서 항거하신다면 조정을 따르지 않는 일이 됩니다. 뿐만 아니라 주공께서 자리에 오르신 지 얼마 안되어 안팎이 모두 편안하지 않으니, 형주·양양의 백성들은 조조의 대군이 당도했다는 말만 듣고 싸우기도 전에 간담이 서늘해질 텐데, 무슨 수로 조조를 대적할 수 있겠습니까?"

유종이 말한다.

"공들의 좋은 말씀을 내 듣지 않으려는 게 아니라, 다만 아버님의 업을 하루아침에 남에게 내주어버리면 천하의 비웃음을 받지 않을까 두려울 뿐이오."

유종의 말이 미처 끝나기도 전에, 한 사람이 썩 나서며 말한다.

"부손과 괴월의 말이 모두 옳은데, 주공께서는 어찌하여 따르지 않으시려는 것입니까?"

사람들이 보니, 그는 바로 산양(山陽)땅 고평(高平) 사람으로 성은 왕(王)이요 이름은 찬(粲), 자는 중선(仲宣)이란 자다. 왕찬은 본래 몸이 마른데다 키가 매우 작아 볼품없는 사람이다. 한번은 그가 어렸을 때, 중랑 채옹(蔡邕)을 찾아간 일이 있었다. 마침 중요한 손님들이 모두 모여 한창 이야기를 나누는 중이었는데, 왕찬을 본 채옹은 갑자기 신을 거꾸로 신고 뛰어나가 맞이했다. 손님들이 일제히 놀라 물었다.

"대체 저 아이가 누구기에 그토록 공경하는 거요?"

채옹이 대답했다.

"이 아이에게는 실로 기이한 재주가 있어서 나도 따르지 못할 정도요."

왕찬은 워낙 보고 들은 게 많은데다 기억력이 뛰어난 까닭에 그를 따를 자가 없었다. 일찍이 길가에 세워놓은 비문을 한번 훑어보면 이내 외웠고, 남이 바둑 두는 것을 곁에서 보고 있다가 판이 흩어지자 처음부터 다시 벌여놓는데 한 점도 틀리지 않았으며, 산술에 능하고 문장도 참으로 절묘했다. 17세에 황문시랑(黃門侍郎)에 발탁되었으나 벼슬에 나가지 않고 있다가, 난리를 피해 형주·양양에 와 있게 되었는데, 유표가 그의 재주를 사랑하여 상빈으로 대접했다.

왕찬이 이제 유종을 보고 말한다.

"주군께서 스스로 생각하시기에, 조조에 비해 어떠하신지요?"

유종이 대답한다.

"나는 그만 못하오."

왕찬이 말한다.

"조조는 군사가 강성하고 용맹스런 장수를 많이 거느린데다 또한 지혜가 출중하고 꾀가 많은 사람입니다. 하비성에서 여포를 사로잡고 관도에서는 원소를 꺾었으며 농우에서 유비를 내쫓았고 백랑에서 오환을 물리쳤습니다. 그동안 싸워서 죽이고 이겨서 평정한 곳이 셀 수 없이 많지요. 헌데 그가 대군을 거느리고 형주와 양양으로 내려오니, 그 형세를 무슨 수로 당하겠습니까? 부손과 괴월 두 분의 말씀은 가히 상책이온데, 장군께서 공연히 시간만 끈다면 후일 크게 후회할 것입니다."

유종은 그제야 마음이 기울었는지 이렇게 말한다.

"선생의 가르침은 참으로 훌륭하나, 다만 어머님께서 뭐라 하실지 여쭈어본 후에 결정하겠소."

이때 채부인이 병풍 뒤에서 나오며 말한다.

"이미 왕찬과 부손과 괴월의 소견이 같은데, 구태여 내 뜻을 물을 게 뭐가 있겠느냐."

유종은 마침내 결단을 내리고 항서(降書)를 써서 송충(宋忠)에게 주면서 한달음에 달려가 비밀리에 조조에게 바치라 일렀다. 송충이 항서를 들고 완성(宛城)으로 가서 조조에게 바치니, 조조는 크게 기뻐하며 송충에게 후한 상을 내리고 이렇게 말하였다.

"너는 돌아가서 유종에게 전하기를 성밖으로 나와 우리 군사를 영접하라고 하라. 그리하면 유종을 형주의 주인으로 삼으리라."

송충은 조조에게 절하고 물러나와 형주와 양양을 향해 길을 재촉했다. 송충이 막 강을 건너려 할 때였다. 갑자기 한무리의 사람들이 달려오는데, 선봉에 선 장수는 바로 관운장이었다. 송충은 깜짝 놀라 재빨리 몸을 숨기려 했다. 그러나 피할 새도 없이 관운장에게 사로잡히고 말았다.

관운장은 송충에게 형주의 소식을 세세히 물었다. 송충은 처음에는 모든 일을 숨기고 입밖에 내지 않았으나, 관운장이 심하게 다그치자 결국 숨기지 못하고 전후 사정을 이실직고하고 말았다. 크게 놀란 관운장은 송충을 잡아가지고 신야로 돌아와 현덕에게 이 일을 알렸다. 유현덕이 이를 듣고 통곡을 하는데, 장비가 불쑥 나서며 말한다.

"일이 이미 이 지경이 되었으니 우선 송충을 죽이고, 군사를 일으켜 강을 건넙시다. 그대로 양양을 쳐 빼앗고는 채씨와 유종을 죽이고 조조와 한판 붙읍시다."

유현덕이 단호하게 말한다.

"장비는 입 다물고 가만 있거라. 내게 따로 생각이 있느니라."

그러고는 송충을 불러 호되게 꾸짖는다.

"너는 어찌하여 사람들이 그런 일을 꾸미는 줄 알면서도 내게 일찍 알리지 않았느냐? 이제 너를 죽인대도 하나도 이로울 게 없어 목숨만은 붙여줄 테니 어서 썩 물러가거라."

송충은 몸둘 바를 몰라 쩔쩔매다가 머리를 싸안고 쥐새끼처럼 달아나버렸다.

유현덕이 근심에 싸여 있는데, 문득 이적이 유기의 명을 받들고 강하에서 당도했다는 보고가 들어왔다. 유현덕은 이적이 지난날 두 차례나 위기에 빠진 자신을 구해준 은혜를 생각하고, 섬돌 아래로 내려가 영접하고 거듭 감사의 뜻을 전했다. 이적은 자리에 앉더니 곧 찾아온 연유를 고한다.

"강하에 계신 큰 공자께서 형주에 변고가 생겼는데도 채부인이 채모 무리와 의논하여 부음도 알리지 않은 채 상을 치르고 유종을 새 주인으로 세웠다는 소식을 듣고, 급히 양양으로 사람을 보내 알아봤더니 그 모든 게 사실이더랍니다. 혹시 유황숙께서 아직도 이 일을 모르고 계신 게 아닌가 하여 제게 이 편지를 전하라 하셨습니다. 부디 유황숙께서 휘하의 정병들을 일으켜 함께 양양으로 쳐들어가 그들의 죄를 문책하기를 원하십니다."

유기의 편지를 읽고 나서 현덕이 말한다.

"기백(機伯, 이적의 자)은 유종을 새 주인으로 삼은 것만 알지, 유종이 벌써 형주와 양양의 아홉 군을 모조리 조조에게 바친 사실은 모르고 계시는구려."

현덕의 말을 듣고 이적은 소스라치게 놀랐다.

"사군(使君)께서는 그 일을 어떻게 아셨습니까?"

유현덕이 송충을 사로잡아 알게 된 경위를 자세히 이야기하자 이적이 말한다.

"일이 이렇게 되었으니 사군께서는 유표 어른을 문상하러 왔다고 핑계를 대시고 양양으로 가십시오. 유종이 사군을 영접하러 나오거든 그 자리에서 그를 사로잡은 후에 잔당들을 모조리 없애시면 형주는 저절로 사군의 수중에 들어올 것입니다."

공명이 곁에서 거든다.

"기백의 말씀이 옳으니, 주공께서는 그 말을 따르시지요."

유현덕은 눈물을 흘리며 말한다.

"형님께서 눈감기 전에 내게 어린 자식들을 부탁하셨는데, 이제 와서 그 아들을 사로잡고 땅을 빼앗는다면, 내가 나중에 죽어 구천에 가서 무슨 낯으로 형님을 뵙겠소이까?"

공명이 다시 말한다.

"그리 하시지 않겠다면, 지금 완성까지 밀고들어온 조조의 군사를 어찌 막아낼 작정이십니까?"

"우선 몸을 피해 번성으로 가 있는 게 좋겠소."

현덕과 공명이 의논하고 있는 중에 갑자기 정탐꾼이 달려와 알리기를, 조조의 대군이 이미 박망파에 이르렀다고 한다. 급히 현덕은 이적에게 강하로 돌아가 군마를 정돈하라 이른 뒤, 자신은 공명과 함께 적군을 물리칠 계책을 세웠다. 공명이 말한다.

"주공께서는 심려 마십시오. 지난번에 화공을 써서 하후돈의 군사를 절반이나 불태우지 않았습니까? 이번에도 계책을 써서 조조의 대군을 반드시 물리칠 것입니다. 말씀하신 대로 신야에서는 어떻게 해볼 도리가 없으니, 우선 번성으로 피하는 게 좋겠습니다."

공명은 즉시 사람을 시켜 4대문에 방을 내붙였다. 곧, 신야의 백성

가운데 남녀노소 가릴 것 없이 따르려는 자들은 오늘 즉시 번성으로 가서 난리를 피하여, 스스로 후회하는 일이 없게 하라는 내용이었다. 그리고 손건에게 강변으로 나가 배를 준비해 백성들이 무사히 건널 수 있도록 도우라고 일렀다. 미축에게는 모든 관원의 식솔을 번성으로 호송하게 했다. 그런 다음 공명은 장수들을 불러모아놓고 영을 내린다.

"먼저 관운장은 1천 군사를 거느리고 백하 상류로 가서 매복하되, 군사들마다 포대에 모래와 흙을 가득 담아 강물을 막도록 하라. 그랬다가 내일 3경(밤 12시)이 지난 후에 하류에서 군사들 소리와 말발굽소리가 들리거든 지체 말고 포대를 거둬들여 물을 터놓고, 하류로 내려와서 적을 공격하라."

공명은 다시 장비에게 영을 내린다.

"익덕은 1천 군사를 거느리고 박릉 나루터에 매복하라. 그곳은 물이 깊지 않은 터라 조조의 군사가 쏟아져내리는 백하의 물을 피해 도망쳐올 것이니, 그때를 놓치지 말고 공격을 퍼붓도록 하라."

이어 조자룡을 불렀다.

"조자룡은 군사 3천을 4대로 나누어, 3대는 서문·남문·북문 밖에 매복해두고, 나머지 1대는 직접 이끌고 동문 밖에 가서 매복하라. 매복하기 전에 성안에 있는 민가의 지붕 위에 유황·염초 같은 불이 잘 붙는 물질을 뿌려두도록 하라. 조조의 군사가 성안에 들어오면 필시 민가에 들어가 쉴 것이고, 내일 황혼이 되면 반드시 바람이 세차게 불 것이다. 바람이 불기 시작하면 즉시 서문·남문·북문 밖에 매복한 군사들에게 성안을 향해 일제히 불화살을 쏘게 하고, 성안에 불길이 일기 시작하면 성밖에서 고함을 질러 기세를 올리도록 하라. 오직 동문

하나만 남겨두어, 조조의 군사들이 그쪽으로 달아나오거든 그들을 공격하라. 날이 밝거든 즉시 관우와 장비 두 장수와 함께 군사를 거두어 번성으로 돌아오도록 하라."

마지막으로 미방과 유봉 두 장수에게 명한다.

"그대들은 군사 2천을 이끌되, 반은 홍기(紅旗)를 들고 반은 청기(靑旗)를 들게 하여 신야성 30리 밖 작미파(鵲尾坡) 앞에 주둔하라. 조조의 군사가 이르거든 홍기군은 왼편으로 달리고, 청기군은 오른편으로 달아나면, 적들은 무슨 일인가 의혹이 생겨 감히 뒤따르지 못할 것이다. 그대들은 양쪽에 매복해 있다가 성안에 불이 일어나는 즉시 내달아 적들을 공격한 뒤 곧장 백하 상류로 가서 우리편 군사를 도우라."

공명은 각군을 떠나보내고 유현덕과 함께 높은 곳에 올라 관망하며 한시바삐 승전보가 오기를 기다렸다.

한편, 조인과 조홍은 10만 대군을 거느리고 전대(前隊)가 되어 진군하고, 그 앞에는 허저가 3천 철갑군(鐵甲軍)을 거느리고 호호탕탕하게 신야를 향해 길을 열며 달려오고 있었다.

그날 오시(午時, 오후 12시) 무렵 조조의 군사가 작미파에 이르러 바라보니, 앞에 한떼의 군마가 청홍기를 달고 진을 치고 있다. 허저가 군사들을 휘몰아 앞으로 내달리는데, 유봉과 미방은 군사를 4대로 나누더니 청기군과 홍기군을 각각 좌우로 돌아가게 한다. 허저는 말고삐를 당겨 멈춰서며 소리쳤다.

"앞에 복병이 있다. 다들 멈추어라."

그러고는 혼자 말을 돌려 조인에게 이 사실을 보고했다. 조인이 말한다.

"이는 필시 의병(疑兵)일 테니, 매복은 없을 것이오. 그대가 서둘러 진군해나아가면, 내가 급히 뒤를 따르겠소."

제 위치로 돌아온 허저는 군사를 휘몰아 작미파로 나아갔다. 숲 아래 이를 때까지 적군은 단 한명도 보이지 않고, 어느새 해는 뉘엿뉘엿 저물고 있었다. 허저가 계속 전진하려 하는데 갑자기 산위에서 나팔 소리와 북소리가 크게 울린다. 허저가 고개를 들어 바라보니, 산마루에 깃발들이 꽂혀 바람에 휘날린다. 그 깃발들 사이에 두개의 일산(日傘)이 있는데, 왼쪽 일산 아래에는 현덕이, 오른쪽에는 공명이 마주앉아 술을 마시고 있다.

화가 머리끝까지 오른 허저는 급히 군사들을 거느리고 산등성이를 향해 치닫기 시작했다. 미처 중턱에도 못 올랐는데, 산위에서 통나무와 돌덩이가 쏟아져내린다. 허저의 군사들이 더이상 올라가지 못하고 있는데, 이번에는 또 산 뒤에서 천지를 진동하는 함성이 울린다. 허저가 공격하기 위해 길을 찾는데 어느덧 날이 저물어 어두워졌다. 마침 군사를 거느리고 뒤쫓아온 조인이 허저에게 말한다.

"날이 어두웠으니, 우선 신야성부터 빼앗아 말과 군사를 쉬게 합시다."

허저와 조인의 군사가 신야성 아래 이르렀는데, 4대문이 열려 있고 성안으로 들어가보니 한 사람도 없이 텅 비어 있다. 조홍이 말한다.

"형세가 불리해진데다 계책이 궁하여 백성들을 모조리 이끌고 달아난 게 분명합니다. 우리는 여기서 하룻밤 편히 쉬고 내일 새벽에 다시 진군합시다."

온종일 먼길을 달려오느라 지치고 배가 고픈 군사들이 주인 없는 집에 들어가 밥을 짓는 동안, 조인과 조홍은 관아에서 쉬고 있었다. 초경(밤 8시)이 지날 무렵이었다. 갑자기 바람이 크게 일더니, 문을 지키는 군사가 달려와 아뢴다.

"성안에 불이 났사옵니다!"

조인은 대수롭지 않게 여겼다.

"필시 군사들이 조심하지 않고 밥을 짓다가 실수한 모양이니, 공연히 놀랄 것 없다."

그 말이 채 끝나기도 전에 연달아 급보가 날아들었다. 서문·남문·북문이 모두 불바다라는 것이다. 조인이 깜짝 놀라 모든 장수들과 함께 급히 말에 올랐을 때는 이미 성안 가득 불길이 번져 있었다. 그날 밤의 불길은 지난번 박망파에서 겪은 불길보다 더욱 거세었다.

후세 사람이 시를 지어 이 일을 탄식했다.

간웅 조조가 중원을 차지하더니	奸雄曹操守中原
9월에 남쪽을 치느라 한천에 이르렀네	九月南征到漢川
바람의 신이 노해 신야현에 나타나고	風伯怒臨新野縣
불의 신은 날아와 하늘을 태우네	祝融飛下焰摩天

조인이 수하군사들과 함께 불길을 무릅쓰고 길을 찾아나서는데, 문득 동문에만 불길이 닿지 않았다는 말이 전해졌다. 모두들 앞다투어 동문을 빠져나가려 하니, 저희끼리 서로 밀리고 채여 말굽에 밟혀 죽는 자가 부지기수였다.

조인의 무리는 가까스로 불길을 뚫고 동문을 나섰다. 그때 돌연 등 뒤에서 큰 함성이 일면서 조자룡의 군사가 공격해왔다. 정신없이 불

—
공명은 신야성을 불태워 조조군을 물리치다

길을 피해 달아나던 중이니 어떤 군사가 말을 돌려 싸움에 응할 것인가. 수많은 군사들이 뒤도 돌아보지 않고 살길을 찾아 달아나기 바빴다. 그런데 뒤이어 미방이 군사들을 거느리고 와서 한바탕 협공을 벌인다. 조인의 군사는 제대로 싸워보지도 못한 채 크게 패해 뿔뿔이 흩어졌다.

그때 또 유봉이 한떼의 군사를 거느리고 와서 달아나는 조조군의 앞길을 막으며 쥐잡듯 몰아세운다. 때는 어느덧 4경(새벽 2시)에 이르렀고, 달아나는 군사들은 지칠 대로 지쳤다.

겨우 목숨을 건져 혈로를 뚫고 도망쳐나온 조조의 군사들은 온통 머리가 그을리거나 이마에 화상을 입은 몰골로 간신히 백하 강변에 다다랐다. 다행히 백하강은 그리 깊지 않아 군사들은 말과 함께 강가에 엎드려 물을 마시느라 정신이 없었다. 사람들이 시끌시끌하고, 말도 콧김을 불어 떠들썩했다.

바로 그때, 관운장은 백하강 상류에서 모래와 흙을 담은 포대로 강물을 막아놓고 기다리고 있었다. 황혼 무렵 신야성에 불길이 일더니, 4경에 이르러 하류 쪽에서 사람소리, 말소리가 시끌시끌해지자 관운장은 영을 내려 일제히 포대를 거두어 막아놓았던 물을 한꺼번에 터버렸다. 물길은 미친 듯 날뛰며 무서운 형세로 하류를 향해 쏟아져내려갔다. 조조의 군사들은 갑자기 밀려오는 물길에 휩싸여 태반이 넘게 빠져죽고 말았다.

조인은 급히 수하장수와 남은 군사들을 수습해 물흐름이 완만한 곳을 찾아 박릉 나루터에 이르렀다. 하지만 그곳에서도 함성이 크게 일며 한무리의 군마가 길을 막고 나섰다. 장비가 이끄는 군사들이다. 장비가 큰소리로 외친다.

"조조의 군사들은 어서 목숨을 내놓아라!"

장비의 호통소리에 조인의 군사는 대경실색하여 어쩔 줄 모른다.

성내에서 불길에 갇혔다가 겨우 나오니   城內纔看紅焰吐

물가에서 또 검은 바람을 만나누나   水邊又遇黑風來

과연 조인의 목숨은 무사할 것인가?

삼국지 1
특별합본호

초판 1쇄 발행/2019년 7월 25일
초판 4쇄 발행/2022년 3월 14일

지은이/나관중
옮긴이/황석영
펴낸이/강일우
편집/문학출판부
펴낸곳/(주)창비
등록/1986년 8월 5일 제85호
주소/10881 경기도 파주시 회동길 184
전화/031-955-3333
팩시밀리/영업 031-955-3399 · 편집 031-955-3400
홈페이지/www.changbi.com
전자우편/lit@changbi.com

ⓒ 황석영 2019
ISBN 978-89-364-7716-5 03810
ISBN 978-89-364-7949-7 (전3권)